SÉLECTION DU READER'S DIGEST

Guide des plantes d'intérieur

SÉLECTION DU READER'S DIGEST

Guide
des plantes
d'intérieur

Sélection du Reader's Digest
Montréal – Paris – Bruxelles – Zurich

Cet ouvrage est l'adaptation française de **Success with House Plants,** conçu et rédigé
par Dorling Kindersley Limited et publié par The Reader's Digest Association, Inc.

Les sources de la page 480 sont, par la présente, incorporées à cette notice.

©1980, Sélection du Reader's Digest (Canada), Ltée, 215, av. Redfern, Montréal, Qué. H3Z 2V9
©1980, Sélection du Reader's Digest, S.A., 216, boulevard Saint-Germain, 75007 Paris
©1980, N.V. Reader's Digest, S.A., 12-A, Grand-Place, 1000 Bruxelles
©1980, Sélection du Reader's Digest, S.A., Räffelstrasse 11, « Gallushof », 8021 Zurich

ISBN 0-88850-091-2
Printed in Canada – Imprimé au Canada
80 81 82 83 84/5 4 3 2 1

Table des matières

Présentation du livre   6

Charme et beauté des plantes d'intérieur   8
Splendeur du feuillage   10
Eclat et magie des fleurs   18

L'harmonie du jardin d'intérieur   24
Le port des plantes   26
L'art d'agencer les espèces   28
Des touches de fantaisie   34
Les espaces à combler   36
A la verticale   38
Des plantes bien souples   40
Les plantes suspendues   42
Les tuteurs   44
Les plantes écran   46
Des fenêtres verdoyantes   48
Les plantes sous verre   54
Les jardins en bouteille   56
Les jardins miniatures   58
Les pièces jardin d'aujourd'hui   60

63   Guide alphabétique des plantes
64   Présentation du guide
66   Guide alphabétique
399   Tableau récapitulatif

409   La culture des plantes d'intérieur
410   Les conditions de croissance des plantes
411   Le cycle de végétation
414   Lumière
417   Température et humidité
420   Arrosage
424   Fertilisation
426   Empotage et rempotage
431   La taille
432   Tuteurs et treillages
434   Multiplication
446   Autres méthodes de culture
452   La santé des plantes
462   Familles de plantes d'intérieur

464   Lexique
470   Index

Présentation du livre

Charme et beauté des plantes d'intérieur

La première partie (pages 8 à 23) s'ouvre sur l'univers fascinant et coloré des plantes d'intérieur. Pour que l'amateur puisse se familiariser avec ces végétaux, on y présente des photographies en gros plan permettant d'admirer les formes, les textures et les couleurs, aussi bien des fleurs que des feuilles.

L'harmonie du jardin d'intérieur

Sous ce titre, la deuxième partie (pages 24 à 62) propose divers agencements de plantes qui ajouteront à la beauté d'une pièce. Les multiples ressources décoratives des plantes y sont illustrées. Tantôt il s'agira de produire des contrastes, tantôt de créer une harmonie de formes et de couleurs.

Guide alphabétique des plantes d'intérieur

Le cœur du livre (pages 64 à 398) se compose d'un répertoire des meilleures plantes d'intérieur, étoffé de conseils pratiques. Il décrit quelque 600 espèces de plantes.

Tout un choix de plantes Les plantes appartiennent à de nombreuses familles et proviennent de différents habitats. Pour se développer à l'intérieur, toutes n'exigent pas les mêmes conditions. Celles qui réussissent encore le mieux sont celles qui se satisfont de conditions normales. Ces dernières, d'ailleurs, se distinguent généralement par leur feuillage, souvent fort décoratif, plutôt que par leurs fleurs. En fait, peu de plantes d'intérieur produisent des fleurs. Le *Guide alphabétique* mentionne quelques-unes des plus intéressantes.

Le guide présente également de nombreuses plantes dont la beauté fait oublier la courte durée : plantes annuelles ou plantes issues de bulbes, de cormus et de tubercules.

Comme ces dernières exigent des soins particuliers, le guide apporte certains conseils supplémentaires à l'article intitulé *Bulbes, cormus et tubercules*. Des articles sont aussi consacrés à chaque genre, de même qu'à sept groupes de plantes : les *Broméliacées*, les *Cactées*, les *Fougères*, les *Gesnériacées*, les *Orchidées*, les *Palmiers* et les *Plantes grasses*.

Des conseils utiles Tous les articles du *Guide alphabétique* se présentent de la même façon. Après avoir résumé brièvement les caractéristiques générales d'un genre, ils en décrivent les plus belles espèces et variétés ou celles qui présentent des avantages esthétiques ou pratiques particuliers. Ils donnent enfin divers conseils regroupés sous les titres « Lumière », « Température », « Arrosage », « Engrais », « Empotage et rempotage », « Multiplication ». Dans certains cas viennent s'ajouter des « Remarques » ou conseils supplémentaires.

En général, les articles du guide et les illustrations qui les complètent contiennent tous les renseignements susceptibles d'assurer l'épanouissement des plantes qui s'y trouvent décrites. Chacun des sujets est cependant repris en détail dans la section qui suit le dictionnaire. D'ailleurs, celui-ci renvoie souvent le lecteur à d'autres parties du livre où il pourra trouver des précisions. Un index facilite en outre la recherche rapide de renseignements précis.

Tableau récapitulatif
Un tableau (pages 399 à 408) a été conçu pour guider l'amateur dans son choix. Il permet de repérer rapidement une plante et d'en connaître les caractéristiques (buissonnante avec feuillage panaché) ou les exigences (une pièce fraîche et moyennement éclairée).

La culture des plantes d'intérieur

Cette section (pages 410 à 461) renferme des rubriques distinctes, destinées à éclairer le lecteur sur des aspects particuliers de la culture des plantes. Elle aborde en détail les questions d'éclairage, de température et d'humidité, d'arrosage, de fertilisation, d'empotage et de rempotage ainsi que celle de la multiplication. Cette section renseigne également sur les différents types de sols, sur l'étêtage, la taille ainsi que sur le tuteurage des plantes. Elle expose de façon détaillée deux méthodes de culture spéciales, c'est-à-dire la culture hydroponique (dans l'eau) et la culture par éclairage artificiel.

La santé des plantes Cette section (pages 452 à 461) explique tout ce qu'il faut savoir sur les maladies et les insectes. Elle comprend une liste des produits fongicides et insecticides que l'on peut trouver sur le marché, sous l'une ou l'autre de leurs appellations commerciales.

Les familles de plantes Cette rubrique (pages 462 et 463) regroupe par familles tous les genres décrits dans le *Guide alphabétique*, et indique la répartition géographique et l'habitat naturel de chacune d'elles. Elle comprend aussi certains renseignements complémentaires.

Lexique

On s'est efforcé, en faisant ce livre, de n'utiliser qu'un minimum de termes techniques. Mais tous n'ont pu être évités. Cependant, ils sont définis dans un lexique contenant aussi des termes familiers qui ont en horticulture un sens différent.

Index

Les noms latins et les noms communs (quand ils existent) de toutes les plantes mentionnées dans le guide figurent dans l'index.

Les noms de plantes

Les botanistes désignent toujours les plantes par leur nom latin. Cette nomenclature évite les confusions qu'entraîne l'usage des noms communs, différents d'un pays à l'autre et, parfois même, d'une région à l'autre.

Les familles et les genres Les plantes sont premièrement regroupées en familles dont le nom se termine toujours en « acées » ou en « ées » : par exemple, citons la famille des *Broméliacées* ou la famille des *Graminées*. Chaque famille se subdivise en genres. Le nom de genre correspond en quelque sorte au nom de famille d'une personne.

Les espèces et les variétés Les genres peuvent se diviser en un certain nombre d'espèces dont le nom latin suit celui du genre. Ainsi, le genre *Ananas* comprend l'ananas cultivé, une espèce qui porte le nom d'*Ananas comosus*. Les noms du genre et de l'espèce s'écrivent en italique.

Une espèce peut à son tour se subdiviser en variétés qui diffèrent les unes des autres par des détails assez importants pour qu'on les distingue sur le plan scientifique. Le nom de la variété vient s'ajouter à ceux de la famille et du genre. Les variétés naturelles portent toujours des noms latins. *Billbergia amoena*, par exemple, dont les feuilles sont vertes, possède une variété naturelle à feuilles rouges panachées de blanc et de jaune, désignée sous le nom de *B. a. rubra*.

Les variétés améliorées par la culture, ou cultivars, portent soit des noms latins, soit des noms tirés d'une autre langue, qui s'écrivent toujours en caractères romains avec une majuscule et entre bractées. Ainsi, l'un des cultivars de *Billbergia horrida*, qui se distingue par son feuillage rouge, a pris le nom de *B. h.* 'Tigrina'.

Les hybrides Bien que dans la nature les croisements de deux espèces différentes ne se produisent que rarement, les horticulteurs parviennent à les obtenir par des procédés horticoles. Le produit d'un croisement entre deux espèces d'un même genre est un hybride *interspécifique* qui recevra soit un nom latin, écrit en italique, soit un nom vernaculaire, placé entre bractées. En principe, ce nom devrait être précédé du signe ×, comme dans *Billbergia × windii* (hybride issu du croisement entre *B. nutans* et *B. decora*), mais, comme dans le présent ouvrage les hybrides sont clairement identifiés dans le texte descriptif, le signe × devient inutile. Le lecteur trouvera par exemple *B.* 'Fantasia' et non *B. ×* 'Fantasia' (hybride issu du croisement entre *B. pyramidalis* et *B. saundersii*). Il arrive qu'on puisse croiser deux espèces ou plus appartenant à des genres différents. Le produit d'un tel croisement est alors un hybride *bigénérique*, ou encore *trigénérique* (s'il est issu de trois genres). Pour des raisons de commodité, le terme *intergénérique* est employé quand il s'agit d'un croisement entre genres. Les individus provenant de tels croisements portent un nom formé d'une partie du nom de chacun des parents. *Cryptbergia*, par exemple, est un hybride issu du croisement entre *Cryptanthus* et *Billbergia*.

Les changements de nom Les études toujours plus poussées en botanique obligent souvent les chercheurs à modifier les noms et les classifications de plantes. C'est ainsi qu'une plante peut recevoir un nouveau nom ou qu'une espèce peut changer de genre. *Billbergia amoena*, par exemple, s'appelait autrefois *B. pallescens*; l'ancien *Billbergia marmorata* a été rattaché au genre *Quesnelia* et est aujourd'hui connu sous le nom de *Q. marmorata*.

Le *Guide des plantes d'intérieur* présente les plantes sous leur nom latin le plus récent, accompagné lorsqu'il y a lieu de leur ancien nom entre parenthèses. Toutefois, lorsque les nouvelles appellations sont encore trop fraîches, il identifie la plante par son ancien nom, le nouveau étant entre parenthèses.

Les noms communs Le *Guide alphabétique* mentionne les noms communs français (utilisés en Europe ou au Canada) des plantes quand ils existent. Ces noms sont indiqués entre parenthèses après le nom latin et en bas d'articles, avec renvois au nom latin.

Résumé La plante est d'abord classée dans le *Guide alphabétique* sous son nom de genre; au-dessous du nom générique apparaît le nom de la famille à laquelle elle appartient. Elle pourra être identifiée également par tous les éléments suivants ou par certains d'entre eux. A noter que la plante ci-dessous n'a pas de nom commun.

GENRE *Billbergia*
FAMILLE *Broméliacées*
ESPÈCE *Billbergia nutans*
VARIÉTÉ NATURELLE *B. amoena rubra*
CULTIVAR *B. horrida* 'Tigrina'
HYBRIDE INTERSPÉCIFIQUE
B. 'Fantasia' (*B. pyramidalis* × *B. saundersii*)
HYBRIDE INTERGÉNÉRIQUE
Cryptbergia (*Cryptanthus* × *Billbergia*)

Charme et beauté
des plantes d'intérieur

Qu'il soit grand ou petit, un jardin d'intérieur bien agencé donne de la vie à la maison. Il suffit même parfois de quelques plantes posées sur l'appui d'une fenêtre pour transformer l'aspect d'une pièce. A plus forte raison une maison de ville aura-t-elle besoin de cette portion de nature qui lui fait défaut. Mais les plantes ne paraîtront pas superflues, même dans une maison de campagne : elles y seront le reflet du paysage environnant.

En matière de choix, tout est permis. Grâce aux patientes recherches des horticulteurs du monde entier, l'on peut maintenant se procurer des plantes originaires aussi bien des grandes forêts humides que des zones les plus arides. Le marché regorge d'innombrables variétés, tout aussi intéressantes les unes que les autres. Certains amateurs préféreront se spécialiser dans la culture d'un genre en particulier. D'autres opteront plutôt pour la diversité. Les plus audacieux choisiront parmi les espèces les plus rares, les plus fragiles. Même si les conditions dans lesquelles la plante devra vivre (lumière, espace, température) sont primordiales, son choix demeure une question d'affinité.

Au moment de choisir, il est toutefois important de se rappeler qu'une plante est un être vivant, donc changeant. Ce petit bégonia est ravissant. Oui, mais gardera-t-il ses attraits lorsqu'il aura poursuivi sa croissance? Ce gracieux palmier, que l'amateur impatient imagine déjà parvenu à maturité, pourra mettre 10 ans à atteindre une taille imposante. De même, certaines plantes embellissent en vieillissant alors que d'autres perdent de leur charme après quelques années. Bien que les plantes à fleurs soient séduisantes, on ne doit pas oublier que l'époque de la floraison n'est pas éternelle et que la plante aura un tout autre aspect une fois la saison des fleurs passée. Enfin, en amateur sérieux, on doit aussi se demander si la nouvelle plante s'intégrera à celles que l'on a déjà, car, pour être beau, le jardin d'intérieur doit être harmonieux.

Une grande collection de plantes peut très bien marier plusieurs espèces différentes à la condition toutefois que les couleurs et les textures s'harmonisent. En revanche, le plus bel arrangement risque de perturber les plantes s'il se compose de sujets qui n'ont pas les mêmes besoins de chaleur ou de lumière. Quand on aime la diversité, il importe donc de penser à tous ces facteurs : harmonie, compatibilité, effet visuel.

Une autre façon de s'intéresser aux plantes consiste à se consacrer à la culture d'une seule espèce ou d'un genre particulier. C'est ainsi qu'on rencontre aussi bien des amateurs de cactus, d'orchidées, de broméliacées, de fougères que de gesnériacées. La spécialisation peut se révéler extrêmement intéressante en ce qu'elle permet de découvrir les multiples variantes d'un même genre. Les peperomias, par exemple, offrent un éventail d'espèces aux couleurs et aux formes très diverses. Les ficus en comprennent un nombre encore plus considérable qui vont des plantes grimpantes aux arbustes et aux arbres et dont le feuillage varie selon que l'espèce provient des forêts tropicales de l'Inde, de la Malaisie, de l'Afrique et de l'Amérique du Sud, ou des hauts plateaux froids de l'Himalaya et du nord de la Chine.

Variété, diversité, changement, voilà autant d'aspects qui caractérisent l'univers même des plantes d'intérieur. Une plante n'est pas un charmant petit bibelot. C'est un organisme vivant qui réagit à son milieu et aux soins qu'on lui apporte.

PAGE CI-CONTRE : *Un* Cyperus alternifolius *porte de gracieuses petites inflorescences duveteuses en forme d'étoile. Elles couronnent des bractées vertes, linéaires, qui retombent en parapluie.*

Splendeur du feuillage

Des formes à l'infini

C'est par leur feuillage que les plantes d'intérieur nous attirent d'abord. L'œil s'accroche à une forme gracieuse ou inusitée, se nourrit d'un vert tendre ou foncé. Les feuilles réservent mille surprises à l'observateur attentif. Leur forme varie avec chaque espèce. Ainsi dira-t-on qu'une feuille est rubanée, ronde, cordée ou ovale. La découpure du limbe diffère également. Elle sera dentée, crénelée ou lobée. La disposition des feuilles n'est pas moins variée.

CI-DESSUS : *Les folioles de l'*Heptapleurum arboricola *rayonnent d'un point central. Elles ne forment en réalité qu'une seule feuille, dite palmée.*

EN HAUT, À DROITE : *Tel un panache se dressent les grandes frondes légèrement ondulées de l'*Asplenium nidus. *Elles sont particulièrement avides d'humidité.*

À DROITE : *Avec ses feuilles réunies en larges rosettes, l'*Aeonium arboreum *ressemble à une gracieuse corbeille de fleurs. On remarquera la pointe acérée des feuilles.*

PAGE CI-CONTRE : *A l'extrémité de longs pétioles, le* Chamaerops humilis *déploie en éventail ses folioles d'un vert un peu gris.*

Des textures
et des contours variés

Tout autant que la forme, la texture est un trait distinctif de la feuille. On peut très bien l'observer chez les plantes d'intérieur.

A première vue, on pourrait penser que les feuilles du *Philodendron scandens* et celles du *Peperomia caperata* sont semblables parce qu'elles affectent la forme d'un cœur. Mais là s'arrête la ressemblance. Alors que les feuilles du premier sont unies et luisantes, celles du second sont fortement cannelées. Quant aux feuilles vertes panachées de blanc de l'austère aspidistra, elles contrastent vivement avec celles, duveteuses, de la généreuse saxifrage. On remarquera en outre que les feuilles sont rarement plates. Souvent elles ont tendance à s'enrouler soit sur les bords, soit dans le sens de la longueur. En somme, pas de monotonie dans l'univers des feuilles.

À DROITE : *A première vue, on hésite à croire que ces petites feuilles coriaces et arrondies sont les frondes d'une fougère, le* Pellaea rotundifolia.

PAGE CI-CONTRE : *Les frondes vert tendre du* Nephrolepis exaltata *ondulent avec grâce et leur fraîcheur est ici rehaussée par une nuée de fines gouttelettes.*

CI-DESSUS : *La feuille du* Peperomia caperata *doit son aspect gaufré et presque matelassé aux plissements que les nervures impriment au limbe.*

CI-DESSUS : *Par leurs curieuses ondulations, les feuilles épaisses et pruineuses du* Cotyledon undulata *ajoutent à l'aspect étrange de cette plante grasse.*

CI-DESSUS : *Les feuilles vernissées du* Ficus elastica, *mieux connu sous son nom commun, caoutchouc, offrent un exemple de sobre symétrie.*

Des panachures et des dessins

On sait que la couleur verte des feuilles est due à la présence de chlorophylle, élément essentiel à leur croissance. Il existe cependant des plantes dont les feuilles, par absence partielle de chlorophylle, se parsèment de taches de couleurs différentes appelées panachures.

Les panachures tracent sur la feuille des motifs de diverses couleurs : blancs, gris, argentés, ivoire, jaunes ou dorés. Ces marques colorées découpent les bords de la feuille, accentuent les nervures ou forment des taches.

Les panachures résultent d'une évolution naturelle ou de croisements réussis. On jurerait parfois qu'elles sont l'œuvre d'un artiste.

CI-DESSUS : *Un réseau de lignes blanc ivoire suit les nervures des feuilles du* Fittonia verschaffeltii argyroneura *et tranche sur le vert sombre du limbe.*

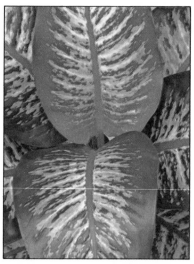

CI-DESSUS : *Les panachures irrégulières, un peu éclaboussées, du dieffenbachia évoquent l'œuvre de quelque peintre maladroit.*

CI-DESSUS : *L'asymétrie, le flou caractérisent les panachures blanchâtres de la feuille du pélargonium.*

À GAUCHE : *Sculpture? Cristaux? On ne sait trop ce qu'évoque la structure symétrique de l'Agave victoriae-reginae. Les contours blancs, nettement dessinés, accentuent son aspect minéral.*

PAGE CI-CONTRE : *Moirée comme une aile de papillon, la feuille du Calathea makoyana s'orne de merveilleux dessins.*

Toute une gamme de couleurs

Pour leurs vives colorations, certaines panachées prennent la vedette. Le codiaeum, par exemple, se pare de jaunes et d'orangés flamboyants. Moins éclatants mais plus intenses sont les tons pourpres du rhoeo et du zebrina.

L'effet des panachures est différent selon que les feuilles sont unies ou texturées. Par exemple, le relief très prononcé des feuilles de certains bégonias accentue l'éclat de leurs couleurs. Au contraire, la surface lisse du tradescantia en atténue la richesse.

CI-DESSUS : *Comme son nom l'indique, le* Rhoeo discolor *est une plante bigarrée : ses feuilles d'un vert strié de jaune sur le dessus passent au pourpre violacé sur le revers.*

À GAUCHE : *Ce codiaeum étale des feuilles dont la fantaisie du dessin rivalise avec la vivacité du coloris.*

PAGE CI-CONTRE : *La diversité et la richesse des couleurs donnent au feuillage des hybrides du* Begonia rex *une grande valeur ornementale.*

CI-DESSUS : *Les feuilles du neoregelia, disposées en rosette, offrent au moment de la floraison des couleurs vivement contrastées, alors que celles du centre se colorent d'un rouge vif.*

Eclat et magie des fleurs

Perfection des corolles

Dans un jardin d'intérieur, l'apparition de fleurs est toujours une véritable fête. Certaines plantes, que l'on cultive d'abord pour leur feuillage, produisent des fleurs d'autant plus précieuses qu'elles se font rares.

D'autres plantes, au contraire, ne sont recherchées que pour leurs fleurs, leur feuillage n'offrant que peu d'intérêt. Au bout d'une saison, lorsque les fleurs ont disparu, on jette les plantes ou on les transplante à l'extérieur. Les plus agréables à cultiver sont sans aucun doute celles qui, comme les saintpaulias et les impatiences, se développent normalement à l'intérieur, et fleurissent année après année, souvent pendant une période de plusieurs mois.

Les plantes à fleurs occupent une place de choix au sein d'une collection. Si les plantes vertes en forment le cœur et les plantes panachées la parure, ce sont les plantes à fleurs qui lui donnent vraiment son titre de jardin.

CI-DESSUS : *Au début du printemps, les fleurs en ombelle du clivia éclatent parmi ses longues feuilles rubanées.*

PAGE CI-CONTRE : *Les fleurs en forme d'entonnoir de l'hippeastrum coiffent une hampe robuste. Bien qu'éphémères, elles font la plus grande joie de l'amateur.*

CI-DESSUS : *Tout l'été, les délicates petites fleurs blanches et odoriférantes du jasmin ornent par bouquets des tiges vagabondes.*

À DROITE : *Peu de fleurs surpassent en élégance et en délicatesse celles du fuchsia. Cette plante, facile à cultiver, fleurit tout au long de l'été.*

Des feuilles promues au rang de fleurs

Les bractées de certaines plantes sont parfois plus remarquables que les fleurs qu'elles entourent. En fait, ce sont des feuilles de morphologie et de structure particulières, sortes d'appâts destinés à attirer les agents de pollinisation. Chez certaines autres plantes, les aechmeas et les aphelandras par exemple, fleurs et bractées rivalisent de beauté, mais ces dernières gardent leurs attraits plus longtemps.

CI-DESSOUS : *Les minuscules fleurs de l'*Aechmea fasciata *sont blotties entre des bractées épineuses.*

CI-DESSUS : *Les bractées roses et imbriquées du* Beloperone guttata *recouvrent de menues fleurs.*

CI-DESSUS : *Un anthurium déploie une bractée blanche et lustrée, la spathe, enveloppant des fleurs fixées en épi.*

Les belles exotiques

De toutes les fleurs, seule l'orchidée se pare de couleurs aussi étonnantes et vit aussi longtemps. Toutefois, rares sont les variétés qui se contentent de conditions de culture ordinaires, mais celles qui s'y adaptent produisent elles aussi des fleurs exquises.

CI-DESSUS: *La « lèvre » de la fleur du* Cattleya *'Kaleidoscope' se distingue généralement par ses bords en ruché.*

À DROITE: *Le rameau abondamment fleuri d'un cymbidium nain hybride, le C. 'Showgirl Annie', s'élève avec grâce.*

CI-DESSUS: *Le* Cymbidium *'Mary Princess Sunglow' porte à l'extrémité de tiges droites d'éclatantes fleurs jaunes qui survivent longtemps dans l'eau.*

CI-DESSUS: *Le* Paphiopedilum *'W. Churchill Personality Henry' se distingue par un sépale supérieur blanc tacheté de pourpre.*

CI-DESSUS: *Les fleurs du* Cymbidium *'Invergarry Lewes' ont un pétale inférieur très accusé. La plante fleurit tout l'hiver et tout le printemps.*

Les fleurs du désert

Surprenants cactus! Malgré leurs piquants rébarbatifs, ils produisent souvent de merveilleuses fleurs, aux couleurs très vives. Mais il faut être patient : certains cactus mettent plusieurs années à fleurir.

À DROITE : *Les fleurs de l'epiphyllum s'épanouissent au printemps et à l'automne. Ce sont des géantes qui peuvent mesurer 15 cm.*

PAGE CI-CONTRE : *Les tiges hérissées de l'Aporocactus flagelliformis se parent deux mois par année de fleurs rouges.*

CI-DESSOUS : *Les fleurs quelque peu curieuses du cleistocactus ne s'ouvrent jamais tout à fait.*

Après les fleurs, les fruits

Dans des conditions idéales, certaines plantes à fleurs offrent en prime des fruits souvent très attrayants. Le *Coffea arabica*, par exemple, dont le feuillage vernissé se parsème de fleurs odorantes, donne naissance à des baies rouges et brillantes qui viennent encore l'embellir. Les citrus, les capsicums et les nerteras produisent également des fruits agréables à regarder.

À DROITE : *Les minuscules feuilles vertes du petit Nertera granadensis disparaissent presque sous l'abondance des baies rouge orangé.*

À DROITE : *Les délicieux petits fruits du Solanum capsicastrum sont moins abondants que ceux du nertera, mais en revanche ils sont plus gros. Ils modifient complètement l'aspect de la plante.*

EXTRÊME DROITE : *A son tour, la délicate fleur blanche de l'oranger (Citrus mitis) deviendra fruit et ajoutera à la généreuse splendeur de la plante.*

L'harmonie
du jardin d'intérieur

Même si les plantes d'intérieur sont douées d'une grande faculté d'adaptation, il faut toujours les choisir en fonction des conditions d'éclairage et de température qu'on peut leur offrir. C'est là l'un des premiers principes d'harmonie à respecter.

Une fois qu'on a choisi les plantes les plus aptes à vivre dans la maison qui va les recevoir, il faut penser à leur trouver la meilleure place. A coup sûr toutes les pièces seront embellies par la présence de quelques plantes, mais à condition d'éviter les excès. Un jardin d'intérieur ne doit pas prendre des allures de jungle exubérante.

Pour réussir l'agencement d'un jardin d'intérieur, il faut encore respecter les proportions, sans toutefois s'astreindre à une symétrie rigide. Evidemment, on évitera d'encombrer une pièce exiguë avec des plantes de grande taille, mais on pourra déroger à cette règle s'il s'agit de combler un espace perdu ou de dissimuler un objet disgracieux. Mais en principe on réservera les plantes touffues, les arbustes, les plantes grimpantes ou rampantes aux pièces plus vastes. De même peut-on affirmer : à pièces spacieuses, arrangements élaborés.

Qui dit décoration dit couleurs... Dans ce domaine, l'harmonie s'impose. Un mur sombre éteindra le vert soutenu ou les panachures du plus beau feuillage. En revanche, il fera ressortir le vert délicat d'une fougère ou les pâles contours d'une sansevière. Un mur clair contribuera non seulement à réfléchir la lumière, ce dont les plantes bénéficieront du même coup, mais encore à rehausser l'éclat aussi bien d'une plante verte que d'une plante multicolore ou fleurie. Le soir, un éclairage indirect ou la lumière d'un petit projecteur accentuera la silhouette d'un palmier ou d'un cordyline.

Harmoniser le jardin, c'est aussi allier avec bonheur les plantes aux divers éléments du décor. Une décoration chargée ou un style d'ameublement ornementé commanderont la présence de plantes aux formes simples, au feuillage de couleur unie telles que le *Schefflera actinophylla* ou l'*Asplenium nidus*. Les lignes nettes des meubles modernes permettront des formes plus fantaisistes. De même faut-il prévoir pour les plantes des supports appropriés. Une table accueillera les jardins miniatures, tandis qu'une étagère ou l'appui d'une fenêtre conviendront aux plantes isolées. Celles-ci seront placées à la hauteur des yeux, ou plus bas, alors que les niveaux supérieurs seront réservés aux plantes retombantes. De jolis contenants ajouteront à la décoration, mais ils ne doivent pas éclipser les plantes.

Il faut donc retenir que les plantes et la maison qui les abrite doivent être en accord. Cela ne s'obtient pas du premier coup. C'est après des essais que l'on découvre l'endroit qui convient le mieux à une plante. C'est d'ailleurs souvent l'angle du salon auquel on n'avait pas pensé d'abord qui siéra le mieux à telle plante en particulier. Il n'y a pas que l'appui des fenêtres qui puisse servir de socle! Pour obtenir des effets visuels, on aura aussi recours à des accessoires. Des miroirs prêteront leurs reflets à la verdure. Des coquillages ou des pierres se mêleront parfaitement aux végétaux. Jeux de lumière et feuillage s'accorderont tout aussi bien. Il suffit de faire intervenir l'imagination.

Les pages qui suivent suggèrent diverses façons d'intégrer les plantes à un décor et de les agencer pour que celui-ci prenne vie.

PAGE CI-CONTRE : *Couleurs, formes et textures différentes s'unissent ici parfaitement. On a savamment joué avec les tons de vert des pileas et de leur contenant. De même, on a opposé les textures des feuilles et la rugosité du pot au bois lisse et poli de la corniche qui sert de support.*

Le port des plantes

L'amateur imaginatif inventera mille façons d'agencer les plantes selon leur forme, leur taille et leur couleur. L'incroyable diversité des plantes permet des combinaisons de toutes sortes qui font ressortir les qualités propres de chaque sujet. Ainsi une plante basse et étalée, placée auprès d'une espèce verticale, prendra une certaine importance, tout en atténuant le caractère austère de sa voisine. On distingue six grands types morphologiques. Suivant cette classification, on dira donc que les plantes forment rosette ou buisson, qu'elles sont graminiformes, érigées, arborescentes ou grimpantes. Ces différents types de plantes sont décrits en détail plus bas et à la page suivante. A titre d'exemples, quelques espèces sont illustrées.

En rosette

Saintpaulia hybride

Une rosette est un groupe de feuilles étalées, disposées en cercle. Ce mode de disposition des feuilles se prête à plusieurs variantes. De nombreuses petites plantes comme les saintpaulias ou certains sinningias forment, au niveau du sol, des rosettes aplaties. De ce fait, ce genre de plantes se mêle très bien à des espèces verticales. La rosette des plantes grasses, plus serrée et plus bombée, résulte de l'étagement symétrique des feuilles. Par contre, les rosettes des broméliacées se partagent en deux types : aplaties, c'est-à-dire se rapprochant

Ananas comosus variegatus   *Echeveria setosa*

de celles des plantes grasses, et évasées, alors que les feuilles longues et érigées se groupent pour former une coupe qui retient l'eau. Les broméliacées à rosette évasée s'allient très bien aux plantes verticales et rampantes.

En buisson

Coleus blumei

Chez ce type de plantes, plusieurs tiges émergent du sol et se ramifient pour former une touffe. Comme ces plantes sont généralement bien proportionnées, on peut leur donner la vedette. Alors que les achimènes et les piléas se déve-

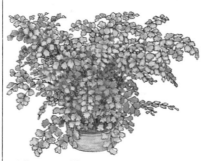

Adiantum capillus-veneris

loppent naturellement, les coleus, eux, ne se ramifient que si l'on en pince régulièrement les pousses.

De la même manière, on enrichira le feuillage d'une plante grimpante en pinçant ses pousses ou en taillant rigoureusement ses tiges. De belles plantes compactes placées derrière de petites plantes grimpantes formeront une robuste toile de fond.

Grami-niforme

Acorus gramineus

Les plantes qui appartiennent à la famille des *Graminées* se distinguent par la finesse et la robustesse de leurs tiges qu'engainent des feuilles étroites et longues. Certaines plantes d'intérieur ont l'apparence de graminées. Elles sont idéales lorsqu'on veut produire, au sein d'un groupe de plantes, d'intéressants contrastes. Ces plantes graminiformes comprennent des espèces à feuillage vertical, et d'au-

Stenotaphrum secundatum

tres à feuillage retombant ou même rampant. L'*Acorus gramineus*, par exemple, forme une gerbe de minces feuilles et ajoute, à l'instar du chlorophytum aux feuilles inclinées, une touche gracieuse à un groupe de plantes. Le *Stenotaphrum secundatum* à tiges plus exubérantes est, quant à lui, l'une des plantes graminiformes les plus populaires.

Erigé

Sansevieria trifasciata

Les plantes compactes et les plantes à rosette s'étalent plus qu'elles ne se dressent. D'autres plantes font exactement le contraire. Parmi ces plantes érigées, on trouve des espèces à tige unique et d'autres à tiges multiples. Dans bien des cas, la tige n'est pas ligneuse et porte des feuilles sur toute sa longueur. Cependant ces plantes ne sont pas toutes pourvues de tiges et de feuilles. Le *Sansevieria trifasciata*, par exemple, n'a pas de tige et ses feuilles pointues se dressent presque à la verticale. En revanche, les cactus colonnaires sont constitués de tiges sans feuilles, ce qui leur donne un

Cereus jamacaru

Dieffenbachia exotica

aspect dépouillé; en raison de cette particularité, ils gagnent à être groupés. Les plantes à port érigé servent à mettre en valeur les plantes basses, étalées ou rampantes. Toutefois certaines d'entre elles ont tendance à se dégarnir de leurs feuilles inférieures.

Arborescent

Ficus benjamina

L'arbre se caractérise par un tronc unique couronné de branches et de rameaux. Dans leur milieu naturel, de nombreuses plantes, en croissant, prennent la forme d'un arbre. Le *Ficus benjamina*, par exemple, atteint à l'état sauvage plus de 6 m. Cependant, cultivé à l'intérieur, il dépasse rarement 2 m, mais n'en affecte pas moins la forme d'un

Dizygotheca elegantissima

arbre. Les plantes arborescentes produisent tout leur effet quand on les place dans un endroit spacieux.

Les plantes arborescentes cultivées à l'intérieur n'arrivent jamais vraiment à leur pleine maturité. Plusieurs espèces demeurent néanmoins fort intéressantes. Le *Dizygotheca elegantissima* affecte très jeune la forme d'un petit arbre aux branches gracieuses. Parvenu à maturité, il méritera qu'on lui réserve une place de choix.

Grimpant ou rampant

Cissus rhombifolia

Les plantes grimpantes croissent rapidement et sont faciles à cultiver, à condition d'être guidées par des tuteurs, des treillages, des « bambous » ou encore par de simples liens. Nombre d'entre elles peuvent aussi bien grimper que ramper. Ces plantes se caractérisent toutes par la faiblesse de leurs tiges qui ne peuvent, sans support, se tenir à la verticale. Tel est le cas, par exemple, du *Cissus antarctica*, une vigne qui, pour compenser la fragilité de ses tiges, a développé des feuilles pourvues de vrilles qui lui permettent de s'agripper à un support. De telles plantes peuvent être fixées autour d'une porte cintrée ou d'une fenêtre; elles serviront aussi à diviser une pièce. Les plantes grimpantes moins vigou-

Sedum morganianum   Asparagus sprengeri

reuses se marieront aux plantes de taille moyenne à rosette ou en buisson, tandis que les plantes rampantes, comme les zebrinas et les asparagus, gagneront à être suspendues. Il en est de même de certaines plantes grasses, dont les tiges sont épaisses et tombantes.

L'art d'agencer les espèces

Certaines plantes à feuillage sont si belles qu'elles se suffisent à elles-mêmes. D'autres, au contraire, qui ressortent moins, gagnent à être regroupées. Elles prennent alors plus d'éclat et parfois même leur croissance s'améliore. On placera les collections importantes sur un meuble ou par terre, et les petites sur une tablette. La façon la plus attrayante d'agencer les plantes consiste à grouper dans un même pot des espèces différentes.

Dès lors, tous les types d'association deviennent possibles, mais à condition que les plantes réunies exigent les mêmes soins. Ainsi, on combinera des espèces parentes (différents cactus ou différentes broméliacées) ou encore des espèces dont les textures, les couleurs et les formes s'opposent ou s'harmonisent. Le voisinage d'une plante à feuilles vertes pourra tempérer l'éclat d'une plante panachée. Au sein d'un groupe de plantes basses, une plante plus haute produira une asymétrie intéressante.

On réussira des ensembles plus subtils encore si l'on exploite à bon escient la diversité des textures (des feuilles duveteuses et gaufrées associées, par exemple, à des feuilles unies et vernissées) ou si l'on joue sur la gamme des verts.

Mais, pour éviter les contrastes choquants, on décidera d'abord de l'aspect qui devra ressortir : couleurs, formes ou textures.

À GAUCHE : *Un arrangement sobre fondé sur un camaïeu de vert. Le vert foncé de l'aspidistra (D) soutient celui, plus pâle, de l'asplenium (A); un pteris un peu courbé (C) et un ficus rampant (B) ajoutent une certaine grâce à l'ensemble.*

À GAUCHE : *Des nidulariums d'un vert uni (D) voisinent avec un dieffenbachia panaché (C), un maranta (A) et un scindapsus (B). Toutes ces plantes requièrent des arrosages moyens et une lumière indirecte. S'assurer que les plantes réunies dans un même contenant ont des exigences communes.*

Les plantes et la géométrie

Pour réussir de beaux agencements, il suffit bien souvent de se laisser guider par la ligne même des plantes. C'est ainsi que, selon la forme des sujets, on créera des ensembles ronds, triangulaires ou rectangulaires dont on soulignera le dessin en utilisant un récipient de forme plus ou moins correspondante. On s'assurera toutefois que les plantes réunies ont toutes les mêmes exigences.

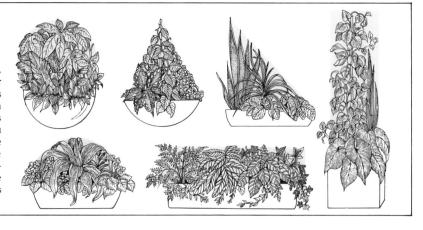

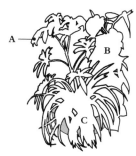

À DROITE : *Un feuillage panaché et retombant vient équilibrer un bouquet de plantes de diverses hauteurs. L'œil, d'abord attiré par les espèces verticales et monochromes, heptapleurum* (**A**) *et philodendron* (**B**)*, passe ensuite au chlorophytum* (**C**) *qui étale ses longues feuilles.*

À GAUCHE : *Un asparagus* (**C**) *allège un ensemble où voisinent un chlorophytum* (**A**)*, un ficus* (**B**) *et un scindapsus* (**D**)*. Un groupe de plantes suspendues ne doit jamais avoir l'air surchargé.*

CI-DESSUS : *Harmonie verticale. Un grevillea domine un fatshedera et un ficus pour former un rectangle que continuent les lignes du récipient.*

Le mariage des couleurs

Allier plantes vertes et plantes panachées est tout un art. Nous vous proposons ici quelques compositions dans lesquelles les teintes s'associent avec bonheur.

PAGE CI-CONTRE : *Aux feuilles minces et quasi translucides du caladium* (A) *se mêlent admirablement bien les feuilles tachetées du dracaena* (B) *et celles, toutes délicates, du pellaea* (C). *Si l'on ne peut procurer au caladium une bonne chaleur humide, s'abstenir de l'utiliser.*

À DROITE : *L'éclat d'un codiaeum multicolore* (A) *est adouci par la présence d'un ficus rampant* (B), *d'un délicat dizygotheca* (C) *et d'un maranta* (D) *marbré de pourpre.*

CI-DESSUS : *Ce groupe bigarré composé d'un calathea, au feuillage marqué de taches vert foncé, d'un gynura pourpre, d'un hypoestes tacheté de rose et d'un pilea argenté ne convient que pour égayer des coins particulièrement ternes.*

À DROITE : *Un cissus* (A) *à la mine un peu sévère est égayé par la présence d'un bégonia* (B) *richement coloré. Pour qu'une telle association soit réussie, il faut que les feuillages aient la même forme mais que le contraste des teintes soit prononcé.*

Un atout à jouer : les fleurs

Une plante à fleurs viendra ajouter une touche spéciale à un groupe de plantes vertes, ne serait-ce que par ses couleurs qui raviveront les nuances des divers feuillages. On choisira de préférence des plantes à floraison prolongée. Quelques espèces florifères, comme les chrysanthèmes et les primulas, pourront même remplacer avantageusement le bouquet de fleurs coupées qu'on n'a pas toujours pour décorer la table.

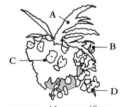

CI-DESSUS : *Un magnifique bégonia* **(C)** *éclaire un ensemble où voisinent les feuilles ondulées d'un calathea* **(A)**, *les tiges rampantes d'un plectranthus* **(D)** *et les pâles fleurs d'un peperomia* **(B)**.

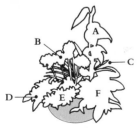

CI-DESSUS : *Un kalanchoe en fleur* **(B)** *semble serti au milieu des plantes vertes : cleyera* **(F)**, *fittonia* **(E)**, *peperomia* **(D)**, *codiaeum* **(C)** *et philodendron* **(A)** *grimpant (retenu par un tuteur discret).*

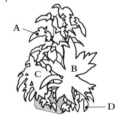

À GAUCHE : *Un pachystachys en fleur* **(C)** *réchauffe un ensemble où se rencontrent un aglaonema* **(B)**, *un tradescantia panaché* **(D)** *et un syngonium grimpant* **(A)**.

Effets de contraste

Une excellente façon de mettre les plantes en valeur consiste à juxtaposer des sujets dissemblables : une plante verticale et une plante en rosette; une plante grimpante et une plante rampante.

À DROITE : *Un arrangement intéressant où des plantes basses, pilea* (C) *et peperomia* (B), *s'opposent à une sansevière* (A). *Les inflorescences du peperomia tentent de rejoindre les feuilles de la sansevière.*

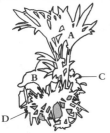

CI-DESSUS : *Un miroir accentue cet ensemble inusité où le gracieux howea* (A) *domine un stenotaphrum* (D) *indiscipliné qui s'adosse à un fittonia* (B) *panaché et à un peperomia* (C) *à marges dorées.*

Plantes en jardinière

Réunis dans une même jardinière, un abutilon grimpant, un episcia rampant, un aglaonema trappu, des touffes de dieffenbachia et de caladium et un délicat dizygotheca feront l'effet d'une petite plate-bande. Comme chacune de ces espèces exige des arrosages différents, elles sont plantées dans des pots séparés. Celles qui requièrent moins de lumière pourront vivre à l'ombre de leurs voisines. Un fittonia rampant remplacera l'episcia quand celui-ci aura perdu ses fleurs.

Des touches de fantaisie

Il suffit bien souvent d'un peu de verdure pour égayer un coin banal, un meuble sévère, un espace froid. Ce sont ces petits détails de la décoration qui font les maisons accueillantes.

On aura toujours raison d'orner le rebord intérieur des fenêtres avec des petites plantes bien choisies. Celles-ci y trouveront la lumière qu'il leur faut et créeront un lien avec la nature extérieure. Mais il y a une foule d'autres endroits qui ne demandent qu'à être ravivés.

On peut, par exemple, faire courir une plante grimpante le long des rayons d'une bibliothèque, suspendre une plante gracile dans la salle de bains, poser une plante à fleurs sur un bureau, décorer la cuisine avec une espèce qui ne demande pas trop d'entretien. Il n'y a pas d'endroit de la maison que la couleur d'un beau feuillage ne puisse transformer.

CI-DESSUS : *La seule présence d'un groupe de saintpaulias change l'aspect de cette petite table et anime la statuette de porcelaine qui la décore.*

PAGE CI-CONTRE : *Impressionnant contraste créé par le rapprochement d'un élégant heptapleurum et d'un modeste fittonia, et adouci par la symétrie des objets.*

CI-DESSUS : *La forme audacieuse de cette fenêtre non voilée est tempérée par la présence d'une azalée tout en douceur, dans les mêmes tons de crème.*

À DROITE : *La lumière tamisée d'une lampe nimbe délicatement les étranges fleurs d'une calceolaria. Cela suffit pour que cette niche dégage un certain mystère.*

Les espaces à combler

Il y a dans presque toutes les pièces des coins vides, des espaces perdus qu'une jolie plante pourrait faire oublier. Il ne s'agit pas, bien sûr, de remplir systématiquement tous les angles et de masquer tous les bouts de mur. Mais là où le vide se fait trop sentir, on pourra le supprimer avantageusement au moyen de plantes. On placera, par exemple, dans le coin d'une pièce haute, une jardinière décorative remplie de diverses variétés de fougères ou de cactus rampants. Une plante à grand feuillage posée sur un tabouret ou une table basse adoucira l'angle d'un mur en saillie.

Toutefois, de telles suggestions ne valent que dans la mesure où les plantes pourront s'épanouir là où elles sont placées. Inutile d'essayer d'égayer un coin sombre avec une plante qui a besoin de beaucoup de lumière!

Pour ces plantes, plus spécialement, on choisira des jardinières, des bacs ou des supports attrayants. Il en existe de toutes les couleurs, de toutes les formes et de toutes les tailles. Même si l'effet esthétique est primordial, on ne négligera pas pour autant l'aspect pratique. Ainsi sera-t-il préférable

Jeux de lumière

Comme dans les musées où les objets d'art sont rehaussés par un éclairage spécial, la beauté de certaines plantes ressortira mieux sous la lumière. On choisira un type d'éclairage qui, tout en étant décoratif, accentue les aspects intéressants de la plante : sa taille, sa couleur, sa texture ou son port. Mais attention! Ce genre d'éclairage, même s'il est utilisé de façon constante, est nettement insuffisant pour que la plante s'épanouisse et ne peut remplacer la lumière du jour (voir « L'éclairage artificiel », page 446).

Un éclairage à contre-jour donnera aux feuilles la transparence ou le poli du verre.

La lumière d'une lucarne découpera la silhouette d'une plante arborescente, telle que ce dracaena.

Un projecteur bien orienté souligne ici la forme d'un dieffenbachia et éclaire les panachures de ses feuilles.

d'utiliser des jardinières en matière plastique ou imperméable, et des tables pourvues de roulettes. Celles-ci permettront de déplacer les plantes en fonction de la lumière du jour ou de les transporter à la cuisine lors des séances de rempotage. Il existe même des sortes d'étagères, conçues sur le principe du chariot à desserte, qui comptent deux ou trois tablettes et sur lesquelles on peut regrouper plusieurs plantes.

CI-DESSUS: *Un citronnier aux branches chargées de fruits illuminera un coin dénudé d'une pièce assez vaste.*

PAGE CI-CONTRE: *Grâce à un brassaia qu'on a su placer au bon endroit, on a rompu l'uniformité de cette pièce.*

CI-DESSOUS: *Un foyer inutilisé a repris vie en abritant des nephrolepis et des pteris, deux gracieuses fougères.*

CI-DESSUS: *Des cinéraires en pots, réunies dans un panier et légèrement surélevées, semblent s'animer. On obtiendrait autant d'effet avec des poinsettias.*

CI-DESSOUS: *Une vraie trouvaille cette jardinière d'ornementation un peu baroque! Le vert des aspleniums se détachant sur le blanc respire la fraîcheur.*

A la verticale

Dans de hautes pièces ouvertes, salon, studio ou bureau, on peut se permettre de voir grand... Les plantes arborescentes et les palmiers y seront à l'aise et auront fière allure. De larges ouvertures comme une porte-fenêtre seront aussi des toiles de fond idéales pour des plantes aux formes sculpturales.

Il faut quand même garder le sens de la mesure et éviter de surcharger une pièce. On se limitera donc à une ou deux grandes plantes qui suffiront pour produire un effet d'ampleur et de verticalité.

À GAUCHE : *Ces plantes en gradin qui suivent le mouvement de l'escalier ont une grâce extraordinaire. Mais ces howeas ont besoin d'une bonne lumière pour poursuivre leur lente croissance.*

PAGE CI-CONTRE : *L'élégance de cet howea solitaire cadre bien avec la sobriété de cette pièce moderne, lumineuse et dépouillée.*

CI-DESSOUS : *Un* Euphorbia pseudo-cactus *ajoute à l'atmosphère originale de la pièce. Une plante exotique ressort souvent mieux dans un décor excentrique.*

CI-DESSUS : *Deux fatsias de taille moyenne placés dans une grande urne combleront un vide important. On pourrait aussi bien les remplacer par des monsteras.*

CI-DESSUS : *Dans cette pièce tout en hauteur, un immense ficus «pleureur» marque une transition entre une porte-fenêtre et une baie vitrée.*

Des plantes bien souples

Les plantes grimpantes et rampantes ont en commun des tiges volubiles qui ne peuvent se soutenir sans l'aide de supports. Cette particularité permet qu'on s'en serve comme élément décoratif vertical. En effet, il suffit de leur donner la possibilité de s'échapper de corniches, de tablettes, de corbeilles suspendues, ou de les laisser grimper à un support, ou encore de leur faire suivre le contour de portes ou de fenêtres. Selon l'inflexion qu'on leur donnera, ces plantes grimperont ou ramperont. Elles seront tout aussi belles dans les deux directions. Leur flexibilité permet des compositions fort attrayantes. On réunira, par exemple, plusieurs variétés de lierres en en faisant grimper certaines et ramper d'autres.

Souvent l'on dispose les plantes grimpantes ou rampantes sur de petites consoles adossées au mur. Certains lierres, diverses espèces de fougères et un *Ficus pumila* survivront sur ce genre de petites tables, même dans des coins relativement mal éclairés. Les rhipsalidopsis et les schlumbergeras feront de même. Cependant, les plantes grasses à tiges rampantes seront mieux mises en valeur si elles sont suspendues dans des corbeilles ou posées sur un socle.

CI-DESSUS : *Les fleurs d'un Thunbergia alata ensoleillent l'angle d'une pièce. La plante, qui fleurit l'été, s'accroche facilement à n'importe quel tuteur.*

À GAUCHE : *Du haut d'une mezzanine, des ficus plongent vers des marantas disposés sur des armoires au-dessous. Cette profusion de verdure adoucit les angles.*

PAGE CI-CONTRE : *Un fuchsia dont on a laissé ramper les tiges produit un effet plus étonnant que si on l'avait taillé pour qu'il se redresse sagement.*

CI-DESSOUS : *Cet immense fatshedera (3 m) qui s'accroche à un pilier de sphaigne n'a pas l'air démesuré auprès de la plante touffue qui lui tient compagnie.*

CI-DESSOUS : *La meilleure façon, et la plus sûre, de mettre en valeur les tiges hérissées et les fleurs d'un aporocactus consiste à suspendre la plante.*

CI-DESSUS : *On disciplinera une plante à longues tiges en la laissant ramper sur un treillage. Cette méthode conviendrait à la passiflore dont les vrilles s'accrochent avec facilité.*

Les plantes suspendues

De tous les contenants décoratifs, la corbeille suspendue est sans doute le plus pratique et le plus apprécié. On en vend de toutes sortes, sans compter qu'on peut aussi en fabriquer soi-même. Cependant, on doit toujours s'assurer que le contenant utilisé est imperméable.

Certaines corbeilles sont pourvues de chaînes et de poulies qui permettent de les abaisser au moment d'arroser les plantes. Mais un grand nombre d'amateurs trouvent plus pratique de mettre la plante dans un pot amovible qui facilite les travaux d'entretien.

CI-DESSUS : *Un support en osier remplace avantageusement la corbeille suspendue. Le lierre, y poussant librement, s'étale dans toute sa beauté.*

CI-DESSUS : *Une étagère pagode en osier devient une jardinière originale pour des cissus et des lierres qui s'y accrochent en s'entremêlant.*

Garniture d'une corbeille

Les corbeilles suspendues conviennent à bon nombre de plantes. Oui, mais lesquelles choisir? C'est ce qu'il faut d'abord déterminer. Deux critères s'imposent : la compatibilité des espèces et leur durée. Une fois qu'on aura choisi les plantes, on garnira la corbeille selon la méthode illustrée ci-dessous.

Poser la corbeille dans un contenant à fond plat et détacher les chaînes de suspension.

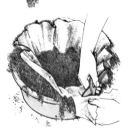

Garnir le fond de la corbeille de 5 cm de sphaigne humide. Recouvrir d'une feuille de plastique trouée.

Après avoir mis la terre, découper la feuille de plastique de façon qu'elle ne dépasse pas du bord.

Disposer les plantes rampantes près du bord. Ajouter un peu de terre et presser autour des racines.

Disposer les plantes verticales au centre et ajouter de la terre au besoin.

Replier les bords de la feuille de plastique encore visibles, et replacer les chaînes.

CI-DESSUS : *Gracieux et peu exigeant, le plectranthus enjolivera la cuisine. Le suspendre à un endroit sûr et lui donner un peu de lumière le soir pour créer plus d'effet.*

PAGE CI-CONTRE : *Les couleurs d'un support en macramé se marient particulièrement bien à celles du lierre. Ce type de support s'achète, mais nombre de personnes prennent plaisir à le fabriquer.*

Les tuteurs

Les plantes pourvues de racines aériennes, comme les philodendrons et les monsteras, prospéreront si elles peuvent s'accrocher à un support doux et humide. Les boutiques de fleuristes offrent une variété de tuteurs recouverts de mousse, qu'il est cependant facile de fabriquer soi-même (voir page suivante). Il s'agit d'abord de faire tremper le tuteur, puis de le laisser s'égoutter avant de l'enfoncer dans le mélange. On fixe ensuite les tiges à la colonne de mousse à intervalles plus ou moins réguliers, jusqu'à ce que les racines aériennes soient bien accrochées. Il importe de maintenir la mousse humide en l'aspergeant ou en versant un peu d'eau au sommet.

De petites fougères montées en colonne ou disposées en boule auront un caractère fort original. Pour savoir comment fabriquer une colonne à fougères, voir page 214. La boule se fabrique à l'aide de sphaigne humide qu'on entoure d'un treillis de fil de fer. On enfonce ensuite les racines des petites fougères dans la mousse. L'arrosage s'effectuera par immersion dans un seau ou par vaporisation.

Dans leur habitat naturel, les plantes épiphytes croissent sur des branches ou des troncs d'arbres. On reproduira ces conditions naturelles si l'on place les plantes sur ce qu'on appelle une branche à épiphytes, c'est-à-dire un morceau de bois (dosse, bois flotté) ou une branche bien ramifiée. Les racines seront soigneusement recouvertes de sphaigne humide et retenues au tronc par un fil de fer. Pour de plus amples détails, voir page 107.

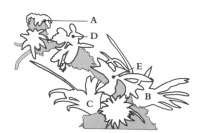

CI-DESSUS : *Un fil de fer en arceau, enfoncé dans la terre, se transforme en support délicat et guide les longues tiges d'un gracieux stephanotis.*

CI-DESSOUS : *Une branche à épiphytes réunit ici trois espèces de broméliacées [un cryptanthus (A), un neoregelia (B) et un vriesea (C)], un cactus [rhipsalidopsis (D)] et une fougère [platycerium (E)].*

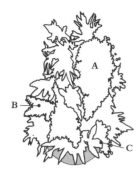

À DROITE : *Trois espèces de fougères, adiantum (**A**), nephrolepis (**B**) et pteris (**C**), croissent le long d'une colonne de sphaigne humide. Enfoncer de temps en temps les racines pour dissimuler la colonne sous les feuilles.*

CI-DESSUS : *Un philodendron s'enroule autour d'une colonne coussinée de sphaigne. Arroser un peu tous les jours pour garder la mousse humide.*

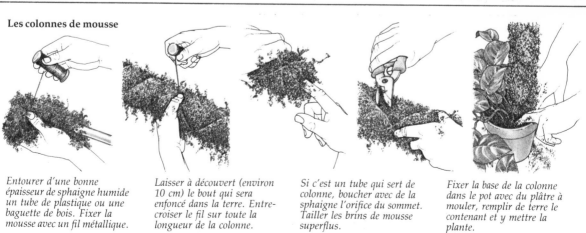

Les colonnes de mousse

Entourer d'une bonne épaisseur de sphaigne humide un tube de plastique ou une baguette de bois. Fixer la mousse avec un fil métallique.

Laisser à découvert (environ 10 cm) le bout qui sera enfoncé dans la terre. Entre-croiser le fil sur toute la longueur de la colonne.

Si c'est un tube qui sert de colonne, boucher avec de la sphaigne l'orifice du sommet. Tailler les brins de mousse superflus.

Fixer la base de la colonne dans le pot avec du plâtre à mouler, remplir de terre le contenant et y mettre la plante.

Les plantes écran

Il existe toute une variété de plantes susceptibles de créer, dans de grandes pièces, des cloisons de verdure. Celles-ci prendront différentes formes : grand treillage auquel s'accrocheront des plantes grimpantes; terrarium ou jardin en bouteille (voir pages 54 à 57) disposé sur une table basse; rangée de plantes en pots. Ces cloisons devront être conçues en fonction des dimensions de la pièce. Un salon de grandeur moyenne, par exemple, risquerait d'être assombri par la présence d'un grand écran de verdure. Il vaudrait mieux, dans ce cas, placer quelques plantes aux bons endroits. Mais, même dans une pièce assez vaste, une séparation touffue ferait un peu artificiel.

Les plantes destinées à servir de cloison pourront être rassemblées dans une longue jardinière. Cependant il est parfois préférable de les juxtaposer dans des pots décoratifs pour pouvoir les orienter vers la lumière, chacune selon ses besoins.

PAGE CI-CONTRE : *Un miroir donnera de la profondeur à une petite pièce que divise un écran de verdure. L'image reflétée que l'on voit ici montre des asparagus et des fatshederas qui, fixés à un treillage de bambou, isolent une salle à manger.*

CI-DESSOUS : *L'écran de verdure se prête à tous les agencements de plantes verticales : il permet de jouer avec les tailles, les formes, les textures et les couleurs.*

Modèles d'écrans

L'illustration ci-contre représente deux types d'écrans. Le premier se compose d'un treillage qui guide les tiges de deux syngoniums. Les pots, placés sur un plateau, ne risquent pas d'abîmer le parquet. De plus, le treillage est étayé par des traverses. Bien que lourde, cette cloison est amovible. Le deuxième type d'écran, plus maniable, est formé de dracaenas plantés dans des pots semblables. On pourrait utiliser des plantes à feuillage plus touffu.

Des fenêtres verdoyantes

Sans la lumière que laissent pénétrer les fenêtres, les plantes d'intérieur ne pourraient croître. L'orientation des fenêtres joue toutefois un grand rôle. Ainsi, une fenêtre exposée au sud reçoit toute l'année un maximum de lumière. Celle-ci peut devenir si intense en été qu'on devra couvrir les fenêtres de rideaux ou de stores, sans quoi les feuilles risquent de brûler et les bourgeons de dépérir. En revanche, toute cette lumière favorisera la croissance des cactus et de certaines plantes à feuillage vivement panaché. Par ailleurs, des fenêtres exposées à l'est ou à l'ouest laissent entrer une lumière plus indirecte qui conviendra à la plupart des plantes.

Les fenêtres exposées au nord reçoivent toujours une lumière plus faible. Mais cela ne veut pas dire qu'on doive se priver de fleurir ces fenêtres moins lumineuses. En effet, de nombreuses espèces, comme les fougères, les aspidistras et les sansevières, s'accommodent parfaitement de la pénombre.

Un autre problème se pose, celui des appareils de chauffage et de climatisation. Les fenêtres surmontent souvent des radiateurs et des climatiseurs qui dégagent un air très sec. Pour compenser, on créera un microclimat humide en disposant les plantes sur un lit de cailloux gardés humides et on les vaporisera souvent. Enfin, alors qu'une bonne circulation d'air est essentielle à la santé des plantes, un courant d'air pourrait leur être fatal.

PAGE CI-CONTRE : *Une fenêtre ronde, exposée au nord, encadre à merveille un adiantum en boule. Il est toujours intéressant de rapprocher des formes parentes.*

CI-DESSUS : *Une salle de bains qu'on dirait en pleine nature prend l'aspect d'une serre. Des orchidées, des fougères et des caladiums y trouvent l'humidité qu'ils aiment.*

CI-DESSOUS : *Un nephrolepis (fougère) et des pommes vertes, disposés dans des paniers d'osier et en pleine lumière, forment un tableau rafraîchissant.*

CI-DESSUS : *Le rebord intérieur d'une fenêtre ensoleillée accueillera un jardin en miniature où des cactus variés pourront se rassasier de lumière.*

À DROITE : *La petite fenêtre que l'on aperçoit ici laisse entrer une lumière qui, pour bien des plantes, serait insuffisante; elle satisfait pourtant aux exigences de l'aspidistra.*

CI-DESSOUS : *Devant une large fenêtre, on suspendra plusieurs plantes à diverses hauteurs pour former un rideau de feuillage.*

Fenêtres-serres

Les fenêtres qui n'offrent pas de vue intéressante peuvent être garnies de tablettes sur lesquelles on disposera une collection de plantes. L'illustration ci-contre montre deux types de rayonnages : en verre et réglables au moyen de crémaillères; en bois et suspendues par des cordes. (S'assurer que les nœuds qui retiennent les tablettes sont à la même hauteur.) On choisira des plantes qui se satisfont des mêmes conditions d'éclairage. Si la fenêtre laisse entrer trop de soleil, la voiler d'un rideau ou d'un store translucide afin de protéger les plantes des rayons trop directs.

CI-DESSUS : *Une azalée gardera assez longtemps ses fleurs si on la place dans un endroit frais, à l'abri des rayons du soleil. Quand les fleurs seront fanées, mettre la plante à l'extérieur pour qu'elle puisse reprendre sa croissance.*

CI-DESSOUS : *L'appui d'une fenêtre de cuisine est un endroit idéal pour cultiver des plantes toutes simples : ananas, saintpaulia, géranium et sansevière. Les tiges gracieuses d'un lierre posé sur une tablette rustique complètent la composition.*

CI-DESSUS : *Un lierre grimpant encadrant une porte-fenêtre marque la transition entre la maison et la nature extérieure. Pour ne pas abîmer le chambranle, on a tendu des ficelles qui guident la plante dans sa croissance.*

Pendant le jour, ces vastes fenêtres associées à une grande lucarne permettent aux plantes de recevoir la lumière à profusion. Le soir, elles offrent un tableau particulièrement attrayant.

PAGE CI-CONTRE : *Une si jolie verrière méritait une composition florale tout en raffinement. Un cycas adulte s'y déploie avec grâce au milieu de pélargoniums, d'hippeastrums, de ficus et de lis.*

CI-DESSUS : *On placera un pélargonium devant une fenêtre exposée à l'est ou à l'ouest. Cette plante se contente d'une lumière modérée et dégage au toucher un délicat parfum.*

Les vitrines

D'ordinaire, la vitrine se compose d'un châssis de bois et de deux vitres. On y fait pousser les plantes particulièrement avides de chaleur et d'humidité. Il existe des vitrines plus élaborées, dotées de tubes fluorescents et de systèmes réglant l'humidité et la température. Ces éléments ne sont toutefois pas essentiels. L'illustration ci-contre laisse voir une vitrine abritant des plantes aptes à se développer dans un tel milieu. Une seule d'entre elles, outre celles qui sont suspendues, a été mise en pot. Il s'agit d'un medinilla qu'on a dû surélever pour éviter que ses fleurs ne pourrissent au contact de la terre.

Les plantes sous verre

Les terrariums, les vitrines et les jardins sous verre sont apparus après que le botaniste anglais Nathaniel B. Ward eut mis au point, il y a 150 ans, un type de vitrine fermée (aujourd'hui appelée châssis de Ward) où certaines plantes pouvaient se développer indéfiniment. Le principe en est le suivant : quand le taux maximal d'humidité a été atteint à l'intérieur d'un contenant transparent bien fermé, l'humidité issue du sol et de la transpiration des feuilles se condense, ruisselle et retourne à la terre, créant un milieu autonome. De nombreuses plantes peuvent ainsi se développer pendant des années. Cependant, la condensation finit par embuer le contenant, et il devient nécessaire de l'aérer de temps en temps. Quand il s'agit d'un contenant muni d'un couvercle ou d'un bouchon, il suffit simplement de retirer celui-ci pendant quelques jours.

Pour connaître tous les détails de la préparation d'un jardin en bouteille, consulter la page 56.

À DROITE : Une bonbonnière renferme un sedum planté dans une couche de terre étalée sur des gravillons qui assurent le drainage. Des cailloux ajoutent à la décoration.

CI-DESSUS : *Cet asparagus sous cloche ne nécessitera que de rares arrosages. En revanche, le pellaea suspendu dans un ballon ouvert demandera plus de soins.*

À DROITE : *Un ficus, un fittonia et un microcoelum se développent à l'aise dans l'air humide de leur élégante maisonnette de verre. On peut acheter les terrariums ou les faire faire sur mesure.*

PAGE CI-CONTRE : *Une fougère avide d'humidité s'épanouit très facilement dans un grand bocal fermé. Choisir un contenant dont la forme s'harmonise parfaitement à celle de la plante.*

Les trouvailles

On recherchera des contenants originaux, bocaux ou bouteilles de verre, susceptibles d'abriter des plantes. L'illustration ne donne qu'une faible idée de la grande diversité des formes. Il faut cependant se méfier du verre teinté car il fait écran à la lumière. Quant au verre ancien, il a beaucoup de cachet.

Les jardins en bouteille

L'aménagement d'un jardin en bouteille demande une certaine dose d'adresse et nécessite des instruments spéciaux. Un entonnoir ou un cornet de carton canalisera la terre ainsi que les éléments nécessaires au drainage et évitera de maculer les parois intérieures du récipient. Des instruments longs et minces serviront à la plantation. On pourra les acheter ou les fabriquer soi-même en fixant les éléments voulus à des bâtons souples mais robustes (voir l'encadré ci-dessous).

Voici comment on prépare le jardin : on verse d'abord au fond de la bouteille 2 à 5 cm de gravillons mêlés à des fragments de charbon de bois, qui assureront le drainage. On recouvre ensuite cette couche de 5 à 10 cm de terre humide. Celle-ci, qui ne doit pas être trop riche, se composera d'un mélange à base de terreau (2/5), de gros sable (2/5) et de terreau de feuilles ou de tourbe (1/5).

Avant d'introduire les plantes dans la bouteille, on décidera de leur disposition pour avoir un avant-goût de l'effet qu'elles produiront. On s'assurera également qu'elles ne seront pas trop rapprochées et que leurs formes et leurs couleurs s'harmoniseront.

Il est préférable d'introduire d'abord les plantes qui doivent se trouver au voisinage de la paroi, et de finir par celles qui occuperont le centre de la bouteille. Avant de procéder à cette opération, on enlèvera le plus de terre possible autour des racines. (A ce propos, voir les illustrations ci-dessous.) Quand le travail sera terminé, on parsèmera la terre de quelques petits cailloux ou fragments de bois flotté.

On vaporisera ensuite délicatement les plantes et, au besoin, on nettoiera la paroi intérieure de la bouteille à l'aide d'une éponge. Puis on bouchera la bonbonne et on la placera à la lumière (pas trop intense). Le jardin croîtra tout seul. Il suffira de tailler de temps en temps les plantes et de les aérer.

CI-DESSUS : *Une dame-jeanne légèrement teintée répond particulièrement bien aux besoins d'un microcoelum, d'un peperomia, d'un pteris et d'un acore qui exigent peu de lumière. Il est toutefois préférable de se servir de contenants de verre non teinté.*

PAGE CI-CONTRE : *Un jardin composé d'un dracaena, d'un vriesea, d'un fittonia, d'un microcoelum et d'un cryptanthus, plantes de tailles différentes. On pourrait ajouter des espèces à feuilles panachées.*

L'aménagement du jardin en bouteille

Les instruments suivants aideront à effectuer le travail : deux grandes baguettes qui feront office de pinces; une cuiller, une bobine de bois, une éponge et une lame, qui seront solidement fixées à de longues baguettes ou à du fil de fer rigide. La cuiller servira à creuser, et la bobine à tasser la terre; l'éponge permettra de nettoyer la paroi intérieure de la bouteille, et la lame à tailler les plantes.

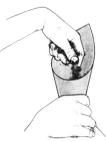

Verser la terre dans la bouteille à l'aide d'un cornet de papier. Bien couvrir les gravillons de drainage.

Avec la cuiller, égaliser la terre, puis faire le trou destiné à recevoir la première plante.

Retirer de leur pot les petites plantes, et dégager leurs racines de la terre qui les entoure.

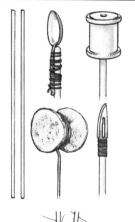

A l'aide des baguettes, introduire délicatement la plante dans la bouteille et la poser à l'endroit prévu.

Procéder de la même façon pour toutes les plantes et tasser ensuite la terre à l'aide de la bobine.

Le travail de plantation terminé, nettoyer les parois intérieures avec l'éponge humide.

Les jardins miniatures

Qu'ils soient à l'image d'un jardin de plein air ou qu'ils soient le fruit de l'imagination, les jardins miniatures ont ceci de commun qu'ils regroupent dans un même contenant plat (caissette ou plateau) plusieurs petites plantes. Tout en étant peu profond, le récipient doit tout de même pouvoir contenir, outre les éléments de drainage, une bonne couche de mélange terreux.

S'il prend la forme d'une minirocaille, le jardin se composera de petites pierres représentant des rochers et des affleurements parmi lesquelles pourront s'entremêler de jeunes lierres. Une petite rocaille fleurie sera encore plus attrayante, mais nécessitera plus de soins.

En raison de leur système racinaire peu développé, les cactées et les plantes grasses se prêtent particulièrement bien à ce genre de culture en vase plat. Tout en restant petits, un grand nombre vivront longtemps, satisfaits de trouver des conditions semblables à celles de leur habitat naturel.

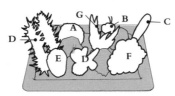

CI-DESSUS : *Sauf l'aloès* (**G**), *toutes les plantes de ce jardin sont des cactées : le lobivia* (**A**), *le gymnocalycium* (**B**), *le cereus* (**C**), *les deux opuntias* (**D**), *l'espostoa* (**E**) *et le mammillaria* (**F**). *Pour réaliser cette composition, voir ci-dessous.*

PAGE CI-CONTRE : *Un asplenium* (**A**), *un pellaea* (**B**), *un nephrolepis* (**C**), *un adiantum* (**D**), *un dracaena* (**E**), *un codiaeum* (**F**), *un cleyera* (**G**) *et un fittonia* (**H**) *joignent leurs formes délicates.*

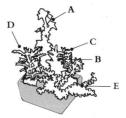

CI-DESSUS : *Un lierre grimpant* (**A**), *deux espèces d'euonymus* (**B** *et* **C**), *un gracieux grevillea* (**D**) *et un sedum* (**E**) *s'associent pour former un petit jardin trois tons.*

Jardin miniature en six points

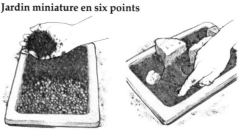

Au fond d'un contenant plat, mettre des gravillons et recouvrir de mélange.

Tracer sur la terre le plan du jardin en prévoyant l'emplacement des pierres.

Placer d'abord l'aloès après avoir débarrassé ses racines de l'ancienne terre.

Entremêler les différentes espèces de cactus pour qu'elles se marient bien.

Si les cactus sont difficiles à manier, tasser la terre à l'aide d'un bâton.

Répandre de fins cailloux entre les plantes pour simuler des sentiers.

Les pièces jardin d'aujourd'hui

Les grandes serres imposantes sont choses du passé. Elles ont aujourd'hui cédé la place à des pièces jardin confortablement meublées, et sont devenues en quelque sorte un prolongement de la maison. L'on peut s'y reposer tout en profitant du spectacle des plantes et des fleurs.

Idéalement, la pièce jardin devrait être équipée pour faciliter le jardinage. Les parquets seront recouverts de carreaux à l'épreuve de l'eau. Un toit de verre incliné laissera pénétrer la lumière tout en assurant l'évacuation de l'eau de pluie, des feuilles mortes ou de la neige. La pièce sera entourée de vastes fenêtres dont on pourra, au besoin, tirer les rideaux.

Conçue spécialement pour recevoir plus de lumière qu'une pièce ordinaire, elle favorise la croissance d'une variété considérable de plantes dont certaines aussi spéciales que les bougainvillées, les grevilleas, les hoyas, les jacarandas et plusieurs espèces d'orchidées. C'est le lieu rêvé pour suspendre des corbeilles ou paniers de bégonias, de fougères et de fuchsias en fleur et pour faire grimper de multiples plantes. La pièce permet aussi l'aménagement de plates-bandes le long des murs.

La pièce jardin se définit donc essentiellement par la couleur, le parfum et la richesse de sa végétation, de même que par sa luminosité, son confort et son atmosphère de fraîcheur.

CI-DESSUS : *Une pièce jardin attrayante dont la douce atmosphère se prête bien aux réunions entre amis. Elle est assez vaste pour qu'on y dresse la table.*

PAGE CI-CONTRE : *Aux vignes enchevêtrées et aux plantes touffues s'ajoute un mobilier exotique qui achève de donner à cette serre toute sa fantaisie.*

Les plates-bandes d'intérieur

On peut aménager en jardinière une partie de la surface du parquet d'une pièce en y fixant une boîte à l'épreuve de l'eau. On entourera soigneusement les plantes en pots avec de la tourbe (à droite). Si l'on décide de faire construire une maison, on pourra prévoir l'emplacement d'une jardinière encastrée dans le parquet (extrême droite).

Patios et terrasses

Les patios et les terrasses apportent une contribution essentielle à la culture des plantes d'intérieur. Ces pièces jardin leur procurent pendant la belle saison un bain de nature revigorant. Nombre de cactées et de plantes grasses se développent mieux et produisent de plus belles fleurs lorsqu'elles passent ainsi quelques mois en plein air, au soleil. Des plantes arbustives comme les azalées et les camélias ne s'en épanouiront que davantage si on les sort sur la terrasse (en leur donnant, bien entendu, les soins nécessaires) tous les ans après leur période de floraison. Un climat doux conviendra parfaitement aux plantes à feuillage qu'on placera dans un coin ombragé du patio. Quant aux chlorophytums, aux asparagus, aux fatsias et aux lierres, ils résisteront très bien à un climat plus frais.

Enfin, il faut savoir tirer profit même d'un petit bout de terrain. En y transportant les plantes de la maison, on fera d'une pierre deux coups : les plantes s'épanouiront et la vilaine petite cour deviendra un coquet jardin.

À DROITE : *Des rhododendrons, un fatsia, un chamaedorea et un laurier croissent avec exubérance dans l'angle ombragé d'une terrasse où ils bénéficient néanmoins de quelques heures de soleil par jour. Une grande bougainvillée en fleur se tient sur le seuil.*

Rencontre des plantes et de la pierre

Les plantes s'allient très bien à des matériaux tels que le bois, la pierre et la brique. Ici, à droite, leur verdure adoucit la texture rugueuse des arches d'un vieux mur de brique. De même, à l'extrême droite, quelques plantes en vacances soulignent l'effet de marqueterie que donne la terrasse composite.

Guide
alphabétique
des plantes

Présentation du Guide

La deuxième partie de ce livre se présente comme un dictionnaire. Les plantes y sont classées par ordre alphabétique d'après leur nom de genre latin. Mais comme certaines plantes sont mieux connues sous leur nom commun, le guide contient une autre classification basée sur les noms populaires. Ceux-ci se retrouvent en bas d'articles et s'intercalent entre les noms latins. Par exemple, si l'on cherche corne-de-cerf, on le trouvera en bas de page, entre les articles *Cordyline* et *Cotyledon*. Le nom populaire permet de trouver le nom scientifique : ainsi, corne-de-cerf renvoie à *Platycerium bifurcatum*. On peut aussi utiliser l'index quand on veut connaître le nom botanique d'une plante.

Cependant, certaines plantes n'ont qu'un nom scientifique latin et pas de nom populaire. D'autres portent différents noms communs selon les régions. Par ailleurs, les noms de genre peuvent changer au cours des reclassifications botaniques. Parfois donc, le meilleur moyen de retrouver une plante dans le guide sera de se reporter aux illustrations. C'est un moyen sûr de trouver ce que l'on cherche.

Ci-dessous se trouvent reproduites, à titre d'exemple, deux pages consécutives du guide (la première complétant l'article sur les plantes du genre *Columnea*, et abordant celui sur le genre *Cordyline*; la seconde complétant ce dernier et commençant l'article

Des illustrations portant sur diverses techniques expliquées étape par étape complètent le texte.

Le nom commun de l'espèce représentative, quand il existe, précède le nom latin.

Le nom scientifique de la plante, c'est-à-dire latin, est écrit en italique.

Un texte général décrit d'abord le genre, comme c'est ici le cas pour le Cordyline *et le* Cotyledon, *ou certaines espèces plus communément utilisées comme plantes d'intérieur. Bien que les soins culturaux soient traités dans une rubrique à part, ce texte d'introduction attire parfois l'attention sur quelque particularité de cet ordre.*

Les espèces et variétés recommandées sont présentées par ordre alphabétique, et leurs caractéristiques clairement indiquées. On les propose essentiellement parce qu'elles sont attrayantes, faciles à trouver et de culture aisée. Quand la rubrique des espèces recommandées est absente des articles, c'est que le genre dont il est question n'offre que peu de choix ou n'en offre pas du tout.

Des **Remarques**, *absentes de bien des articles, attirent l'attention sur des aspects qui ne sont pas abordés dans la rubrique* **SOINS PARTICULIERS**. *Il y est question d'insectes, de maladies, de nettoyage, de taille, ou encore de décoration, points qui ne valent d'être soulignés que pour certaines plantes en particulier.*

Cordyline
AGAVACÉES

On peut aussi sectionner le tiers inférieur de la motte de racines (utiliser un couteau bien aiguisé) et replacer la plante dans le même contenant, en ajoutant autant de mélange terreux qu'il est nécessaire. Le rempotage peut se faire en tout temps pour les variétés à floraison continue, mais pour les autres il vaut mieux l'effectuer avant la période de croissance.

'Taille des racines

Les racines de la plante remplissent ce pot qui est pourtant de dimensions optimales.

Sectionner alors le tiers de la motte de racines et remettre la plante dans ce même pot après avoir rempli de mélange frais l'espace ainsi dégagé.

Dragonnier
C. terminalis

Multiplication Elle se fait de préférence au moment du rempotage. Planter une bouture de 7,5 à 10 cm dans un pot de 8 cm rempli de vermiculite humide et garder à la température ambiante, sous une lumière vive tamisée. Arroser très peu : la vermiculite doit être à peine humide. L'enracinement se fait en quatre semaines environ. Empoter alors le jeune sujet dans un pot de 8 cm rempli de mélange ordinaire et le cultiver comme une plante adulte. Pour obtenir un bel effet, grouper 3 ou 4 boutures dans une corbeille d'environ 25 cm.

On peut aussi multiplier les columneas par semis (voir page 441). **Remarque** Les columneas attirent les pucerons et les tarsonèmes du cyclamen. Voir les mesures à prendre, pages 455 et 456.

156

Les cordylines sont des arbustes ou des arbrisseaux à tige simple non ramifiée, proches parents des dracaenas avec lesquels on les confond souvent. Les feuilles sont disposées en rosette lâche; celles du bas tombent avec le temps, dénudant un tronc robuste. Certaines variétés ont des feuilles longues, étroites, arquées, sessiles, d'une largeur presque uniforme. D'autres présentent des feuilles plus courtes et plus larges se rétrécissant à la base et au sommet. Les cordylines cultivés en pots n'atteignent jamais leur pleine maturité et ne donnent donc pas de fleurs.

ESPÈCES RECOMMANDÉES
C. australis (souvent appelé *Dracaena indivisa*) a des feuilles vertes ensiformes, coriaces, arquées, de 60 à 90 cm sur 5, se terminant en pointe courte. Celles de *C. a.* 'Atropurpura' présentent une nervure médiane et une base pourpre, alors que celles de *C. a.* 'Doucet' sont rayées de blanc.
C. indivisa porte des feuilles plus longues (de 0,90 à 1,20 m) et plus larges (7,5 cm) que celles de *C. australis*, et occupe beaucoup de place. Lorsque le climat le permet, les cultiver à l'extérieur.
C. terminalis (appelé à tort *Dracaena terminalis* et communément nommé dragonnier) présente des feuilles lancéolées atteignant 60 cm sur 10, se rétrécissant nettement près du pétiole et au sommet. D'un rouge cramoisi chez les jeunes plants, elles deviennent peu à peu vert cuivré à reflets rougeâtres. Il en existe plusieurs variétés : *C. t.* 'Amabilis', à feuilles larges et luisantes, d'un bronze rosé bordé de crème; *C. t.* 'Baptisii', à feuilles bien arquées, vert sombre lavé de rouge et de jaune crème; *C. t.* 'Firebrand', à feuilles luisantes rouge pourpre

sur le genre *Cotyledon*). Les différentes composantes d'un article s'y trouvent réunies et sont brièvement expliquées en marge.

Tous les articles consacrés à des plantes d'intérieur typiques sont construits sur le modèle de ceux qui sont illustrés ci-dessous. Ceux qui concernent des plantes éphémères ou annuelles requérant généralement des soins particuliers diffèrent légèrement. (Voir par exemple sous *Cineraria* et *Narcissus*.) Le guide contient également quelques articles plus développés traitant de genres de plantes, comme le genre *Begonia*, qui renferment plusieurs espèces exigeant des conditions de culture variées.

On trouvera enfin huit rubriques spéciales qui étudient des groupes de plantes rattachées à des genres différents, mais possédant des caractères communs, telles que les cactées, les orchidées, les broméliacées, les fougères, les gesnériacées, les palmiers et les plantes grasses. L'une de ces rubriques concerne les bulbes, les cormus et les tubercules.

Les pages 399 à 408, qui suivent le *Guide alphabétique*, présentent un tableau récapitulatif qui guidera l'amateur dans le choix de ses plantes. Ce tableau fait en effet ressortir les principales caractéristiques des plantes, indique les soins à leur donner et permet d'arrêter son choix selon le milieu et l'espace dont on dispose.

Le nom de la famille à laquelle appartient le genre se trouve sous celui-ci, imprimé en petits caractères.

Le nom de genre apparaît en gros caractères, en tête de tous les articles, sauf huit.

Une ligne verticale indique clairement le début et la fin de chaque article.

---

nuancé de bronze; *C. t.* 'Rededge', dont les feuilles vert brillant rayé de rouge sont assez petites et légèrement tordues; et *C. t.* 'Tricolor', à larges feuilles rouge, rose et crème sur fond vert clair.

SOINS PARTICULIERS
Lumière Placer *C. australis* et *C. indivisa* en plein soleil. *C. terminalis* et ses variétés demandent plutôt une lumière vive tamisée, car les rayons directs du soleil brûlent leurs feuilles.
Température *C. terminalis* se satisfait de la température normale

C. indivisa

C. australis

d'une pièce. Les deux autres espèces, plus robustes, tolèrent des températures de 10°C; si le climat le permet, les garder à l'extérieur durant l'été et l'automne.
Arrosage En période de croissance, arroser généreusement pour garder le mélange très humide. Ne jamais laisser les pots tremper dans l'eau. En période de repos, arroser parcimonieusement.
Engrais Faire des apports d'engrais liquide ordinaire tous les 15 jours au cours de la période de croissance seulement.
Empotage et rempotage Utiliser un mélange à base de terreau (voir page 429). Rempoter tous les printemps (dans des pots de une ou deux tailles au-dessus) jusqu'à ce que la plante soit de taille à loger dans un pot de 20 à 25 cm environ. Par la suite, ne renouveler que la couche superficielle du mélange (voir page 428).
Multiplication Elle se fait par semis. Au printemps, enfoncer les graines à 2,5 cm de profondeur,

dans un petit pot rempli de mélange à enracinement (voir page 444), humidifié. La germination s'opère en quatre à six semaines si les pots sont placés dans un sachet de plastique transparent ou une caissette de multiplication chauffante (voir page 444) et gardés dans un local chaud à la lumière vive tamisée. Ne pas arroser. Lorsque les plants mesurent de 5 à 7,5 cm, les découvrir et les traiter comme indiqué ci-dessus.

Certaines espèces produisent des rejets. Prélever ceux-ci au printemps lorsqu'ils atteignent de 10 à 20 cm, les planter dans un mélange humidifié à volume égal de tourbe et de sable grossier ou de perlite, les enfermer dans un sachet de plastique transparent ou une caissette de multiplication et les garder de quatre à six semaines dans un endroit chaud à une lumière vive tamisée. Quand la croissance reprend, découvrir les plants, fertiliser une fois par mois avec un engrais liquide ordinaire et arroser parcimonieusement. Après quatre ou cinq mois, les transplanter dans des pots de 10 à 15 cm remplis de mélange ordinaire et les cultiver comme des plantes adultes.

Des segments de 5 cm prélevés sur de vieilles tiges s'enracineront s'ils présentent au moins un bourgeon (renflement sous l'écorce). Planter l'extrémité inférieure dans le mélange à enracinement recommandé ci-dessus et procéder comme s'il s'agissait d'un rejet.

Lorsque C. terminalis *s'étire en hauteur, on peut le multiplier à partir des pointes ou de segments de 5 cm prélevés sur les tiges dénudées.*

Corne-de-cerf, voir *Platycerium bifurcatum*.
Corne-d'élan, voir *Platycerium bifurcatum*.

Cotyledon
CRASSULACÉES

Les cotylédons d'appartement sont des plantes grasses arbustives à fleurs campanulées et à feuilles recouvertes de pruine (fine pellicule cireuse blanche). Lentes à croître, ces plantes mettent trois ou quatre ans à atteindre 50 cm. A peu près au même moment, elles produisent des bouquets de 10 à 20 fleurs de 2,5 à 4 cm de long, richement colorées, dont les bords des pétales sont enroulés. Les cotylédons fleurissent l'été, et parfois au printemps et en automne, durant environ quatre semaines.
Voir aussi PLANTES GRASSES.

ESPÈCES RECOMMANDÉES
C. orbiculata atteint de 38 à 50 cm de haut; les tiges dressées se ramifient à peu près tous les 15 cm. Les feuilles, en forme de triangle arrondi pointant vers la tige ou le rameau, de couleur gris verdâtre, sont abondamment enduites d'une pruine blanche et sont finement

C. orbiculata

157

L'espèce représentative du genre est illustrée dans tous ses détails (forme, couleur, texture, etc.). Lorsqu'à l'intérieur d'un même genre on recommande plusieurs espèces, l'illustration principale représente l'une des plus répandues.

*La rubrique **SOINS PARTICULIERS** traite, toujours dans le même ordre, six aspects de la culture des plantes.*

Ici et là, une illustration accompagnée d'une courte légende attire l'attention sur un aspect de la culture d'une plante.

Des renvois invitent le lecteur à consulter les pages où il trouvera des renseignements supplémentaires sur des sujets ou des termes particuliers.

Les espèces qui diffèrent beaucoup de l'espèce type sont également représentées. Si elles ne s'en distinguent que par la forme de la fleur ou de la feuille, on ne reproduit alors que l'une ou l'autre.

Les plantes désignées sous des noms communs sont clairement identifiées sur fond de couleur au bas des articles. Cette classification qui s'intercale entre les noms latins selon l'ordre alphabétique est d'une grande utilité pour retrouver les plantes familières dont on ignore le nom scientifique.

Abutilon

MALVACÉES

A. pictum
'Thompsonii'

Au genre *Abutilon* (érable de maison) se rattachent des plantes ligneuses, qui se couvrent du début du printemps jusqu'à la fin de l'automne de jolies fleurs en forme de clochette. Ces fleurs naissent solitaires ou par couples à l'aisselle des feuilles et prennent, selon l'espèce, diverses teintes. La plupart des sujets cultivés portent un feuillage vert moucheté, légèrement duveteux. Certaines espèces d'abutilon sont arbustives et atteignent 1,50 m; d'autres sont des plantes rampantes.

ESPÈCES RECOMMANDÉES

A. hybridum (érable florifère) résulte, comme son nom l'indique, du croisement de plusieurs espèces. Quelques-unes de ses variétés peuvent atteindre 1,50 m, tant en hauteur qu'en largeur, et fleurissent très jeunes. Les fleurs, de 5 cm de diamètre, campanulées et tombantes, ont 5 pétales et un calice vert pâle de 2,5 cm. Parmi les variétés les plus connues, on trouve : 'Boule de Neige', à fleurs blanches et étamines orange; 'Golden Fleece', à fleurs jaunes; 'Master Hugh', à fleurs roses.

A. megapotamicum est un arbuste à tiges minces et rampantes. Ses feuilles dentées mesurent de 5 à 10 cm et ses fleurs jaunes, qui abri-

tent de grandes anthères brunes, sont en partie cachées par un long calice rouge. *A. m.* 'Variegata' se distingue de l'espèce par ses feuilles tachetées de jaune.

A. pictum (autrefois connu sous le nom d'*A. striatum*) est surtout représenté par *A. p.* 'Thompsonii'. Les riches marbrures jaunes sur le fond vert foncé de ses feuilles sont imputables à un virus inoffensif qui se transmet souvent par greffe. Ces

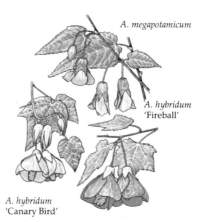

A. megapotamicum

A. hybridum
'Fireball'

A. hybridum
'Canary Bird'

feuilles, longues de 7 à 15 cm (et presque aussi larges), présentent de 3 à 5 lobes. Les fleurs saumon, pouvant atteindre 5 cm, sont veinées de rouge et contenues dans un petit calice vert pâle. *A. p.* 'Pleniflorum' arbore un feuillage vert tantôt uni, tantôt panaché.

SOINS PARTICULIERS

Lumière Les espèces et variétés de l'abutilon ont besoin de beaucoup de lumière, et d'au moins trois ou quatre heures de soleil par jour.

Température Ces plantes se développent à la température normale d'une pièce et ne tolèrent pas des températures inférieures à 10°C.

Arrosage Maintenir le sol humide durant la période de croissance; laisser sécher sur environ 1 cm entre les arrosages. Durant la période de repos, n'arroser que pour éviter un dessèchement complet.

Engrais Enrichir d'engrais liquide tous les 15 jours pendant la période de croissance. Cesser toute fertilisation le reste de l'année.

Empotage et rempotage Utiliser un mélange à base de terreau (voir page 429). Rempoter les plantes au printemps dans des contenants légèrement plus grands.

Multiplication Certains hybrides se reproduisent par semis (voir page 441), mais les espèces ou variétés panachées s'obtiennent par bouturage. Au printemps ou pendant l'été, prélever des segments de rameau de 7 à 10 cm, plonger les extrémités sectionnées dans une poudre d'hormones pour favoriser l'enracinement, puis placer dans de petits pots remplis d'un mélange humide à volume égal de tourbe et de sable grossier ou de perlite. Enfermer les pots dans des sachets de plastique et les placer à la lumière tamisée. Les racines mettront trois ou quatre semaines à se développer. Transplanter alors les boutures dans des pots un peu plus gros, remplis d'un mélange à base de terreau. Garder à découvert deux ou trois semaines, à l'abri des rayons directs du soleil, et n'arroser que pour maintenir un taux minimal d'humidité. Soigner alors comme des abutilons adultes.

Remarque Tailler les abutilons au début du printemps. Supprimer les petites pousses encombrantes et réduire les tiges du tiers.

Acalypha
EUPHORBIACÉES

A. wilkesiana

L e genre *Acalypha* (ricinelle), si l'on excepte *A. hispida* dont les fleurs sont superbes, comprend de nombreuses espèces que l'on remarque beaucoup plus pour leur feuillage ornemental que pour leurs modestes petites fleurs. Les acalyphas croissent tous rapidement et forment des arbustes qui s'élèvent parfois à près de 2 m; il est dès lors souhaitable, pour éviter l'enchevêtrement des tiges, de les tailler tous les ans en coupant au moins la moitié de la pousse de l'année précédente. Certains préfèrent renouveler annuellement leurs plantes par bouturage et se défaire des plantes âgées.

ESPÈCES RECOMMANDÉES

A. hispida (queue-de-chat) est reconnu pour son aspect pittoresque. Ses fleurs sans pétales ont la forme de longs chatons rouge amarante de 30 à 45 cm, qui naissent à l'aisselle des feuilles à la fin de l'été et au début de l'automne. Ses larges feuilles ovales pouvant atteindre de 13 à 20 cm sont légèrement velues, et se distinguent par l'éclat de leur vert. L'arbuste lui-même peut mesurer près de 2 m. Une de ses variétés, *A. h.* 'Alba', porte des fleurs blanc rosé.

A. wilkesiana atteint parfois lui aussi près de 2 m de hauteur. Ses grandes feuilles vertes, de forme ovale, mesurent 13 cm sur 5 et sont

A. hispida

maculées de brun, de rouge et de pourpre. Parmi ses variétés particulièrement attrayantes, on trouve : *A. w.* 'Godseffiana' (appelée parfois *A. godseffiana*), à feuilles vernissées, ourlées de blanc; *A. w.* 'Macrophylla', dont les feuilles brun-roux, tachetées de brun pâle, sont plutôt cordées qu'ovales; *A. w.* 'Marginata', à feuilles cordées d'un vert olive teinté de bronze, et ornées d'un pourtour rouge carmin; et *A. w.* 'Musaica', à feuilles cordées, dont le vert bronze est maculé d'orange et de rouge.

SOINS PARTICULIERS

Lumière Les acalyphas exigent d'être placés à la lumière, mais à l'abri des rayons directs du soleil, sans quoi ils croîtront tout en hauteur. De même, *A. hispida* ne fleurira pas au soleil ardent, et les espèces ou variétés à feuilles panachées perdront leurs couleurs.

Température La chaleur est essentielle à l'épanouissement des acalyphas, aussi la température ambiante ne devrait-elle pas être inférieure à 16°C, même pendant la période de repos. Ces plantes peuvent par ailleurs supporter des températures allant jusqu'à 27°C, mais en raison de leur vulnérabilité à l'air sec, les espèces cultivées en pots doivent, toute l'année, reposer sur une couche de cailloux ou de tourbe humides. Pour augmenter le taux d'humidité, bassiner *A. hispida* une fois par jour, dès le début du printemps, et jusqu'à ce que les fleurs se développent.

Arrosage Arroser abondamment pendant la période de croissance, mais ne jamais laisser reposer dans l'eau. Pendant la période de repos, arroser parcimonieusement.

Engrais Enrichir d'engrais liquide ordinaire tous les 15 jours, pendant la période de croissance.

Empotage et rempotage Utiliser un mélange à base de terreau (voir page 429). Rempoter les jeunes plants quand leurs racines sont à l'étroit, de préférence à la fin du printemps. Si l'on veut conserver les plantes plus d'un an, les rempoter chaque année.

Multiplication Les acalyphas sont plus attrayants quand ils sont jeunes. Au bout de deux ans, s'en servir pour le bouturage. La façon la plus simple de multiplier ces plantes consiste à prélever au début du printemps des segments de rameaux de 7 à 10 cm ou des petites pousses latérales. Pour favoriser le développement de bourgeons latéraux, rabattre la plante mère à 30 cm de la surface du pot, dès le début du printemps, et la placer à la lumière, mais à l'abri des rayons directs du soleil. Bassiner tous les jours et arroser de façon à maintenir l'humidité de la motte. Quand les pousses latérales auront atteint de 7 à 10 cm, les prélever en leur conservant un talon (voir page 437). Placer le rameau ou la pousse la-

Pour détacher une petite pousse latérale devant servir à la multiplication, la tirer vers le bas en prenant soin de conserver un talon.

térale dans un pot de 7 cm rempli d'un mélange humide composé d'un volume égal de tourbe et de sable grossier ou de perlite. Enfermer dans des sachets de plastique et placer à la lumière tamisée, à une température d'au moins 21°C. Ne pas arroser jusqu'à l'apparition des nouvelles pousses. Retirer alors les sachets, arroser légèrement pour maintenir un minimum d'humidité, et fertiliser tous les 15 jours avec un engrais liquide dilué dans un volume d'eau. Quand les boutures auront atteint 30 cm, transplanter dans des pots un peu plus gros, remplis de mélange ordinaire. Cultiver normalement.

Remarques Les acalyphas se ramifient naturellement. Il n'est donc pas utile d'en pincer les pousses. Cette opération risque même de retarder la floraison d'*A. hispida*.

Surveiller surtout l'apparition de cochenilles farineuses et d'araignées rouges (voir page 454).

Achimène, voir *Achimenes*.

Achimenes
GESNÉRIACÉES

Achimenes hybride

Le genre *Achimenes* comprend des espèces qui, le printemps et l'été, se parent de feuilles et de fleurs remarquables. Les achimènes forment tous une souche rhizomateuse d'où naissent les tiges. Les feuilles cordées et pourvues d'un pétiole court s'opposent par paires. Elles sont généralement vert foncé, duveteuses et dentées. Les fleurs en forme de trompette apparaissent à l'extrémité d'un pédoncule court, à l'aisselle des feuilles. La floraison est prolongée, mais chaque fleur ne dure que quelques jours.

La longueur des tiges ainsi que la dimension des fleurs et des feuilles varient considérablement. En effet, les tiges peuvent avoir de 7,5 à 80 cm de long. Les plus grandes espèces, étant portées à s'étaler, ont intérêt à être suspendues. Après la floraison, lorsque les feuilles se sont complètement desséchées, couper les tiges au ras du sol et laisser la plante en dormance jusqu'au printemps suivant.
Voir aussi GESNERIACEES.

ESPÈCES RECOMMANDÉES
A. erecta (également connu sous le nom d'*A. coccinea*) se caractérise par de longues tiges de 45 cm, rampantes, velues et brunâtres. Les feuilles, de 2,5 à 5 cm de long sur environ 2 cm de large, ont une surface vert foncé et un revers rouge ou vert pâle. Les fleurs rouges se composent d'un long tube et de larges pétales.
A. grandiflora présente des tiges vertes ou rouges, velues, dressées

et hautes de 30 à 45 cm. Les feuilles velues et rudes sont de la même couleur que celles d'*A. erecta* et très grandes (15 cm sur 7,5). Les fleurs pourpre et blanc peuvent mesurer jusqu'à 4 cm sur 4. *A. grandiflora* est l'un des parents de l'hybride *A.* 'Purple King'.
A. longiflora (achimène trompette) a des tiges rampantes et longues d'environ 60 cm ainsi que des feuilles dentées très découpées pouvant mesurer 9 cm sur 4. Les fleurs bleu et blanc, longues de 5 cm, atteignent 7,5 cm de largeur. *A. l. alba*, à fleurs blanches, est un des parents de l'hybride *A.* 'Ambroise Verschaffelt', à fleurs blanches.

Il existe un grand nombre d'achimènes hybrides. Ceux qui suivent présentent des tiges relativement courtes (de 15 à 30 cm) et des fleurs compactes et colorées : *A.* 'Tarantella' a des fleurs rose saumon, *A.* 'Minuet' des fleurs rose foncé, et *A.* 'Fritz Michelssen' et *A.* 'Valse Bleu' des fleurs bleues.

SOINS PARTICULIERS
Lumière Pendant la croissance, exposer les achimènes à la lumière vive, mais non aux rayons du soleil. Les laisser dans la pénombre pendant la période de repos.

Température Durant la croissance, les achimènes exigent des températures allant de 16 à 27°C. Ils tolèrent des températures un peu plus basses, mais non plus élevées. Quand ils sont soumis à une chaleur intense plus d'un jour ou deux, leurs bourgeons cessent de croître.

Les rhizomes dormants peuvent être rangés dans un endroit frais. Ils ne résistent cependant pas au gel.

Arrosage Un bon arrosage est essentiel à l'épanouissement de la plante. Au début du printemps, dès que les rhizomes donnent des signes de vie, arroser copieusement de façon que la motte reste toujours très humide. Si elle se dessèche un peu, la plante pourra retourner en dormance. Lors de la floraison, arroser peu mais souvent. Ne jamais laisser les achimènes en fleur reposer dans l'eau. Après la floraison, réduire progressivement la quantité d'eau. Ne pas arroser pendant la période de repos.

Engrais Au début de la période de croissance, pour stimuler la pousse des feuilles, utiliser un engrais liquide riche en azote. A l'apparition des bourgeons, remplacer ce type d'engrais par un autre, plus riche en phosphate et en potassium qu'en azote. Enrichir d'engrais dilué (8 volumes d'eau pour 1 de solution) jusqu'à la fin de la floraison.

Empotage et rempotage Utiliser un mélange à volume égal de tourbe, de gros sable ou de perlite, et de vermiculite. Pour réduire l'acidité, ajouter un peu de chaux, de calcaire ou de coquilles d'œufs broyées.

Au début du printemps, dégager les nouveaux rhizomes du mélange de l'année précédente et les diviser au besoin. Les rhizomes isolés formeront bientôt de nouvelles souches rhizomateuses s'ils sont couchés dans des contenants peu profonds et recouverts de 1,5 cm de mélange. Mettre 3 ou 4 rhizomes dans un pot de 10 cm. Pour une corbeille suspendue, utiliser au moins une douzaine de rhizomes. Pour faciliter le drainage, ne pas trop tasser le mélange.

Multiplication Les nouvelles plantes sont généralement issues de rhizomes séparés. Cependant, elles peuvent également se former à partir de boutures de 7 cm prélevées au début de l'été. Les racines se développent rapidement à la température normale d'une pièce, dans un endroit bien éclairé. Arroser copieusement.

Achimène trompette, voir *Achimenes longiflora.*
Acore, voir *Acorus.*

Acorus
ARACÉES

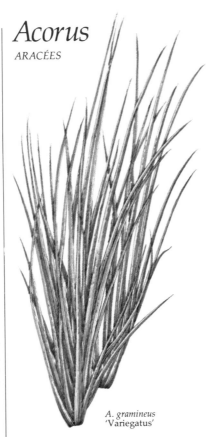

A. gramineus 'Variegatus'

Une seule des deux espèces qui composent le genre *Acorus* (acore) se cultive à l'intérieur. Il s'agit d'*A. gramineus* (lis des marais). Linéaires et rubanées, ses feuilles viennent par touffes et surgissent d'un rhizome qui croît presque à fleur de terre; elles atteignent dans certains cas 45 cm. La plante présente une spathe verte si délicate qu'elle se confond avec les feuilles. *A. g.* 'Variegatus' porte

A. gramineus s'associe fort agréablement à un ensemble contrasté, composé de plantes buissonnantes, rampantes et érigées.

des feuilles vertes striées de blanc, tout comme *A. g.* 'Albovariegatus', plante naine dont les feuilles dépassent rarement 15 cm. Les acores se marient bien aux plantes à large feuillage. A une lumière suffisante, leur croissance demeure constante.

SOINS PARTICULIERS

Lumière Les acores se satisfont d'une lumière vive tamisée.

Température L'espèce cultivée à l'intérieur se développe à la température normale d'une pièce, mais elle tolère des températures descendant jusqu'à 4°C. Elle exige beaucoup d'humidité. Garder sur une couche de cailloux humides et bassiner lorsqu'il fait chaud.

Arrosage Les racines de l'acore ne doivent jamais se dessécher. Arroser copieusement et aussi souvent qu'il le faut pour que la motte demeure humide. Laisser même reposer le pot dans un peu d'eau.

Originaire de zones humides, l'acore exige plus d'eau que la plupart des plantes. On peut même garder son pot dans un peu d'eau.

Engrais Enrichir d'engrais liquide ordinaire tous les 15 jours, au printemps et durant l'été.

Empotage et rempotage Utiliser un mélange à base de terreau (voir page 429). Au printemps, rempoter les jeunes sujets s'ils remplissent le contenant. L'acore exige rarement des pots de plus de 12 ou 13 cm.

Multiplication Au printemps ou pendant l'été, diviser délicatement les touffes avec les doigts en conservant un fragment du rhizome, et replanter. Donner ensuite à chaque petite touffe les soins habituels.

Adiante, voir *Adiantum.*

Adiantum

POLYPODIACÉES

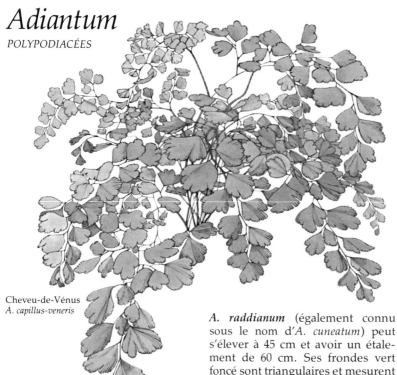

Cheveu-de-Vénus
A. capillus-veneris

Les espèces du genre *Adiantum* (adiante, capillaire) comptent parmi les fougères cultivées les plus connues. Elles se reconnaissent à leurs pétioles délicats, brillants et foncés, semblables à des cheveux. Elles naissent de rhizomes qui se développent rapidement et courent presque à fleur de terre. Leurs longues frondes (de 20 à 38 cm) sont divisées en nombreuses pinnules qui, chez les plantes adultes, portent des sores bruns.
Voir aussi FOUGERES.

ESPÈCES RECOMMANDÉES

A. capillus-veneris (capillaire, cheveu-de-Vénus) dépasse rarement 30 cm quand il est cultivé en pot. Ses frondes vert pâle et triangulaires portent des pinnules en éventail. Les plus beaux sujets présentent des frondes de 60 cm sur 25, et des pinnules de 2,5 cm.

A. hispidulum dépasse rarement 30 cm de hauteur. Ses frondes (environ 30 cm sur 15) sont digitées. Chez les individus jeunes, les pinnules presque oblongues et coriaces se teintent d'un brun rougeâtre pour tourner au vert par la suite.

A. raddianum (également connu sous le nom d'*A. cuneatum*) peut s'élever à 45 cm et avoir un étalement de 60 cm. Ses frondes vert foncé sont triangulaires et mesurent jusqu'à 20 cm sur 15; elles se composent de nombreuses pinnules, très délicates. Il existe plusieurs variétés d'*A. raddianum* qui diffèrent légèrement les unes des autres. Elles ont cependant toutes des frondes qui commencent par se dresser quand la plante est jeune, puis retombent avec grâce à mesure qu'elle vieillit. *A. r.* 'Fragrantissimum' à feuillage touffu et fortement parfumé, ainsi qu'*A. r.* 'Fritz-Luthii' à longues frondes comptent parmi les plus populaires.

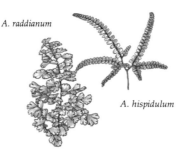

A. raddianum

A. hispidulum

A. tenerum peut atteindre 1 m de hauteur. Ses frondes vert pâle sont triangulaires et se composent de nombreuses pinnules en forme d'éventail, profondément découpées. Certaines de ses variétés portent des frondes rosées. *A. t.* 'Farleyense' est pourvu de frondes retombantes et de pinnules à bords entaillés et ruchés; *A. t.* 'Wrightii',

quand il est jeune, a des frondes qui passent du rose au vert tendre, et des pinnules en forme d'éventail qui se chevauchent.

SOINS PARTICULIERS

Lumière Les adiantums exigent d'être placés à la lumière, mais à l'abri des rayons directs du soleil.

Température Ces plantes se développent à la température normale d'une pièce et peuvent tolérer jusqu'à 10°C. Par ailleurs, si la température est supérieure à 24°C, placer les pots sur une couche de cailloux dans un peu d'eau et bassiner les feuilles tous les jours.

Arrosage Les racines doivent rester légèrement humides. Si on laisse la motte se dessécher complètement, pour l'arroser copieusement ensuite, on fera mourir la plante. Arroser modérément, mais de façon à maintenir la motte humide. Laisser se dessécher sur 2 cm avant d'arroser de nouveau.

Engrais Les fougères ne sont pas exigeantes, mais elles profiteront d'apports d'engrais liquide ordinaire pendant leur période de croissance. La fréquence de ces apports dépend du mélange utilisé.

Empotage et rempotage Se servir d'un mélange qui retient l'eau tout en assurant un bon drainage. Le mélange à base de tourbe est parfait à condition qu'on le fertilise tous les 15 jours.

Un mélange à base de terreau (voir page 429) auquel on ajoute un volume égal de feuilles grossièrement hachées ou de tourbe grossière a moins besoin d'engrais; une fois par mois suffira. Au printemps, rempoter, mais seulement si les racines affleurent. Plutôt que de rempoter une vieille plante, supprimer délicatement quelques-unes des racines visibles et replacer dans le même pot après avoir ajouté du mélange frais.

Multiplication Au moment du rempotage, prélever des petits segments de rhizome ayant conservé une ou deux frondes, ou diviser les rhizomes et empoter chaque nouvelle plante ainsi formée. Mettre chaque plant dans un pot différent (en mettre plusieurs dans une corbeille) et recouvrir de l'un des mélanges proposés plus haut. Bien arroser les premiers jours, puis revenir à des arrosages normaux.

Aechmea

BROMÉLIACÉES

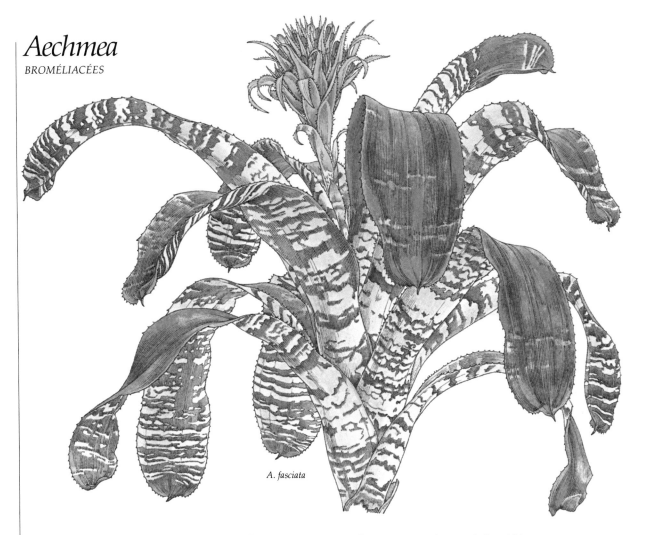

A. fasciata

T̲outes les espèces qui se rattachent à ce genre considérable proviennent de régions tropicales. A l'état naturel, la plupart sont épiphytes. Les feuilles, adaptées au milieu, sont disposées en rosette plus ou moins profonde pour permettre à la plante de capter et de conserver l'eau. Celles de certaines espèces forment même une rosette très serrée en forme de long tube. Une inflorescence unique s'élève en plein centre de la coupe. L'aechmea ne fleurit qu'une fois, lorsqu'il est parvenu à maturité, après quoi la rosette s'étiole. Cependant, le feuillage et les bractées conservent leur valeur ornementale plusieurs mois après la disparition des fleurs. Pendant cette période, des rejetons apparaissent à la base de la rosette. L'amateur peut reconstituer l'habitat naturel de l'aechmea en le cultivant sur un « tronc à épiphyte » (voir page 107).
Voir aussi BROMÉLIACEES.

ESPÈCES RECOMMANDÉES

A. chantinii porte des feuilles à bords épineux formant une rosette en entonnoir. Longues de 45 cm, elles sont vertes et zébrées de gris. L'inflorescence se compose d'un groupe de bractées rouge orangé, fortement dentées, qui retombent en s'ouvrant et révèlent une panicule de fleurs pétiolées, jaune et rouge. *A. c.* 'Pink Goddess' et *A. c.* 'Red Goddess' sont des variétés à bractées respectivement roses et rouges.

A. fasciata (également connu sous le nom d'*A. rhodocyanea* ou de *Billbergia rhodocyanea*) est le plus populaire des aechmeas. Ses feuilles gris-vert, à bords épineux, forment une rosette très évasée, et peuvent atteindre 60 cm. Parvenue à maturité, après trois ou quatre ans, la plante émet une robuste inflorescence rose de 15 cm de long, essentiellement constituée de bractées où sont blotties de petites

fleurs, d'abord bleues, puis rouges. Tandis que les fleurettes sont éphémères, les bractées gardent leur valeur ornementale pendant environ six mois. *A. fasciata* comprend deux variétés panachées :

Les aechmeas, comme toutes les broméliacées, sont fort attrayants lorsqu'ils s'accrochent à une branche.

A. f. 'Albomarginata', à contours crème, et A. f. 'Variegata', à bandes transversales, crème aussi.

A. fulgens arbore de larges feuilles pouvant atteindre 40 cm qui forment une rosette plutôt étalée. Seule la variété A. f. discolor est cultivée à l'intérieur. Le dessus de ses feuilles, d'un vert olivâtre, est vernissé et le revers, rouge foncé, est comme saupoudré de blanc. Après la disparition de ses fleurs pourpres apparaissent de jolies baies rouges.

A. chantinii

A. fulgens discolor

A. racinae présente de grandes feuilles (30 cm sur 2,5) vertes, tendres et brillantes, qui forment une petite rosette étalée. Cette espèce fleurit d'ordinaire à l'époque de Noël. Une longue hampe (de 30 à 46 cm) regroupe des petites fleurs ovales et rouge vif, semblables à des baies, et dont l'extrémité présente des pétales jaune et noir. Les fleurs sont remplacées par de petits fruits rouge orangé qui gardent leur éclat pendant des mois.

Les deux plus beaux aechmeas de petite taille sont des hybrides à feuilles courtes (20 cm au maximum). A. 'Foster's Favorite' porte des feuilles vernissées lie-de-vin formant un tube étroit qui s'ouvre en éventail à mi-hauteur et d'où émerge un épi de fleurs pourpres un peu incliné. Les fleurs disparaissent bientôt au profit de petites baies rouge foncé qui, elles, gardent leur éclat pendant deux ou trois mois. A. 'Royal Wine' a des feuilles très brillantes, vert olive sur le dessus et rouge foncé au revers. Les

fleurs sont bleues, et les baies orange. Ces deux hybrides se cultivent très facilement à l'intérieur.

SOINS PARTICULIERS

Lumière Les aechmeas en pots ont tous besoin du plein soleil pour bien fleurir.

Température Les aechmeas préfèrent les lieux humides où les températures sont supérieures à 15°C. Il est recommandé de placer les pots sur une couche de cailloux dans une soucoupe remplie d'eau. Les plantes à feuilles épaisses et écailleuses tolèrent mieux la fraîcheur et la sécheresse que celles à feuilles tendres et vernissées. Cependant, la plupart des aechmeas survivent à de courtes périodes de fraîcheur.

Arrosage Il doit être assez copieux pour bien humidifier la motte. Laisser se dessécher sur quelques centimètres avant d'arroser de nouveau. Par ailleurs, s'assurer que la rosette contient toujours de l'eau fraîche. De temps en temps, renouveler l'eau pour éviter qu'elle ne stagne et dégage des odeurs. Dans les régions où l'eau est calcaire, mettre la plante sous la pluie (si la température est assez chaude) de temps à autre. L'eau dure produit des dépôts calcaires et abîme les feuilles.

Engrais Sauf pendant le repos hivernal, enrichir d'engrais liquide ordinaire dilué dans un volume d'eau, une fois tous les 15 jours. En arroser les racines et le feuillage, et en verser au centre de la rosette.

Empotage et rempotage Utiliser un mélange à volume égal de terreau de feuilles, de tourbe et de sable grossier ou de perlite. La plupart des aechmeas s'accommodent de petits pots (12 cm au maximum).

Les petites plantes fleurissent mieux dans des pots de 10 cm. Le rempotage, quand il est nécessaire, s'effectue au début de la période de croissance. Utiliser de préférence des pots de grès.

Multiplication Détacher les rejetons qui poussent à la base de la plante mère quand ils sont à mi-hauteur de celle-ci. De préférence, effectuer cette opération au printemps. Planter les rejetons dans des pots de 5 à 8 cm remplis du mélange recommandé ci-dessus. Ne pas supprimer les racines d'un rejeton. Pendant les quatre premiers mois environ, garder chaque petite plante dans un endroit éclairé, mais à l'abri des rayons directs du soleil. Arroser très parcimonieusement, de façon à ne maintenir qu'un minimum d'humidité. Quand le jeune aechmea est en bonne voie de croissance, le placer dans un endroit ensoleillé et l'entretenir normalement.

Remarque Pour multiplier la plante, après la floraison, certains amateurs préfèrent laisser les rejetons dans le même pot. On leur fera

Couper la rosette qui a fini de fleurir le plus près possible du sol pour permettre aux rejetons de s'épanouir.

de la place en coupant la rosette mère (celle-ci meurt après avoir fleuri). Deux rosettes ou plus formeront un ensemble attrayant au moment de la floraison.

Bouturage des aechmeas

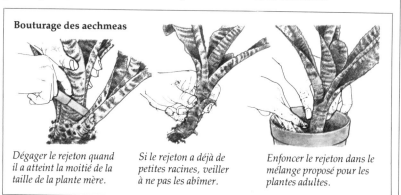

Dégager le rejeton quand il a atteint la moitié de la taille de la plante mère.

Si le rejeton a déjà de petites racines, veiller à ne pas les abîmer.

Enfoncer le rejeton dans le mélange proposé pour les plantes adultes.

Aeonium

CRASSULACÉES

A. arboreum
'Atropurpureum'

Le genre *Aeonium* regroupe de nombreuses plantes grasses cultivées essentiellement pour leurs rosettes caractéristiques, formées de feuilles charnues, souvent spatulées, qui coiffent pour la plupart des tiges ligneuses. Cependant, certaines espèces ont des tiges si courtes qu'on les devine à peine. Il y a des espèces dont la tige se termine par une seule rosette et d'autres, ramifiées, qui en portent plusieurs. Les feuilles sont parfois épaisses et dures, parfois tendres et fragiles. Les rosettes perdent régulièrement leurs feuilles inférieures, ce qui laisse des marques, ou cicatrices, sur les tiges.

Les plantes adultes s'ornent de petites fleurs crème ou jaunâtres en forme d'étoile. Après avoir fleuri (ce qui arrive au bout de quatre ou cinq ans), les rosettes meurent. On perd donc alors l'aeonium simple. Celui qui se ramifie a des chances de durer plus longtemps, car les rosettes ne fleuriront peut-être pas toutes en même temps.
Voir aussi PLANTES GRASSES.

ESPÈCES RECOMMANDÉES

A. arboreum se caractérise par une tige ligneuse qui se ramifie et n'at-

teint guère plus de 1 m. Les feuilles, longues de 5 à 7 cm, sont vertes, brillantes et spatulées. *A. a.* 'Atropurpureum' est une variété à feuilles pourpres et assez petites qui pâlissent si la plante n'est pas exposée au soleil. Il en va de même d'*A. a.* 'Schwarzkopf' dont le feuillage est presque noir.

A. canariense produit une tige courte et épaisse qui dépasse rarement 30 cm. Les feuilles spatulées de 10 à 30 cm sur 5 à 10 sont disposées en rosette; elles sont vert pâle et bordées de petits poils blancs. La plupart des individus n'ont qu'une seule rosette; il s'en

A. haworthii

A. tabuliforme

développera exceptionnellement 2 ou 3. Des fleurs jaune pâle ornent une longue tige de 30 à 45 cm.

A. domesticum Voir *Aichryson*, genre sous lequel on regroupe maintenant l'espèce.

A. haworthii est une espèce petite qui atteint rarement 60 cm. Ses tiges ligneuses ainsi que ses ramifications nombreuses et courtes se terminent par des rosettes formées de feuilles épaisses, gris-bleu, et bordées de brun rougeâtre. Ses fleurs blanches ou crème se teintent parfois de rose.

A. tabuliforme a une tige tellement courte que la plante semble acaule. Ses feuilles vert pâle, spatulées, sont serrées les unes contre les autres. A l'état naturel, la plante pousse dans des crevasses et sa rosette est inclinée pour permettre à l'eau de pluie de s'écouler. Il convient donc de ne pas planter la tige à la verticale et de lui garder une certaine inclinaison. Une inflorescence naît d'une rosette parvenue à

Planter A. tabuliforme *de façon que sa rosette garde une certaine inclinaison, comme dans la nature. L'eau peut alors ruisseler des feuilles.*

maturité; chacune de ses petites ramifications se termine par des fleurs jaunes et mates.

A. undulatum se caractérise par une tige épaisse pouvant atteindre 1 m de hauteur et coiffée de feuilles vert foncé, ondulées et longues de 15 cm, qui forment une rosette de 30 cm de diamètre. Le pied de la tige peut aussi donner naissance à des rejetons également couronnés de rosettes, chacune ornée de fleurs jaune moutarde à long pédoncule.

SOINS PARTICULIERS

Lumière Même pendant leur période de repos, les aeoniums ont besoin de soleil pour conserver leur forme. Une lumière trop faible leur

73

fera perdre leurs feuilles et fera s'étioler la rosette.

Température Les aeoniums se développent à la chaleur (18 à 24°C), même si, comme la plupart des plantes grasses, ils ne sont pas originaires de milieux tropicaux. Pendant l'hiver, les mettre dans un endroit frais (environ 10°C) pour les obliger à une période de repos.

Arrosage Pendant la période de croissance, arroser suffisamment pour bien humidifier la motte, mais laisser sécher sur quelques centimètres avant d'arroser de nouveau. Pendant la période de repos, attendre pour arroser que le sol soit à moitié sec. Des arrosages insuffisants provoquent le dessèchement des feuilles, tandis que des arrosages trop abondants entraînent une croissance anormale : la plante ramollit et se recourbe.

Engrais Enrichir d'engrais liquide ordinaire tous les 15 jours, pendant la période de croissance.

Empotage et rempotage Utiliser un mélange composé de sable grossier ou de perlite (1/3) et de mélange ordinaire à base de terreau (2/3) [voir page 429]. Comme les aeoniums se développent rapidement, les grandes espèces devraient être rempotées chaque année au début de la période de croissance. Les espèces plus petites, comme *A. haworthii* et *A. tabuliforme*, se satisfont de petits pots (7 ou 8 cm) pendant deux ou trois ans, après quoi elles exigent d'être rempotées. Les plantes qu'on rempote doivent être bien enfoncées dans la terre; les plus grandes doivent être tuteurées.

Multiplication *A. tabuliforme* se multiplie par semis, opération délicate qu'il vaut mieux laisser aux horticulteurs. Les espèces ramifiées se reproduisent facilement par bouturage au début de la période de croissance. Détacher une rosette en conservant de 2 à 5 cm de sa tige. Enduire l'entaille de poudre d'hormones pour stimuler la croissance des racines. Planter dans un mélange à volume égal de tourbe et de sable grossier ou de perlite. Les racines apparaissent après un séjour de deux ou trois semaines dans un milieu chaud (18 à 24°C) et très éclairé. Arroser moyennement. Repiquer dans le mélange recommandé.

Aeschynanthus
GESNÉRIACÉES

A. speciosus

Le genre *Aeschynanthus* comprend plus de 100 espèces, toutes à longues tiges rampantes, florifères et très colorées. La plupart des individus cultivés se distinguent par des feuilles elliptiques, opposées et charnues que porte une tige pouvant atteindre 60 cm. Les fleurs, très attrayantes, naissent seules ou par paires à l'aisselle des feuilles, ou encore en grappes au bout des tiges. Chez de nombreuses plantes, la corolle, contenue dans un calice profond, s'épanouit en 5 lobes et laisse voir les étamines et émerger le style.

Ces plantes fleurissent à l'intérieur pendant l'été. Chacune des fleurs ne dure cependant que deux ou trois jours. Suspendu dans une corbeille ou panier, l'aeschynanthus prend toute sa valeur; ses longues tiges peuvent alors émettre quantité de rejetons.
Voir aussi GESNERIACEES.

ESPÈCES RECOMMANDÉES
A. lobbianus a des tiges retombantes et des feuilles vert foncé de 4 cm sur 2, légèrement dentées et bordées de pourpre. Les fleurs sont d'un rouge vif et portent des stries d'un blanc crémeux. Elles sont longues de 5 cm, naissent par paires et émergent de longs calices sombres et duveteux. Le calice est également garni de poils fins.
A. marmoratus est cultivé pour ses feuilles plutôt que pour ses fleurs. En effet, il a des feuilles épaisses pouvant atteindre 10 cm de longueur et 4 cm de largeur. Elles sont marquées de vert plus foncé sur le dessus et teintées de rouge au revers. Les fleurs jaune verdâtre sont tachetées de brun foncé. Le calice (2 cm) est vert et découpé en 5 lobes étroits; la corolle (4 cm) ne s'épanouit pas à l'ouverture. *A. marmoratus* est l'un des parents de l'hybride *A.* 'Black Pagoda' qui se distingue par des fleurs orange brûlé, présentes toute l'année.
A. pulcher se distingue d'*A. lobbianus* par un calice vert teinté de pourpre et par une corolle longue de 6 cm. Tous deux ne sont que légèrement velus.
A. speciosus constitue sans doute l'espèce la plus attrayante. Ses feuilles pointues et vert foncé s'opposent par paires ou forment des verticilles et se réunissent en touffes de 4 à 8 à l'extrémité des tiges pour envelopper les grappes de 6 à 20 fleurs. Les feuilles mesurent jusqu'à 10 cm sur 4. Les fleurs orange et jaune orangé ont des lobes marqués de rouge foncé et bordés d'écarlate. Le calice, de 0,5 cm, est vert, duveteux et enveloppe une partie seulement de la corolle, velue elle aussi, qui peut atteindre 10 cm.

SOINS PARTICULIERS
Lumière Les aeschynanthus exigent un bon éclairage, mais ne doivent pas recevoir plus de deux ou trois heures de soleil par jour.
Température Ces plantes se satisfont de la température normale

d'une pièce dans la mesure où leur besoin d'humidité est équilibré. Placer une couche de cailloux humidifiés sous les tiges rampantes, et bassiner la plante tous les jours pendant la période de floraison.

Arrosage Les aeschynanthus en fleur exigent des arrosages copieux. En période normale, arroser modérément, mais suffisamment pour bien humidifier la motte. Laisser sécher sur 1 ou 2 cm avant d'arroser de nouveau. Gardées dans un endroit chaud et humide, ces plantes n'ont pas de période de repos et exigent d'être arrosées de la même façon toute l'année.

Engrais Enrichir d'engrais liquide contenant une dose égale d'azote, de phosphate et de potassium, et dilué dans huit volumes d'eau.

Empotage et rempotage Comme ces plantes croissent en milieu acide, elles se satisfont de tourbe mal décomposée ou encore d'un mélange composé d'un volume égal de tourbe, de perlite et de vermiculite. Ne pas trop tasser le mélange car les racines ont besoin de respirer. Empoter plusieurs jeunes plants dans des contenants peu profonds (de 12 à 15 cm). Rempoter n'importe quand pendant l'année. Quand les racines remplissent le pot (voir page 426), rempoter ou, mieux encore, secouer celles-ci pour enlever le compost qui y adhère, en couper le tiers et remettre les plantes dans le même pot rempli de mélange frais.

Multiplication Des boutures de 10 à 15 cm mettent trois ou quatre semaines à faire des racines. Planter dans des pots de 6 ou 7 cm remplis du mélange humide recommandé ci-dessus. Enfermer dans des sachets de plastique transparent et garder à une température normale, dans un endroit bien éclairé. A l'apparition des racines, retirer les sachets et n'arroser que pour maintenir un minimum d'humidité. Au bout d'une semaine, mettre plusieurs de ces plants dans un même contenant de 12 à 15 cm. Leur donner exactement les mêmes soins qu'aux plantes adultes. Ne jamais négliger l'arrosage : les aeschynanthus sont très avides d'humidité.

Remarque Surveiller très soigneusement les insectes : les pucerons (voir page 455) s'attaquent aux jeunes feuilles.

Agave
AGAVACÉES

A. victoriae-reginae

L'agave est une plante grasse à feuilles étroites et pointues, fort décorative. On a longtemps cru qu'elle ne fleurissait qu'une fois par siècle. En fait, elle fleurit d'habitude au bout de 10 ans, après quoi elle meurt. Cependant, la plante cultivée à l'intérieur donne rarement des fleurs. Ses feuilles épaisses, dures et charnues forment au début une rosette ferme et compacte qui se déploie progressivement. Chez plusieurs espèces, les feuilles sont pourvues d'épines. On doit supprimer celles de la base, qui se dessèchent quand elles vieillissent. *Voir aussi PLANTES GRASSES.*

ESPÈCES RECOMMANDÉES

A. americana (agave d'Amérique), l'espèce la plus connue, atteint une si grande taille qu'elle ne se cultive à l'intérieur que lorsqu'elle est très jeune. Les feuilles de la plante adulte peuvent mesurer jusqu'à 2 m de long et forment une vaste rosette. D'un vert bleuté, les feuilles ont des bords épineux et se terminent par un aiguillon brun foncé, acéré, de 6 mm de long. Parmi ses variétés panachées, citons : *A. a.* 'Marginata', à marges jaunes, et *A. a.* 'Medio-picta', à centre jaune et à marges vertes.

A. angustifolia ressemble à *A. americana*. Il arbore cependant des feuilles gris-vert plus étroites, longues de 75 cm et disposées en rosette compacte. *A. a.* 'Marginata' présente d'étroites marges blanches. A cause des dimensions qu'elle peut atteindre, cette espèce ne se cultive à l'intérieur que lorsqu'elle est jeune.

A. americana   A. americana 'Marginata'   A. attenuata

A. attenuata devient, lui aussi, après trois ou quatre ans, trop volumineux pour qu'on le garde en appartement. Ses longues feuilles (45 cm) tendres et larges se terminent par une pointe rigide dépourvue d'épine. Relativement souples, elles peuvent néanmoins se casser si on les manipule rudement.

A. fernandi-regis étale en rosette des feuilles vert foncé, bordées de blanc. Elles ont 13 cm de long et se terminent par une épine de 6 mm.

A. filifera (agave à fibres textiles) croît lentement et reste petit. Il atteint au plus 25 cm de hauteur. Ses feuilles vertes (25 cm sur 2,5) et bordées de blanc sont disposées en rosette et se terminent en pointe. La bordure blanche est constituée de petites fibres qui s'effilochent. *A. f.* 'Compacta', variété plus petite, ne dépasse pas 15 cm de hauteur. Ses feuilles vertes, triangulaires et striées de blanc, sont garnies de fils cotonneux et se terminent par une pointe noire. Cette plante peut être cultivée à l'intérieur pendant de nombreuses années.

A. parviflora, autre espèce de petite taille, croît lentement et vit longtemps. Ses feuilles rigides et étroites mesurent de 8 à 15 cm; elles sont disposées en rosette et bordées de fils cotonneux.

A. potatorum (également connu sous le nom d'*A. verschaffeltii*) est aussi une espèce de petite taille qui se développe lentement. Ses feuilles bleu-vert mesurent 20 cm et se terminent par une épine de 6 mm; elles sont bordées de dents brunes.

A. victoriae-reginae est le plus décoratif de tous les agaves. Il se reconnaît à sa rosette extrêmement compacte et dépasse rarement 23 cm de hauteur. Il peut cependant avoir un étalement assez ample. Ses feuilles vert foncé, longues de 15 cm, sont à peu près triangulaires et se distinguent par des bordures blanches particulièrement décoratives; elles ne sont pas dentées et se terminent par une pointe très dure. Cette plante ne produit qu'une ou deux feuilles par année, si bien que les plantes adultes sont rares et coûtent cher.

SOINS PARTICULIERS

Lumière Les agaves exigent d'être placés dans les endroits les plus ensoleillés. Réhabituer progres-sivement à la lumière la plante qui aurait séjourné à l'ombre. Une transition brusque risquerait de brûler les feuilles.

Température Ces plantes préfèrent une température normale pendant leur période de croissance, et un milieu plus frais (de 10 à 13°C) pendant leur période de repos.

Arrosage Pendant la période de croissance, arroser pour bien humidifier la motte. Laisser se dessécher aux deux tiers avant d'arroser de nouveau. Quand la plante est au repos, n'arroser que pour assurer un minimum d'humidité.

Engrais Enrichir d'engrais liquide ordinaire tous les 15 jours, pendant la période de croissance.

Empotage et rempotage Se servir d'un mélange à base de terreau (2/3) auquel on ajoutera du sable grossier ou de la perlite (1/3) pour assurer le drainage (voir page 429). Ne rempoter les petites plantes que tous les deux ou trois ans, mais rempoter *A. americana* et *A. attenuata* tous les printemps. Renouveler la couche superficielle du mélange des plantes arrivées à maturité (voir page 428).

Multiplication Sauf *A. victoriae-reginae* qui se multiplie par semis (voir page 441), tous les agaves produisent des rejetons. Les détacher quand ils atteignent 8 à 10 cm chez les grosses plantes, et 3 ou 4 cm chez les plus petites. Planter dans un mélange ordinaire et entretenir comme des plantes adultes. Cependant, arroser très peu jusqu'à la formation des racines.

Remarques Attention! Porter de bons gants pour manipuler les agaves à épines, et placer ces plantes hors de la portée des enfants.

Mettre des gants pour enlever les feuilles d'un agave muni d'épines.

Agave d'Amérique, voir *Agave americana.*

Agave à fibres textiles, voir *Agave filifera.*

Aglaonema
ARACÉES

Le genre *Aglaonema* groupe nombre de plantes ornementales remarquables par les panachures subtiles de leur feuillage. En effet, ces plantes érigées, pouvant atteindre près de 1 m de hauteur, présentent des feuilles délicatement tachetées de gris, de crème ou de vert. Elles sont tantôt lancéolées, tantôt ovales, et sont portées par de longs pétioles (30 cm) qui émergent de la tige. Certaines espèces ont une tige courte et robuste marquée de cicatrices circulaires à l'emplacement des anciennes feuilles. L'inflorescence typique des aglaonemas comporte une spathe blanche ou jaune ressemblant aux arums et longue de 5 cm qui enveloppe un spadice produit pendant l'été ou au début de l'automne. Celui-ci disparaît au profit de baies rouges ou orange. On cultive les aglaonemas principalement pour la valeur décorative de leurs feuilles.

ESPÈCES RECOMMANDÉES

A. commutatum, l'espèce la plus connue, se caractérise par des feuilles vert foncé tachetées de gris, brillantes, lancéolées et mesurant 20 cm sur 9. La tige des sujets adultes est souvent marquée de cicatrices. Cette espèce a donné deux variétés intéressantes : *A. c.* 'Pseudobracteatum', à longues feuilles vertes panachées de gris-vert et de crème et *A. c.* 'Treubii', à feuilles gris-vert maculées de vert jaunâtre.

A. commutatum 'Treubii'

A. crispum 'Silver King'

A. costatum présente des feuilles vert foncé à nervure médiane blanche. Elles mesurent 20 cm sur 10 et sont irrégulièrement pointillées de blanc. *A. c. immaculatum* en est la variété unie.

A. crispum 'Silver Queen'

A. crispum (également connu sous le nom d'*A. roebelinii*) se distingue par des feuilles épaisses, coriaces et mesurant 30 cm sur 13. Elles sont gris-vert avec une nervure médiane et des marges vert olive. La variété *A. c.* 'Silver Queen' a des feuilles gris-vert foncé fortement panachées d'argenté. *A. crispum* présente, au bout de quelques années, une tige épaisse, marquée de cicatrices et coiffée d'une douzaine de feuilles.

A. modestum (plante verte chinoise) porte des feuilles vertes, ondulées et vernissées de 20 cm sur 10. *A. m.* 'Variegatum', une de ses variétés, a des feuilles à macules jaunes.

A. nitidum (appelé à tort *A. oblongifolium*) se caractérise par de grandes feuilles (46 cm sur 15). Chez sa variété *A. n.* 'Curtisii', les nervures principales sont bordées de couleur argent ressortant sur le fond vert.

A. pictum produit une tige qui devient grise avec le temps. Les feuilles de 15 cm sur 5, légèrement ondulées, sont irrégulièrement panachées de vert pâle et de gris argenté. Leur nervure médiane gris-vert fait saillie. La variété *A. p.* 'Tricolor' se distingue par des feuilles vertes tachetées de jaune pâle.

SOINS PARTICULIERS

Lumière Les aglaonemas se satisfont d'une lumière moyenne et ne tolèrent pas le soleil.

Température Ces plantes se développent à la température normale d'une pièce. Pour leur donner plus d'humidité, les placer sur une couche de cailloux dans de l'eau.

Arrosage Pendant la période de croissance, arroser modérément mais assez pour humidifier la motte. Laisser se dessécher sur quelques centimètres avant d'arroser de nouveau. Pendant la période de repos (très courte, s'il y en a une), réduire les apports d'eau.

Engrais Enrichir d'engrais liquide ordinaire tous les mois, sauf pendant la période de repos.

Empotage et rempotage Utiliser un mélange à base de terreau (voir page 429). Au printemps, rempoter les jeunes plantes; ne rempoter les plantes adultes que tous les deux ou trois ans. Les aglaonemas n'auront jamais besoin de pots de plus de 14 ou 15 cm. Quand ils auront atteint leur taille maximale, renouveler la couche superficielle du mélange (voir page 428).

Multiplication Au printemps, choisir un rejeton garni de trois ou quatre feuilles et, si possible, pourvu de racines. Planter dans un pot rempli d'un mélange humide composé à volume égal de tourbe et de sable grossier ou de perlite. Enfermer le pot dans un sachet de plastique et garder à la lumière. Les racines se formeront en sept ou huit semaines. Traiter la nouvelle plante comme les sujets adultes.

On peut aussi bouturer des segments de tige ou reproduire la plante par marcottage aérien (voir page 440).

Aichryson

CRASSULACÉES

A. laxum

Un nombre limité d'espèces se rattachent au genre *Aichryson*. Ce sont des plantes grasses qui s'apparentent aux aeoniums et ont la forme de tout petits arbustes. Leurs feuilles rondes ou presque spatulées sont recouvertes de petits poils doux, et leurs fleurs jaunes se présentent en groupes au bout des branches, à la fin du printemps ou au début de l'été. Quelques espèces se comportent parfois comme des plantes annuelles ou bisannuelles et meurent après avoir fleuri.
Voir aussi PLANTES GRASSES.

ESPÈCES RECOMMANDÉES

A. domesticum (mieux connu sous le nom d'*Aeonium domesticum*) est une plante vivace qui dépasse rarement 25 cm. Ses feuilles vert olive et légèrement duveteuses forment des rosettes compactes. La variété la plus courante, *A. d.* 'Variegatum', porte des feuilles panachées de crème et fleurit rarement.

A. laxum (également connu sous le nom d'*A. dichotomum*) se comporte parfois comme une plante annuelle ou bisannuelle. Il ressemble à un arbre nain et dépasse rarement 30 cm de hauteur. Ses nombreuses ramifications portent des feuilles spatulées et presque rondes, longues d'environ 5 cm. Il produit des grappes de fleurs jaune pâle et meurt parfois après avoir fleuri.

A. villosum (joubarbe des îles Canaries) ressemble à un petit ar-

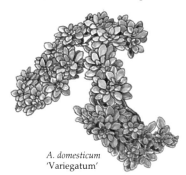

A. domesticum
'Variegatum'

buste indiscipliné et se comporte parfois comme une plante annuelle. Il atteint 20 cm de hauteur et produit des feuilles spatulées d'environ 2 cm sur des pétioles courts. Il donne des fleurs jaunes et meurt souvent ensuite.

SOINS PARTICULIERS

Lumière Les aichrysons ont besoin de beaucoup de lumière et d'un peu de soleil, sans quoi ils croîtront en hauteur sans jamais fleurir.

Température Ces plantes s'accommodent de températures fort variées. A la température normale d'une pièce, cependant, *A. domesticum* et certaines autres espèces continuent à se développer après avoir fleuri. Gardées dans un endroit sombre et frais (moins de 13°C), elles connaissent une courte période de repos.

Arrosage Pendant la période de croissance, arroser suffisamment pour bien humidifier la motte. Laisser se dessécher sur quelques centimètres avant d'arroser de nouveau. Pendant la période de repos, n'arroser que pour maintenir un minimum d'humidité.

Engrais Si les plantes sont gardées dans un endroit sombre et frais, enrichir d'engrais liquide ordinaire pendant la période de croissance. Sinon, fertiliser toute l'année.

Empotage et rempotage Utiliser un mélange à base de terreau (voir page 429). Comme les aichrysons ont des racines peu développées, ils croissent et fleurissent normalement dans des pots de 10 à 12 cm.

Multiplication Les petites boutures prélevées au printemps ou pendant l'été prennent racine rapidement. Couper des segments de tige de 9 ou 10 cm et les enfoncer dans un mélange humide à volume égal de tourbe et de gros sable ou de perlite. Placer dans un endroit bien éclairé et arroser normalement. Au bout de trois ou quatre semaines, quand les racines se seront développées, planter les boutures dans des pots de 8 cm remplis d'un mélange à base de terreau. Traiter comme des plantes adultes.

Remarque Il est normal que les aichrysons perdent leurs vieilles feuilles. Cependant, s'ils en perdent beaucoup, c'est peut-être qu'ils sont trop exposés au soleil ou que l'air est trop chaud et trop sec.

Allamanda

APOCYNACÉES

A. cathartica

Espèce grimpante à grandes fleurs jaunes en entonnoir, *Allamanda cathartica* orne agréablement les vitrines (voir page 53). Ses feuilles, d'environ 12 cm sur 5, sont vert foncé et luisantes. *A. c.* 'Grandiflora' en est une variété plus compacte tandis que *A. c.* 'Hendersonii' s'en rapproche, mais donne des fleurs orangées.

SOINS PARTICULIERS

Lumière L'allamanda a besoin de beaucoup de lumière et de trois ou quatre heures de soleil par jour.

Température Cette plante exige une température minimale de 16°C et beaucoup d'humidité.

Arrosage Pendant la période de croissance, arroser modérément; pendant la période de repos, n'arroser que parcimonieusement.

Engrais Enrichir d'engrais liquide ordinaire tous les 15 jours, pendant la période de croissance.

Empotage et rempotage Rempoter au printemps dans un mélange à base de terreau (voir page 429).

Multiplication Dans un mélange humide à volume égal de tourbe et de sable ou de perlite, planter des boutures de 8 ou 9 cm prélevées au printemps au bout des tiges. Enfermer dans des sachets de plastique transparent ou dans une caissette (voir page 443) et placer à 21°C dans un endroit éclairé. Transplanter deux mois plus tard.

Remarque A la fin de l'hiver, rabattre les deux tiers des plantes.

Aloe

LILIACÉES

Aloès panaché
A. variegata

Considérable, le genre *Aloe* (aloès) groupe des centaines de plantes grasses à feuilles épaisses et pointues disposées en rosettes. Certaines espèces ont des feuilles fortement dentées et munies

La tige d'A. brevifolia se renverse. Ne pas s'inquiéter, car ce phénomène est normal.

d'épines, d'autres ont des feuilles ordinaires. Il y a des aloès sans tige, d'autres avec des tiges feuillues; il y en a avec des tiges qui se dénudent à mesure qu'ils croissent, d'autres, enfin, avec des tiges qui, parvenues à une certaine hauteur (plus de 30 cm), se renversent, puis continuent de croître ainsi. De nombreuses espèces ne se cultivent à l'intérieur que lorsqu'elles sont jeunes, car elles atteignent de trop grandes tailles. Les inflorescences naissent à l'aisselle des feuilles, de la fin de l'hiver au début de l'été; ce sont des épis réunissant des fleurs tubuleuses rouges ou orange. Tous les aloès sont faciles à cultiver.
Voir aussi PLANTES GRASSES.

ESPÈCES RECOMMANDÉES

A. arborescens peut atteindre 4,50 m. Aussi, seules les plantes jeunes se cultivent à l'intérieur. Les feuilles dentées et étroites mesurent de 15 à 23 cm sur 2 et forment une rosette qui s'étale à l'extrémité d'un tronc ligneux et dénudé. Les sujets de deux ou trois ans émettent généralement des rejetons. Des fleurs rouges apparaissent parfois au bout d'une longue tige.

A. aristata, espèce sans tige, porte des feuilles charnues vert foncé, à bords blancs et rigides. Elles mesurent environ 15 cm sur 2 et forment une rosette compacte. Des fleurs orange apparaissent au sommet d'une longue tige (30 cm) au début de l'été et ne durent que quelques jours. Les plantes adultes engendrent de nombreux rejetons.

A. barbadensis (également connu sous le nom d'*A. vera*, vrai aloès) forme une masse de feuilles acérées mesurant de 30 à 60 cm sur 6. Ces feuilles gris-vert légèrement tachetées de blanc ont des bords dentés roses. Sur une tige pouvant atteindre 1 m apparaissent des fleurs jaunes. Les rejetons naissent de stolons.

A. brevifolia se caractérise par des feuilles vert pâle bordées de dents pointues. Elles mesurent environ 9 cm sur 4 et se groupent autour d'une tige qui, parvenue à une certaine hauteur, se renverse. Des fleurs rose pâle apparaissent sur un pédoncule qui atteint parfois 30 cm.

A. arborescens

A. aristata

A. brevifolia

Les rejetons naissent à l'aisselle des feuilles inférieures.

A. ferox ne se cultive à l'intérieur que lorsqu'il est relativement jeune, car il prend trop d'ampleur. En effet, ses feuilles charnues peuvent mesurer jusqu'à 95 cm sur 15. Elles ont un revers verruqueux et des bords munis d'épines brunes; elles sont opposées chez les sujets jeunes. La plante adulte produit des fleurs rouges par grappes de plus de 1 m de haut. Les rejetons n'apparaissent généralement que quand la plante est devenue trop grande pour être cultivée à l'intérieur.

A. variegata (aloès tacheté, aloès panaché) est la plus connue des espèces naines. Ses tiges sont recouvertes de feuilles triangulaires de 10 à 15 cm sur 2,5 à 4, d'abord disposées sur trois rangs, puis formant une spirale à mesure que la plante vieillit. Ces feuilles vert foncé tirant sur le gris sont marquées de bandes blanches transversales. *A. variegata* dépasse rarement 30 cm de hauteur et fleurit souvent dès qu'il atteint de 10 à 15 cm. Il produit à la fin de l'hiver une dizaine de fleurs roses portées sur une longue tige (30 cm). Comme cette plante ne perd pas ses feuilles, elle finit par se renverser sous son propre poids. Les rejetons peuvent naître aussi bien sur des sujets jeunes que sur des plantes adultes.

SOINS PARTICULIERS

Lumière Les aloès ont besoin de beaucoup de lumière. Ceux qui sont pourvus de feuilles épineuses préfèrent le soleil, tandis que les espèces à feuilles plus tendres (comme *A. variegata*) se satisfont d'une lumière tamisée.

Température Ces plantes se développent à une température normale et tolèrent un air sec. Pour stimuler la floraison, les obliger à une courte période de repos en les gardant à une température de 10°C.

Arrosage Pendant la période de croissance, arroser abondamment, et au besoin, pour que la motte soit toujours humide. Pendant la période de repos, n'arroser que pour maintenir un minimum d'humidité. Ne jamais verser d'eau dans la rosette d'*A. variegata*.

Engrais Enrichir d'engrais liquide ordinaire tous les 15 jours, pendant la période de croissance.

Empotage et rempotage Utiliser un mélange à base de terreau (voir page 429). Rempoter les aloès au printemps. S'assurer que les feuilles inférieures ne sont pas enterrées. Quand la plante aura atteint sa taille maximale, simplement renouveler la couche superficielle du mélange (voir page 428). Pour éviter le pourrissement, saupoudrer d'un peu de sable ou de perlite là où les feuilles des espèces sans tige sont en contact avec le sol.

Multiplication Prélever les rejetons à la base de la plante, au début de l'été. Ils ont la forme de petites rosettes et sont fixés à la plante mère par un stolon souterrain. Conserver les racines, s'il y en a. Comme les tout petits rejetons prennent difficilement racine, attendre qu'ils soient plus gros pour les prélever. Une longue tige pourvue d'une rosette est susceptible de produire d'autres petites rosettes à sa partie inférieure. Ces dernières s'enracinent plus rapidement. Les rejetons mettent deux ou trois semaines à prendre racine. Saupoudrer le mélange de sable grossier ou de perlite pour éviter que les feuilles ne pourrissent. Placer les boutures à la lumière, à l'abri du soleil; arroser un peu jusqu'à ce qu'elles aient des racines.

Remarque Surveiller l'apparition de cochenilles farineuses (dissimulées entre les feuilles) et de cochenilles des racines (voir page 454).

Le rejeton est suffisamment développé pour un bouturage : le détacher alors de la plante mère.

Aloès, voir *Aloe*.
Aloès panaché, voir *Aloe variegata*.
Aloès perlé, voir *Haworthia margaritifera*.
Aloès tacheté, voir *Aloe variegata*.
Amaryllis, voir *Hippeastrum*.
Amaryllis pourpre, voir *Vallota speciosa*.

Ananas
BROMÉLIACÉES

A. comosus variegatus

Le genre *Ananas* comprend, outre l'espèce comestible, des plantes recherchées pour la valeur ornementale de leur feuillage. Elles portent des feuilles longues, minces et dentées, disposées en rosette, enveloppant quelquefois des bractées roses à fleurs bleues. A l'emplacement des fleurs se forment des renflements d'où naît un fruit qui mettra six ou sept mois à prendre sa forme achevée. Il se garnit au sommet d'une touffe de feuilles courtes et dentées. (Le fruit produit à l'intérieur est rarement comestible.) Les ananas croissent lentement et n'ont pas de période fixe de repos. *Voir aussi* BROMELIACEES.

ESPÈCES RECOMMANDÉES

A. bracteatus devient très grand et ne se cultive à l'intérieur que lorsqu'il est jeune. Sa variété la plus connue, *A. b. striatus*, a des feuilles larges de 5 cm, rayées de vert et de crème, et teintées de rose. Après deux ans, lorsque ses feuilles atteignent de 23 à 30 cm, la plante prend une grande valeur décorative. Les feuilles n'excéderont pas 1,20 m avant cinq à dix ans. *A. bracteatus*, cultivé à l'intérieur, fleurit rarement.

A. comosus (également connu sous le nom d'*A. sativus*, et communément appelé ananas cultivé) est l'espèce comestible. Il devient beaucoup trop grand pour être cultivé à l'intérieur. *A. c. variegatus* en est la variété ornementale. Ses feuilles vertes et piquantes mesurent près de 1 m et sont ornées de marges blanches qui deviennent rose foncé au soleil. Les fleurs apparaissent d'ordinaire au bout de six ans si la plante a été cultivée dans des conditions idéales, dans une vitrine par exemple (voir page 53). Elles produisent un petit fruit, le plus souvent rose, à l'extrémité d'une épaisse tige de 1 m de hauteur.

A. nanus est une espèce naine qui, parce qu'elle mesure 45 cm sur 38, peut fleurir et produire des fruits, même si elle se trouve dans un pot de 10 cm. Son fruit vert foncé, parfumé et très dur, apparaît sur une tige de 45 cm qui se dresse hors d'une rosette vert foncé, formée de feuilles retombantes de 38 cm sur 2. Contrairement à la plupart des ananas, *A. nanus* engendre à sa base de nombreux rejetons.

SOINS PARTICULIERS

Lumière Les ananas ont besoin de beaucoup de lumière et de soleil. Plus les espèces panachées reçoivent de soleil, plus leurs feuilles sont colorées.

Température Ces plantes exigent un milieu chaud et beaucoup d'humidité. Placer sur une couche de cailloux ou de tourbe qu'on gardera humide. Bassiner de temps en temps.

Arrosage Arroser suffisamment pour humidifier complètement le mélange terreux. Laisser se dessécher sur quelques centimètres avant d'arroser de nouveau.

Engrais Enrichir d'engrais liquide ordinaire tous les 15 jours et pendant toute l'année.

Empotage et rempotage Utiliser le mélange recommandé pour les broméliacées terrestres (non épiphytes) [voir page 107]. *A. nanus* s'achète d'ordinaire en pots de 10 cm et peut y rester indéfiniment. Même les grandes espèces n'exigent pas de gros contenants, car leurs racines sont relativement peu développées. Jeunes, ces espèces peuvent devoir être rempotées au printemps, mais elles exigeront rarement des contenants de plus de 15 à 20 cm. Il est préférable cependant d'utiliser des pots de terre cuite qui sont plus stables.

Multiplication L'ananas se reproduit rapidement à partir de rejetons. A l'aide d'un couteau bien aiguisé, détacher à la base de la plante mère un rejeton de 10 à 15 cm (7 à 10 cm dans le cas d'*A. nanus*). Planter dans un pot de 8 cm rempli d'un mélange humide à volume égal de tourbe et de sable grossier ou de perlite. Enfermer dans un sachet de plastique et placer dans un endroit chaud et éclairé, mais à l'abri des rayons directs du soleil. Les racines devraient mettre environ huit semaines à se former, période au cours de laquelle la plantation ne nécessitera aucun arrosage.

Une fois le rejeton enraciné, retirer le sachet et ne donner qu'un peu d'eau. Arroser davantage quand les racines remplissent le pot. A ce stade, fertiliser le mélange selon les recommandations faites ci-dessus. Au bout de six mois, rempoter dans un contenant de 10 cm rempli de mélange ordinaire.

On peut encore multiplier l'ananas en bouturant la couronne de feuilles au sommet du fruit. Couper la couronne avec un couteau tranchant et laisser sécher la plaie pendant quelques jours pour éviter la pourriture. Planter dans du sable et placer le contenant sur une source de chaleur douce (radiateur, couche chaude); rempoter un mois plus tard.

Ananas cultivé, voir *Ananas comosus*.
Ananas du pauvre, voir *Monstera*.
Anthemis, voir *Chrysanthemum frutescens*.

Anthurium

ARACÉES

Le genre *Anthurium* (flamant rose, langue-de-feu) regroupe non seulement des plantes prisées pour leur feuillage (difficiles à cultiver à l'intérieur, cependant), mais encore des espèces recherchées pour la grande valeur ornementale et pour la durée exceptionnelle de leur inflorescence. Celle-ci se compose d'une grande spathe entourant un spadice mince et recourbé. Cette inflorescence extrêmement colorée a valu à l'anthurium son nom populaire de flamant rose. La plante fleurit généralement pendant l'été, mais cultivée dans des conditions idéales, elle pourra fleurir à n'importe quel moment de l'année. L'inflorescence peut durer huit semaines ou plus.

A l'état naturel, le genre comprend des espèces terrestres et des espèces épiphytes (c'est-à-dire qui croissent sur les arbres). Il possède un système racinaire peu développé et ses feuilles émergent d'une souche rhizomateuse.

ESPÈCES RECOMMANDÉES

A. andraeanum est l'espèce type. Cet anthurium est rare, car il a été remplacé par des variétés améliorées et de nombreux hybrides. Les variétés se reconnaissent toutes à leurs feuilles coriaces et lancéolées, d'un vert foncé. Elles mesurent 23 cm sur 13, et sont portées par de longs pétioles de 25 cm. Elles présentent des spathes blanches, roses, rouges ou saumon, cireuses, entourant un long spadice de 5 à 8 cm, cylindrique et recourbé.

A. crystallinum est exclusivement cultivé pour la grande beauté de ses larges feuilles cordiformes qui peuvent atteindre 60 cm sur 30. Quand elles sont jeunes, les feuilles sont d'un pourpre métallique; avec le temps, elles tournent au vert éme-

A. crystallinum

raude sur lequel se détachent les lignes argentées des nervures. Leur pétiole quasi vertical peut atteindre 38 cm de haut. L'inflorescence offre relativement peu d'intérêt.

A. scherzeranum se caractérise par des feuilles vert foncé, coriaces et lancéolées, de 20 cm sur 7,5, portées par des pétioles de 15 à 20 cm de long. Son inflorescence, longue de 7,5 à 10 cm, se compose d'une spathe écarlate, cireuse et brillante, entourant un long spadice (5 à 7,5 cm) contourné, d'un rouge orangé. La spathe de certaines variétés est tachetée de blanc.

SOINS PARTICULIERS

Lumière Les anthuriums n'ont pas besoin de beaucoup de lumière pour fleurir. En fait, ils préfèrent une lumière constante à une lumière vive. On les placera donc tout près d'une fenêtre ombragée, car s'ils sont trop loin de la source lumineuse, leurs feuilles ont tendance à s'allonger.

Température Ces plantes croissent mieux lorsqu'on les maintient à une température constante (entre 18 et 21°C). Elles tolèrent des températures inférieures (jusqu'à 13°C) pendant de courtes périodes.

Arrosage Quand les plantes sont en pleine croissance, arroser abondamment, et au besoin, pour conserver au mélange toute son humidité. Pendant leur période de repos, laisser le mélange se dessécher sur quelques centimètres avant d'arroser de nouveau. Quoi qu'en pensent certains amateurs, la plupart des variétés et des hybrides tolèrent très bien les arrosages à l'eau calcaire. L'eau douce n'est pas essentielle.

Engrais Enrichir d'engrais liquide ordinaire tous les 15 jours, pendant la période de croissance.

Empotage et rempotage Utiliser un mélange renfermant une forte proportion de tourbe ligneuse, de feuilles légèrement décomposées ou de sphaigne. Un mélange à base de tourbe exigera d'être bien fertilisé (voir page 424). Cependant, le meilleur mélange sera composé d'un volume égal de tourbe ligneuse, de mélange à base de terreau et de sable. Au printemps, rempoter les petites plantes en prenant soin de dégager le point de croissance. Garnir le fond des contenants (un

A. scherzeranum

tiers de leur hauteur) de tessons de pots destinés à assurer le drainage. Les anthuriums cultivés n'auront pas besoin d'être empotés dans des contenants de plus de 13 à 15 cm.

Multiplication Diviser les touffes dès le début du printemps de façon que chacune conserve des racines et un bourgeon terminal. Mettre dans un petit pot rempli de mélange à

*En divisant les touffes,
on permettra aux feuilles et aux racines
de rester saines.*

base de tourbe et placer dans un endroit modérément éclairé, à environ 21°C. Maintenir humide jusqu'à ce que les racines se développent. Il serait souhaitable de placer le contenant sur une source de chaleur (voir page 444).

Remarques *A. crystallinum*, à l'instar d'autres espèces recherchées pour la beauté de leurs feuilles, a besoin de beaucoup d'humidité pour bien se développer et s'accommoderait fort bien d'une vitrine (voir page 53). L'humidité stimule également la floraison d'*A. andraeanum* et d'*A. scherzeranum*. Placer ces espèces sur une couche de cailloux dans un peu d'eau ou sur de la tourbe humide et bassiner tous les jours. Fixer les inflorescences à des tuteurs délicats, au moyen d'une ficelle ou avec du fil de métal plastifié.

Epousseter souvent les feuilles coriaces de ces deux espèces à l'aide d'une éponge humide. Bassiner régulièrement les feuilles plus tendres d'*A. crystallinum*.

*Installer des tuteurs délicats
pour soutenir les inflorescences qui
seraient portées à s'incliner.*

83

Aphelandra
ACANTHACÉES

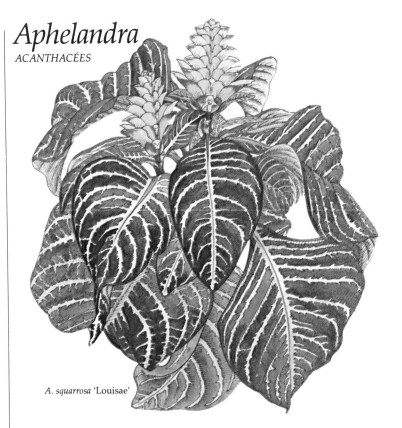

A. squarrosa 'Louisae'

Le genre *Aphelandra* (plante zèbre) regroupe environ 80 espèces tropicales (buissonnantes ou herbacées) dont deux seulement se cultivent à l'intérieur. Celles-ci, *A. chamissoniana* et *A. squarrosa*, toutes deux pouvant atteindre de 30 à 45 cm de hauteur, se caractérisent par une tige robuste et des feuilles elliptiques à rayures blanches.

Au printemps, ces aphelandras émettent des épis coniques constitués de bractées jaunes ou orangées, d'où émergent des fleurs jaunes tubuleuses. Les fleurs ne durent que quelques jours, tandis que les bractées survivent plusieurs semaines. Les aphelandras ne fleurissent malheureusement pas facilement. Ils sont d'ordinaire en fleur quand on les achète et ne refleurissent que dans certaines conditions. Ils conviennent bien aux terrariums (voir page 54).

ESPÈCES RECOMMANDÉES

A. chamissoniana se reconnaît à ses feuilles serrées de 10 à 12 cm de long et à ses bractées jaunes, étroites et pointues.

A. squarrosa est souvent représenté par sa variété compacte, *A. s.* 'Louisae', à longues feuilles et à bractées jaunes ou orangées. *A. squarrosa* compte également parmi ses autres variétés : *A. s.* 'Brockfeld', à feuilles vert foncé et au port buissonnant; *A. s.* 'Dania', à feuilles maculées d'argent; et *A. s.* 'Fritz Prinsler', à feuilles vivement panachées.

D'attrayantes bractées enveloppent des fleurs éphémères et forment une inflorescence en épi conique.

SOINS PARTICULIERS

Lumière Les aphelandras exigent d'être placés à la lumière, mais à l'abri des rayons directs du soleil.

Température Pendant la période active, garder ces plantes à des températures supérieures à 18°C. Donner beaucoup d'humidité. Tout de suite après la floraison, obliger la plante à une courte période de repos dans un endroit frais.

Arrosage Tout au long de la période de croissance, arroser abondamment, et au besoin, pour conserver à la motte une bonne humidité. Pendant la courte période de repos, n'arroser que pour maintenir un taux minimal d'humidité. Laisser se dessécher sur quelques centimètres avant d'arroser de nouveau.

Engrais Enrichir d'engrais liquide ordinaire toutes les semaines, pendant la période de croissance.

Empotage et rempotage Utiliser un mélange à base de terreau auquel on aura incorporé de la tourbe ou des feuilles décomposées (voir page 429). Rempoter au besoin. La plupart des variétés fleuriront dans des contenants de 13 ou 14 cm. Tous les printemps, avant de rempoter les plantes qui ont fleuri, les tailler de façon à ne leur conserver qu'une paire de feuilles saines. Cette opération stimule la floraison. Enlever le vieux mélange qui adhère aux racines, ce qui permettra à la plante d'émettre deux ou trois rejetons au lieu d'un seul.

Avant de rempoter l'aphelandra, enlever délicatement avec les doigts le mélange qui adhère aux racines.

Multiplication Il est préférable de reproduire l'aphelandra par bouturage (rejets de 5 à 7,5 cm de long), à la fin du printemps. Mettre les boutures en place dans le mélange recommandé ci-dessus. Bien humidifier, puis enfermer les boutures dans un sachet de plastique transparent. Garder dans un endroit chaud, humide et bien éclairé. Ne plus arroser. Les racines mettront de six à huit semaines à se former.

Remarque Surveiller l'apparition de pucerons, de cochenilles et de cochenilles farineuses (voir pages 454-455) au début de la période de croissance, au printemps.

Aporocactus

CACTACÉES

Queue-de-rat
A. flagelliformis

Le genre *Aporocactus* (queue-de-rat) se subdivise en 5 espèces. Toutefois, seuls une espèce et un hybride sont cultivés en appartement. Ces cactus, originaires de zones désertiques, se reconnaissent à leurs tiges retombantes qui peuvent s'allonger de plus de 1 m, et à leurs côtes marquées sur toute leur longueur d'aréoles très rapprochées. Une abondante floraison survient au printemps, qui se prolonge pendant environ deux mois. Les fleurs durent une semaine.

Comme leurs rameaux retombent, ces cactus se cultivent très bien en corbeilles suspendues qu'on garnira de sphaigne avant de les remplir de terre, et qu'on placera dans un endroit sûr, à cause des aiguilles de la plante. Quant à l'aporocactus cultivé en pot, on le suspendra tel quel ou on fixera son pot sur une tablette assez haute. S'il n'est pas fixé, il pourra se renverser sous le poids des tiges.
Voir aussi CACTEES.

ESPÈCES RECOMMANDÉES

A. flagelliformis se reconnaît à ses tiges délicates pouvant atteindre 2 m de longueur et 1,3 cm d'épaisseur en moins de cinq ans. Les tiges comptent chacune de 8 à 12 côtes étroites. Les petites aréoles, légèrement soulevées, sont hérissées d'aiguillons brunâtres, longs d'environ 0,5 cm. Les fleurs carmin et tubulaires mesurent environ 5 cm sur 2,5.

A. mallisonii (plus correctement appelé *Heliaporus smithii*) est le produit d'un croisement entre *A. flagelliformis* et *Heliocereus speciosus*. Ses tiges, plus épaisses et plus courtes que celles du premier, atteignent au bout de cinq ans 2,5 cm d'épaisseur et 1 m de longueur. Elles comptent chacune de 6 à 8 côtes portant des aréoles hérissées d'aiguillons bruns et courts. Ses fleurs en forme de coupe, d'un rouge vif teinté de bleu, s'apparentent à celles de l'heliocereus.

SOINS PARTICULIERS

Lumière L'aporocactus a besoin du plein soleil. Suspendre devant les fenêtres les plus exposées à ses rayons. L'été, si possible, sortir la plante pour l'aérer et lui procurer une lumière encore plus intense.
Température L'aporocactus se satisfait de la température intérieure normale. L'hiver, l'obliger au repos en le plaçant dans un endroit frais.
Arrosage Pendant la période de croissance, arroser abondamment pour conserver à la motte une bonne humidité. Toutefois, ne pas laisser reposer dans l'eau. Pendant la période de repos, n'arroser que pour éviter à la motte de se dessécher complètement.
Engrais Enrichir d'engrais à tomates tous les 15 jours, pendant la période de croissance.
Empotage et rempotage Se servir d'un mélange relativement riche à base de terreau (2/3) [voir page 429] et de feuilles décomposées (1/3). Cependant, l'aporocactus se développera quand même très bien dans un mélange ordinaire à base de terreau ou de tourbe. Comme la plante croît rapidement, la rempoter tous les ans, de préférence après la floraison. Le rempotage vise surtout à renouveler le mélange, car l'aporocactus en épuise rapidement les substances nutritives. Ne changer le pot pour un plus grand que lorsque les racines sont à l'étroit. Si la plante exige une corbeille de plus de 23 cm ou un pot de plus de 15 cm, faire des boutures.
Multiplication Prélever n'importe où sur les tiges des segments de 15 cm de long. Laisser sécher pendant trois jours avant d'enfoncer de 2,5 cm dans le mélange recommandé ci-dessus. Soutenir au besoin les boutures à l'aide de tuteurs. Les racines se développent en quelques semaines.

Ces plantes se reproduisent également par semis (voir CACTEES, page 119).

*Pendant toute la saison printanière, les tiges d'*A. flagelliformis *s'ornent de fleurs carmin.*

Araignée, voir *Saxifraga stolonifera*.
Aralia-lierre, voir *Fatshedera lizei*.

Araucaria

ARAUCARIACÉES

Pin ou sapin de Norfolk
A. heterophylla

L e genre *Araucaria* ne compte qu'une seule espèce cultivée, *A. heterophylla* (araucaria, pin ou sapin de Norfolk), autrefois connue sous le nom d'*A. excelsa*. C'est un conifère qui peut atteindre 60 m dans la nature, mais qui dépasse rarement 1,80 m lorsqu'il est cultivé à l'intérieur. Ses branches, disposées en étages, sont pourvues d'aiguilles longues d'environ 2 cm, groupées en éventail. Bien que les rameaux soient lourds, ils n'ont pas besoin de support.

SOINS PARTICULIERS

Lumière L'araucaria préfère un éclairage moyen. Cependant, ne

*Les sujets adultes se reconnaissent
à leur tronc ligneux,
le long duquel les branches
sont régulièrement disposées.*

pas le placer trop loin d'une fenêtre, car il perdrait ses aiguilles.
Température Cette plante tolère des températures allant de 7 à 24°C. Au-delà de 27°C, elle a besoin de beaucoup d'humidité; la bassiner alors de temps en temps.
Arrosage En période de croissance, arroser abondamment. Ne jamais cependant laisser d'eau dans la soucoupe. En période de repos, arroser modérément et laisser se dessécher sur quelques centimètres avant de redonner de l'eau.
Engrais Enrichir d'engrais liquide ordinaire tous les 15 jours, durant la période de croissance.
Empotage et rempotage Utiliser un mélange à base de terreau (voir page 429). Il ne devrait être nécessaire de rempoter l'araucaria que tous les deux ou trois ans. Cependant, au printemps, rempoter une plante dont les racines affleureraient le mélange.
Multiplication Seuls les horticulteurs professionnels peuvent multiplier l'araucaria.

Araucaria de Norfolk, voir
Araucaria heterophylla.
Arbre Bo de l'Inde, voir *Ficus religiosa.*
Arbre ombelle ou Arbre ombrelle, voir *Brassaia actinophylla.*

Ardisia

MYRSINACÉES

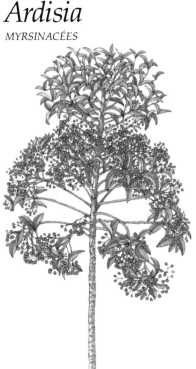

Ardisie
A. crenata

D es nombreuses espèces que comprend le genre *Ardisia* (ardisie), seul *A. crenata*, parfois appelé à tort *A. crispa* (du nom d'une plante qui lui ressemble), est cultivé couramment à l'intérieur. C'est un arbuste à rameaux courts qui atteint au maximum 1 m de hauteur. Ses feuilles lancéolées et ondulées sont vert foncé, coriaces et luisantes; elles peuvent mesurer 15 cm sur 5. Des fleurs blanches ou roses apparaissent en grappes à l'aisselle des feuilles, au début de l'été. Des petits fruits rouge vif, très attrayants, leur succèdent. Ils persistent jusqu'à la floraison suivante.

SOINS PARTICULIERS

Lumière L'ardisia a besoin de beaucoup de lumière et de plusieurs heures de soleil par jour.
Température Il préfère les endroits frais (maximum 16°C). En milieu plus chaud, lui donner beaucoup d'eau, sinon il perd ses fruits. Placer sur des cailloux gardés humides et bassiner tous les jours.
Arrosage Pendant la période de croissance, arroser abondamment. Pendant la période de repos, si la température est normale, laisser se

déssécher sur environ 1 cm avant d'arroser de nouveau. Si la température est inférieure à 15°C, arroser légèrement et laisser se désssécher de moitié entre les arrosages.

Engrais Enrichir d'engrais liquide ordinaire tous les 15 jours, pendant la période de croissance.

Empotage et rempotage Utiliser un mélange à base de terreau (voir page 429). Rempoter les jeunes plantes au printemps. Quand elles se trouveront dans un pot de 12 cm, elles auront atteint la maturité voulue pour fleurir. Les vieilles plantes devraient être remplacées dès qu'elles perdent de la vigueur.

Multiplication La reproduction de l'ardisia se fait d'ordinaire au printemps, par semis (voir page 441). Il est néanmoins plus simple d'acheter de jeunes plants (vendus dans des pots de 8 cm). Il est également possible de reproduire l'espèce par bouturage des pousses latérales, pratiqué à la fin du printemps ou au début de l'été. Mettre dans un mélange à volume égal de tourbe et de sable et n'arroser que pour garder le mélange légèrement humide. Les racines mettront de six à huit semaines à se former sur chaleur de fond (voir page 444). Sinon, enfermer les boutures dans un sachet de plastique transparent et garder dans un endroit moyennement éclairé, à plus de 21°C. L'ardisia se reproduit également par marcottage aérien (voir page 440).

L'ardisia se reproduit par bouturage des pousses latérales, qui se prélèvent facilement sur le tronc. On leur conservera un talon.

Ardisie, voir *Ardisia.*
Arum d'Ethiopie, voir *Zantedeschia aethiopica.*
Arum grimpant, voir *Scindapsus aureus* et *S. pictus.*
Arum rose, voir *Zantedeschia rehmannii.*

Asparagus
LILIACÉES

Outre l'espèce comestible *A. officinalis*, le genre *Asparagus* (asperge) comprend un grand nombre d'espèces et de variétés recherchées pour la délicatesse de leur feuillage plumeux. (En fait, il ne s'agit pas de vraies feuilles, mais de rameaux modifiés ou cladodes.) La plupart des espèces sont pourvues de racines tubéreuses. Certaines présentent de minces tiges enchevêtrées, et d'autres, des frondes plumeuses qui émergent d'un point central. Leurs minuscules fleurs sont parfois parfumées et se transforment souvent en petits fruits rouges, orange ou pourpres. Les espèces cultivées en appartement sont souvent confondues avec les fougères, mais en réalité, elles s'apparentent aux lis.

ESPÈCES RECOMMANDÉES

A. asparagoides (également connu sous le nom d'*A. medeoloides*) est vulgairement appelé smilax. C'est une espèce grimpante et vigoureuse, dont les rameaux luisants, coriaces et longs de 5 cm, s'enroulent facilement autour de n'importe quel support. *A. a.* 'Myrtifolius', autrefois connu sous le nom de *Smilax myrtifolia*, en est une variété plus petite et moins robuste.

A. densiflorus, espèce peu répandue comme plante d'intérieur, a cependant engendré des variétés recherchées pour leur feuillage plumeux. *A. d.* 'Myers', appelé ordinairement *A. myersii*, se reconnaît à ses tiges verticales qui portent des frondes touffues pouvant atteindre 38 cm sur 6. *A. d.* 'Sprengeri', variété bien connue, se caractérise par des tiges souples et retombantes pouvant mesurer jusqu'à 1 m de long, recouvertes de petits rameaux en forme d'aiguille, longs d'environ 2,5 cm, qui se présentent par groupes de trois. Cette plante est fort attrayante suspendue dans une corbeille. *A. d.* 'Sprengeri Nanus' est sa variété naine, tandis que *A. d.* 'Sprengeri Robustus' est, comme son nom l'indique, sa variété rustique.

A. falcatus, espèce grimpante à feuilles falciformes, a des tiges ligneuses portant de petits rameaux de 5 cm de long.

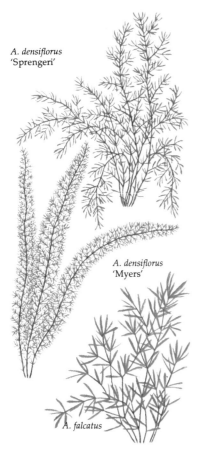

A. densiflorus
'Sprengeri'

A. densiflorus
'Myers'

A. falcatus

A. setaceus (mieux connu sous le nom d'*A. plumosus*) est pourvu de tiges filiformes et de petits rameaux très légers d'un beau vert, qui ont environ 0,5 cm de long. Les fleuristes aiment en ajouter quelques branches aux bouquets de fleurs coupées. *A. s.* 'Nanus' en est la variété naine, *A. s.* 'Robustus' la variété rustique. Jeunes, ces plantes ne grimpent pas; mais, à mesure qu'elles vieillissent, elles produisent des tiges pouvant atteindre plus de 1 m, qui se fixent à l'aide de vrilles. Elles se couvrent peu à peu de petits rameaux caractéristiques.

SOINS PARTICULIERS

Lumière L'asparagus exige d'être placé à la lumière, mais doit être mis à l'abri des rayons directs du soleil, car ils pourraient brûler les feuilles.

Température Cette plante croît à la température normale d'une pièce, mais peut tolérer des températures s'abaissant jusqu'à 13°C.

Arrosage Pendant la période de croissance, arroser abondamment, et au besoin, de façon à conserver à la motte toute son humidité. Ne jamais cependant laisser reposer le pot dans l'eau. Pendant la période de repos, n'arroser que pour éviter le dessèchement complet du mélange. Cette déshydratation causerait la chute des feuilles.

Engrais Enrichir d'engrais liquide ordinaire tous les 15 jours, pendant la période de croissance.

Empotage et rempotage Utiliser un mélange à base de terreau (voir page 429). Rempoter au printemps. Ne pas remplir le pot jusqu'au bord car les racines très vigoureuses de l'asparagus feront déborder le mélange. A la même saison, renouveler la couche superficielle (voir page 428) d'*A. densiflorus* cultivé en corbeille suspendue. Tous les trois ans, dépoter, diviser et replanter.

Multiplication L'asparagus se reproduit d'ordinaire par division des touffes, au début de la période de croissance, c'est-à-dire au printemps. Bien enlever l'excédent de mélange qui adhère aux racines et diviser à l'aide d'un couteau tranchant. Planter chaque touffe dans un pot de 8 cm rempli de mélange à base de terreau. Entretenir comme indiqué pour les plantes adultes. Le développement d'une plante reproduite par semis est très lent, même si on a pris soin de placer les terrines au chaud. Il est d'ailleurs parfois préférable d'acheter de petites plantes plutôt que de procéder à la multiplication.

Trois espèces d'asparagus garnissent cette corbeille : A. d. 'Sprengeri' (retombante), A. d. 'Myers' (touffue) et A. setaceus (à tiges érigées).

Asperge, voir *Asparagus.*

Aspidistra
LILIACÉES

Plante en fer forgé
A. elatior

Le genre *Aspidistra* (plante de belle-mère, plante des marchands de vin) ne compte qu'une espèce cultivée à l'intérieur, *A. elatior*, parfois appelée à tort *A. lurida*. Cette plante robuste survit dans des conditions que ne supporteraient pas d'autres espèces. A l'époque victorienne, elle fut l'une des seules à résister aux vapeurs des lampes à gaz. Cela ne signifie pas pour autant qu'on doive la négliger. *A. elatior* (plante en fer forgé) se reconnaît à ses feuilles foncées et coriaces, longues de 38 à 50 cm, issues d'une souche rhizomateuse à demi souterraine. Il produit des fleurs pourpres dissimulées sous les feuilles. Une variété moins connue, *A. e.* 'Variegata', s'en distingue par des feuilles à rayures blanches ou crème.

SOINS PARTICULIERS

Lumière Placé dans la pénombre, l'aspidistra survivra, mais sa croissance sera ralentie. Il préfère un éclairage moyen, par exemple venant d'une fenêtre qui ne reçoit pas les rayons directs du soleil. *A. e.* 'Variegata' a besoin, pour conserver ses panachures, de plus de lumière. Cependant, le tenir à l'abri des rayons directs du soleil.

Température Cette plante est si robuste qu'elle peut croître aussi bien dans des pièces chauffées que dans des endroits frais.

Arrosage Toute l'année, arroser modérément pour garder la motte à peine humide. Laisser les deux tiers du mélange se dessécher avant d'arroser de nouveau. La surface des feuilles d'un aspidistra qu'on arrose trop souvent se couvre de vilaines taches brunes.

Engrais Enrichir d'engrais liquide ordinaire tous les 15 jours, tout au long de la période de croissance.

Empotage et rempotage Utiliser un mélange à base de terreau (voir page 429). L'aspidistra n'a besoin d'être rempoté que tous les trois ou quatre ans. Si la plante est devenue trop grosse, la rempoter au début du printemps dans un contenant conforme à sa taille. Couvrir au préalable le fond du pot de tessons de grès qui assureront un bon drainage. Au printemps, renouveler la couche superficielle du mélange d'une plante qui a atteint sa taille maximale (voir page 428).

Multiplication Diviser les touffes au printemps. Utiliser des segments de rhizome qui portent au moins deux feuilles, et en planter plusieurs dans un pot de 10 cm. Ne pas fertiliser : les racines doivent aller chercher, sans l'aide d'aucun stimulant, les substances nutritives que contient le compost. Les jeunes plantes demandent le même entretien que les sujets arrivés à maturité. Au tout début du printemps suivant, donner un apport d'engrais liquide ordinaire.

Segment d'un rhizome d'aspidistra pourvu de racines et de feuilles, apte au bouturage de la plante.

Asplenium
POLYPODIACÉES

Fougère nid-d'oiseau
A. nidus

Parmi les nombreuses espèces de fougères que comprend le genre *Asplenium* (doradille), trois seulement se cultivent en appartement. Elles se reconnaissent toutes trois à leurs feuilles lancéolées, et demandent peu de soins.
Voir aussi FOUGERES.

ESPÈCES RECOMMANDÉES
A. bulbiferum se caractérise par un feuillage qui s'apparente à celui de la carotte, bien que ses frondes pâles soient plus rigides et plus finement découpées. Elles atteignent 60 cm de hauteur et 23 de largeur et se divisent en 20 à 30 pinnules. Celles-ci produisent des bulbilles brunes qui donnent naissance à de nombreuses petites fougères dont le poids finit par alourdir les frondes auxquelles elles sont attachées.

A. bulbiferum

A. daucifolium (mieux connu sous le nom d'*A. viviparum*) ressemble à *A. bulbiferum*. Il s'en distingue cependant par des frondes foncées et retombantes divisées en pinnules délicates, qui peuvent atteindre 46 cm sur 15 et sont portées par un pétiole vert. Ces pinnules, divisées en segments très fins, semblables à des aiguilles, d'environ 0,5 cm de long, produisent des bulbilles brunes qui engendrent une nouvelle petite plante.

A. nidus (fougère nid-d'oiseau) se caractérise par des frondes simples et luisantes qui composent une rosette en forme d'entonnoir, d'où son nom populaire. Ces frondes sont vert clair, légèrement ondulées et peuvent atteindre plus de 1 m (généralement, cependant, elles mesurent 45 cm sur 6). Leur nervure médiane, large et brune à la base, se rétrécit et passe du brun au vert. Les nouvelles frondes, délicates et très fragiles au cours des premières semaines, se déroulent à partir d'une souche brun foncé, spongieuse et fibreuse. Ne pas les épousseter à ce stade, mais essuyer de temps en temps les frondes adultes. Des sores bruns s'alignent sur le revers de certaines frondes adultes. *A. nidus* ne produit pas de rejetons et peut pendant des années n'avoir qu'une rosette.

SOINS PARTICULIERS

Lumière L'asplenium n'aime ni le soleil ni l'ombre. Il préfère plutôt une lumière moyenne que l'on maintiendra toute l'année.

Température Cette plante se développe bien à la température normale d'une pièce. *A. nidus* ne peut tolérer des températures inférieures à 16°C, tandis que *A. bulbiferum* et *A. daucifolium* résistent jusqu'à environ 10°C.

Arrosage Pendant la période de croissance, arroser abondamment, et au besoin, de façon à garder la motte bien humide. Pendant la période de repos, n'arroser que pour éviter le dessèchement total. L'asplenium pourra toutefois résister quelque temps sans eau.

Engrais Enrichir d'engrais liquide ordinaire une fois par mois, pendant la période de croissance seulement.

Empotage et rempotage Pour le type de mélange à utiliser, voir *FOUGERES*. L'asplenium est pourvu de racines noires, fines et très compactes. Ne le rempoter que lorsque celles-ci remplissent vraiment le pot (voir page 426) et que, par conséquent, la plante n'absorbe

plus suffisamment d'humidité lors des arrosages. Rempoter alors au printemps. Il arrive que les racines se fixent solidement aux parois du pot. Il faut alors casser le pot pour pouvoir dégager la plante.

Multiplication *A. bulbiferum* et *A. daucifolium* se reproduisent très facilement grâce aux bulbilles qui se développent sur leurs frondes. Prélever les bulbilles déjà pourvues de trois ou quatre petites frondes et les planter dans de petits pots, sans les enfoncer dans le sol. N'arroser que pour humidifier légèrement le mélange (recommandé pour les fougères). Enfermer dans des sachets de plastique ou dans une caissette de multiplication, et garder à la température normale de la pièce, dans un endroit légèrement ombragé, jusqu'à ce que de nouvelles pousses apparaissent. Au cours des quatre semaines qui suivront, diminuer progressivement le taux d'humidité en découvrant les plantes pendant des périodes de plus en plus longues. N'arroser que pour humidifier légèrement le sol. Ne pas fertiliser. Les quatre semaines écoulées, rempoter les jeunes sujets, puis leur donner les mêmes soins qu'aux plantes adultes. *A. nidus* ne se reproduit que par ses spores, difficiles à prélever.

Les racines de l'asplenium se fixent aux parois du pot qu'il faut casser pour dégager la plante.

La multiplication d'A. nidus est une opération délicate. Les spores, organes reproducteurs minuscules, s'extraient difficilement des sporanges.

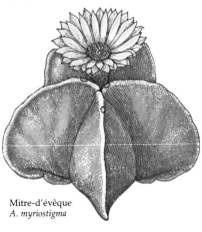

Mitre-d'évêque
A. myriostigma

Astrophytum
CACTACÉES

Le genre *Astrophytum* regroupe des cactus originaires de milieux désertiques. Ils se caractérisent par une tige non ramifiée et en forme de boule, qui s'allonge à mesure que la plante vieillit. Ils se reconnaissent également à leurs côtes qui rappellent un peu des quartiers d'orange. La tige des sujets adultes est portée à se lignifier. Chez les plantes qui ont trois ans ou plus, des fleurs magnifiques naissent des aréoles, au sommet; chacune ne dure que quelques jours, mais la floraison elle-même s'étend du printemps à l'automne. Les deux espèces décrites ici sont celles qui s'adaptent le mieux à l'intérieur.
Voir aussi CACTEES.

ESPÈCES RECOMMANDÉES
A. myriostigma (chapeau-d'évêque, mitre-d'évêque) perd sa forme arrondie au bout de deux ans. Il s'allonge alors pour former un cylindre et peut atteindre 20 cm sur 10. Sa tige verte souvent dépourvue d'épines présente de 3 à 8 côtes proéminentes recouvertes de petites touffes de poils argentés qui donnent l'impression de taches ou d'écailles. *A. m. quadricostatum* en est une variété à 4 côtes; *A. m. nudum* en est une autre, à 5 côtes et dépourvue de fils argentés. Toutes ces variétés produisent précocement et en abondance de belles fleurs jaune pâle en forme de marguerite, larges de 5 cm.
A. ornatum (cactus étoilé) s'allonge lui aussi en vieillissant et peut dépasser 30 cm et atteindre un

---

Multiplication d'*A. bulbiferum*

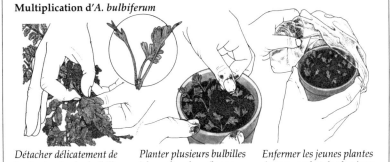

Détacher délicatement de la plante mère les bulbilles qui présentent déjà trois ou quatre petites frondes.

Planter plusieurs bulbilles à la surface du mélange recommandé ci-dessus et arroser parcimonieusement.

Enfermer les jeunes plantes dans un sachet de plastique transparent pour leur procurer un milieu très humide.

diamètre d'environ 15 cm. Vert foncé et couvert d'écailles argentées, le corps de la plante se divise en 8 côtes proéminentes. De ses aréoles naissent par groupes des

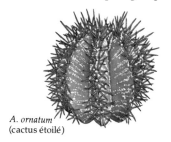

A. *ornatum*
(cactus étoilé)

aiguillons bruns, épais, de près de 2 cm de long. Vers l'âge de 10 ans, et alors qu'il a 15 cm de haut, le cactus donne de belles grandes fleurs (environ 8 cm de haut) d'un jaune éclatant.

SOINS PARTICULIERS

Lumière Comme tous les cactus, les astrophytums ont besoin de beaucoup de soleil.

Température Pendant la période de croissance, ces plantes se satisfont de la température normale d'une pièce; de la fin de l'automne à la fin de l'hiver, les obliger à une période de repos en les plaçant dans un endroit frais (7 à 10°C).

Arrosage Pendant la période de croissance, arroser modérément. Laisser la motte se dessécher aux trois quarts avant d'arroser de nouveau. Pendant la période de repos, n'arroser que pour empêcher un dessèchement total.

Empotage et rempotage Les astrophytums préfèrent un mélange composé de sable grossier ou de perlite (1/3) et d'un mélange à base de terreau ou de tourbe (2/3). [Pour plus de détails, voir page 429.] Ces cactus n'ont pas besoin d'être rempotés tous les ans. Jusqu'à ce qu'ils atteignent environ 5 cm de diamètre, ils se satisfont d'un pot de 8 cm. Il est toutefois préférable de les dépoter au début du printemps pour voir l'état des racines. Si elles remplissent le pot, mettre dans un contenant d'une taille au-dessus, sinon enlever le compost usé qui adhère aux racines et remettre la plante dans le même contenant rempli de mélange frais.

Multiplication Ces plantes ne se reproduisent que par semis, au printemps (voir *CACTÉES*, page 119).

Aucuba
CORNACÉES

A. *japonica* 'Variegata'

Des espèces de ce genre, seul *A. japonica* (aucuba du Japon) se prête à la culture en appartement. Tandis que l'aucuba cultivé en jardin extérieur peut atteindre 4,50 m, celui qui croît à l'intérieur ne dépasse que rarement 1 m. Cette espèce se caractérise par des feuilles ovales, luisantes et dentées, disposées par paires et qui mesurent de 10 à 18 cm. L'été, elle produit des petites fleurs pourpres peu remarquables et, au début de l'hiver, des grappes de baies rouges.

Les nombreuses variétés d'*A. japonica* (à feuillage vert) se reconnaissent toutes à leurs feuilles panachées. Citons *A. j.* 'Variegata', à feuilles tachetées de jaune; *A. j.* 'Crotonifolia', à feuilles vertes colorées d'ivoire; et *A. j.* 'Goldieana', à feuilles jaunes bordées de vert.

SOINS PARTICULIERS

Lumière Les aucubas doivent être placés à la lumière tamisée.

Température Ces plantes tolèrent les courants d'air et survivent même au gel; d'autre part, elles ne supportent guère plus de 24°C. Par temps chaud, leur procurer plus d'humidité.

Arrosage Toute l'année, arroser abondamment, et au besoin, mais ne jamais laisser reposer dans l'eau.

Engrais Enrichir d'engrais liquide ordinaire tous les mois.

Empotage et rempotage Utiliser un mélange à base de terreau (voir page 429). L'aucuba se satisfait de pots relativement petits; un pot de 13 à 20 cm conviendra donc à un sujet assez développé. Au printemps, rempoter au besoin les petites plantes. Ensuite, renouveler simplement la couche superficielle du mélange (voir page 428).

Multiplication Au printemps, prélever des boutures de 10 à 15 cm de long et les planter dans de petits pots remplis d'un mélange humide de tourbe et de sable grossier ou de perlite. Enfermer dans des sachets de plastique et garder à une température normale dans une pièce bien éclairée. Ne pas arroser jusqu'à l'apparition des pousses. A ce moment, retirer les sachets, arroser légèrement les jeunes plants et enrichir d'engrais liquide tous les mois. Quand ils auront 30 cm de haut, transplanter dans un pot de 10 cm rempli de mélange ordinaire.

Remarque Tailler tôt au printemps l'aucuba devenu trop gros.

Aucuba du Japon, voir *Aucuba japonica.*

Azalée, voir *Rhododendron simsii.*

Balsamine, voir *Impatiens.*

Banian, voir *Ficus benghalensis.*

Barbe-de-vieillard, voir *Cephalocereus senilis.*

Begonia

BÉGONIACÉES

L e genre *Begonia* regroupe plus de 2 000 espèces et variétés, ayant chacune leur originalité. Les unes sont prisées pour leurs fleurs, les autres pour leur feuillage. Certaines réunissent tous les attraits. Les bégonias comprennent tout aussi bien de minuscules plantes rampantes que de robustes sujets à port érigé atteignant une taille de 3 m. Ils partagent néanmoins quelques traits communs. Tous sont pourvus de feuilles asymétriques et alternes et, chez tous, les nouvelles feuilles naissent de stipules. Presque tous poussent bien en milieu ombragé, ce qui en fait de bonnes plantes d'intérieur.

Les bégonias produisent pour la plupart des fleurs disposées en panicules, portées par de courts pédoncules et naissant à l'aisselle des feuilles. Ce sont des plantes unisexuées, chacune produisant à la fois des fleurs mâles et des fleurs femelles qui se présentent d'ordinaire par groupes séparés. En raison de la diversité de forme et de taille de leurs pétales, les fleurs mâles sont généralement plus attrayantes que les fleurs femelles. Celles-ci sont reconnaissables à leurs ovaires ailés, logés à la base des pétales. Les fleurs femelles peuvent durer des semaines et même des mois. Quant aux fleurs mâles, elles sont de brève durée et se fanent après deux ou trois jours.

Il existe un si grand nombre d'espèces de bégonias qu'on a divisé le genre en trois catégories, basées sur la structure des différents systèmes radiculaires. On trouve donc des espèces à racines fibreuses (comme en ont la plupart des plantes), des espèces à rhizome et des espèces à tubercules. Les bégonias à souches fibreuses et à rhizome, connaissant un cycle de croissance identique et ayant les mêmes exigences, seront traités conjointement. Les bégonias tubéreux, très différents des deux autres catégories, et ayant des exigences propres, seront étudiés à part.

B. 'Corallina Lucernae'

B. *cheimantha* hybride

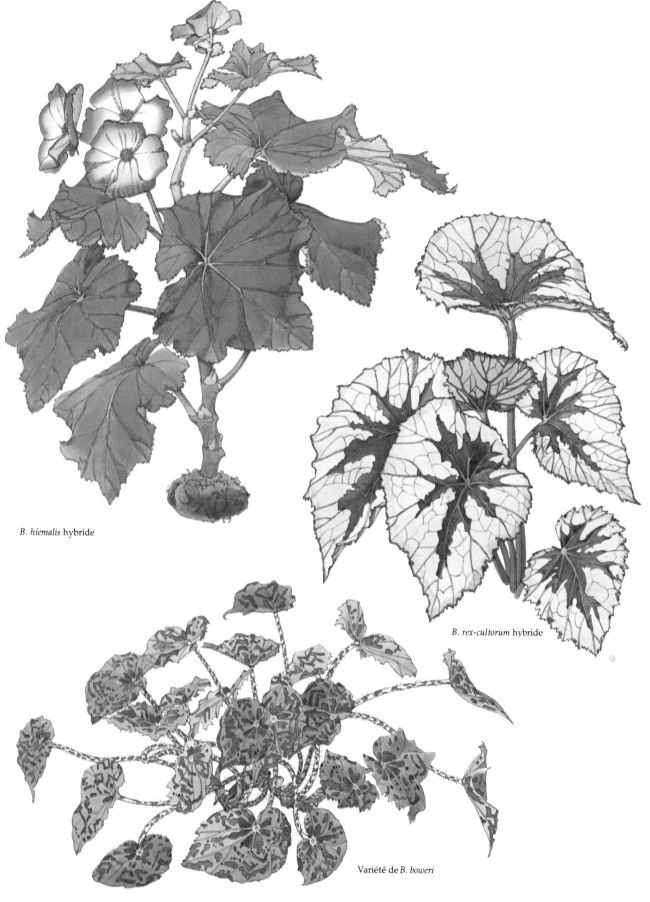

B. hiemalis hybride

B. rex-cultorum hybride

Variété de *B. boweri*

Tous les bégonias présentent les caractères suivants : des stipules (1) se transformant en feuilles alternes asymétriques; des fleurs en panicules comprenant des fleurs femelles (2) à ovaires ailés et des fleurs mâles (3) à pétales inégaux.

Bégonias à souches fibreuses et à rhizome

Les bégonias à souches fibreuses se subdivisent à leur tour en trois groupes. Un premier groupe se distingue par des tiges ligneuses marquées de nœuds. Leurs feuilles, lobées près du pétiole, sont nettement asymétriques et ont un peu la forme d'une aile. Un deuxième groupe réunit des sujets à tiges charnues dont les feuilles et les fleurs se couvrent de duvet. Ces bégonias, comme les précédents, sont buissonnants et ont parfois besoin de tuteurs (sinon, on les cultivera dans des corbeilles ou paniers suspendus). Enfin, les bégonias du troisième groupe se reconnaissent à leurs tiges charnues et à leurs feuilles vernissées.

La plupart des bégonias à souches fibreuses fleurissent abondamment. Ils sont aussi appréciés pour la beauté de leur feuillage. Les fleurs, de tailles et de couleurs variées, ont des pétales simples.

Les bégonias dont les racines sont émises par un rhizome sont de petites plantes qui atteignent 25 cm. Celles qui arrivent à dépasser cette taille exigent d'être tuteurées. Plusieurs des espèces de ce type sont pourvues de tiges ramifiées et charnues. Les bégonias à rhizome sont remarquables par leur feuillage. Certains ont des feuilles arrondies, d'autres des feuilles en forme de cœur ou d'étoile; on note la même variété dans la dimension des feuilles. Ils produisent tous de petites fleurs à pétales simples.

BÉGONIAS À SOUCHES FIBREUSES RECOMMANDÉS :

B. **'Alleryi'** est un sujet hirsute qui atteint parfois plus de 1 m de hauteur. Il se caractérise par des feuilles de 15 à 25 cm sur 8 à 10, ovales, dentées et velues, à nervures pourpres au revers. L'été et l'automne, il produit des fleurs roses de moins de 2 cm de large.

B. **coccinea** se reconnaît à ses tiges (1 m de haut) marquées de nœuds. Il a des feuilles vertes dont les bords sont teintés de rouge vif à la surface et de rouge plus mat au revers. Du début de l'été au milieu de l'automne, il produit des fleurs corail et luisantes de moins de 1,5 cm de large qui apparaissent en grappes à l'extrémité de pédoncules rouges.

B. **compta** a des tiges marquées de nœuds, certaines retombantes, d'autres dressées et pouvant atteindre plus de 1 m de hauteur. Il porte des feuilles ovales, de 7 à 15 cm sur 5 à 10, à surface gris-vert marquée d'argenté le long des nervures, et à revers rouge vif. Il fleurit rarement à l'intérieur.

B. **'Corallina Lucernae'** (parfois appelé *B.* 'Lucerna') est une plante vigoureuse et buissonnante qui peut mesurer près de 2 m. Ses tiges marquées de nœuds se lignifient avec le temps. Ses feuilles lancéolées, de 10 à 20 cm sur 5 à 10, sont vertes et tachetées de blanc à la surface; le revers est rouge foncé. Presque toute l'année, elle produit des grappes de fleurs roses ou rouge vif, larges d'environ 2 cm.

B. **luxurians** se reconnaît à ses tiges rouges, charnues et légèrement velues, d'environ 1 m de haut, ainsi qu'à ses feuilles vert pâle, palmées, velues et divisées en de nombreuses folioles (jusqu'à 17) lancéolées, de 7 à 15 cm sur 2. Il ne fleurit que rarement à l'intérieur.

B. **maculata** se caractérise par des tiges ramifiées marquées de nœuds, qui peuvent s'élever à 1 m de hauteur et qui se lignifient avec le temps. Il porte des feuilles de 15 cm sur 10, lancéolées et légèrement dentées, dont la surface vert foncé est marquée de taches argent et dont le revers se teinte de pourpre. Ses petites fleurs rose pâle sont portées sur des pédoncules rouges. Elles apparaissent toute l'année, mais de façon plus abondante pendant l'été. La variété *B. m.* 'Wightii', très belle, produit des feuilles plus longues et plus étroites, panachées d'argent, ainsi que de grosses fleurs blanches.

B. **metallica** s'élève à 1 m de hauteur. Il porte des feuilles de 15 cm sur 10, ovales, lobées et dentées, d'un vert métallique. Leurs nervures pourpres sont, comme les tiges, couvertes de poils raides et blancs. L'été, il donne des fleurs blanches, de 0,5 à 1 cm de large, en panicules.

B. **'Preussen'** présente des tiges ramifiées et marquées de nœuds qui forment une masse touffue atteignant jusqu'à 45 cm de hauteur. Ses feuilles vertes et légèrement tachetées d'argent sont cordées et mesurent environ 4 cm sur 5. Ses fleurs roses, de 1,5 cm de large, éclosent toute l'année.

B. **scharffii** (souvent appelé *B. haageana*) est le plus familier des bégonias à feuilles velues. Ses tiges charnues et érigées peuvent mesurer jusqu'à 1 m de hauteur, et ses feuilles cordées, très pointues, sont couvertes de fins poils blancs. Les feuilles, de 25 cm sur 15, sont bicolores : vert olive à la surface et rouge foncé au revers. Les fleurs, larges de 2,5 à 4 cm, à pétales duveteux, sortent en grappes tout au long de l'année.

B. **schmidtiana** est une espèce rampante dont les tiges charnues et velues s'étalent sur une longueur de 30 cm. Ses feuilles vert olive à nervures rouges sont cordées, velues et peuvent mesurer 8 cm sur 8. Les fleurs, de 1,5 cm de large, rose pâle et duveteuses se renouvellent toute l'année.

B. **semperflorens-cultorum** (également connu sous le nom de *B. semperflorens*) produit des hybrides touffus à tiges charnues pouvant mesurer de 15 à 38 cm de hauteur.

Les feuilles ovales et vernissées, de 2,5 cm sur 7,5, vont, selon les individus, du vert clair au rouge. Les fleurs mâles, de 2 cm de large, se composent de pétales simples (dans ce cas, les étamines jaunes sont visibles) ou doubles. Chez les fleurs femelles, un ovaire trilobé fait saillie à la base des pétales qui sont toujours simples. Les hybrides de *B. semperflorens-cultorum* produisent sans interruption des fleurs blanches, roses ou rouges. Parmi les hybrides les plus connus, on trouve : *B. s.-c.* 'Boule de feu', à fleurs simples, rouge écarlate; *B. s.-c.* 'Dainty Maid', à feuilles vertes et luisantes et à fleurs blanches dont la rangée externe de pétales est marquée de rose; *B. s.-c.* 'Fiesta', à feuilles vertes et à fleurs simples et écarlates (les fleurs mâles ont des étamines jaunes); *B. s.-c.* 'Gustav Lind', à feuilles vertes et luisantes et à fleurs roses et doubles; *B. s.-c.* 'Indian Maid', à feuilles couleur bronze et à fleurs simples rose-orange (les fleurs mâles ont des étamines jaunes); *B. s.-c.* 'Rose Camellia', à feuilles brun-rouge et à fleurs doubles et roses.

Types de fleurs de
B. semperflorens-cultorum

BÉGONIAS À RHIZOME RECOMMANDÉS :

B. boweri (bégonia de Bower) est une espèce touffue et sans tige, de 15 à 20 cm de haut. Il a de petites

feuilles cordées, vert émeraude et à bords noirs. Il produit, entre février et mai, de minuscules fleurs roses portées par des pédoncules de 10 à 15 cm de long.

B. deliciosa se caractérise par des tiges rouges, droites et charnues, de 60 cm de haut. Ses feuilles divisées et lobées sont vert olive, teintées de rouge et fortement tachetées de gris à la surface et de rouge bourgogne au revers; elles font de 15 à 25 cm sur 17. Ses fleurs roses et légèrement parfumées naissent par paires, de la fin de l'été au milieu de l'hiver.

B. 'Erythrophylla' (également connu sous le nom de *B.* 'Feastii') est un hybride facile à cultiver à l'intérieur, qui peut mesurer jusqu'à 23 cm de hauteur. Ses feuilles charnues, luisantes et arrondies sont vert olive à la surface, rouge foncé au revers et ont de 5 à 7,5 cm de large. Des bouquets de fleurs rose pâle s'épanouissent à la fin de l'hiver et au début du printemps. *B.* 'Erythrophylla' compte deux variétés fort prisées : *B.* 'E. Bunchii', à feuilles cristées et à bords froncés; *B.* 'E. Helix' dont les lobes des feuilles se chevauchent.

B. limmingheiana (parfois appelé *B. glaucophylla*) est une espèce rampante (ou grimpante) à feuilles vert pâle, vernissées et ovales, pouvant mesurer 13 cm sur 8, et à fleurs rouge brique.

B. 'Maphil' (également appelé *B.* 'Cleopatra') se reconnaît à ses nombreuses tiges pouvant atteindre 15 cm de hauteur et à ses feuilles en forme d'étoile, divisées en 5 lobes et bordées de poils hérissés. Ces feuilles, de 5 cm sur 4, brun pâle à nervures marquées de jaune-vert, sont portées par des pétioles verts tachetés de rouge et velus. Au début du printemps, il produit des groupes de fleurs rose pâle à l'extrémité de pédoncules de 30 cm.

B. masoniana (bégonia croix-de-fer) est une espèce à feuilles vert-or, ornées au centre de panachures acajou dessinant la forme d'une croix. Elles sont cordées, gaufrées, duveteuses et peuvent faire jusqu'à 15 cm sur 15. Les fleurs apparaissent rarement chez l'espèce cultivée à l'intérieur.

B. rex-cultorum produit des hybrides à feuillage très décoratif. L'espèce pure, *B. rex*, ne se cultive

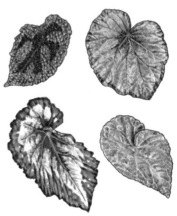

Feuilles de *B. masoniana* et de *B. rex-cultorum*

probablement plus. La plupart de ses hybrides ont de grandes feuilles obliques et cordées, de 30 cm sur 25, dont les pétioles naissent directement du rhizome; certains d'entre eux ont des feuilles à bords anguleux, d'autres des feuilles lobées. Tous portent cependant un feuillage richement coloré. L'été, ils produisent parfois de petites fleurs rose pâle ou blanches.

B. rex-cultorum a donné naissance à de nombreuses variétés, soit naines soit miniatures, dont les feuilles n'ont pas plus de 7,5 cm de long. Celles qui s'adaptent le mieux à la culture en appartement se caractérisent par des feuilles épaisses et ondulées. Parmi les variétés les plus intéressantes, on trouve : *B. r.-c.* 'King Edward IV', à grandes feuilles pourpres tachetées de rose; *B. r.-c.* 'Merry Christmas', à feuilles rouge foncé traversées de lignes roses, argent et vertes; *B. r.-c.* 'President', à grandes feuilles vert foncé marquées de taches argent; *B. r.-c.* 'Salamander', petite plante robuste à feuilles argentées, légèrement veinées de vert foncé.

SOINS PARTICULIERS : BÉGONIAS À SOUCHES FIBREUSES ET À RHIZOME

Lumière Ces bégonias, cultivés surtout pour leur feuillage, réclament une bonne lumière, mais doivent être placés à l'abri des rayons directs du soleil. Les espèces à fleurs ont besoin de trois ou quatre heures de soleil par jour.

Température Pendant la période de croissance, ces bégonias se satisfont de la température intérieure normale. Pendant la période de repos, ils préfèrent la fraîcheur (16 à 13°C). Leur éviter la sécheresse en les posant sur des cailloux qu'on gardera humides (dans le cas des corbeilles suspendues, introduire une soucoupe dans laquelle on versera de l'eau).

Arrosage Pendant la période de croissance, arroser modérément et laisser la motte se dessécher sur 2 cm entre les arrosages. Pendant la période hivernale de repos, arroser parcimonieusement et laisser la motte se dessécher sur quelques centimètres entre les arrosages.

Engrais Enrichir d'engrais liquide ordinaire tous les 15 jours, pendant la période de croissance.

Empotage et rempotage Utiliser soit un mélange à base de tourbe, soit un mélange à volume égal de terreau (voir page 429) et de feuilles décomposées.

Rempoter les bégonias à souches fibreuses tous les printemps, jusqu'à ce qu'ils logent dans des pots de 15 à 20 cm. Par la suite, renouveler simplement la couche superficielle du mélange (voir page 428). Les bégonias rhizomateux peuvent être plantés dans des contenants peu profonds. Rempoter (au printemps, de préférence) les petits bégonias dont le rhizome couvre toute la surface du mélange.

En faisant la plantation, éviter de tasser la terre. Verser plutôt le compost autour des racines et secouer le pot légèrement.

Multiplication : espèces à souches fibreuses Au printemps ou au début de l'été, prélever sous les feuilles des boutures de 8 à 10 cm sans fleurs Enlever délicatement la feuille au-dessus de la pousse et plonger l'extrémité coupée dans de la poudre d'hormones. Planter ensuite dans un pot de 8 cm rempli d'un mélange humide à volume égal de tourbe et de sable ou de perlite, et enfermer dans un sachet de plastique transparent ou dans une caissette de multiplication (voir page 443). Placer à la lumière, à l'abri des rayons directs du soleil, jusqu'à ce que les nouvelles pousses sortent de terre (de trois à six semaines plus tard). Retirer alors le sachet. Arroser parcimonieusement et enrichir d'engrais liquide ordinaire toutes les trois semaines. A noter que les bégonias hirsutes pourrissent s'ils reçoivent trop

d'eau. Six mois plus tard, placer les jeunes plants dans un mélange ordinaire, et entretenir normalement.

De nombreux bégonias à souches fibreuses se multiplient également par semis. Leurs graines étant minuscules, elles ne doivent pas être enfoncées profondément. Les mélanger à du sable fin avant de les semer (voir page 441).

Multiplication : espèces à rhizome Prélever des segments de rhizome de 5 à 8 cm et procéder comme pour les boutures de bégonias à souches fibreuses. Ou, au printemps, trancher un rhizome en tronçons de 5 à 8 cm porteurs d'un bourgeon, et appliquer du soufre en poudre sur l'entaille. Dans un mélange humide à volume égal de tourbe et de sable ou de perlite, enfoncer de moitié les segments de rhizome en les plaçant soit à l'horizontale soit à la verticale, selon l'orientation du rhizome parent. Enfermer chaque bouture dans un sachet de plastique transparent ou dans une caissette de multiplication (voir page 443). Mettre à la lumière, mais à l'abri des rayons directs du soleil. Les racines se formeront en quatre à six semaines. Dès l'apparition des premières feuilles, planter dans le mélange recommandé pour les bégonias.

A l'exception des *B.* 'Erythrophylla' et *B. limmingheiana*, on peut reproduire tous les bégonias à rhizome par bouturage des feuilles. Au printemps, couper une feuille saine avec son pétiole et planter à un angle de 45 degrés dans un mélange à enracinement; ou placer plusieurs feuilles à la surface du mélange, après avoir fait une entaille sur les nervures principales. Enfermer dans un sachet de plastique transparent ou dans une caissette de multiplication et placer à la lumière, mais à l'abri des rayons directs du soleil. Les racines mettront deux ou trois semaines à se développer, et deux ou trois semaines plus tard naîtront les plantules. Quand celles-ci auront produit au moins deux feuilles, empoter individuellement dans des contenants de 8 cm remplis du mélange recommandé pour les bégonias adultes. Humidifier le mélange et enfermer de nouveau dans un sachet de plastique ou dans une caissette de multipli-

cation. Garder ainsi quatre semaines pour acclimater les plantes.

Remarque Certains bégonias dont *B.* 'Corallina Lucernae', *B. maculata* et *B. sutherlandii* sont sujets à l'oïdium qui se manifeste d'abord par des taches poudreuses (voir page 456) apparaissant sur les tiges et les feuilles. Vaporiser régulièrement avec un fongicide (voir page 459).

Bégonias tubéreux

Les bégonias tubéreux sont cultivés avant tout pour la beauté de leurs fleurs. Ils diffèrent des autres bégonias par leurs tiges souterraines gonflées (les tubercules), par leur feuillage caduc et par leur période annuelle de dormance. Toutefois, certains d'entre eux, qu'on appelle semi-tubéreux, ont des feuilles persistantes et connaissent plutôt une période de repos profond que de dormance. D'autres, enfin, fleurissent l'hiver et, bien qu'ils soient à souches fibreuses, ils sont issus de parents tubéreux dont ils ont conservé le trait principal : la période de dormance succédant à la floraison. Les bégonias de cette catégorie sont relativement éphémères. On s'en défait d'habitude après la floraison. *Voir aussi* BULBES, CORMUS et TUBERCULES.

BÉGONIAS TUBÉREUX RECOMMANDÉS :

B. cheimantha produit des hybrides à floraison hivernale dont les tiges vertes et charnues peuvent atteindre 45 cm de hauteur. Ils portent des feuilles vertes, luisantes et arrondies, de 10 à 13 cm de large, et donnent des fleurs roses, simples et souvent solitaires, de 5 cm de large. Parmi les hybrides les plus connus, on remarque : *B. c.* 'Gloire de Lorraine', *B. c.* 'Lady Mac' ainsi que *B. c.* 'Melior'.

B. dregei, espèce à port buissonnant, se caractérise par des tiges rouges, dressées et charnues atteignant 1 m de hauteur. Ses feuilles minces, panachées de pourpre à la surface et de rouge au revers, affectent la forme de feuilles d'érable et mesurent 8 cm sur 10. Ses fleurs blanches éclosent au printemps et en été.

B. gracilis est une espèce à port érigé, à tige verte, charnue et rarement ramifiée, s'élevant jusqu'à 60 cm de hauteur. Ses feuilles vert pâle, arrondies, ont les bords festonnés et font de 5 à 7,5 cm de large. Elles tombent au début de l'hiver. Les fleurs roses, solitaires et simples s'épanouissent pendant l'été. Les sujets adultes ont besoin de tuteurs.

B. grandis (connu également sous le nom de *B. evansiana*) se caractérise par des tiges charnues et érigées pouvant atteindre 1 m de hauteur. Vert pâle et très ramifiées, elles sont marquées de nœuds rougeâtres. Les feuilles vertes, tachetées de rouge à la face interne et près du pétiole, sont luisantes et cordées, et mesurent de 7,5 à 10 cm sur 5 à 7,5. Elles tombent au début de l'hiver. Les panicules de fleurs roses, simples et parfumées, ayant jusqu'à 2,5 cm de large, se renouvellent de la fin du printemps jusqu'à l'automne.

B. hiemalis produit des hybrides à tiges rouges qui fleurissent l'hiver et peuvent mesurer jusqu'à 45 cm de hauteur. Parmi les plus connus, que l'on considère à tort comme des hybrides de *B.* 'Elatior', on peut citer : *B. h.* 'Fireglow' et *B. h.* 'Schwabenland', qui ont tous deux des feuilles vert profond, rondes et luisantes, larges de 7,5 cm. Leurs fleurs simples, rouge vif à centre jaune, ont de 5 à 6 cm de large.

B. sutherlandii se caractérise par des tiges rouges, délicates et retombantes, pouvant atteindre 40 cm de hauteur. Ses feuilles vertes à pétioles rouges sont lancéolées, finement ourlées de rouge et mesurent de 10 à 15 cm sur 5 à 10. Ses panicules de fleurs rose saumon se succèdent du début du printemps à la fin de l'automne. Les feuilles tombent après la floraison.

B. tuberhybrida présente d'ordinaire des tiges érigées et charnues, de 38 cm de haut. Quelques hybrides sont toutefois rampants. L'espèce se caractérise par des feuilles ovales, tendres, d'un vert très foncé, avec, dans certains cas, des nervures plus pâles; elles mesurent de 15 à 25 cm sur 7,5 à 15. Les fleurs ternées (deux fleurs femelles et une fleur mâle) s'épanouissent au printemps à l'extrémité de longs pédoncules naissant à l'aisselle des feuilles. Les fleurs mâles sont doubles ou triples et mesurent 15 cm de diamètre, tandis que les fleurs femelles sont simples et n'atteignent que 5 cm de diamètre. Elles se parent de diverses couleurs : blanc, rose, rouge, jaune ou orangé. Tous les *B. tuberhybrida* connaissent, l'hiver, une période de dormance.

B. 'Weltoniensis' est une variété semi-tubéreuse à tiges rouges très ramifiées pouvant atteindre près de 75 cm de hauteur. Ses brillantes feuilles vertes veinées de rouge sont cordées et mesurent 10 cm sur 8. Ses petites fleurs roses simples s'épanouissent en panicules, du début du printemps à la fin de l'automne.

SOINS PARTICULIERS : BÉGONIAS TUBÉREUX

Lumière Tous les bégonias tubéreux demandent une bonne lumière, mais doivent être tenus à l'écart des rayons directs du soleil. Cependant, en période de latence, ils n'ont pas besoin d'éclairement.

Température Pendant la période de croissance, les bégonias tubéreux se satisfont de la température intérieure normale. A plus de 18°C, placer les pots sur une couche de cailloux dans une soucoupe remplie d'eau. Pendant l'hiver, laisser les plantes dormantes dans un endroit frais, à 13°C. Placer les sujets semi-tubéreux à feuilles persistantes dans un endroit frais (à 13°C également) et éclairé (mais à l'abri des rayons du soleil). Les espèces qui fleurissent l'hiver connaissent pendant l'été une période de latence. Il vaut cependant mieux s'en défaire une fois la floraison passée.

Arrosage Pendant la période de croissance, arroser modérément et laisser la motte se dessécher sur quelques centimètres avant d'arroser de nouveau. A mesure que la croissance ralentit, réduire les arrosages. Pendant la période de repos des espèces semi-tubéreuses, n'arroser que pour éviter le dessèchement total de la motte.

Engrais En période de croissance, enrichir tous les 15 jours d'engrais liquide à forte teneur en potassium.

Empotage et rempotage Utiliser soit un mélange à base de tourbe, soit un mélange à volume égal de terreau de feuilles et de terreau (voir page 429). Garnir le fond du contenant de tessons de pots. Verser un peu de mélange autour des racines et des tubercules et secouer le pot légèrement pour tasser le mélange. Dès le début du printemps, planter les variétés de *B. tuberhybrida* dans des terrines remplies de tourbe humide, en plaçant la partie déprimée du tubercule vers le haut. Mettre à la lumière, à l'abri des rayons directs du soleil, pendant trois ou quatre semaines, jusqu'à ce

Les pousses naissent de la partie déprimée d'un tubercule. Placer celle-ci vers le haut.

que les plantules atteignent 5 cm. Transplanter chacune dans un pot de 8 ou 9 cm rempli du mélange recommandé pour les sujets adultes. Les tubercules des autres variétés ou hybrides peuvent être plantés immédiatement dans des pots de 8 ou 9 cm remplis du mélange recommandé. A l'exception des hybrides à grandes fleurs, qui devront peut-être être rempotés pendant l'été, les bégonias peuvent rester dans le même contenant.

Rempoter tous les printemps les bégonias semi-tubéreux en plaçant les tubercules à la profondeur où ils étaient. Quand la plante est dans un pot de 15 à 20 cm, renouveler simplement la couche superficielle du mélange une fois par année (voir page 428). Les bégonias à floraison hivernale n'ont pas besoin d'être rempotés.

Multiplication *B. gracilis*, *B. grandis* et *B. sutherlandii* se reproduisent mieux à partir des bulbilles qui apparaissent l'automne à l'aisselle des feuilles. Prélever les bulbilles au moment où la plante perd ses feuilles, les mettre dans un bocal, et les conserver dans un endroit frais (à une température de 13°C), jusqu'au printemps suivant. Mettre chaque bulbille dans un pot de 8 cm rempli du mélange recommandé ci-dessus, et recouvrir d'une mince couche de mélange humide. Placer à l'abri des rayons directs du soleil. Au début, arroser à peine, puis augmenter progressivement. Donner aux plantules de 8 cm de haut

B. sutherlandii produit en automne, à l'aisselle de certaines de ses feuilles, des bulbilles reproductrices.

les mêmes soins qu'aux sujets adultes. Elles ne fleuriront qu'au bout de la première année.

B. dregei et *B.* 'Weltoniensis', plantes semi-tubéreuses, se multiplient par bouturage des pousses, à la fin du printemps et pendant l'été. Prélever des segments de tige de 5 à 7 cm, à la base d'une feuille. Couvrir la plaie de poudre d'hormones, et planter les boutures dans des pots de 5 à 8 cm remplis d'un mélange humide à volume égal de tourbe et de sable grossier ou de perlite. Enfermer dans un sachet de plastique transparent ou dans une caissette de multiplication (voir page 443), et placer à l'abri des rayons directs du soleil. Après trois ou quatre semaines, donner aux nouvelles plantes les mêmes soins qu'aux sujets adultes. Attendre pour les transplanter qu'elles aient au moins 15 cm de haut. (Laisser aux spécialistes le bouturage des bégonias à floraison hivernale.)

Pour reproduire les diverses variétés de *B. tuberhybrida*, sectionner un gros tubercule en conservant à chaque segment un bourgeon terminal. Appliquer de la poudre de soufre sur la plaie, et empoter chaque bouture comme s'il s'agissait de tubercules entiers (voir ci-dessus « Empotage et rempotage »). L'opération s'effectue au printemps.

Remarques Ne pas arracher les vieilles tiges quand les feuilles tombent : cela endommagerait les tubercules. Au sujet de l'oïdium, voir la remarque sur les bégonias à souches fibreuses et à rhizome, page 96.

Bégonia de Bower, voir *Begonia boweri*.

Bégonia croix-de-fer, voir *Begonia masoniana*.

Beloperone
ACANTHACÉES

B. guttata

Une seule des espèces du genre *Beloperone, B. guttata* (qu'on appelle aussi *Drejerella guttata* ou *Justicia brandegeana*), est devenue populaire comme plante d'intérieur. Ses inflorescences se composent de fascinantes bractées de 2,5 cm, cordées, brun rougeâtre ou rosées, qui enserrent de minuscules fleurs blanches. Elles forment de longs épis de 10 à 15 cm, gracieusement recourbés (évoquant une queue de crevette), qui ornent la plante pendant toute la période de croissance, c'est-à-dire 10 mois sur 12. Les feuilles vertes, ovales, légèrement velues et pourvues de pétioles, apparaissent sur des tiges ligneuses et verticales.

B. guttata, mal taillé ou mal entretenu, se transforme en un arbuste indiscipliné qui peut atteindre plus de 60 cm de hauteur. Il a donc besoin d'être taillé tous les ans (voir « Remarques »).

Cette espèce a donné naissance à une variété plus rare à bractées jaunes, *B. g.* 'Yellow Queen', et à une autre variété encore sans nom, à bractées rouge foncé.

SOINS PARTICULIERS
Lumière Les beloperones ont besoin de beaucoup de lumière et soin de beaucoup de lumière et d'un peu de soleil pour accentuer la couleur de leurs bractées.

Température Ces plantes se satisfont de conditions normales, mais, comme elles sont sensibles à la chaleur, on recommande l'hiver une température moyenne de 18°C.

Arrosage Arroser parcimonieusement, de façon que le mélange soit toujours à peine humide. Laisser se dessécher aux deux tiers avant d'arroser de nouveau.

Engrais De mai à septembre, enrichir d'engrais liquide ordinaire tous les 15 jours.

Empotage et rempotage Utiliser un mélange à base de terreau (2/3) [voir page 429], auquel on ajoutera de la tourbe (1/3). Rempoter les plantes chaque année au printemps, jusqu'à ce qu'elles aient atteint leur taille maximale. Par la suite, renouveler simplement la couche superficielle du mélange au début du printemps (voir page 428).

Multiplication Au printemps, prélever des boutures d'environ 5 à 7 cm et mettre dans de petits pots remplis d'un mélange humide à volume égal de tourbe et de sable grossier ou de perlite. Enfermer dans des sachets de plastique transparent et placer dans un endroit bien éclairé à l'abri des rayons directs du soleil. Les racines mettront de six à huit semaines à se développer. Pour obtenir une plante touffue, planter dans un même pot trois ou quatre boutures. Se servir du mélange recommandé pour les sujets adultes. Arroser parcimonieusement et ne placer au soleil qu'après un mois ou deux.

Remarques Pincer de temps en temps. Rabattre les tiges de moitié (au niveau de l'aisselle des feuilles) au moment où les nouvelles pousses commencent à apparaître.

Rabattre le beloperone de moitié tous les ans pour lui conserver une belle forme buissonnante.

Bertolonia
MÉLASTOMATACÉES

B. marmorata
aenea

Peu nombreuses sont les espèces que regroupe le genre *Bertolonia*. Petites (15 cm au plus), rampantes, elles arborent un feuillage très décoratif à reflets métalliques. Les tiges courent d'abord à la surface du sol, pour se redresser ensuite. Les feuilles velues présentent un revers rouge foncé ou pourpre; les fleurs roses ou pourpres se composent de 5 pétales simples et s'épanouissent sur une tige rigide de 7 à 10 cm de long.

ESPÈCES RECOMMANDÉES

B. maculata porte de larges feuilles ovales de 5 à 7 cm de long, hérissées de poils raides. Leur surface vert olive teintée de vert mousse et finement bordée de rouge est panachée d'argent le long des nervures centrales. Des fleurs roses apparaissent en grappes, plusieurs fois par année.

B. marmorata présente des feuilles d'un beau vert, cordées, longues de 15 à 20 cm et dont l'extrémité se recourbe légèrement. Leur surface a une texture satinée et est d'ordinaire marquée de 5 bandes transversales argentées. Les fleurs pourpres, pouvant atteindre jusqu'à 3 cm de diamètre, s'épanouissent à plusieurs reprises pendant l'année. La variété *B. m. aenea* porte des feuilles d'aspect cuivré, marquées de touches argentées.

SOINS PARTICULIERS

Lumière Les bertolonias se contentent d'un éclairage moyen.

Température Ces plantes se développent à la température normale d'une pièce, mais ont besoin de beaucoup d'humidité. Placer sur une couche de cailloux gardés humides. Cependant, ne pas bassiner les feuilles que l'eau marquerait.

Arrosage Pendant la période de croissance, maintenir le mélange humide. Pendant la période de repos, arroser parcimonieusement.

Engrais Enrichir d'engrais liquide ordinaire tous les 15 jours pendant la période de croissance.

Empotage et rempotage Utiliser un mélange à volume égal de tourbe, de feuilles décomposées et de sable grossier ou de perlite. Planter dans de petits pots ou dans des contenants peu profonds. Rempoter lorsque les tiges feuillues couvrent la surface et s'échappent du pot.

Multiplication Au printemps, prélever des boutures et planter dans un mélange légèrement humide. Enfermer dans des sachets de plastique transparent et placer dans un endroit modérément éclairé. Au bout de six semaines, quand les racines se seront développées, donner les soins normaux.

Bibacier, voir *Eriobotrya japonica*.

Billbergia
BROMÉLIACÉES

De toutes les broméliacées, les billbergias sont les espèces qui se prêtent le mieux à la culture à l'intérieur. Ces plantes se reconnaissent à leurs feuilles (de 5 à 8) étroites, rigides et aciculaires formant une rosette profonde qui s'ouvre à mi-hauteur. Chez certaines espèces, la rosette est plus étalée et plus délicate, tandis que chez d'autres, elle est serrée et forme une coupe destinée à recueillir l'eau. Les feuilles et les fleurs varient beaucoup selon les espèces. Toutefois, les fleurs sont dans l'ensemble tubulaires, composées de pétales recourbés vers l'extérieur et adossées à de minces bractées; elles durent deux semaines. La floraison se produit à n'importe quelle époque de l'année. Les billbergias n'ont donc pas de période de repos et, à une chaleur suffisante, ils croissent de façon continue.
Voir aussi BROMELIACEES.

BILLBERGIAS RECOMMANDÉS

B. amoena rubra produit de grandes feuilles (60 cm sur 4) rougeâtres, tachetées de blanc et de jaune, disposées en rosette. Celles qui se trouvent à l'intérieur de la rosette sont tronquées à l'extrémité. Les fleurs bleues ou bleu-vert, retombantes, peuvent atteindre 10 cm de longueur et s'adossent à de toutes petites bractées rouges.

B. decora se distingue par de grandes feuilles (de 45 à 60 cm sur 5) gris-vert, marquées de bandes transversales blanches; elles sont bordées de petites épines brunes et disposées en rosette. L'inflorescence, saupoudrée de blanc, est retombante, et se compose de petites fleurs verdâtres blotties dans des bractées rose vif.

B. distachia porte des feuilles vertes (45 cm sur 5) teintées de pourpre et saupoudrées de blanc. L'espèce produit plusieurs rosettes et des fleurs vert et bleu appuyées à des bractées roses de 8 cm de long.

B. 'Fantasia', un hybride dont les feuilles vert cuivré sont marbrées de crème et de rose et mesurent environ 40 cm sur 5 à 8, arbore une inflorescence verticale composée de fleurs bleues et de bractées rouges de 5 à 7 cm de long.

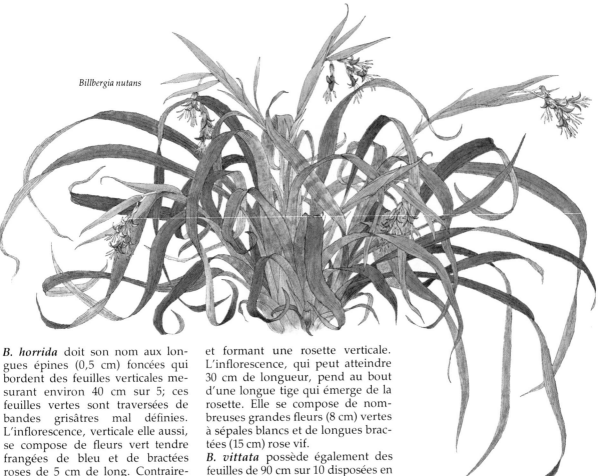

Billbergia nutans

B. horrida doit son nom aux longues épines (0,5 cm) foncées qui bordent des feuilles verticales mesurant environ 40 cm sur 5; ces feuilles vertes sont traversées de bandes grisâtres mal définies. L'inflorescence, verticale elle aussi, se compose de fleurs vert tendre frangées de bleu et de bractées roses de 5 cm de long. Contrairement aux fleurs des autres billbergias, celles de *B. horrida* dégagent, le soir, une bonne odeur. *B. h.* 'Tigrina' en est une variété à feuilles rouges, avec du blanc au revers.

B. iridifolia a des feuilles argentées de 30 cm sur 5, recourbées à l'extrémité. Des fleurs composées de sépales rouges et de pétales jaunes au pourtour bleu, ainsi que des bractées rosâtres longues de 7 à 10 cm, ornent une inflorescence retombante.

B. nutans est, de toutes les broméliacées, l'espèce la plus connue. Elle se caractérise par des feuilles étroites vert olive, recourbées, qui mesurent environ de 25 à 40 cm sur 2. Exposées aux rayons directs du soleil, elles prendront une teinte rougeâtre. Les fleurs retombantes de 2,5 cm de long ont des sépales roses ourlés de bleu ainsi que des pétales vert jaunâtre bordés de bleu, et sont retenues à des bractées roses de 5 à 7 cm de long.

B. venezuelana, belle espèce vivace, produit de grandes feuilles vert foncé tachetées de marron, striées d'argent, mesurant 90 cm sur 10

et formant une rosette verticale. L'inflorescence, qui peut atteindre 30 cm de longueur, pend au bout d'une longue tige qui émerge de la rosette. Elle se compose de nombreuses grandes fleurs (8 cm) vertes à sépales blancs et de longues bractées (15 cm) rose vif.

B. vittata possède également des feuilles de 90 cm sur 10 disposées en rosette. Leur couleur varie de vert olive à brun-pourpre; elles sont

B. venezuelana

striées d'argent et légèrement saupoudrées de gris. Les fleurs, de 5 à 7 cm de long, ont des sépales bleu foncé et des pétales vert et violet, tandis que les bractées, longues de 10 cm, sont rouge foncé. Fleurs et bractées forment une inflorescence lourde et retombante.

B. zebrina se distingue de *B. venezuelana* et de *B. vittata* par des feuilles pourprées striées d'argent. L'inflorescence retombante comprend des fleurs vertes ou jaunâtres qu'entourent des bractées roses, iongues de 5 cm.

SOINS PARTICULIERS

Lumière Les billbergias ont besoin de beaucoup de lumière et d'au moins quatre heures de soleil par jour pour fleurir et conserver un beau feuillage. En été, on recommande de tamiser par un rideau ou un store le fort soleil de midi.

Température Ces plantes se satisfont des conditions normales. *B. nutans* peut même tolérer une température de 7°C.

Arrosage Toute l'année, arroser de façon à maintenir le sol humide, mais laisser se dessécher sur quelques centimètres avant d'arroser de nouveau. La rosette doit elle aussi être maintenue humide, et si elle est profonde, la remplir d'eau; on renouvellera tous les mois l'eau contenue dans les rosettes profondes de certains billbergias en vidant d'abord celle qui y stagne (pour cette opération, tenir la plante la tête en bas). Les billbergias apprécient l'eau douce ou, mieux encore, l'eau de pluie.

Il faut renouveler tous les mois l'eau des rosettes du billbergia pour éviter qu'elle ne se corrompe.

Engrais Tous les 15 jours, enrichir le mélange d'engrais liquide; en asperger le feuillage et en verser au centre de la rosette.

Empotage et rempotage Les billbergias se satisfont du mélange proposé pour les espèces de cette famille (voir page 107) ou d'un mélange à volume égal de feuilles décomposées et de terreau (voir page 429). Comme ces plantes ont des racines superficielles, elles peuvent être placées dans des pots relativement petits. Même dans des pots de 12 cm, elles produiront plusieurs rosettes et de nombreuses inflorescences. Cependant, les billbergias s'épanouissent plutôt en hauteur et seront mieux mis en valeur s'ils sont empotés séparément. Les mettre dans des contenants de grès (plutôt qu'en plastique) pour éviter qu'ils ne se renversent. Rempoter les jeunes plantes au début du printemps.

Multiplication Au printemps, prélever des rejets de 10 à 15 cm de long qui ont déjà pris forme (les rejetons trop jeunes s'enracinent mal). Laisser alors sécher ces rejets durant un jour ou deux, puis planter dans de petits pots remplis du mélange recommandé pour les broméliacées et placer dans un endroit modérément éclairé. Tuteurer jusqu'à ce que les racines soient assez développées pour ancrer la plante. Arroser parcimonieusement et laisser le sol se dessécher sur quelques centimètres avant d'arroser de nouveau. Après environ huit semaines, la plante pourra être entretenue normalement.

Blechne, voir *Blechnum.*

Blechnum
POLYPODIACÉES

B. gibbum

Le genre *Blechnum* (blechne) renferme un grand nombre de fougères différentes, allant des petites plantes rampantes aux très grandes plantes érigées. Les espèces cultivées à l'intérieur, étant, pour la plupart, originaires de milieux tropicaux et subtropicaux, ont besoin, à des degrés divers, de chaleur et d'humidité. Les blechnums, comme d'autres fougères, sont pourvus de frondes stériles et de frondes sporifères. Chez les sujets adultes, les frondes sont profondément divisées en nombreuses pinnules.
Voir aussi FOUGÈRES.

ESPÈCES RECOMMANDÉES

B. brasiliense (également connu sous le nom de *B. corcovadense*) prend d'abord l'allure d'une rosette étalée formée de grosses frondes lancéolées qui s'élèvent à partir d'un cœur brun. Après quelques années, se forme un tronc brun foncé et écailleux pouvant atteindre 1 m de hauteur. Les frondes se divisent en pinnules coriaces se présentant par paires. D'abord couleur cuivre, elles tournent au vert à mesure que la plante vieillit. La variété *B. b.* 'Crispum' a des frondes ondulées et plus petites, rouges quand elles sont jeunes.

B. gibbum (auparavant appelé *Lomaria gibbum*) est le mieux connu des blechnums. Il se caractérise par une belle rosette symétrique formée de grandes frondes de 1 m de long sur 30 cm de large qui finissent par coiffer un tronc noir et écailleux de 1 m de haut. Les nombreuses pinnules vertes, luisantes et légèrement retombantes, seront, selon les variétés, étroites, larges ou pointues. *B. moorei*, sujet plus petit dont les frondes n'ont que 30 cm de long, est considéré par certains experts comme une variété de *B. gibbum* et non comme une espèce.

B. occidentale produit des rhizomes souterrains ainsi que des frondes vertes et recourbées de 45 cm sur 15, qui se terminent en pointe. Leur nervure centrale est très pâle.

SOINS PARTICULIERS
Lumière Les blechnums exigent d'être placés à la lumière, mais à l'abri des rayons directs du soleil.

Température Ces plantes préfèrent une chaleur moyenne. Elles tolèrent une certaine sécheresse atmosphérique mais ont besoin de beaucoup d'humidité durant la période de croissance, de la mi-mai à novembre. En saison chaude, placer les pots sur des gravillons trempant dans un peu d'eau; les plantes supporteront alors jusqu'à 24°C. En hiver, garder si possible à environ 16°C. Si la température baisse jusqu'à 10°C, réduire l'arrosage.

Arrosage En période de croissance, arroser abondamment, mais ne jamais laisser d'eau dans la soucoupe. Si la température tombe au-dessous de 13°C, laisser la motte se dessécher sur 1 cm entre les arrosages.

Engrais En période de croissance, fertiliser avec un engrais liquide dilué dans un volume d'eau.

Empotage et rempotage Utiliser un mélange à volume égal de terreau et de feuilles décomposées (voir page 429). Rempoter tous les deux ans environ, quand les racines affleurent. Mettre une couche de tessons de grès au fond du pot pour le drainage et ajouter des parcelles de charbon de bois pour assainir le sol.

Multiplication En pépinière, on multiplie *B. brasiliense* et *B. gibbum* à partir des spores. Ces deux espèces peuvent toutefois produire des rejets basilaires qu'il suffit alors de détacher pour les empoter (en les traitant comme des plantes adultes). *B. occidentale* produit des rhizomes souterrains qu'on peut diviser en utilisant deux petites fourches. Empoter ensuite chaque segment séparément.

Pour multiplier B. occidentale, *diviser le rhizome à l'aide de deux petites fourches et empoter chaque segment séparément.*

Bois-de-cerf, voir *Platycerium*.

Bougainvillea
NYCTAGINACÉES

B. glabra

Les bougainvillées sont des plantes ligneuses hérissées d'épines. Grimpantes et sarmenteuses lorsqu'elles sont cultivées à l'extérieur dans un climat chaud, elles peuvent toutefois devenir touffues à l'intérieur si on leur procure les soins appropriés. De nouvelles variétés naines sont même naturellement arbustives. Les bougainvillées attirent l'attention non pas par leur feuillage clairsemé, mais par leurs bractées papyracées aux couleurs vives. Celles-ci apparaissent au printemps et en été et peuvent durer plusieurs semaines, surtout chez les espèces naines. Blanches, jaunes, orange, roses, rouges ou pourpres, les bractées viennent généralement par groupes de 10 à 20.

Très exigeantes, les bougainvillées ne sont pas faciles à cultiver en appartement. Elles s'épanouiront davantage devant de grandes baies vitrées et, dans les régions plus chaudes, dans des serres.

Bractées de bougainvillées hybrides

ESPÈCES RECOMMANDÉES

B. buttiana a donné naissance à plusieurs hybrides qui sont maintenant parmi les plus répandus. Moins exubérants que l'espèce, ils prennent facilement une forme arbustive et peuvent vivre des années en appartement dans des pots de 14 à 20 cm. Les hybrides les plus connus sont 'Mrs. Butt', à bractées cramoisies, 'Brilliant', caractérisé par des bractées orange cuivré, et 'Temple Fire' dont les bractées rouge brique deviennent plus sombres à mesure qu'avance la floraison.

B. glabra est une vigoureuse plante grimpante à floraison hâtive dont les bractées pourpres ou magenta apparaissent en fin d'été ou en automne. Il existe également des variétés panachées dont les deux plus attrayantes sont *B. g.* 'Harrisii', aux feuilles rayées de crème, et *B. g.* 'Sanderana Variegata' dont les feuilles sont bordées de blanc crème.

Lumière Pour fleurir, les bougainvillées ont besoin d'au moins quatre heures d'ensoleillement par jour en période active et de beaucoup de lumière en tout temps.

Température La température normale d'une pièce leur convient durant la croissance. En période de repos hivernal, il vaut mieux les garder au frais, mais jamais au-dessous de 10°C.

Arrosage Durant la période de croissance, arroser suffisamment pour bien imbiber la motte. Laisser sécher aux deux tiers entre les arrosages. A l'approche du repos hivernal, diminuer l'arrosage, puis n'arroser que pour empêcher le dessèchement du sol.

Engrais Fertiliser avec de l'engrais liquide ordinaire tous les 15 jours dès que la croissance reprend et durant la floraison.

Empotage et rempotage Utiliser un mélange à base de terreau (voir page 429) additionné d'un peu de tourbe. Rempoter les jeunes plantes au début du printemps. Lorsqu'elles seront arrivées à maturité, se contenter de renouveler la couche superficielle du mélange (voir page 428).

Multiplication La multiplication ne peut réussir que dans une caissette chauffante (voir page 444). Au printemps, sectionner des segments de rameau de 15 cm; appliquer sur l'entaille de la poudre d'hormones et placer les boutures dans des godets remplis d'un mélange humide à volume égal de terreau et de sable grossier ou de perlite. Les garder à 24°C sous un éclairage tamisé. Huit semaines plus tard, transplanter dans un compost ordinaire.

Remarques Placées devant des baies vitrées, les bougainvillées gagneront facilement 2 m en une saison. Au début du printemps, raccourcir la plante du tiers et tailler les pousses trop longues en ne leur laissant que deux ou trois bourgeons de croissance.

Les bougainvillées perdent des feuilles durant une courte période de l'hiver. De mauvaises conditions prolongeront la chute.

Bougainvillée ou Bougainvillier,
voir *Bougainvillea.*

Brassaia
ARALIACÉES

Arbre ombrelle, arbre ombelle
B. actinophylla

L'espèce *Brassaia actinophylla* (plus connue sous son ancien nom de *Schefflera actinophylla* et communément appelée arbre ombrelle ou arbre ombelle) est appréciée pour son élégant feuillage vernissé. Les feuilles sont divisées en 5 à 7 folioles oblongues, d'environ 30 cm, et se déploient à l'extrémité d'une très longue tige, comme les rayons d'une ombrelle. Le brassaia peut atteindre environ 2 m de hauteur s'il se trouve dans un bac suffisamment grand pour que ses racines se développent. Cultivé dans un pot de 20 cm, il restera petit. Cette plante ne fleurit qu'exceptionnellement en appartement.

SOINS PARTICULIERS

Lumière Procurer à la plante une lumière vive, mais la tenir à l'abri des rayons directs du soleil.

Température La température doit se situer entre 16 et 18°C, mais la plante supporte plus de chaleur si l'air est assez humide. Au-dessous de 13°C, elle peut perdre ses folioles.

Arrosage Durant la période de croissance, donner assez d'eau pour que le mélange soit bien humide, mais laisser sécher aux deux tiers entre les arrosages. En période de repos, arroser juste assez pour éviter le dessèchement complet.

Engrais Donner un apport d'engrais liquide ordinaire tous les 15 jours en période de croissance.

Empotage et rempotage Utiliser un mélange à base de terreau (voir page 429). Rempoter au début du printemps. Quand la plante a atteint la taille optimale, renouveler la couche superficielle du mélange une fois l'an (voir page 428).

Multiplication Elle se pratique à partir de semis. Choisir des graines fraîches et prévoir une douce chaleur de fond pour favoriser la germination. La multiplication peut aussi se faire par marcottage (voir page 440).

Remarque Nettoyer régulièrement les feuilles du brassaia avec une éponge humide.

Essuyer les feuilles toutes les deux semaines avec une éponge humide pour leur permettre de respirer.

Brassia
ORCHIDACÉES

B. verrucosa

Membres de la famille des *Orchidacées*, les brassias sont des plantes épiphytes à fleurs extrêmement curieuses. Deux ou trois feuilles vert sombre, épaisses, rigides et elliptiques surgissent de pseudo-bulbes cylindriques ou ovoïdes et, chez les espèces recommandées ici, de longues hampes légèrement arquées jaillissent à la base de ces pseudo-bulbes. Chaque hampe porte à son sommet une rangée de fleurs très rapprochées, caractérisées par la forme étrange de leurs sépales et de leurs pétales très longs et très effilés. Le labelle, ou troisième pétale, est plus court et plus large et sa forme évoque celle d'une langue.

On trouve plusieurs hybrides intergénériques issus de *Brassia*. Certaines fleurs hybrides sont renommées pour leur éclat.

Voir aussi ORCHIDEES.

ESPÈCES RECOMMANDÉES

B. caudata présente des pseudo-bulbes cylindriques, d'un vert jaunâtre, mesurant de 8 à 15 cm de haut et 2,5 cm de large; chacun porte 2 ou 3 feuilles de 18 à 23 cm sur 6,5. Les pédoncules, d'une longueur d'environ 45 cm, peuvent porter, en fin d'été, jusqu'à 12 fleurs parfumées. Chaque fleur mesure environ 13 cm sur 7,5. Les sépales et les pétales sont d'un jaune verdâtre maculé de brun, surtout vers l'onglet. Le labelle presque triangulaire est jaune pâle tacheté de rouge cannelle.

B. verrucosa a des pseudo-bulbes ovoïdes verts, légèrement aplatis, de 8 cm sur 7. Chaque pseudo-bulbe produit 2 feuilles d'environ 38 cm sur 5; quant à la hampe florale, longue de 30 à 90 cm, elle peut porter jusqu'à 16 fleurs parfumées au printemps et au début de l'été. Chaque fleur atteint de 13 à 15 cm sur 10. Certaines variétés, dont les fleurs mesurent de 20 à 25 cm sur 10 à 13 cm, sont parfois considérées comme une espèce autonome appelée *B. brachiata*. Leurs sépales et leurs pétales vert pâle sont maculés de vert foncé, de rouge ou de brun violacé, de façon plus prononcée à l'onglet. Le labelle blanc en forme de losange montre des protubérances vert foncé.

SOINS PARTICULIERS

Lumière Les brassias exigent une lumière vive, mais craignent les rayons directs du soleil.

Température La température devrait se situer toute l'année autour de 18 à 24°C le jour et de 10 à 16°C la nuit. Si la température se maintient au-dessus de 24°C pendant plus de trois jours d'affilée, placer les pots sur un plateau garni de gravillons trempant dans l'eau, ou suspendre des soucoupes sous les plantes en corbeilles ou les épiphytes et y verser de l'eau. Bassiner quotidiennement le feuillage.

Arrosage Il sera modéré durant la période de croissance, mais suffisant tout de même pour imbiber la motte. Laisser les deux tiers supérieurs de la motte sécher entre les arrosages. Après la floraison, mettre les plantes au repos durant trois semaines environ. Leur donner alors juste assez d'eau pour empêcher la motte de se dessécher complètement et les pseudo-bulbes de se ratatiner.

Engrais En période de croissance, faire des apports d'engrais foliaire dilué de moitié tous les trois ou quatre arrosages.

Empotage et rempotage Utiliser les mélanges recommandés pour les orchidées (voir page 289). Les brassias peuvent être cultivés en pots, en corbeilles suspendues ou sur un support de bois. Rempoter les plants au printemps dans des pots de deux tailles au-dessus lorsque les pseudo-bulbes se sont multipliés, soit tous les deux ou trois ans.

Multiplication Faire la division des rhizomes au printemps. Sectionner ceux-ci en deux ou plusieurs segments porteurs d'au moins deux pseudo-bulbes chacun. Placer chaque segment dans un pot de 8 à 10 cm ou l'attacher à un support. Arroser parcimonieusement jusqu'à l'apparition de nouvelles pousses. Traiter comme des brassias adultes.

BROMÉLIACÉES

La famille des *Broméliacées* groupe surtout des plantes tropicales à rosettes qui, contrairement aux autres plantes, se nourrissent par leurs feuilles plutôt que par leurs racines. Cet article donne leurs caractéristiques, les soins à leur apporter, ainsi qu'une liste des principaux genres cultivés en appartement. Pour plus de détails, se reporter au nom du genre.

Les espèces de la famille des *Broméliacées* (ou plantes aériennes) sont originaires des régions tropicales et subtropicales. Elles varient beaucoup à l'intérieur d'un même genre. Les espèces cultivées en appartement partagent pourtant plusieurs traits communs : absence de tige; feuilles rubanées, coriaces et retombantes, disposées en rosette; inflorescence portée sur une longue hampe.

La rosette est parfois évasée, parfois presque tubulaire. Dans plusieurs cas, les feuilles imbriquées forment une coupe où la plante, à l'état naturel, emmagasine pluie et rosée. En période de sécheresse, elle y trouve sa nourriture et son humidité. Le point de croissance des broméliacées, au centre de la rosette, doit être constamment entouré d'eau. Cette particularité distingue ces plantes des autres sauf, bien entendu, des plantes aquatiques, qui ne survivraient pas à un tel traitement.

La majorité des broméliacées cultivées en appartement vivent, à l'état sauvage, en épiphytisme sur les troncs et les branches des arbres. Toutefois, certaines se fixent plutôt aux rochers et d'autres croissent dans le sol. A l'intérieur d'un même genre, on trouve toujours des espèces appartenant à ces trois types. A vrai dire, les espèces épiphytes aussi bien que les espèces terrestres peuvent changer leur mode de vie lorsqu'on les y oblige. C'est cette faculté d'adaptation qui permet à certaines espèces épiphytes de supporter la culture en pots.

Les broméliacées sont capables de s'alimenter à la fois par leurs feuilles et par leurs racines. Certaines formes portent même sur leurs feuilles de minuscules écailles qui peuvent absorber nourriture et humidité. Plusieurs espèces ont totalement cessé de se servir de leurs racines pour s'alimenter. Ces plan-

tes n'en produisent plus du tout ou utilisent celles qui leur restent comme support plutôt que comme organes nourriciers.

Les broméliacées fleurissent en tout temps. Remarquables par leurs teintes vives, les fleurs naissent en saillie à l'intérieur de bractées rouges ou roses. Chez certaines broméliacées, l'inflorescence sort à peine de l'eau contenue dans le réservoir de la rosette. Les fleurs mesurent rarement plus de 1 cm de diamètre; elles se succèdent sur un capitule dépourvu de tige. Juste avant la floraison, les feuilles au centre de la rosette se colorent en totalité ou en partie de rouge ou de pourpre et ce coloris persiste jusqu'à la défloraison. Il attire ainsi les oiseaux et les insectes qui assurent la pollinisation.

D'autres broméliacées portent une hampe longue et robuste qui se forme au centre de la rosette. Cette hampe est couronnée d'une inflorescence très attrayante, de teinte vive et dont les fleurons, de 1 cm seulement de diamètre, sont entourés de bractées vivement colorées elles aussi. Les feuilles ne changent cependant pas de couleur durant la floraison.

La floraison des broméliacées est en général de courte durée. Cependant, les bractées des formes à longues hampes et le feuillage coloré des autres peuvent persister durant plusieurs semaines. Dans certains cas, des baies colorées succèdent aux fleurs et conservent leur beauté durant plusieurs mois.

En règle générale, les rosettes des broméliacées ne fleurissent qu'une fois, après quoi elles dégénèrent. Seules les rosettes des dyckias ne

Formes typiques

Deux types de rosettes prédominent chez les broméliacées : les rosettes évasées et aérées, comme celles des tillandsies (en haut), et les rosettes en entonnoir, telles que celles de nombreuses variétés de cryptanthus (en bas).

Inflorescences

Elles peuvent se dissimuler dans les rosettes, comme chez les neoregelias (en haut), émerger des bractées, comme chez les tillandsies (à gauche), ou retomber, comme chez les billbergias (à droite).

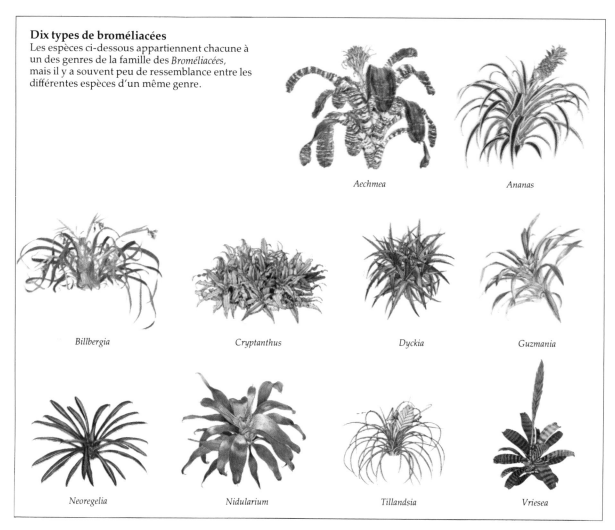

Dix types de broméliacées

Les espèces ci-dessous appartiennent chacune à
un des genres de la famille des *Broméliacées*,
mais il y a souvent peu de ressemblance entre les
différentes espèces d'un même genre.

Aechmea

Ananas

Billbergia

Cryptanthus

Dyckia

Guzmania

Neoregelia

Nidularium

Tillandsia

Vriesea

cessent de se développer après la
floraison. Dans tous les autres cas,
cependant, les rosettes gardent leur
beauté durant plusieurs mois avant
de se faner. Bien avant, cependant,
elles auront donné naissance à des
rejets.

Les espèces de cette famille ne
fleurissent que lorsqu'elles sont
adultes. Or, chez certaines, la maturité met 20 ans à se réaliser.
En général, pourtant, les broméliacées d'appartement fleurissent
après deux ou trois ans.

Broméliacées épiphytes

A mesure qu'elles grandissent, les
broméliacées épiphytes émettent
des racines qui s'accrochent à
l'écorce des arbres. Elles leur servent
uniquement de support puisque la
plante se nourrit de l'eau de pluie et
des déchets végétaux qui s'accumulent entre ses feuilles.

Les broméliacées qui, dans la nature, poussent à la base du tronc
des arbres ont généralement des
feuilles tendres; celles qui poussent
au sommet ont des feuilles coriaces.
Cette différence tient au degré de
lumière qu'elles reçoivent; on peut
donc en tirer des conclusions sur
l'éclairement qu'il faudra leur donner en appartement. Les espèces à
feuilles tendres demanderont un
éclairage tamisé, tandis que les espèces à feuilles coriaces exigeront
une lumière plus vive.

Broméliacées terrestres

Certaines broméliacées croissent
sur le sol ou dans des anfractuosités
de rochers, c'est-à-dire à découvert
et au soleil. Pour se protéger des
animaux qui broutent en ces lieux,
nombre d'entre elles ont développé
des feuilles hérissées d'épines et
de piquants, caractéristique qui les

fait ressembler aux cactus et à certaines plantes grasses.

Leurs rosettes sont aussi beaucoup plus évasées que celles des
espèces épiphytes et retiennent
donc moins bien l'eau. Quelques
broméliacées (certains cryptanthus,
par exemple) n'ont que 5 ou 6 feuilles dentées disposées en étoile au
ras du sol. D'autres n'ont pas leurs
feuilles disposées en rosette. La
plupart, cependant, présentent toutes les caractéristiques des broméliacées.

La broméliacée terrestre la plus
connue est l'ananas comestible
(*Ananas comosus*), seule espèce à
être cultivée commercialement.

SOINS PARTICULIERS
Lumière Selon la résistance de leur
feuillage, les broméliacées épiphytes ont besoin d'une lumière tamisée sans ensoleillement ou d'une

lumière très vive comportant plusieurs heures de plein soleil par jour. Pour plus de détails sur une espèce en particulier, se reporter au nom du genre. Les espèces terrestres exigent beaucoup de lumière pour avoir un feuillage vivement coloré et fleurir.

Lorsque la lumière commence à diminuer au moment où les jours raccourcissent, les broméliacées entrent en période de repos. A vrai dire, ce n'est pas durant les longs jours ensoleillés de l'été que leur croissance est la plus marquée, mais bien plutôt au printemps et en automne. Un court repos estival n'a donc rien d'anormal.

Température Les broméliacées se plaisent à la température normale d'une pièce. Des températures inférieures à 13°C seront d'ailleurs fatales aux espèces à feuilles tendres. Les rares espèces (celles du genre *Billbergia*) qui les supportent en hiver souffriront néanmoins d'y être exposées trop longtemps. Après quelques jours seulement, leur feuillage aura subi des dommages.

En période de croissance, toutes les broméliacées sont avides d'humidité. Placer les pots sur une couche de cailloux, dans une soucoupe remplie d'eau. Si la tempé-

rature ambiante se maintient au-dessus de 18°C durant plus d'un ou deux jours, bassiner les feuilles. Durant les mois d'été, sortir les plantes pendant une heure ou deux lorsque tombe une pluie douce et chaude. Elles absorberont de l'humidité par leur feuillage et la pluie les lavera de la poussière qui se dépose sur les feuilles.

Arrosage Il est essentiel de toujours garder la coupe centrale des broméliacées remplie d'eau. Pour éviter cependant que cette eau ne se corrompe, vider la coupe une fois par mois en retournant la plante et y remettre de l'eau fraîche. Arroser modérément la motte de la plupart des broméliacées et laisser sécher sur 1 cm avant d'arroser de nouveau. Durant la brève période de repos que prennent certaines espèces en hiver, ne leur donner que très peu d'eau : juste assez pour empêcher le sol de se dessécher complètement.

Dans les endroits où l'eau est calcaire, utiliser autant que possible de l'eau de pluie pour éviter que des dépôts ne se forment sur le feuillage. A défaut d'eau de pluie, on peut se servir de l'eau de dégivrage du réfrigérateur. Laisser cette eau pendant 24 heures à la température ambiante.

Engrais Fertiliser les plantes en période de croissance conformément aux instructions données pour chaque genre dans le *Guide alphabétique*. Verser l'engrais liquide sur le mélange ou directement dans la coupe au centre des rosettes. On peut aussi en asperger le feuillage. Les broméliacées cultivées dans un mélange à forte teneur en tourbe auront besoin à longueur d'année d'un apport d'engrais supplémentaire à intervalles réguliers. Celles qui poussent dans un mélange riche en terreau n'auront pas besoin d'engrais durant la période hivernale de repos. D'une façon générale, il est toujours préférable de donner plutôt moins d'engrais que trop aux broméliacées.

Empotage et rempotage Ces plantes exigent un mélange poreux, spongieux et non calcaire.

Les meilleurs mélanges sont composés d'un volume égal de feuilles hachées grossièrement et de tourbe ou de terreau non calcaire et de tourbe. Voir le *Guide alphabétique* aux noms de genre.

On peut se servir de pots de grès ou de plastique. Si la plante est volumineuse, un pot de grès, plus stable, sera toutefois préférable. Se rappeler néanmoins que le plastique conservant au mélange son humidité plus longtemps, les arrosages devront être moins fréquents. Il est toujours recommandé de couvrir le fond des pots d'une couche de tessons de grès pour améliorer le drainage.

Les broméliacées se contentent de petits pots où leurs minuscules racines trouvent toute la place voulue. Les espèces les plus développées pourront atteindre la floraison dans des pots de 12 à 18 cm, tandis que les plantes à croissance lente, comme les cryptanthus, seront à l'aise dans des pots de 9 ou 10 cm. Rempoter les espèces terrestres seulement lorsque leurs racines ont complètement rempli le pot. Par ailleurs, rempoter les jeunes épiphytes tous les printemps jusqu'à ce que le pot soit de grandeur convenable. Comme ces broméliacées ne se nourrissent pas par leurs racines, il n'est pas utile de renouveler leur sol complètement ni même en surface, comme on le fait généralement.

Certaines épiphytes, comme les

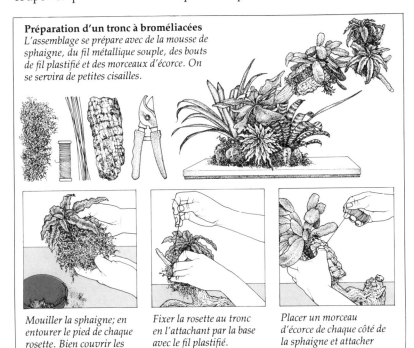

Préparation d'un tronc à broméliacées
L'assemblage se prépare avec de la mousse de sphaigne, du fil métallique souple, des bouts de fil plastifié et des morceaux d'écorce. On se servira de petites cisailles.

Mouiller la sphaigne; en entourer le pied de chaque rosette. Bien couvrir les racines.

Fixer la rosette au tronc en l'attachant par la base avec le fil plastifié. Retirer ensuite le fil.

Placer un morceau d'écorce de chaque côté de la sphaigne et attacher avec le fil métallique.

petites tillandsies à écailles grises, ont un système racinaire peu étendu ; si elles sont cultivées dans un mélange terreux, elles ne se développeront pas bien. Elles préfèrent de beaucoup croître sur un support qui leur convient : planchette de bois, petite bûche, morceau d'écorce de chêne-liège, etc. Pour y fixer la plante, en envelopper la base, y compris les racines, dans de la sphaigne et l'attacher au support en l'enroulant de fil métallique plastifié. Nouer les extrémités du fil solidement, mais de façon à pouvoir le détacher facilement. Suspendre la pièce à l'endroit voulu et vaporiser la sphaigne au moins une fois par jour pour la garder bien humide.

Lorsque des racines se sont formées autour du support, retirer le fil. Humidifier toute l'année et de façon régulière la plante, ses racines et son support. Les épiphytes viennent aussi très bien sur des troncs spécialement conçus à cette fin (voir page 107). Ce sont en général des branches d'arbres qui reproduisent à peu près l'habitat naturel de la plante. Pour obtenir les meilleurs résultats, il faut placer le tronc dans une vitrine (voir page 53) où la plante trouvera le haut degré d'humidité qu'il lui faut. Lorsque la plante est installée dans le milieu qui lui convient, ses racines ne lui servent plus que de support, si bien qu'elle absorbe par ses feuilles l'humidité et la nourriture dont elle a besoin. Fixer les plantes sur le tronc à épiphytes comme sur n'importe quel autre support et les cultiver de la même manière.

Les broméliacées épiphytes peuvent se cultiver dans des corbeilles ou dans des pots de grès perforés, comme ceux dont on se sert pour d'autres épiphytes, telles que les orchidées. Remplir les contenants d'un mélange granuleux qui assurera le drainage et l'aération des racines.

On peut aussi faire pousser certains cryptanthus et d'autres broméliacées terrestres sur du tuf calcaire ou sur des fragments de racines ou de troncs d'arbres présentant une forme convenable. Il suffit de garder le tuf ou le bois constamment humide et la plante s'y agrippera fermement.

Multiplication C'est par les rejets qu'elles émettent que les bromé-

Multiplication par semis

Cette terrine convient tout à fait aux semis de broméliacées. Les graines sont répandues en surface.

Arroser les semis soigneusement, en utilisant une pomme d'arrosoir pour ne pas enterrer les graines.

Pour hâter la germination, glisser la terrine dans un sachet de plastique (à défaut de caissette).

liacées se multiplient le plus facilement. La plupart des espèces en produisent peu avant la floraison, mais après, il en apparaît chez presque toutes. Certaines produisent des stolons qui émergent à la souche ou entre les feuilles inférieures. Il ne faut pas détacher les rejets de la plante mère avant qu'ils aient pris la forme achevée d'une rosette. Autrement, ils risquent de ne pas faire de racines ou de mettre beaucoup de temps à en former. Il est même préférable, pour toutes les espèces, d'attendre pour prélever les rejets que les feuilles aient de 7,5 à 10 cm et qu'elles retombent légèrement.

C'est au printemps que la multiplication a le plus de chance de réussir. Détacher ou couper le rejet aussi près que possible de la rosette mère au moment où les inflorescences se fanent (il apparaît parfois, sur certaines broméliacées, jusqu'à 10 rejets, tous utilisables). Pour de plus amples détails, se reporter à chaque genre.

Les vrieseas constituent un cas à part. Comme certaines variétés ne produisent pas de rejet, la multiplication se fait par semis. D'autres variétés donnent un seul rejet qui naît à l'intérieur de la rosette, en position légèrement excentrique. Il ne faut pas l'enlever, car il remplacera la rosette mère lorsqu'elle s'étiolera.

Les broméliacées se multiplient aussi par semis. Utiliser des graines très fraîches. Semer au printemps dans une terrine ou un pot à moitié rempli d'un mélange composé de tourbe (2/3) et de sable grossier (1/3). Répandre les graines en surface; presser légèrement sans les enfouir. Après avoir humidifié le

mélange, couvrir les pots d'un sachet de plastique transparent ou, de préférence, les placer dans une caissette chauffante (voir page 444). Maintenir la température entre 24 et 27°C. Les graines germeront alors en une ou deux semaines.

Garder les semis ainsi protégés dans un endroit chaud et bien éclairé, mais non ensoleillé, jusqu'à ce qu'apparaissent trois ou quatre feuilles. Laisser alors pénétrer l'air graduellement pendant 7 à 10 jours pour acclimater doucement les jeunes plants. Lorsqu'ils sont complètement découverts, les arroser modérément en laissant sécher le mélange sur 1 cm entre les arrosages. Une fois par mois, faire un apport d'engrais liquide ordinaire dilué de moitié. Lorsque les plants ont au moins six feuilles, les empoter chacun dans un pot de 5 à 8 cm en utilisant l'un des mélanges recommandés pour les broméliacées adultes. Les traiter alors comme celles-ci.

On trouve presque partout des broméliacées de 5 à 8 cm obtenues chez les horticulteurs à partir de semis. Elles sont généralement destinées aux jardins en bouteille ou aux terrariums (voir page 54) et ne coûtent pas cher. Voir aussi :

Aechmea	Guzmania
Ananas*	Neoregelia*
Billbergia	Nidularium
Cryptanthus*	Tillandsia
Dyckia*	Vriesea

*Les genres suivis d'un astérisque comprennent principalement ou exclusivement des espèces terrestres.

Browalle, voir *Browallia.*

Browallia

SOLANACÉES

B. speciosa 'Major'

Les browallies (browalles, violettes bleues) sont des plantes réputées pour l'abondance et la beauté de leurs fleurs bleu saphir. Quand elles sont cultivées en pot, leurs tiges rameuses ont besoin d'être tuteurées; suspendues en panier, leurs tiges retombent gracieusement. Deux espèces seulement ont été adoptées comme plantes d'intérieur; elles fleurissent en automne et au début de l'hiver et sont généralement traitées comme des sujets éphémères.

ESPÈCES RECOMMANDÉES

B. speciosa est une plante moins répandue qu'une de ses variétés, *B. s.* 'Major', dont les tiges dressées de 45 à 60 cm portent, sur de très courts pétioles, des feuilles vert vif, ovales, pointues, de 5 à 6,5 cm de long. D'un bleu violacé et mesurant 5 cm de diamètre, les fleurs à gorge blanche naissent aux aisselles des feuilles. D'abord tubuleuses, elles s'épanouissent en 5 lobes que marbrent des veinures d'un bleu profond. Une autre forme recherchée, *B. s.* 'Silver Bells', porte des fleurs blanches.

B. viscosa atteint au plus 30 cm. Ses feuilles ovales de 4 cm, velues, d'un vert moyen, ont de courts pétioles. Les fleurs bleu vif à gorge blanche mesurent environ 3 cm; celles de *B. v.* 'Sapphire' sont d'un bleu plus sombre; celles de *B. v.* 'Alba', blanches.

SOINS PARTICULIERS

Lumière Offrir une vive luminosité et au moins quatre heures d'ensoleillement par jour.

Température Les browallies préfèrent des températures de 13 à 16°C. Au-dessus de 18°C, les fleurs durent moins longtemps.

Arrosage Il doit être modéré. Laisser sécher le mélange aux deux tiers entre les arrosages.

Engrais Une fois les plants affermis, les fertiliser tous les 15 jours avec un engrais liquide ordinaire et poursuivre pendant la floraison.

Empotage et rempotage Les browallies se vendent habituellement dans des pots de 12 cm contenant un mélange à base de terreau et n'ont pas besoin d'être rempotées.

Multiplication Elle se fait par semis. Les plants semés au début du printemps commenceront à fleurir au début de l'automne; la floraison sera d'autant plus en retard que le semis sera tardif. Espacer les graines dans des pots remplis d'un mélange spécial humidifié (voir page 444). Les enfermer dans un sachet de plastique transparent ou une caissette de multiplication (voir page 443) et les garder à la lumière tamisée, entre 16 et 18°C. Quand les plants mesurent 1,5 cm, les retirer du sachet ou de la caissette, humidifier la motte de nouveau et attendre qu'ils aient environ 5 cm. Les rempoter alors dans des pots de 8 cm remplis d'un mélange à base de terreau (voir page 429) et les traiter comme des plantes adultes. Lorsque les racines abondent, transplanter dans des pots de 12 cm.

Remarque Pincer les tiges pour favoriser la ramification.

Browallie, voir *Browallia*.

Brunfelsia

SOLANACÉES

B. pauciflora calycina

Ravissants arbustes de 60 cm de haut et d'un étalement de 30 cm, les brunfelsias portent des feuilles lancéolées, coriaces et luisantes, de 7,5 à 15 cm de long, et des fleurs voyantes, souvent parfumées. *B. pauciflora calycina* (espèce mieux connue sous son ancien nom de *B. calycina*) est la seule forme cultivée en appartement. Les fleurs, pendant les quatre jours de leur existence, changent trois fois de couleur : de pourpres qu'elles sont en s'ouvrant, elles tournent au lavande pour finalement blanchir. Elles ont 5 lobes plats et un cœur blanc par lequel les insectes pénètrent dans un petit canal qui se prolonge sous la corolle. Elles apparaissent en groupes de 10 à l'extrémité de longues hampes, mais éclosent une à une. Bien traités, les brunfelsias peuvent fleurir toute l'année. Deux variétés sont très populaires : *B. p. c.* 'Floribunda', arbuste miniature très florifère, et *B. p. c.* 'Macrantha' dont les fleurs atteignent 8 cm de diamètre.

Lumière Pour bien fleurir, il faut aux brunfelsias un éclairage vif et trois ou quatre heures d'ensoleillement par jour.

Température Pendant leur période de croissance, la température normale d'une pièce leur convient. Augmenter l'humidité en les plaçant sur des gravillons dans un peu d'eau. Gardées dans une atmosphère chaude et humide en hiver, les plantes ne prendront pas de repos, mais n'en souffriront pas. On peut aussi les laisser de quatre à six semaines dans un endroit frais, à une température de 10 à 13°C.

Arrosage Arroser modérément durant la croissance, juste assez pour maintenir la motte humide. Laisser sécher sur 1 cm entre les arrosages. Durant la période de repos, n'arroser que pour empêcher le mélange de se dessécher complètement.

Engrais Durant la croissance, fertiliser la plante tous les 15 jours avec un engrais liquide ordinaire.

Empotage et rempotage Utiliser un mélange à base de terreau (voir page 429). Les brunfelsias fleurissent mieux lorsque leurs racines sont à l'étroit (pots de 14 cm au plus). Empoter tous les printemps dans du mélange frais.

Multiplication Elle se fait par bouturage de nouvelles tiges au printemps. Plonger un segment de tige de 7,5 à 13 cm dans de la poudre d'hormones et le planter dans un pot de 8 cm rempli d'un mélange humidifié, à volume égal de tourbe et de sable grossier ou de perlite. Enfermer dans un sachet de plastique transparent ou une caissette de multiplication (voir page 443), sous un éclairage vif mais tamisé. Quand une pousse apparaît (après quatre à six semaines), découvrir le plant, arroser modérément et donner de l'engrais liquide ordinaire tous les 15 jours. Quatre mois plus tard, le transplanter dans le mélange habituel et le traiter comme un sujet adulte.

Remarque Rabattre de moitié les plants adultes au printemps ou à la fin de la période de repos, et pincer de temps à autre les jeunes pousses afin de conserver à la plante son port buissonnant.

Bruyère, voir *Erica.*

Bryophyllum
CRASSULACÉES

B. daigremontianum

B. tubiflorum

Bien que le genre *Bryophyllum* appartienne au genre *Kalanchoe,* ces plantes sont mieux connues sous le nom de bryophyllums. C'est pourquoi elles sont ici présentées sous leur nom familier. Les deux espèces cultivées à l'intérieur produisent des plantules dans les crénelures de leurs feuilles, alors que les plantes mères n'ont souvent que quelques semaines. Ces plantules s'enracinent là où elles tombent; on peut ainsi en trouver plusieurs au pied des plantes âgées.
Voir aussi PLANTES GRASSES.

ESPÈCES RECOMMANDÉES

B. daigremontianum (ou plus exactement *Kalanchoe daigremontiana*) produit, sur une tige unique dépourvue de branches et mesurant de 45 à 90 cm de haut, des paires de feuilles charnues, luisantes et lancéolées, de 10 à 25 cm, formant par rapport à la tige un angle de 45 degrés. Ces feuilles sont vert-bleu, marbrées de pourpre en dessous, et leur bord denté s'en-roule légèrement vers l'intérieur. Les plantules, qui naissent entre les dents des feuilles, émettent des racines aériennes. Chaque feuille peut en porter une cinquantaine à chaque saison. Les inflorescences roses, tubuleuses et retombantes, mesurent 2,5 cm environ. Disposées en grappes au sommet d'une hampe de 30 cm, elles apparaissent à la fin de l'automne ou au début de l'hiver.

B. tubiflorum (ou plus exactement *Kalanchoe tubiflora*) porte une tige de 90 cm dont la base est garnie d'autres tiges plus petites. Les feuilles ternées mesurent de 2,5 à 15 cm et adoptent une forme cylindrique. Vert-jaune ou bleu-vert et tachetées de pourpre, elles portent entre leurs dents 4 plantules ou davantage. A la fin de l'hiver, des fleurs vermillon de 2,5 cm, en forme de clochette, apparaissent en grappes sur une hampe d'environ 30 cm.

SOINS PARTICULIERS

Lumière Ces plantes aiment une lumière vive sans ensoleillement.

Température Elles se plaisent à la température normale d'une pièce.

Arrosage Durant la croissance, arroser modérément. Laisser le mélange sécher sur 1 cm entre les arrosages. Arroser parcimonieusement durant la période de repos.

Engrais Fertiliser avec un engrais liquide ordinaire une fois par mois durant la croissance.

Empotage et rempotage Utiliser un mélange à base de terreau (voir page 429). Rempoter les jeunes plantes tous les printemps. Quand elles sont de taille à loger dans un pot de 16 cm, elles ont généralement moins de charme.

Multiplication Déraciner les plantules au pied des plantes et les repiquer dans des pots de 4 à 8 cm remplis d'un mélange ordinaire. On peut aussi prélever les plantules des feuilles et les repiquer.

BULBES, CORMUS et TUBERCULES

De nombreuses plantes, de structure différente et appartenant à des genres distincts, sont porteuses d'organes de réserves nutritives, soit des bulbes, des cormus ou des tubercules. La culture de telles plantes doit obéir à des règles qui sont expliquées ci-dessous. Pour les particularités, se reporter au nom des genres.

Grâce aux réserves qu'elles se constituent, les plantes à bulbes, à cormus ou à tubercules peuvent se passer d'eau très longtemps, même durant leur période de croissance. Lorsqu'elles entrent en état de dormance, elles n'exigent ni lumière ni eau. Certaines conservent leur feuillage et leurs racines; on peut en quelque sorte les considérer comme des plantes vivaces.

On qualifie généralement de « bulbeuses » les plantes issues aussi bien de bulbes que de cormus ou de tubercules. Or, même si ces trois organes produisent également des racines nutritives souterraines, des feuilles, des hampes et des fleurs, ils sont de nature différente.

En effet, alors que le bulbe est un bourgeon modifié, le tubercule et le cormus sont des renflements de tiges ou de racines. Bulbes et cormus émettent des racines exclusivement de la partie inférieure de leur plateau, tandis que les tubercules en produisent sur toute leur surface. Bulbes et cormus n'ont pas de tige; les feuilles et les hampes florales jaillissent directement du plateau. Les tubercules, eux, peuvent produire des tiges d'où naissent feuilles et fleurs.

Tout comme les tubercules, les rhizomes sont des tiges modifiées, généralement souterraines. Il est difficile d'expliquer en quoi ils diffèrent des tubercules puisque ces derniers sont, eux aussi, des organes souterrains gorgés de matières nutritives, mais on ne doit pourtant pas les confondre. Il n'en sera donc pas question ici.

Plantes d'intérieur éphémères

Cette catégorie comprend surtout les bulbes vivaces. Ils ne survivent pas à l'intérieur après la floraison et doivent être transplantés en pleine terre. A ce groupe appartiennent les jacinthes, les narcisses, les tulipes, certaines scilles et les crocus. Ces plantes ne fleurissent qu'une fois par année.

Les bulbes (ou cormus des crocus) s'achètent secs et sont empotés en automne. Chaque bulbe ne fleurit que pendant deux ou trois semaines, mais en groupant des variétés à floraison hâtive et d'autres à floraison normale, on peut profiter des fleurs plus longtemps.

Il est préférable d'empoter sans délai les bulbes des plantes éphémères; autrement, ils risquent de bourgeonner et de donner des fleurs médiocres. On peut les planter dans un mélange à base de terreau ou de tourbe (voir page 429), ou dans un mélange spécial composé d'écailles d'huîtres broyées (2/9), de charbon de bois écrasé (1/9) et de tourbe (6/9). Ce type de mélange est propre et facile à utiliser, mais comme il est très poreux, il vaut mieux le mettre dans des pots spéciaux. Toutefois, si l'on a l'intention de transplanter les bulbes en pleine terre après la floraison, il serait préférable d'adopter un mélange à base de terreau qui ne doit cependant pas être placé dans des pots à bulbes. En général, les horticulteurs ne conservent pas les bulbes cultivés dans de tels récipients.

Humidifier d'abord le compost abondamment, mais sans le détremper. Planter les bulbes très serré en les enterrant bien. Si possible, les planter en pleine terre, à une profondeur égale au double de leur hauteur, et les recouvrir de tourbe. Ou bien les ranger dehors sous un monticule de tourbe humide, dans un coin ombragé ou dans un endroit sombre et frais. Enfermés dans un sachet de plastique opaque, ils peuvent être posés sur le rebord d'une fenêtre non exposée au gel.

Ne pas essayer de cultiver des plantes bulbeuses éphémères si l'on ne peut pas les garder dans de telles conditions. Il faut à tout prix empêcher la croissance des parties aériennes pour que le bulbe produise les racines vigoureuses qui permettront à la plante de donner des fleurs et des feuilles de qualité. Or, cela s'obtient en privant le bulbe de lumière et de chaleur.

Les pots enfouis sous de la tourbe peuvent rester sans surveillance de huit à dix semaines. Les autres doivent être vérifiés toutes les deux ou trois semaines pour s'assurer que le compost ne se dessèche pas et ajouter de l'eau au besoin. Lorsque les bulbes ont produit des feuilles de 2,5 à 5 cm, les découvrir et tourner le pot deux ou trois fois par semaine pour qu'ils se développent de manière égale. Arroser modérément et laisser le mélange sécher sur 1 cm entre les arrosages. Garder les pots à une température de 7 à 10°C jusqu'à ce que les feuilles aient grandi de 7,5 à 10 cm. Lorsqu'elles ont entre 10 et 13 cm, placer les plantes

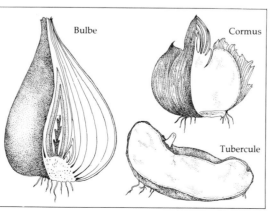

Organes de réserves
Le bulbe de tulipe, le cormus de crocus et le tubercule de bégonia ci-contre sont des organes charnus qui emmagasinent les réserves nutritives. Structurellement, ils sont différents. Le bulbe est un bourgeon de feuille modifié tandis que les deux autres sont des tiges modifiées. Les bulbes et les cormus ne produisent pas de tige, tandis que le tubercule en produit.

Bulbe

Cormus

Tubercule

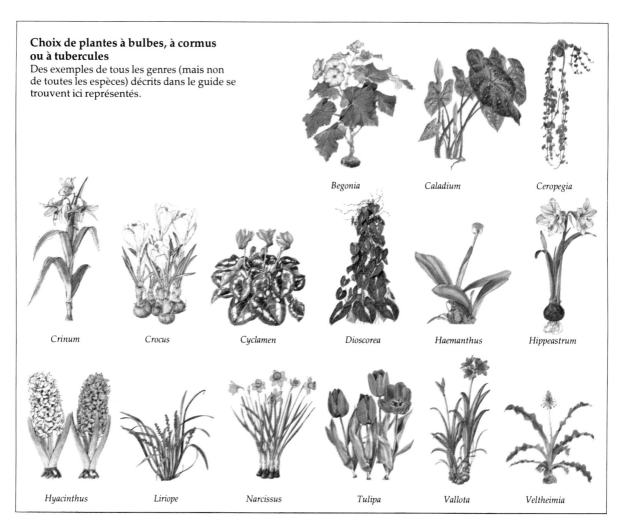

Choix de plantes à bulbes, à cormus ou à tubercules

Des exemples de tous les genres (mais non de toutes les espèces) décrits dans le guide se trouvent ici représentés.

Begonia *Caladium* *Ceropegia*

Crinum *Crocus* *Cyclamen* *Dioscorea* *Haemanthus* *Hippeastrum*

Hyacinthus *Liriope* *Narcissus* *Tulipa* *Vallota* *Veltheimia*

(sauf les crocus) dans un endroit plus chaud, mais dont la température ne dépasse pas 18°C. Les crocus doivent rester au frais jusqu'à l'éclosion de leurs bourgeons. Rectifier la teneur en humidité en plaçant les pots sur des gravillons gardés humides.

Certains bulbes, ceux des narcisses et des jacinthes notamment, peuvent croître dans l'eau. Voir aussi à chaque genre dans le *Guide alphabétique*.

Si l'on désire mettre les bulbes en terre après la floraison, couper les fleurs fanées, mais garder les tiges vertes et les feuilles et transplanter les bulbes immédiatement. Autrement, les laisser se faner complètement dans leur pot. Les garder alors dans un endroit frais et éclairé et les arroser modérément. Lorsque la plante est devenue toute jaune, la retirer du pot, laisser le mélange se dessécher, dégager les bulbes et les

entreposer dans un endroit sec jusqu'au moment de les replanter (au début de l'automne).

Plantes d'intérieur vivaces

La plupart des espèces tubéreuses se classent dans cette catégorie. Leurs besoins sont variés. Les unes ont des périodes de dormance durant lesquelles elles perdent leurs feuilles. Certaines peuvent rester en pot durant la période de dormance, tandis que d'autres doivent alors être enfouies sous de la tourbe sèche. Se reporter à chaque genre.

Par ailleurs, les plantes vivaces ont pour la plupart les mêmes exigences. Elles peuvent être gardées à l'intérieur durant la période de repos et il est préférable de les laisser dans leur compost à longueur d'année, sans jamais permettre que celui-ci ne se dessèche complètement, même en période de repos.

Empoter immédiatement les bul-

bes achetés secs. Les planter un à un dans des pots mesurant une fois et demie le diamètre des bulbes; ils fleurissent mieux à l'étroit. Laisser le tiers ou la moitié des bulbes à découvert. Utiliser un mélange à base de terreau, bien tassé et bien humidifié. Arroser peu les deux ou trois premières semaines, puis augmenter jusqu'à ce qu'on atteigne les quantités recommandées pour chaque genre. Les cycles de végétation varient d'une espèce à l'autre, aussi faut-il suivre fidèlement les instructions, surtout durant la période de repos.

S'ils sont fertilisés régulièrement, les bulbes des plantes vivaces peuvent rester jusqu'à quatre ans dans les mêmes pots. Il faudra néanmoins rafraîchir le compost. Faire l'opération au moment où de nouvelles pousses apparaissent, à la fin de la période de repos ou de dormance. Commencer par enlever le plus de terre possible. La meilleure façon d'y arriver sans endommager les racines charnues est de laver celles-ci à l'eau courante. Avant de replanter le bulbe, détacher les caïeux qui se sont formés et les empoter séparément (voir ci-dessous : « Multiplication »). Le vieux bulbe peut habituellement retourner dans son pot qu'on nettoiera soigneusement. Si besoin est, on peut aussi le placer dans un pot plus grand rempli d'un nouveau mélange. En général, les plantes bulbeuses vivaces ont besoin d'une

Avant de mettre en terre un bulbe adulte et vivace, détacher les caïeux emprisonnés entre ses racines et les empoter séparément.

lumière vive et parfois même d'ensoleillement, sans quoi leurs feuilles s'étiolent. L'exposition au soleil après la floraison les aide à mieux fleurir l'année suivante. Elles se plaisent en outre aux températures normales d'intérieur, même en période de dormance.

SOINS PARTICULIERS
Engrais Les plantes éphémères n'ont pas besoin d'engrais. Appliquer aux bulbes transplantés en pleine terre un engrais à action lente, comme de la poudre d'os, mélangé à la terre.

Fertiliser les bulbes vivaces deux ou trois semaines après le premier véritable arrosage au début de la période de croissance. (Les plantes fraîchement empotées n'auront pas besoin d'engrais jusqu'à la floraison. Après, cependant, il faudra donner de l'engrais pour nourrir le bulbe en prévision de la floraison suivante.) Durant la période de croissance, faire des apports réguliers d'engrais liquide ordinaire aux plantes qui ne viennent pas d'être empotées. Les fertiliser toutes de la même manière au début de la floraison et jusqu'à deux mois avant la période de dor-

Multiplication par segmentation des tubercules

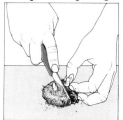  

Lorsqu'un tubercule porte plus d'un bourgeon, le sectionner en autant de segments qu'il a de bourgeons.

Poudrer la section de captane ou de soufre pour empêcher la pourriture des boutures.

Empoter chaque segment en gardant le bourgeon bien droit; la nouvelle pousse se développera mieux.

mance. Pendant ces deux mois, donner aux plantes un engrais riche en potasse en prévision de la floraison suivante.

Pour de plus amples détails sur la fertilisation, se reporter à chaque genre.

Multiplication Les bulbes se multiplient au moyen des caïeux ou des rejets qui poussent à l'extérieur de la souche. Le rejet prend naissance dans la tunique du bulbe qu'il brise ensuite pour former la sienne propre. C'est généralement durant la période de repos qu'on peut détacher les rejets avec le plus de facilité. Mais dans certains cas, et surtout pour les plantes bulbeuses à feuilles persistantes, il faut démêler les racines avant de prélever les caïeux.

Les rejets sont empotés et traités comme des plantes adultes, mais ils ne fleurissent qu'après la deuxième année. La multiplication par semis est encore plus lente; il faut compter en moyenne cinq ans avant la floraison.

La multiplication des plantes tubéreuses n'obéit pas à des règles générales. A l'exception des caladiums, la plupart n'émettent pas de rejets. Certains bégonias notamment portent sur leurs tiges de petits tubercules appelés bulbilles. Le *Dioscorea discolor*, lui, produit des bulbilles à l'extrémité de ses racines. Tous ces organes peuvent servir à la multiplication.

Un autre moyen consiste à sectionner le tubercule en segments porteurs d'un bourgeon. Poudrer la section de captane ou de soufre (voir page 459) et empoter; traiter le segment comme un tubercule ordinaire. La multiplication des cyclamens se fait par semis.

Remarques Plusieurs tiges florales, celles des narcisses et des tulipes notamment, ont besoin d'un support. Enfoncer de petits tuteurs dans le mélange et y attacher les tiges avec une ficelle ou un bout de laine (voir page 432). Les tiges de l'hippeastrum suivent la lumière, aussi faut-il tourner la plante tous les jours, sinon elle se déformera.

Lorsque les fleurs des plantes à bulbes, à cormus ou à tubercules sont flétries, les couper mais garder les tiges vertes.

Couper les fleurs fanées, mais garder les hampes florales nues. Elles aident les organes souterrains à faire provision de nourriture.

Pour de plus amples détails sur les plantes étudiées ici, voir :

Bulbes	**Cormus**
Crinum	*Crocus**
Haemanthus	**Tubercules**
Hippeastrum	*Begonia*
*Hyacinthus**	*Caladium*
*Narcissus**	*Ceropegia*
*Tulipa**	*Cyclamen**
Vallota	*Dioscorea*
Veltheimia	*Liriope*

*Les genres suivis d'un astérisque incluent des plantes éphémères d'intérieur.

CACTÉES

Les cactées se distinguent de toutes les autres plantes par leurs aréoles où se développent des aiguillons et des fleurs. Elles se partagent en deux groupes : cactées du désert et cactées de la jungle. On trouvera ici des renseignements sur les principaux genres cultivés en appartement. Pour les particularités, se reporter au nom de chaque genre.

A l'exception des genres *Pereskia* et *Pereskiopsis* (qui ne sont d'ailleurs pas des plantes d'intérieur), toutes les cactées sont des plantes grasses. On appelle ainsi les plantes dont la tige et les feuilles ont la propriété de retenir l'eau, ce qui leur permet de résister à la sécheresse. Il n'y a pas que la famille des *Cactacées* qui regroupe des plantes grasses; on en trouve notamment chez les *Euphorbiacées*. Les euphorbes, en effet, sont à peu près dépourvues de feuilles et emmagasinent l'eau dans leurs tiges.

Le trait spécifique des cactées (les plantes grasses ne le possèdent donc pas), ce sont, comme il a été dit plus haut, leurs aréoles.

Celles-ci sont des organes en forme de cavité circulaire qui portent des poils, des soies ou des aiguillons et d'où naissent les fleurs. Très apparentes sur certaines espèces, elles sont presque invisibles sur d'autres; elles peuvent avoir de 1,5 à 6 mm de large et se distribuent régulièrement sur les tiges. Chaque aréole ne fleurit qu'une fois et, à mesure qu'il grandit, le cactus en forme de nouvelles qui fleurissent à leur tour. Par contre, les plantes grasses et épineuses qui ne sont pas des cactées portent leurs épines directement sur l'épiderme.

Les aiguillons des cactées sont de formes et de dimensions très variées. Ils peuvent être épais et acérés, soyeux et souples, droits ou recourbés, longs ou courts, crochus ou, s'il s'agit de poils, ondulés. Il faut d'ailleurs distinguer les aiguillons radiaux et les aiguillons centraux. Les premiers sortent obliquement de l'aréole tandis que les seconds, généralement plus longs et moins nombreux, poussent plutôt droit.

La plupart des cactées sont originaires du continent américain. Celles qui poussent à l'état sauvage dans d'autres régions ont généra-lement été importées des deux Amériques. Bien que la plupart des cactées cultivées à l'intérieur soient des plantes du désert, certaines espèces nous viennent de la jungle tropicale. Ces deux groupes de plantes n'exigent pas toujours les mêmes soins. On traitera donc d'abord des cactées du désert, puis de celles de la jungle. Pour éviter les répétitions, les conseils s'appliquant aux deux catégories sont groupés dans la section consacrée aux cactées du désert. A l'occasion, on y renvoie le lecteur.

Les cactées du désert

Dans les déserts où elles vivent à l'état sauvage, c'est-à-dire ceux du sud-ouest des Etats-Unis, du Mexique et de l'Amérique du Sud, les cactées connaissent des chaleurs intenses en été, beaucoup d'ensoleillement et de longues périodes de sécheresse suivies d'averses diluviennes. Pendant la sécheresse, les cactées font appel aux réserves d'eau accumulées dans leurs tiges. Quand il pleut, elles se gorgent d'eau à nouveau.

La plupart des plantes perdent beaucoup d'eau par les stomates de leurs feuilles. L'absence à peu près totale de celles-ci chez les cactées réduit donc l'évaporation presque à néant, alors que les tiges assument la fonction d'organes nourriciers. La forme des tiges répond d'ailleurs aux besoins de la plante : elle est généralement globulaire et parfois colonnaire. Leur surface est souvent divisée en segments par des côtes qui leur permettent de se contracter ou de se dilater selon les apports d'eau.

Chez les espèces à côtes, c'est le long de celles-ci que sont réparties les aréoles. Chez les autres espèces, les aréoles sont logées au centre des renflements ou tubercules qui remplacent les côtes. (Voir, par exemple, le genre *Mammillaria*.) Chez d'autres plantes, comme cer-taines variétés du genre *Opuntia*, les aréoles semblent distribuées au hasard à la surface des tiges; en réalité, elles sont disposées à intervalles réguliers.

FLEURS DES CACTÉES DU DÉSERT

La croyance populaire veut que les cactus ne fleurissent qu'une fois tous les sept ans. Bien au contraire, ces plantes sont extrêmement florifères. Il est vrai cependant que les espèces qui, à l'état sauvage, atteignent des tailles gigantesques auront du mal à fleurir sur un appui de fenêtre. De même, certaines petites cactées des Andes, habituées à l'altitude, manqueront de la lumière dont elles ont besoin pour donner des fleurs. Mais ce sont là des exceptions. La plupart des cactées fleurissent à l'intérieur et souvent même précocement, c'est-à-dire quand elles logent encore dans des pots de 6 cm.

Les cactées du désert produisent des fleurs en forme de trompette ou de clochette composées de nombreux pétales rubanés, naissant directement des aréoles. Comme elles sont sessiles, on ne peut en faire des bouquets. Chez certaines espèces, les pétales s'évasent à l'extrémité d'un long tube. Le diamètre des fleurs varie beaucoup : chez certains mammillarias, il est de 1,5 cm alors qu'il atteint 7,5 à 10 cm chez quelques echinopsis. A l'exception du bleu, tous les coloris sont représentés.

Plusieurs cactées, dont l'echinopsis et le cereus, ne fleurissent que la nuit et leurs fleurs sont délicatement parfumées. (En pleine nature, ce parfum est un appât pour les lépidoptères qui les pollinisent.) La plupart des fleurs de cactées, cependant, sont inodores. A l'exception des espèces à floraison nocturne, toutes les cactées du désert ne fleurissent qu'en plein soleil. Si elles sont privées longtemps de sa lumière, elles perdent leurs fleurs,

Cactées classiques

Chacune des plantes illustrées ci-dessous appartient à l'un des genres de la famille des *Cactacées*. Il va de soi que les autres espèces peuvent différer beaucoup de celles qui figurent ici.

Aporocactus

Astrophytum

Cephalocereus

Cereus

Chamaecereus

Cleistocactus

Dolicothele

Echinocactus

Echinocereus

Echinopsis

Epiphyllum

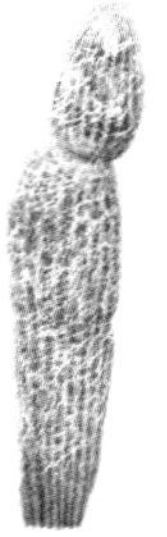

Espostoa

Ferocactus

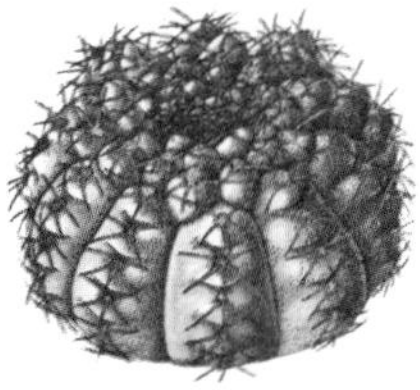

Gymnocalycium

Hamatocactus

Heliocereus

Lobivia

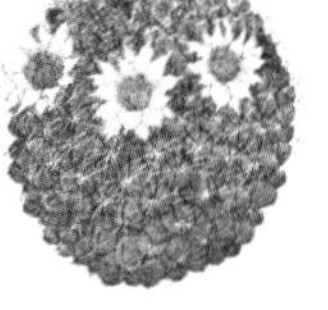

Mammillaria

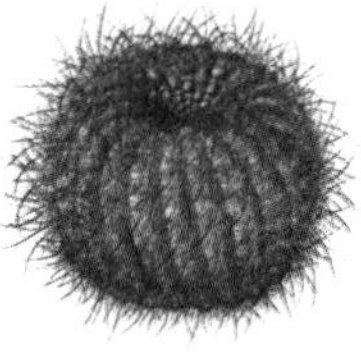

Notocactus

Opuntia

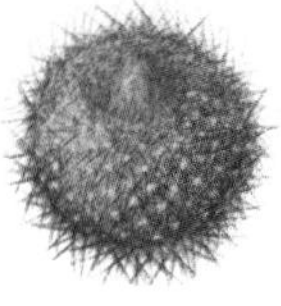

Parodia

Pfeiffera

Rebutia

Rhipsalidopsis

Rhipsalis

Schlumbergera

Trichocereus

et leurs bourgeons risquent même de ne pas germer. Chaque fleur ne dure généralement qu'un jour, mais la floraison peut se prolonger plusieurs mois.

Les cactées commencent à fleurir au printemps ou au début de l'été, mais le succès de leur floraison dépend des soins qu'on leur donne et surtout de l'intensité et de la durée de l'éclairement. Il est difficile d'établir des règles générales pour la culture à l'intérieur. On aura donc intérêt à se reporter à chaque genre, les recommandations qui suivent étant strictement d'*ordre général*.

En fait, les cactées sont de bonnes plantes d'intérieur qui s'adaptent facilement à toute une variété de milieux. Dans les régions clémentes, il suffit de les placer à proximité d'une fenêtre ensoleillée ou sur une terrasse bien orientée et de les arroser de temps à autre. Dans les régions plus septentrionales où la lumière est moins vive, il faut leur donner plus de soins. Mais toutes les cactées mentionnées ici se cultivent facilement et les soins de base sont exactement les mêmes pour toutes les espèces.

SOINS GÉNÉRAUX

Lumière Comme elles sont originaires de régions à fort ensoleil-lement, les cactées du désert devraient être placées près des fenêtres les plus ensoleillées. Si elles ne reçoivent pas les rayons directs du soleil, les plantes perdent leur forme caractéristique et leurs tiges s'allongent outre mesure. Une exposition en plein soleil est également essentielle aux cactées qui fleurissent à l'intérieur.

Ne pas oublier que la plante qui croît près d'une fenêtre reçoit toujours la lumière du même côté. Si l'on ne veut pas qu'elle pousse de façon inégale, il faut la tourner tous les jours. Si possible, durant l'été, la mettre à l'extérieur, dans un endroit ensoleillé. Aucun éclairement, si vif soit-il, ne se compare à la lumière du soleil. En outre, la plante bénéficiera de l'air frais du jardin.

Température Durant la période de croissance, l'atmosphère tempérée de la maison convient aux cactées. La chaleur d'une petite serre en plein soleil peut même être excessive et l'air s'y raréfier. C'est durant leur repos hivernal que les cactées souffrent le plus. Chez les pépiniéristes, elles sont gardées dans des serres à une température constante de 4 à 7°C. Pour que la croissance de ces plantes ne s'interrompe jamais, il leur faut un ensoleillement vif durant tout l'hiver. Si la lumière est insuffisante ou si la température se maintient autour de 16°C, elles seront chétives et pousseront tout en longueur.

Si l'on dispose d'une pièce non chauffée, ne pas hésiter à y installer les cactées du désert durant leur période hivernale de repos, à la condition cependant qu'elles continuent à recevoir la pleine lumière du soleil et que la température ambiante ne descende pas en dessous de 4°C. S'il est impossible de placer les plantes dans un endroit frais, suivre à la lettre les recommandations concernant l'arrosage.

Arrosage La période de croissance des cactées du désert se situe au printemps et en été; les plantes demandent alors un bon apport d'eau. Détremper complètement le mélange, mais le laisser sécher sur au moins 1 cm entre les arrosages. Une bonne méthode consiste à plonger les pots dans une cuvette d'eau pour que le mélange s'imbibe à fond. (Ne pas baigner les pots plus longtemps qu'il ne faut.) Les laisser ensuite s'égoutter. Comme cette méthode demande cependant beaucoup de temps, ceux qui possèdent de grandes collections de cactées se serviront plutôt d'un simple arrosoir.

Plusieurs spécialistes de la cacticulture recommandent vivement

Les cactées du désert

Formes des tiges

1 Cylindrique avec feuilles (*Opuntia subulata*) **2** Aplatie en raquettes (*Opuntia microdasys*) **3** En forme de chandelier (*Cereus peruvianus*) **4** Colonnaire (*Cereus jamacaru*) **5** Retombante (*Aporocactus flagelliformis*) **6** En bouquet (*Chamaecereus sylvestri*) **7** Etoilée (*Astrophytum myriostigma*) **8** Globuleuse à mouchetures (*Gymnocalycium mihanovichii*) **9** Globuleuse (*Notocactus ottonis*) **10** En boule (*Dolicothele longimamma*)

d'arroser le matin. A vrai dire, cela n'est essentiel que durant la période hivernale de repos, où l'humidité doit être réduite. L'eau aura ainsi le temps de s'évaporer avant que le soleil baisse. Comme nous l'avons dit, il vaut mieux ne pas encourager la croissance des cactées du désert durant les mois d'hiver. Par conséquent, leur donner juste assez d'eau pour que le mélange ne se dessèche pas complètement. Si elles sont gardées en serre toute l'année, ne pas les arroser du tout en cette saison. Si elles sont cultivées en appartement, leur donner un peu d'eau à cause de la sécheresse de l'atmosphère. A toutes fins utiles, arroser plutôt moins que trop, car un excès d'eau risque de faire pourrir les plantes, particulièrement durant leur période de repos.

Attention de ne pas éclabousser les tiges en arrosant : les dépôts de calcaire laisseraient des taches disgracieuses. Arroser si possible à l'eau de pluie.

Engrais Comme toutes les plantes d'intérieur, les cactées du désert cultivées dans un mélange tourbeux ont besoin d'un apport d'engrais tous les 15 jours en période de croissance. Cultivées dans un mélange à base de terreau, plus riche, elles n'ont pas besoin

d'être fertilisées si souvent. Pour encourager la floraison, employer un engrais riche en potassium, comme celui qu'on utilise pour les tomates. Eviter les engrais azotés qui favorisent la croissance des tiges au détriment de celle des fleurs. Mieux vaut donner moins d'engrais que trop. Ne pas fertiliser en période de repos.

Empotage et rempotage Dans leur milieu naturel, les cactées du désert développent un important système racinaire. Les racines d'une plante de 15 cm de diamètre peuvent couvrir à fleur de terre un espace de 1 m², ce qui permet à la plante de se gorger de rosée. Les racines des plantes cultivées en pots sont beaucoup plus compactes. Aussi leur faut-il un bon drainage qui les préserve du pourrissement. Par ailleurs, les cactées ne sont guère exigeantes sur la qualité du mélange terreux. Un bon terreau tourbeux ou non (2/3) mélangé à du sable grossier ou de la perlite (1/3) [voir page 429] leur convient très bien.

On peut cultiver les cactées du désert dans des pots de grès aussi bien que dans des pots de plastique. Ceux-ci gardant mieux l'humidité, il faudra espacer davantage les arrosages. Si le mélange terreux est suffisamment poreux, comme celui qu'on recommande, il ne sera pas

nécessaire de garnir le fond du pot d'une couche de drainage. De toute façon, les orifices d'évacuation des pots de plastique sont généralement trop petits pour laisser passer le mélange terreux. Il n'en va pas ainsi des pots de grès; aussi faudra-t-il en obstruer l'orifice avec un tesson.

Le meilleur moment pour rempoter les cactées se situe au début du printemps, mais, à l'exception de l'hiver, toute autre saison est propice. Retirer les cactées de leur pot au moins une fois par an pour voir si les racines n'occupent pas tout l'espace. Si tel est le cas, il faut rempoter les plantes. La manipulation des cactées à aiguillons est dangereuse aussi bien pour l'horticulteur que pour la plante. Entourer délicatement celle-ci de papier journal, ou la saisir à la souche, entre les aiguillons, à l'aide de pinces à cactées. Pour dépoter la plante, la soulever avec précaution. Si elle ne vient pas, tapoter les pots de grès, comprimer les pots de plastique ou pousser la motte avec un crayon inséré dans le trou de drainage. Une fois la plante dépotée, la secouer, pour détacher le mélange terreux, en prenant soin de ne pas endommager les racines. Si celles-ci n'occupent pas tout l'espace, remettre le cactus dans le même pot nettoyé, et ajouter du mélange frais.

Les cactées du désert

Aiguillons et poils
1 Radiaux et centraux, longs et minces (*Ferocactus latispinus*) **2** Pectinés (*Echinocereus pectinatus*) **3** Radiaux courts, centraux longs (un crochu) [*Parodia sanguiniflora*] **4** Soyeux (*Mammillaria hahniana*) **5** Glochides et aiguillons (*Opuntia vestita*) **6** Glochides (*Opuntia basilaris*)

Côtes
1 Etroites et superficielles (*Aporocactus flagelliformis*) **2** Larges et proéminentes (*Astrophytum myriostigma*) **3** En spirale (*Notocactus concinnus*) **4** Sans côtes, à tubercules (*Dolicothele longimamma*) **5** Sans côtes ni tubercules (*Opuntia microdasys*)

Fleurs
1 Tubuleuses se terminant en trompette (*Echinopsis eyriesii*) **2** Campanulées à courte base tubuleuse (*Opuntia basilaris*) **3** Cupuliformes (*Echinocactus grusonii*)

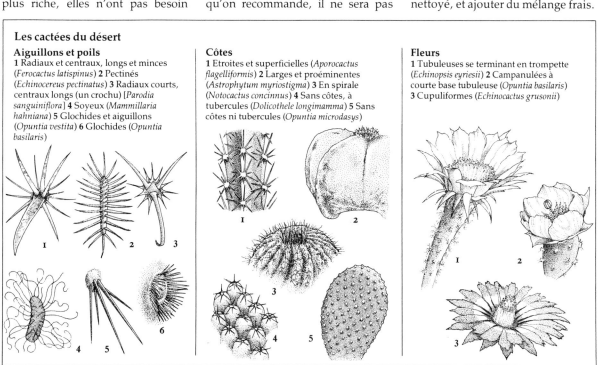

Voici comment procéder. A l'aide de pinces à cactées ou de papier journal, tenir la plante bien droite dans son pot. Ne pas l'empoter plus profondément qu'elle ne l'était. Faire glisser (et non presser) le mélange terreux tout autour de la plante et bien couvrir les racines pour qu'elles s'ancrent solidement. Au besoin, utiliser un transplantoir ou une cuiller à soupe. Secouer ou simplement tapoter le pot pour supprimer les bulles d'air.

Quand elles sont cultivées à l'intérieur, la plupart des cactées du désert ne dépassent pas 30 à 60 cm de haut et 10 à 15 cm de diamètre. La taille maximale des pots sera de 15 à 18 cm. Quelques cactées peuvent néanmoins atteindre de grandes dimensions. Lorsqu'une plante s'est beaucoup développée sans perdre de sa beauté, on peut réduire son système racinaire, ce qui permet de la laisser dans un pot de dimensions convenables. Cependant, l'opération risque d'en endommager les racines. Pour remédier à cet inconvénient, arroser la plante plusieurs jours de suite. Ce court répit permettra aux racines de cicatriser.

Les jardins de cactées peuvent rester beaux pendant plusieurs années, pourvu qu'aucune des espèces qu'ils comprennent ne croisse exagérément. On les dispose généralement dans des coupes sans trou de drainage, au fond desquelles on étale une couche de gravillons. Si l'on veut allier des plantes grasses aux cactées, choisir des espèces dont la période de croissance coïncide avec celle des cactus. Il n'est pas recommandé de réunir dans le même jardin des cactées du désert et des cactées de la jungle (voir plus loin la rubrique : «Les cactées de la jungle»).

Multiplication Un certain nombre de cactées du désert produisent à la souche des rejets qu'il suffit de détacher et de planter. Le printemps et l'été sont les meilleures saisons pour le faire. Certains rejets, ceux de l'echinopsis notamment, se détachent facilement avec des pinces à cactées. D'autres, comme ceux des gymnocalyciums, plus résistants, doivent être coupés avec un couteau bien aiguisé. Laisser cicatriser l'entaille pendant quelque temps pour éviter le pour-

Rempotage

Les cactées du désert doivent être dépotées au début de chaque printemps, pour l'examen des racines. Si celles-ci remplissent le pot, rempoter la plante. Sinon, replacer la cactée dans le même pot soigneusement nettoyé.

Avant de les dépoter, entourer les ferocactus de feuilles de papier.

Dégager la motte en introduisant un crayon dans les trous d'évacuation.

Si les racines ne remplissent pas le pot, enlever un peu de mélange.

Remettre ensuite la plante dans le même pot sur un lit de mélange frais.

Tenir la plante droite, à la bonne hauteur, et faire glisser le mélange autour.

rissement. Repiquer les boutures dans une terrine à semis ou dans des pots individuels. Les enfoncer juste assez pour qu'elles tiennent. Eclairer modérément les pots ou la terrine et garder le mélange tout juste humide. Après quelques semaines, des racines se seront formées et les boutures pourront être traitées comme des plantes adultes. Attendre le printemps suivant pour empoter les rejets plantés dans une terrine à semis.

En jouant sur les contrastes, on composera un coquet jardin de cactées. Les soyeux se joindront aux épineux et les colonnaires aux globuleux.

Pour multiplier les cactées colonnaires ramifiées, détacher un rameau et le planter comme s'il s'agissait d'un rejet. (Les rameaux se coupent aisément avec un couteau tranchant, mais il est recommandé de se protéger les mains en entourant la plante d'un morceau de papier journal.) Cette méthode risque toutefois de nuire à l'apparence de la plante mère. Pour multiplier les cactées colonnaires sans rameaux (les cereus, par exemple), prélever un segment de tige, le laisser sécher pendant quelques jours et l'empoter comme il vient d'être expliqué. Choisir des tiges de 2,5 cm et plus de diamètre et couper des segments d'au moins 5 cm; des boutures plus petites prendraient mal. Cette méthode de multiplication est particulièrement recommandée pour les plantes devenues trop hautes.

De nouvelles pousses apparaîtront sur la tige de la plante mère ainsi sectionnée, à l'endroit de la coupe; lorsqu'elles atteignent 5 cm ou plus, elles peuvent aussi servir de boutures. C'est d'ailleurs une excellente façon de multiplier les cactées colonnaires qui ne produisent ni rameaux ni rejets, mais elle est plus difficile à pratiquer sur des cactées globulaires. Si la tige de celles-ci est coupée transversalement, la partie inférieure produira généralement des pousses qui pourront servir de boutures, mais la partie supérieure sera beaucoup plus difficile à enraciner que celle des cactées colonnaires. Il faudra la faire sécher pendant au moins une semaine et elle exigera des soins qui ne sont pas à la portée des amateurs.

Multiplication par semis Applicable à toutes les cactées, la multiplication par semis est une méthode simple. Une condition cependant : les graines doivent être très fraîches. Les semer dans une terrine ou dans des pots d'au moins 5 ou 6 cm de diamètre car elles exigent beaucoup d'humidité et, dans les petits pots, la terre se dessèche plus vite. On peut grouper des espèces différentes à condition de noter la disposition des graines pour ne pas confondre les plantes par la suite.

Disposer une couche de gravillons ou de perlite au fond du récipient. Remplir celui-ci jusqu'à 1 cm du bord avec un mélange à semis (voir page 444). Plonger alors le récipient dans l'eau, puis le laisser s'égoutter. Disposer ensuite les graines en surface, sans les tasser ni les enterrer. Semer les grosses graines, comme celles des oponces, une à une, et les enfoncer légèrement. Enfin, couvrir le récipient d'une plaque de verre ou de plastique pour conserver l'humidité et le placer dans un endroit chaud (à 27°C environ). Les graines n'ont besoin de lumière que lorsqu'elles commencent à germer. Comme elles ne germent pas toutes au même moment, il vaut mieux procurer un éclairage modéré dès le début. Ne jamais exposer les semis au plein soleil. La durée de la germination, même si elle varie beaucoup d'une espèce à l'autre, devrait être de deux ou trois semaines. Dès l'apparition des premières plantules, de menues boules vertes, soulever légèrement le couvercle pour laisser pénétrer l'air.

Pour bien réussir la multiplication, il vaut mieux laisser les plantules des cactées du désert se développer pendant une année entière avant de les transplanter et de les traiter comme des plantes adultes.

Multiplication des cactées du désert

Par rejets

Les cactées qui produisent des rejets à la souche se multiplient facilement. Selon le cas, il suffit de détacher ou de couper les rejets. La blessure faite par le couteau ne cicatrisera pas si le rejet est planté immédiatement. Il faut donc lui permettre de bien sécher auparavant.

Porter un gant épais pour couper les rejets des cactus épineux, comme ceux du gymnocalycium.

Avant de planter le rejet dans un mélange ordinaire, laisser sécher l'entaille à l'air un ou deux jours.

Utiliser des pinces à cactées pour détacher le rejet d'un echinopsis.

Si le rejet a des racines, les dégager sans les endommager.

Enfoncer légèrement le rejet dans le mélange terreux. Ne pas l'enterrer.

Par boutures

La multiplication des cactées ramifiées se fait en coupant un rameau qu'on replante. Cette méthode n'altère pas la beauté de la plante. Les cactées non ramifiées se multiplient par prélèvement d'un segment de tige, mais cette opération laisse des traces, même si de nouvelles pousses apparaissent à l'endroit de la coupe. Ces pousses peuvent aussi servir à la multiplication.

Pour couper un segment de tige d'un cactus ramifié, comme l'oponce, le tenir avec des pinces à cactées.

Un segment de 5 cm prélevé au sommet d'un cactus non ramifié peut servir de bouture.

Par semis

Placer une mince couche de drainage au fond d'un petit pot qu'on remplira de mélange à semis.

Humidifier à fond le mélange, puis disposer les graines en surface sans les tasser ni les enterrer.

Couvrir le pot d'une feuille de plastique; le placer dans un endroit chaud et laisser germer les graines.

Les semis se faisant au printemps, on pourra empoter les jeunes plants au printemps de l'année suivante. Dans l'intervalle, les garder à une température modérée et arroser seulement pour humidifier légèrement le mélange. Au moment de l'empotage, faire attention de ne pas endommager les racines. Commencer par dégager le mélange qui entoure les racines; soulever ensuite délicatement le jeune plant, au besoin en utilisant des pinces à cactées. Un pot de 6 cm convient à une jeune cactée. On peut aussi grouper plusieurs plantes en ménageant un espace de 2 cm entre elles, et les laisser ainsi jusqu'à ce qu'elles se touchent.

Ravageurs Les cactées du désert ou de la jungle ne sont que rarement la proie d'insectes nuisibles. Les plus maléfiques sont les pucerons et les cochenilles farineuses. Au moment du rempotage, regarder s'il n'y a pas de dépôts blanchâtres sur les racines : ils signalent la présence de cochenilles. Le manque d'humidité peut aussi faire apparaître des araignées rouges. Pour prévenir cet ennui, bassiner régulièrement les plantes à l'eau. Attention aux petites mouches noires à la surface du mélange terreux. Elles appartiennent probablement à la famille des *Sciaridés* dont les larves rongent les semis et les racines. (Voir page 454.)

Pendant l'été, les cactées que l'on place au jardin ou sur la terrasse peuvent subir l'attaque des limaces. Pour détruire ces insectes, appliquer des appâts granulés à base de métaldéhyde à la surface du mélange.

Maladies Les cactées sont particulièrement sensibles à la pourriture causée par des champignons ou par des bactéries. Il faut bien surveiller la formation de taches noirâtres ou brunâtres sur les tiges, surtout là où la plante pourrait avoir été blessée. Si tel est le cas, ne pas hésiter à couper toute la partie atteinte car la maladie a tendance à se répandre. La pourriture à la souche est presque toujours causée par un mélange terreux trop compact ou trop humide. On la préviendra donc en utilisant un mélange poreux. Néanmoins, si la plante est très attaquée, couper toutes les parties malades et bou-

turer celles qui restent (voir « Multiplication », page 118).

Des marques brunes, sèches et spongieuses apparaissent aussi parfois. Si elles se produisent à la souche d'une cactée colonnaire bien développée, elles sont tout bonnement le signe du vieillissement de la plante. Mais quand elles se forment sur d'autres parties de ce type de cactées ou à la souche de cactées différentes, elles sont le symptôme de blessures causées par une mauvaise manutention, un manque d'aération, des variations brusques de température ou la marque de brûlures provoquées par le soleil. Rien ne peut faire disparaître ces taches qui, en revanche, ne se répandent pas. Un excès d'azote peut produire les mêmes effets, notamment sur les tiges des epiphyllums. Voilà pourquoi on recommande pour les cactées un engrais pauvre en azote.

Les cactées cultivées à l'intérieur s'empoussièrent. Il faut donc les nettoyer. Laver les plantes sans aiguillons avec une éponge et dans une faible solution de détergent, et les plantes à aiguillons avec une brosse douce. Ne pas tenter de laver les cactées à aiguillons crochus : elles sont trop fragiles. Avant de nettoyer les plantes, couvrir le mélange terreux d'une feuille de

Des taches brunes ou noires sur un cactus sont des signes de pourriture. Enlever les parties atteintes, sinon la maladie s'étendra.

plastique pour ne pas mouiller la souche, ce qui ferait pourrir les racines.

Les cactées de la jungle

La plupart de ces cactées sont des plantes épiphytes originaires des jungles tropicales d'Amérique. A l'état naturel, elles croissent généralement dans des nids de feuilles, au creux des branches d'arbres. En dépit de l'humidité ambiante, ce substrat s'assèche très vite. Aussi les plantes qui se développent dans ce

(voir « Multiplication », page 118).

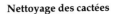

Nettoyer les cactées à aiguillons avec un blaireau trempé dans une faible solution de détergent. Bien rincer.

Essuyer les cactées sans aiguillons avec une éponge ou un chiffon humide. Procéder délicatement.

milieu ont une morphologie qui leur permet de faire provision d'eau. Par conséquent, les cactées de la jungle sont des plantes grasses, mais à un degré moindre que celles du désert. On n'en trouve d'ailleurs aucune de forme sphérique ou colonnaire, mais plusieurs sont pourvues d'articles aplatis en raquettes et de tiges longues et rampantes, parfois cylindriques, parfois aplaties et rubanées.

Ces organes ressemblent assez à des feuilles, mais c'est à tort qu'on les assimile à celles-ci. Les cactées de la jungle ne présentent pas de côtes. Les aréoles sont généralement logées dans des encoches sur la tige, et sont souvent si petites qu'on ne peut les voir qu'à la loupe. Ces plantes sont dépourvues des longs et robustes aiguillons qu'arborent plusieurs cactées du désert, et elles sont couvertes de fins poils soyeux. Bref, dans l'ensemble, les cactées de la jungle offrent des formes moins intéressantes que celles des cactées du désert, et c'est avant tout pour leurs fleurs magnifiques et leurs fruits qu'on les apprécie.

Les fleurs sont de tailles variées. C'est d'ailleurs dans ce groupe qu'on trouve les inflorescences les plus grandes et certaines des plus petites. Par exemple, les fleurs de l'epiphyllum peuvent mesurer plus de 15 cm, tandis que celles du rhipsalis ne dépassent guère 1 cm. Juste retour des choses, les petites fleurs sont plus abondantes que les grandes. Par leurs formes et leurs couleurs, les fleurs ressemblent à celles des cactées du désert, sauf toutefois celles du cactus dit « de Noël » qui ont une forme curieuse (voir le genre *Schlumbergera*). Les fleurs diurnes sont inodores alors que les fleurs nocturnes sont parfumées. Pour de plus amples détails, voir la rubrique « Fleurs des cactées du désert », page 114.

De par leur origine, les cactées de la jungle fleurissent sans l'aide du soleil. Elles se prêtent donc mieux à la culture à l'intérieur. Leur floraison ne dure pas plus longtemps que celle des espèces du désert. Cependant, les plantes à petites fleurs fleurissent assez longtemps et plusieurs des autres ont très souvent deux floraisons dans la même année.

Les cactées de la jungle sont des plantes généralement moins fournies que les cactées du désert. Aussi faut-il assez fréquemment les tuteurer ou les suspendre dans des corbeilles d'où les tiges retombent avec grâce. Pour savoir quel est le meilleur parti à tirer de ce type de plantes, se reporter à chaque genre.

SOINS GÉNÉRAUX
Lumière Les cactées de la jungle ne doivent *jamais* être placées en plein soleil l'été. Il suffit de quelques jours au soleil pour les faire mourir. Leur fournir un éclairage moyen toute l'année; en hiver, un soleil faible ne leur fera pas de mal. Durant la belle saison, placer si possible ces plantes à l'extérieur, sous un arbre au feuillage dense. Les tourner régulièrement pour équilibrer leur croissance, même si leurs longues tiges souffrent moins que celles, plus rigides, des cactées du désert de toujours recevoir la lumière du même côté.

Température Les températures normales d'intérieur leur conviennent toute l'année puisqu'elles n'ont pas besoin d'un long repos hivernal pour fleurir. Leur croissance est en effet ininterrompue, encore que plus marquée au printemps et en été chez la plupart des espèces. Des températures inférieures à 10°C leur sont fatales.

Ces plantes ne supportent pas l'air sec des maisons. Les bassiner chaque jour avec de l'eau de pluie si possible, l'eau calcaire marquant les tiges.

Arrosage Au printemps et en été, arroser abondamment pour que le mélange terreux reste très humide. Ne pas laisser d'eau dans la soucoupe. En hiver, arroser peu et laisser le mélange sécher sur 1 cm entre les arrosages. Après chaque période de floraison, accorder aux cactées deux ou trois semaines de repos. Arroser alors juste assez pour empêcher le mélange de se dessécher. Se servir si possible d'eau de pluie ou d'eau distillée.

Engrais C'est le rythme de croissance de la plante qui détermine le moment de la fertilisation. Dès que les boutons se forment et durant toute la floraison, fertiliser tous les 15 jours avec un engrais riche en potassium, comme les engrais à tomates. Eviter les fertilisants à forte teneur en azote car ils provoquent des taches brunes sur les tiges.

Empotage et rempotage Les cactées de la jungle poussent bien dans les mélanges recommandés pour les espèces du désert, c'est-à-dire ceux à base de terreau ou de tourbe additionné de sable grossier ou de perlite (voir page 117). Comme ces plantes vivent à l'état sauvage dans un terreau de feuilles, on peut en ajouter une quantité égale à celle du sable ou de la perlite. Des apports de fumier de vache bien décomposé ou séché leur sont aussi bénéfiques [fumier (1/2), terreau (1/4), sable grossier ou perlite (1/4)], mais non essentiels.

Comme ces cactées ont de courtes racines, elles peuvent croître dans des pots de 10 à 13 cm. Ceux-ci peuvent être en grès ou en plastique. Une fois par an, à la fin de la floraison, il est bon toutefois d'examiner l'état des racines. Pour sortir la plante, il suffit de tapoter le pot. Secouer un peu la plante pour dégager une partie du mélange terreux; la transplanter dans un pot de même taille ou, au besoin, plus grand, en utilisant le même type de mélange. La plupart des cactées de la jungle aiment être à l'étroit dans leur pot; il est donc souvent inutile de les rempoter.

Comme ce sont pour la plupart des plantes rampantes, elles se

---

Les cactées de la jungle

Formes des tiges
1 Longue, rampante, aplatie, ramifiée à la base (*Epiphyllum* hybride) **2** Longue, rampante, cylindrique, ramifiée sur toute la longueur (*Rhipsalis cereuscula*) **3** Longue, rampante, aplatie, à articles, ramifiée sur toute la longueur (*Rhipsalidopsis rosea*)

Formes des fleurs
1 Pétales en cercles concentriques (*Epiphyllum* hybride) **2** Pétales aplatis et étagés (*Schlumbergera truncata*)

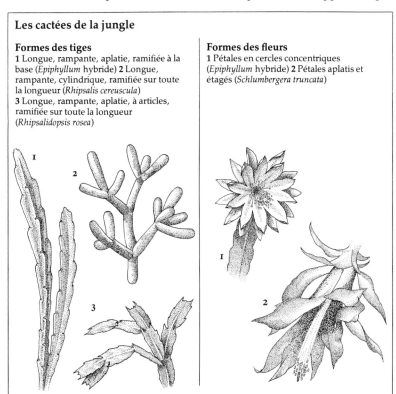

plaisent dans des corbeilles suspendues. Les plus recommandées sont celles en fil métallique. En tapisser le fond d'une couche de sphaigne sur laquelle reposera le mélange. Une fois garnies, suspendre les corbeilles près d'une fenêtre à l'abri des rayons directs du soleil.

Multiplication Pour multiplier les cactées de la jungle à tiges ramifiées, détacher un rameau avec un couteau tranchant ou un sécateur, si la tige est dure. Laisser sécher pendant une journée et le planter à 2,5 cm de profondeur dans un mélange ordinaire. On peut planter les rameaux individuellement dans des pots de 5 cm, en placer plusieurs dans une terrine à semis ou en grouper

Les fleurs du schlumbergera se font mieux admirer quand la plante est suspendue dans une corbeille.

jusqu'à six dans un pot de 10 cm, en les disposant à la périphérie.

Pour multiplier les cactées à articles, prélever une bouture comportant deux articles ou davantage et procéder de la même manière que pour un rameau. Pour les cactées du genre *Pfeiffera*, dont les tiges ne se ramifient pas, prélever une tige entière, ou un segment d'au moins 10 cm, et laisser sécher pendant 24 heures avant d'empoter.

Le bouturage se fait surtout au printemps ou en été. Pour la multiplication par semis, voir la même rubrique, page 119.

Ravageurs et maladies Les cactées de la jungle ont les mêmes ennemis et souffrent des mêmes maladies que celles du désert.

Pour de plus amples détails sur

Bouturage des cactées de la jungle

La méthode de bouturage de ces cactées diffère selon le type de tige que présentent ces plantes. Un mélange ordinaire convient à toutes. Il est essentiel de faire sécher les boutures avant de les empoter. Une fois empotées, elles demandent en général le même traitement que des plantes adultes.

Tiges à articles

Pour multiplier les schlumbergeras, couper une tige à articles, au niveau de l'articulation.

Mettre en terre la partie coupée. Planter plusieurs boutures dans un mélange ordinaire.

Tiges ramifiées

Pour multiplier les epiphyllums, prélever plusieurs rameaux entiers.

Laisser sécher les rameaux pendant 24 heures pour que la plaie se cicatrise.

Planter à 2,5 cm de profondeur. On peut réunir plusieurs rameaux.

Tiges colonnaires

Pour prélever les tiges des pfeifferas, les entourer d'un chiffon doux.

Couper au besoin les tiges en segments de 10 cm et les laisser sécher 24 heures.

Planter les segments dans le sens où les tiges poussaient précédemment.

les cactées du désert (D) et sur celles de la jungle (J), se reporter au nom des genres suivants :

Aporocactus (D)	*Hamatocactus* (D)
Astrophytum (D)	*Heliocereus* (J)
Cephalocereus (D)	*Lobivia* (D)
Cereus (D)	*Mammillaria* (D)
Chamaecereus (D)	*Notocactus* (D)
Cleistocactus (D)	*Opuntia* (D)
Dolicothele (D)	*Parodia* (D)
Echinocactus (D)	*Pfeiffera* (J)
Echinocereus (D)	*Rebutia* (D)
Echinopsis (D)	*Rhipsalidopsis* (J)
Epiphyllum (J)	*Rhipsalis* (J)
Espostoa (D)	*Schlumbergera* (J)
Ferocactus (D)	*Trichocereus* (D)
Gymnocalycium (D)	

Cactus araignée, voir *Gymnocalycium denudatum*.
Cactus arc-en-ciel, voir *Echinocereus*.
Cactus corail, voir *Rhipsalis*.
Cactus étoilé, voir *Astrophytum ornatum*.
Cactus jonc, voir *Rhipsalidopsis*.
Cactus de Noël, voir *Schlumbergera* 'Bridgesii' et *S. truncata*.
Cactus orchidée, voir *Epiphyllum*.
Cactus oursin, voir *Echinocactus*.
Cactus queue-de-castor, voir *Opuntia basilaris*.
Caféier, voir *Coffea*.
Caféier sauvage, voir *Polyscias*.

Caladium

ARACÉES

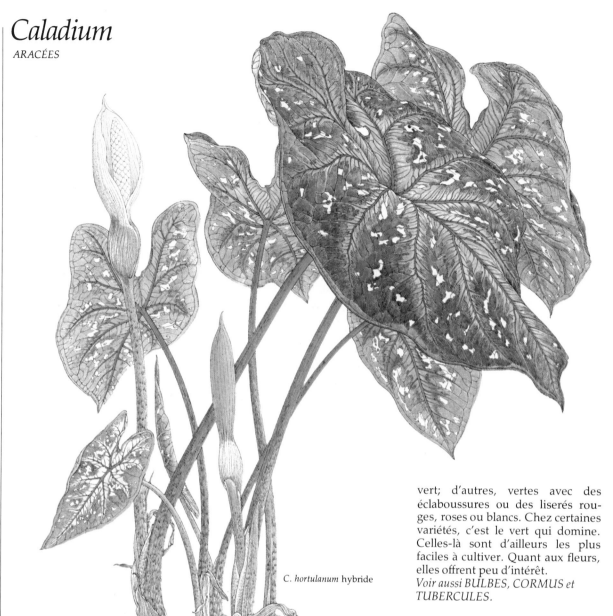

C. hortulanum hybride

Le genre *Caladium* comprend des plantes à tubercules dont les feuilles sagittées ou cordiformes sont portées par de longs pétioles. Les caladiums d'appartement sont des hybrides mixtes généralement groupés sous le nom de *C. hortulanum*. Plusieurs sont identifiés par le nom de la variété : il en existe des dizaines, mais ceux qu'on trouve chez les fleuristes ne sont pas tous « baptisés ». Pour avoir un beau feuillage, les caladiums exigent un degré d'humidité très élevé, qu'il est difficile de leur procurer dans un appartement. Aussi sont-ils souvent cultivés comme des plantes éphémères dont la valeur ornementale est très grande lorsque le feuillage est en plein épanouissement, mais qu'on jette lorsqu'il se flétrit. On peut toutefois laisser les tubercules dans leurs pots et, si les conditions sont favorables, il en naîtra de nouvelles plantes l'année suivante.

Les feuilles, fines comme du papier de soie, mesurent en moyenne de 30 à 40 cm, comme leurs pétioles, et offrent de riches combinaisons de couleurs. Certaines sont blanches légèrement veinées de vert; d'autres, vertes avec des éclaboussures ou des liserés rouges, roses ou blancs. Chez certaines variétés, c'est le vert qui domine. Celles-là sont d'ailleurs les plus faciles à cultiver. Quant aux fleurs, elles offrent peu d'intérêt.
Voir aussi BULBES, CORMUS et TUBERCULES.

SOINS PARTICULIERS
Lumière Les caladiums requièrent une lumière vive, mais craignent le soleil.

Voici quelques exemples des spectaculaires coloris qui parent les caladiums hybrides.

Température Garder à des températures de 18 à 24°C et donner beaucoup d'humidité lorsque la plante est en plein épanouissement; placer les pots sur un plateau de gravillons humides et bassiner quotidiennement le feuillage. Eviter les courants d'air : le feuillage se recroquevillerait. Pendant la dormance, placer les tubercules à l'obscurité et à une température de 16°C.

Arrosage Les caladiums doivent être arrosés modérément durant la période de croissance. Quand les feuilles commencent à se faner, réduire encore la fréquence des arrosages. Les tubercules exigent un repos d'au moins cinq mois, du début de l'automne au début du printemps; durant cette période, arroser parcimonieusement, une fois par mois.

Engrais En période de croissance, enrichir d'engrais liquide ordinaire mi-concentré, tous les 15 jours.

Empotage et rempotage Utiliser un mélange à base de tourbe et mettre des tessons de grès au fond des pots. Empoter les tubercules au printemps. Pour les petits tubercules ou les jeunes plants, utiliser des pots de 8 cm; pour les plantes plus développées, des pots de 14 cm. Enfouir les tubercules à une profondeur égale à leur hauteur. Garder à une température d'au moins 21°C.

Multiplication Au début de la nouvelle période de croissance, détacher les petits tubercules et les traiter comme on vient de l'exposer.

Ce tubercule en état de dormance est enfoui à une profondeur égale à sa hauteur (voir la zone foncée de l'illustration en coupe ci-dessus).

Calamondin, voir *Citrus mitis.*

Calathea

MARANTACÉES

Plante paon
C. makoyana

Le genre *Calathea* comprend de très nombreuses espèces. Leurs feuilles remarquables semblent jaillir de la souche, mais, en réalité, elles ont un court pétiole. Dans certains cas, elles sont disposées sur deux rangées, les feuilles postérieures émergeant des tiges gainées des feuilles antérieures. Leur forme varie beaucoup (arrondie, oblongue ou lancéolée) et leurs dimensions aussi (de 15 à 60 cm). Les fleurs banales sont nichées dans des bractées vert clair.

Note : Les genres *Calathea* et *Maranta* étant très voisins, on confond souvent leurs espèces.

CALATHEAS RECOMMANDÉS

C. bachemiana porte des feuilles lancéolées, pouvant atteindre 25 cm sur 5, formant un angle de 90 degrés avec les pétioles (30 cm de haut). Gris-vert sur le dessus, avec de larges macules vert sombre disposées de part et d'autre de la nervure médiane, les feuilles sont délicatement ombrées sur toute la face inférieure, d'une belle couleur pourpre.

C. lancifolia (souvent dénommé *C. insignis* ou *Maranta insignis*) présente des feuilles dressées, lancéo-

lées et à bords ondulés. Elles mesurent jusqu'à 45 cm sur 5, et sont portées sur des pétioles de 25 cm. Leur surface d'un vert pâle velouté est ornée de taches vert sombre inégales qui s'étalent de part et d'autre d'une nervure médiane très foncée. Le dessous de la feuille est aussi pourpré.

C. lindeniana se caractérise par des feuilles peu nombreuses, elliptiques, dressées et vert sombre. Des rayures vert olive courent de chaque côté de la nervure médiane et ourlent le pourtour; le dessous marron est marqué de taches plus foncées. Les feuilles atteignent plus de 40 cm et les pétioles plus de 30.

C. makoyana (plante paon) se reconnaît à ses feuilles oblongues, de 25 à 30 cm, dressées sur des pétioles de même taille; légèrement tordues, elles découvrent leur face inférieure. De fines rayures qui partent de la nervure médiane s'élancent vers le pourtour de la feuille, en alternance avec des macules oblongues irrégulières. Vertes sur le dessus avec des macules plus sombres, les feuilles sont au revers d'un beau rose que nuancent des traces rouge pourpré. A vrai dire, les coloris de cette espèce varient selon les soins et surtout la lumière qu'elle reçoit.

C. ornata porte des feuilles plus ou moins dressées, ovales ou lancéolées, vert sombre sur le dessus et pourpres sur le dessous, mesurant environ 20 cm. Les jeunes feuilles sont striées de fines rayures,

C. picturata 'Argentea'

C. ornata

habituellement blanches, parfois rosées, le long des nervures latérales. Deux variétés sont répandues : *C. o.* 'Roseolineata', ornée de lignes roses, et *C. o.* 'Sanderana', dont les rayures sont très contrastantes et les feuilles dressées.

C. picturata **'Argentea'** a des feuilles en forme de poire, dressées, argentées au centre, bordées de vert émeraude sur le dessus et pourpres sur le dessous. Elles mesurent 15 cm sur 8. Les pétioles ont de 8 à 10 cm de haut.

C. zebrina porte des feuilles oblongues, vert émeraude velouté avec des veines et une nervure plus pâles sur le dessus. Elles mesurent jusqu'à 40 cm et sont perpendiculaires à la tige dressée.

SOINS PARTICULIERS

Lumière Les calatheas préfèrent la lumière tamisée. Un éclairement trop vif nuit à leur feuillage.

Température La température parfaite se situe entre 16 et 21°C. Si elle est plus élevée, maintenir une forte humidité et bassiner le feuillage tous les jours. L'eau de pluie est meilleure car elle ne tache pas.

Arrosage Arroser abondamment durant la période de croissance, pour garder la motte constamment humide. En période de repos, arroser moins et laisser sécher le mélange sur 1 cm entre les arrosages. Utiliser si possible de l'eau de pluie tiède.

Engrais Un apport généreux d'engrais liquide ordinaire doit être donné toutes les deux semaines durant la période de croissance.

Empotage et rempotage Ajouter des feuilles hachées ou de la tourbe (1/3) à un mélange à base de terreau (2/3) [voir page 429], ou utiliser un mélange à base de tourbe. Dans ce dernier cas, donner à la plante de généreuses doses d'engrais liquide ordinaire durant la croissance. Rempoter les sujets sains tous les ans, à la fin du printemps ou au début de l'été.

Multiplication Multiplier par division des touffes à la fin du printemps. S'assurer que chaque rhizome possède des racines. Les planter dans des pots de 8 cm remplis de mélange ordinaire humidifié. Enfermer les pots dans des sachets de plastique et les garder dans la pénombre. Retirer des sachets lorsque de nouvelles racines se sont formées.

Calcéolaire, voir *Calceolaria.*

Calceolaria
SCROFULARIACÉES

C. herbeohybrida

Originaire d'Amérique du Sud, ce genre (communément appelé calcéolaire, petite-pantoufle) inclut de nombreuses espèces, mais les seules qui sont cultivées en appartement sont des espèces hybrides connues sous le nom de *C. herbeo hybrida* (ou encore *C. crenatiflora* ou *C. multiflora*). Ce sont des plantes annuelles arbustives dont les fleurs réunies en corymbes ont l'aspect d'un sabot (d'où leur nom générique tiré du latin *calceolus*, petit soulier) ou d'une outre vésiculeuse. Les horticulteurs les obtiennent par semis au printemps, les gardent en hiver à une température de 7 à 10°C et les vendent le printemps suivant lorsque les bourgeons sont à la veille d'éclore. La floraison en appartement ne dure qu'un mois environ.

Les calcéolaires ont de grandes feuilles cordiformes de 20 cm de large environ, groupées à la base d'une seule tige centrale. Au-dessus des feuilles s'élèvent plusieurs tiges ramifiées de 30 à 60 cm portant chacune des grappes de fleurs curieuses en forme de sacs (de 2 à 5 cm), orange, jaunes ou brique et souvent tachetées ou ponctuées de couleurs contrastées.

Pour prolonger la floraison, il faut donner aux calcéolaires beaucoup de lumière, mais pas d'ensoleillement, et leur procurer une bonne aération. Arroser souvent et ne jamais laisser la motte se dessécher, sous peine de voir la plante s'affaisser. Si cela se produisait, plonger le pot dans un seau d'eau et laisser la terre s'imbiber à fond. Lorsqu'il ne s'échappe plus de bulles du mélange, retirer le pot et le laisser s'égoutter. On peut aussi placer les pots sur des gravillons baignant dans un peu d'eau ou de la tourbe bien humidifiée.

Les pucerons (voir page 455) sont les plus grands ennemis des calcéolaires. Il faut les dépister à temps car ils se multiplient très vite.

Fleurs de *C. herbeohybrida*

Calla, voir *Zantedeschia.*

Callisia
COMMÉLYNACÉES

C. elegans

Les callisias sont des plantes rampantes proches parentes des tradescantias. Deux espèces se cultivent et se multiplient bien en appartement.

ESPÈCES RECOMMANDÉES

C. elegans (qu'on appelait autrefois *Setcreasea striata*), originaire du Mexique, présente des tiges d'abord dressées puis retombantes qui peuvent atteindre 60 cm. De 2,5 à 4 cm, les feuilles ovales et acuminées sont vert olive, à nervures longitudinales blanches sur le dessus, et pourpres en dessous. Adulte, la plante dépasse rarement 7,5 cm; on a intérêt à la suspendre pour mettre en évidence le riche coloris de son feuillage. Cultivée en pleine lumière, ses feuilles se chevauchent presque entièrement; si l'éclairage est insuffisant, elles s'espacent de 2,5 cm environ. Ses fleurs sont sans intérêt.

C. fragrans (qu'on appelle aussi *Spironema fragrans* et *Tradescantia dracaenoides*) présente d'abord de courts pétioles charnus disposés en rosette, qui s'allongent rapidement pour atteindre 90 cm. Ces pétioles portent des feuilles oblongues et pointues de 25 cm sur 5, vertes, luisantes, qui rougissent à la lumière vive. Les rares inflorescences sont parfumées. La variété *C. f.* 'Melnick-off' offre des feuilles rayées de blanc ou d'ivoire.

SOINS PARTICULIERS

Lumière Donner un éclairage vif et trois ou quatre heures de plein soleil par jour en tout temps.

Température Les callisias aiment la chaleur. Leur procurer néanmoins une période hivernale de repos à une température de 10 à 16°C.

Arrosage En période de croissance, arroser pour que le sol soit toujours très humide, mais ne jamais laisser le pot reposer dans l'eau. En période de repos, garder le mélange à peine humide et en laisser sécher les deux tiers entre les arrosages.

Engrais Un apport d'engrais liquide ordinaire sera appliqué toutes les deux semaines durant la croissance seulement.

Empotage et rempotage Utiliser un mélange à base de terreau ou de tourbe (voir page 429). Un pot de 8 cm devrait suffire à *C. elegans* qui ne vit que deux ans. Lorsque son feuillage devient moins touffu et moins coloré, remplacer la plante. *C. fragrans* croît vite et demande un rempotage chaque printemps. Utiliser des pots de 12 à 14 cm pour les grosses plantes, qu'on jette quand les feuilles tombent.

Multiplication Prélever des segments de 5 cm au printemps ou en été. Planter plusieurs boutures de *C. elegans* ou une seule de *C. fragrans* dans un pot de 6 à 8 cm rempli de mélange ordinaire. Donner une lumière vive mais tamisée et arroser modérément. Après deux ou trois semaines, traiter les plants comme des sujets adultes.

Callistemon
MYRTACÉES

Rince-bouteilles
C. citrinus

Une seule espèce du genre *Callistemon* (rince-bouteilles), *C. citrinus*, est cultivée en appartement. Ses inflorescences en forme de rince-bouteilles sont très pittoresques. Les épis floraux cylindriques, apétales, présentent des touffes de centaines d'étamines filiformes saillantes, d'un rouge brillant. Le fin duvet qui couvre les tiges et les branches de *C. citrinus* finit par disparaître avec les années. Les feuilles vert-gris, rigides et lancéolées, mesurent 8 cm sur 2. Les inflorescences, qui apparaissent en été sous forme d'épis cylindriques, ont de 5 à 10 cm de long.

La plus belle variété de *C. citrinus* est *C. c. splendens* dont les fines étamines cramoisies de 4 cm forment un «goupillon» de plus de 10 cm de long. Ce gracieux arbuste peut atteindre 1,20 m dans un pot de 20 cm, mais demeure petit s'il est rabattu (voir «Remarques»).

SOINS PARTICULIERS

Lumière Pour bien fleurir, ces plantes exigent plusieurs heures d'ensoleillement par jour.

Température En période de croissance, les callistémons se plaisent dans l'ambiance normale d'un appartement, mais demandent à se reposer au frais (entre 7 et 10°C) en hiver.

Engrais Enrichir d'un engrais liquide ordinaire tous les 15 jours en période de croissance.

Empotage et rempotage Utiliser un mélange à base de terreau (voir page 429). Rempoter les plants au printemps, dès le début de la croissance. Lorsque la plante a atteint sa taille optimale, renouveler simplement tous les ans la couche superficielle du mélange (voir page 428).

Multiplication Au début de l'été, prélever des boutures de 7,5 à 10 cm sur les tiges latérales non florifères. Accorder la préférence aux boutures à talon (celles qui conservent un morceau de la tige). Planter chaque bouture dans un pot de 8 cm rempli d'un mélange humidifié à volume égal de tourbe et de sable grossier ou de perlite, puis déposer les contenants dans des sachets de plastique ou dans une caissette de multiplication chauffante (voir page 444). L'éclairage durant cette période doit être vif, mais on doit en tamiser la luminosité. Après quatre à six semaines d'enracinement, découvrir les pots et commencer à arroser parcimonieusement : le mélange doit être à peine humide. Quand des racines apparaissent par le trou de drainage des contenants, rempoter dans un mélange ordinaire et traiter les plants comme les callistémons adultes.

Remarques A la fin de la floraison, il est souhaitable de placer les callistémons dehors, au soleil, et de les y laisser jusqu'à ce que la température tombe à 10°C environ. Il faut alors les rentrer et les placer dans un endroit ensoleillé.

Immédiatement après la floraison, il est important de rabattre les pousses de l'année précédente, de moitié même, si nécessaire.

Camara commun, voir *Lantana camara.*
Camélia, voir *Camellia japonica.*

Camellia
THÉACÉES

Variété de *C. japonica*

Les camellias sont des arbustes florifères originaires d'Asie dont l'admirable perfection des fleurs est reconnue depuis toujours. La plupart des camellias cultivés à l'intérieur sont des variétés de *C. japonica* (camélia) à feuilles coriaces, luisantes, de 10 cm sur 5, alternes sur des tiges ligneuses. Les fleurs isolées ou groupées peuvent être simples (5 pétales entourant des étamines jaunes), doubles (20 pétales ou plus et aucune étamine visible) ou semi-doubles. Elles sont blanches, roses, rouges ou bicolores.

CAMELLIAS RECOMMANDÉS

C. japonica 'Adolphe Audusson' donne au printemps des fleurs doubles, rouge sang, de 15 cm.
C. j. **'Alba plena'** à fleurs doubles, blanches, de 10 cm, venant au printemps.
C. j. **'Alba simplex'** dont les fleurs simples, blanches, de 7,5 cm, sortent en hiver.
C. j. **'Pink Perfection',** à fleurs doubles, rose nacré, de 7,5 cm, s'épanouissant au printemps.
C. j. **'Purity',** à fleurs doubles, blanches, de 7,5 cm. Floraison printanière prolongée.
C. j. **'William S. Hastie',** à fleurs doubles, cramoisies, de 10 cm, apparaissant au printemps.

SOINS PARTICULIERS

Lumière Procurer à longueur d'année une lumière vive mais tamisée.

Température Les camellias ne fleurissent pas dans l'ambiance chaude et sèche d'un appartement; aussi faut-il les garder sur une terrasse ou dans une serre. En période de formation des boutons floraux (automne et hiver), la température idéale se situe entre 7 et 16°C. Poser les pots sur des gravillons dans un plat contenant de l'eau et bassiner la plante tous les jours.

Arrosage En période de croissance, arroser beaucoup, mais ne jamais laisser d'eau dans la soucoupe. Durant les six semaines de repos (après la floraison jusqu'à la fin du printemps ou de l'automne selon la variété), arroser très peu.

Engrais Durant la croissance, donner un apport d'engrais liquide ordinaire toutes les deux semaines.

Empotage et rempotage Utiliser un mélange à volume égal de tourbe, de feuilles hachées grossièrement et de terreau non calcaire (voir page 429). Rempoter au printemps si nécessaire. Lorsque la plante est à maturité, renouveler la couche superficielle du mélange (voir page 428), à la fin de la période de repos.

Multiplication Elle est difficile à pratiquer en appartement.

Campanula

CAMPANULACÉES

Etoile de Bethléem
C. isophylla

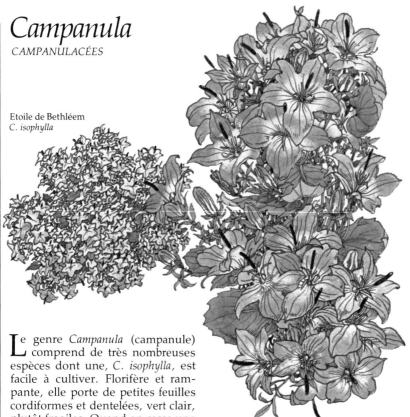

Le genre *Campanula* (campanule) comprend de très nombreuses espèces dont une, *C. isophylla*, est facile à cultiver. Florifère et rampante, elle porte de petites feuilles cordiformes et dentelées, vert clair, plutôt fragiles. Quand on casse une tige ou un pétiole, il s'écoule un latex blanc à l'odeur curieuse mais non déplaisante. Les fleurs bleu clair, étoilées et en forme de coupe, naissent à l'aisselle des feuilles et mesure de 2,5 à 4 cm. *C. i.* 'Alba' présente des fleurs blanches, et *C. i.* 'Mayi' un feuillage duveteux panaché et des fleurs bleues.

   C. isophylla (étoile de Bethléem, étoile de Marie, étoile du marin) se cultive surtout en corbeilles suspendues ou en pots surélevés. Ses tiges fuselées, d'au plus 30 cm, retombent gracieusement; on peut aussi les palisser discrètement. La floraison, surabondante au point que les fleurs en arrivent à cacher le feuillage, s'étend du milieu de l'été à la fin de l'automne. Pour la prolonger, enlever les fleurs mortes en les pinçant entre deux doigts. A l'approche de l'hiver, il faut rabattre les longues tiges jusqu'à la souche, près du mélange terreux.

SOINS PARTICULIERS

Lumière Les campanules n'exigent pas le plein soleil, mais il leur faut en tout temps une lumière vive si l'on veut obtenir des plantes touffues et une floraison abondante. Elles s'épanouiront, par exemple, sur l'appui d'une fenêtre sans soleil.

Température Comme la chaleur fane vite les fleurs, les campanules doivent être gardées au frais durant l'été. Au-dessus de 18°C, poser les pots sur des gravillons dans un plat contenant de l'eau et bassiner régulièrement le feuillage. En hiver, garder ces plantes à une température d'environ 4°C; ce repos hivernal peut commencer tout de suite après la floraison. Les campanules fleuriront moins bien l'été suivant si elles sont gardées au chaud durant l'hiver.

Arrosage En période de croissance et durant toute la floraison, arroser généreusement, pour que le mélange soit très humide. Ne jamais cependant laisser les pots séjourner dans l'eau (voir « Remarque »). Même durant leur repos hivernal, les campanules ont besoin d'eau. Arroser juste assez pour humidifier le sol, environ tous les 15 jours.

Engrais Dès que les racines remplissent le pot (soit environ six semaines après l'empotage) et jusqu'à la fin de la floraison, donner un engrais liquide ordinaire tous les 15 jours.

Empotage et rempotage Utiliser un mélange à base de terreau (voir page 429). Pour avoir une plante plus touffue, planter 3 ou 4 boutures pourvues de racines dans un pot de 8 cm au début du printemps; rempoter dès que des racines affleurent (normalement tous les deux ou trois mois), jusqu'à ce que les plantes tiennent dans des pots de 14 cm. Pour composer des corbeilles, prendre au moment du rempotage les plants contenus dans quelques pots de 8 cm. Les combinaisons de variétés à fleurs bleues et blanches produisent un effet remarquable.

Multiplication Sectionner quelques boutures de 5 cm, portant chacune 3 ou 4 paires de feuilles, au moment où de nouvelles pousses apparaissent au printemps. Tiges et pétioles étant fragiles, les manipuler avec soin. Plonger les sections dans une poudre d'hormones. Planter les boutures à une profondeur de 2 cm dans un mélange humidifié, à volume égal de tourbe et de sable grossier ou de perlite. Enfermer les pots dans un sachet de plastique et les garder au chaud dans la pénombre. Après deux ou trois semaines, transplanter les boutures dans un mélange ordinaire. Les garder encore trois ou quatre semaines dans la pénombre en les arrosant peu, après quoi les jeunes plants seront exposés à une lumière plus vive et traités comme des sujets adultes.

   La multiplication par division de la touffe est aussi possible, quoique moins satisfaisante, car les vieilles tiges sont trop ligneuses. Séparer la touffe en plusieurs bouquets, secouer pour enlever la vieille terre et empoter les plants dans du mélange frais.

Remarque Un excès d'eau (mélange trop poreux, arrosages trop fréquents) peut causer le botrytis ou pourriture grise (voir page 456). Pour le combattre, utiliser un fongicide, améliorer la ventilation et réduire la teneur en humidité du mélange.

Campanule, voir *Campanula.*
Caoutchouc, voir *Ficus elastica.*
Caoutchouc japonais, voir *Crassula argentea.*
Capillaire, voir *Adiantum.*

Capsicum
SOLANACÉES

Cerisier d'amour
C. annuum

Plantes ornementales à nombreux fruits allongés et charnus, les espèces du genre *Capsicum* sont vivement colorées; on les achète généralement en automne et au début de l'hiver lorsque les fruits sont formés et on s'en défait lorsque ceux-ci sont tombés. Les variétés les plus populaires sont compactes (de 30 à 40 cm de hauteur et d'étalement). De leurs tiges ligneuses partent de fins rameaux vert sombre dont les feuilles vertes et lancéolées, à peine velues, mesurent de 4 à 10 cm de long et de 1 à 4 cm de large sur des pétioles de 2,5 cm. Des fleurs blanches, mais insignifiantes, naissent à l'aisselle des feuilles au début de l'été. Des fruits leur succèdent durant 8 à 12 semaines, après quoi ils tombent.

ESPÈCE RECOMMANDÉE
C. annuum (cerisier d'amour, piment commun) est la plus populaire des espèces. Ses nombreuses variétés se divisent en cinq groupes dont trois se cultivent en appartement. Le premier groupe produit des baies jaune vif ou blanc pourpré. Le second arbore des fruits cylindriques verts, ivoire, blancs, jaunes, orange ou rouges,

dont les coloris changent à mesure que le fruit mûrit. Le dernier groupe porte, en grappes de 2 ou 3, des fruits rouges allongés.

SOINS PARTICULIERS
Lumière Les capsicums exigent une lumière vive et au moins trois ou quatre heures de plein soleil par jour. Ils perdent leurs feuilles prématurément si la lumière est insuffisante.

Température L'atmosphère tempérée d'un appartement leur convient, mais les fruits durent plus longtemps si la température se situe entre 13 et 16°C. Augmenter l'humidité en plaçant les pots sur des gravillons gardés humides.

Arrosage Arroser abondamment sans laisser d'eau dans la soucoupe.

Engrais Un apport d'engrais liquide ordinaire tous les 15 jours suffit.

Empotage et rempotage Le rempotage n'est pas nécessaire.

Multiplication Elle se fait par semis, repiquage et mise en pots individuels.

Cardamome, voir *Elettaria cardamomum.*

Carex
CYPÉRACÉES

C. morrowii 'Variegata'

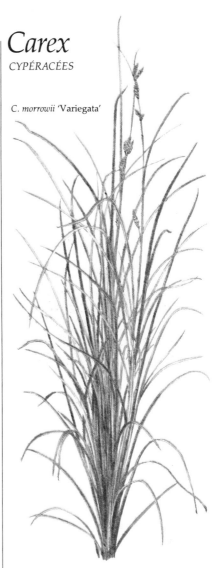

Des nombreuses espèces composant le genre *Carex* (laîche), une seule variété panachée, *C. morrowii* 'Variegata', est cultivée à l'intérieur. Ses feuilles herbacées rigides, d'un jaune-vert finement rayé de blanc et mesurant plus de 30 cm sur 1, naissent en touffes serrées d'un système rhizomateux qui court sous la surface du mélange. Les fleurs sont rares et n'offrent aucun attrait. Cette plante herbacée s'associe bien à des espèces au feuillage ample. Sa croissance ralentit en hiver.

SOINS PARTICULIERS
Lumière Les carex ont besoin d'une lumière vive mais tamisée. Cependant, le feuillage deviendra terne à une lumière insuffisante.

Température *C. m.* 'Variegata' tolère des températures de 18 à

21°C quand l'air est très humide. Sinon, placer les pots sur des gravillons dans un plat contenant de l'eau et bassiner régulièrement le feuillage. En hiver, garder la plante à des températures de 10 à 16°C si possible.

Arrosage A l'état naturel, le carex croît près de nappes d'eau. En appartement, cependant, il faut l'arroser modérément. Laisser sécher le mélange sur 3 cm entre les arrosages.

Dans un arrangement, on fera voisiner le carex avec des espèces qui exigent à peu près les mêmes soins (ici, scindapsus et marantas).

Engrais Donner un apport d'engrais liquide ordinaire une fois par mois au printemps et en été seulement.

Empotage et rempotage Utiliser un mélange à base de terreau (voir page 429). Rempoter au printemps dès que les touffes de feuilles recouvrent entièrement la surface du mélange (le diamètre des pots ne dépassera jamais 14 cm).

Multiplication Elle se pratique par division des touffes au printemps. Ne pas diviser une plante en plus de trois bouquets et les empoter séparément.

Il serait à déconseiller de rediviser les touffes que voici. Trop petites, les touffes du carex ont du mal à s'enraciner.

Caryota
PALMIERS

C. mitis

C'est par ses frondes bipennées que le caryota diffère des palmiers. Les pétioles vert-gris varient en longueur selon les espèces, mais les tiges de tous les caryotas portent, en effet, ces frondes bipennées caractéristiques, divisées, comme une feuille de fougère, en folioles, elles-mêmes subdivisées en pinnules cunéiformes. Chacune de ces pinnules, repliée en V, présente des bords irréguliers comme la queue d'un poisson. Avec le temps, le caryota peut atteindre une hauteur d'environ 2,50 m et ses frondes retombantes prennent beaucoup d'ampleur. Mais sa croissance est lente : le caryota ne gagne que quelques centimètres par année. A l'intérieur, il ne produit ni fleurs ni fruits.
Voir aussi PALMIERS.

ESPÈCES RECOMMANDÉES
C. mitis atteint rarement, à l'intérieur, plus de 2,45 m. La courte tige d'un sujet de 1,20 m peut porter 6 à 8 frondes bipennées, gracieusement retombantes, sur des pétioles de 30 à 60 cm, formant une sorte de couronne sur la plante. De plus petites frondes poussent également à la base de la tige principale. Les grandes peuvent avoir jusqu'à 90 cm de large, et les pinnules vert clair, environ 15 cm de long sur 13 de large. Les folioles poussent en groupes très compacts de 20 à 30.

C. urens (caryote brûlant, palmier céleri) se caractérise par une tige pouvant atteindre 2,50 m à l'intérieur. Un sujet de 1,20 m porte normalement en couronne 5 ou 6 frondes retombantes, de 1,20 m de large, sur un pétiole de 45 cm; chaque fronde est divisée en plusieurs groupes de pinnules coriaces vert sombre, de 13 cm de long sur 7,5 de large. Ces pinnules sont plus triangulaires, mais moins découpées et moins nombreuses que celles de *C. mitis*.

SOINS PARTICULIERS
Lumière Les caryotas aiment le soleil tamisé par un store ou des rideaux transparents.

Température Il faut de la chaleur à ces plantes (13°C minimum). Lorsqu'il fait très chaud, cependant, augmenter l'humidité en posant la plante sur des gravillons ou de la tourbe humides.

Arrosage Arroser abondamment de façon à garder le mélange très humide, mais ne jamais laisser d'eau dans la soucoupe. Le caryota ne connaît pas de périodes de croissance et de repos bien définies. La croissance se ralentit pourtant en automne et en hiver. Il est préférable alors de laisser la motte sécher sur 1 cm entre les arrosages.

Engrais Donner un apport d'engrais liquide ordinaire une fois par mois, du début du printemps jusqu'à la mi-automne.

Empotage et rempotage Utiliser un mélange à base de terreau (voir page 429). Laisser le caryota un peu à l'étroit dans son pot. Ne rempoter qu'une fois tous les deux ou trois ans, au moment où la croissance reprend. Mettre une couche de drainage au fond du pot et bien tasser le mélange autour des racines. Prendre soin de ne pas blesser les grosses racines au cours de l'opération. Lorsque la plante a atteint sa taille optimale, renouveler simplement la couche superficielle du mélange (voir page 428).

Multiplication La plante se multiplie par semis au printemps, à une température d'au moins 24°C. *C. mitis* (mais non *C. urens*) peut se multiplier par drageons (pousses aériennes nées sur une racine de la plante) ou par rejets. Détacher le drageon lorsqu'il a de 23 à 30 cm en lui conservant quelques-unes de ses racines. Le placer dans un pot de 8 à 10 cm, rempli d'un mélange humide à base de terreau. Garder le pot à découvert dans un endroit chaud à la lumière vive tamisée par un store ou un rideau. Arroser seulement pour humidifier un peu le mélange et le laisser sécher sur 1 cm en surface entre les arrosages. La croissance reprend dès que l'enracinement a réussi. Par la suite, donner au jeune plant les mêmes soins qu'aux caryotas adultes.

Remarques Des folioles aux pointes brunes ou la présence d'araignées rouges (voir page 454) indiquent généralement que l'air est trop sec. Ne pas s'inquiéter, cependant, si de temps à autre une fronde jaunit, brunit et tombe : cela est normal.

Caryote brûlant, voir *Caryota urens.*

Catharanthus
APOCYNACÉES

Pervenche de Madagascar
C. roseus 'Ocellatus'

Une seule espèce du genre *Catharanthus* (parfois confondu avec le genre *Vinca*) est cultivée à l'intérieur : *C. roseus* (pervenche de Madagascar). C'est une plante buissonnante, dressée mais petite, réputée pour son feuillage et ses fleurs. Ovales et luisantes, avec une nervure médiane blanche, les feuilles mesurent de 2,5 à 5 cm et naissent en paires opposées sur des tiges graciles. Les fleurs s'épanouissent à l'extrémité des tiges depuis la mi-printemps jusqu'au début de l'automne. Elles se composent d'un petit tube de 2,5 cm qui s'évase en 5 pétales lancéolés et mesure environ 4 cm de diamètre. La couleur des fleurs va du rose clair au mauve. *C. r.* 'Albus' a des fleurs blanches, et *C. r.* 'Ocellatus' des fleurs blanches avec un œil central carmin.

On se procure généralement ces plantes au début du printemps et on s'en défait après la floraison. Il n'est pas intéressant de les garder plus longtemps car seuls les jeunes plants fleurissent à profusion.

SOINS PARTICULIERS
Lumière Procurer une lumière vive et trois ou quatre heures d'ensoleillement par jour.
Température La température intérieure normale convient en tout temps. Les catharanthus ne peuvent jamais supporter des températures inférieures à 10°C.

Arrosage Arroser généreusement, mais ne jamais laisser le pot séjourner dans l'eau.

Engrais Donner un apport d'engrais liquide ordinaire tous les 15 jours dès le début de la floraison.

Empotage et rempotage Utiliser un mélange à base de terreau (voir page 429). Rempoter toutes les six à huit semaines. On aura rarement besoin d'un pot de plus de 12 cm.

Multiplication Elle se pratique par boutures ou par semis; la multiplication par semis donne des plants plus florifères. Vers le début du printemps, semer quelques graines dans une terrine contenant un mélange humidifié, propre à l'enracinement (voir page · 444). Enfermer le plat dans un sachet de plastique ou une caissette de multiplication (voir page 443) et le garder dans un endroit chaud où la lumière est vive mais tamisée. Les graines mettent deux ou trois semaines à germer. Découvrir alors les plants et arroser juste assez pour humidifier le mélange; le laisser sécher sur 1 cm entre les arrosages. Lorsque les jeunes plants mesurent 2,5 cm environ, les transplanter dans des pots de 8 cm et leur donner les soins indiqués ci-dessus.

Cattleya
ORCHIDACÉES

Cattleya hybride

Les cattleyas sont des orchidées épiphytes à un ou deux pseudo-bulbes, atteignant au plus 25 cm. Chaque pseudo-bulbe porte une ou deux feuilles vertes, charnues et rubanées. Les nouvelles pousses se développent sur un court rhizome, à la souche du dernier-né des pseudo-bulbes. Semblables à celui-ci, elles sont couvertes d'une superposition de tuniques vertes foliacées. Les tuniques internes l'enserrent étroitement et deviennent blanches et papyracées; une ou deux tuniques externes se changent en feuilles.

Les tiges florales sortent du sommet des bulbes et portent une ou plusieurs fleurs à pétales charnus et cireux et à labelle tubuleux. *Voir aussi ORCHIDEES.*

ESPÈCES RECOMMANDÉES

C. intermedia a des pseudo-bulbes cylindriques, de 25 à 40 cm sur 1, qui produisent 2 feuilles terminales vert sombre mesurant 20 cm sur 5.

Les pédoncules de 10 cm portent, au début de l'été, jusqu'à 6 fleurs rose clair de 10 cm de diamètre, à labelle pourpre foncé. La floraison dure parfois cinq semaines. *C. i.* 'Aquinii' présente des pétales roses tachetés de pourpre; il a donné naissance à plusieurs variétés à pétales tachetés.

C. labiata présente des pseudo-bulbes en forme de massue, d'au plus 25 cm sur 2,5 sur 2, qui sont munis d'une feuille verte, épaisse et coriace, pouvant mesurer 25 cm sur 7,5 environ. Jusqu'à 5 fleurs parfumées de 13 cm de diamètre apparaissent, en automne ou au début de l'hiver, sur des pédoncules de 7,5 à 10 cm. L'espèce type présente des pétales et des sépales rose clair ondulés et un labelle cramoisi à bords plissés et à gorge jaune. D'autres variétés ont des fleurs plus grandes.

C. loddigesii a des pseudo-bulbes cylindriques, de 20 à 30 cm sur 1, qui portent 2 feuilles vert-gris de 10 à 15 cm sur 2,5. Jusqu'à 6 fleurs lilas de 10 cm de diamètre apparaissent en été sur des pédoncules de 15 cm; elles durent quatre semaines. Le labelle à gorge tachetée de jaune est pourpre foncé.

C. trianaei présente des pseudo-bulbes en forme de massue, de 20 à 25 cm sur 2 et de 2,5 cm d'épaisseur. Chacun porte une feuille vert

sombre de 15 à 25 cm sur 5 à 7,5 cm. De 2 à 5 fleurs d'au plus 18 cm de diamètre apparaissent sur un pédoncule de 10 cm. La plante fleurit à la fin de l'hiver pendant environ trois semaines. Les pétales sont lilas et le labelle pourpre foncé a une gorge jaune et des bords plissés.

SOINS PARTICULIERS
Lumière Les cattleyas exigent une lumière vive mais tamisée.

Température La chaleur est indispensable à ces plantes : la température minimale doit se situer entre 13 et 16°C. Eviter les changements brusques de température. Pour augmenter l'humidité pendant la croissance, poser les pots sur des gravillons gardés humides et, dès que la température dépasse 21°C, bassiner le feuillage tous les jours.

Arrosage Pendant la croissance, arroser abondamment, mais laisser sécher le mélange presque complètement entre les arrosages. Durant le repos de six semaines qui suit la floraison, n'arroser que pour empêcher les pseudo-bulbes de se dessécher.

Engrais Durant la croissance, donner un apport d'engrais foliaire tous les trois ou quatre arrosages.

Empotage et rempotage Utiliser l'un des mélanges recommandés pour les orchidées (voir page 289). Lorsque de nouvelles pousses atteignent le bord du pot, rempoter (après le repos hivernal) dans des pots de 6 cm plus grands. Placer le plant contre le bord du pot pour laisser de la place aux nouvelles pousses. Tasser doucement le mélange frais autour du rhizome et des racines. Arroser généreusement. Exposer ensuite le sujet à une lumière moyenne pendant une ou deux semaines avant de lui donner un éclairage plus vif. Lorsque la plante a atteint sa taille optimale, la diviser comme expliqué ci-dessous.

Multiplication Couper le rhizome en deux. Démêler les racines; couper celles qui sont pourries ou endommagées et empoter chaque demi-rhizome dans un pot de la taille qui convient contenant un mélange frais, très humide. Exposer les pots à un éclairage moyen jusqu'à ce que les plants aient fait des racines (quatre semaines environ). Les traiter alors comme des plantes adultes.

Cephalocereus
CACTACÉES

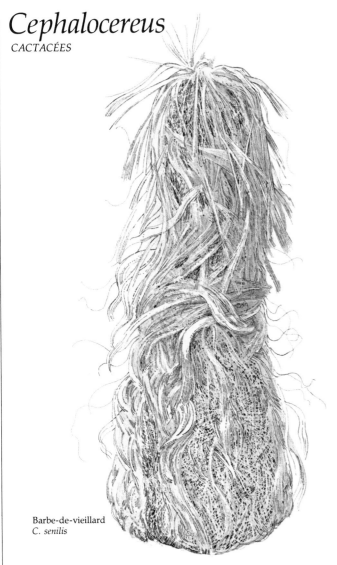

Barbe-de-vieillard
C. senilis

Ce genre ne comprend qu'une seule espèce propre à la culture en appartement, *C. senilis* (barbe-de-vieillard, cierge barbe-de-vieillard, tête-chenue, tête-de-vieillard). Tous les noms populaires qu'on lui a donnés décrivent bien les longs poils argentés qui recouvrent sa tige colonnaire. Celle-ci est divisée en 20 à 30 côtes longitudinales peu profondes à aréoles très serrées d'où se développent des poils (qui peuvent atteindre 15 cm), et de 1 à 5 aiguillons jaunes. Attention : ne pas toucher les poils, car ils dissimulent des aiguillons acérés de 4 cm. En pleine nature, *C. senilis* peut atteindre 12 m de haut, mais en 200 ans. A l'intérieur, il ne dépasse pas 30 cm et ne produit pas de fleurs.

Voir aussi CACTEES.

SOINS PARTICULIERS

Lumière Dans la nature, la plante se protège des rayons ardents du soleil au moyen de ses longs poils. Par conséquent, plus la lumière sera vive, plus sa toison sera longue et épaisse. Il faut donc placer ce cactus près de la fenêtre la plus ensoleillée.

Température Au printemps et en été, la température normale d'une pièce convient au cephalocereus en pleine croissance. En hiver, le cactus sera mis au repos à une température inférieure à 18°C (mais toujours supérieure à 7°C). A cette saison, des températures trop élevées ou un mauvais éclairage feront allonger le tronc démesurément.

Arrosage En période de croissance, arroser modérément. Laisser sécher sur 1 cm entre les arrosages. En période de repos, arroser seulement pour empêcher le mélange de se dessécher complètement. Des arrosages trop abondants en hiver font pousser la plante démesurément et pourrir les racines.

Engrais Pendant la période de croissance, donner de l'engrais à tomates une fois par mois aux plantes cultivées dans un mélange à base de terreau, et tous les 15 jours à celles qui poussent dans un mélange tourbeux. Prendre garde de ne pas répandre d'engrais sur les poils.

Empotage et rempotage Utiliser un mélange à base de terreau ou de tourbe (voir page 429). En augmenter la porosité en ajoutant un tiers de sable grossier ou de perlite. Un pot de 8 cm suffit tant que le cactus n'a pas atteint de 7,5 à 10 cm. Vérifier tous les printemps la densité des racines (voir page 426). Rempoter au besoin. Sinon, nettoyer le pot et y remettre la plante dans du mélange frais.

Multiplication *C. senilis* ne se multiplie que par semis (voir *CACTEES*, page 119).

Remarques Il arrive qu'avec le temps les poils du cephalocereus se mettent à brunir. La poussière peut être en partie responsable de ce changement de couleur. Savonner alors la plante avec une solution tiède de détergent et bien la rincer à l'eau claire. (Couvrir le mélange terreux pour éviter qu'il ne s'imprègne de détergent.) Mais ce phénomène peut être dû tout simplement au vieillissement de la plante.

Certains insectes comme les cochenilles farineuses peuvent se cacher dans ses longs poils (voir page 454).

Avant de savonner la toison d'un cephalocereus, recouvrir le mélange pour ne pas l'imbiber de détergent.

Cereus
CACTACÉES

Cierge
C. peruvianus

A l'état naturel, les tiges cylindriques des cactées du genre *Cereus* (cactus des rochers, cierge) peuvent atteindre 9 m. Cultivées à l'intérieur, ces plantes ont une forme moins sculpturale, qui n'en tranche pas moins sur celle de la plupart des autres cactées. Vigoureux et de croissance rapide, le cereus peut atteindre en cinq ou six ans 90 cm de hauteur et 15 cm de diamètre, tout en logeant dans un pot de 20 cm. A ce stade, il produit en été des fleurs pouvant avoir 30 cm de long, en forme d'entonnoir, souvent exquisement parfumées, qui s'épanouissent la nuit et se fanent au petit matin. Il ne faut pas se laisser décourager par la taille que peut atteindre ce cactus. Cultivé dans un pot de 10 cm, il ne dépassera pas 60 cm. Seul désavantage, le cereus ne fleurit pas quand il est petit.

Le genre *Cereus* comporte à peu près 36 espèces dont quelques-unes seulement sont cultivées. Les plus répandues sont les suivantes.
Voir aussi CACTEES.

ESPÈCES RECOMMANDÉES
C. jamacaru, quand il est dans son milieu naturel, se ramifie au sommet. La tige est marquée d'au moins 6 côtes longitudinales, larges et saillantes, séparées par des sillons étroits et profonds. De chaque aréole sortent des poils blancs et une touffe d'une quinzaine d'aiguillons jaunâtres qui n'auront pas plus de 1 à 2,5 cm chez les cereus d'appartement. Les sujets de grande taille produisent des fleurs de 20 à 30 cm de long à pétales blancs teintés de vert.
C. peruvianus ressemble tellement au précédent qu'il est souvent confondu avec lui. Il présente de 5 à 8 côtes et seulement 7 aiguillons environ par aréole; ceux-ci sont plus bruns que jaunes. Les fleurs mesurent 15 cm de long et leurs pétales sont teintés de vert tirant sur le brun.

Dans des semis de *C. peruvianus*, il n'est pas rare de trouver au moins un exemplaire d'un cultivar connu sous le nom de *C. p.* 'Monstrosus' — forme aberrante recherchée par les collectionneurs. Au lieu d'un seul point de végétation au sommet de la tige, cette plante en a plusieurs et se couvre bientôt de protubérances irrégulières. Elle croît beaucoup plus lentement que l'espèce et se cultive plus difficilement que la plupart des cereus, qui ne sont guère exigeants. Dans un mélange qui serait mal drainé, par exemple, *C. p.* 'Monstrosus' risque de pourrir et de perdre ses racines.

C. peruvianus 'Monstrosus'

SOINS PARTICULIERS
Lumière Donner au cereus le plus de soleil possible. Le cactus colonnaire ayant tendance à s'incliner du côté d'où vient la lumière, le tourner fréquemment pour le garder droit. Le placer à l'extérieur l'été : l'air frais et le soleil lui donneront un beau coloris et de longs aiguillons.
Température Le cereus supporte des températures normales au printemps, en été et en automne. En hiver, mettre la plante au repos dans un endroit frais (10°C si possible). Le cereus qui essaie de croître dans la faible lumière hivernale aura un tronc grêle et fragile.
Arrosage Durant la croissance, arroser modérément. Laisser sécher le mélange sur 1 cm entre les arrosages. Pendant le repos hivernal, donner juste assez d'eau pour empêcher le mélange de se dessécher.
Engrais En période de croissance, donner de l'engrais à tomates tous les 15 jours aux plantes cultivées dans un mélange tourbeux, et tous les mois à celles croissant dans un mélange de terreau.
Empotage et rempotage Utiliser un mélange à base de terreau ou de tourbe (2/3) [voir page 429], additionné de sable grossier ou de perlite (1/3). Mettre les plantes de 5 cm de large dans des pots de 8 cm, mais comme elles poussent rapidement, il faudra sans doute les rempoter une fois l'an. Vérifier l'état des racines chaque printemps. Si elles sont recroquevillées, rempoter; sinon, renouveler simplement la couche superficielle du mélange (voir page 428).
Multiplication Elle se fait normalement par semis. Les graines de cereus germent et poussent plus rapidement que celles des autres cactées, mais le procédé n'en reste pas moins long. On peut aussi bouturer la tige dans un mélange terreux ordinaire (voir *CACTEES*, page 119), mais cette opération abîme la plante mère. Le mieux est encore d'acheter de jeunes plants.

Ceriman, voir *Monstera deliciosa*.
Cerisier d'amour, voir *Capsicum annuum*.
Cerisier d'amour, voir *Solanum pseudocapsicum*.
Cerisier de Jérusalem, voir *Solanum pseudocapsicum*.

Ceropegia
ASCLÉPIADACÉES

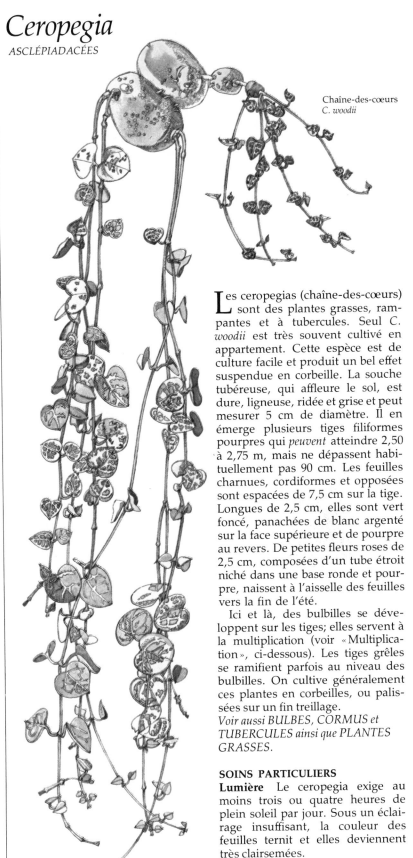

Chaîne-des-cœurs
C. woodii

Les ceropegias (chaîne-des-cœurs) sont des plantes grasses, rampantes et à tubercules. Seul *C. woodii* est très souvent cultivé en appartement. Cette espèce est de culture facile et produit un bel effet suspendue en corbeille. La souche tubéreuse, qui affleure le sol, est dure, ligneuse, ridée et grise et peut mesurer 5 cm de diamètre. Il en émerge plusieurs tiges filiformes pourpres qui *peuvent* atteindre 2,50 à 2,75 m, mais ne dépassent habituellement pas 90 cm. Les feuilles charnues, cordiformes et opposées sont espacées de 7,5 cm sur la tige. Longues de 2,5 cm, elles sont vert foncé, panachées de blanc argenté sur la face supérieure et de pourpre au revers. De petites fleurs roses de 2,5 cm, composées d'un tube étroit niché dans une base ronde et pourpre, naissent à l'aisselle des feuilles vers la fin de l'été.

Ici et là, des bulbilles se développent sur les tiges; elles servent à la multiplication (voir « Multiplication », ci-dessous). Les tiges grêles se ramifient parfois au niveau des bulbilles. On cultive généralement ces plantes en corbeilles, ou palissées sur un fin treillage.
Voir aussi BULBES, CORMUS et TUBERCULES ainsi que PLANTES GRASSES.

SOINS PARTICULIERS
Lumière Le ceropegia exige au moins trois ou quatre heures de plein soleil par jour. Sous un éclairage insuffisant, la couleur des feuilles ternit et elles deviennent très clairsemées.

Température La température normale d'une pièce lui convient toute l'année.

Arrosage En période de croissance, arroser parcimonieusement pour que le mélange soit à peine humide. Laisser sécher les deux tiers de la motte avant d'arroser de nouveau. En période de repos, réduire encore la quantité d'eau : en donner juste assez pour empêcher le mélange de se dessécher complètement.

Engrais En période de croissance, donner une fois par mois un apport d'engrais liquide ordinaire — mais seulement aux plantes adultes et en santé.

Empotage et rempotage Utiliser un mélange à volume égal de terreau (voir page 429) et de sable grossier ou de perlite. Pour améliorer le drainage, couvrir le fond des pots d'une couche de tessons de grès de 2,5 cm. Rempoter les jeunes plants au printemps; les vieilles plantes se plairont pendant plusieurs années dans des pots de 8 à 10 cm ou des demi-pots. Si l'on groupe plusieurs ceropegias dans une corbeille, laisser un espace de 4 ou 5 cm entre les tubercules pour que la plante ait meilleure apparence.

Multiplication Elle peut se faire en tout temps durant la période de croissance au moyen des bulbilles qui se forment le long des tiges. Prélever la bulbille et la planter dans un petit pot contenant le mélange recommandé, sur la surface duquel on aura déposé 1 cm de sable grossier ou de perlite. Placer la bulbille sur cette couche de sable ou de perlite, elle risquera moins de pourrir. (On peut aussi utiliser des boutures de tiges de 5 à 7,5 cm et les planter dans le même mélange. Pour empêcher les boutures de pourrir, verser un peu de sable dans le trou qui les recevra.) Arroser modérément et laisser sécher la motte aux deux tiers entre les arrosages. L'enracinement peut prendre jusqu'à huit semaines, à la suite desquelles la croissance se poursuivra rapidement. Une fois les jeunes plants bien établis, les exposer progressivement à la lumière du soleil et leur donner tous les soins recommandés pour les ceropegias adultes.

Chaîne-des-cœurs, voir *Ceropegia.*

Chamaecereus

CACTACÉES

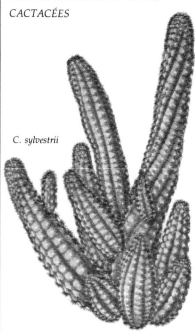

C. sylvestrii

Il n'existe qu'une espèce de cha-maecereus : *C. silvestrii* dont les jeunes pousses ressemblent à des cacahouètes. Avec l'âge, cependant, elles s'allongent et forment des tiges cylindriques vert pâle, tendres, divisées par 8 à 10 côtes longitudinales que séparent de larges sillons peu profonds. Les tiges adultes mesurent 15 cm de long et 1,5 cm de diamètre; elles tendent à s'étaler à la surface du sol où elles s'entremêlent aux petits rameaux naissants. Ce cactus, en effet, se ramifie si rapidement qu'après deux ans il couvre la surface d'un pot de 14 cm. Chacune des petites aréoles placées en rangs serrés sur les côtes porte de 10 à 15 petits aiguillons blanchâtres. Les fleurs écarlates, longues de 2,5 cm, en forme d'entonnoir, sortent des

Fleur de *C. sylvestrii* hybride

aréoles au début de l'été. Chaque fleur de *C. sylvestrii* ne dure qu'un jour, mais la période de floraison s'étend sur deux ou trois semaines,

et elle est particulièrement abondante.

L'espèce a été croisée avec le genre *Lobivia*. De ce croisement sont nés des hybrides très intéressants à fleurs jaunes, orange, rouges ou pourpres. Ils n'ont pas reçu de nom : on les désigne généralement par la couleur de leurs fleurs. Leurs tiges sont plus épaisses, plus droites, mais croissent moins vite que celles de *C. sylvestrii*.

Un cultivar, *C. s.* 'Lutea', présente des tiges jaune clair, particularité due à une carence de chlorophylle (pigment assimilateur vert contenu dans les tiges et les feuilles). Cette plante ne peut donc vivre par elle-même et doit être greffée sur un autre cactus, tel que le cereus. A tous les autres points de vue, cependant, et surtout par ses jolies fleurs écarlates que les tiges jaunes mettent bien en valeur, cette plante ressemble à tous les chamaecereus. Elle ne peut évidemment se multiplier, mais il est facile de se procurer des jeunes plants déjà greffés.

Voir aussi CACTEES.

C. s. 'Lutea' n'a pas de chlorophylle, d'où ses tiges jaunes. Il ne peut vivre que greffé sur un autre cactus qui le nourrit.

SOINS PARTICULIERS

Lumière Faute de lumière, les tiges de *C. sylvestrii* perdent de la vigueur. Toujours le garder près de la fenêtre la plus ensoleillée : il n'en fleurira que plus abondamment.

Température Pendant la phase de croissance, il s'accommode de la température normale d'une pièce. En toute autre période, il peut supporter des températures allant jusqu'au point de congélation (ce qui, toutefois, n'est pas souhaitable). Le forcer à un repos hivernal en le gardant dans un local très frais (à moins de 7°C).

Arrosage En période de croissance, arroser pour garder le mélange humide et laisser sécher sur 1 cm avant d'arroser de nouveau. En période de repos, arroser en fonction de la température. Si le local où se trouve le chamaecereus est très frais (en dessous de 4°C), ne pas arroser du tout; s'il est plus chaud, arroser juste assez pour que la motte ne se dessèche pas complètement. Il s'agit en somme d'empêcher la plante de croître durant les mois d'hiver, alors que la lumière est insuffisante.

Engrais En période de croissance, donner de l'engrais à tomates une fois par mois si la plante est cultivée dans un mélange à base de terreau, mais seulement une fois tous les 15 jours si elle croît dans un mélange à base de tourbe.

Empotage et rempotage Utiliser un mélange à base de terreau ou de tourbe (2/3) [voir page 429] additionné de sable grossier ou de perlite (1/3). Le système racinaire du chamaecereus étant peu développé et la plante s'étalant beaucoup, un grand plat de 7,5 cm de profondeur lui convient; placer les sujets beaucoup plus déployés dans une terrine à semis. Rempoter au printemps lorsque les tiges deviennent trop envahissantes, ou prélever des boutures.

Multiplication *C. sylvestrii* ne produisant pas de graines, la multiplication se fait par bouturage, opération facile. Prélever de la tige principale un rameau de 5 cm — il se détache aisément — et l'empoter dans un godet de 5 à 8 cm contenant le type de mélange utilisé pour la plante mère. Coucher la bouture à la surface du mélange. On peut aussi placer plusieurs boutures dans un grand plateau à semis en laissant un espace de 7,5 à 10 cm entre elles. Traitées comme la plante mère, elles ne tarderont pas à produire de nouvelles pousses et seront sans doute en mesure de fleurir l'été suivant.

Il n'est pas rare de voir de petits rameaux se détacher de la tige principale pendant qu'on manipule la plante. On peut les bouturer sans même les laisser sécher comme on le recommande habituellement. Ces rameaux ont une articulation si petite qu'ils risquent peu de pourrir à ce niveau.

Chamaedorea

PALMIERS

Palmier nain
C. elegans

*Un air trop sec peut faire brunir
le bout des feuilles du chamaedorea.
Corriger l'hygrométrie en posant les pots
sur des gravillons gardés humides.*

Les quelques espèces le plus couramment cultivées présentent une tige ligneuse garnie de feuilles pennées (c'est-à-dire composées de folioles disposées comme les barbes d'une plume). Lorsque la plante a au moins trois ans, elle donne de petites fleurs jaunes assez banales qui apparaissent à l'aisselle des feuilles. En appartement, le chamaedorea dépasse rarement 90 cm de hauteur. Toutefois, s'il est gardé dans un très grand bac, il pourra atteindre une plus haute taille. C'est une plante de culture facile, aimant l'humidité, mais tolérant l'air sec.
Voir aussi PALMIERS.

ESPÈCES RECOMMANDÉES

C. elegans (palmier nain) est l'un des plus beaux palmiers d'appartement. (Il s'est longtemps appelé *Neanthe bella* ou encore *Collinia elegans*.) Ce palmier miniature met plusieurs années à atteindre 90 cm. Sa tige trapue et verte porte des feuilles légèrement arquées dont la longueur varie de 45 à 60 cm. Les folioles peuvent atteindre 15 cm de long sur 2,5 de large; elles sont disposées par paires le long d'un pétiole jaunâtre. La variété *C. e.*

'Bella', beaucoup plus fournie, est la plus recherchée.

C. erumpens présente un groupe de tiges vertes, lisses, élancées et articulées (comme des tiges de bambou). Il peut atteindre 2,45 m. Ses feuilles vert sombre, un peu arquées, mesurent de 45 à 50 cm, et sont portées sur des pétioles presque dressés de 15 à 25 cm. Chaque feuille peut compter jusqu'à 10 paires de folioles de 20 à 25 cm de long sur 2,5 cm de large. La paire terminale est parfois plus large que les autres. Les feuilles ont tendance à se grouper sur les tiges, laissant de grandes sections à découvert.

C. seifrizii (parfois appelé *C. graminifolia*) porte des feuilles d'un vert glauque profond, de 60 à 90 cm, délicates comme de la dentelle, composées de folioles de 40 cm et groupées à l'extrémité d'un bouquet de tiges graciles. La plante peut atteindre 1,20 m.

SOINS PARTICULIERS

Lumière Le chamaedorea préfère une lumière vive tamisée. En hiver, placé loin d'une fenêtre, il se met à pousser en hauteur.
Température Bien qu'il ne soit pas très exigeant à cet égard, le cha-maedorea s'accommode mieux de températures se maintenant entre 18 et 24°C. Minimum tolérable en hiver : 13°C. Poser les pots sur des gravillons, dans une soucoupe contenant de l'eau, et bassiner régulièrement le feuillage.

Arrosage En période de croissance, arroser généreusement : le mélange terreux doit être très humide. On peut même laisser de l'eau dans la soucoupe. En période de repos, réduire les arrosages de manière à garder le mélange tout juste humide. Laisser sécher aux deux tiers entre les arrosages.
Engrais Ne fertiliser que durant la croissance. Donner alors un apport d'engrais liquide ordinaire, dilué de moitié, une fois par mois.
Empotage et rempotage Utiliser un mélange à volume égal de terreau (voir page 429) et de tourbe ou de feuilles décomposées. Ne rempoter le chamaedorea que lorsque ses racines remplissent le pot (voir page 426) et cesser de le faire quand il a atteint un pot de 18 cm. Au cours du rempotage, manipuler la plante avec soin. Bien tasser la terre, mais en prenant soin de ne pas endommager les racines, ce qui affaiblirait la plante pendant plusieurs semaines.
Multiplication L'opération est trop compliquée pour être effectuée dans la maison.
Remarque Lorsque les feuilles jaunissent ou se couvrent de petites taches ou que de fines toiles se forment sous les feuilles, c'est que les araignées rouges ont fait leur apparition (voir page 454). La plante ne risque cependant pas d'être infestée si l'hygrométrie est convenable.

Chamaerops
PALMIERS

Doum d'Afrique du Nord
C. humilis

Lumière Cette plante réclame trois ou quatre heures d'ensoleillement par jour. Elle tolère une ombre légère, mais sa croissance ralentit et son feuillage est plus espacé.

Température La température normale d'une pièce lui convient. La température du repos hivernal devrait se situer entre 13 et 16°C.

Arrosage En période de croissance, arroser généreusement, mais ne pas laisser d'eau dans la soucoupe. En période de repos, arroser parcimonieusement et laisser sécher les deux tiers du mélange entre les arrosages.

Engrais Pendant la croissance, donner un apport d'engrais liquide ordinaire tous les 15 jours.

Empotage et rempotage Utiliser un mélange à base de terreau (voir page 429). Rempoter tous les deux ans au printemps; lorsque la plante loge dans un pot de 20 à 30 cm, renouveler la couche superficielle du mélange (voir page 428).

Multiplication Elle se fait par semis au début du printemps, à une température d'au moins 18°C, ou par empotage de drageons. Détacher un drageon de 20 à 25 cm en lui conservant des racines; le planter dans un pot de 12 cm rempli d'un mélange humidifié à base de terreau et le placer à la lumière vive mais tamisée. Arroser modérément jusqu'à apparition de nouvelles pousses. Cultiver normalement.

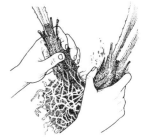

Pour multiplier un chamaerops, choisir un drageon déjà pourvu d'un certain nombre de racines.

Chant-indien, voir *Pleomele reflexa variegata.*

Chapeau-d'évêque, voir *Astrophytum myriostigma.*

Chêne d'appartement, voir *Nicodemia diversifolia.*

Cheveu-de-Vénus, voir *Adiantum capillus-veneris.*

Chlorophyte, voir *Chlorophytum.*

Au genre *Chamaerops* (doum d'Afrique du Nord) ne se rattache qu'une seule espèce, *C. humilis*, seul palmier indigène d'Europe, plus précisément des régions méditerranéennes. C'est un arbuste buissonnant de 1,20 m dont les stipes portent des feuilles disposées en éventail qui naissent sur des tiges rigides et épineuses de 40 cm. Les feuilles de 60 cm, vert-gris sombre, pennées, sont rigides, ensiformes et à sommet fourchu. Les jeunes feuilles ont de fins poils gris qu'elles perdent ensuite. A l'intérieur, le chamaerops ne produit ni fleurs ni fruits.

C. h. arborescens diffère de l'espèce type par son stipe unique atteignant 1,80 m, et *C. h. argentea* par ses feuilles gris argent, tandis que *C. h. elegans* est moins buissonnant. Enfin, *C. h.* 'Canariensis' et *C. h.* 'Robusta' ont des feuilles plus larges que les autres formes.
Voir aussi PALMIERS.

Chlorophytum
LILIACÉES

Plante araignée
C. comosum
'Vittatum'

Il existe plusieurs espèces du genre *Chlorophytum* (chlorophyte, phalangère), mais la seule qui soit cultivée couramment en appartement est *C. comosum*, dont on connaît plusieurs variétés. Toutes ces variétés produisent des touffes de feuilles souples, lancéolées et arquées pouvant avoir 2 cm de large. En période de croissance, des stolons jaune clair mesurant jusqu'à 60 cm sortent d'entre les feuilles. Ils portent des fleurettes blanches à 6 pétales auxquelles succèdent des plantules qui émettent des racines sitôt

En attachant les stolons envahissants sur un cerceau de bambou, on gagne de l'espace tout en obtenant un effet décoratif.

qu'elles ont pris forme. Les stolons se recourbant vers la terre, les plantules peuvent s'y enraciner quand la plante, bien entendu, se trouve dans son habitat naturel. Quand elle est cultivée en pot, on peut attacher les stolons encombrants à un cerceau de bambou. Les chlorophytums sont de très gracieuses plantes à grouper et suspendre.

CHLOROPHYTUMS RECOMMANDÉS

C. comosum 'Mandaianum' a des feuilles de 10 à 15 cm, vert sombre, ornées d'une rayure centrale jaune.

C. c. 'Picturatum' se rapproche du précédent par ses feuilles vert moyen de 30 cm de long, à rayure centrale jaune.

C. c. 'Variegatum' (plante araignée) se reconnaît à ses feuilles de 40 cm, d'un beau vert marginé de blanc.

C. c. 'Vittatum' (plante araignée) porte des feuilles d'un vert moyen, mesurant de 15 à 30 cm, marquées

d'une bande centrale, parfois assez large, blanche ou crème.

SOINS PARTICULIERS

Lumière Pour être en santé et avoir un feuillage vivement panaché, le chlorophytum exige une pleine lumière et un peu d'ensoleillement, surtout en hiver. Le soustraire au chaud soleil de midi qui peut brûler ses feuilles.

Température Il pousse bien à la chaleur normale d'une pièce, mais supporte mal des températures inférieures à 7°C.

Arrosage Pendant la phase de croissance, arroser généreusement pour que le mélange terreux soit constamment très humide. Pendant la période de repos, arroser moins, mais suffisamment pour humidifier le mélange, et laisser sécher sur 1 cm entre les arrosages. Le manque d'eau rend le feuillage terne (mais les couleurs reprennent leur éclat dès qu'on arrose la plante) et peut faire roussir définitivement le bout des feuilles.

Engrais Tout au long de l'année, donner aux plantes adultes (celles qui ont produit des stolons) un apport d'engrais liquide ordinaire tous les 15 jours.

Empotage et rempotage Utiliser un mélange à base de terreau (voir page 429). Ménager beaucoup d'espace aux racines tubéreuses que produit cette plante. La motte doit s'arrêter à 2,5 cm du bord du pot. Rempoter la plante lorsque ses ra-

Lorsque les racines du chlorophytum ont soulevé le mélange jusqu'au bord du pot, rempoter la plante en laissant à nouveau un espace de 2,5 cm.

cines ont soulevé le mélange jusqu'au bord et qu'il n'y a plus de place pour ajouter de l'eau. Le rempotage peut se faire n'importe quand.

Multiplication Prélever des plantules avec ou sans racines, mais ayant des feuilles de 5 à 7,5 cm. Couper les feuilles inférieures, car elles risquent de pourrir. Mettre les plantules avec racines dans un bocal d'eau et les empoter dans un mélange à base de terreau lorsque les racines ont 2,5 cm. Quant aux plantules sans racines, les plonger dans une poudre d'hormones et les empoter dans un mélange humidifié à base de tourbe ou un mélange à volume égal de tourbe et de sable (voir page 429). Dans une pièce chaude (18°C au moins) moyennement éclairée, le système racinaire se développera rapidement pourvu que le mélange reste humide. Six à huit semaines plus tard, repiquer les plants dans des pots de 8 cm, contenant un mélange à base de terreau, et les traiter comme des plantes adultes.

Il existe une autre méthode qui se rapproche du marcottage (voir page 439) et de la reproduction naturelle de la plante. Elle consiste à empoter les plantules tout autour de la plante mère et sans les détacher de celle-ci, en leur assurant un bon contact avec le mélange. Après six semaines environ d'enracinement, séparer les plantules de la plante mère en coupant le stolon. Cette méthode est très efficace, mais elle exige beaucoup d'espace.

Multiplication des chlorophytums

Prélever les plantules qui ont déjà quelques racines et les mettre dans l'eau pour que celles-ci se développent.

Ou bien, les empoter sans les détacher et les laisser s'enraciner pendant six semaines avant de couper le stolon.

Chrysalidocarpus
PALMIERS

Palmier d'Arec
C. lutescens

Une seule espèce du genre *Chrysalidocarpus*, *C. lutescens* (autrefois appelé *Areca lutescens*), se cultive en appartement. Les tiges semblables à des roseaux croissent en touffes denses. Les feuilles arquées sont portées par des pétioles de 60 cm, orangés et profondément cannelés. Elles sont divisées en plusieurs segments verdâtres, rigides et luisants, de 60 cm sur 1, disposés par paires de part et d'autre d'un rachis saillant. Les feuilles d'un chrysalidocarpus de 1,50 m peuvent mesurer de 90 cm à 1,20 m. Les vieilles tiges sont marquées de nœuds, traces d'anciennes palmes.

La croissance du chrysalidocarpus est plutôt lente. Gardé dans de bonnes conditions, il parvient à grandir de 15 à 20 cm par année. Il s'entoure à la souche de plusieurs petits drageons qui peuvent servir à la reproduction.
Voir aussi PALMIERS.

SOINS PARTICULIERS
Lumière Ce palmier préfère la lumière du soleil filtrée par un store ou des rideaux translucides.

Température Il croît bien à la température normale d'un appartement, mais se porte mal lorsque la température descend au-dessous de 13°C.

Arrosage Donner beaucoup d'eau aussi souvent qu'il le faut pour garder le mélange très humide, mais ne jamais en laisser dans la soucoupe. Si la température descend au-dessous de 13°C, donner juste assez d'eau pour empêcher le mélange de se dessécher.

Engrais Pendant la croissance, fertiliser avec un engrais liquide ordinaire tous les 15 jours.

Empotage et rempotage Rempoter tous les deux ans, au printemps, dans un mélange à base de terreau (voir page 429). Bien presser le compost autour des racines, mais en prenant soin de ne pas les endommager. Lorsque la plante est arrivée à maturité, cesser le rempotage, mais renouveler tous les ans la couche superficielle du mélange (voir page 428).

Multiplication Elle se pratique surtout par semis en pépinière, à la fin du printemps, à une température de 18°C. Le semis peut se faire à domicile (voir page 441), mais il faudra attendre plusieurs années avant que la plante arrive à maturité. La multiplication par drageons est beaucoup plus rapide.

La reproduction du chrysalidocarpus se fait à partir de drageons mesurant 30 cm et pourvus de bonnes racines.

Prélever ceux-ci au printemps lorsqu'ils mesurent 30 cm et possèdent de bonnes racines, ce que l'on peut vérifier en dépotant la plante.

Planter chaque drageon dans un pot de 10 à 14 cm rempli d'un mélange humidifié, composé de terreau (2/3) [voir page 429] et de sable grossier ou de perlite (1/3). Enfermer dans des sachets de plastique et garder dans une pièce chaude moyennement éclairée pendant quatre à six semaines. Retirer alors le sachet et arroser. Laisser sécher sur 2,5 cm entre les arrosages. Quand la croissance reprend, traiter le plant comme un sujet adulte, mais ne lui donner d'engrais que trois ou quatre mois plus tard. Au printemps, l'empoter dans un mélange ordinaire.

Chrysanthème, voir *Chrysanthemum*.

Chrysanthemum
COMPOSÉES

C. morifolium

Les chrysanthèmes sont des plantes éphémères. Les deux espèces les plus répandues, *C. frutescens* et *C. morifolium* (parfois appelé *C. hortorum*), ont un port buissonnant et des tiges tendres mais ligneuses. Leurs fleurs capitulées ressemblent à celles des marguerites. *C. frutescens* ne fleurit que l'été; on l'achète donc de préférence à la fin du printemps. *C. morifolium*, qui fleurit naturellement à la fin de l'automne et au début de l'hiver, s'achète en fleur toute l'année. En créant autour de cette dernière espèce une nuit artificielle et en ayant recours à des procédés de miniaturisation, les horticulteurs ont complètement renouvelé la culture commerciale des chrysanthèmes, de sorte qu'on peut maintenant obtenir des plantes qui fleurissent en toute saison.

ESPÈCES RECOMMANDÉES

C. frutescens peut atteindre 90 cm, mais les sujets vendus pour la culture en appartement ne dépassent pas 45 cm car les pousses ont été pincées. Les feuilles alternes, profondément découpées en folioles lobées et portées sur de courts pétioles, sont vert pâle et mesurent de 5 à 10 cm sur 7,5. Les capitules viennent parfois en si grand nombre qu'elles cachent à demi le feuillage. Chaque fleur de 5 à 7,5 cm de diamètre comporte un cercle simple et dense de pétales blancs entourant un disque jaune surélevé. Il existe une variété à pétales jaune citron, *C. f.* 'Etoile d'Or', et une autre, *C. f.* 'Mary Wootten', à fleurs de 7,5 à 10 cm de diamètre dont les pétales sont roses.

C. morifolium n'atteint pas 30 cm en pot. Ses feuilles, de même forme que celles de *C. frutescens*, sont vert foncé. Ses fleurs de couleurs variées ont un diamètre de 2,5 à 7,5 cm; leurs pétales, qui se chevauchent, sont parfois si rapprochés qu'ils dissimulent le disque central.

SOINS PARTICULIERS

Lumière *C. frutescens* doit être exposé au soleil trois ou quatre heures par jour, sinon ses boutons floraux risquent de ne pas éclore. *C. mori-*

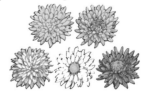

Fleurs de C. morifolium

folium demande une lumière vive mais tamisée.

Température Garder les chrysanthèmes dans un endroit frais. La température idéale se situe entre 13 et 18°C. Des températures plus élevées abrégeront la floraison. Pour augmenter l'humidité, placer les pots sur des gravillons ou de la tourbe maintenus humides.

Arrosage Les chrysanthèmes de commerce sèchent rapidement. Ils doivent être arrosés généreusement pour que le mélange reste humide.

Engrais Ces plantes éphémères n'ont pas besoin d'être fertilisées.

Empotage et rempotage Le rempotage est inutile. A des fins décoratives, on peut cependant grouper plusieurs exemplaires dans un bac ou une corbeille. Remplir les vides entre les plants avec de la tourbe humide.

Multiplication Il est préférable d'acheter de jeunes plants, car la multiplication est irréalisable en appartement.

Remarques Choisir des chrysanthèmes dont les boutons floraux sont colorés. Souvent, les boutons verts, peu avancés, ne s'ouvrent pas. Dans les régions où l'hiver n'est pas rigoureux, on peut transplanter dans le jardin les formes naines de *C. morifolium*, une fois la floraison passée, mais elles ne demeureront pas naines. Avec les années, elles pourront atteindre de 90 cm à 1,20 m.

Choisir des chrysanthèmes dont quelques boutons floraux sont colorés. Souvent, les boutons verts, très fermés, ne s'épanouissent pas.

Cierge, voir *Cereus.*
Cierge barbe-de-vieillard, voir *Cephalocereus senilis.*
Cierge laineux, voir *Espostoa lanata.*
Cinéraire, voir *Cineraria.*

Cineraria
COMPOSÉES

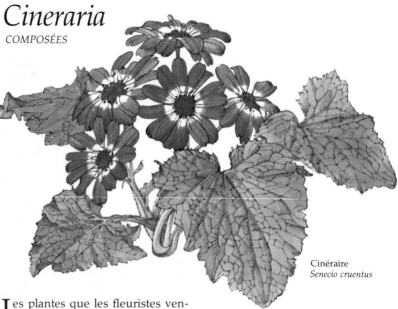

Cinéraire
Senecio cruentus

Les plantes que les fleuristes vendent sous le nom de cinéraires se rattachent botaniquement au genre *Senecio*. Ce sont les espèces *S. hybridus* et *S. cruentus*. (Pour les autres espèces, voir sous *Senecio*.) Issues d'une hybridation complexe, les cinéraires sont des plantes d'intérieur à floraison printanière, réputées pour leurs séduisantes fleurs de 2,5 à 7,5 cm de diamètre, qui évoquent les corolles des marguerites. Les horticulteurs font leurs semis au début de l'été, gardent les jeunes plants en serre à environ 7°C durant l'hiver et les vendent lorsque les premiers boutons floraux commencent à s'ouvrir. Après la floraison, qui dure plusieurs semaines, il n'y a plus qu'à se défaire de ces plantes éphémères.

Les cinéraires ont une taille qui va de 30 à 60 cm. En général, leurs fleurs rouges, bleues, mauves ou pourpres, de teintes franches ou pastel, ont un cercle blanc entourant un cœur de marguerite, mais peuvent être d'une seule couleur. Réunies en corymbe étalé ou bombé d'au plus 25 cm, elles sont parfois si denses qu'elles cachent presque les feuilles vert sombre, un peu velues, cordiformes ou triangulaires à bords dentés. Chez plusieurs variétés, le dessous des feuilles est teinté de pourpre.

Les cinéraires réclament un endroit frais, bien éclairé, mais abrité des rayons du soleil. Un degré hygrométrique élevé prolongera la floraison; aussi convient-il de placer les pots sur des plateaux de gravillons ou de tourbe gardés humides et de les arroser fréquemment pour que le mélange soit toujours trempé. La plante s'affaisse si ses racines se dessèchent; elle peut sembler s'en remettre après un bon arrosage, mais sa durée en est considérablement abrégée. Il est inutile, par ailleurs, de fertiliser ces

Fleurs de cinerarias hybrides

plantes éphémères. En cas de dessèchement du sol, plonger le pot dans un bassin rempli d'eau et l'y laisser pendant une demi-heure. Lorsque la motte est bien imbibée, laisser s'égoutter.

Bien surveiller les pucerons qui se multiplient autour des boutons floraux non ouverts et les mouches blanches (voir page 455). Prendre les moyens qui s'imposent pour éliminer rapidement ces insectes.

Cissus

VITACÉES

Vigne des kangourous
C. antarctica

De très nombreuses espèces de cissus (vigne d'appartement) sont cultivées à l'intérieur. Elles sont toutes des plantes grimpantes proches parentes des vignes. La plupart produisent des vrilles qui s'enroulent autour du moindre support et toutes sont de culture facile.

ESPÈCES RECOMMANDÉES

C. antarctica (vigne des kangourous) est l'espèce la plus répandue. Elle peut atteindre de 1,80 à 3 m et est souvent tuteurée sur des bambous pour former un écran de verdure dans une pièce ou derrière une collection de plantes vertes. Les feuilles de 10 cm, vernissées, vert foncé, de forme ovale et à bords dentelés sont portées sur un court pétiole rouge. Il suffit de pincer les tiges au point de croissance pour donner à la plante un port plus buissonnant et moins de hauteur. Laissés à eux-mêmes, les cissus peuvent grandir de 60 cm en une année. Il existe une forme naine dont la croissance est très lente, *C. a.* 'Minima'. Comme cette plante est plutôt rampante, elle sied bien aux corbeilles.

C. discolor est une impressionnante plante grimpante à tiges grêles, à feuilles acuminées, cordiformes, longues de 10 à 20 cm, d'un vert velouté panaché d'argent et de pourpre à la face externe et rouges au revers. Cette espèce *n'est pas* facile à cultiver, et ne prospère que dans de grandes vitrines (voir page 53). Là, elle peut bénéficier de la chaleur, de l'humidité élevée et de la lumière sans soleil dont elle a besoin, tout en étant à l'abri des courants d'air.

C. rhombifolia (autrefois connu sous le nom de *Vitis rhombifolia* puis de *Rhoicissus rhomboidea*, appellation encore en usage, et communément nommé fausse vigne ou vigne du Natal) a des feuilles à bords dentés composées de 3 folioles de 5 cm, à forme rhomboïdale, portées sur 2 courts pétioles latéraux et un long pétiole central. Le fin duvet qui recouvre les nouvelles feuilles leur donne des reflets argentés. Le feuillage adulte est brillant et vert sombre sur le dessus, brun et légèrement velu en dessous. Les vrilles ont des extrémités fourchues. La croissance est rapide, de 60 à 90 cm par année, et la plante bien tuteurée peut atteindre facilement 3 m. *C. r.* 'Ellen Danica' est une variété récente qui diffère de l'espèce par ses folioles plus larges et arrondies, à bords profondément lobés. *C. r.* 'Mandaiana' présente aussi des feuilles plus larges et plus rondes; les jeunes plants sont érigés, mais ne deviennent grimpants qu'après deux ou trois ans.

C. sicyoides est une plante rampante à feuilles cordiformes, légèrement dentées, vert pâle (gris argent chez les jeunes plants), mesurant 10 cm. Elle prend beaucoup de place.

C. striata est la plus petite espèce cultivée. Ses tiges sont volubiles et rougeâtres. Ses feuilles à 5 petites folioles d'un diamètre de 7,5 cm sont portées par de courts pétioles. Elles sont vert bronze avec des nervures plus pâles sur le dessus, et

C. striata   *C. discolor*

Fausse vigne
C. rhombifolia

rosées au revers. *C. striata* est une merveilleuse petite vigne qui s'accroche à un support ou se suspend en corbeille.

SOINS PARTICULIERS

Lumière Les cissus préfèrent un éclairement vif sans ensoleillement. L'exposition au soleil produit sur les feuilles des marques transparentes qui brunissent, surtout chez *C. antarctica*.

Température Les cissus aiment la chaleur, mais apprécient un court repos hivernal à environ 13°C. *C. discolor* perdra ses feuilles si la température tombe en dessous de 18°C durant la phase de croissance. Cette chute peut même se produire en hiver.

Arrosage Un excès d'eau peut faire tomber les feuilles de *C. discolor*. L'arroser parcimonieusement, et laisser sécher la moitié de la motte entre les arrosages. Les autres espèces ont besoin de plus d'humidité. Durant la période de croissance, humidifier complètement le mélange terreux, et laisser sécher de moitié entre les arrosages. Durant la période de repos, n'arroser que pour empêcher la motte de se dessécher complètement.

Engrais Fertiliser tous les 15 jours avec un engrais liquide ordinaire du début du printemps à la fin de l'automne.

Empotage et rempotage Rempoter au printemps dans un mélange à base de terreau (voir page 429). Bien nourries, les plantes de 1,80 m de haut se contenteront d'un pot de 20 à 25 cm. Lorsque la plante a atteint sa taille optimale, renouveler simplement la couche superficielle du mélange (voir page 428).

Multiplication Placées dans un milieu convenable, de jeunes boutures de 7,5 à 15 cm prélevées au printemps mettront six à huit semaines à se faire des racines. Enlever les feuilles inférieures et plonger la partie sectionnée des boutures dans une poudre d'hormones favorisant le développement des racines. Placer 4 ou 5 boutures dans un pot de 8 cm contenant un mélange à volume égal de tourbe et de sable grossier ou de perlite, bien humidifié. Enfermer les pots dans un sachet de plastique transparent et les déposer dans un endroit chaud où la lumière est tamisée par un store ou des rideaux translucides. Lorsque de nouvelles pousses apparaissent, retirer le

sachet, arroser parcimonieusement en laissant sécher le mélange sur 2,5 cm entre les arrosages. Lorsque les jeunes plants sont bien établis, les repiquer dans un mélange ordinaire et les traiter comme des plantes adultes.

On peut aussi marcotter les tiges rampantes (voir page 439) dans un mélange à enracinement.

Remarques Pincer régulièrement les pousses pour que la plante se ramifie. Dès que les feuilles inférieures se mettent à tomber et que la plante se dégarnit, rabattre les tiges au printemps. Attacher les

Il est parfois préférable d'attacher les tiges vigoureuses du cissus à un support avec une ficelle ou du raphia.

Au printemps, rabattre les tiges latérales d'un gros cissus à 2,5 cm et émonder du tiers les grandes tiges (à droite).

tiges principales à un support. Il est recommandé de rabattre du tiers les tiges principales des grosses plantes au début du printemps. Au même moment, couper les tiges latérales au niveau d'un nœud et à 2,5 cm de la tige principale.

Si l'air est très sec, surveiller les araignées rouges qui peuvent apparaître sur la face inférieure des feuilles (voir page 454).

Citronnier, voir *Citrus*.

Citrus
RUTACÉES

Calamondin,
oranger de Panama
C. mitis

Le genre *Citrus* regroupe une quinzaine de petits arbres et d'arbustes comprenant les agrumes : citronnier, limon, oranger, mandarinier et pamplemoussier. Les jeunes plantes se signalent par leur feuillage lustré et vert sombre, leurs fleurs abondantes et leurs fruits aux couleurs vives. Les citrus ont des feuilles ovales et vernissées, portées sur de courts pétioles, et présentent presque tous des tiges et des rameaux épineux. Les fleurs odorantes, généralement blanches, de 2,5 cm, à 5 pétales arrondis au sommet et à étamines en saillie, sont solitaires ou groupées par 4 ou 5. La floraison a normalement lieu à la fin du printemps ou en été; bien traités, certains agrumes comme le citronnier peuvent fleurir presque sans interruption. Les fruits mûrissent en trois mois environ et demeurent de longs mois sur les branches. Les arbustes à citrons et à oranges douces donnent des fruits comestibles. Il n'est pas rare de voir des agrumes porter en même temps des fleurs et des fruits.

ESPÈCES RECOMMANDÉES

C. limon (limon) peut atteindre 6 m de haut lorsqu'il est planté dans un verger, mais, cultivés en pots, *C. l.* 'Meyer' et *C. l.* 'Ponderosa' ne dépassent pas 1,20 m. Le premier présente des feuilles atteignant 10 cm et des fruits jaunâtres, globuleux, à écorce mince, pouvant avoir 7,5 cm de diamètre. Le second a des feuilles semblables, mais ses fruits jaune orange d'au plus 11 cm ont une écorce épaisse et rugueuse.
C. limonia (autrefois connu sous le nom de *C. taitensis* ou de *C. otaitensis* et communément appelé citronnier ou limonier) est maintenant considéré comme un hybride de *C. limon* et de *C. reticulata* (mandarinier). C'est un petit arbre à rameaux dépourvus d'épines, à fleurs teintées de pourpre et à fruits jaune foncé ou orange, de forme arrondie et mesurant jusqu'à 5 cm de diamètre.
C. mitis (calamondin ou oranger de Panama) est le plus répandu des citrus d'intérieur. Selon les botanistes, c'est un hybride qui devrait porter le nom de *Citrofortunella mitis*. Cette plante, qui peut atteindre 1,20 m, donne déjà des fruits alors qu'elle ne mesure que quelques centimètres. Ses nombreux rameaux dépourvus d'épines, ou presque, portent des feuilles de 5 à 10 cm, des fleurs par intermittence et des fruits à profusion à longueur d'année. Ceux-ci sont ronds et orange vif; ils mesurent 3 cm de diamètre et apparaissent en grappes de 2 ou 3.
C. sinensis (oranger) est la seule espèce à donner des fruits sucrés.

Fruits de trois variétés de *Citrus*

Elle atteint 1,20 m de haut dans un pot de 20 à 30 cm. Ses tiges robustes et épineuses portent des feuilles de près de 10 cm. Ses fruits orange vif, à écorce lisse, poussent en solitaires et mesurent environ 7 cm de diamètre.

SOINS PARTICULIERS

Lumière Procurer aux citrus au moins quatre heures de plein soleil par jour. En été, les placer à l'extérieur, en pleine lumière.
Température Ils s'accommodent de la température intérieure normale. Placer les pots sur de la tourbe ou des gravillons maintenus humides et bassiner de temps à autre. En hiver, si la température descend en dessous de 10°C, ils cesseront de croître (tout en supportant des froids de 4°C).
Arrosage Pendant la phase de croissance, arroser modérément et laisser le mélange sécher sur 2,5 cm entre les arrosages. En période de repos, n'arroser que pour empêcher le mélange de se dessécher complètement.
Engrais En période de croissance, fertiliser tous les 15 jours avec un

engrais à tomates riche en potassium. Ne pas fertiliser durant les jours courts de l'hiver.

Empotage et rempotage Utiliser un mélange à base de terreau (voir page 429). *C. mitis* portera fleurs et fruits dans un pot de 12 à 16 cm; les autres espèces ne fleuriront pas avant de remplir un pot de 24 cm. Rempoter au printemps jusqu'à ce que la plante atteigne son plein développement. Renouveler alors la couche superficielle du mélange une fois par an (voir page 428).

Multiplication Elle se fait par bouturage de segments de rameaux. Plonger chaque segment de 7,5 à 15 cm dans une poudre d'hormones favorisant l'enracinement; planter dans un godet rempli d'un mélange à volume égal de tourbe et de sable grossier ou de perlite, humidifié. Enfermer le godet dans un sachet de plastique et le garder à une lumière moyenne, dans une atmosphère tempérée (de 18 à 21°C). L'enracinement prend de six à huit semaines. Retirer alors le sachet et arroser légèrement, juste pour empêcher le mélange de se dessécher, jusqu'à ce que de nouvelles pousses apparaissent. A partir de ce moment, fertiliser une fois par mois avec un engrais liquide ordinaire dilué dans de l'eau. Lorsque des racines obstruent les trous d'évacuation, rempoter dans un mélange à base de terreau. Donner les soins recommandés pour les sujets adultes.

La multiplication se fait aussi par semis dans un mélange à enracinement (voir page 444). Gardées à une chaleur humide, les graines germeront en quatre à six semaines. Augmenter alors la lumière, mais abriter les plants du soleil. Rempoter dans un mélange à base de terreau et donner les soins recommandés ci-dessus. Il faudra attendre de 7 à 10 ans avant que les plantes fleurissent.

Remarques Un manque d'humidité peut provoquer l'invasion d'araignées rouges qui feront leurs nids au revers des feuilles (voir page 454). Les cochenilles s'y logent aussi et produisent une sorte de miellat qui laisse un enduit noirâtre, la fumagine (voir page 458). Au printemps, rabattre des deux tiers les tiges trop longues. Pincer les jeunes pousses.

Cleistocactus

CACTACÉES

C. strausii

Il existe une trentaine d'espèces de ces beaux cactus du désert, mais une seule, *Cleistocactus strausii*, se cultive en appartement. Elle présente une longue tige verte garnie de courts aiguillons blanchâtres qui lui donnent des reflets argent. La tige colonnaire porte environ 25 côtes étroites parsemées de petites aréoles blanches, espacées de 1 cm, hérissées d'une trentaine d'aiguillons blancs de 2 cm et de quatre aiguillons un peu plus gros, jaune clair, de 4 cm. La tige principale se ramifie souvent à la souche, juste à la surface du mélange terreux. Dans un pot de 20 cm, le cactus peut atteindre 1,20 m et comporter plusieurs rameaux de taille à peu près égale.

Les cleistocactus ne fleurissent pas avant d'avoir 10 à 15 ans. Lorsque *C. strausii* a atteint 90 cm, il produit en été des fleurs tubuleuses et carmin de 7,5 à 10 cm qui sortent des aréoles au sommet de la tige principale. Elles ne s'ouvrent jamais complètement et ne durent que quelques jours.
Voir aussi CACTÉES.

SOINS PARTICULIERS

Lumière Comme tous les cactus du désert, *C. strausii* exige le plus d'ensoleillement possible. Le placer dehors au soleil durant les mois d'été.

Température En période de croissance, l'atmosphère tempérée d'une pièce lui convient. En hiver, lui ménager un repos en le plaçant à un endroit où la température soit entre 4 et 10°C. S'il est gardé dans un local trop chaud, il continuera de croître, mais, à cause du manque de lumière, il deviendra très grêle.

Arrosage En période de croissance, arroser pour garder le mélange humide et laisser sécher sur 1 cm entre les arrosages. En période de repos, empêcher tout simplement le mélange de se dessécher.

Engrais Durant la croissance, faire un apport d'engrais à tomates : une fois par mois si le cleistocactus pousse dans un mélange à base de terreau et tous les 15 jours s'il croît dans un mélange tourbeux.

Empotage et rempotage Le sol doit être poreux : utiliser un mélange à base de terreau ou de tourbe (2/3) [voir page 429] et additionné de sable grossier ou de perlite (1/3). Quand il est jeune, *C. strausii* pousse rapidement; le rempoter tous les printemps pour terminer dans un pot de 20 cm. Par la suite, renouveler la couche superficielle du mélange (voir page 428).

Multiplication On peut prélever un rameau et lui faire prendre racine, mais la tige principale en gardera une cicatrice. Il vaut mieux obtenir des plants à partir de semis (pour de plus amples détails, voir *CACTÉES*, page 114).

Clérodendron, voir *Clerodendrum.*

Clerodendrum

VERBÉNACÉES

C. thomsoniae

Le genre *Clerodendrum* (cléroden-dron) ne compte qu'une espèce, *C. thomsoniae*, couramment cultivée en appartement. C'est une vigoureuse plante volubile aux inflorescences vivement colorées, qui peut atteindre 3 m de hauteur et plus. Cependant, si les tiges sont pincées régulièrement pendant la phase de croissance, elle ne dépasse pas 1,20 m. On peut toujours enrouler les tiges trop longues autour de fins tuteurs, ou les tailler pour qu'elles retombent. Bien que peu exigeant de nature, le clerodendrum ne fleurira que si on lui donne chaleur et humidité durant sa période de

Bien que volubile, cette plante doit être attachée à de fins tuteurs plantés dans le mélange terreux.

végétation. Ses feuilles plutôt rugueuses et cordiformes, de 13 cm sur 5, sont en général d'un vert profond et veinées d'une nuance plus pâle. Les fleurs apparaissent sur des pédoncules filiformes en bouquets de 10 à 30, à l'extrémité des tiges, au printemps, en été et au début de l'automne. Elles présentent un calice campanulé, blanc ou verdâtre, de 2,5 cm, duquel émerge une corolle étoilée de couleur écarlate, dont le contraste est particulièrement frappant.

La variété *C. t.* 'Delectum' se caractérise par des inflorescences compactes, rose magenta. La variété *C. t.* 'Variegatum' ressemble à l'espèce par ses fleurs, mais en diffère par ses feuilles ourlées de vert clair et marbrées de vert sombre et de vert pâle au centre.

SOINS PARTICULIERS

Lumière Pour fleurir, les clerodendrums exigent une lumière vive, mais tamisée par un store ou des rideaux translucides.

Température La température normale d'une pièce leur convient pendant leur période de croissance.

Leur accorder un repos hivernal en les plaçant dans un endroit où la température sera maintenue entre 10 et 13°C. Pour stimuler la floraison, augmenter l'humidité, au cours de la phase de croissance, en plaçant les pots sur des gravillons gardés humides et en bassinant le feuillage tous les jours.

Arrosage Quand la plante est dans sa phase de croissance, arroser abondamment de manière à garder la motte très humide, mais ne jamais laisser d'eau dans la soucoupe. En période de repos, n'arroser que pour éviter le dessèchement complet du sol.

Engrais Fertiliser avec un engrais liquide ordinaire tous les 15 jours, pendant toute la période de croissance.

Empotage et rempotage Utiliser un mélange à base de terreau (voir page 429). Rempoter les jeunes plantes lorsque les racines remplissent le pot (voir page 426); les plantes adultes fleuriront mieux si elles sont à l'étroit. Les plus gros sujets se contenteront de pots de 15 à 20 cm. Toutefois, il faut renouveler le mélange terreux tous les ans, après la période de repos, et lui ajouter une petite quantité de poudre d'os.

Multiplication Cette plante se multiplie par boutures de 10 à 15 cm de long. Plonger chaque bouture dans une poudre d'hormones favorisant l'enracinement, et planter dans un pot de 8 cm rempli d'un mélange humidifié à volume égal de tourbe et de sable grossier ou de perlite. Enfermer les pots dans des sachets de plastique transparent ou dans une caissette de multiplication (voir page 444) et les garder à une température minimale de 21°C. L'enracinement se fera en quatre à six semaines. Lorsque de nouvelles pousses apparaissent, découvrir les pots; donner juste assez d'eau pour humidifier un peu le mélange et fertiliser tous les 15 jours avec un engrais liquide ordinaire. Quatre mois après le bouturage, rempoter les plantes dans un mélange à base de terreau et leur donner les soins indiqués pour les clerodendrums adultes.

Remarque Lorsque la croissance reprend à la fin de la période de repos, rabattre au moins de moitié la pousse de l'année précédente.

Cleyera

THÉACÉES

C. japonica
'Tricolor'

Une seule espèce du genre *Cleyera* est devenue une plante d'intérieur populaire. Il s'agit de *C. japonica*, un arbuste à port buissonnant dont la variété à feuilles panachées, *C. j.* 'Tricolor' (parfois appelée *C. fortunei*), est facile à cultiver. Les feuilles lustrées, elliptiques, à pointes émoussées, mesurent de 7,5 à 10 cm sur 6,5; elles sont d'un vert foncé que marquent, chez les variétés panachées, des taches plus claires et un pourtour jaune. Les jeunes feuilles ou celles qui sont en pleine lumière seront parfois teintées de rose. Les feuilles alternes sont portées sur de courts pétioles.

Les plantes cultivées en pots dépassent rarement 60 à 75 cm de haut. Les sujets à feuilles unies produisent parfois de petites fleurs blanches odorantes. Les panachés n'en ont que très rarement.

Note : *C. japonica*, autrefois appelé *C. ochnacea*, est souvent confondu avec *Eurya japonica*, un proche parent qui lui ressemble beaucoup.

SOINS PARTICULIERS

Lumière Elle doit être vive; un peu de soleil chaque jour est bénéfique, mais non essentiel.

Température L'air ambiant d'une pièce convient en période de croissance, mais la température idéale se situe entre 10 et 13°C en période de repos.

Arrosage Les cleyeras ont un système racinaire important dont les radicelles sèchent rapidement. En période de croissance, arroser modérément pour bien humidifier la motte. Laisser sécher sur 1 cm entre les arrosages. En période de repos, laisser sécher le tiers de la motte avant d'arroser de nouveau.

Engrais Enrichir d'engrais liquide ordinaire tous les 15 jours durant la période de croissance.

Empotage et rempotage Utiliser un mélange à base de terreau (voir page 429). Tous les ans au moment où la croissance reprend, rempoter la plante; lorsqu'elle a atteint sa taille optimale, renouveler simplement la couche superficielle du mélange (voir page 428).

Multiplication Au tout début du printemps, prélever des boutures de 7,5 à 10 cm. Enlever les feuilles du bas et plonger la partie sectionnée dans de la poudre d'hormones. Planter les boutures dans un mélange humide à volume égal de tourbe et de sable ou de perlite. Garder les pots dans un local chaud où la lumière vive est tamisée par un store ou des rideaux translucides. Arroser modérément, mais suffisamment pour humidifier le mélange. L'enracinement prendra six à huit semaines. Une fois qu'ils sont bien établis, transplanter les jeunes plants dans un mélange à base de terreau et les traiter comme des cleyeras adultes.

Remarques Si on cultive les cleyeras dans une pièce où l'air est chaud et sec, il faudra bassiner quotidiennement le feuillage et placer les pots sur des gravillons gardés humides, afin d'empêcher l'apparition d'araignées rouges (voir page 454). Si les feuilles jaunissent et si des toiles blanches se forment sur la face inférieure, appliquer un insecticide.

Multiplication des cleyeras

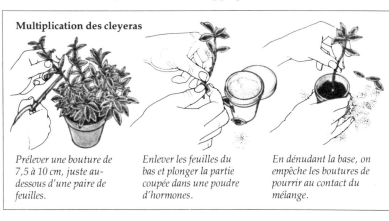

Prélever une bouture de 7,5 à 10 cm, juste au-dessous d'une paire de feuilles.

Enlever les feuilles du bas et plonger la partie coupée dans une poudre d'hormones.

En dénudant la base, on empêche les boutures de pourrir au contact du mélange.

Clivia

AMARYLLIDACÉES

Clivie
C. miniata

Engrais Enrichir d'engrais liquide ordinaire tous les 15 jours à partir du moment où les hampes sont à demi poussées et jusqu'au début de l'automne.

Empotage et rempotage Utiliser un mélange à base de terreau (voir page 429). Rempoter tous les trois ou quatre ans lorsque les racines remplissent le pot (voir page 426), car les clivias fleuriront mieux si leurs racines sont à l'étroit. Les plantes devenant lourdes en vieil-

Rempoter les clivias lorsque des racines apparaissent en surface, environ tous les trois ans.

Seul *C. miniata*, l'une des trois espèces du genre *Clivia* (clivie), est cultivé à l'intérieur. Les clivias deviennent des plantes remarquables quand on leur accorde une période de repos au frais en hiver. Leurs feuilles rubanées vert sombre, dont la largeur dépasse parfois 7 cm, se superposent en se déployant en éventail autour de la souche. L'étalement de la plante peut atteindre 90 cm. Epaisses et charnues, les racines se développent vite et apparaissent en surface. Vers la fin de l'hiver, des hampes de plus de 45 cm se dressent entre les feuilles, chacune étant coiffée d'une quinzaine de fleurs en forme de trompette mesurant de 5 à 7,5 cm de diamètre, jaunes et orange vif ou vermillon.

SOINS PARTICULIERS

Lumière Pour fleurir, les clivias exigent une lumière vive avec quelques heures de soleil. Attention : celui du matin ou de fin d'après-midi leur est bénéfique, tandis que celui de midi brûle leurs feuilles.

Température Elle doit être chaude en période de croissance. Ménager aux clivias un repos hivernal de six

à huit semaines au frais, à environ 10°C, faute de quoi la floraison risque d'être prématurée et les hampes d'être trop faibles pour parvenir à se dégager des feuilles. Une chaleur excessive diminue aussi la longévité des fleurs.

Arrosage Au printemps et en été, donner assez d'eau pour garder la motte très humide. Réduire progressivement l'arrosage en automne et garder les clivias presque au sec durant la période de repos. Quand des hampes apparaissent, augmenter graduellement le volume et la fréquence des arrosages.

lissant, se servir de pots de grès et non de plastique; augmenter la taille des pots de 4 cm à la fois. Lorsque le rempotage n'est pas nécessaire, ou lorsque la plante a atteint sa taille optimale, c'est-à-dire lorsqu'elle loge dans un pot de plus de 20 cm, renouveler, à la fin de l'hiver, la couche supérieure du mélange sur une épaisseur de 5 cm (voir page 428). Le terreau frais sera enrichi d'un peu de poudre d'os et on veillera à bien le tasser autour des racines et à laisser 5 cm entre le rebord du pot et la surface du mélange, car les racines, en se développant, soulèvent la terre. Cette opération, comme celle du rempotage, se pratique mieux au moment de l'apparition des hampes.

Multiplication des clivias

Examiner les rejets afin de découvrir leur point d'attache à la plante mère.

Couper un rejet qui a déjà trois longues feuilles et des racines saines.

Les racines sont fragiles; les manipuler avec soin en repiquant le rejet.

Multiplication Elle s'effectue au moyen des rejets. Couper ceux-ci avec un couteau tranchant, à l'endroit même où ils se rattachent à la plante mère. On procédera à cette opération lorsque les dernières fleurs de la saison seront fanées, mais pas avant que les drageons aient au moins trois feuilles de 20 à 25 cm. Les planter alors dans des pots de 8 à 13 cm remplis d'un mélange à volume égal de tourbe et de sable grossier ou de perlite, et placer les pots dans un local chaud à la pénombre. N'arroser que pour humidifier le mélange, et en laisser sécher les deux tiers avant d'arroser de nouveau. Quand des racines apparaissent en surface, rempoter dans un mélange à base de terreau et traiter les jeunes plantes comme des clivias adultes. Cette méthode donne des sujets qui fleurissent dès la première année. Avec les semis, il faut attendre sept ou huit ans avant que la première floraison ne se produise.

On peut aussi diviser les touffes et les repiquer dans des pots de 10 à 13 cm en ayant soin de ne pas endommager les racines charnues. **Remarques** En tombant, les fleurs cèdent la place à des fruits embryonnaires. Les couper avec une lame de rasoir. Autrement, en se développant, ils priveront la plante d'une partie de sa vitalité et elle ne fleurira pas le printemps suivant. Quand les hampes commencent à dépérir, les enlever en tirant.

Pour qu'apparaissent plusieurs inflorescences sur une même plante, ne jamais détacher les rejets que produisent habituellement les clivias.

Clivie, voir *Clivia.*
Cocotier, voir *Microcoelum.*

Codiaeum
EUPHORBIACÉES

Croton
C. variegatum pictum

Buissonnants et compacts, les codiaeums d'appartement dépassent rarement 90 cm de haut et 60 de large. Il n'en existe que quelques espèces, mais on en trouve plusieurs variétés qui sont presque toutes issues de *C. variegatum pictum* (croton). Mis à part l'aspect lisse et coriace des feuilles portées sur de courts pétioles, le feuillage des codiaeums diffère beaucoup d'une variété à l'autre. Les feuilles peuvent en effet être longues et étroites, larges et ovales, lancéolées ou ensiformes; les bords droits, ondulés ou tordus en spirale; le pourtour légèrement denté ou fendu presque jusqu'à la nervure médiane. Bien que toutes les variétés connues aient un feuillage panaché (tacheté, maculé ou richement nervuré), les coloris des codiaeums sont très diversifiés. Chez certaines variétés, les feuilles, jeunes ou vieilles, offrent les mêmes couleurs; chez d'autres, les teintes changent à mesure que les feuilles vieillissent. Arrivés à maturité, les codiaeums produisent des inflorescences légères d'un blanc crème, qui ne présentent guère d'intérêt.

CODIAEUMS RECOMMANDÉS
C. variegatum pictum (croton) offre un grand nombre de variétés dont plusieurs sont décrites ci-dessous. *C. v. p.* '**Aucubifolium**' a des feuilles elliptiques luisantes, vert brillant, tachetées de jaune. *C. v. p.* '**Bruxellense**' porte de larges feuilles lancéolées, bronze-rouge et veinées de jaune. *C. v. p.* '**Craigii**' a des feuilles échancrées à trois lobes, vert brillant, à veines saillantes jaunes. *C. v. p.* '**Fascination**' se caractérise par de longues feuilles rubanées,

Feuilles des variétés de *C. variegatum pictum*

bigarrées de vert, de rouge et d'orange.

C. v. p. 'Gloriosum superbum' se reconnaît à ses feuilles larges et ondulées, s'effilant en lobe pointu au sommet, de couleur verte, avec des veines et un pourtour dont le jaune, avec le temps, s'approfondit en un bel orange doré.

C. v. p. 'Imperialis' a des feuilles elliptiques jaunes, avec un liséré rose ou rouge et une nervure médiane verte qui deviennent d'un pourpre métallique foncé.

C. v. p. 'Punctatum aureum' porte des feuilles étroites et vernissées, vert foncé, tachetées de jaune.

C. v. p. 'Reidii' présente des feuilles oblongues d'un vert fortement teinté de jaune, de rose et de rouge, avec des veines proéminentes orange ou rouges.

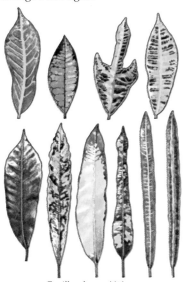

Feuilles des variétés
de C. variegatum pictum

C. v. p. 'Spirale', comme son nom l'indique, a des feuilles étroites mouchetées de vert, de rouge et de jaune, enroulées en forme de tire-bouchon.

SOINS PARTICULIERS

Lumière Une lumière vive et au moins deux ou trois heures de soleil par jour sont indispensables si l'on veut que les codiaeums conservent leurs vifs coloris. Un mauvais éclairage accentue la chute normale des feuilles chez les plantes âgées.

Température L'atmosphère tempérée d'une pièce convient à ces plantes qui ne supportent pas des températures inférieures à 13°C.

Arrosage En période de croissance, arroser généreusement pour bien humidifier le mélange. Ne jamais laisser d'eau dans la soucoupe. En période de repos, arroser parcimonieusement.

Engrais Enrichir d'engrais liquide ordinaire tous les 15 jours, du début du printemps à la fin de l'automne, période de croissance.

Empotage et rempotage Utiliser un mélange à base de terreau (voir page 429). Rempoter les plantes au printemps. Quand elles atteignent un pot d'environ 20 cm, se contenter de renouveler le mélange en surface (voir page 428).

Multiplication On la fait au printemps, en prélevant de préférence des boutures de 15 cm à même les tiges latérales, moins longues et moins feuillues que les autres. Les tiges des codiaeums, comme celles de la plupart des membres de la famille des *Euphorbiacées*, contiennent un latex qui s'écoule quand on les entaille; vaporiser un peu d'eau ou saupoudrer du charbon de bois pulvérisé sur les plaies pour arrêter cet écoulement. Planter alors chaque bouture dans un pot de 8 cm rempli d'un mélange à volume égal de tourbe et de sable grossier ou de perlite, humidifié. Les enfermer dans des sachets de plastique ou dans une caissette de multiplication (voir page 444) et les garder à une lumière vive mais tamisée pendant quatre à six semaines. Quand la croissance reprend, traiter les jeunes plants comme des codiaeums adultes. Rempoter cinq ou six mois plus tard dans un mélange ordinaire.

La multiplication des codiaeums peut aussi se faire par marcottage aérien (voir page 440), mais cette méthode demande beaucoup de temps et des soins spéciaux.

Remarques Des araignées rouges peuvent apparaître. Voir les mesures à prendre, page 454.

Les codiaeums se ramifient et deviennent compacts naturellement. Il n'est donc pas nécessaire de les rabattre. Toutefois, si l'on ne dispose que de peu d'espace, ne pas hésiter à tailler les plantes devenues trop grosses. Cette opération doit se pratiquer au printemps, avant que la croissance ne reprenne. Pour prévenir l'écoulement du latex, voir ci-dessus.

Coelogyne
ORCHIDACÉES

Les espèces du genre *Coelogyne* cultivées à l'intérieur sont des épiphytes à pseudo-bulbes courts et dressés, portant chacun de 1 à 3 feuilles rubanées et une hampe florale légèrement retombante. Les plantes adultes produisent généralement de nombreuses fleurs parfumées.
Voir aussi ORCHIDÉES.

ESPÈCES RECOMMANDÉES

C. cristata réunit en grappes serrées des pseudo-bulbes ronds ou ovoïdes, luisants et vert clair, mesurant chacun de 2,5 à 7,5 cm sur 2,5 à 4. Après avoir fleuri, ils se recroquevillent et jaunissent. Les feuilles vert brillant, rubanées et retombantes, mesurent de 15 à 30 cm sur 5. *C. cristata* se distingue par une hampe florale de 30 cm jaillissant de la base du pseudo-bulbe; elle peut porter plus de 8 inflorescences cratériformes d'environ 10 cm de diamètre. La fleur blanche présente un large labelle trilobé, strié au centre de 5 lignes jaune or. La floraison commence au début du printemps et dure de nombreuses semaines.

C. flaccida a des pseudo-bulbes fuselés, de 5 à 10 cm sur 2,5, et porte des feuilles pointues et retombantes vert foncé qui atteignent 23 cm sur 4. La hampe arbore une douzaine de fleurs étoilées de 4 cm de diamètre. L'inflorescence entière est blanche ou crème, mais le cœur de l'étroit petit labelle est veiné de trois lignes rouges. La floraison survient au printemps.

C. pandurata présente des pseudo-bulbes ovoïdes, aplatis, d'un vert moyen, mesurant de 5 à 13 cm sur 6,5, bien espacés sur le rhizome. Etroites, elliptiques et légèrement retombantes, les feuilles d'un beau vert brillant atteignent 45 cm sur 6,5; la hampe longue de 40 cm porte une quinzaine de fleurs de 7,5 à 10 cm de diamètre, ressemblant à des insectes. Sépales et pétales sont vert clair. Le labelle jaune-vert, qui ressemble vaguement à un violon, est strié et tacheté de noir. La floraison a lieu au milieu de l'été et les fleurs peuvent durer une ou deux semaines.

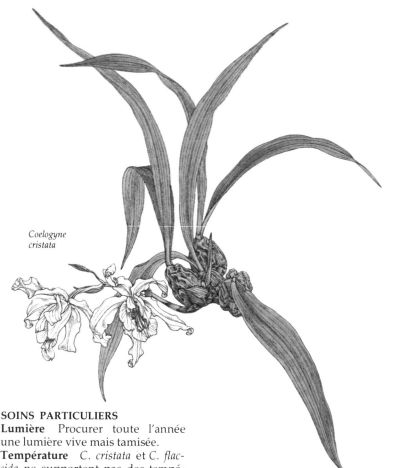

Coelogyne
cristata

Coffea
RUBIACÉES

C. arabica

SOINS PARTICULIERS

Lumière Procurer toute l'année une lumière vive mais tamisée.

Température C. *cristata* et C. *flaccida* ne supportent pas des températures supérieures à 24°C. Les températures idéales pour ces orchidées, durant l'hiver, se situent entre 13 et 16°C le jour et entre 7 et 10°C la nuit, mais elles supporteront toutefois une hausse d'environ 5 degrés. C. *pandurata* se contente, l'année durant, de l'atmosphère tempérée d'une pièce.

Arrosage C. *cristata* et C. *flaccida* réclament un repos hivernal durant lequel on les arrosera parcimonieusement. En période de croissance, les arroser généreusement pour garder le mélange très humide. C. *pandurata* n'a pas de repos : l'arroser généreusement en tout temps.

Pour ne pas mouiller les nouvelles pousses d'où jaillissent les hampes florales, plonger les pots dans l'eau, 10 minutes à la fois, en maintenant les pousses au-dessus du liquide.

Engrais En période de croissance, fertiliser avec un engrais foliaire tous les deux ou trois arrosages.

Empotage et rempotage Utiliser l'un des mélanges recommandés pour les orchidées (voir page 289). Cultiver les coelogynes dans des pots ou des corbeilles, ou les at-tacher à des planchettes comme les fougères arborescentes. C. *pandurata*, dont les pseudo-bulbes sont espacés, aura meilleure allure en corbeille. Ne pas rempoter avant au moins quatre ans; enlever plutôt les vieux pseudo-bulbes de temps à autre. Pour ce faire, couper le rhizome et remplir les trous de mélange frais : il se fait ainsi de l'espace pour les nouvelles pousses. Lorsque le rempotage s'impose, le faire au printemps en déplaçant le moins possible les racines.

Multiplication Juste avant la floraison, prélever un segment de rhizome portant au moins un jeune pseudo-bulbe, un bourgeon terminal ainsi que 2 ou 3 pseudo-bulbes plus âgés. Prendre un assez gros segment, les petits mettant des années à fleurir. Planter le segment dans un petit pot rempli d'un mélange recommandé pour les orchidées en plaçant le bourgeon terminal au milieu du pot. Arroser parcimonieusement jusqu'à l'apparition de nouvelles pousses. Donner les soins indiqués ci-dessus.

Du genre *Coffea* (caféier), on ne cultive qu'une seule espèce à l'intérieur, C. *arabica*, dont on tire des grains de café (en réalité l'une des deux graines contenues dans le fruit charnu). Ce petit arbre présente une tige unique quand il est jeune et se ramifie peu à peu. Dans la nature, il peut atteindre une hauteur de 4,50 m, mais, à l'intérieur, il dépasse rarement 1,20 m. Ses feuilles opposées, luisantes et vert foncé, sont de forme elliptique avec des bords ondulés et une extrémité pointue; elles peuvent mesurer jusqu'à 15 cm sur 5. Après trois ou quatre ans, le coffea produit, à l'aisselle des feuilles, des fleurs blanches étoilées et parfumées de 0,5 cm. La floraison a lieu au milieu de l'été ou en automne. Les fleurs donnent naissance à des fruits de 1,5 cm dont la couleur passe du vert au rouge pour devenir presque noire.

Il existe une variété naine, C. *a.* 'Nana', qui peut fleurir alors qu'elle n'a que 45 à 60 cm de haut.

SOINS PARTICULIERS

Lumière Exposer les coffeas à une lumière moyenne. Les placer près d'une fenêtre ombragée.

Température Ces plantes ont besoin de chaleur. Elles perdent la plupart de leurs feuilles inférieures si la température tombe au-dessous de 13°C. Elles demandent aussi de l'humidité pour que les feuilles restent bien vertes. En période de croissance surtout, placer les pots sur des plateaux de gravillons gardés humides et bassiner le feuillage au moins deux fois par semaine.

Arrosage En période de croissance, arroser généreusement pour garder le mélange très mouillé, mais ne jamais laisser les pots séjourner dans l'eau. En période de repos hivernal, donner juste assez d'eau pour empêcher le mélange de se dessécher complètement.

Engrais Enrichir d'engrais liquide ordinaire toutes les deux semaines du début du printemps jusqu'au début de l'automne.

Empotage et rempotage Utiliser un mélange à base de terreau (voir page 429). Déposer 2,5 cm de tessons de grès dans le fond des pots pour le drainage. Rempoter les plants tous les printemps, au moment où la croissance reprend.

Multiplication Les boutures ont du mal à s'enraciner. Il vaut mieux faire des semis au printemps, en ayant soin d'utiliser des graines très fraîches. En semer 2 ou 3 à 1,5 cm de profondeur dans un pot de 8 cm rempli de mélange à enracinement, humidifié (voir page 444). Enfermer alors le pot dans un sachet de plastique ou une caissette de multiplication chauffante (voir page 444) et le garder à la clarté, à au moins 24°C. La germination se fait en trois ou quatre semaines; ne pas arroser durant cette période. Lorsque les jeunes plants ont environ 4 cm, découvrir le pot et ne garder que les pousses les plus prometteuses. Tasser un peu, au besoin, le mélange autour des pousses qui restent, sans les déplacer. Arroser modérément et fertiliser avec un engrais liquide ordinaire une fois par mois. Lorsque les jeunes plants mesurent de 7,5 à 10 cm, les repiquer dans un pot de 8 cm rempli de mélange à base de terreau. Les traiter ensuite comme des sujets adultes.

Remarque Les cochenilles attaquent parfois la face inférieure des feuilles du coffea (voir mesures à prendre, page 454).

Coleus
LABIACÉES

C. blumei

Bien que les coleus soient des plantes vivaces, plusieurs amateurs les traitent comme des annuelles dont ils se défont quand elles deviennent moins attrayantes. A vrai dire, les coleus supportent mal l'hiver; en revanche, ils se multiplient facilement par bouturage. Leurs feuilles tendres, plutôt fines, varient de taille, de forme et de couleur. Toutes les nuances du jaune, du rouge, de l'orange, du vert ou du brun y sont représentées, seules ou combinées. Les fleurs sont cependant sans intérêt; en les pinçant dès leur apparition, on obtient une plante compacte.

Une seule espèce, *C. blumei* (coléus de maison), est couramment cultivée à l'intérieur. Ses variétés présentent des feuilles cordiformes, fusiformes, torses ou pendantes. Les jeunes plants de 2,5 à 5 cm arborent déjà toutes leurs couleurs; en une saison, ils peuvent atteindre 60 cm de haut. Plusieurs hybrides identifiés sont aussi offerts. Parmi les plus renommés, on compte *C.* 'Brilliancy', à feuilles cramoisies ourlées de jaune or; *C.* 'Candidus', taché de blanc au centre de ses feuilles vert clair; *C.* 'Golden Bedder', dont les feuilles jaune citron, placées à la lumière vive, s'approfondissent en un jaune or; *C.* 'Pink Rainbow', à feuilles ondulées rouge cuivré striées de bandes vertes et de veines d'un rouge carmin brillant; et *C.* 'Sunset', dont les feuilles vert pâle présentent une tache centrale de couleur rose.

SOINS PARTICULIERS

Lumière Pour avoir un port buissonnant, le coleus a besoin d'une lumière vive et de plusieurs heures de plein soleil par jour.

Température Il exige de la chaleur. Cependant, si la température s'élève au-dessus de 18°C, augmenter l'hygrométrie en plaçant les pots sur un plateau de tourbe humide ou de gravillons baignant dans un peu d'eau. Si elle descend bien au-dessous de 13°C, la plante perdra ses feuilles.

Feuilles de variétés de *C. blumei*

Arrosage Donner de l'eau aussi souvent que nécessaire pour garder la motte très humide. Si elle se dessèche le moindrement, le feuillage en souffrira aussitôt. Après un bon arrosage, la plante paraîtra avoir retrouvé sa vigueur habituelle; elle n'en perdra pas moins ses feuilles inférieures.

Engrais Fertiliser avec un engrais liquide ordinaire toutes les deux semaines pendant la période de croissance.

Empotage et rempotage Utiliser un mélange à base de terreau (voir page 429). Tous les deux mois, empoter les jeunes plants dans des pots de 2 tailles au-dessus. Les coleus ont besoin d'espace pour que leurs racines se développent.

Multiplication Les jeunes plants supportent beaucoup mieux l'hiver que les plants bien établis. Des segments de rameaux de 5 à 7,5 cm prélevés au début de l'automne développeront des racines dans un mélange ordinaire ou dans de l'eau. Dans ce dernier cas, empoter les boutures quand les racines atteignent de 5 à 7,5 cm. Les boutures en pot s'enracineront en deux semaines environ dans un local chaud et bien éclairé, mais sans soleil. Arroser suffisamment pour bien humidifier le mélange, mais laisser sécher sur 1 cm entre les arrosages.

Remarques L'air chaud et sec peut faire apparaître les araignées rouges (voir page 454). Sitôt que les feuilles se décolorent, augmenter l'hygrométrie et bassiner la plante. Laver sous le robinet les feuilles infestées.

Pincer régulièrement les pousses pour que la plante soit buissonnante.

Pour que le coleus demeure buissonnant, pincer toutes les nouvelles pousses plusieurs fois par an.

Coléus de maison, voir *Coleus blumei.*

Columnea

GESNÉRIACÉES

Il existe deux sortes de columneas. Les uns ont des rameaux longs, fins et rampants, et les autres des tiges en partie arquées, en partie dressées. Mais tous sont renommés pour la beauté et l'abondance de leurs fleurs qui peuvent s'épanouir presque en tout temps. Les feuilles, plus pointues à la base qu'au sommet, naissent sur de courts pétioles. Bien qu'elles soient opposées, elles sont souvent dissemblables; chez certaines espèces, l'une des deux feuilles de la paire est même beaucoup plus petite que sa voisine, au point qu'elles paraissent alternes.

Les fleurs naissent seules ou par grappes à l'aisselle des feuilles. Elles sont remarquables autant par leur forme étrange que par leurs coloris éclatants. Chaque corolle tubuleuse s'épanouit en 5 lobes de forme différente. Les 2 lobes supérieurs se rejoignent pour former une sorte de capuchon s'inclinant au-dessus des autres. Lorsque la fleur s'ouvre, ses étamines, de même qu'un peu plus tard le stigmate, apparaissent sous ce capuchon. Une plante de bonne taille peut porter une centaine de fleurs en même temps, qui durent environ quatre semaines. Chez certaines espèces, elles seront remplacées par de jolies baies, souvent blanches, enchâssées dans le calice. *Voir aussi GESNERIACEES.*

COLUMNEAS RECOMMANDÉS

C. **'Banksii'** est un hybride connu depuis longtemps, à tiges rampantes de 1,20 m et à feuilles charnues, soyeuses, vert sombre, de 2,5 à 4,5 cm de long sur 1,5 à 2 cm de large. Les corolles écarlates, dont le cœur est veiné de jaune, mesurent 6,5 cm de long et sont enserrées dans un calice vert de 1,3 cm. La floraison peut se poursuivre toute l'année.

C. gloriosa a des tiges grêles et rampantes de 90 cm de long, ramifiées à la base seulement. Les feuilles vert sombre, en paires de taille inégale, mesurent de 1,3 à 3 cm sur 1,3 à 1,6. Elles sont recouvertes d'une villosité pourpre sur le dessus et rougeâtre en dessous; leurs bords sont légèrement enroulés par

en dessous. Les fleurs solitaires de 7,5 cm présentent un calice vert d'environ 1,5 cm. La corolle écarlate à gorge jaune clair est recouverte d'un fin duvet blanc. La floraison est à peu près ininterrompue; chaque fleur produit une jolie baie blanche qui, en pleine maturité, atteint environ 3 cm de diamètre.

C. linearis est une espèce érigée à rameaux atteignant jusqu'à 45 cm de haut. Les feuilles étroites, luisantes, vert sombre, de 9 cm sur 1,5, en paires de même taille, sont portées sur de très courts pétioles. Les fleurs velues, d'un rose profond, longues d'au plus 4,5 cm, sont solitaires sur des pédoncules de 1,5 cm; elles s'épanouissent surtout durant l'été.

C. microphylla est une superbe plante à floraison printanière. Les tiges minces, rampantes et ramifiées, de 1,80 à 2,45 m, sont recouvertes d'une villosité brun-rouge. Les feuilles arrondies, imbriquées, vert sombre, d'environ 1,5 cm de diamètre, sont recouvertes elles aussi de poils brun-rouge et disposées en paires de même taille. Les fleurs solitaires sur des pédoncules de 0,5 cm, présentent un calice velu de 0,5 cm, vert teinté de rouge. La corolle écarlate à gorge jaune mesure jusqu'à 9 cm de long.

Avec ses longues tiges retombantes, C. microphylla se prête bien à la culture en corbeille.

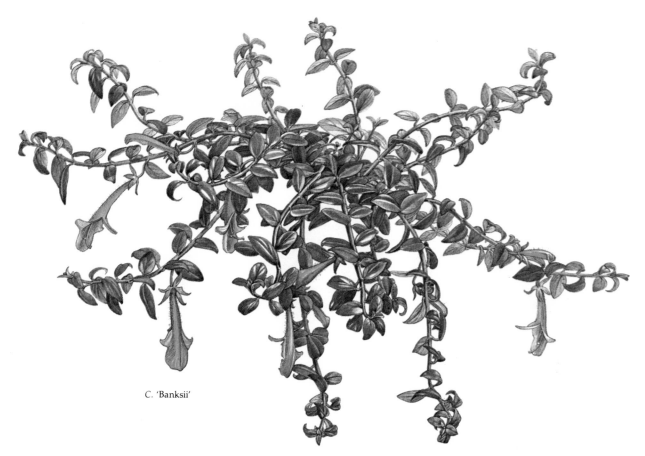

C. 'Banksii'

Il existe maintenant plusieurs hybrides ayant en commun des tiges plus courtes et une floraison plus soutenue. Les variétés qui suivent sont compactes et se cultivent très aisément à l'intérieur.

C. **'Alpha'** se compose de tiges courtes et ramifiées, de feuilles vert moyen et de fleurs jaune serin. La floraison est abondante toute l'année, même sur de jeunes boutures.

C. **'Chanticleer'** est sans doute l'espèce la plus facile à cultiver à l'intérieur. C'est une plante qui se ramifie beaucoup, à tiges courtes, à feuilles veloutées vert pâle et à fleurs orange clair, qui s'épanouissent presque toute l'année.

C. **'Christmas Carol'** présente des tiges retombantes, des feuilles petites et vert sombre. Il donne des grandes fleurs rouges toute l'année.

C. **'Evlo'** est une plante rampante à floraison printanière. Les feuilles sont d'un rouge cuivré et les fleurs d'un rouge vif. Fleurs et feuilles sont de même dimension que celles de C. *gloriosa*.

C. **'Mary Ann'** est une plante rampante, compacte et ramifiée. Elle a des feuilles étroites vert sombre et donne des fleurs roses, à un rythme ininterrompu.

SOINS PARTICULIERS

Lumière Les columneas apprécient une lumière vive, mais non le plein soleil. Les plantes à tiges courtes croissent bien sous un tube fluorescent placé à environ 40 cm au-dessus d'elles. Certaines, comme C. *microphylla* et C. 'Evlo', ont besoin de repos en hiver pour fleurir. Si ces plantes sont cultivées à la lumière artificielle, régler celle-ci avec exactitude, selon leurs besoins (voir page 446).

Température Celle d'une pièce chaude (entre 18 et 29°C) leur convient toute l'année. C. *microphylla* et C. 'Evlo' préfèrent une température un peu plus fraîche (entre 13 et 18°C) en hiver, pour être en mesure de fleurir au printemps. L'hygrométrie doit être élevée cependant. Placer les pots sur des plateaux de gravillons gardés humides et bassiner le feuillage des plantes suspendues au moins une fois par jour. L'eau utilisée doit être tiède, l'eau froide laissant des marques brunes sur les feuilles.

Arrosage Bien que leur feuillage ait besoin d'humidité, leurs racines doivent être sèches, sinon leurs tiges pourriraient. En période de croissance (soit toute l'année ou presque pour la plupart de ces plantes), arroser parcimonieusement. Laisser sécher le mélange sur un tiers entre les arrosages. En période de repos, s'il y a lieu, arroser seulement pour empêcher la motte de se dessécher complètement. Employer de l'eau tiède.

Engrais En période de croissance seulement, enrichir d'engrais riche en phosphate. Appliquer celui-ci à chaque arrosage. Ne donner que le quart de la dose recommandée par le fabricant.

Empotage et rempotage Comme les columneas sont, à l'état naturel, des plantes épiphytes, ils peuvent vivre dans de la sphaigne grossière. On peut aussi utiliser un mélange de texture légère, à volume égal de tourbe, de perlite et de vermiculite. Choisir des corbeilles, des plats ou des pots d'environ 10 cm de diamètre et peu profonds. Lorsque les racines remplissent le contenant (voir page 426), rempoter la plante.

On peut aussi sectionner le tiers inférieur de la motte de racines (utiliser un couteau bien aiguisé) et replacer la plante dans le même contenant, en ajoutant autant de mélange terreux qu'il est nécessaire. Le rempotage peut se faire en tout temps pour les variétés à floraison continue, mais pour les autres il vaut mieux l'effectuer avant la période de croissance.

Taille des racines

Les racines de la plante remplissent ce pot qui est pourtant de dimensions optimales.

Sectionner alors le tiers de la motte de racines et remettre la plante dans ce même pot après avoir rempli de mélange frais l'espace ainsi dégagé.

Multiplication Elle se fait de préférence au moment du rempotage. Planter une bouture de 7,5 à 10 cm dans un pot de 8 cm rempli de vermiculite humide et garder à la température ambiante, sous une lumière vive tamisée. Arroser très peu : la vermiculite doit être à peine humide. L'enracinement se fait en quatre semaines environ. Empoter alors le jeune sujet dans un pot de 8 cm rempli de mélange ordinaire et le cultiver comme une plante adulte. Pour obtenir un bel effet, grouper 3 ou 4 boutures dans une corbeille d'environ 25 cm.

On peut aussi multiplier les columneas par semis (voir page 441).
Remarque Les columneas attirent les pucerons et les tarsonèmes du cyclamen. Voir les mesures à prendre, pages 455 et 456.

Cordyline
AGAVACÉES

Dragonnier
C. terminalis

Les cordylines sont des arbustes ou des arbrisseaux à tige simple non ramifiée, proches parents des dracaenas avec lesquels on les confond souvent. Les feuilles sont disposées en rosette lâche; celles du bas tombent avec le temps, dénudant un tronc robuste. Certaines variétés ont des feuilles longues, étroites, arquées, sessiles, d'une largeur presque uniforme. D'autres présentent des feuilles plus courtes et plus larges se rétrécissant à la base et au sommet. Les cordylines cultivés en pots n'atteignent jamais leur pleine maturité et ne donnent donc pas de fleurs.

ESPÈCES RECOMMANDÉES
C. australis (souvent appelé *Dracaena indivisa*) a des feuilles vertes ensiformes, coriaces, arquées, de 60 à 90 cm sur 5, se terminant en pointe courte. Celles de *C. a.* 'Atropurpurea' présentent une nervure médiane et une base pourprée, alors que celles de *C. a.* 'Doucetii' sont rayées de blanc.
C. indivisa porte des feuilles plus longues (de 0,90 à 1,20 m) et plus larges (7,5 cm) que celles de *C. australis*, et occupe beaucoup d'espace. Lorsque le climat le permet, les cultiver à l'extérieur.
C. terminalis (appelé à tort *Dracaena terminalis* et communément nommé dragonnier) présente des feuilles lancéolées atteignant 60 cm sur 10, se rétrécissant nettement près du pétiole et au sommet. D'un rouge cramoisi chez les jeunes plants, elles deviennent peu à peu vert cuivré à reflets rougeâtres. Il en existe plusieurs variétés : *C. t.* 'Amabilis', à feuilles larges et luisantes, d'un bronze rosé bordé de crème; *C. t.* 'Baptisii', à feuilles bien arquées, vert sombre lavé de rouge et de jaune crème; *C. t.* 'Firebrand', à feuilles luisantes rouge pourpré

nuancé de bronze; *C. t.* 'Rededge', dont les feuilles vert brillant rayé de rouge sont assez petites et légèrement tordues; et *C. t.* 'Tricolor', à larges feuilles rouge, rose et crème sur fond vert clair.

SOINS PARTICULIERS
Lumière Placer *C. australis* et *C. indivisa* en plein soleil. *C. terminalis* et ses variétés demandent plutôt une lumière vive tamisée, car les rayons directs du soleil brûlent leurs feuilles.

Température *C. terminalis* se satisfait de la température normale

C. indivisa

C. australis

d'une pièce. Les deux autres espèces, plus robustes, tolèrent des températures de 10°C; si le climat le permet, les garder à l'extérieur durant l'été et l'automne.

Arrosage En période de croissance, arroser généreusement pour garder le mélange très humide. Ne jamais laisser les pots tremper dans l'eau. En période de repos, arroser parcimonieusement.

Engrais Faire des apports d'engrais liquide ordinaire tous les 15 jours au cours de la période de croissance seulement.

Empotage et rempotage Utiliser un mélange à base de terreau (voir page 429). Rempoter tous les printemps (dans des pots de une ou deux tailles au-dessus) jusqu'à ce que la plante soit de taille à loger dans un pot de 20 à 25 cm environ. Par la suite, ne renouveler que la couche superficielle du mélange (voir page 428).

Multiplication Elle se fait par semis. Au printemps, enfoncer les graines à 2,5 cm de profondeur,

dans un petit pot rempli de mélange à enracinement (voir page 444), humidifié. La germination s'opère en quatre à six semaines si les pots sont placés dans un sachet de plastique transparent ou une caissette de multiplication chauffante (voir page 444) et gardés dans un local chaud à la lumière vive tamisée. Ne pas arroser. Lorsque les plants mesurent de 5 à 7,5 cm, les découvrir et les traiter comme indiqué ci-dessus.

Certaines espèces produisent des rejets. Prélever ceux-ci au printemps lorsqu'ils atteignent de 10 à 20 cm, les planter dans un mélange humidifié à volume égal de tourbe et de sable grossier ou de perlite, les enfermer dans un sachet de plastique transparent ou une caissette de multiplication et les garder de quatre à six semaines dans un endroit chaud à une lumière vive tamisée. Quand la croissance reprend, découvrir les plants, fertiliser une fois par mois avec un engrais liquide ordinaire et arroser parcimonieusement. Après quatre ou cinq mois, les transplanter dans des pots de 10 à 15 cm remplis de mélange ordinaire et les cultiver comme des plantes adultes.

Des segments de 5 cm prélevés sur de vieilles tiges s'enracineront s'ils présentent au moins un bourgeon (renflement sous l'écorce). Planter l'extrémité inférieure dans le mélange à enracinement recommandé ci-dessus et procéder comme s'il s'agissait d'un rejet.

Lorsque C. terminalis *s'étire en hauteur, on peut le multiplier à partir des pointes ou de segments de 5 cm prélevés sur les tiges dénudées.*

Corne-de-cerf, voir *Platycerium bifurcatum.*
Corne-d'élan, voir *Platycerium bifurcatum.*

Cotyledon
CRASSULACÉES

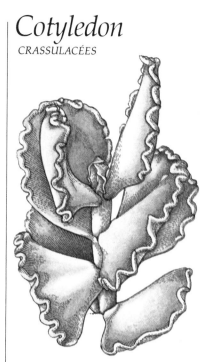

Les cotylédons d'appartement sont des plantes grasses arbustives à fleurs campanulées et à feuilles recouvertes de pruine (fine pellicule cireuse blanche). Lentes à croître, ces plantes mettent trois ou quatre ans à atteindre 50 cm. A peu près au même moment, elles produisent des bouquets de 10 à 20 fleurs de 2,5 à 4 cm de long, richement colorées, dont les bords des pétales sont enroulés. Les cotylédons fleurissent l'été, et parfois au printemps et en automne, durant environ quatre semaines.
Voir aussi PLANTES GRASSES.

ESPÈCES RECOMMANDÉES
C. orbiculata atteint de 38 à 50 cm de haut; les tiges dressées se ramifient à peu près tous les 15 cm. Les feuilles, en forme de triangle arrondi pointant vers la tige ou le rameau, de couleur gris verdâtre, sont abondamment enduites d'une pruine blanche et sont finement

C. orbiculata

ourlées de rouge. Les fleurs sont jaunes ou orange.

C. undulata présente aussi des tiges rigides et ramifiées. Les feuilles cunéiformes gris-blanc, longues de 5 cm, sont étroites près de la tige, mais s'élargissent pour atteindre 7,5 cm au sommet, où elles sont festonnées et tout à fait blanches. Les fleurs sont d'un beau ton orange.

SOINS PARTICULIERS

Lumière Garder les cotylédons au soleil toute l'année, sinon ils pousseront en hauteur et leurs coloris seront ternes.

Température Ils se satisfont de l'atmosphère tempérée d'une pièce.

Arrosage En période de croissance, arroser modérément et laisser sécher le mélange sur 2,5 cm entre les arrosages. Procurer aux cotylédons une période de repos pendant l'hiver. Durant les deux ou trois mois de cette saison où les jours sont le plus courts, arroser parcimonieusement.

Engrais Enrichir d'engrais liquide ordinaire tous les 15 jours, en période de croissance seulement.

Empotage et rempotage Utiliser un mélange à base de terreau (2/3) [voir page 429] additionné de sable grossier ou de perlite (1/3). Rempoter tous les printemps pour terminer dans un pot de 13 à 16 cm environ. Par la suite, renouveler simplement la couche superficielle du mélange (voir page 428).

Multiplication Prélever au printemps ou au début de l'été des boutures de 7,5 à 10 cm et les laisser sécher pendant deux ou trois jours. Les planter ensuite dans des pots de 8 cm, remplis du mélange recommandé (un mélange à enracinement n'est pas nécessaire). Placer les pots au chaud, sous un éclairage tamisé, et arroser parcimonieusement jusqu'à ce que de nouvelles pousses indiquent que l'enracinement est réussi. Placer alors les jeunes plants au soleil et leur donner les soins indiqués ci-dessus.

Couronne-d'épines, voir *Euphorbia milii.*

Couronne-de-Jérusalem, voir *Euphorbia milii splendens.*

Coussin-de-belle-mère, voir *Echinocactus.*

Crassula

CRASSULACÉES

Ce genre réunit des plantes grasses très différentes les unes des autres par leur forme, leur taille et les soins qu'elles réclament. Certaines n'ont que quelques feuilles alors que d'autres ont le port d'un arbuste. Toutes cependant ont des feuilles opposées. Sauf chez quelques espèces, notamment C. *falcata,* les fleurs sont sans intérêt.
Voir aussi PLANTES GRASSES.

ESPÈCES RECOMMANDÉES

C. arborescens (dollar-d'argent) a une tige robuste, bien ramifiée, pouvant atteindre 1,20 m. Elle a l'apparence d'un tronc et porte des feuilles charnues, arrondies, de 2,5 à 5 cm, gris-vert à bords rougeâtres. L'équilibre naturel des rameaux est une des caractéristiques de cette plante comme de certaines autres espèces proches parentes qui n'ont jamais besoin d'être taillées ou rabattues. Les fleurs, rares chez les sujets cultivés, apparaissent au printemps. Petites mais nombreuses, elles sont en forme d'étoile et leur coloris va du blanc au rose intense. Une variété panachée, *C. a.* 'Variegata', de croissance plus lente, offre des feuilles tachetées de jaune.

C. argentea (caoutchouc japonais) atteint aussi près de 1,20 m de haut. Ses feuilles vert jade, en forme de cuiller, sont luisantes et souvent ourlées de rouge. De petites fleurs étoilées roses ou blanches apparaissent l'hiver sur les sujets adultes, en capitules de 5 à 7,5 cm de diamètre. Parmi les variétés panachées, on remarque *C. a.* 'Variegata' dont les feuilles gris verdâtre sont striées de jaune et *C. a.* 'Tricolor' qui lui ressemble, mais dont les feuilles sont teintées de rose.

Il existe également une variété de crassula connue sous le nom de *C. obliqua,* mais qui devrait plutôt s'appeler *C. a. obliqua.* Disposées de biais, ses feuilles ovales sont d'un vert argenté ombré de vert foncé.

C. falcata (parfois désigné sous le nom de *Rochea falcata,* depuis longtemps considéré comme douteux) est, à l'état naturel, une plante buissonnante bien ramifiée. Quand elle est cultivée à l'intérieur, elle ne forme parfois qu'une seule tige haute d'environ 30 cm, sur laquelle s'insèrent des feuilles torsadées gris-vert en forme de faucille, ayant jusqu'à 20 cm de long. Les petites fleurs, écarlates ou vermillon, sont réunies en un corymbe compact de 7,5 à 10 cm de large apparaissant durant l'été.

C. lactea est sans doute l'espèce la plus facile à cultiver à l'intérieur. C'est un arbuste de 60 cm dont les branches retombent à la longue jusqu'au sol, mais dont les jeunes plants sont érigés. Les feuilles ovales et acuminées, de 2,5 à 6,5 cm, sont vert sombre avec au pourtour pointillé de blanc. Des inflorescences composées de fleurs blanches naissent en hiver.

C. lycopodioides est une petite plante très ramifiée qu'on peut cultiver dans un plat ou un bol. Ses fines tiges dressées disparaissent presque complètement sous une profusion de minuscules feuilles acuminées et charnues, tellement rapprochées les unes des autres qu'elles forment des colonnes à quatre faces, d'aspect écailleux. Les fleurs verdâtres, solitaires ou groupées par paires, passent presque

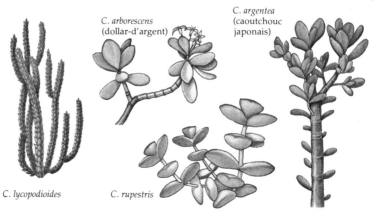

C. arborescens (dollar-d'argent)

C. argentea (caoutchouc japonais)

C. lycopodioides

C. rupestris

C. falcata

inaperçues. Ces plantes dépassent rarement 25 cm.

C. rupestris est une plante dont le développement est limité. Les feuilles de 1,3 à 2,5 cm semblent enfilées sur les tiges comme des perles sur un fil. Elles sont épaisses, presque triangulaires et bleu-gris. Des petites fleurs roses apparaissent l'été, en bouquets de 6 à 10, à l'extrémité des tiges.

SOINS PARTICULIERS

Lumière Les crassulas demandent une lumière vive : un éclairement insuffisant les fera pousser tout en hauteur. Un peu de soleil leur est nécessaire pour fleurir.

Température La plupart des crassulas croissent aussi bien dans des endroits chauds que frais. Durant leur période de repos hivernal, cependant, les garder à une température inférieure à 13°C (ils peuvent tolérer une température allant jusqu'à 7°C).

Arrosage En période de croissance, arroser modérément, c'est-à-dire de façon à bien humidifier le mélange, mais en laisser sécher les deux tiers entre les arrosages. En période de repos, n'arroser que pour empêcher le mélange de se dessécher complètement.

Engrais Faire un apport d'engrais liquide ordinaire tous les 15 jours, pendant la période de croissance seulement.

Empotage et rempotage Rempoter tous les deux ans dans un mélange à base de terreau (3/4) [voir page 429] et de sable grossier ou de perlite (1/4). *C. lycopodioides* se contentera d'un pot de 8 cm pendant plusieurs années, mais les espèces plus développées exigeront des pots de 20 à 25 cm, ou de petites vasques.

Multiplication Les feuilles des crassulas, placées dans le mélange sableux approprié, et dans un local chaud à lumière vive mais tamisée, produiront vite des racines. Il est plus satisfaisant néanmoins de prélever au printemps des segments de rameaux de 5 à 7,5 cm ou, s'il s'agit

de *C. falcata*, des rejets à la souche. Planter ces boutures dans un pot de 5 à 8 cm rempli à parts égales de tourbe et de sable; les garder à la température normale d'une pièce, à la lumière vive tamisée par un store ou des rideaux translucides. Arroser modérément et laisser sécher le mélange sur 2,5 cm entre les arrosages. Fertiliser avec de l'engrais liquide ordinaire une fois par mois. Après trois mois d'enracinement, rempoter les jeunes plants dans le mélange recommandé et donner les soins indiqués ci-dessus.

Crinole, voir *Crinum.*

Multiplication des crassulas

Couper un rejet de C. falcata, *et le planter dans un mélange à enracinement.*

Crinum

AMARYLLIDACÉES

C. 'Powellii'

Les crinums (crinoles) sont des plantes bulbeuses et florifères de grande taille. La partie ventrue des bulbes, qui peut atteindre 15 cm de diamètre, se prolonge en un col long de 15 et même de 30 cm. Au pied de la tige naissent les feuilles ensiformes ou rubanées qui, chez les espèces cultivées en pots, restent belles durant au moins toute une année. Lorsqu'elles tombent ou qu'on les supprime, elles sont remplacées par de nouvelles. Elles sont l'atout de la plante et méritent une attention toute spéciale.

Les fleurs naissent en automne sur les plantes arrivées à maturité, c'est-à-dire âgées d'environ quatre ans. Elles prennent la forme d'ombelles composées de 5 à 8 fleurs en trompette, portées sur des hampes longues de 60 à 90 cm, et larges de 2,5 cm. Les fleurs elles-mêmes mesurent de 7,5 à 13 cm de long.
Voir aussi BULBES, CORMUS et TUBERCULES.

CRINUMS RECOMMANDÉS

C. bulbispermum a un bulbe ovale de 7,5 à 10 cm de diamètre, qui donne naissance à une dizaine de feuilles ensiformes de 60 à 90 cm sur 5 à 7,5. Les fleurs ont des pétales blancs à l'intérieur et fortement teintés de rose à l'extérieur. Une variété, *C. b.* 'Album', offre des inflorescences d'un blanc très pur. *C.* **'Powellii'**, hybride issu en partie de *C. bulbispermum*, présente un bulbe globulaire de 10 cm de diamètre d'où jaillissent une vingtaine de feuilles ensiformes de 0,90 à 1,20 m de long, et de 7,5 à 10 cm de large à la souche. Les fleurs sont d'un rouge rosé, lavé de vert à la base des pétales. 'Ellen Bosanquet' présente des feuilles plus courtes et plus larges et des fleurs d'un rouge violacé soutenu.

SOINS PARTICULIERS

Lumière Les crinums ont besoin d'au moins trois heures de plein soleil par jour. Un éclairage insuffisant nuira à la floraison et fera s'allonger les feuilles de façon inhabituelle.

Température L'atmosphère tempérée de la maison leur convient, sauf durant leur repos hivernal, alors que la température doit être maintenue à 10°C.

Arrosage Durant la période de croissance, arroser généreusement mais ne jamais laisser d'eau dans la soucoupe. En période de repos, arroser parcimonieusement.

Engrais Faire un apport d'engrais liquide ordinaire toutes les trois semaines, en période de croissance seulement.

Empotage et rempotage Utiliser un mélange à base de terreau (voir page 429) et un pot de 2 à 6 cm de diamètre de plus que le bulbe. Si les bulbes sont petits, en grouper 2 ou 3 dans une vasque de 25 à 30 cm en les enfonçant à moitié dans le mélange. Éviter de remplir les pots : les racines en se développant soulèvent la terre.

Ne pas séparer les grappes de bulbes ni rempoter les plants avant au moins trois ans. Renouveler plutôt le mélange en surface (voir page 428) au printemps.

Multiplication Diviser les grappes de bulbes au printemps. Planter les caïeux debout, seuls ou groupés. Disposer le mélange autour des racines charnues et tasser légèrement. Arroser parcimonieusement les jeunes plants pendant six semaines, puis comme indiqué plus haut.

Remarque Si une feuille jaunit ou s'abîme, ne couper que la partie atteinte.

Crocus

IRIDACÉES

Crocus hybride

Plantes à floraison hivernale et printanière issues de petits cormus, les crocus atteignent au plus 10 à 13 cm de haut. Bien avant que leurs feuilles linéaires à sillons vert sombre et rayées de blanc se développent, apparaissent des fleurs cupuliformes bronze, pourpres, mauves, blanches, jaunes, ou

Fleurs de *Crocus* hybrides

même bicolores. Pour les sujets qui poussent à l'extérieur, la floraison survient au tout début du printemps et est de très courte durée. Pour que les sujets cultivés à l'intérieur se dotent de racines avant de produire feuilles et fleurs, il faut les garder bien au frais, en enfouissant si possible pots et terrines dehors, sous une épaisse couche de tourbe, et ne les rentrer que lorsque les boutons floraux commencent à s'entrouvrir. Comme les crocus ne fleurissent qu'une fois à l'intérieur, on peut les repiquer dans le jardin dès que la floraison est terminée. On peut aussi les placer dehors dans leur pot en attendant qu'ils flétrissent, après quoi on les mettra à sécher. L'automne venu, ils seront prêts à être mis en terre.

Les hybrides hollandais dont les fleurs sont deux ou trois fois plus grandes que celles des espèces pures font de belles plantes d'intérieur. Ne pas grouper des hybrides de couleurs différentes, car ils ne fleurissent pas tous au même moment. Utiliser un mélange à base de terreau (voir page 429) ou un mélange pour bulbes (voir page 111), et planter les cormus ensem-

En plantant plusieurs cormus dans le même pot, veiller à ce qu'ils ne se touchent pas.

ble dans un bol ou un pot peu profond, juste sous la surface du mélange. Si les bols n'ont pas de trous de drainage, donner la préférence au mélange pour bulbes et arroser très peu.

Mettre les crocus en pots au début de l'automne; garder le mélange à peine humide, et ranger les plants dans un endroit frais et sombre s'il est impossible de les enfouir sous terre; on recommande de les enfermer dans un sachet de plastique opaque et de les placer sur le rebord d'une fenêtre ou sur un balcon. De temps à autre, s'assurer que les plants ne manquent pas d'eau, et n'arroser que si le mélange terreux se dessèche. *Ne pas essayer* de faire pousser les plants dans un placard ou une armoire où la température pourrait être trop élevée. A la mi-janvier, augmenter doucement la chaleur, mais sans dépasser 16°C. Durant leur court séjour dans la maison, garder les crocus au frais, dans un endroit bien éclairé mais non ensoleillé, et arroser modérément.
Voir aussi BULBES, CORMUS et TUBERCULES.

Croix-de-fer, voir *Begonia masoniana.*

Crossandra

ACANTHACÉES

C. infundibuliformis

Une seule espèce, *C. infundibuliformis* (synonyme de *C. undulifolia*), est cultivée en appartement. Ce sous-arbrisseau, qui peut atteindre 60 cm de hauteur, présente des feuilles vernissées, lancéolées, ondulées, mesurant de 5 à 13 cm de long et jusqu'à 5 cm de large sur des pétioles de 1,3 à 2,5 cm. Les fleurs apparaissent au printemps et en été sur des épis axillaires de 15 cm, partiellement cachés par de petites bractées triangulaires. Leur couleur va du rouge orangé au rose saumon. *C. i.* 'Mona Walhed', à fleurs rose saumon, dépasse rarement 30 cm de hauteur.

SOINS PARTICULIERS
Lumière Procurer un éclairage modéré durant la période de croissance et du soleil en hiver.
Température Ces plantes ne peuvent tolérer des températures inférieures à 18°C. Poser les pots sur des gravillons gardés humides.
Arrosage Pendant la période de croissance, arroser modérément et laisser sécher sur 1 cm entre les arrosages. Pendant le repos, donner juste assez d'eau pour que le mélange ne se dessèche pas.
Engrais Faire un apport d'engrais liquide ordinaire tous les 15 jours,

pendant la période de croissance seulement.
Empotage et rempotage Rempoter les jeunes plants au printemps dans un mélange à base de terreau (voir page 429). Taille maximale des pots : de 14 à 16 cm. Par la suite, renouveler le mélange en surface (voir page 428).
Multiplication Au printemps ou au début de l'été, planter des boutures de 5 à 7,5 cm dans des pots de 6 cm ou dans une terrine à semis remplis d'un mélange à volume égal de tourbe et de sable ou de perlite, humidifié. Enfermer dans un sachet de plastique ou une caissette de multiplication chauffante (voir page 444). Maintenir une température de 21°C et procurer une lumière vive mais tamisée. Après quatre à six semaines, planter dans des pots de 8 cm remplis de mélange ordinaire et donner les soins indiqués ci-dessus.
Remarque En milieu chaud et sec, prendre garde aux araignées rouges (voir page 454).

Crossandre, voir *Crossandra.*
Croton, voir *Codiaeum variegatum pictum.*
Cryptanthe, voir *Cryptanthus.*

Cryptanthus
BROMÉLIACÉES

C. bivittatus

Le genre *Cryptanthus* (cryptanthe) groupe des broméliacées terrestres qui, à l'état naturel, vivent dans les anfractuosités des rochers, sur des souches ou des racines moussues, ou sur des amas de feuilles. Formé de deux mots grecs, *kruptos*, qui veut dire caché, et *anthos*, qui signifie fleur, le nom de ce genre est bien choisi puisque ses petites fleurs crème ou blanc-vert se dissimulent dans le feuillage. Disposées en étoile, les feuilles coria-

Comme les cryptanthus ont des racines qui leur servent de support et non d'organes nourriciers, ils croissent bien sur un tronc à épiphytes.

ces, à pointes effilées mais parfois émoussées, sont généralement épineuses. Les feuilles de la plupart des espèces s'étalent sur le sol; quelquefois, elles sont joliment ondulées. Parfois vertes et unies, elles sont plus souvent zonées et striées de coloris vifs ou pastel. Le feuillage de plusieurs variétés est couvert d'écailles blanches qui résistent au toucher. Le cryptanthus a peu de racines; elles lui servent de support plutôt que d'organes nourriciers. Il est donc tout indiqué pour les jardins sous verre (bouteilles ou terrariums) ou pour une croissance en épiphytisme.
Voir aussi BROMELIACEES.

ESPÈCES RECOMMANDÉES
C. acaulis a des feuilles légèrement ondulées, vert moyen, couvertes d'écailles gris pâle. Les variétés *C. a.* 'Roseo-pictus', *C. a.* 'Roseus' et *C. a.* 'Ruber' ont un feuillage rougeâtre ou nuancé de rose, ne dépassent pas 15 cm d'étalement et se cultivent facilement.
C. bivittatus porte des feuilles ondulées brun-vert à double rayure longitudinale rouge ou rose. *C. b.* 'Luddemanii' est plus vigoureux, et *C. b.* 'Minor' plus menu.

C. bromelioides (parfois appelé *C. terminalis*, var. *tricolor*) est l'un des plus beaux sujets de ce genre, mais aussi l'un des plus difficiles à cultiver parce qu'il a tendance à pourrir à la souche sans qu'on sache pourquoi. Ses feuilles vert moyen ourlées et rayées de blanc ivoire ont plus de 2,5 cm de large sur 18 de long; exposées à une lumière très vive, celles du centre en particulier se nuanceront de rose. Différent des autres, ce cryptanthus a un port dressé et il produit des stolons garnis de plantules terminales.
C. fosteranus est sans doute l'espèce la plus vigoureuse de ce genre : les plantes adultes peuvent en effet atteindre jusqu'à 50 cm d'étalement. Les feuilles longues, coriaces et ondulées, d'un brun cuivré, sont à la fois zonées et striées de gris.
C. zonatus a des feuilles ondulées vert-brun, à rayures transversales vertes, blanches et brunes, recouvertes d'écailles blanches sur le dessous. La rosette peut atteindre 40 cm de diamètre. Il existe quelques variétés de cette espèce. *C. z.* 'Zebrinus', dont le feuillage offre les mêmes coloris, mais plus contrastés, est la plus belle.

SOINS PARTICULIERS

Lumière Elle doit être vive en tout temps. Placés à proximité d'une fenêtre ensoleillée, les cryptanthus

C. zonatus 'Zebrinus'

auront des coloris plus prononcés.

Température Toutes ces plantes se plaisent dans des pièces chaudes, pourvu que l'hygrométrie y soit assez élevée. Placer les pots sur un plateau de gravillons baignant dans un peu d'eau.

Arrosage Tout au long de l'année, arroser parcimonieusement : le mélange doit être à peine humide. En laisser sécher les deux tiers entre les arrosages.

Engrais Au plus fort de la croissance, vaporiser le feuillage de temps à autre avec un engrais foliaire légèrement concentré (voir page 425). Les feuilles ainsi nourries deviendront beaucoup plus grandes et plus colorées.

Empotage et rempotage Utiliser un mélange à base de tourbe ou un mélange à volume égal de terreau de feuilles et de tourbe (voir page 429). Le cryptanthus peut demeurer dans un pot de 8 cm ou une terrine de 16 cm jusqu'au moment où il est nécessaire de supprimer les rosettes qui se sont ajoutées.

Multiplication A l'exception de *C. bromelioides*, toutes les espèces produisent, après la floraison, des rejets entre les feuilles ou à la souche. Planter le rejet au printemps, dans un pot de 6 cm contenant un mélange humidifié à volume égal de tourbe et de sable. Enfermer le pot dans un sachet de plastique transparent, et le garder pendant trois mois à une température normale, sous une lumière vive mais tamisée. Rempoter alors le jeune plant dans le mélange recommandé pour les cryptanthus adultes. Multiplier *C. bromelioides* au moyen de ses plantules et procéder comme pour les rejets.

Ctenanthe
MARANTACÉES

C. lubbersiana

Peu nombreuses, les plantes du genre *Ctenanthe* sont très voisines des marantas et des calatheas avec lesquels on les confond souvent; elles s'en distinguent cependant par leurs feuilles plus étroites groupées en touffes plus compactes. Tous les ctenanthes peuvent atteindre jusqu'à 90 cm de haut et 60 cm d'étalement. Leurs tiges engaînées se dédoublent au niveau des nœuds et portent sur de longs pétioles des feuilles coriaces, lancéolées ou presque oblongues, à surface mate plutôt que vernissée. Des panachures de même nuance ou de teinte contrastante s'étalent en forme de plumage de chaque côté de la nervure médiane. En plus de prendre de la hauteur, les ctenanthes produisent en vieillissant des rejets à la souche, qui leur donnent un aspect buissonnant. Les inflorescences sont dépourvues d'intérêt, le feuillage seul faisant la beauté de ces plantes.

ESPÈCES RECOMMANDÉES

C. lubbersiana est l'une des espèces les plus robustes et l'une de celles qui croissent le plus rapidement. Ses feuilles à base arrondie et à pointe courte sont vert clair ou vert moyen, mouchetées de jaune sur le dessus et vert pâle en dessous; elles mesurent 23 cm de long et 6,5 à 7,5 cm de large.

C. oppenheimiana est surtout connu pour sa variété *C. o.* 'Tricolor', dont les feuilles fusiformes, longues de 25 à 30 cm et larges de 7,5 à 10 cm, sont portées sur des pétioles de 15 à 20 cm. Vert sombre, à mouchetures irrégulières jaune crème couvrant plus des deux tiers de la face supé-

C. oppenheimiana 'Tricolor'

rieure, les feuilles sont, en dessous, d'une couleur pourpre qui embrase toute la plante.

C. setosa porte, sur des pétioles lanugineux pourpres de 15 cm, des feuilles pointues vert pâle, à veines vert sombre sur le dessus seulement, qui mesurent 45 cm de long sur 10 cm de large.

SOINS PARTICULIERS

Lumière On gardera ces plantes à longueur d'année sous une lumière vive mais tamisée. Quand elles sont exposées aux rayons directs du soleil, leurs feuilles se recourbent.

Température L'atmosphère normale d'une pièce convient aux ctenanthes qui ne peuvent supporter des températures inférieures à environ 13°C. Poser les pots sur des gravillons gardés humides.

Arrosage En période de croissance, arroser suffisamment pour bien imbiber la motte, mais laisser sécher sur 1 cm entre les arrosages. En période de repos, c'est-à-dire pendant les mois d'hiver, donner juste assez d'eau pour empêcher le mélange de se dessécher complètement.

Engrais Enrichir d'engrais liquide ordinaire tous les 15 jours, en période de croissance seulement.

Empotage et rempotage Utiliser un mélange à volume égal de terreau (voir page 429) et de feuilles décomposées. Rempoter au printemps. Quand la plante loge dans un pot de 15 à 20 cm, renouveler simplement la couche superficielle du mélange (voir page 428).

Multiplication Au printemps, couper juste sous un nœud un segment de tige portant 3 ou 4 feuilles. Plonger l'entaille dans une poudre d'hormones à enracinement, et planter dans un pot de 8 cm rempli du mélange recommandé pour les ctenanthes adultes. Arroser parcimonieusement, enfermer le pot dans un sachet de plastique transparent ou une caissette de multiplication (voir page 443), et le garder dans un endroit chaud, moyennement éclairé. Compter quatre ou six semaines d'enracinement, puis donner les soins indiqués ci-dessus.

Culotte-de-Suisse, voir *Passiflora caerulea.*

Cuphea
LYTHRACÉES

C. ignea

Le genre *Cuphea* ne comporte que quelques espèces propres à la culture en appartement. Les fleurs vivement colorées de ces sous-arbrisseaux s'épanouissent du début du printemps à la fin de l'automne. Les espèces décrites ci-dessous atteignent jusqu'à 60 cm de hauteur et portent des feuilles coriaces et lancéolées.

ESPÈCES RECOMMANDÉES

C. hyssopifolia a des fleurs campanulées à 6 pétales, pourpres, roses ou blanches, qui mesurent 1,5 cm de diamètre.

C. ignea (appelé aussi *C. platycentra*) est surtout prisé pour ses fleurs tubuleuses dépourvues de pétales, dont le calice rouge feu, long de 2,5 cm, est rehaussé de pourpre et de blanc au sommet. Les feuilles vert moyen, dont les bords rougissent au soleil, mesurent 5 cm sur 1,5. *C. i.* 'Variegata' présente des feuilles mouchetées de jaune.

SOINS PARTICULIERS

Lumière Procurer aux cupheas une lumière vive et trois heures de soleil par jour.

Température Ils s'épanouissent à la température normale d'une pièce, mais prévoir un repos hivernal à une température de 10 à 13°C.

Arrosage En période de croissance, arroser modérément et laisser le mélange sécher sur 1 cm entre les arrosages. En période de repos, arroser parcimonieusement.

Engrais Enrichir d'engrais liquide ordinaire tous les 15 jours, durant la période de croissance.

Empotage et rempotage Utiliser un mélange à base de terreau (voir page 429). Rempoter une première fois au printemps et une deuxième, au milieu de l'été. On ne dépassera pas un pot de 16 cm. Jeter les plantes après deux rempotages, car elles se mettent à dépérir.

Multiplication Au début de l'automne, prélever un segment terminal de 5 à 6,5 cm et le planter dans un pot de 6 cm rempli d'un mélange humidifié, à volume égal de tourbe et de sable ou de perlite. Enfermer le pot dans un sachet de plastique transparent et le garder dans un endroit éclairé. L'enracinement terminé, repiquer le jeune plant dans un mélange à base de terreau et le traiter normalement; l'exposer progressivement au soleil.

La multiplication se fait aussi par semis au début du printemps, sauf pour *C. i.* 'Variegata' dont les mouchetures ne se transmettent que par bouturage. (Voir « Multiplication par semis », page 441.)

Cyanotis
COMMÉLYNACÉES

C. kewensis

T outes les espèces du genre *Cyanotis* se caractérisent par une croissance lente, des feuilles petites et un port retombant. Proches parentes des tradescantias, auxquels elles ressemblent beaucoup, elles sont plus difficiles à cultiver du fait que, pour être belles, elles doivent être compactes; or, le moindre manque de lumière a vite fait d'affaiblir et d'allonger les tiges. Suspendus en corbeille, les cyanotis en plein épanouissement sont fort décoratifs. Ils ne prennent pas de repos l'hiver.

C. somaliensis

ESPÈCES RECOMMANDÉES
C. kewensis est une plante à tiges courtes et rampantes et à feuilles triangulaires charnues, de 2,5 cm de long, vertes sur le dessus, pourpres en dessous; tiges et feuilles sont couvertes de poils brun gingembre. Les fleurs, violettes, apparaissent rarement.

C. somaliensis a des feuilles vertes, brillantes, de 5 cm de long, ourlées de petits poils blancs très doux. Il lui arrive parfois de produire des fleurs bleues.

SOINS PARTICULIERS
Lumière Elle doit être vive à longueur d'année, avec un peu de soleil direct. Placer les corbeilles dans un endroit ensoleillé, et les pots sur l'appui d'une fenêtre.

Température Les cyanotis croissent bien dans une pièce modérément chaude, mais demandent beaucoup d'humidité sans quoi le bout de leurs feuilles brunit. Poser les pots sur des gravillons gardés humides ou suspendre une soucoupe, qu'on remplira d'eau, sous les corbeilles.

Arrosage Arroser modérément à longueur d'année. Bien mouiller le mélange, mais le laisser sécher sur 1 cm entre les arrosages. Les feuilles ont de plus beaux coloris si on laisse de temps à autre le mélange se dessécher complètement pendant un ou deux jours. Eviter de mouiller le feuillage : les poils fins qui le recouvrent retiennent l'eau, et celle-ci peut laisser sur les feuilles des marques qui les déparent.

Engrais Un apport d'engrais liquide ordinaire tous les deux mois suffit.

Empotage et rempotage Les cyanotis doivent croître dans un mélange plutôt sableux : ajouter de la pierre concassée, de la perlite ou du sable (1/3) à du terreau (2/3) [voir page 429]. Etant donné qu'elles ont un système racinaire peu développé et que leur croissance se fait très lentement, ces plantes ont rarement besoin de rempotage. Pour les mêmes raisons, elles doivent être cultivées dans un contenant peu profond.

Multiplication Au printemps, prélever des boutures portant environ 6 feuilles. Enlever celles du bas et planter les boutures dans un mélange humidifié à volume égal de tourbe et de sable. Garder le pot dans un endroit chaud, sous un éclairage vif mais tamisé, et n'arroser que pour empêcher le mélange de se dessécher, jusqu'à ce que de nouvelles pousses indiquent que l'enracinement a réussi. Repiquer alors 5 ou 6 boutures dans un pot de 8 cm rempli du mélange recommandé pour les cyanotis. Les traiter ensuite comme des sujets adultes. S'ils reçoivent les soins voulus, les cyanotis vivront deux ou trois ans, après quoi il sera préférable de les remplacer par des plantes nouvellement enracinées.

Multiplication par bouturage

Avant de planter les boutures, couper les feuilles inférieures qui risquent de pourrir au contact du mélange.

Planter plusieurs boutures dans un mélange à enracinement; les repiquer quand de nouvelles pousses sortent.

Cycas
CYCADACÉES

Sagoutier, cycas du Japon
C. revoluta

Même si elles ressemblent à des palmiers, les plantes groupées sous le genre *Cycas* n'en sont pas. Elles appartiennent à l'ordre des cycadales qui présentent des caractères très primitifs. *C. revoluta*, seule espèce cultivée à l'intérieur, est connue sous les noms de sagoutier ou cycas du Japon. De culture très lente, ce cycas ne produit souvent qu'une feuille par an, si bien que même s'il peut devenir très grand, il garde généralement des proportions raisonnables, les sujets vendus en pots ayant d'ordinaire moins de 10 ans. D'apparence légère, mais en réalité rigides et coriaces, les feuilles disposées en une élégante rosette peuvent mesurer jusqu'à 90 cm de long; elles sont portées sur une tige de 7,5 à 10 cm, couverte de petites épines. Chaque feuille se divise en plusieurs folioles aciculaires de 7,5 à 15 cm de long, disposées de part et d'autre d'un rachis de 0,5 cm de large. Certaines feuilles sont presque verticales; la plupart cependant sont arquées. Elles jaillissent d'une sorte de tronc de forme irrégulière ressemblant à un ananas, de teinte rouille et d'aspect feutré. Ce tronc, qui repose à la surface du mélange terreux, renferme des réserves d'eau que la plante peut utiliser en période de sécheresse. Les cycas ne fleurissent pas à l'intérieur.

SOINS PARTICULIERS

Lumière Les cycas ont besoin en tout temps d'une lumière vive, avec ou sans soleil. Il est inutile d'essayer de les cultiver dans un local médiocrement éclairé.

Température L'atmosphère tempérée d'une pièce leur convient toute l'année. Ils peuvent cependant très bien résister à de mauvaises conditions atmosphériques et tolérer une certaine sécheresse ainsi que des températures aussi basses que 13°C.

Arrosage En période de croissance (soit toute l'année ou à peu près), arroser modérément. Bien imbiber le mélange, mais le laisser sécher sur 1 cm entre les arrosages. En période de repos, s'il s'en produit (par exemple durant les jours sombres de l'hiver), n'arroser que pour empêcher le mélange de se dessécher complètement.

Engrais Enrichir d'engrais liquide ordinaire une fois par mois, depuis le début du printemps jusqu'au début de l'automne.

Empotage et rempotage Pour un meilleur drainage, utiliser un mélange à base de terreau (2/3) [voir page 429] additionné de sable grossier ou de perlite (1/3). Ne rempoter les cycas que lorsque le tronc recouvre les deux tiers du mélange terreux, soit environ tous les deux ou trois ans.

Multiplication En pépinière, la multiplication des cycas se fait par semis. C'est une opération qui demande beaucoup de patience étant donné que les cycas sont de croissance très lente. La plupart des horticulteurs amateurs trouvent cette méthode peu applicable en appartement.

Cycas du Japon, voir *Cycas revoluta*.

Cyclamen

PRIMULACÉES

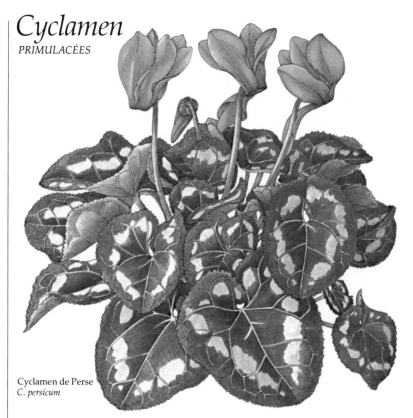

Cyclamen de Perse
C. persicum

Fleurs de *C. persicum*

Le cyclamen des fleuristes, *Cyclamen persicum*, est une plante florifère à racine tubéreuse dont on se défait une fois la floraison passée. On le trouve chez les fleuristes dès les premières semaines de septembre jusqu'à Noël. Il vaut mieux l'acheter au début de la saison, car les plantes plus tardives souffrent du passage brutal de la serre à la boutique. Il restera beau pendant deux ou trois mois.

Les fleurs, très abondantes, apparaissent chacune au sommet d'une hampe de 25 cm ou plus. Elles peuvent être d'un blanc pur ou d'un rouge vif, ou arborer toutes les nuances du rose, du saumon, du mauve ou du pourpre. Chez certaines, les pétales — généralement au nombre de 5 — sont ourlés de blanc; chez d'autres, ils ont un pourtour frangé. Certaines fleurs, ressemblant en cela aux cyclamens sauvages, sont petites, fragiles et exquisement parfumées, alors que les variétés cultivées, non odorantes, sont plus longues d'à peu près 2,5 cm. Les hampes florales s'élèvent au-dessus d'un feuillage diversement panaché d'argent : certaines feuilles ont un large pourtour argenté; d'autres, des mouchetures irrégulières. Elles se dressent sur des pétioles de 10 cm jaillissant directement d'un tubercule subéreux et aplati. Les cyclamens sont vendus en pots de 8 à 13 cm.
Voir aussi BULBES, CORMUS et TUBERCULES.

SOINS PARTICULIERS

Lumière Les cyclamens requièrent une lumière vive mais sans soleil.

Température Garder ces plantes au frais, soit entre 13 et 18°C. Une température élevée réduira de beaucoup leur durée; améliorer la situation en élevant l'hygrométrie, soit en posant les pots sur des gravillons dans un plat contenant un peu d'eau ou sur une couche de sphaigne humide.

Arrosage Les tubercules des cyclamens sont à demi enfouis dans le mélange terreux; les arrosages en surface risquent donc de les faire pourrir. Arroser par le fond en plongeant les pots dans une soucoupe ou un bol d'eau : le mélange s'imbibera par capillarité. Après une dizaine de minutes, sortir les pots et les laisser s'égoutter. Certains pépiniéristes posent les pots de cyclamens sur de petits morceaux de caoutchouc mousse ou de

Après l'avoir laissé dix minutes dans une soucoupe remplie d'eau, retirer le cyclamen pour qu'il s'égoutte. Ne jamais l'arroser par le haut.

fibre de verre imbibés d'eau : la plante s'humidifie ainsi selon ses besoins. Ce procédé peut aussi être une autre façon d'augmenter l'hygrométrie (voir « Température », ci-dessus).

Engrais Enrichir d'engrais liquide ordinaire tous les 15 jours.

Remarques Enlever les fleurs avec leur hampe au fur et à mesure qu'elles meurent. Pour ce faire, tirer fermement dessus en effectuant un mouvement de torsion. Supprimer également les feuilles jaunies.

On se défait généralement des cyclamens après leur floraison. On peut toutefois essayer, même si cela n'est pas facile, d'obtenir une nouvelle floraison l'année suivante. A cette fin, réduire graduellement les apports d'eau. En juin, quand les feuilles se mettent à jaunir, ne plus arroser du tout. Placer alors les pots dans un endroit frais jusqu'au début de l'automne, moment où la croissance reprend. Retirer les tubercules des pots pour enlever l'ancien mélange et les y remettre dans un mélange à base de terreau (voir page 429).

Garder alors les pots dans un endroit frais et bien éclairé et arroser parcimonieusement jusqu'à ce que les feuilles soient bien ouvertes. Traiter ensuite les plantes comme des cyclamens adultes.

Cyclamen de Perse, voir *Cyclamen persicum.*

Cymbidium

ORCHIDACÉES

Cymbidium hybride

L e genre *Cymbidium* comprend une quarantaine d'espèces d'orchidées terrestres ou épiphytes, mais les cymbidiums cultivés en appartement sont tous des épiphytes. La plupart présentent de courts pseudo-bulbes dressés jaillissant d'un rhizome ligneux et portant des feuilles coriaces et rubanées. Les fleurs naissent sur des hampes érigées ou retombantes.

Les plus populaires sont les cymbidiums miniatures. Ils ont des pseudo-bulbes de moins de 5 cm et leurs feuilles excèdent rarement de 30 à 38 cm. Ils peuvent produire, en une seule saison, plus d'une demi-douzaine de hampes florales, sur lesquelles sont attachées une trentaine de fleurs de 7,5 cm de diamètre, souvent odorantes. Leurs coloris sont variés : rouge acajou, rose, jaune, vert ou blanc. La floraison survient à la fin du printemps et au début de l'été.
Voir aussi ORCHIDEES.

CYMBIDIUMS RECOMMANDÉS
C. devonianum est une espèce miniature dont sont issus plusieurs hybrides. De chacun des pseudo-bulbes naissent entre 3 et 5 feuilles coriaces, vert pâle, de 18 à 35 cm de long et de 4 à 7,5 cm de large. Les hampes florales, mesurant environ 30 cm, portent chacune de 12 à 18 fleurs vert olivâtre marquées de pourpre sombre; le labelle est rouge purpurin. Les fleurs ont 4 cm de diamètre.

C. 'Minuet' est un hybride dont les hampes florales, longues de 25 à 40 cm, portent chacune une vingtaine de fleurs vertes, brunes ou jaunes; le labelle est maculé de taches sombres.
C. 'Peter Pan' est aussi un hybride; 10 à 15 fleurs jaune-vert, de 2,5 à 4 cm de diamètre, garnissent les hampes hautes de 25 à 35 cm. Le labelle est marqué de taches acajou foncé.

SOINS PARTICULIERS
Lumière Procurer une lumière vive sans rayons solaires.
Température L'atmosphère normale d'une pièce leur convient, pourvu que l'humidité soit élevée. Si la température se maintient autour de 18°C, poser les pots sur des gravillons dans un plat contenant un peu d'eau et vaporiser quotidiennement le feuillage. Prévoir un court repos hivernal à environ 16°C.
Arrosage Arroser modérément, mais assez pour imbiber le mélange terreux. Le laisser sécher sur 2,5 cm entre les arrosages. Trop d'eau peut faire pourrir la plante. En période de repos, n'arroser que pour empêcher le mélange de se dessécher.
Engrais Enrichir d'engrais liquide ordinaire tous les 15 jours, pendant la période de croissance.
Empotage et rempotage Utiliser un mélange composé de terreau (1/4) [voir page 429], de tourbe (1/4) et de fibre d'osmonde (1/2). Couvrir le fond des pots de 2,5 cm de tessons de grès. Rempoter les plants tous les deux ans, après la floraison. Lorsqu'ils ont atteint leur taille optimale, les diviser comme on l'explique ci-dessous.
Multiplication Diviser les sujets trop touffus immédiatement après la floraison. Retirer la plante du pot, enlever l'ancien mélange à l'eau courante et couper le rhizome avec un couteau. Chaque segment doit porter au moins 2 pseudo-bulbes et quelques racines. Les anciens pseudo-bulbes ne refleuriront plus, mais le rhizome en produira de nouveaux. Empoter chaque segment dans un nouveau mélange. Durant quatre semaines, n'arroser que pour empêcher le mélange de se dessécher. Bassiner quotidiennement. Donner alors les soins recommandés pour les cymbidiums adultes.

Cyperus
CYPÉRACÉES

La plupart des espèces du genre *Cyperus* (papyrus) se plaisent dans les terrains marécageux. Toutes ces plantes ont des tiges graciles sans articulation, groupées en touffes compactes et ressemblant à des joncs; elles sont couronnées de bractées étroites semblables à des feuilles, généralement radiaires, et d'inflorescences brunes ou verdâtres. Des feuilles naissent parfois à la base des tiges; elles se réduisent souvent à des tuniques engainantes, à peine visibles.

ESPÈCES RECOMMANDÉES
C. albostriatus (souvent appelé *C. diffusus*) a des tiges de 25 à 50 cm, qu'entourent à la souche quelques feuilles étroites de même longueur et des tuniques pourpres. L'ensemble, d'un vert clair et brillant, est couronné d'environ 24 étroites bractées de même couleur et de fleurs brun pâle.
C. alternifolius (plante ombrelle ou souchet) peut atteindre 1,20 m. Ses tiges fines, cannelées, presque triangulaires portent au sommet une douzaine de bractées linéaires, recourbées, faisant penser à des feuilles. Les fleurs sont d'un brun

Plante ombrelle
C. alternifolius 'Gracilis'

mat. *C. a.* 'Gracilis', beaucoup plus petit, fleurit rarement. Ses bractées plutôt rigides sont vert foncé. Celles de *C. a.* 'Variegatus', au contraire, sont souples et recourbées, blanches ou rayées de blanc; les tiges sont aussi marquées de blanc. Souvent ces panachures ne durent pas, la plante virant au vert avec le temps.
C. papyrus a servi dès la plus haute antiquité à la fabrication de feuilles

pour écrire. C'est une plante qui peut atteindre de 1,20 à 2,45 m de haut et qui a besoin de beaucoup d'espace pour se développer complètement. Ses tiges lisses, vert foncé, sont couronnées de quelques bractées et d'un bouquet de tiges filamenteuses retombantes, de 10 à 25 cm; chaque filament est enserré dans une tunique brune et porte une petite fleur à son sommet.

Comme il demande beaucoup de

chaleur humide, *C. papyrus* est difficile à cultiver. *C. p.* 'Nanus' (rebaptisé récemment *C. isocladus*) lui ressemble, mais n'atteint que 60 cm de haut.

C. alternifolius 'Variegatus'

C. papyrus (papyrus)

SOINS PARTICULIERS

Lumière Ces plantes croissent indifféremment au plein soleil ou à mi-ombre, sauf *C. a.* 'Variegatus' qui a toujours besoin de beaucoup de lumière. Une croissance lente peut cependant être le symptôme d'un manque de lumière.

Température L'atmosphère normale d'une pièce leur convient. Toutes, sauf *C. papyrus*, auquel il faut des températures d'au moins 16 à 18°C, peuvent tolérer des baisses allant jusqu'à 10°C.

Arrosage *C. alternifolius* ou *C. papyrus* n'ont jamais trop d'eau; maintenir la motte très humide en posant les pots dans une assiette profonde toujours remplie d'eau. La plante boira selon ses besoins : beaucoup en période de croissance, moins en période de repos. Ne pas immerger les pots cependant : les tiges peuvent pourrir si elles se trouvent sous le niveau de l'eau. Il est aussi possible de cultiver ces plantes, surtout *C. alternifolius*,

C. alternifolius et C. papyrus sont des plantes avides d'humidité. Installer leur pot dans un plat contenant de l'eau.

dans des bacs étanches remplis d'eau et de cailloutis. *C. albostriatus* demande moins d'humidité : maintenir le mélange mouillé, mais ne pas laisser d'eau dans la soucoupe.

Quand le terreau des cyperus se déshydrate, même durant peu de temps, le bout des bractées a tendance à brunir. Le même phénomène peut se produire si l'air est trop sec. On corrigera l'hygrométrie en laissant la base des pots tremper dans l'eau.

Dans un bac translucide rempli d'eau et de petits galets, C. alternifolius aura la grâce des plantes aquatiques.

Engrais En période de croissance, enrichir d'engrais liquide ordinaire tous les mois.

Empotage et rempotage Utiliser un mélange à base de terreau (voir page 429). La plupart de ces plantes ont une croissance rapide : les rempoter dès que les touffes de tiges remplissent le pot. On peut planter un jeune cyperus dans un pot de 8 cm, puis le transplanter dans un autre de 14 cm. La plupart des espèces populaires produisent cependant un meilleur effet quand elles sont dans des pots de dimensions relativement restreintes.

C. papyrus fait exception à cette règle; il produira des tiges longues et élancées dans un pot de 20 cm. L'opération du rempotage doit s'effectuer de préférence au printemps, au moment où la croissance reprend. Transplanter le sujet à la profondeur où il se trouvait dans son ancien pot.

Multiplication Elle se fait par division des touffes au printemps. Retirer la plante de son pot et, à l'aide d'un couteau tranchant, sectionner la motte de haut en bas et démêler les racines avec les doigts. Cette opération demande un peu de force, les racines étant généralement très enchevêtrées. Diviser la plante en plusieurs touffes, porteuses chacune de 3 ou 4 tiges. Planter ensuite les touffes dans des pots individuels de 8 cm.

La multiplication de *C. alternifolius* se fait aussi à partir de ses inflorescences. Détacher une tête florale en conservant 1,5 cm de tige et réduire les bractées de la moitié de leur longueur pour diminuer l'évaporation. Placer la tige dans l'eau ou dans du sable maintenu humide. Garder la bouture à la lumière vive à 21°C. Lorsqu'elle a fait des racines, la repiquer dans un mélange ordinaire.

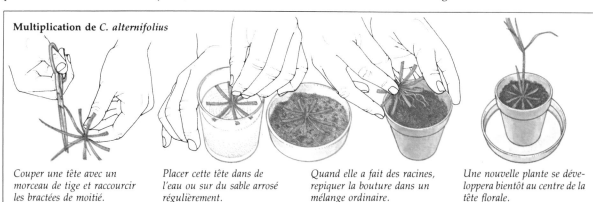

Multiplication de *C. alternifolius*

Couper une tête avec un morceau de tige et raccourcir les bractées de moitié.

Placer cette tête dans de l'eau ou sur du sable arrosé régulièrement.

Quand elle a fait des racines, repiquer la bouture dans un mélange ordinaire.

Une nouvelle plante se développera bientôt au centre de la tête florale.

Cyrtomium
POLYPODIACÉES

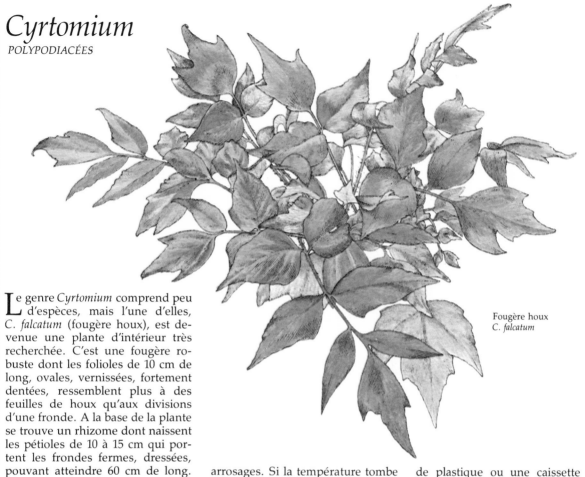

Fougère houx
C. falcatum

Le genre *Cyrtomium* comprend peu d'espèces, mais l'une d'elles, *C. falcatum* (fougère houx), est devenue une plante d'intérieur très recherchée. C'est une fougère robuste dont les folioles de 10 cm de long, ovales, vernissées, fortement dentées, ressemblent plus à des feuilles de houx qu'aux divisions d'une fronde. A la base de la plante se trouve un rhizome dont naissent les pétioles de 10 à 15 cm qui portent les frondes fermes, dressées, pouvant atteindre 60 cm de long. D'abord verts, les sporanges réunis en sores sous les folioles virent au brun. Il existe de nombreuses variétés dont l'une des plus compactes, *C. f.* 'Rochfordianum', offre des frondes d'environ 30 cm de long, garnies de larges folioles. *Voir aussi FOUGÈRES.*

SOINS PARTICULIERS
Lumière Les cyrtomiums ont besoin d'une lumière vive tamisée, mais supportent de courtes périodes de mauvais éclairage. S'ils se trouvent dans un endroit mal éclairé, leur donner quelques heures de lumière, tous les deux jours.
Température L'atmosphère normale d'une pièce leur convient, mais ils peuvent supporter une température de 10°C. Au-dessus de 21°C, augmenter l'hygrométrie en plaçant les pots sur des gravillons dans un peu d'eau.
Arrosage Gardées à une température normale, ces fougères ne connaissent pas de repos hivernal. Les arroser modérément et laisser sécher la motte sur 1 cm entre les arrosages. Si la température tombe au-dessous de 13°C et s'y maintient pendant plusieurs jours, arroser parcimonieusement et laisser le mélange sécher à demi entre les arrosages.
Engrais En période de croissance, enrichir d'engrais ordinaire à demi concentré, tous les 15 jours.
Empotage et rempotage Utiliser un mélange à volume égal de terreau (voir page 429) et de feuilles décomposées ou de tourbe. Au début du printemps, rempoter les sujets à racines denses (voir page 426). Lorsque la plante loge dans un pot de 15 à 18 cm, renouveler simplement la couche superficielle du mélange (voir page 428).
Multiplication Elle se fait par division des touffes au début du printemps. Les segments de rhizome pourvus de 3 ou 4 frondes et de 5 à 7,5 cm de racines s'enracineront rapidement si on les plante juste en dessous de la surface, dans un pot de 8 cm rempli d'un mélange ordinaire bien humidifié. (Les segments dépourvus de racines devront être enfermés dans un sachet de plastique ou une caissette de multiplication [voir page 443] pendant deux ou trois semaines.) Placer les pots à la lumière vive tamisée et garder le mélange légèrement humide jusqu'à l'apparition des nouvelles pousses qu'on cultivera comme des sujets adultes.

Le rhizome de ce cyrtomium disparaît dans les racines. On peut facilement le diviser en boutures pourvues d'au moins trois frondes.

Cytise hybride, voir *Cytisus racemosus.*
Cytise des îles Canaries, voir *Cytisus canariensis.*

Cytisus
LÉGUMINEUSES

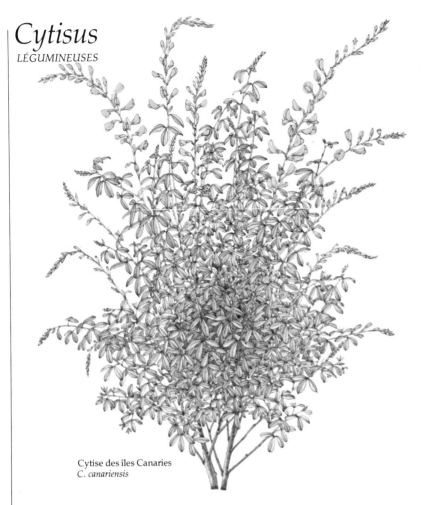

Cytise des îles Canaries
C. canariensis

Ce genre comprend plusieurs espèces d'arbustes et d'arbrisseaux renommés pour leurs épis de fleurs délicatement parfumées, semblables à des pois de senteur. Les deux espèces répandues comme plantes d'intérieur subissent habituellement le même sort que les plantes annuelles : on s'en défait après la floraison. Pour refleurir, elles doivent être gardées à une température inférieure à 16°C.

ESPÈCES RECOMMANDÉES

C. canariensis (cytise des îles Canaries) est un arbuste ramifié et compact pouvant atteindre 60 cm de haut et 45 cm d'étalement. Ses feuilles vert moyen, à 3 folioles ovales mesurant chacune 1,5 cm sur 0,5, sont recouvertes de duvet blanc. Les fleurs, de 2 cm de long, jaune vif, apparaissent en groupes de 5 à 12 sur des épis terminaux, mais durent peu de temps. *C. c. ramosissimus* offre des folioles plus petites et moins de fleurs par épi, mais plus d'épis par plante. Sa floraison est aussi plus longue que celle de l'espèce type.

C. racemosus (cytise hybride) ressemble sous plusieurs aspects à *C. canariensis*. (Certains botanistes estiment même qu'il s'agit non pas d'une espèce distincte, mais d'un hybride issu en partie de *C. canariensis*.) La période de floraison est de plus longue durée que celle de *C. canariensis*; les fleurs sont plus rapprochées sur les épis et ceux-ci sont plus nombreux.

SOINS PARTICULIERS

Lumière Dès l'arrivée du printemps et durant toute la période de floraison, procurer aux cytises une lumière vive et deux ou trois heures d'ensoleillement par jour. Durant le reste de l'année, un éclairement modéré suffit.

Température Pour que les fleurs durent le plus longtemps possible, garder les plantes au frais — jamais au-dessus de 16°C — durant la floraison. Pour conserver les plantes une autre année, les mettre à l'ombre, dehors, après la floraison. Les rentrer avant tout risque de gel et les placer dans un endroit où la température ne dépasse pas 16°C.

Arrosage Du début du printemps au début de l'automne, arroser abondamment pour que le mélange soit bien mouillé. Ne pas laisser d'eau dans la soucoupe. En automne et en hiver, n'arroser que pour empêcher le mélange de se dessécher complètement.

Engrais Enrichir d'engrais liquide ordinaire tous les 15 jours, au printemps et en été seulement.

Empotage et rempotage Utiliser un mélange à base de terreau (voir page 429). Rempoter au début de l'automne avec beaucoup de soin : les racines sont très fragiles.

Multiplication Dans le commerce, elle se fait par semis, mais il faut compter deux ou trois ans avant que le plant fleurisse. La multiplication par bouture est plus rapide et plus satisfaisante. Prélever au printemps des segments de rameaux de 7,5 à 10 cm; les planter dans de petits pots remplis d'un mélange humidifié, à volume égal de tourbe et de sable ou de perlite; enfermer les pots dans un sachet de plastique transparent ou une caissette de multiplication (voir page 443). L'enracinement se fait généralement en quatre à six semaines si la température est maintenue entre 13 et 16°C et si l'éclairage est vif mais tamisé. Traiter dès lors les plants comme des cytises adultes.

Au début de l'automne, les rempoter dans un mélange à base de terreau; à la mi-hiver, fertiliser tous les mois avec un engrais liquide riche en potassium. La floraison devrait se produire le printemps ou l'été suivant.

Remarques Les plantes qu'on garde pour une deuxième année ou celles qu'on obtient par multiplication fleuriront plus tard que les sujets soumis au forçage en pépinière. La période normale de floraison pour les cytises va de la fin du printemps à la mi-été.

Dague-espagnole, voir *Yucca*.
Dame-peinte, voir *Echeveria derenbergii*.
Dattier, voir *Phoenix dactylifera*.

Davallia
POLYPODIACÉES

D. canariensis

Les plantes d'intérieur appartenant au genre *Davallia* (davallie, patte-de-lapin) se distinguent par leurs rhizomes velus qui rampent à la surface du mélange et s'y enracinent en se divisant en deux ou plusieurs sections. De 1,5 à 2 cm d'épaisseur, ces rhizomes sont recouverts de longs poils brun rouille ou gris argent. Il en jaillit des tiges de 25 cm, vert-gris, portant des frondes triangulaires, d'environ 45 cm de long sur 30 cm de large, divisées en 3 ou 4 folioles subdivisées en nombreuses pinnules.

Les rhizomes se ramifient rapidement au ras du sol, si bien que les frondes couvrent très tôt toute la surface du mélange et que la plante devient assez fournie pour prendre élégamment place dans un contenant plat. La plupart de ces fougères tolèrent très bien l'air sec.
Voir aussi FOUGERES.

ESPÈCES RECOMMANDÉES
D. canariensis a des frondes vert moyen, des rhizomes velus brun pâle, et des folioles triangulaires.
D. fejeensis (fougère patte-de-lapin) a les plus grandes frondes des trois espèces présentées ici; mesurant parfois 60 cm, elles sont d'un vert plus pâle que celles des autres.
D. trichomanoides (appelé aussi *D. bullata* ou *D. mariesii*, et familièrement nommé fougère boule ou fougère pied-d'écureuil) a un rhizome moins épais, recouvert d'un duvet havane à poils gris argent. Les

D. fejeensis
(fougère patte-de-lapin)

frondes vert sombre n'ont que 25 cm de long et 15 de large. Les pinnules sont dentées.

SOINS PARTICULIERS
Lumière Ces fougères ont besoin d'un éclairage moyen.
Température Les davallias croissent bien dans l'atmosphère normale d'une pièce, mais supportent des températures un peu plus fraîches. Si la température s'abaisse au-dessous de 13°C, les frondes peuvent mourir. De nouvelles apparaîtront dès que la température s'élèvera.

Arrosage On doit arroser modérément pour que la motte soit humide, et laisser sécher sur 1 cm entre les arrosages. Si la température tombe au-dessous de 13°C et s'y maintient pendant plus de deux jours, n'arroser que pour empêcher le mélange de se dessécher, et ce, jusqu'à ce que la température se réchauffe.

Engrais Enrichir d'engrais liquide ordinaire tous les 15 jours les plantes adultes en croissance.

Empotage et rempotage Utiliser un mélange à base de tourbe, ou un mélange à volume égal de terreau et de feuilles décomposées (voir page 429). Au printemps, rempoter les jeunes plants. Dépoter les plus âgés, raccourcir les racines externes, détacher quelques rhizomes et remettre les plantes dans leurs pots remplis de nouveau mélange.

Multiplication Prélever au printemps des segments de rhizome de 5 à 7,5 cm comportant au moins une ou deux frondes. Utiliser un couteau tranchant pour les détacher de la plante mère. A l'aide d'une épingle à cheveux ou d'une boucle de fil métallique, fixer chaque segment à la surface d'un mélange légèrement humidifié, à volume égal de tourbe et de sable ou de perlite, dans un pot peu profond de 8 cm. Enfermer les pots dans un sachet de plastique transparent ou une caissette de multiplication (voir page 443) et les garder dans une pièce normalement chauffée, sous un éclairage vif mais tamisé. Quand, au bout de trois ou quatre semaines, les racines se sont formées et que les nouvelles frondes sortent, réduire l'humidité graduellement en découvrant les pots pendant des périodes de plus en plus longues. Procéder ainsi durant deux ou trois semaines et ne pas fertiliser les jeunes plants. Trois ou quatre mois plus tard, les replanter dans un mélange ordinaire et leur donner les soins normaux.

Davallie, voir *Davallia*.

Dendrobium

ORCHIDACÉES

D. nobile

Cultivées à l'intérieur, ces orchidées épiphytes ont besoin d'un milieu frais. Minces comme des tiges et souvent garnis de nœuds, les longs pseudo-bulbes portent plusieurs feuilles alternes et de courts pédoncules au bout desquels s'épanouissent les fleurs. Pétales et sépales sont habituellement de même forme et le labelle est remarquable par ses coloris. La floraison des espèces décrites ci-dessous va de la fin du printemps au début de l'été, et les fleurs durent de quatre à six semaines.
Voir aussi ORCHIDEES.

ESPÈCES RECOMMANDÉES

D. infundibulum a des pseudo-bulbes vert moyen de 25 à 50 cm de long, couronnés de plusieurs feuilles rubanées vert sombre, d'environ 7,5 cm sur 2, et de groupes de 2 à 6 fleurs blanches; les pétales ont des bords ondulés et le labelle tubuleux est maculé de jaune sur la gorge. Les tuniques foliaires qui engainent les nouveaux pseudo-bulbes et les boutons floraux sont recouvertes de courts poils noirs.

D. kingianum présente des pseudo-bulbes fuselés de 7,5 à 45 cm, vert-rouge, portant 3 ou 4 feuilles elliptiques vert-gris de 7,5 à 15 cm sur environ 2,5. Les fleurs terminales, cupuliformes et parfumées, de 1,5 cm de diamètre, apparaissent en grappes d'une douzaine; leurs coloris vont du blanc au rose ou au mauve, avec un labelle à marge contrastante.
D. nobile a des pseudo-bulbes vert jaunâtre pouvant atteindre 1,20 m. Plusieurs feuilles étroites apparaissent au début de l'automne et sont remplacées à la fin du printemps, chez les pseudo-bulbes prêts à fleurir, par des pédoncules ramifiés portant de 2 à 4 fleurs d'environ 7,5 cm, dont les coloris varient du

bleu lavande au pourpre soutenu. Pétales et sépales ont un pourtour ondulé, tandis que le labelle arrondi, dont le cœur est marron foncé, a une base tubuleuse.

SOINS PARTICULIERS

Lumière Tout au long de l'année, procurer à ces orchidées une lumière vive tamisée.
Température En période de croissance, maintenir la température entre 16 et 21°C et bassiner le feuillage tous les jours. En période de repos hivernal, des températures de 16 à 18°C le jour et de 10 à 13°C la nuit sont idéales.
Arrosage A l'apparition des boutons floraux et durant la période de croissance, arroser modérément et laisser le mélange sécher presque complètement entre les arrosages. Ne pas mouiller les nouvelles pousses : elles pourriraient. En période de repos, n'arroser que pour empêcher le mélange de se dessécher complètement.
Engrais Enrichir d'engrais foliaire tous les trois ou quatre arrosages, pendant la période de croissance seulement.
Empotage et rempotage Utiliser un mélange approprié aux orchidées (voir page 289), et des petits pots. Bien garnir le fond de ceux-ci de matériel de drainage. Un plant ayant jusqu'à 8 pseudo-bulbes peut être à l'aise dans un pot de 10 cm. Ne rempoter que lorsque le contenant est manifestement trop petit, au printemps, au moment où la croissance reprend.
Multiplication Sectionner le rhizome en segments garnis d'au moins 4 pseudo-bulbes dont l'un n'a pas encore fleuri. En profiter pour supprimer les pseudo-bulbes flétris. Planter chaque segment dans un pot de 8 cm rempli d'un mélange à orchidées; arroser parcimonieusement jusqu'à l'apparition de nouvelles pousses. Traiter celles-ci comme des sujets adultes.

Certaines espèces produisent de jeunes pousses au sommet des vieux pseudo-bulbes. Lorsqu'elles ont des racines d'environ 2,5 cm, les empoter dans un pot de 4 cm et les traiter comme des dendrobiums adultes.
Remarque D. nobile est sujet aux attaques d'araignées rouges. (Voir le traitement page 454.)

Dichorisandra

COMMÉLYNACÉES

D. reginae

Bien que le genre *Dichorisandra* comprenne un certain nombre d'espèces proches parentes du tradescantia commun, seul *D. reginae* est cultivé comme plante d'intérieur. Ses tiges charnues, rouge-pourpre mouchetées de vert, peuvent dépasser 60 cm; habituellement non ramifiées, elles sont d'abord dressées, mais la plupart retombent peu à peu sous le poids

C'est seulement lorsque les tiges de cette plante sont tuteurées qu'on peut admirer la beauté de leur feuillage.

de leurs feuilles et doivent être tuteurées. Les feuilles lancéolées et opposées, de 13 cm sur 5, ont un limbe vert émeraude riche et brillant, rayé longitudinalement et tacheté d'argent sur le dessus; le revers est pourpre. De petites fleurs étoilées bleu et blanc s'épanouissent en grappes terminales compactes à la fin de l'été et au début de l'automne, mais elles présentent peu d'intérêt à côté du splendide feuillage.

SOINS PARTICULIERS

Lumière Cette plante a besoin d'un éclairement moyen; une lumière trop vive ne lui convient pas, mais ses tiges s'allongent indûment et ses feuilles se décolorent si la lumière est insuffisante.

Température Elle s'accommode de l'atmosphère normale d'une pièce. Si la température se maintient au-dessus de 24°C, la plante croît sans

période de repos ou presque. Prendre garde à l'air très sec qui causera des marques brunes sur les feuilles. Corriger la sécheresse en posant les pots sur des gravillons dans un peu d'eau et en bassinant le feuillage de temps à autre.

Arrosage Si la plante ne prend pas de période de repos, arroser modérément toute l'année. Laisser sécher le mélange sur 1 cm entre les arrosages. Si la croissance ralentit, donner encore moins d'eau et laisser sécher le mélange de moitié avant d'arroser de nouveau.

Engrais Enrichir d'engrais liquide ordinaire tous les 15 jours, pendant la période de croissance.

Empotage et rempotage Utiliser un mélange à base de terreau (2/3) [voir page 429] et l'additionner de tourbe (1/3) pour améliorer le drainage. Rempoter les plantes dont les racines remplissent presque tout le pot (voir page 426). En règle générale, on garde les dichorisandras de 18 à 24 mois, après quoi on les remplace; aussi a-t-on rarement besoin d'un pot de plus de 14 cm.

Multiplication Prélever juste sous un nœud un segment de 7,5 cm pourvu de 5 feuilles (2 paires et 1 feuille terminale). Enlever avec soin la paire inférieure et planter ensemble 2 ou 3 boutures dans un pot de 8 cm rempli d'un mélange humidifié, à volume égal de tourbe et de sable ou de perlite. Enfermer le pot dans un sachet de plastique transparent et le garder à une température normale, à mi-ombre, pendant quatre à six semaines, sans donner d'eau. Dans une caissette de multiplication chauffante (voir page 444), l'enracinement se fait beaucoup plus vite.

L'enracinement terminé, retirer les pots du sachet de plastique ou de la caissette, arroser parcimonieusement et fertiliser tous les 15 jours avec un engrais liquide à demi concentré. Dix semaines après le début de l'opération de multiplication, rempoter chaque plant dans le mélange recommandé et le traiter comme une plante adulte.

Remarques Remplacer régulièrement les vieilles plantes par d'autres nouvellement enracinées. Attention aux pucerons (voir page 455), qui se tiennent surtout près des bourgeons terminaux.

Dieffenbachia
ARACÉES

D. picta

Ces plantes, qui peuvent dépasser 1,50 m à l'intérieur, sont cultivées pour la beauté de leur feuillage. Les tiges vigoureuses et non ramifiées portent des feuilles souples et charnues, légèrement retombantes, sur de robustes pétioles engainés. Le limbe est généralement vert, mais, dans certains cas, il est si fortement marqué de jaune ou de blanc que la partie centrale semble d'une seule teinte. Avec le temps, les feuilles inférieures sèchent et tombent, dénudant la tige principale que dissimule partiellement une épaisse couronne de feuilles retombantes. Les sujets adultes peuvent produire des fleurs blanches ou crème, semblables aux arums.

ESPÈCES RECOMMANDÉES
D. amoena est l'une des espèces les plus vigoureuses de ce genre. Ses feuilles oblongues, pouvant atteindre 45 cm sur 30, sont portées sur des pétioles de 30 cm. De couleur vert foncé, elles sont éclaboussées de blanc crème le long de la nervure médiane.
D. bausei, un hybride issu du croisement entre *D. picta* et *D. weirii*, présente des feuilles

lancéolées pouvant atteindre 30 cm de long sur 15 cm de large et des pétioles de 20 cm. De couleur vert-jaune et ourlées de vert sombre, elles portent quelques longues macules vert foncé et des petites taches blanches.
D. bowmannii a des feuilles ovales qui mesurent jusqu'à 60 cm sur 45, et des pétioles de 30 cm. Vert clair, le feuillage est panaché et ourlé de vert sombre.
D. exotica a des feuilles ovales vert sombre, fortement marquées de blanc et de vert très clair. Portées sur des pétioles de 10 cm, elles mesurent 25 cm sur 10.

D. exotica

D. imperialis présente des feuilles ovales, vert foncé, maculées de jaune, mesurant 60 cm sur 30.
D. oerstedii a des feuilles allant du vert foncé au vert olive clair, de

25 cm sur 10 à 13. *D. o. variegata* présente une ligne ivoire le long de la nervure médiane.
D. picta (aussi nommé *D. maculata*) est l'espèce la plus répandue et elle comporte de nombreuses variétés. La plupart ont des feuilles étroites, lancéolées, acuminées. Elles mesurent chez l'espèce type 25 cm sur 6,5 avec des pétioles de 13 à 15 cm; de couleur vert sombre, elles sont irrégulièrement tachetées de blanc ivoire le long des veines latérales. Une variété intéressante, *D. p.* 'Rudolph Roehrs', présente des feuilles ovales presque blanc crème chez les jeunes sujets; avec l'âge apparaissent des taches vert-jaune.

SOINS PARTICULIERS
Lumière Elle doit être vive mais tamisée durant le printemps, l'été et l'automne. En hiver, donner le plus de lumière possible et même du franc soleil.
Température Les dieffenbachias ont besoin de chaleur et de beaucoup d'humidité; poser les pots sur des gravillons dans de l'eau et ne pas laisser le thermomètre descendre au-dessous de 16°C.
Arrosage Arroser modérément, c'est-à-dire de façon à bien humidifier le mélange, et laisser sécher sur 2,5 cm entre les arrosages. Gardées dans un local convenablement chauffé, ces plantes ne prennent pas de repos.
Engrais Enrichir d'engrais liquide ordinaire tous les 15 jours, en période de croissance.
Empotage et rempotage Utiliser un mélange à base de terreau (voir page 429). Rempoter au printemps, pour terminer dans un pot de 20 cm. Si l'on veut une plante plus grosse, la rempoter tous les deux ans; le pot pourra alors atteindre de 25 à 30 cm.
Multiplication Au printemps ou au début de l'été, prélever un segment terminal de rameau de 7,5 à 15 cm, juste sous un nœud; supprimer les feuilles inférieures, plonger l'entaille dans une poudre d'hormones à enracinement et planter dans un pot de 10 cm rempli d'un mélange humidifié, à volume égal de tourbe et de sable ou de perlite. Enfermer le pot dans un sachet de plastique transparent ou une caissette de multiplication chauffante (voir page 444), et gar-

der à une température d'au moins 21°C, sous un éclairage vif mais indirect. Quatre à six semaines plus tard, dégager le pot; arroser modérément et fertiliser avec un engrais liquide ordinaire tous les 15 jours. Transplanter le jeune plant dans un pot d'environ 14 cm rempli de mélange à base de terreau et, dès que ses racines commencent à se développer, le traiter comme un sujet adulte.

On peut également multiplier les dieffenbachias à partir de segments de 7,5 à 10 cm prélevés sur la tige principale. Chaque segment doit porter au moins un bourgeon. Placer le segment horizontalement à la surface d'un mélange humidifié, à volume égal de tourbe et de sable ou de perlite, et le traiter comme une bouture qu'on vient de planter. On peut aussi procéder par marcottage aérien (voir page 440).

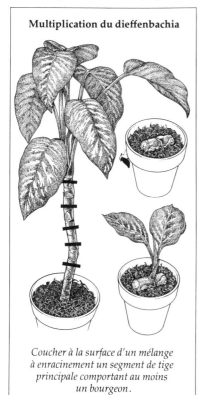

Multiplication du dieffenbachia

Coucher à la surface d'un mélange à enracinement un segment de tige principale comportant au moins un bourgeon.

Remarques Bien se laver les mains après avoir enlevé une feuille morte ou prélevé une bouture. La sève du dieffenbachia est en effet toxique; si on en absorbe par la bouche, il se produit des gonflements, de la douleur et même une extinction de voix passagère.

Dioscorea
DIOSCORÉACÉES

Yam
D. discolor

Le genre *Dioscorea* (yam) groupe des plantes grimpantes à racines tubéreuses. Les racines de certaines espèces sont comestibles, mais ne doivent pas être confondues avec les patates douces appelées souvent, à tort, « yams ». La seule espèce cultivée à l'intérieur, *D. discolor*, présente une souche rhizomateuse circulaire pouvant mesurer de 5 à 7,5 cm de diamètre. Au printemps, il en naît des tiges graciles qui peuvent atteindre 25 à 40 cm en une seule saison. Elles portent sur des pétioles de 6,5 cm des feuilles cordiformes et alternes mesurant jusqu'à 20 cm sur 15. Le limbe est vert olive foncé maculé de vert clair et de gris argent, avec des nervures saillantes gris rosé, et le dessous est d'un pourpre mat. De modestes fleurs vertes apparaissent à la fin de l'été.

Cette plante cesse de croître en automne : les feuilles jaunissent et tombent, et les tiges meurent.
Voir aussi BULBES, CORMUS et TUBERCULES.

SOINS PARTICULIERS
Lumière Elle doit être très vive en période de croissance avec trois ou quatre heures de soleil par jour.
Température L'atmosphère normale d'une pièce leur convient en période de croissance. Garder les dioscoreas dormants au frais, mais jamais à moins de 13°C.
Arrosage Quand la croissance reprend au début du printemps, arroser parcimonieusement et laisser sécher les deux tiers du mélange entre les arrosages. Lorsque la plante a atteint environ 30 cm de hauteur, arroser généreusement. Le mélange doit être très humide, mais il ne doit pas rester d'eau dans la soucoupe. L'automne venu, quand les feuilles commencent à jaunir, réduire graduellement les apports d'eau. Les interrompre quand feuilles et tiges sont mortes. Laisser les tubercules sécher dans leur pot jusqu'au printemps.
Engrais Enrichir d'engrais liquide ordinaire tous les 15 jours, du début du printemps jusqu'au début de l'automne.
Empotage et rempotage Utiliser un mélange à base de terreau (voir page 429). Au début du printemps, avant la reprise de la croissance, replanter chaque tubercule à une profondeur de 2,5 cm dans un pot propre rempli de mélange frais, à peine humide. Un pot de 15 cm suffit, même pour les gros tubercules. Garder le pot dans un sachet de plastique transparent ou une caissette de multiplication chauffante (voir page 444) à environ 21°C et sous une lumière vive mais tamisée, pendant 7 à 10 jours.
Multiplication Elle se fait au moyen des petits tubercules qui apparaissent en automne sur les racines blanches et charnues. Ces racines se décomposent durant l'hiver et libèrent les petits tubercules. Au printemps, planter ces tubercules dans un plateau, juste sous la surface d'un mélange à volume égal de tourbe et de sable humidifié. Garder le plateau dans un lieu bien éclairé et ne pas arroser s'il est enfermé dans un sachet de plastique ou une caissette de multiplication; autrement, n'arroser que pour empêcher le mélange de se dessécher complètement. Quand les pousses ont de 2,5 à 5 cm, transplanter les tubercules dans des pots de 8 à 14 cm remplis de mélange ordinaire.
Remarque Attacher les tiges volubiles à trois ou quatre tuteurs enfoncés dans le mélange, contre la paroi du pot.

Dipladenia
APOCYNACÉES

La seule espèce de ce genre cultivée à l'intérieur, *D. sanderi*, est maintenant classée dans le genre *Mandevilla* et devrait donc s'appeler *M. sanderi*, mais elle est tellement connue sous son ancien nom qu'on le lui a conservé ici.

D. sanderi est une plante ligneuse dont les tiges volubiles portent, sur des pétioles de 1,5 cm, des feuilles coriaces, ovales et pointues, d'un beau vert brillant; elles naissent en paires opposées et peuvent mesurer 5 cm sur 2,5. Les fleurs, remarquables, apparaissent en grappes terminales de mai à octobre, dès que la plante atteint 30 cm de haut. Roses à gorge orange, ces fleurs en forme de trompette mesurent chacune 7,5 cm de diamètre. Une taille régulière conserve aux dipladenias un port arbustif. On peut aussi les encourager à grimper sur de fins tuteurs.

SOINS PARTICULIERS
Lumière Les dipladenias requièrent une lumière vive, tamisée par un store ou des rideaux translucides. Ne jamais les placer en plein soleil. Par contre, ils ne fleuriront pas si la lumière est faible.

Température L'atmosphère normale d'une pièce leur convient en période de croissance. Maintenir la température à environ 13°C en hiver, durant la période de repos. Augmenter le taux d'humidité en posant les pots sur des gravillons dans un plat contenant de l'eau.

Arrosage En période de croissance, arroser modérément; le mélange doit être bien mouillé, mais en laisser sécher 1 cm entre les arrosages. En période de repos, n'arroser que pour empêcher la motte de se dessécher complètement.

Engrais Faire des apports d'engrais liquide ordinaire tous les 15 jours, pendant la période de croissance seulement.

Empotage et rempotage Utiliser un mélange à base de terreau (voir page 429). Améliorer le drainage en disposant au fond des pots 1,5 cm de tessons de grès. Rempoter chaque printemps pour terminer dans un pot de 20 cm. Renouveler alors simplement le mélange en surface (voir page 428).

Multiplication Au printemps, prélever sur les nouvelles pousses des segments terminaux de 7,5 cm. Les planter dans des pots de 8 cm remplis d'un mélange humidifié à volume égal de tourbe et de sable ou de perlite. Enfermer les pots dans un sachet de plastique transparent ou une caissette de multiplication chauffante (voir page 444) et les placer dans un endroit moyennement éclairé. L'enracinement ne se fera pas ou sera très lent si la température descend en dessous de 24 à 27°C. Lorsque de nouvelles pousses apparaissent, découvrir les plants. Les laisser dans un endroit chaud et ombragé, et arroser parcimonieusement. Fertiliser tous les mois avec un engrais liquide ordinaire jusqu'à ce que les racines remplissent une grande partie du pot (voir page 426). Rempoter alors les plants dans un mélange à base de terreau et les traiter comme des dipladenias adultes.

Remarque Les dipladenias fleurissent seulement sur des tiges produites durant l'année. A l'automne, après la floraison, rabattre presque entièrement ces tiges. La plante aura ainsi une taille réduite durant son repos hivernal et elle produira plus de tiges florifères, le printemps suivant.

Dizygotheca
ARALIACÉES

Avec leurs feuilles divisées en plusieurs folioles et disposées en cercle au sommet de pétioles graciles, ces plantes tropicales sont parmi les plus gracieuses. A l'intérieur, elles atteignent rarement plus de 1,80 m de hauteur et 50 cm d'étalement.

Note : Ces plantes étaient autrefois classées dans le genre *Aralia* auquel elles ressemblent beaucoup. Elles sont d'ailleurs encore parfois vendues sous ce nom.

ESPÈCES RECOMMANDÉES
D. elegantissima (souvent nommé *D. laciniata* et communément appelé faux aralia) est une plante élancée dont les feuilles sont constituées de 7 à 10 folioles coriaces et très découpées, de 7,5 à 10 cm sur 1,5. D'abord rouge cuivré, elles virent ensuite au vert très sombre. La tige principale et les pétioles sont mouchetés de blanc crème.

D. kerchoveana est semblable à *D. elegantissima*, mais la nervure médiane, de nuance blanchâtre, est plus saillante.

D. veitchii présente des folioles ayant jusqu'à 2,5 cm de large. La face interne du limbe est lie-de-vin.

D. veitchii

SOINS PARTICULIERS
Lumière Procurer aux dizygothecas une lumière vive, mais ne pas lès exposer au soleil.

Température Une chaleur humide leur est nécessaire; maintenir la température au-dessus de 16°C toute l'année, et poser les pots sur des gravillons dans un peu d'eau.

Faux aralia
D. elegantissima

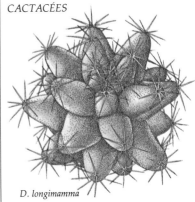

D. longimamma

Dolichothele

CACTACÉES

Arrosage Arroser peu en tout temps. Laisser sécher les deux tiers du mélange entre les arrosages.

Engrais Enrichir d'engrais liquide ordinaire tous les 15 jours pendant la période de croissance.

Empotage et rempotage Utiliser un mélange à base de terreau (voir page 429). Les dizygothecas ont une croissance lente : ne les rempoter que tous les deux ans, au début du printemps, et seulement si c'est

vraiment nécessaire. Quand ils logent dans des pots de 20 à 25 cm, renouveler simplement la couche superficielle du mélange (voir page 428). Faire cette opération au printemps.

Multiplication Elle se fait normalement par semis au printemps. L'opération peut réussir dans une pièce chaude et avec des graines fraîches. Mais c'est encore plus simple de se procurer de jeunes plants cultivés commercialement.

Remarque Ces plantes n'ont pas l'habitude de se ramifier. Pour former une belle touffe, grouper 2 ou 3 sujets dans un même pot.

Seule espèce du genre *Dolichothele*, *D. longimamma* ressemble tellement au mammillaria qu'on l'inclut souvent dans ce genre. Cette cactée du désert est formée de mamelons coniques et verruqueux, appelés tubercules, disposés en spirale et mesurant chacun environ 1,3 cm de diamètre. Les tubercules portent une aréole d'où jaillissent une dizaine d'épines blanchâtres ou jaune clair de 1,3 cm de long. A l'âge d'environ cinq ans, la plante aura probablement atteint une circonférence de 15 cm et quelques rejets se seront formés à la base. Des rameaux naissent parfois au sommet des tubercules qui, alors, se gonflent et deviennent laineux.

Durant l'été, cette cactée produit jusqu'à 6 fleurs jaunes campanulées d'environ 5 cm de diamètre, se distinguant par là des mammillarias dont les fleurs sont en général plus petites. Il n'y a normalement qu'une floraison par année et les fleurs qui naissent d'aréoles secondaires, au sommet de la plante, ne durent qu'un jour ou deux.
Voir aussi CACTEES.

SOINS PARTICULIERS
Les soins à donner à *D. longimamma* sont exactement ceux que requièrent les mammillarias. Pour de plus amples détails, se reporter à *MAMMILLARIA.*

Dollar-d'argent, voir *Crassula arborescens.*
Doradille, voir *Asplenium.*
Dormeuse, voir *Maranta.*
Doum d'Afrique du Nord, voir *Chamaerops.*

Dans cet assortiment, le délicat feuillage des dizygothecas est mis en relief par les feuilles larges des bégonias, codiaeums, aglaonemas et tradescantias.

Comme les dizygothecas ne se ramifient pas, il vaut mieux grouper quelques sujets dans le même pot pour leur donner du volume.

Dracaena

AGAVACÉES

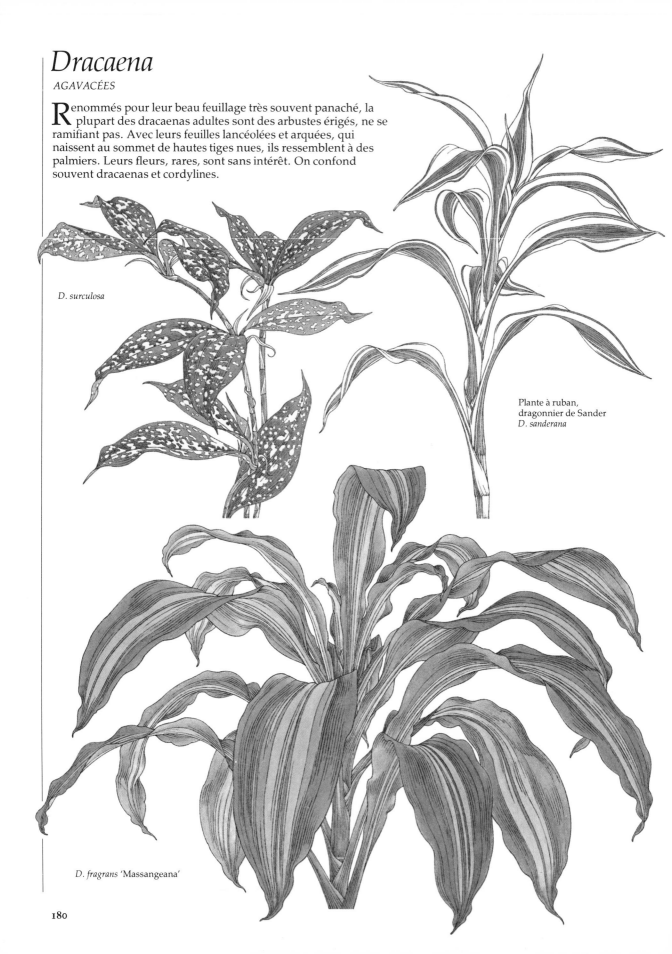

Renommés pour leur beau feuillage très souvent panaché, la plupart des dracaenas adultes sont des arbustes érigés, ne se ramifiant pas. Avec leurs feuilles lancéolées et arquées, qui naissent au sommet de hautes tiges nues, ils ressemblent à des palmiers. Leurs fleurs, rares, sont sans intérêt. On confond souvent dracaenas et cordylines.

D. surculosa

Plante à ruban,
dragonnier de Sander
D. sanderana

D. fragrans 'Massangeana'

D. marginata 'Tricolor'

D. deremensis 'Warneckii'

D. deremensis, à feuilles unies, est une espèce rare, mais deux de ses variétés panachées sont plus répandues. Ce sont D. d. 'Bausei', qui atteint 1,20 m de haut et 38 cm d'étalement et porte des feuilles de 45 cm sur 5, vert foncé marquées au centre d'une rayure blanche; et D. d. 'Warneckii', qui ne diffère de la précédente que par sa double rayure blanche.

D. draco (dragonnier des Canaries), quand il est cultivé à l'intérieur, dépasse rarement 1,20 m de haut et 60 cm d'étalement. Ses feuilles coriaces, acuminées, à fine marge rouge, mesurant jusqu'à 45 cm sur 5, sont disposées en rosette chez les jeunes sujets, mais sont portées plus tard au sommet d'un tronc épais et ligneux. D'abord dressées, elles s'inclinent avec l'âge.

D. goldieana   D. draco (dragonnier)

D. fragrans (ainsi nommé à cause de ses fleurs parfumées, rarement produites en pot) atteint de 1,20 à 1,50 m de hauteur et 60 cm d'étalement, et porte des feuilles vertes, vernissées, gracieusement retombantes, de 45 à 90 cm sur 10. On le connaît surtout pour ses variétés panachées; les feuilles de D. f. 'Lindenii' sont bordées de crème, celles de D. f. 'Massangeana' présentent une large bande centrale jaune parfois flanquée de fines raies jaunes, tandis que celles de D. f. 'Victoria' (parfois appelé à tort D. victoriae) offrent un pourtour jaune vif. Toutes ces plantes commencent à perdre leurs feuilles après un ou deux ans, n'en gardant qu'un joli bouquet au sommet d'une tige robuste, avec parfois un ou deux rameaux latéraux, eux-mêmes garnis de feuilles.

D. goldieana est une ravissante espèce de croissance lente et de culture difficile : elle demande beaucoup d'humidité, une chaleur constante et ne supporte aucunement les courants d'air. Sa tige gracile, dressée et non ramifiée, dépasse rarement 30 cm de hauteur et d'étalement, et porte une dizaine de feuilles ovales de 23 à 25 cm sur 13. Elles sont d'un vert brillant avec une nervure médiane jaunâtre et des bandes transversales gris argent. Parfois, une touffe de fleurs blanches parfumées apparaît au centre des feuilles.

D. hookerana a des feuilles ensiformes et coriaces, mesurant jusqu'à 75 cm sur 5 à 7,5; le limbe vert brillant est finement ourlé d'une ligne blanche presque transparente. La tige ligneuse comme un tronc et rarement ramifiée peut atteindre 1,80 m. *D. h.* 'Latifolia' ressemble à l'espèce type sauf que ses feuilles, qui ont une largeur d'environ 9 cm dans leur partie centrale, se rétrécissent à leur point d'insertion sur la tige. Contrairement à l'espèce, *D. h.* 'Variegata' offre des feuilles rayées de blanc, soit en une seule large bande longitudinale, soit en plusieurs fines lignes.

D. marginata, plus tolérant que les autres dracaenas, est aussi plus facile à cultiver. Il peut atteindre une hauteur de 3 m. Il présente habituellement une tige droite couronnée d'une trentaine de feuilles de 60 cm sur 1,5, vert sombre, bordées d'une teinte pourpre. Elles tombent avec le temps, laissant des cicatrices à leur point d'insertion sur la tige. Une superbe variété panachée généralement vendue sous le nom de *D. m.* 'Tricolor'

Croissance de *D. marginata*

Jeune (1), D. marginata *a des feuilles linéaires s'élevant de la souche. Avec le temps, les feuilles inférieures tombent, dénudant le tronc (2 et 3).*

présente des feuilles rayées de rose, de crème et de vert; elle est aussi facile à cultiver que l'espèce type.

D. sanderana (souvent nommé à tort *D. sanderiana* et populairement appelé plante à ruban ou dragonnier de Sander) est un arbuste élancé et dressé portant des feuilles rigides de 23 cm sur 2,5; des bordures blanches ourlent le limbe vert sombre. Les tiges se ramifient parfois, à la base, et la plante dépasse rarement 90 cm quand elle est cultivée en appartement.

D. surculosa (mieux connu sous son ancien nom de *D. godseffiana*) est différent des autres dracaenas. Ses deux variétés populaires, *D. s.* 'Florida Beauty' et *D. s.* 'Kelleri', sont des plantes rameuses, dont les tiges minces mais rigides portent des touffes de 2 ou 3 feuilles elliptiques, disposées en spirale, d'un vert sombre moucheté de crème; elles mesurent 7,5 cm sur 4, et la plante atteint environ 60 cm de haut et 38 d'étalement. *D. s.* 'Florida Beauty' présente des feuilles dont les panachures blanc crème sont tellement rapprochées qu'elles semblent ne former qu'une large tache.

SOINS PARTICULIERS

Lumière Les dracaenas ont besoin d'une lumière vive sans soleil direct. L'idéal est de leur donner deux ou trois heures par jour de soleil tamisé par des rideaux ou un store translucides.

Température *D. draco* supporte des températures d'environ 10°C, mais tous les autres dracaenas ont besoin de chaleur (18 à 24°C idéalement), faute de quoi leurs feuilles s'affaissent et tombent. Un prompt retour (10 à 15 jours au plus) à des températures plus élevées fera apparaître de nouvelles feuilles en quelques semaines. Les dracaenas ont aussi besoin de beaucoup d'humidité : placer les pots sur des plats remplis de gravillons ou de tourbe humides et bassiner le feuillage de temps à autre.

Arrosage En période de croissance, arroser généreusement : le mélange doit toujours être très humide, mais ne jamais laisser d'eau dans la soucoupe. En période de repos, arroser modérément : le mélange doit être à peine humide; laisser sécher sur 2,5 cm entre les arrosages.

Engrais Fertiliser avec un engrais liquide ordinaire tous les 15 jours pendant la période de croissance seulement.

Empotage et rempotage Utiliser un mélange à base de terreau (voir page 429). *D. goldieana, D. sanderana* et *D. surculosa* ont une croissance lente; ils pousseront des années dans de petits pots et atteindront leur maturité dans un pot de 14 cm. Les dracaenas plus vigoureux et à feuilles plus larges doivent être rempotés tous les printemps jusqu'à ce qu'ils logent dans un pot de 20 à 25 cm.

Multiplication Elle se fait au printemps ou à la fin de l'été au moyen de boutures de pointes ou de tiges, ou de rejets à la souche. Boutures et rejets doivent être jeunes, assez tendres et avoir de 7,5 à 15 cm de long. Si les boutures sont prélevées sur une tige plus vieille, couper (avec un sécateur au besoin) des segments de 4 à 5 cm portant chacun au moins un bourgeon (léger renflement sous l'écorce), et les planter dans le sens où ils poussaient auparavant.

Placer la bouture ou le rejet dans un pot de 8 cm, rempli d'un mélange à peine humidifié à volume égal de tourbe et de sable ou de perlite. Enfermer les pots dans un sachet de plastique transparent ou une caissette de multiplication chauffante (voir page 444) et les garder dans un endroit chaud et ombragé. Ne pas arroser durant la période d'enracinement qui demande de quatre à six semaines. Retirer alors les pots du sachet ou de la caissette. Arroser modérément, c'est-à-dire de façon à bien mouiller le mélange et le laisser sécher sur 1 cm avant d'arroser de nouveau. En outre, fertiliser avec un engrais liquide ordinaire, à demi concentré, tous les 15 jours. Quand des racines apparaissent à la surface du mélange, rempoter les jeunes plants dans des pots remplis de mélange pour les sujets adultes et les cultiver normalement.

Dragonnier, voir *Cordyline terminalis.*
Dragonnier, voir *Dracaena draco.*
Dragonnier des Canaries, voir *Dracaena draco.*
Dragonnier de Sander, voir *Dracaena sanderana.*

Dyckia

BROMÉLIACÉES

D. brevifolia

Les dyckias sont des broméliacées épineuses et sans tige, ressemblant à des plantes grasses. Leurs feuilles raides croissent habituellement en rosettes serrées; elles paraissent rayées en dessous, mais sont en fait partiellement recouvertes d'écailles blanc argenté disposées en étroites bandes longitudinales. Au printemps, des fleurs campanulées naissent sur de longues hampes qui poussent à côté, et non au centre, de la rosette parvenue à maturité. A cause de cette particularité, la rosette ne meurt pas après la floraison, comme chez la plupart des broméliacées. Les dyckias en produisent rapidement de nouvelles et la plante devient très compacte. Les deux espèces réputées comme plantes d'intérieur ont une croissance lente et un étalement d'environ 30 cm.
Voir aussi BROMELIACEES.

ESPÈCES RECOMMANDÉES

D. brevifolia (connu aussi sous le nom de *D. sulphurea*) présente des feuilles charnues vertes, acuminées, de 7,5 à 13 cm sur 2, bordées d'épines crochues ne dépassant pas 0,5 cm. Les rayures blanc argenté du dessous sont particulièrement bien dessinées. Des fleurs orange vif, de 1,3 cm, apparaissent à larges intervalles, et plutôt rarement, sur le tiers supérieur des hampes longues de 60 cm.

D. fosterana présente des feuilles grises, luisantes, raides et arquées, mesurant jusqu'à 25 cm sur 2, hérissées d'épines crochues de 0,5 cm de long. Quand elles sont exposées aux vifs rayons du soleil, les feuilles prennent un riche coloris bronze métallique. Des fleurs jaune-orange de 2,5 cm de long apparaissent sur des hampes de 25 à 30 cm.

SOINS PARTICULIERS

Lumière Pour que la plante soit bien colorée et robuste, la garder en plein soleil.

Température A l'état sauvage, les dyckias vivent dans un milieu chaud et sec. Tant qu'il fait chaud, ils continuent donc de croître sans problème, et leur période de repos est mal définie. Ils peuvent néanmoins supporter des températures d'environ 10°C.

Arrosage Les dyckias sont en mesure de résister à de longues périodes de sécheresse (et même à de courtes périodes sans soins). Ils croîtront mieux cependant si on les arrose modérément, c'est-à-dire assez pour bien humidifier le mélange. Laisser sécher sur 2,5 cm entre les arrosages. En hiver, là où la lumière est réduite, garder les dyckias au frais et arroser parcimonieusement, une fois par mois tout au plus. Le mélange ne doit pas sécher complètement.

Engrais Enrichir d'engrais liquide ordinaire une fois par mois, sauf durant l'hiver.

Empotage et rempotage Pour que le drainage se fasse bien, utiliser un mélange à base de terreau (2/3) [voir page 429], additionné de sable ou de perlite (1/3). Disposer une couche de 2,5 cm de tessons de grès au fond des pots. Rempoter les dyckias au printemps lorsque leurs feuilles couvrent toute la surface du mélange. On ne dépassera pas un pot de 14 à 16 cm. Porter des gants épais pour rempoter ces plantes (surtout *D. fosterana*) et faire très attention de ne pas casser les feuilles, qui sont très fragiles.

Multiplication Elle se fait au printemps à partir des nombreux rejets qui se développent au pied de la plante. Les détacher avec un couteau tranchant lorsqu'ils mesurent 4 ou 5 cm de diamètre. Placer chaque rosette dans un godet rempli d'un mélange à volume égal de terreau et de sable ou de perlite. Garder à une lumière moyenne et n'arroser que pour empêcher le mélange de se dessécher, et ce, jusqu'à ce que de nouvelles pousses indiquent que les rejets ont pris racine. Les traiter alors comme des plantes adultes. Lorsque la rosette couvre toute la surface du godet, rempoter le jeune plant dans le mélange terreux recommandé pour les dyckias adultes.

Remarques Dès que la température le permet, placer les dyckias à l'extérieur et les installer en plein soleil durant tout l'été. Procéder d'abord progressivement pendant une période de 7 à 10 jours en leur donnant chaque jour un peu plus de soleil. Au début de l'automne, les rentrer dans la maison.

Echeveria

CRASSULACÉES

Dame-peinte
E. derenbergii

Les echeverias, parmi lesquels on trouve aussi bien des sous-arbrisseaux touffus que des plantes à rosettes sans tige et étalées, varient considérablement de taille, de forme, de couleur et de texture. Ce sont des plantes grasses à feuilles charnues, couvertes d'une substance cireuse qui ternit au toucher. Certaines espèces présentent des feuilles et des tiges duveteuses. Le feuillage est cassant : un geste maladroit, et la feuille se détache de la tige à son point d'insertion. Avec le temps, les feuilles sèchent et s'enlèvent facilement.

Des fleurs axillaires et campanulées apparaissent en épis au centre de la rosette peu après le repos hivernal, parfois au début de l'été. Elles s'ouvrent les unes à la suite des autres, à partir de la base de l'épi qui, souvent enroulé au début, se redresse peu à peu.

Les noms des echeverias prêtent parfois à confusion. Plusieurs hybrides sont apparus récemment dont certains issus d'un croisement entre le genre *Echeveria* et d'autres genres de la même famille. On leur a donné des noms formés à partir de ceux de leurs parents, par exemple *Pachyveria* est une contraction de *Pachyphytum* et de *Echeveria*. En outre, plusieurs espèces autrefois rattachées au genre *Echeveria* ont été classées sous d'autres genres (*Dudleya* et *Urbinia*), de sorte que des plantes bien connues peuvent maintenant porter des noms peu familiers. Chez les echeverias proprement dits, plusieurs espèces et hybrides sont très différents de l'espèce type : ils peuvent présenter des feuilles au pourtour ondulé ou des rosettes cristées (c'est-à-dire en forme de crête de coq).
Voir aussi PLANTES GRASSES.

ESPÈCES RECOMMANDÉES

E. affinis (parfois appelé *E.* 'Nigra') a des feuilles charnues, lancéolées, acuminées, de 5 à 7,5 cm, disposées en une rosette sans tige de 10 cm d'étalement. Cireuses et vert très foncé, elles deviennent presque noires si la plante est cultivée en plein soleil et gardée au sec. Des fleurs rouges naissent en solitaires sur une tige ramifiée, à la fin de l'hiver.

E. agavoides (parfois appelé *Urbinia agavoides*) se reconnaît à ses feuilles vert pomme, charnues et triangulaires, mesurant de 4 à 7,5 cm, et disposées en une rosette dense de 13 à 15 cm d'étalement. Elles ne sont pas pruineuses, se terminent par une pointe brune et leurs bords prennent au soleil une teinte rougeâtre. Des fleurs rouges ourlées de jaune naissent au printemps. Il existe une très jolie variété cristée, *E. a.* 'Cristata'.

E. derenbergii (dame-peinte) porte sur une courte tige une ou plusieurs rosettes en forme de coussin; il en apparaît constamment de nouvelles à l'aisselle des feuilles. Bleu-vert, celles-ci présentent une pruine cireuse argentée et des pointes rouges; elles mesurent de 2,5 à 4 cm. En se développant, la plante produit de multiples rejets. Des hampes recourbées, atteignant 7,5 cm, portent des fleurs vermillon; il en émerge plusieurs de chacune des rosettes au printemps et au début de l'été. *E. d.* 'Doris Taylor' est un hybride à tige courte, robuste, rouge sombre, supportant 2 ou, plus rarement, 3 rosettes de 18 cm d'étalement chacune. Les feuilles en forme de cuilleron sont vert pâle et couvertes de souples poils blancs. Elles mesurent jusqu'à 5 cm de long. Des fleurs rouge orangé naissent à la fin de l'hiver sur des hampes d'environ 40 cm.

E. elegans prend la forme d'une rosette acaule de 10 cm d'étalement. Les sujets adultes produisent des rejets sur de longs stolons qui émergent des feuilles inférieures et forment des touffes coussinées. Les feuilles en forme de cuilleron,

E. setosa

E. harmsii

E. agavoides

E. gibbiflora 'Carunculata'

E. elegans

bleu-vert clair, couvertes d'une épaisse couche de pruine blanche, ont des marges presque transparentes : elles mesurent entre 2,5 et 5 cm. En été, des fleurs roses et jaunes apparaissent sur des hampes roses de 30 cm.

E. gibbiflora est une plante robuste de 60 cm, rarement ramifiée. Ses feuilles spatulées et concaves, gris-vert à reflets roses, de 18 à 20 cm, sont disposées en rosette au sommet d'une tige solide. *E. g.* 'Carunculata' présente une rosette plus lâche et des protubérances sur les feuilles; *E. g.* 'Crispata', des marges ondulées; *E. g.* 'Metallica', des feuilles de couleur bronze métallique. Toutes portent en hiver des fleurs rouge clair sur des hampes de 23 à 30 cm, entièrement couvertes de feuilles.

E. harmsii (autrefois appelé *Oliveranthus elegans*) a une tige principale couronnée d'une rosette lâche. A l'aisselle des feuilles naissent des tiges latérales portant de plus petites rosettes. Les feuilles lancéolées, vert moyen, finement marginées de brun, sont couvertes d'une courte pilosité. Des fleurs de 2,5 cm, parfois en épis mais le plus souvent solitaires, s'épanouissent sur des hampes de 15 cm à la fin du printemps et au début de l'été. Les pétales écarlates aux bords retournés laissent voir un revers jaune.

E. leucotricha est une plante arbustive à feuilles épaisses, lancéolées, vert clair, de 5 à 7,5 cm, couvertes d'une fine pilosité blanche. En plein soleil, surtout après le repos hivernal, les pointes deviennent d'un rouge-brun vif. Cette plante très rameuse atteint lentement 23 cm et produit au printemps et en été des fleurs rouges.

E. setosa produit une rosette étalée de feuilles ovales, épaisses, tendres, très rapprochées, de 7,5 cm. Une fine toison argentée recouvre les feuilles et les pédoncules. Les fleurs jaunes ou rouges éclosent en été.

E. shaviana présente une rosette de 10 à 13 cm dont les feuilles spatulées et concaves, presque blanches, au pourtour chiffonné, mesurent jusqu'à 7,5 cm. Les fleurs roses s'épanouissent au printemps et en été sur des hampes de 30 cm. Les rejets déparent cette plante; il vaut mieux les enlever.

SOINS PARTICULIERS

Lumière Exposer en tout temps les echeverias à une lumière très vive, avec du plein soleil. Un mauvais éclairage leur fait perdre leur port caractéristique.

Température L'atmosphère tempérée d'une pièce leur convient en période de croissance. Pendant la période de repos hivernal, maintenir si possible la température entre 13 et 16°C.

Arrosage En période de croissance, arroser parcimonieusement. Laisser sécher le mélange au moins de moitié avant d'arroser de nouveau. Cette courte période de sécheresse accentue le coloris des feuilles et conserve à la plante ses caractéristiques. Un excès d'eau la fait au contraire paraître molle et gorgée et risque de la faire pourrir. Ne pas mouiller le feuillage; les gouttes d'eau y laissent des marques comme des brûlures ou le font pourrir. Les espèces dont la rosette est étalée doivent être arrosées par le fond. Les placer dans un plat peu profond rempli d'eau et les y laisser une heure ou deux pour que la motte s'imbibe bien.

En période de repos, n'arroser que pour empêcher la motte de se dessécher. Le feuillage restera lisse et beau.

Engrais Enrichir d'engrais liquide ordinaire un peu dilué tous les 15 jours, en période de croissance.

Empotage et rempotage Mélanger 1/5 de sable ou de perlite à 4/5 de mélange à base de terreau (voir page 429). Rempoter les petits plants tous les printemps, les plants adultes tous les deux ans en renouvelant entre-temps la couche superficielle du mélange (voir page 428). Des terrines peu profondes conviennent aux espèces à croissance lente.

Disposer une bonne couche de tessons de grès au fond des pots pour améliorer le drainage. Planter les petites rosettes sans tige à la même profondeur qu'auparavant, autrement elles pourriront. Répandre du sable ou de la perlite à la surface du mélange pour empêcher les feuilles inférieures de toucher au terreau humide. Certaines espèces produisent des racines aériennes, mais elles n'indiquent pas qu'il est temps de rempoter.

Multiplication Elle peut se faire par semis (mais il faut être patient), par bouturage de feuilles, de rameaux garnis de rosettes ou de rejets. Les deux dernières méthodes sont les plus rapides, car rosettes et rejets sont déjà des plantes bien constituées. Détacher avec soin, pour ne pas blesser la plante mère, des rosettes ou des rejets d'au moins 2,5 cm. Supprimer les feuilles inférieures qui, au contact du mélange terreux, risquent de pourrir. Tailler les tiges des rosettes à 2 cm. Planter rosettes ou rejets dans le mélange recommandé. Mettre un peu de sable sur le mélange légèrement humidifié, là où les tiges seront plantées. Le sable favorisera l'enracinement qui devrait se produire en deux semaines environ si les jeunes plants sont gardés à la température normale d'une pièce et exposés à une lumière vive mais tamisée. N'arroser que pour empêcher le mélange de se dessécher complètement.

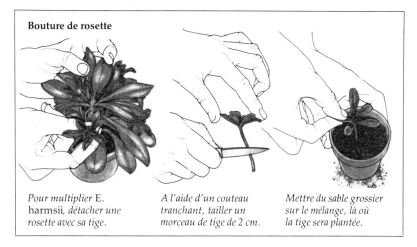

Bouture de rosette

Pour multiplier E. harmsii, détacher une rosette avec sa tige.

A l'aide d'un couteau tranchant, tailler un morceau de tige de 2 cm.

Mettre du sable grossier sur le mélange, là où la tige sera plantée.

Les espèces cristées produisent rarement des rejets et, par ailleurs, quand elles sont multipliées par bouturage, elles perdent leur port distinctif. La façon habituelle de les multiplier consiste à couper la plante en petits segments et à traiter ceux-ci comme des boutures.

Procéder par bouturage des feuilles pour les espèces qui sont lentes à produire des rejets. Choisir une feuille parfaitement saine. La prélever avec soin n'importe où sur la plante et même sur l'épi floral des espèces à grand développement, comme *E. gibbiflora*, dont les rosettes comportent peu de feuilles. Déposer la feuille sur une couche de 0,5 cm de sable ou de perlite à la surface d'un mélange humidifié à base de terreau (voir page 429), dans un plateau peu profond. Le laisser à découvert dans un endroit très éclairé mais à l'abri des rayons du soleil, et n'arroser que pour empêcher le mélange de se dessécher. En deux ou trois semaines, des racines se seront formées et une plantule apparaîtra peu après à leur point d'insertion sur la feuille. Arroser alors un peu plus, mais tout juste pour humidifier le mélange. Lorsque la plantule est de taille à être manipulée, l'empoter et lui prodiguer les mêmes soins qu'à un sujet adulte. (Noter que chez certaines espèces, *E. leucotricha* par exemple, les boutures de feuilles ne produisent pas de plantules.)

Remarque Les feuilles rapprochées de la plupart des echeverias offrent un abri sûr aux cochenilles farineuses (voir page 454) qui peuvent causer beaucoup de dommages avant qu'on ne les voie. Les éliminer en les badigeonnant d'alcool dénaturé avec un fin pinceau.

Ce n'est pas une mince tâche que de badigeonner chaque cochenille farineuse d'alcool dénaturé, mais c'est la meilleure façon d'en débarrasser la plante.

Echinocactus
CACTACÉES

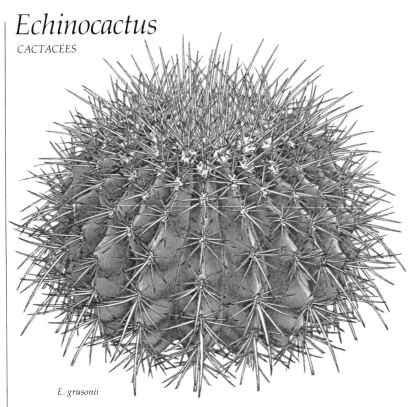

E. grusonii

Les échinocactus (cactus oursin, coussin-de-belle-mère) sont des plantes globuleuses garnies d'aiguillons redoutables; dans leur habitat naturel, certaines atteignent plusieurs mètres de diamètre, mais seulement après une centaine d'années de croissance lente. Sur les 16 espèces du genre, quelques-unes seulement sont cultivées et une seule parvient à fleurir à l'intérieur.

Voir aussi CACTEES.

ESPÈCES RECOMMANDÉES

E. grusonii atteint un diamètre de 7,5 à 10 cm à l'âge de quatre ans. La croissance se ralentit avec le temps; il faudra compter 15 à 20 ans de plus pour que la plante ajoute 18 à 20 cm à sa circonférence. Les jeunes sujets sont recouverts de tubercules verruqueux qui les font ressembler à des mammillarias (ce qui d'ailleurs est source de confusion). Peu à peu, les tubercules s'alignent verticalement tout en devenant moins apparents. Lorsque la plante mesure 7,5 cm de diamètre, ces tubercules se confondent et forment 20 à 27 côtes étroites et proéminentes, abondamment garnies d'aréoles d'où sortent des poils laineux, jaunâtres ou blanchâtres.

Les aréoles sont si serrées et si nombreuses au sommet de la sphère que la plante paraît coiffée d'une touffe de laine. Les épines jaune or caractéristiques de ce cactus jaillissent aussi des aréoles; 5 à 10 d'entre elles mesurent 1,3 cm et plus, tandis que 3 à 5 autres peuvent être deux fois plus longues.

Des fleurs jaunes, cupuliformes, de 5 cm de large, naissent habituellement des aréoles sur la couronne des sujets adultes, mais *E. grusonii* n'atteint jamais à l'intérieur la taille voulue pour fleurir. Cependant, dans les régions clémentes, on peut cultiver ce cactus à l'extérieur; il fleurira en été quand il sera adulte. *E. horizonthalonius* est une espèce de dimensions restreintes et de croissance lente susceptible de fleurir à l'intérieur. La tige aplatie vert grisâtre peut atteindre 25 cm de haut et 40 de large; elle porte de 8 à 13 côtes larges et saillantes. Des aréoles laineuses émergent de 6 à 9 épines grisâtres, épaisses et courbes, mesurant jusqu'à 4 cm de long. Quand il a 15 cm de diamètre seulement, ce cactus est déjà de taille à fleurir. Roses et campanulées, les fleurs mesurent environ 5 cm à l'embouchure; elles s'ouvrent en été et durent plusieurs jours.

SOINS PARTICULIERS

Lumière Pour que leurs épines soient longues et bien colorées, les échinocactus doivent être gardés en plein soleil toute l'année.

Température Pendant la période de croissance, l'atmosphère tempérée d'une pièce leur convient parfaitement. Il faut leur ménager une période de repos hivernal à environ 10°C, encore qu'ils puissent supporter des froids de 4°C. Au-dessous de cette température, la plante se couvre de marques brunes. Par contre, si la température s'élève bien au-dessus de 10°C, à un moment où l'éclairage est insuffisant, comme durant les courtes journées d'hiver, les échinocactus perdront leur port plutôt sphérique et se mettront à pousser tout en hauteur.

Arrosage En période de croissance, arroser modérément, c'est-à-dire pour bien mouiller le mélange, mais en laisser sécher 1 cm avant d'arroser de nouveau. En période de repos hivernal, arroser très parcimonieusement; il suffit d'empêcher le mélange de se dessécher complètement. Un excès d'eau durant cette période fera pourrir les échinocactus à la souche.

Engrais En période de croissance, fertiliser les plantes avec un engrais ordinaire pour les tomates, une fois par mois si le mélange est à base de terreau, et tous les 15 jours s'il est à base de tourbe.

Empotage et rempotage Utiliser un mélange à base de terreau ou de tourbe (voir page 429). Le rendre plus poreux en lui ajoutant un tiers de sable ou de perlite. Les sujets d'environ 8 cm de diamètre peuvent demeurer quelques années dans des pots de 10 cm. Dépoter les échinocactus chaque printemps; si les racines remplissent les pots (voir page 426), les mettre dans des pots plus grands. Sinon, secouer doucement les racines pour enlever l'ancien mélange, nettoyer à fond les pots dans lesquels les plantes se trouvaient, les remplir de mélange frais et y replacer les plantes.

Multiplication Les échinocactus en pots ne se multiplient que par semis (voir CACTEES, page 119). L'opération est facile cependant, et durant leurs premières années, les jeunes plants se développent rapidement.

Echinocereus
CACTACÉES

E. pectinatus

Il existe à peu près 35 espèces d'échinocéréus (appelés communément échinocierges et cactus arc-en-ciel) dont plus de la moitié sont cultivées à l'intérieur tant pour leurs fleurs colorées que pour leurs jolies épines disposées en rosace. Certaines présentent des tiges cylindriques plus ou moins érigées, d'autres produisent des rameaux souples et rampants. Toutes ces cactées portent des côtes et la plupart se ramifient, à la souche ou plus haut; certaines forment des touffes. Les échinocéréus donnent, l'été, des fleurs cupuliformes qui ne durent que très peu de temps.
Voir aussi CACTEES.

ESPÈCES RECOMMANDÉES

E. knippelianus est une plante de croissance lente dont la tige plutôt globuleuse atteint 7,5 à 10 cm sur 5 à 7,5. Les jeunes sujets à tige unique ne se ramifient pas avant d'avoir cinq ans et 7,5 cm de haut. Bleu-vert foncé, la tige porte 5 côtes larges et peu marquées, pourvues de petites aréoles. Chaque aréole renferme 1 à 3 épines blanches d'environ 1,3 cm de long. Les fleurs roses atteignent 4 cm de diamètre.

E. pectinatus présente une tige cylindrique vert moyen, pouvant atteindre, dans un pot de 10 cm,

25 cm sur 7,5. La croissance se fait lentement : un sujet de cinq ans ne dépasse pas 7,5 cm et il doit avoir atteint 10 à 13 cm pour se ramifier. Les aréoles ovales, couvrant une vingtaine de côtes larges et peu saillantes, portent chacune environ 25 épines radiaires de 1 cm de long, disposées en dents de peigne (d'où le nom latin de *pectinatus*), et de 2 à 6 épines centrales plus courtes. Ces épines blanches sont si nombreuses que, vue de loin, la plante paraît entièrement blanche. Les fleurs de 7,5 cm sont rose-mauve.

E. pentalophus (appelé aussi *E. procumbens*) a des tiges rameuses, étalées et rampantes, qui retombent même autour des pots; vert clair, elles mesurent au moins 15 cm sur 2,5 chez un sujet de cinq ans. Elles portent chacune 4 ou 5 côtes très saillantes, garnies de petits tubercules verruqueux couronnés d'aréoles blanchâtres; sur les aréoles, l'épine centrale brune de 2 cm est entourée de 4 à 8 épines radiaires blanches, très pointues, d'environ 0,5 cm de long. Les fleurs d'un violet vif sont plutôt en forme de trompette; chacune mesure 10 cm de long et 9 de diamètre.

SOINS PARTICULIERS

Lumière Pour bien fleurir et garder la forme globuleuse qui les caractérise, les échinocéréus ont absolument besoin d'un ensoleillement prolongé. L'été, les garder de pré-

E. pentalophus

férence à l'extérieur et encore en plein soleil.

Température L'atmosphère tempérée d'une pièce leur convient en période de croissance, mais leur ménager un repos hivernal à une température inférieure à 10°C. Gardés au sec dans une serre ou un endroit froid, ils peuvent supporter le gel.

Arrosage Les espèces à croissance rapide, comme *E. pentalophus*, demandent beaucoup d'eau en période de croissance. Garder le mélange très humide, mais ne pas laisser les pots séjourner dans l'eau. Arroser parcimonieusement les espèces à croissance lente, car un excès d'eau pourrait les faire pourrir; laisser les deux tiers du mélange sécher entre les arrosages. En période de repos hivernal, ne pas arroser les plantes gardées à moins de 4°C. Au-dessus de 4°C, n'arroser que pour empêcher le mélange de se dessécher.

Engrais En période de croissance, donner de l'engrais riche en potassium, comme celui utilisé pour les tomates, tous les mois si la plante est dans un mélange à base de terreau et tous les 15 jours si elle se trouve dans un mélange à base de tourbe.

Empotage et rempotage Employer un mélange poreux : à base de terreau ou de tourbe (2/3) [voir page 429] et additionné de sable ou de perlite (1/3). Pour les espèces dressées à croissance lente, comme *E. knippelianus* et *E. pectinatus*, choisir un pot qui va contenir aisément les racines et permettre de laisser un peu d'espace entre la paroi du pot et le corps de la plante. Prendre un pot plus large et moins profond pour les espèces rampantes à croissance rapide.

Dépoter ces plantes tous les printemps. Si leurs racines remplissent le pot, les rempoter. Sinon, enlever l'ancien mélange et les remettre dans les mêmes pots en ajoutant au besoin du mélange frais.

Multiplication Au printemps ou en été, détacher des espèces rameuses un rameau dont la disparition n'enlaidira pas la plante. Le laisser sécher pendant trois jours, puis planter en enfonçant l'entaille dans le mélange. Utiliser un pot de 8 cm rempli de mélange ordinaire. Traiter la bouture comme une plante adulte, mais la garder à l'abri des rayons directs du soleil pendant trois ou quatre semaines. Les espèces peu ou non rameuses se multiplient mieux par semis (voir *CACTEES*, page 119).

Echinocierge, voir *Echinocereus*.

Echinopsis
CACTACÉES

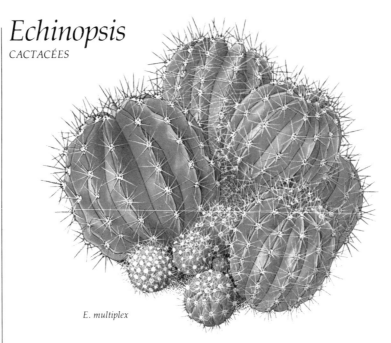

E. multiplex

Ces cactées du désert à tige globuleuse sont renommées pour leurs fleurs en trompette, suavement parfumées. Toutefois, il faut attendre trois ans avant que la première floraison ne se produise. Elle commence au début de l'été par l'éclosion simultanée d'une douzaine de fleurs qui naissent des aréoles au sommet des tiges. Les fleurs apparaissent ensuite, 2 ou 3 à la fois, à intervalles irréguliers pendant toute la saison. Chez la plupart des espèces, elles s'ouvrent habituellement le soir, et meurent dès le lendemain. Presque toutes les espèces de ce genre forment de nombreux rejets.

Voir aussi CACTEES.

ESPÈCES RECOMMANDÉES

E. eyriesii présente une tige vert sombre formée de 11 à 18 côtes aiguës, garnies d'aréoles grisâtres. Celles-ci portent chacune 14 épines brun foncé de moins de 0,5 cm de long. Des fleurs blanches de 20 à 25 cm sur 10 à 13 s'épanouissent le soir pour mourir le lendemain.

E. multiplex a une tige vert clair garnie de 11 à 14 côtes étroites. Des aréoles laineuses sortent des épines brunâtres et pointues; de 5 à 9 épines radiaires mesurant 2 cm sont groupées autour de 2 à 5 épines centrales de 4 cm. Les fleurs nocturnes de 18 à 20 cm sur 13 sont rose pâle.

Plusieurs hybrides, issus de croisements entre *Echinopsis* et *Lobivia*, sont répandus. On les appelle souvent hybrides Paramount parce qu'ils ont été développés à Paramount, en Californie. Leurs fleurs sont pour la plupart diurnes. On connaît surtout : 'Aurora' et 'Peach Monarch', à fleurs rose pêche; 'Orange Glory' et 'Tangerine', à fleurs orange; 'Red Meteor' et 'Red Paramount', à fleurs rouges; et 'Terracotta', à fleurs nocturnes rose pêche pâle avec des raies plus sombres. Parmi les hybrides qui ne viennent pas de Paramount, mais dont la floraison est diurne, on remarque 'Golden Dream' et 'Green Gold' qui sont renommés pour leurs fleurs jaunes.

SOINS PARTICULIERS

Lumière Procurer aux échinopsis du soleil à longueur d'année. Au crépuscule, ne pas donner de lumière artificielle aux sujets à floraison nocturne. Pour éclore, les fleurs ont besoin d'être laissées un bon moment dans l'obscurité partielle ou complète.

Température L'atmosphère tempérée d'une pièce leur convient en période de croissance, mais un repos hivernal à moins de 10°C leur est nécessaire pour refleurir.

Arrosage Il doit être généreux en période de croissance, mais on ne doit jamais laisser les pots séjourner dans l'eau. En période de repos, arroser parcimonieusement.

Engrais Enrichir d'engrais liquide à tomates tous les 15 jours, en période de croissance seulement.

Empotage et rempotage Utiliser un mélange à base de terreau ou de tourbe (2/3) [voir page 429] additionné de sable ou de perlite (1/3). Laisser 1,5 cm de jeu entre le mélange et le rebord du pot. Au printemps, rempoter quand les racines sont à l'étroit. Quand le rempotage ne s'impose pas, renouveler le mélange en surface.

Multiplication A la fleur de l'échinopsis succède une baie charnue. Retirer cette baie, la presser pour en faire sortir les graines, et laisser sécher celles-ci sur du papier buvard. Les mettre ensuite de côté jusqu'au temps des semis (voir *CACTEES*, page 119).

A noter que ces cactées s'hybrident facilement et que les nouveaux plants peuvent ne pas ressembler à leurs parents.

Pour obtenir de façon certaine des plants identiques aux parents, il vaut mieux bouturer les rejets à la souche. Les détacher au printemps ou en été et les planter dans le mélange recommandé. Les traiter dès lors comme des sujets adultes. Certains jeunes échinopsis produisent très vite un si grand nombre de rejets qu'ils en sont littéralement envahis. Pour permettre à la plante de fleurir, il faut supprimer plusieurs de ces rejets, mais il n'est pas recommandé de les utiliser pour la multiplication car ils risqueraient à leur tour de fleurir difficilement.

Remarque Les fleurs de certaines espèces s'épanouissent normalement à la nuit tombante. En les mettant dans l'obscurité une heure ou deux avant le crépuscule, elles s'ouvrent plus tôt.

E. eyriesii

Elettaria
ZINGIBÉRACÉES

Cardamome
E. cardamomum

Une seule espèce de ce genre, *Elettaria cardamomum* (cardamome), est cultivée à l'intérieur. C'est une plante à feuilles vertes et unies, qui s'accommode d'un mauvais éclairage et peut donc survivre là où peu de plantes pousseraient. Un rhizome robuste court sous la surface du mélange terreux, émettant des tiges qui peuvent atteindre 75 cm de haut et 2 cm d'épaisseur. Portées sur des pétioles de 2 cm, les feuilles de forme ovale mesurent environ 38 cm sur 7,5. Opposées et à demi érigées, elles naissent à intervalles de 4 à 5 cm sur toute la longueur des tiges. Celles-ci se multiplient si vite qu'elles se pressent les unes contre les autres. Les fleurs donnent des graines utilisées en Asie comme épices.

SOINS PARTICULIERS
Lumière Cette plante se satisfait aussi bien d'un éclairement médiocre que d'une lumière moyenne. Ne pas l'exposer cependant aux rayons directs du soleil.

Température L'atmosphère tempérée d'une pièce lui convient toute l'année. Le bord des feuilles brunit si la température descend au-dessous de 13°C.

Arrosage En période de croissance, arroser modérément; la motte doit être bien imbibée. La laisser sécher sur 1 cm entre les arrosages. En période de repos hivernal, arroser parcimonieusement.

Engrais Enrichir d'engrais liquide ordinaire tous les 15 jours, en période de croissance.

Empotage et rempotage Utiliser un mélange à base de terreau (voir page 429). Planter chaque rhizome dans un pot de 10 à 13 cm. Sauf en hiver, rempoter quand les tiges occupent presque toute la surface du mélange. Lorsque la plante a atteint sa taille optimale, il vaut mieux diviser les touffes. Le surfaçage est difficile pour cette plante aux tiges très touffues.

Multiplication Au printemps, dépoter la plante et séparer les touffes de tiges en gardant la plus grande partie possible du système rhizomateux. Empoter les touffes et leur donner les soins recommandés pour les elettarias adultes.

Ephémère, voir *Geogenanthus.*
Ephémère, voir *Tradescantia.*
Ephémère de Blossfeld, voir
  Tradescantia blossfeldiana.

Epidendrum

ORCHIDACÉES

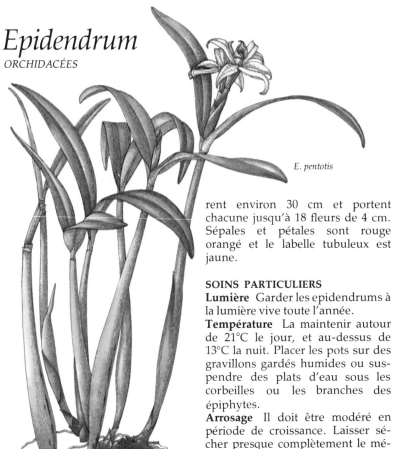

E. pentotis

La plupart des epidendrums cultivés à l'intérieur sont des épiphytes à pseudo-bulbes piriformes portant à leur extrémité environ 6 feuilles rubanées. Des hampes florales apparaissent entre les feuilles à la fin de l'été ou en automne, mais elles ne fleurissent que le printemps ou l'été suivants. Les fleurs durent de deux à trois semaines et celles des espèces décrites ci-dessous sont généralement étoilées.
Voir aussi ORCHIDEES.

ESPÈCES RECOMMANDÉES

E. pentotis a des pseudo-bulbes plus ou moins cylindriques, vert clair, de 30 cm sur 2,5, couronnés de 2 feuilles vert moyen de 10 à 13 cm sur 2,5. Les hampes s'élèvent à 10 cm et portent chacune 2 fleurs parfumées, de 7,5 cm de diamètre. Sépales et pétales sont jaunes ou crème; le labelle ovale allongé est blanc rayé de pourpre.

E. vitellinum présente des pseudo-bulbes vert-bleu qui atteignent 7,5 cm sur 2 et portent 2 ou 3 feuilles vert-bleu de 10 cm sur 1,5. Les hampes florales dressées mesu-

rent environ 30 cm et portent chacune jusqu'à 18 fleurs de 4 cm. Sépales et pétales sont rouge orangé et le labelle tubuleux est jaune.

SOINS PARTICULIERS

Lumière Garder les epidendrums à la lumière vive toute l'année.

Température La maintenir autour de 21°C le jour, et au-dessus de 13°C la nuit. Placer les pots sur des gravillons gardés humides ou suspendre des plats d'eau sous les corbeilles ou les branches des épiphytes.

Arrosage Il doit être modéré en période de croissance. Laisser sécher presque complètement le mélange entre les arrosages. En période de repos (de la mi-automne au début du printemps), arroser parcimonieusement.

Engrais Enrichir d'engrais foliaire tous les trois ou quatre arrosages, en période de croissance.

Empotage et rempotage Utiliser l'un des mélanges recommandés pour les orchidées. Rempoter au printemps quand les pousses atteignent le bord du pot; arroser parcimonieusement et garder les plantes dans une lumière moyenne pendant deux semaines. Diviser les sujets trop volumineux.

Multiplication Au printemps, lorsque le plus jeune pseudo-bulbe mesure 2,5 cm, couper le rhizome en segments ayant au moins 3 pseudo-bulbes dont un porte des feuilles. Les planter dans des pots ou les attacher sur un support. Bien humidifier d'abord le mélange et garder les plants à la clarté durant quatre ou cinq semaines en arrosant très peu. Les traiter ensuite comme des epidendrums adultes.

Epine-du-Christ, voir *Euphorbia milii.*

Epiphyllum

CACTACÉES

Presque tous les epiphyllums cultivés proviennent d'une hybridation entre d'authentiques epiphyllums et d'autres cactées de la jungle. Ces hybrides, connus sous le nom de cactus-orchidées à cause de leurs fleurs, présentent des tiges plates échancrées d'environ 60 cm sur 5 qui retombent si elles ne sont pas tuteurées; elles se ramifient abondamment, surtout à la souche. Les aréoles placées dans les échancrures des tiges sont souvent garnies de fines épines soyeuses. Celles du sommet portent parfois des fleurs cupuliformes, de diverses couleurs. Les blanches, très parfumées, sont souvent nocturnes. La floraison survient habituellement au printemps mais peut avoir lieu plus d'une fois dans l'année. Près de 12 fleurs éclosent en même temps et durent plusieurs jours.

Les deux hybrides décrits ci-dessous sont parmi les plus connus des epiphyllums d'intérieur.
Voir aussi CACTEES.

EPIPHYLLUMS RECOMMANDÉS

E. 'Ackermannii' produit abondamment en toute saison des fleurs écarlates de 10 cm de large.

E. 'Cooperi' présente des fleurs nocturnes en forme d'entonnoir, qui ont le parfum du lis; elles atteignent 10 cm. Les pétales intérieurs sont d'un blanc de neige; les pétales extérieurs, teintés de jaune et de brun. Ces fleurs naissent d'aréoles situées à la base des tiges.

SOINS PARTICULIERS

Lumière Garder les epiphyllums sous un éclairage moyen. L'été, les

Fleur de E. 'Cooperi'

placer si possible dehors, dans un coin ombragé.

Température Ces plantes requièrent de la chaleur et beaucoup

E. 'Ackermannii'

Episcia
GESNÉRIACÉES

Appréciés pour leur feuillage ornemental et leurs petites fleurs très colorées, les episcias sont des plantes à stolons axillaires, rampant autour d'une tige centrale courte et épaisse. A l'extrémité de chaque stolon se trouve un bouquet de feuilles qui s'enracine sitôt qu'il touche au mélange, produisant à son tour une tige centrale et d'autres stolons. Les feuilles ovales et velues ont un limbe gaufré ou ridé, à bords dentés. Les fleurs axillaires, solitaires ou groupées en petites inflorescences, présentent un calice pubescent et une corolle tubuleuse qui s'évase en 5 lobes arrondis dont les bords sont finement dentés ou frangés. La floraison principale a généralement lieu au printemps et se poursuit jusqu'à l'automne.
Voir aussi GESNERIACEES.

EPISCIAS RECOMMANDÉS
E. **'Acajou'** est un hybride à stolons verts dont les feuilles vert argenté à bordure havane foncé peuvent atteindre 10 cm sur 7. Les fleurs d'un rouge orangé vif, qui naissent par groupes, mesurent jusqu'à 2,5 cm sur 2. Cet episcia fleurit de façon presque ininterrompue.
E. **'Cleopatra'**, hybride à stolons rougeâtres, porte des feuilles multicolores d'environ 10 cm sur 6,5, à bords enroulés vers l'intérieur. Une zone vert clair lisérée de blanc, en forme de feuille de chêne, s'étend autour de la nervure médiane, elle-même bordée de rose. Les fleurs rouge orangé, de même taille que celles de *E.* 'Acajou' et de *E. cupreata*, naissent solitaires ou par paires.
E. cupreata est une espèce changeante. Les feuilles de 5 à 15 cm sur 2,5 à 7,5 peuvent être gaufrées ou presque lisses. Leur couleur varie du vert cuivré sombre au vert éclatant. Des veinures argentées ou vert clair les rehaussent. Les stolons sont verts ou rouges. Les fleurs, mesurant 2,5 cm sur 2, naissent en bouquets de 3 ou 4. Jaunes et rouges, elles ont une gorge que souligne une fine ligne de poils transparents.
E. **'Cygnet'** est un hybride qui porte des feuilles veloutées, vert clair, à

d'humidité. Les bassiner quotidiennement et poser les pots sur des gravillons disposés dans un plat contenant un peu d'eau.
Arrosage Il doit être assez abondant au printemps et en été pour garder le mélange constamment humide. Après la floraison, ménager aux plantes un repos de deux ou trois semaines; arroser alors parcimonieusement. Le reste de l'année, arroser modérément et laisser le mélange sécher sur 1 cm entre les arrosages.
Engrais Après la formation des boutons floraux, fertiliser tous les 15 jours avec un engrais à tomates riche en potassium. Lorsque la plupart des boutons sont ouverts, cesser les apports d'engrais.
Empotage et rempotage Utiliser un mélange à base de tourbe (3/4) et de sable ou de perlite (1/4). Rempoter au printemps pour terminer dans des pots de 12 à 16 cm; après quoi, dépoter simplement les plantes,

dégager le mélange des racines, nettoyer les pots et y remettre les plantes en ajoutant du mélange au besoin. Les epiphyllums de plus de 20 cm doivent être tuteurés ou suspendus en corbeilles.
Multiplication Elle se fait par boutures prélevées au printemps ou en été. Sectionner des rameaux de 13 à 15 cm et les laisser sécher pendant une journée avant de les planter. On peut mettre quelques segments tout le tour d'un pot de 10 cm rempli du mélange recommandé pour les sujets adultes. Durant l'enracinement (deux ou trois semaines), garder le mélange légèrement humide. Traiter ensuite les plants comme des sujets adultes.

Le bouturage est la seule façon d'obtenir des plantes identiques à la plante mère. Les graines des hybrides ne donnent pas des résultats assurés et ne sont utiles que pour constituer une collection variée (voir *CACTEES*, page 119).

Episcia cupreata

bords festonnés, de 5 cm sur 3. Les fleurs blanches dont l'extrémité est très frangée ont une gorge marquée de taches saillantes pourpres. Cette plante fleurit toute l'année si on supprime ses stolons, ce qui encourage la formation de rejets à la souche et la multiplication des feuilles à l'aisselle desquelles naissent les fleurs.

E. dianthiflora a des stolons verts portant des feuilles veloutées, presque rondes, à bords festonnés, atteignant 4 cm de diamètre. Le limbe vert moyen, souvent veiné de

E. dianthiflora

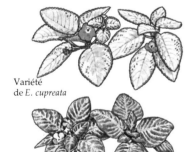

Variété
de E. cupreata

E. lilacina

rouge sur le dessus, est vert clair en dessous. Les fleurs solitaires blanches à gorge mouchetée de pourpre pâle ont 3 cm de long; l'embouchure de 4 cm de large est profondément frangée. La floraison, estivale, est de courte durée.

E. lilacina présente des stolons rouges ou verts et des feuilles atteignant 10 cm sur 6,5. La couleur du limbe très gaufré varie du vert clair au rougeâtre. Les fleurs en groupes de 2 à 4 mesurent 3 cm sur 4. La corolle blanche à gorge jaune clair présente une embouchure bleu lavande.

E. reptans a des feuilles très gaufrées de 15 cm sur 6,5, portées par des stolons brunâtres. Le limbe vert sombre ou bronze est marqué d'argent le long des nervures. Des fleurs pubescentes, atteignant 4 cm sur 2,5, apparaissent en bouquets de 3 ou 4. Rouge rosé, elles ont une gorge rouge sang bordée de poils transparents.

SOINS PARTICULIERS
Lumière Procurer aux episcias une lumière vive et plusieurs heures de soleil par jour. Toutefois, le soleil de midi est trop ardent pour eux. On peut également placer les pots à 10 ou 15 cm sous un tube fluorescent pendant 14 heures par jour

(voir page 446). Si le feuillage de l'episcia s'affadit, c'est peut-être qu'il reçoit trop de soleil : l'en priver un peu pendant quelques semaines. Réduire aussi l'éclairement si l'humidité est très élevée durant plus de trois jours d'affilée.

Température Elle devrait être de 21 à 24°C le jour et d'environ 3 degrés de moins la nuit. La température idéale se situe entre 16 et 29°C. L'humidité doit être élevée; placer les pots sur des gravillons dans de l'eau. Les episcias se cultivent bien en terrariums (voir page 54).

Arrosage Maintenir le mélange très humide. Ne pas laisser les pots séjourner dans l'eau (sauf dans le cas de *E*. 'Cygnet' dont les racines requièrent beaucoup d'humidité). Si la température descend au-dessous de 16°C, donner juste assez d'eau pour que le mélange ne se dessèche pas. Arroser avec de l'eau tiède pour ne pas endommager les racines.

Engrais A chaque arrosage, enrichir d'engrais liquide contenant une quantité égale d'azote, de phosphate et de potassium; réduire des trois quarts la concentration indiquée par le fabricant.

Empotage et rempotage Utiliser un mélange à volume égal de tourbe de sphaigne, de perlite et de vermiculite. Choisir des corbeilles, des paniers, des pots ou des plats peu profonds mais larges puisque les racines de la plante s'étendent juste sous la surface, et que les stolons ont besoin d'espace pour s'enraciner. Rempoter quand les racines remplissent presque le pot (voir page 426). On peut aussi couper le tiers inférieur de la motte et remettre la plante dans le même pot en ajoutant du nouveau mélange au besoin.

Multiplication Cette opération se pratique sans difficulté. Les bouquets de feuilles à l'extrémité des stolons s'enracinent constamment. Couper un stolon, empoter la plantule et lui donner les mêmes soins qu'à un episcia adulte.

Remarque Surveiller les pucerons qui attaquent les jeunes feuilles (voir page 455).

Erable florifère, voir *Abutilon hybridum.*
Erable de maison, voir *Abutilon.*

Erica

ÉRICACÉES

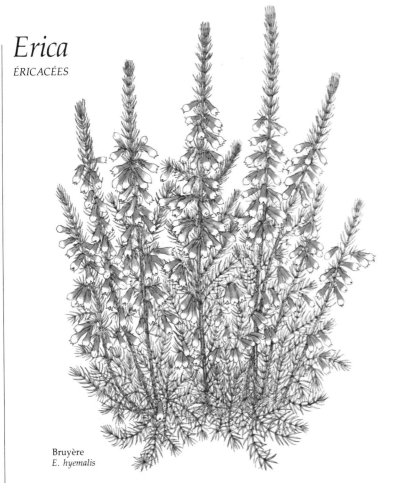

Bruyère
E. hyemalis

Le genre *Erica* comprend plus de 500 espèces et plusieurs hybrides, qu'on appelle communément bruyères. Les quelques ericas cultivés en appartement viennent de régions fraîches. De ce fait, ils sont de culture difficile. D'ailleurs, la plupart des horticulteurs les considèrent plutôt comme des plantes éphémères dont ils se défont après la floraison, alors qu'elles ont perdu leur beauté.

Toutes les plantes décrites ci-dessous sont des arbustes ramifiés à tiges ligneuses. Quand elles sont cultivées en pots, elles ne dépassent jamais 60 cm de hauteur. Leurs feuilles en forme d'aiguille viennent en touffes très serrées sur les tiges et les rameaux.

ESPÈCES RECOMMANDÉES

E. gracilis atteint 45 cm de hauteur et 30 cm d'étalement. Ses tiges graciles et dressées portent des feuilles glabres vert clair de 3 à 6 mm. D'octobre à janvier, des inflorescences d'au moins 4 fleurs globuleuses incarnat, de 3 mm, couronnent ses nombreuses ramifications laté-

rales. Il existe une variété à fleurs blanches classée sous les noms de *E. g.* 'Alba' et de *E. nivalis*.

E. gracilis
(bruyère)

E. hyemalis, espèce qui peut atteindre 60 cm de haut et 40 d'étalement, porte des rameaux dressés sur lesquels poussent, en touffes serrées, des feuilles filiformes, pubescentes, vert moyen, de 2 cm de large. En hiver, des fleurs tubuleuses et pendantes, de 2 cm de long sur 0,5 cm de large, d'un blanc teinté de rose vif, apparaissent en grappes terminales. *E. hyemalis* a donné par hybridation plusieurs plantes dans toute une gamme de coloris.

E. ventricosa est une des rares espèces cultivées à l'intérieur dont la floraison soit estivale. Elle atteint une hauteur de 60 cm et un étalement de 30 cm. Des feuilles aciculaires vert-gris à poils fins, de 2 à 2,5 cm de long, couvrent ses tiges rigides qui se terminent en épis. Les fleurs blanches ou roses, satinées, ont 1,5 à 2 cm de long sur 0,8 de large. La corolle ovale se rétrécit vers l'extrémité.

SOINS PARTICULIERS

Lumière Les ericas exigent une lumière vive, mais le soleil fait sécher et tomber leurs feuilles.

Température S'il est difficile de maintenir la température entre 7 et 10°C, il faut néanmoins conserver les ericas au frais. Pour augmenter l'humidité, placer les pots sur des gravillons gardés humides et bassiner le feuillage chaque jour.

Les feuilles de l'erica deviennent fragiles et tombent si l'air est trop sec. Les vaporiser chaque jour, si possible avec de l'eau de pluie.

Arrosage Le mélange terreux doit toujours être très humide et les racines ne doivent jamais être desséchées. Il vaut mieux utiliser de l'eau distillée, de l'eau de pluie, ou encore l'eau de dégivrage du réfrigérateur à la température de la pièce. En effet, l'eau du robinet contient souvent du calcaire ou des impuretés auxquelles les ericas sont très sensibles.

Engrais Ces plantes éphémères n'ont pas besoin d'engrais.

Empotage et rempotage A l'achat, l'erica sera dans le mélange sans calcaire qui lui convient. Il est inutile de rempoter cette plante.

Multiplication Il est impossible de multiplier les ericas en appartement. On peut habituellement acheter des plants sains chaque année, en saison.

193

Eriobotrya
ROSACÉES

Néflier du Japon
E. japonica

L a seule espèce de ce genre à être cultivée à l'intérieur, *Eriobotrya japonica* (bibacier, néflier du Japon), est un petit arbre dont le tronc se ramifie avec le temps. Ses grandes feuilles vert olive ont un limbe légèrement bombé et sillonné de veines de teinte plus pâle. Elles sont lancéolées et portées horizontalement sur de courts pétioles et mesurent 15 à 25 cm de long et 7,5 à 15 cm de large. Les jeunes feuilles sont recouvertes de poils clairsemés, courts et blancs, qui leur donnent un reflet argenté, tandis que le dessous est légèrement roussâtre, caractéristiques qui disparaissent par la suite.

Dans les climats chauds, l'eriobotrya porte des fruits comestibles dont les noyaux servent à produire les plantes de culture. Si un sujet peut atteindre entre 2,50 et 3 m à l'intérieur, il ne produit dans ces conditions ni fleurs ni fruits. On s'en défait quand, devenu trop grand, ses feuilles du bas commencent à tomber.

SOINS PARTICULIERS

Lumière Ces plantes ont besoin d'une lumière vive et d'au moins deux heures de plein soleil par jour.
Température L'atmosphère tempérée d'une pièce leur convient, sauf pendant leur repos hivernal où la température doit être de 11°C.
Arrosage En période de croissance, il faut arroser souvent : la motte doit rester très humide, mais le pot ne doit pas tremper dans l'eau. En période de repos, arroser parcimonieusement.
Engrais En période de croissance, enrichir d'engrais liquide ordinaire tous les 15 jours.
Empotage et rempotage Utiliser un mélange à base de terreau (voir page 429). Rempoter tous les printemps. Quand le pot mesure entre 20 et 25 cm, renouveler simplement la couche supérieure du mélange terreux (voir page 428).
Multiplication Au printemps, semer un noyau dans un pot de 8 cm rempli de mélange à enracinement humide (voir page 444). On trouve des noyaux chez le pépiniériste ou l'horticulteur, et les nèfles elles-mêmes chez certains marchands fruitiers. Prévoir un éclairement vif mais tamisé. Maintenir le mélange humide durant la période de germination, d'une durée de six à huit semaines. Lorsque les plantules ont 2 ou 3 feuilles, les replanter dans un pot de même dimension rempli de mélange ordinaire et les cultiver comme des sujets adultes.

On peut réduire la période de germination de l'eriobotrya en faisant tremper le noyau pendant 24 heures avant de le mettre en terre.

Espostoa
CACTACÉES

Cierge laineux
E. lanata

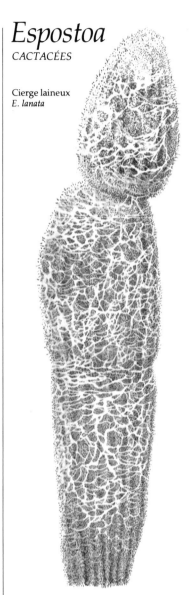

I l existe 4 espèces de ce genre, dont une, *E. lanata* (cierge laineux), est fréquemment cultivée à l'intérieur. Dans un pot de 15 cm, cette cactée du désert ne dépasse pas 30 cm sur 4 en une dizaine d'années. Sa tige colonnaire verte porte une vingtaine de côtes larges et creuses, séparées par des sillons profonds. Des aréoles blanches semées le long des sillons sortent 12 aiguillons radiaux jaunâtres de 1,3 cm et 1 ou 2 aiguillons centraux beaucoup plus longs, et de si nombreux poils blancs et soyeux de 2,5 cm que la tige en est presque entièrement recouverte. Cultivé en appartement, *E. lanata* ne fleurit pas et ne se ramifie pas.
Voir aussi CACTÉES.

SOINS PARTICULIERS

Lumière Donner aux espostoas tout l'ensoleillement possible.

Température Au printemps et en été, la température habituelle d'une maison leur convient. Durant les mois d'hiver, *E. lanata* a besoin d'une pause végétative. Originaire de l'Equateur et du Pérou, il ne supporte pas les températures froides. Si possible, le garder à environ 13°C durant sa période de repos.

Arrosage Un excès d'eau fait pourrir les racines d'*E. lanata*. En période de croissance, arroser parcimonieusement; le mélange doit être à peine humide. En laisser sécher les deux tiers entre les arrosages. En période de repos, donner juste ce qu'il faut d'eau pour empêcher le mélange de se dessécher complètement.

Engrais Si le mélange est à base de terreau, ne pas fertiliser; s'il est à base de tourbe, donner de l'engrais liquide à tomates tous les 15 jours, en période de croissance.

Empotage et rempotage Utiliser un mélange poreux composé de sable grossier ou de perlite (2/5) et de mélange à base de terreau ou de tourbe (3/5) [voir page 429]. Tant que ces cactées n'ont pas 7,5 cm, un pot de 8 cm leur suffit. Examiner les racines au printemps; si elles remplissent le pot, rempoter. Sinon, secouer l'ancien mélange et replacer la plante dans son pot nettoyé. Ajouter du mélange au besoin.

Multiplication En pépinière ou dans les serres, on trouve des plants d'environ deux ans qui mesurent 5 à 7,5 cm. Les semis ne présentent aucun problème (voir *CACTEES*, page 119).

Remarques Les cactus chevelus retiennent la poussière. Après le rempotage, un bon shampooing au détergent liquide leur fait du bien (voir *CACTEES*, page 120). Bien rincer la plante et la laisser sécher. Il se peut que les poils de la base restent décolorés : c'est sans doute parce que le cactus est âgé.

Etoile, voir *Stapelia*.
Etoile de Bethléem, voir *Campanula isophylla*.
Etoile de Marie, voir *Campanula isophylla*.
Etoile du marin, voir *Campanula isophylla*.

Eucalyptus
MYRTACÉES

E. gunnii

L e genre *Eucalyptus* (gommier) comprend des arbres et des arbustes de croissance rapide dont le feuillage décoratif est très apprécié. Toutefois, du fait qu'elles atteignent vite une haute taille, ces plantes ne peuvent être gardées longtemps en appartement. Les sujets jeunes n'ont pas de fleurs et leurs feuilles sont différentes de celles des sujets adultes.

ESPÈCES RECOMMANDÉES

E. globulus, originaire de Tasmanie, ne peut être gardé qu'un an ou deux en appartement, sa croissance étant de 0,90 à 1,20 m par an. Les jeunes sujets ont des feuilles cordiformes, sans pétioles, de 5 à 7,5 cm de large; elles sont d'un bleu-gris poudré de blanc.

E. gunnii est l'espèce la plus facile à cultiver à l'intérieur car, en pot, elle

ne gagne pas plus de 30 à 45 cm par an. Chez les jeunes sujets, les feuilles plus ou moins cordiformes, de 5 à 7,5 cm de large et d'un gris-vert abondamment poudré de blanc, entourent les tiges principales. Les feuilles des pousses naissantes sont teintées de rose, surtout lorsque la plante est bien exposée au soleil.

SOINS PARTICULIERS

Lumière Pour conserver leurs beaux coloris, les eucalyptus ont besoin de la lumière du soleil.

Température Une pièce chaude ou fraîche leur convient.

Arrosage En période de croissance, arroser modérément; le mélange doit être complètement humide à chaque arrosage, mais en laisser sécher le tiers avant d'arroser de nouveau. En hiver, si on leur ménage un repos à une température inférieure à 12°C, n'arroser que pour empêcher le mélange de se dessécher complètement.

Engrais Enrichir d'engrais liquide ordinaire tous les 10 jours, en période de croissance seulement.

Empotage et rempotage Certains eucalyptus n'aiment pas les sols calcaires; les deux espèces recommandées ici se plaisent pourtant dans n'importe quel mélange. Utiliser de préférence un mélange riche en terreau (voir page 429). Rempoter au besoin, une fois par an ou même deux. Voir à ce que le mélange terreux couvre bien les racines qui sont curieusement gonflées.

Multiplication Elle se fait par semis. Semer les graines au printemps dans un mélange à enracinement humidifié et les enfermer dans une caissette de multiplication chauffante (voir page 444). Durant la germination, prévoir un éclairage vif mais tamisé et une température de 21 à 24°C. Des plantules garnies de 2 feuilles devraient apparaître en trois semaines; lorsqu'elles ont 2 feuilles de plus, les empoter individuellement dans des pots de 8 cm remplis du mélange recommandé pour les eucalyptus adultes. Les arroser modérément pour que la motte soit humide et en laisser sécher 2,5 cm avant d'arroser de nouveau. Lorsque des racines apparaissent à la surface, rempoter les plants et les cultiver comme des sujets adultes.

Euonymus
CÉLASTRACÉES

Fusain
E. japonica
'Microphylla Variegata'

Ce genre comprend plusieurs espèces d'arbustes compacts à tiges rigides, ligneuses, très ramifiées. Seules les formes panachées de l'espèce *E. japonica* (fusain) sont cultivées en appartement. Elles sont difficiles à garder car elles exigent à la fois de la fraîcheur et une lumière vive. Elles ne fleurissent pas à l'intérieur.

EUONYMUS RECOMMANDÉS

E. japonica 'Albomarginata' a des tiges vert franc tachées de jaune ou de crème qui brunissent avec l'âge. Ses feuilles ovales, vertes, bordées de blanc, sont finement dentées et mesurent 4 à 6,5 cm sur 2,5 à 5. La plante peut atteindre 1,20 m.

E. j. 'Aureo-variegata' se caractérise par ses feuilles tachées de jaune et dépourvues de marge blanche.

E. j. 'Mediopicta' se différencie par une large tache jaune vif au milieu du limbe.

E. j. 'Microphylla Variegata' ne dépasse pas 45 cm. Ses tiges vert sombre sont fines et ses petites feuilles de 2,5 sur 0,3 cm, à pétiole de 0,5 cm, sont également vert sombre et bordées de blanc.

SOINS PARTICULIERS

Lumière En période de croissance, fournir un éclairement vif mais tamisé. En hiver, exposer les plantes trois ou quatre heures par jour au soleil tout en évitant une trop grande chaleur.

Température Les euonymus ont besoin de fraîcheur. En période de croissance, la température devrait être maintenue entre 13 et 16°C; à l'intérieur, ils peuvent tolérer jusqu'à 18°C. En période de repos hivernal, les garder à des températures se situant entre 10 et 13°C. Quand le thermomètre s'élève au-dessus de 16°C, poser les pots sur des gravillons couverts d'eau.

Arrosage En période de croissance, arroser modérément; laisser sécher le mélange sur 1 cm entre les arrosages. En période de repos, arroser parcimonieusement.

Engrais Donner de l'engrais liquide ordinaire tous les 15 jours, pendant la période de croissance seulement.

Empotage et rempotage Utiliser un mélange à base de terreau (voir page 429). Rempoter les plantes tous les printemps tant qu'elles n'ont pas atteint leur taille optimale. Par la suite, se contenter de renouveler annuellement la couche superficielle du mélange (voir page 430).

Multiplication En mai ou septembre, prélever des boutures de 7,5 cm sous 2 feuilles qu'on enlève. Plonger les segments dans de la poudre d'hormones. Planter les boutures dans un plateau peu profond contenant un mélange humide à volume égal de tourbe et de sable grossier ou de perlite. L'enfermer dans un sachet de plastique transparent ou une caissette de multiplication (voir page 443) et l'exposer à une lumière vive tamisée pendant six à huit semaines, sans arroser. Empoter 2 ou 3 boutures par pot de 8 à 10 cm rempli d'un mélange à base de terreau et les cultiver comme des sujets adultes.

Remarque Pour prévenir le mildiou, maladie qui provoque des taches blanches sur les feuilles et les tiges (voir page 456), vaporiser un fongicide deux fois par an (voir page 459).

Euphorbe, voir *Euphorbia*.

Euphorbia
EUPHORBIACÉES

Le genre *Euphorbia* (euphorbe) comprend 1 600 espèces qui offrent des caractéristiques différentes et ne se cultivent pas de la même manière. Certaines espèces sont recherchées pour leur apparence cactiforme; d'autres pour leurs remarquables bractées. Mais toutes les euphorbes sécrètent un latex blanc qui s'écoule à la moindre blessure et se coagule dès qu'on mouille la plaie avec de l'eau. Le latex peut irriter les peaux sensibles; celui de certaines espèces est même toxique, aussi faut-il placer ces plantes à l'abri des coups et hors de la portée des enfants. Parmi les espèces cultivées en appartement, on retrouve aussi bien des arbustes à feuilles souples que des arbrisseaux et des plantes grasses très épineuses, dont les formes rappellent celles des cactées. A cause de leur grande diversité, les euphorbes sont regroupées en 3 catégories selon leur type et leurs exigences. Celles du premier groupe sont des arbustes épineux de l'espèce *E. milii*. Le second groupe comprend toutes les formes d'*E. pulcherrima* (poinsettia). Enfin, le troisième groupe réunit des plantes grasses comme *E. pseudocactus* et *E. tirucalli*.

Euphorbia milii

Cette euphorbe (communément appelée couronne-d'épines, épine-du-Christ, plante du Christ) est l'une des plus populaires. Elle a porté plusieurs noms latins, notamment *E. splendens*, mais les botanistes la classent maintenant dans l'espèce *E. milii* dont *E. m. splendens* (couronne-de-Jérusalem) serait une variété. Cet arbuste compact atteint 90 cm de haut. Ses tiges brun sombre de 1,5 cm d'épaisseur portent, à intervalles rapprochés, des épines acérées d'environ 2 cm de long. A l'extrémité des pousses naissent des feuilles elliptiques groupées en bouquets. Elles mesurent 5 à 6,5 cm et sont d'un vert lumineux. Elles durent plusieurs mois, puis tombent, dénudant les tiges épineuses. Elles ne repousseront pas et il n'y aura de nouvelles feuilles qu'avec l'apparition de nouvelles pousses.

Couronne-d'épines
E. milii

Les fleurs naissent sur de longs pédoncules enduits d'une substance visqueuse. Deux bractées de 1,5 cm de long, rouge vif ou jaunes, réniformes et ressemblant à des pétales, s'étalent sous les fleurs. Il en pousse 2 à 6 paires exclusivement à l'extrémité des nouvelles tiges. La floraison, qui s'étend normalement du début du printemps à la fin de l'été, peut être continue si l'éclairement est excellent.

E. milii comprend plusieurs formes dont certaines n'ont pas encore de nom. L'une d'elles, un arbuste écailleux, porte des feuilles arrondies, de petites bractées rouges et des épines si souples qu'on peut manipuler les tiges sans se blesser. Une autre forme, *E. m. hislopii*, présente des tiges épineuses de 5 à 6,5 cm d'épaisseur. Ses feuilles lancéolées mesurent 2,5 cm, tout comme les bractées rouges ou roses. *E. m. splendens* se distingue des autres *E. milii* : il peut atteindre 1,80 m; ses tiges ont 2 cm d'épaisseur et ses feuilles sont plus nettement oblongues.

SOINS PARTICULIERS

Lumière Plus *E. milii* aura de soleil, plus il fleurira.

Température Il aime une atmosphère chaude et sèche, mais peut, au besoin, tolérer une fraîcheur de 13°C. Il ne faudrait pas que la température baisse davantage, sinon il perdrait ses feuilles.

Arrosage A la température normale d'une pièce, arroser modérément. Le mélange doit rester humide, mais laisser sécher sur 2,5 cm entre les arrosages. Après la floraison, diminuer un peu les apports d'eau et, si la température tombe au-dessous de 16°C pour une période prolongée, laisser sécher le mélange de moitié avant d'arroser de nouveau. Ne pas laisser les racines se dessécher complètement sous peine de voir les feuilles tomber prématurément.

Engrais Donner de l'engrais liquide ordinaire tous les 15 jours, de la fin du printemps au début de l'automne. Si la floraison se prolonge en hiver, continuer de fertiliser une fois par mois.

Empotage et rempotage Utiliser un mélange composé de terreau (2/3) [voir page 429] et de sable grossier ou de perlite (1/3), éléments qui amélioreront le drainage. Rempoter tôt au printemps, tous les deux ans. Lorsque la plante est arrivée à maturité, ne plus la rempoter, mais renouveler la couche superficielle du mélange (voir page 428). Toujours bien tasser le mélange autour des racines.

Multiplication Prélever au printemps ou au début de l'été des boutures terminales de 7,5 à 10 cm. Utiliser un couteau tranchant ou une lame de rasoir et arrêter immédiatement l'écoulement du latex en vaporisant la plaie laissée sur la plante et en plongeant les boutures dans l'eau. Laisser sécher celles-ci pendant une journée avant de les planter dans un petit pot rempli de tourbe (1/2) et de sable ou de perlite (1/2), *à peine humides*. Si le mélange est trop mouillé, la bouture risque de pourrir. Placer le pot dans un endroit bien éclairé, mais non ensoleillé et normalement chauffé; garder le mélange tout juste humide et en laisser sécher les deux tiers entre les arrosages. La période d'enracinement dure de cinq à huit semaines. Transplanter dans du mélange ordinaire à base de terreau et, lorsque le plant a fait des pousses d'environ 5 cm, le cultiver comme un sujet adulte.

E. milii *est couvert d'épines redoutables;*
il faut être très prudent
lorsqu'on prélève des boutures.

Poinsettia
E. pulcherrima

Euphorbia pulcherrima

Cette espèce (communément appelée étoile de Noël, poinsettia, poinsettie éclatante), particulièrement en vogue au moment des fêtes de Noël, est le descendant d'un arbrisseau de 1,80 m qui croît à l'état sauvage au Mexique. C'est un cultivar de taille très réduite obtenu par des horticulteurs scandinaves et californiens. Tous les poinsettias sont des plantes buissonnantes à floraison hivernale, réputées pour leurs bractées colorées. Les formes modernes dépassent rarement 30 à 40 cm de haut. Les feuilles lobées ou en forme de violon et dentées mesurent de 10 à 15 cm. Elles sont d'un vert profond, avec des nervures très pâles. Les petites fleurs d'un jaune verdâtre ne se remarquent guère, mais chaque bouquet est entouré de 10 à 20 bractées parées de coloris éclatants et ressemblant à des feuilles elliptiques, presque cordiformes. Dans les formes les plus spectaculaires, ces bractées foliacées atteignent 20 à 25 cm de long.

Il existe de nombreuses variétés; parmi les plus populaires, on remarque celles qui ont été nom-mées par Paul Ecke, horticulteur de Californie : 'Barbara Ecke Supreme', plante rameuse à grandes bractées rouge cardinal entourant étroitement des inflorescences centrales; 'Mrs Paul Ecke', variété moins rameuse et à bractées rouge sang; et 'Ecke's White', remarquable par ses bractées blanc crème très persistantes.

Il est presque impossible de reproduire en appartement le régime auquel les horticulteurs soumettent les poinsettias. En effet, pour assurer la floraison et la production de bractées, ils doivent donner aux plantes chaque jour, pendant huit semaines, au plus 10 heures de lumière et au moins 14 heures ininterrompues d'obscurité totale. De plus, ils soumettent les plantes à un traitement chimique qui réduit la longueur des tiges. Il en résulte des sujets à courtes tiges et à grandes bractées très colorées qu'on met en vente en pleine floraison au début de l'hiver. Les horticulteurs parviennent également à faire fleurir les poinsettias pour Pâques.

SOINS PARTICULIERS
Garder le poinsettia à température normale, dans une pièce bien éclai-rée où le soleil est tamisé par un store ou des rideaux translucides, et à l'abri des courants d'air. N'arroser que lorsque le feuillage s'affaisse, ce qui indique un manque d'eau : saturer alors toute la motte. Cette plante n'a pas besoin d'engrais. Si les conditions sont favorables, les bractées garderont leur beauté pendant deux mois et même davantage. Dans la plupart des cas, on se défait du poinsettia après la floraison. Certains amateurs essaient cependant de le faire refleurir; il faut pour cela le soumettre à un programme très rigoureux.

Lorsque les bractées fanées sont tombées, rabattre les tiges à une distance de 2,5 à 5 cm de la base et laisser sécher le mélange terreux presque complètement. Si la plante a fleuri pendant les fêtes de fin d'année, la garder, depuis l'arrêt de la croissance jusqu'en avril, dans une pièce où la lumière est vive mais tamisée. La période de dormance terminée, arroser abondamment le poinsettia. La croissance reprendra bientôt. Au choix, prélever des boutures de 7,5 cm sur les nouvelles pousses et leur faire prendre racine ou amener la vieille souche à émettre des pousses.

Prendre soin de sceller à l'eau le latex qui s'écoule des boutures. Planter celles-ci dans de petits pots remplis d'un mélange à volume égal de tourbe et de sable grossier ou de perlite. Les exposer à une température normale et à une lumière vive tamisée; n'arroser que pour humecter le mélange et laisser sécher aux deux tiers entre les arrosages. L'enracinement se fait en trois ou quatre semaines. Quand la croissance a repris, transplanter les jeunes plants dans un mélange à base de terreau (voir page 429). Utiliser également du terreau frais pour la plante mère : bien secouer l'ancien mélange au moment où la croissance reprend et la rempoter. Choisir, pour les nouveaux plants comme pour la plante mère, un pot de la taille de l'ancien. Dans un pot plus grand, le feuillage se développera aux dépens des fleurs et des bractées et il pourrait en résulter une énorme plante qui ne ressemblerait guère à un poinsettia.

Traiter les plants renouvelés comme à l'achat en leur donnant en supplément de l'engrais liquide ordinaire, tous les mois jusqu'à la mi-septembre. Par la suite, observer le régime pratiqué par les horticulteurs. Il est indispensable de procurer à la plante au moins 14 heures par jour d'obscurité totale et ininterrompue. C'est sans contredit une condition qu'il est difficile d'observer en appartement. D'ailleurs, même soumise fidèlement à ce régime, la plante sera, après les huit semaines, beaucoup plus développée que les poinsettias de commerce. Ceux-ci sont traités avec des produits chimiques qui ne sont pas à l'usage des amateurs.

Euphorbes grasses

Ce groupe comprend plusieurs espèces qui font d'excellentes plantes d'intérieur. Nous en retiendrons deux : *E. pseudocactus* parce qu'il est représentatif de plusieurs euphorbes cactiformes, et *E. tirucalli*, espèce dont les tiges graciles sont tout à fait remarquables. Ils ne fleurissent pas à l'intérieur.
Voir aussi PLANTES GRASSES.

ESPÈCES RECOMMANDÉES

E. pseudocactus est une plante grasse qui peut atteindre 1,50 m et qui ressemble beaucoup à un véritable cactus. Ses tiges à 4 ou 5 faces, dressées et sans feuilles, ont 4 à 5 cm d'épaisseur et se resserrent tous les 10 cm. Elles portent des taches jaunâtres, en éventail, sur un fond vert-gris. Les épines, de 1,5 cm de long, apparaissent par paires sur les arêtes de la partie saillante. Il existe aussi une variété dépourvue d'épines, appelée *E. p. lyttoniana.*

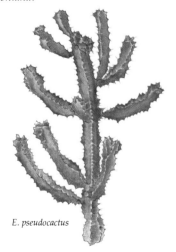

E. pseudocactus

E. tirucalli (liane sans feuilles) peut atteindre 9 m à l'état sauvage, mais dépasse rarement 1,20 à 1,50 m à l'intérieur. Les tiges très ramifiées des jeunes plants portent de minuscules feuilles qui disparaissent. Les tiges demeurent ensuite lisses, d'un vert brillant et ont la forme d'un crayon. La plupart sont dressées et se divisent à intervalles rapprochés en 2 branches égales.

E. tirucalli
(liane sans feuilles)

SOINS PARTICULIERS

Lumière Comme la plupart des plantes grasses, ces euphorbes ont besoin de soleil toute l'année.

Température En période de croissance, on peut les garder à une température normale, mais, de préférence, on leur ménagera en hiver une période de repos à une température maximale de 13°C.

Arrosage En période de croissance, arroser parcimonieusement de manière à humecter tout le mélange, et en laisser sécher les deux tiers entre les arrosages. Durant le repos hivernal, n'arroser que pour empêcher le mélange de se dessécher complètement.

Engrais Enrichir d'engrais liquide ordinaire tous les 15 jours, en période de croissance.

Empotage et rempotage Utiliser un mélange à volume égal de terreau (voir page 429) et de sable grossier ou de perlite. Améliorer le drainage en garnissant le fond du pot d'une couche de tessons de grès. Rempoter la plante au printemps. Cesser le rempotage quand l'euphorbe est dans un pot de 15 à 20 cm.

Multiplication Au tout début de l'été, prélever des boutures de tiges.

Ces plantes grasses produisent beaucoup de latex; aussi faut-il rapidement arrêter l'écoulement en vaporisant les rameaux qu'on vient d'entailler et en plongeant les boutures dans l'eau. Laisser sécher les segments de tige durant plusieurs jours avant de les planter dans un mélange humide à volume égal de tourbe et de sable ou de perlite. Etaler une couche de sable à la surface du mélange avant d'y planter les boutures : le sable facilite l'enracinement et prévient la pourriture. Garder les pots à découvert, à la température normale d'une pièce et dans un endroit où la lumière du soleil est tamisée par un store ou des rideaux translucides. Le mélange doit demeurer à peine humide. L'enracinement se fait en six à huit semaines. Quand la croissance semble bien amorcée, rempoter les jeunes plants dans du mélange ordinaire et les cultiver comme des sujets adultes.

Multiplication des euphorbes grasses

Après avoir prélevé des segments de tige, vaporiser la plante mère pour arrêter l'écoulement du latex.

Pour la même raison, plonger immédiatement la coupe des boutures dans un pot d'eau.

Laisser sécher les boutures pendant quelques jours avant de les planter dans un mélange à enracinement.

Exacum
GENTIANACÉES

E. affine

Seule espèce de ce genre qui puisse être cultivée en pot, *Exacum affine* est une plante vivace très florifère qu'on traite comme une annuelle, c'est-à-dire dont on se défait après la floraison. Dans les serres, les exacums sont semés au début de l'automne et rempotés au début de l'été suivant. Les sujets semés au début du printemps restent petits et fleurissent plus tard. Le meilleur moment pour se procurer un exacum est le début de sa floraison qui devrait durer plusieurs mois.

Les exacums qu'on achète ont habituellement des tiges de 7,5 à 10 cm qui atteignent de 25 à 30 cm au cours de l'été et de l'automne. Les feuilles ovales, luisantes, vert olive mesurent 2,5 cm; elles poussent sur des pétioles de 1,5 cm étroitement groupés sur les tiges. Les fleurs en forme de coupelle plate de 1,5 cm de diamètre sont bleu lavande pâle avec des étamines jaune d'or remarquables.

E. a. 'Atrocaeruleum' offre des fleurs plus sombres; *E. a.* 'Blithe Spirit', des fleurs blanches; *E. a.* 'Midget' est une forme naine à fleurs d'un bleu lumineux.

SOINS PARTICULIERS
Lumière Les exacums ont besoin d'une lumière vive, mais il faut leur éviter les rayons solaires directs.

Température L'atmosphère normale d'une pièce convient à ces plantes. Comme elles aiment l'humidité, les bassiner souvent et poser les pots sur des gravillons dans un plat contenant de l'eau.

Arrosage Arroser généreusement; le mélange terreux doit demeurer très humide.

Engrais Donner de l'engrais liquide ordinaire tous les 15 jours, pendant la durée de la floraison.

Empotage et rempotage Utiliser un mélange à base de terreau (voir page 429). Garder les plants du printemps dans des pots de 8 à 10 cm; transplanter au besoin les plants plus âgés dans des pots de 14 cm.

Remarque Pour prolonger la floraison, supprimer les fleurs fanées.

Pour que l'exacum continue tout naturellement de fleurir, supprimer les fleurs fanées. Sinon, il dépensera son énergie à la production de graines.

Fatshedera
ARALIACÉES

Il n'existe qu'un seul fatshedera, *Fatshedera lizei* (aralia-lierre, lierre arborescent). Cette espèce bigénérique résulte d'un croisement de *Fatsia japonica* 'Moseri' et de *Hedera helix hibernica*. Comme les plantes dont il est issu, l'hybride est de culture facile. Le feuillage étalé du fatsia a cédé la place à des feuilles plus petites sur des pétioles plus courts; il a conservé la robustesse du hedera, mais non sa tendance à ramper. Ses tiges fines et dressées portent sur toute leur hauteur des feuilles brillantes, à longs pétioles. Les feuilles ont 5 lobes et peuvent mesurer jusqu'à 20 cm de large. La forme panachée, *F. l.* 'Variegata', porte des marques blanc crème, surtout sur les bords des feuilles.

Les fatshederas atteignent normalement 0,90 à 1,20 m et ils ont besoin de tuteurs. On obtient une plante plus compacte en groupant plusieurs sujets.

SOINS PARTICULIERS
Lumière Les fatshederas sont bien à peu près n'importe où, mais l'idéal, c'est de les placer près d'une fenêtre légèrement ombragée. Cependant, une lumière insuffisante les ferait pousser en hauteur. *F. l.* 'Variegata', qui croît assez lentement, demande plus de lumière, mais non le plein soleil.

Température En période de croissance, cet hybride supporte sans problème n'importe quelle température. S'il préfère une température de moins de 10°C en période de repos, il survit dans l'atmosphère normale d'une pièce, pourvu qu'il ait assez d'humidité. Poser les pots sur des gravillons gardés humides. *F. l.* 'Variegata' veut de la chaleur en tout temps. Le garder à plus de 16°C, même en période de repos.

Arrosage En période de croissance, arroser modérément et laisser sécher le mélange sur 1,5 cm entre les arrosages. S'il y a une période de repos, n'arroser que pour empêcher le mélange de se dessécher. Si la croissance se poursuit, continuer d'arroser, sans quoi les feuilles tomberont.

Engrais Donner de l'engrais liquide ordinaire tous les 15 jours, en période de croissance seulement.

Lierre arborescent
F. lizei

Fatsia
ARALIACÉES

A ce genre ne se rattache qu'une seule espèce, *Fatsia japonica* (aussi connue sous le nom d'*Aralia japonica* et de *Fatsia sieboldii*). On la cultive depuis plus d'un siècle comme plante de jardin et d'intérieur. C'est un arbuste de croissance rapide à tiges ligneuses peu ramifiées. Les sujets cultivés en appartement portent généralement un tronc unique robuste, couronné d'une grande rosette de feuilles. Le fatsia peut atteindre 1,20 à 1,50 m en deux ou trois ans. Ses feuilles digitées, divisées en 7 à 9 lobes, sont vernissées et mesurent de 15 à 45 cm; elles sont portées sur des pétioles de 30 cm.

Au jardin, le feuillage du fatsia est coriace et vert sombre; à l'intérieur, il est plus souple et d'un vert plus clair. Les jeunes feuilles encore enroulées sont très fragiles; toute meurtrissure qui leur est infligée est permanente et s'aggrave avec l'âge.

A l'extérieur, le fatsia produit de grandes panicules de fleurs blanches en ombrelles; à l'intérieur, seuls les sujets âgés et gardés au frais fleurissent.

Une variété développée en France et connue sous le nom de *F. j.* 'Moseri' est plus compacte, de croissance plus lente et les nervures de ses feuilles sont teintées de jaune. La forme panachée *F. j.* 'Variegata' offre des feuilles colorées de blanc ou de crème, surtout sur les bords. Elle est souvent vendue sous le nom de *F. j.* 'Albo-marginata'.

F. japonica
'Variegata'

SOINS PARTICULIERS

Lumière Pour garder son port compact, le fatsia a besoin d'une lumière intense, surtout s'il ne reçoit pas de soleil. Autrement, il pâlit et s'allonge indûment.

Empotage et rempotage Utiliser un mélange à base de terreau (2/3) additionné de tourbe (1/3) [voir page 429]. Rempoter tous les ans les plantes les plus robustes. Les planter très solidement et, si nécessaire, soutenir les nouvelles pousses à l'aide de tuteurs. Lorsque la plante a atteint sa taille optimale, renouveler le mélange en surface, tous les printemps (voir page 428).
Multiplication Des boutures terminales de 7,5 à 10 cm de long s'enracineront rapidement si elles sont prélevées au moment où la croissance reprend. Les planter dans un mélange humidifié à base de tourbe et les enfermer dans un sachet de plastique. Garder à une lumière moyenne et à une température se situant entre 16 et 21°C. Une fois l'enracinement achevé, découvrir la plante et commencer à arroser modérément; laisser sécher le mélange sur 2,5 cm entre les arrosages. Fertiliser avec un engrais liquide ordinaire tous les 15 jours. Dix semaines plus tard, rempoter la plante dans un mélange à fatshederas et la cultiver comme un sujet adulte.

Quand les plantes ont perdu leurs feuilles inférieures, ce qui se produit après quelques années, il est préférable de les utiliser pour la multiplication. On peut également les multiplier par marcottage aérien (voir page 440).
Remarque Au printemps surtout, surveiller les pucerons ainsi que les araignées rouges et les cochenilles (voir pages 454-455).

Fatsia japonica

Température Le fatsia aime être au frais. Au-dessus de 18°C, ses feuilles ramollissent et amincissent; elles peuvent même tomber si, en même temps, l'air est sec. Pour augmenter l'humidité dans les pièces chaudes, poser les pots sur des gravillons maintenus humides. A une température légèrement inférieure à 16°C, les feuilles et les tiges restent fermes et la plante peut résister quelque temps à un manque de soins. En période de repos, le fatsia demande encore plus de fraîcheur, soit une température d'environ 7°C.

Arrosage En période de croissance, arroser généreusement et aussi souvent qu'il le faut pour que le mélange soit très humide. En période de repos, arroser un peu moins; garder le mélange humide, et le laisser sécher sur 1 cm entre les arrosages. Lorsqu'un fatsia manque d'eau, il perd quelques-unes de ses feuilles inférieures.

Engrais Donner de l'engrais liquide ordinaire tous les 15 jours, en période de croissance.

Empotage et rempotage Utiliser un mélange riche à base de terreau, c'est-à-dire contenant une plus grande quantité de fertilisant équilibré. Rempoter les jeunes sujets chaque printemps jusqu'à ce qu'ils aient atteint la taille optimale. Le fatsia se plaît dans un pot de 20 à 25 cm. On peut restreindre sa croissance en le conservant dans un pot plus petit, mais il sera moins attrayant. Utiliser de préférence des pots de grès : une plante aussi volumineuse pourrait faire basculer un pot moins lourd.

Multiplication La meilleure méthode consiste à prélever des boutures de 5 à 7,5 cm sur les rejets autour de la souche. On peut aussi se servir de boutures terminales, mais comme elles portent de grandes feuilles, elles entrent difficilement dans un sachet de plastique ou une caissette de multiplication. Débarrasser la bouture de ses feuilles inférieures, plonger la partie coupée dans une poudre d'hormones à enracinement et la planter dans un pot de 8 cm rempli d'un mélange humidifié, à volume égal de tourbe et de sable grossier ou de perlite. Enfermer le pot dans un sachet de plastique transparent ou une caissette de multiplication chauffante (voir page 444) et le garder à 16°C, dans un endroit où la lumière est vive, mais tamisée par un store ou des rideaux translucides. La croissance devrait reprendre après quatre à six semaines, indiquant l'enracinement. Retirer alors le jeune plant du sa-

chet ou de la caissette; n'arroser que pour humecter le mélange et fertiliser avec un engrais liquide ordinaire tous les 15 jours. Après quelques mois, lorsque le plant est bien établi, le transplanter dans un mélange ordinaire et le traiter comme un fatsia adulte.

On peut aussi obtenir facilement des fatsias par semis, à partir de graines fraîches et dans une caissette de multiplication chauffante. Enfoncer les graines à 2,5 cm dans un mélange à enracinement humidifié (voir page 444). Garder à une température de 16 à 18°C, sous un éclairage vif mais tamisé. Lorsque les plantules ont 4 ou 5 cm, les repiquer dans des pots de 5 à 8 cm remplis de mélange ordinaire et les cultiver normalement.

Un seul drageon peut donner naissance à plusieurs plantes dans la mesure où chaque bouture porte au moins un bourgeon (voir détail).

Remarques La croissance d'un fatsia peut être contrôlée par émondage. Au printemps, tailler jusqu'à la moitié de la pousse de l'année précédente. La plante ne s'en ramifiera que davantage.

De temps en temps, le fatsia perd quelques-unes de ses feuilles inférieures. Ne pas s'inquiéter, ce phénomène est normal.

Pour avoir un fatsia harmonieux, tailler, au printemps, jusqu'à la moitié de la pousse de l'année précédente.

Faucaria

AIZOACÉES

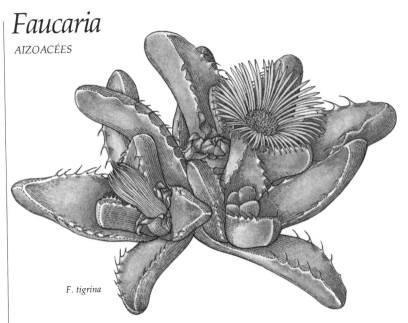

F. tigrina

Les faucarias sont des plantes grasses presque acaules, portant 4 ou 5 paires de feuilles entrecroisées qui forment une épaisse rosette étoilée. Emboîtées par paires à la base, les feuilles triangulaires, bordées de dents acérées et récurvées, sont plates sur le dessus, mais convexes en dessous. La plante produit à la souche des rejets qui forment des touffes compactes. De grandes fleurs semblables à celles des marguerites naissent à l'aisselle des feuilles, en automne; en règle générale, elles s'ouvrent l'après-midi.
Voir aussi PLANTES GRASSES.

ESPÈCES RECOMMANDÉES
F. tigrina a des feuilles charnues et pointues, longues de 4 à 5 cm et mesurant 2,5 cm à la base. Elles sont d'un vert grisâtre tacheté de points blancs. Les dents qui s'emboîtent, sur les jeunes feuilles, s'allongent ensuite et en se séparant prennent l'aspect de mâchoires. Les fleurs jaune d'or et sessiles peuvent mesurer 5 cm.
F. tuberculosa ressemble beaucoup à *F. tigrina*, mais ses fleurs, qui portent des petites verrues blanches, sont moins grandes.

SOINS PARTICULIERS
Lumière Pour fleurir, les faucarias demandent au moins trois heures de plein soleil par jour.
Température En période de croissance, l'atmosphère tempérée d'une pièce leur convient, mais ils doivent être gardés à 10°C environ pendant leur période hivernale de repos. Il est inutile de cultiver ces plantes si on ne peut leur donner en hiver à la fois soleil et fraîcheur.

F. tuberculosa

Arrosage En période de croissance, arroser généreusement; le mélange doit demeurer très humide, mais on ne doit jamais laisser d'eau dans la soucoupe. En période de repos, n'arroser que pour empêcher le mélange de se dessécher.
Engrais En période de croissance, donner de l'engrais liquide ordinaire dilué de moitié, une fois par mois. La plante se déforme si on la fertilise trop souvent ou si on lui donne de l'engrais trop concentré.
Empotage et rempotage Utiliser un mélange à base de terreau (2/3) [voir page 429] additionné de sable grossier ou de pierre concassée (1/3). Les faucarias n'ayant que quelques racines, les planter dans des pots peu profonds. Les rempoter lorsque les touffes ont recouvert la surface du mélange, c'est-à-dire tous les deux ou trois ans et toujours au début du printemps.
Multiplication Au début de l'été, diviser les touffes trop compactes et planter celles qui auront gardé des racines dans des pots de 5 à 8 cm. Les cultiver comme des sujets adultes, sans toutefois leur donner une lumière aussi vive. Ne pas les exposer au plein soleil pendant une ou deux semaines.

Les autres seront mises à sécher durant quelques jours. Les planter ensuite dans le mélange recommandé pour les faucarias adultes. Etaler un peu de sable grossier autour de la base du plant pour l'empêcher de pourrir et favoriser l'enracinement. Garder la plante dans un endroit moyennement éclairé, l'arroser modérément jusqu'à ce qu'elle ait fait de nouvelles pousses et la traiter ensuite comme un faucaria adulte.

Fausse vigne, voir *Cissus rhombifolia.*
Faux aralia, voir *Dizygotheca elegantissima.*
Faux caféier, voir *Polyscias guilfoylei.*

Division des touffes

A la fin du printemps, dépoter la plante et diviser les touffes en s'assurant que chaque nouveau sujet comporte au moins une rosette pourvue de racines.

Empoter séparément les rosettes et leur donner les mêmes soins qu'à un faucaria adulte. Toutefois, l'éclairement sera temporairement réduit.

Ferocactus

CACTACÉES

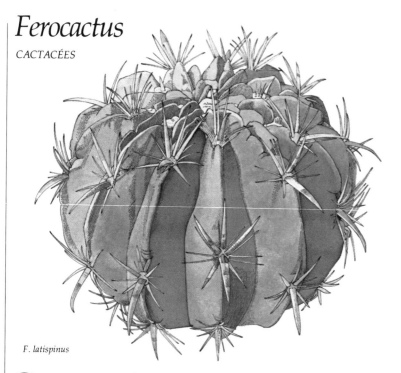

F. latispinus

Ce genre comprend une vingtaine de cactées du désert remarquables par leurs aiguillons robustes, à pointes recourbées. (Le préfixe fero vient du latin *ferox* qui veut dire fier, robuste, dur.) Cette plante en forme de barrique ne produit habituellement ni rameaux ni rejets. On trouve à l'état sauvage des sujets de 1,50 m de haut et 90 cm de large, mais le ferocactus atteint rarement sa maturité quand il est cultivé en pot.

ESPÈCES RECOMMANDÉES
F. acanthodes peut atteindre 90 cm de haut et 30 cm de large, mais, à l'intérieur, il se contente d'un pot de 16 cm. Cette plante forme une sorte de tronc d'un vert lumineux, marqué d'une vingtaine de côtes larges et ondulées. Nichées au creux des encoches, les aréoles grises portent des aiguillons rouges, parfois rayés de jaune, acérés, recourbés et entrecroisés. Les 10 aiguillons radiaux mesurent environ 5 cm et les 4 aiguillons centraux, qui sont droits, deux fois plus. Les fleurs, jaunes ou orange, apparaissent rarement sur les plantes d'appartement.
F. fordii atteint, en pot, 15 cm de diamètre. Sa tige globuleuse, vert-gris, est marquée d'une vingtaine de côtes étroites et crénelées qui portent des aréoles grisâtres, espa-

cées. Chaque aréole est pourvue de 15 aiguillons radiaux blancs de 4 cm, fins comme des aiguilles, et de 4 robustes aiguillons centraux de 7 cm, rose-brun. L'épine centrale la plus courte est aplatie, légèrement crochue et zébrée d'une teinte plus pâle. Des fleurs estivales, blanc rosé à rayures sombres, mesurant 5 cm,

F. fordii

n'apparaissent généralement que chez les sujets plus âgés.
F. latispinus présente une tige globuleuse vert-gris qui s'allonge avec l'âge. Les encoches sur les 12 larges côtes portent des aréoles grises pourvues de 6 à 12 aiguillons radiaux blanchâtres, de 2,5 cm, et de 4 aiguillons centraux rougeâtres, de 5 cm. On appelle langue de démon l'aiguillon central mineur, plus large et crochu. Il se peut que, dans des conditions idéales, la plante produise, en été, des fleurs violettes. Ce n'est qu'après de nombreuses années que *F. latispinus* pourra atteindre 30 cm de

haut et 20 de large, dans un pot de 26 cm. Mais la plupart des sujets cultivés à l'intérieur garderont leur forme sphérique et resteront plus petits.
Voir aussi CACTEES.

SOINS PARTICULIERS
Lumière Dans les régions désertiques d'où ils sont originaires, les ferocactus sont habitués au grand soleil. Pour que leurs aiguillons restent forts et très colorés, les exposer aux rayons directs du soleil toute l'année, et, le printemps et l'été, les placer dehors, en plein soleil.
Température En période de croissance, l'atmosphère normale d'une pièce leur convient. En période de repos, les garder au frais, mais à une température bien supérieure au point de congélation. Un repos à 10°C est recommandé.
Arrosage En période de croissance, arroser modérément. Bien humidifier la motte à chaque arrosage et la laisser sécher sur 1 cm avant d'arroser de nouveau. En période de repos, empêcher simplement le mélange de se dessécher.
Engrais Donner de l'engrais riche en potassium, comme celui qu'on applique aux plants de tomates, tous les mois durant la période de croissance.
Empotage et rempotage Il est essentiel d'utiliser un mélange poreux comprenant du sable grossier ou de la perlite (1/4) et du mélange à base de terreau ou de tourbe (3/4) [voir page 429]. Placer le ferocactus dans un pot assez grand pour que ses racines soient à l'aise et laisser un espace de 2 cm entre la plante et le bord supérieur du pot. Dépoter la plante chaque printemps, au début de la période de croissance. Si les racines remplissent le pot, la rempoter; sinon, enlever le plus de substrat possible et remettre la plante dans son pot après l'avoir bien nettoyé et rempli de mélange frais.
Multiplication Les ferocactus ne produisant généralement ni rameaux ni rejets, il faut les multiplier par semis. La multiplication par semis n'est pas une opération difficile à réussir pour l'horticulteur amateur (voir *CACTEES*, page 119). On vend aussi chez les fleuristes des plants de deux ans mesurant environ 5 cm de haut.

Ficus

MORACÉES

Le genre *Ficus* (caoutchouc) comprend plus de 800 espèces d'arbres, d'arbustes et de grimpants, pour la plupart originaires des régions chaudes. Plusieurs de ces espèces font d'excellentes plantes d'intérieur, à l'exception toutefois de *Ficus carica*, c'est-à-dire le figuier comestible. On aime les ficus aussi bien pour la beauté de leur feuillage que pour la grande diversité de leurs formes. Certaines petites espèces tiennent sur un appui de fenêtre tandis que d'autres remplissent de leur ampleur de larges espaces. La plupart s'adaptent aisément à des variations de température progressives. *F. elastica* est l'une des plantes d'intérieur les plus répandues.

ESPÈCES RECOMMANDÉES

F. benghalensis (banian) peut devenir un grand arbre dans son milieu naturel où il développe de longues racines aériennes, ce qu'il ne peut faire dans un bac. On l'apprécie pour ses tiges très ramifiées, ses feuilles ovales d'un vert sombre, qui peuvent atteindre 30 cm. Les tiges et les jeunes feuilles sont recouvertes d'un fin duvet roux très fragile. Pour nettoyer la plante, faire de très légères vaporisations.

Les feuilles et la tige duveteuses de F. benghalensis *ne résisteraient pas à l'épongeage. On les nettoiera plutôt à l'aide d'un vaporisateur.*

F. benjamina (figuier pleureur) est un gracieux petit arbre qui, quand il est jeune, s'intègre bien à un groupe de plantes. Il peut atteindre 1,80 m et, avec le temps, ses branches s'inclinent, d'où son nom de « pleureur ». Ses feuilles légèrement ondulées mesurent 5 à 10 cm. D'abord vert pomme, elles foncent à mesure qu'elles vieillissent. Les nombreuses ramilles et les pétioles sont recouverts d'une écorce qui se soulève facilement et attire malheureusement les cochenilles dont cette plante est souvent la proie. La présence de ces insectes se signale par des dépôts de miellat ou de fumagine sur les feuilles (voir traitement, page 454). Cette plante n'a pas de périodes de croissance et de repos bien définies, mais une partie du feuillage jaunit et tombe à la fin de l'hiver pour repousser au printemps. *F. b. nuda* offre des feuilles plus étroites et plus effilées ainsi qu'un port plus retombant que l'espèce.

F. buxifolia est un nouveau venu. Son nom, qui signifie « à feuilles de buis », lui vient de ses feuilles triangulaires, de 2,5 cm à la base. C'est un arbuste de croissance rapide dont les fines tiges retombantes sont recouvertes d'une écorce de teinte cuivrée.

F. deltoidea est le seul ficus d'intérieur qui produise des fruits, petites baies jaunâtres non comestibles posées sur de courts pédoncules. La plante tire son nom de la lettre grecque Δ (delta) qui décrit la forme des feuilles. On l'appelle fréquemment de son ancien nom, *F. diversifolia*, « à feuilles différentes ». Ses feuilles de 2,5 à 7,5 cm sont épaisses et vert sombre, souvent très légèrement tachetées, et effilées du côté du pétiole. Ce ficus excède rarement 90 cm en pot, mais il se ramifie abondamment.

F. elastica (caoutchouc) est le plus répandu des ficus d'intérieur. A l'espèce originelle, on préfère maintenant de nouvelles formes améliorées à tige unique et à larges feuilles coriaces et vernissées présentant une nervure médiane saillante. Pour que la plante se ramifie, il faut pincer le bourgeon terminal, ce qui, cependant, provoque un fort écoulement de latex que l'on peut

F. elastica 'Tricolor'

arrêter par des applications de charbon de bois pulvérisé ou de cendre de cigarettes. Parmi les nombreuses formes de *F. elastica*, on remarque *F. e.* 'Decora' qui est la plus recherchée. Ses feuilles obovales, vert sombre, de 40 cm de long, font un angle de 45 degrés avec la tige principale et ne retombent pas comme chez l'espèce. Les nouvelles feuilles sortent d'une membrane protectrice rouge clair qui se détache par la suite et l'envers de la nervure médiane est également rouge. *F. e.* 'Robusta' tout comme *F. e.* 'Black Prince',

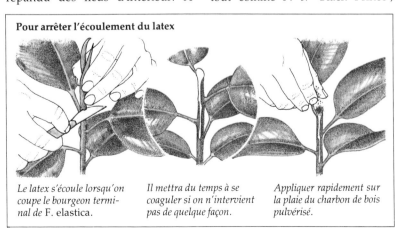

Pour arrêter l'écoulement du latex

Le latex s'écoule lorsqu'on coupe le bourgeon terminal de F. elastica.

Il mettra du temps à se coaguler si on n'intervient pas de quelque façon.

Appliquer rapidement sur la plaie du charbon de bois pulvérisé.

présente des feuilles plus grandes et plus arrondies. Le noir verdâtre des feuilles de *F. e.* 'Black Prince' est impressionnant.

Quatre formes panachées sont aussi très répandues : *F. e.* 'Tricolor', à limbe vert maculé de rose et de crème; *F. e.* 'Schrijvereana', à panachures plutôt carrées, crème et vert clair; *F. e.* 'Doescheri', à macules grises et crème sur fond vert et nervure médiane rose brillant; et *F. e.* 'Variegata', à feuilles plus étroites et plus retombantes, marginées et marbrées de jaune.

F. lyrata (aussi *F. pandurata* et communément appelé figuier lyre) a des feuilles à bord ondulé, en

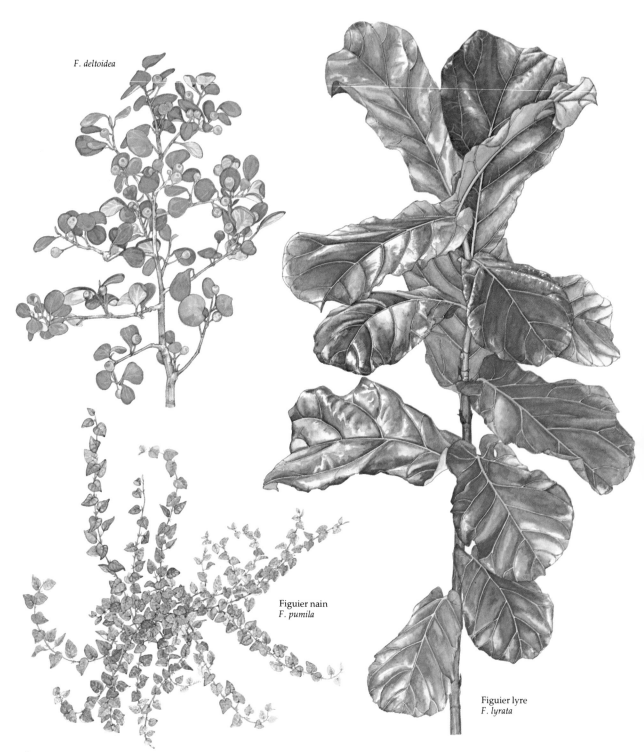

F. deltoidea

Figuier nain
F. pumila

Figuier lyre
F. lyrata

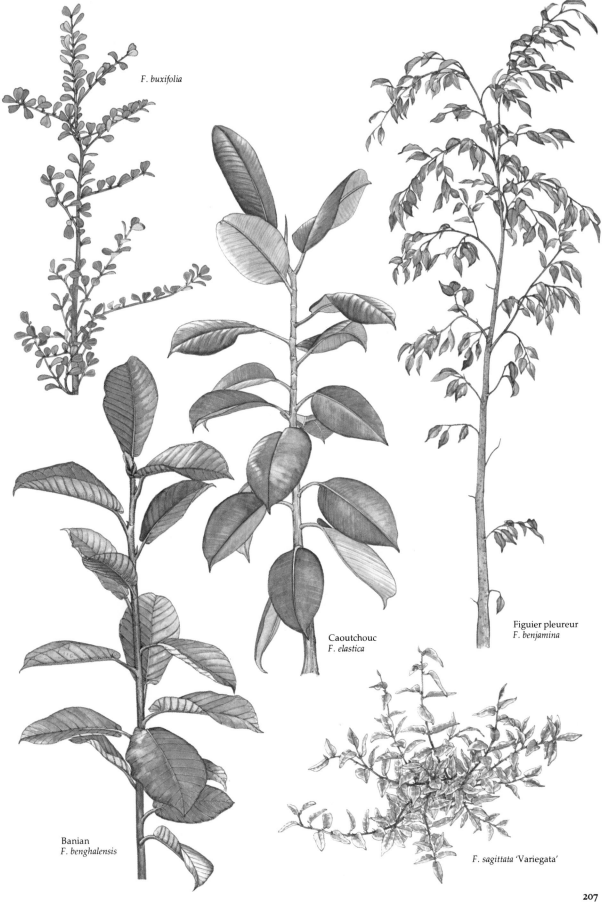

F. buxifolia

Caoutchouc
F. elastica

Figuier pleureur
F. benjamina

Banian
F. benghalensis

F. sagittata 'Variegata'

forme de violon. Elles peuvent atteindre 40 cm sur 25 et sont d'un beau vert moyen. La plante croît vite, et, comme c'est le cas pour *F. elastica*, la tige centrale ne se ramifie que si on coupe le bourgeon terminal.

F. pumila (également nommé *F. repens* et communément appelé figuier nain et figuier rampant) est une petite plante rampante très rameuse, dont les feuilles vertes légèrement froncées sont minces, cordiformes et mesurent moins de 2,5 cm. Dès qu'elle trouve un support humide auquel s'accrocher, elle produit des racines aériennes. On la cultive avec avantage sur un tuteur décoratif, encore qu'elle soit le plus souvent utilisée comme plante rampante ou comme plante tapissante dans les grandes jardinières. La forme panachée *F. p.* 'Variegata', à macules blanches ou crème, est moins connue. C'est une plante plus exigeante : il lui faut un meilleur éclairement, plus de chaleur et des arrosages bien dosés, faute de quoi ses panachures disparaissent. Il faut aussi supprimer toutes les sections vertes.

F. religiosa (arbre Bo de l'Inde) est une plante à croissance rapide. Ses feuilles vert sombre ont de longs pétioles, des pointes effilées et des nervures claires et saillantes. Elles mesurent environ 10 cm sur 5.

F. retusa (parfois appelé *F. microcarpa*) offre des feuilles elliptiques, vernissées, lisses et vert sombre, de 7,5 cm, sur des tiges courtes, dressées et très ramifiées. Occasionnellement, elle produit des petites baies non comestibles. Cette plante se prête très bien à la taille ornementale.

F. rubiginosa (aussi appelé *F. australis*) est un petit arbre étalé dont les feuilles ovales, coriaces et vernissées de 7,5 à 15 cm sont vert sombre sur le dessus et rouille en dessous. La forme panachée *F. r.* 'Variegata' présente des feuilles marbrées et marginées de jaune crème.

F. sagittata (qu'on appelle aussi *F. radicans*) est une vigoureuse plante rampante à feuilles vertes, coriaces et lancéolées, de 5 à 7,5 cm et à tiges raides. Sa forme panachée *F. s.* 'Variegata' est plus appréciée, en raison de ses feuilles d'un vert-gris marbré de blanc ivoire.

SOINS PARTICULIERS

Lumière La plupart de ces plantes s'accommodent d'une luminosité moyenne aussi bien que de quelques heures de soleil par jour. *F. pumila* toutefois préfère la demi-obscurité. Les formes à feuilles vertes peuvent supporter une moins grande clarté que celles à feuillage panaché. A ces dernières, il est indispensable de procurer une lumière vive et quelques heures de plein soleil par jour.

Température L'atmosphère normale d'une pièce leur plaît, mais on peut les amener à supporter une vaste gamme de températures. *F. pumila* a une nette préférence pour la fraîcheur et pourrait presque supporter le gel. Dans les milieux chauds et secs, surveiller les araignées rouges (voir page 454).

Arrosage Faute d'eau, *F. pumila* perd ses fragiles feuilles. Bien imbiber le mélange à chaque arrosage et le laisser sécher sur 1 cm avant d'arroser de nouveau. Les autres espèces demandent beaucoup moins d'eau; un arrosage exagéré entraîne même la chute des feuilles inférieures. Laisser sécher la moitié du mélange entre les arrosages.

Engrais Donner de l'engrais liquide ordinaire tous les 15 jours, en période de croissance seulement.

Empotage et rempotage Utiliser un mélange à base de terreau (voir page 429) pour les espèces à feuilles larges, et un mélange à base de tourbe pour *F. pumila* et *F. sagittata*. Choisir des pots plutôt petits : les ficus aiment être à l'étroit. Ne rempoter que lorsque des racines s'échappent par les trous d'évacuation des pots ou lorsqu'un réseau de fines racines apparaît à la surface du mélange. Le rempotage se fait de préférence au printemps. Lorsque la plante a atteint sa taille optimale, renouveler simplement la couche superficielle du mélange une fois par an, au printemps.

Multiplication Les deux espèces rampantes, *F. pumila* et *F. sagittata*, s'enracinent bien à partir de boutures terminales de 15 cm, prélevées au printemps et plantées dans des pots de 8 cm remplis d'un mélange à volume égal de tourbe et de sable ou de perlite. Couper la bouture sous un nœud et enlever avec soin les deux feuilles inférieures avant d'enfoncer le segment

dans le mélange à enracinement. Enfermer chaque pot dans un sachet de plastique transparent et le garder à la température normale d'une pièce, à une lumière vive tamisée par un store ou des rideaux translucides. Lorsque la croissance reprend, indice que l'enracinement a réussi, retirer le sachet et arroser pour que le mélange soit tout juste humide. Environ quatre mois plus tard, quand le jeune plant est bien établi, le transplanter dans un mélange normal à base de tourbe et le cultiver comme un ficus adulte.

Les autres types de ficus demandent plus d'adresse. Les espèces à feuilles larges réagissent moins bien au bouturage, car ils perdent beaucoup de latex. On peut tenter le marcottage aérien (voir page 440), mais cette méthode exige du temps et des soins, bref, beaucoup de patience.

Remarque Nettoyer régulièrement avec une éponge les feuilles vernissées des ficus. Procéder avec douceur; les nouvelles feuilles surtout sont fragiles et les cicatrices qui s'y forment sont permanentes. Utiliser un vaporisateur, et non une éponge, pour les feuilles duveteuses comme celles de *F. benghalensis*.

Pour éponger les feuilles vernissées de F. elastica, les soutenir d'une main afin de ne pas exercer de pression sur le pétiole.

Figuier de Barbarie, voir *Opuntia*.
Figuier lyre, voir *Ficus lyrata*.
Figuier nain, voir *Ficus pumila*.
Figuier pleureur, voir *Ficus benjamina*.
Figuier rampant, voir *Ficus pumila*.
Fille-de-l'air, voir *Tillandsia usneoides*.

Fittonia
ACANTHACÉES

F. verschaffeltii

Tous les fittonias sont des plantes rampantes originaires des forêts pluviales. La plupart des formes présentent des feuilles de 5 à 10 cm, ovales, opposées, à court pétiole. Mais la principale caractéristique des fittonias est le fin réseau de nervures colorées qui traverse les feuilles. Ces plantes donnent parfois, mais plus rarement en pot, des épis de fleurs jaunes.

Difficiles à cultiver en appartement, les fittonias se plaisent en bouteilles et en terrariums (voir page 54). Ils exigent une chaleur constante, beaucoup d'humidité et un bon éclairement, mais ne

Les fittonias courts et rampants s'associent bien à des plantes hautes dans l'atmosphère humide d'une bouteille.

tolèrent pas les rayons directs du soleil. Leurs racines demandent un substrat humide mais non mouillé. On encourage la ramification en pinçant de temps à autre les bourgeons terminaux. Enfin, comme les fittonias deviennent moins beaux en vieillissant, il est préférable de les renouveler par bouturage des pousses terminales.

F. verschaffeltii argyroneura 'Nana'

F. verschaffeltii argyroneura

ESPÈCES RECOMMANDÉES
F. gigantea est une plante compacte pouvant atteindre 60 cm. Ses feuilles vert foncé de 7,5 à 10 cm sont veinées de rouge sombre.
F. verschaffeltii présente des feuilles vert olive de 5 cm, ornées d'un fin réseau de nervures carmin; elles sont un peu moins pointues que celles de *F. gigantea. F. v. argyroneura* offre des feuilles semblables, avec des nervures encore plus

fines, argentées. Il existe maintenant une charmante forme naine, *F. v. a.* 'Nana', facile à cultiver.

SOINS PARTICULIERS
Lumière Les fittonias croissent bien près d'une fenêtre légèrement ombragée. Le soleil endommage leurs feuilles. En hiver, les placer près d'une fenêtre mieux éclairée.
Température Une température de 18°C leur convient. Ils tolèrent des variations, mais jamais des températures inférieures à 13°C. Poser les pots sur des gravillons humides et bassiner souvent le feuillage.
Arrosage Arroser peu et de façon régulière. Trop d'eau fait pourrir les tiges; pas assez racornit les feuilles.
Engrais Donner de l'engrais liquide ordinaire, demi-concentré, tous les 15 jours, en période de croissance.
Empotage et rempotage Un mélange à base de tourbe (voir page 429) procure à ces plantes l'humidité dont leurs racines ont besoin. Le rempotage est rarement nécessaire. Choisir des pots peu profonds car les fittonias ont de courtes racines. Cinq ou six boutures vivront à l'aise pendant un an ou plus dans une terrine de 14 cm.
Multiplication De petites boutures terminales comportant 3 ou 4 paires de feuilles s'enracineront facilement dans un mélange ordinaire à condition qu'on leur fournisse une bonne lumière indirecte, de la chaleur et de l'humidité. On peut aussi pratiquer le marcottage (voir page 439). Placer le pot dans un bol un peu plus grand, rempli de mélange à base de tourbe recouvert d'un peu de sable grossier ou de perlite. Incliner les bourgeons terminaux de façon qu'ils soient en contact avec ce mélange : ils ne tarderont pas à s'enraciner. Détacher alors les plantules; après deux ou trois semaines, elles pourront être groupées dans des contenants permanents. Une terrine de 14 cm garnie de fittonias donnera en une seule saison une belle moisson de rejets.

Flamant rose, voir *Anthurium andreanum.*
Fleur de la Passion, voir *Passiflora.*
Fleur de porcelaine, voir *Hoya.*
Fleur de sang, voir *Haemanthus katharinae.*

Fortunella

RUTACÉES

Kumquat ovale
F. margarita

L e genre *Fortunella* (kumquat) groupe des arbres miniatures qui ressemblent à des orangers. En pot, ils ne dépassent pas 1,20 m. Certains ont des tiges et des rameaux épineux. Tous présentent des feuilles à pétioles courts, épaisses, coriaces, alternes, d'un vert plus sombre sur le dessus. Des fleurs blanches à 5 pétales, très parfumées, de 1 cm, apparaissent au printemps et en été. Les fruits orange mûrissent lentement et durent quelques semaines.

ESPÈCES RECOMMANDÉES

F. japonica porte sur ses tiges épineuses des feuilles elliptiques de 7,5 cm sur 5. Le fruit rond, jaune-orange peut avoir 3 cm de diamètre.

F. j. 'Variegata' présente des feuilles marbrées de blanc.

F. margarita (kumquat ovale) a des tiges sans épines et des feuilles lancéolées de 10 cm sur 6,5. Le fruit orange foncé peut mesurer 4 cm de long et avoir 2 cm de diamètre.

SOINS PARTICULIERS

Lumière Les fortunellas exigent beaucoup de soleil toute l'année.
Température En période de croissance, l'atmosphère normale d'une pièce leur convient, mais poser les pots sur des gravillons humides. Maintenir la température entre 13 et 16°C pendant le repos hivernal.
Arrosage En période de croissance, arroser généreusement : le mélange doit demeurer très humide, mais l'eau ne doit pas séjourner dans la soucoupe. En période de repos, n'arroser que pour empêcher le dessèchement complet du mélange.
Engrais Au début de la période de croissance, fertiliser tous les 15 jours avec un engrais liquide ordinaire. Dès l'apparition des boutons floraux, utiliser un engrais riche en potassium pendant 8 à 10 semaines, et revenir ensuite à l'engrais ordinaire. Ne pas fertiliser en période de repos.
Empotage et rempotage Utiliser un mélange à volume égal de terreau (voir page 429) et de feuilles ou de tourbe ligneuse décomposées. Rempoter au printemps. Quand la plante est dans un pot de 25 à 30 cm, renouveler simplement la couche superficielle (voir page 428) avec du mélange à base de terreau.
Multiplication Prélever des graines sur le fruit et les enfouir à 2 cm dans un pot de 5 à 8 cm rempli d'un mélange à enracinement humidifié. Enfermer le pot dans un sachet de plastique transparent ou une caissette de multiplication chauffante (voir page 444) et le garder à environ 21°C sous une lumière vive tamisée. Lorsque les graines ont germé, découvrir les pots et arroser modérément en laissant le mélange sécher sur 1 cm entre les arrosages. Fertiliser tous les 15 jours avec un engrais liquide ordinaire. Rempoter les jeunes plants quand ils ont de 5 à 8 cm de haut. Traiter dès lors comme les sujets adultes.
Remarques Attention aux cochenilles et aux araignées rouges. (Voir traitement, page 454.)

A la fin de la période de repos, couper les pousses faibles et celles qui ont trop de ramilles.

Fougère de Boston, voir *Nephrolepis exaltata.*

Fougère boule, voir *Davallia trichomanoides.*

Fougère à crêtes, voir *Pteris tremula.*

Fougère houx, voir *Cyrtomium falcatum.*

Fougère houx, voir *Polystichum tsus-simense.*

Fougère nid-d'oiseau, voir *Asplenium nidus.*

Fougère patte-de-lapin, voir *Davallia fejeensis.*

Fougère pied-d'écureuil, voir *Davallia trichomanoides.*

FOUGÈRES

Les fougères se distinguent des autres plantes à feuillage en ce qu'elles ne produisent ni fleurs ni graines, et se reproduisent au moyen de spores. Cet article traite des principaux types de fougères et donne des conseils sur leur entretien. Une liste des espèces cultivables en appartement le complète. Pour un genre particulier, se reporter à l'article qui le concerne.

Les fougères se répartissent dans plusieurs familles. Cependant, elles ont tant de caractéristiques communes qu'il est intéressant de les étudier globalement.

A l'état sauvage, on en trouve dans presque tous les pays. Mais celles qui croissent dans les régions tempérées ont du mal à s'adapter à la chaleur des habitations. Aussi, les fougères cultivées à l'intérieur sont-elles le plus souvent originaires de pays chauds.

Un grand nombre de fougères sont épiphytes. Même si leurs racines pénètrent dans les matières végétales qui s'accumulent dans les creux des arbres, elles n'en tirent pas leur nourriture. Il existe également des fougères terrestres qui se plaisent dans un milieu ombragé et humide, au pied des arbres par exemple, et partout où elles trouvent un bon terreau de feuilles pour leurs racines. Fougères épiphytes ou terrestres ont besoin de beaucoup d'humidité pour que leurs frondes restent fermes.

La plupart des fougères possèdent un système rhizomateux charnu dans lequel elles emmagasinent des réserves nutritives. Le rhizome des fougères des genres *Phyllitis* et *Polystichum* est dressé, court et ramifié, tandis que celui de certains blechnums ressemble à un tronc d'arbre épais. D'autres rhizomes, comme ceux des davallias et des polypodiums, rampent et s'accrochent à la surface du sol ou, comme ceux des adiantums, rampent sous la terre. Cependant, les rhizomes des fougères ont une caractéristique commune : ils sont recouverts d'une couche pileuse et squameuse de diverse épaisseur, noire, brune ou argentée.

Selon la forme du rhizome, les racines sont plus ou moins abondantes. Par exemple, les fougères terrestres à rhizome souterrain forment plus de racines que n'en produisent les fougères épiphytes.

En règle générale, ces racines sont minces et filiformes.

Les frondes, formées du pétiole et du limbe foliaire, sont de formes et de tailles très variées. Leur longueur peut aller de quelques centimètres à quelques mètres, et leur largeur, de 2,5 à 90 cm. Parfois, comme dans le genre *Platycerium*, les frondes sont dépourvues de pétiole. En revanche, celles de certaines fougères, comme les polypodiums, en ont un qui mesure plus de la moitié de la longueur totale de la fronde. Le pétiole, habituellement vert, brun ou noir, se prolonge dans le limbe de la fronde, où il se confond avec le rachis. Il prend alors la couleur du limbe.

Les frondes n'ont pas toutes la même forme. Elles sont parfois simples et rubanées, comme celles du genre *Phyllitis*, ou profondément divisées, comme celles de certains aspleniums ou de certains blechnums. On rencontre aussi des frondes triangulaires, celles des adiantums par exemple, et d'au-tres, remarquables, en forme d'andouiller, comme celles des platyceriums. Les différents segments d'une fronde composée s'appellent folioles, et ceux des folioles divisées portent le nom de pinnules. On trouve, parmi les fougères du genre *Davallia*, un exemple de division extrême des frondes : celles-ci sont quadripennées, chaque foliole étant divisée en quatre groupes distincts de pinnules.

Les fougères ne produisant pas de fleurs, elles ne se multiplient donc pas à l'aide de graines. La reproduction est assurée par les spores qui se fixent par millions sous quelques-unes des frondes. Les spores sont contenues dans des sporanges groupés en sores. Lorsque les sporanges sont mûrs, ils éclatent et laissent s'échapper une fine poudre de spores. Les sores sont situés sous les frondes simples, ou sous les folioles et les pinnules composées. Enfin, le mode de groupement des sporanges diffère selon le type de fougères. Il est

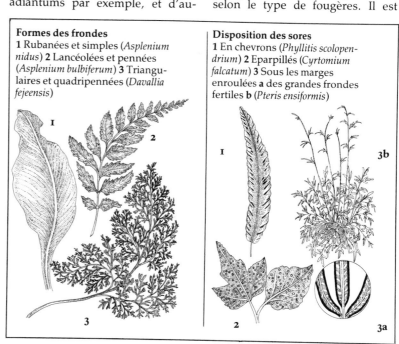

Formes des frondes
1 Rubanées et simples (*Asplenium nidus*) **2** Lancéolées et pennées (*Asplenium bulbiferum*) **3** Triangulaires et quadripennées (*Davallia fejeensis*)

Disposition des sores
1 En chevrons (*Phyllitis scolopendrium*) **2** Eparpillés (*Cyrtomium falcatum*) **3** Sous les marges enroulées **a** des grandes frondes fertiles **b** (*Pteris ensiformis*)

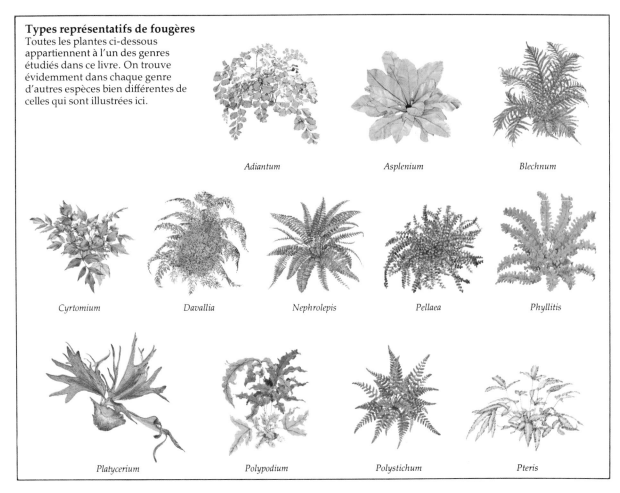

Types représentatifs de fougères

Toutes les plantes ci-dessous appartiennent à l'un des genres étudiés dans ce livre. On trouve évidemment dans chaque genre d'autres espèces bien différentes de celles qui sont illustrées ici.

Adiantum

Asplenium

Blechnum

Cyrtomium

Davallia

Nephrolepis

Pellaea

Phyllitis

Platycerium

Polypodium

Polystichum

Pteris

même si caractéristique qu'il permet, avec un peu d'habitude, de reconnaître le genre d'une fougère.

Certaines fougères, comme *Asplenium bulbiferum*, se reproduisent non seulement au moyen des spores, mais aussi des plantules qui

Parties d'une fronde

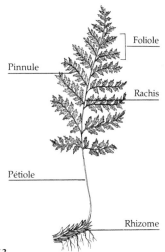

Foliole

Pinnule

Rachis

Pétiole

Rhizome

poussent sur leurs frondes. Celles-ci, qu'on appelle souvent bulbilles même si elles n'en sont pas à strictement parler, se détachent facilement de la plante mère et servent à la multiplication. Au début, ces bulbilles se présentent sous la forme de petits renflements circulaires qui grossissent peu à peu. Puis de minuscules frondes commencent à se dérouler et la plantule prend la forme d'une fougère.

On peut trouver, sur une seule foliole, une douzaine de ces plantules. Sous leur poids, la fronde fléchit et finit par toucher le sol. Si la base de la plantule demeure assez longtemps en contact avec un substrat de culture propice, des racines se formeront. A l'état sauvage, la petite fougère acquerra alors une existence autonome, mais cet enracinement naturel ne se produit pas dans la culture en pot.

Parce qu'elles aiment l'ombre, les fougères sont des plantes d'appar-

tement commodes qu'on peut placer là où les autres languiraient. Pour peu qu'on leur donne des conditions de température et d'éclairage convenables, leur croissance est continue. Seuls les adiantums ont besoin d'une période de repos en hiver.

SOINS PARTICULIERS

Lumière Si la plupart des fougères d'intérieur sont originaires des régions tropicales, elles n'en sont pas moins, dans leur habitat, toujours abritées du soleil par le feuillage des arbres sur ou sous lesquels elles poussent. Elles préfèrent donc un éclairement moyen ou, à la limite, une lumière vive tamisée. Bien que la plupart du temps les rayons du soleil risquent d'abîmer les frondes fragiles, l'hiver, une exposition au soleil tôt le matin, loin de leur nuire, maintient leur croissance.

La plupart des fougères peuvent supporter un manque de lumière durant deux ou trois semaines, mais leur croissance sera médiocre si cette période se prolonge.

Pour que la plante se développe également de tous les côtés, on lui donnera un quart de tour tous les deux ou trois jours. Autrement, les frondes s'inclineront toutes du côté de la lumière.

Température L'atmosphère normale d'une pièce, c'est-à-dire entre 18 et 24°C, convient à la plupart des fougères, à condition que l'humidité soit élevée. Placer les pots sur des gravillons maintenus humides et suspendre des soucoupes remplies d'eau sous les corbeilles. Si la température se maintient au-dessus de 21°C pendant quelques jours, bassiner le feuillage au moins une fois par jour. Cette vaporisation doit cependant se faire avec soin, car il suffit que des gouttelettes se déposent sur les frondes de certaines fougères, comme celles des polypodiums, pour qu'elles restent marquées et soient endommagées. Tenir le vaporisateur à 60 cm de la plante : à cette distance, l'air s'humidifie tandis qu'une vapeur légère se projette sur la plante. N'utiliser que de l'eau tiède.

Si la température de la maison tombe à moins de 18°C en hiver, ne pas s'en alarmer. La plupart des fougères peuvent supporter que la température descende jusqu'à 10°C environ. La croissance ralentit, bien sûr, et elle cesse même totalement à 10°C, mais la plante n'en souffre pas. La fougère entre tout bonnement en repos jusqu'à ce que l'atmosphère se réchauffe. Durant de telles périodes, cependant, réduire radicalement les arrosages, mais maintenir un taux d'humidité élevé dans la pièce afin de prévenir le jaunissement des frondes.

Arrosage Même lorsque l'humidité ambiante est élevée, les fougères perdent beaucoup d'eau par leurs frondes. Aussi faut-il les arroser généreusement pour que les racines se trouvent dans un mélange constamment humide sans être détrempé. Cette règle s'applique tant que les températures se maintiennent au-dessus de 16°C. Pour arroser une fougère, placer le pot dans un plat ou une cuvette et verser de l'eau à la surface du mélange terreux jusqu'à ce qu'il s'en écoule par le trou d'évacuation

du pot. Durant les quelques minutes qui suivent, la plante absorbera l'eau du plat; quand il n'y a plus d'eau, arroser de nouveau. Continuer de la sorte jusqu'à ce que la plante n'en absorbe plus, c'est-à-dire jusqu'à ce que l'excédent d'eau soit resté une demi-heure dans le plat. Retirer alors la plante du plat,

Placer le pot dans une soucoupe et arroser jusqu'à ce que l'eau s'écoule dans celle-ci. Laisser la plante absorber cet excédent avant d'arroser de nouveau.

la laisser s'égoutter pendant une autre demi-heure et la remettre à sa place habituelle.

On peut, pour alterner, arroser les fougères en versant l'eau directement dans la soucoupe du pot et en en ajoutant tant que l'excédent n'y séjourne pas pendant une demi-heure. Quelques fougères préfèrent un certain assèchement du mélange terreux entre les arrosages. Pour des recommandations particulières, se reporter au *Guide alphabétique.*

Si la température ambiante tombe à moins de 16°C et s'y maintient pendant quelques jours, réduire l'importance des arrosages et laisser le mélange sécher sur 2,5 cm avant d'arroser de nouveau, modérément, avec de l'eau tiède. Si la fougère entre en période de repos (et cela ne se produit que lorsque la température ambiante descend à 10°C), réduire encore davantage les arrosages. Garder le mélange tout juste humide tant que la température ne sera pas remontée à 16°C ou au-dessus. La plante n'a besoin d'eau, en de telles circonstances, que pour garder ses frondes fermes, et un arrosage trop important la ferait presque inévitablement pourrir.

Donner toujours la préférence à l'eau de pluie, même pour bassiner le feuillage. Si l'on ne peut utiliser

que l'eau dure du robinet, qu'on la prenne tiède. On peut aussi l'adoucir un peu en la faisant bouillir (voir page 423), mais cela n'est pas vraiment nécessaire. Sous ce rapport non plus, les fougères ne sont pas très exigeantes.

La culture des fougères en corbeilles ou paniers complique un peu l'arrosage. S'il est possible de placer la corbeille dans une cuvette, on peut l'immerger le temps voulu pour bien humidifier le mélange. Les plus grandes corbeilles peuvent prendre place dans un évier ou une baignoire. La façon la plus sûre est de verser l'eau petit à petit à la surface du mélange jusqu'à ce que celui-ci semble bien mouillé. C'est une méthode fastidieuse mais sûre.

Engrais Comme les fougères ne sont pas des plantes florifères, c'est leur feuillage qui fait toute leur beauté. Pour qu'il soit abondant, il faut choisir un engrais liquide plus riche en azote qu'en phosphate et en potassium. N'utiliser qu'une demi-dose, car la concentration normale risque de brûler les racines de plusieurs espèces.

Le calendrier de fertilisation s'établit en fonction du mélange dans lequel pousse la fougère. Si c'est un mélange à base de tourbe, fertiliser tous les 15 jours; si c'en est un à base de terreau, une fois par mois suffit, le terreau renfermant des éléments nutritifs. Quand la croissance ralentit, espacer les apports d'engrais et les interrompre quand la plante entre en repos.

On recommande également de donner aux fougères un engrais foliaire. Cet apport n'a pas besoin d'être fait à intervalles réguliers. De temps à autre, en ajouter un peu à l'eau avec laquelle on bassine le feuillage (voir « Température », ci-dessus).

Empotage et rempotage Dans leur milieu naturel, les fougères poussent dans des sols riches en matières organiques. Les espèces épiphytes n'ont évidemment pas de problèmes de drainage; quant aux espèces terrestres, elles bénéficient généralement d'un sol poreux. Les fougères en pots seront donc cultivées dans un substrat bien drainé et riche en matières organiques. Les deux mélanges habituellement recommandés conviennent aussi bien aux espèces épiphytes qu'aux espèces terrestres. Dans le premier cas, il s'agit de mélanger en proportions égales de la tourbe, du terreau de feuilles et du sable grossier ou de la perlite. Ce type de mélange plaît tout particulièrement aux espèces épiphytes. Le deuxième mélange est composé de quantités égales de mélange à base de terreau et de feuilles à demi décomposées; plus lourd, ce substrat convient mieux aux grandes fougères. Bien s'assurer que la terre est stérilisée (voir « Mélanges », page 429). Quel que soit le mélange choisi, lui ajouter des granules de charbon de bois pour l'empêcher de rancir.

Les fougères ont en général un système racinaire peu développé. A l'exception des grands blechnums, par exemple, qui seront empotés dans des pots normaux, il vaudra mieux loger les fougères dans des contenants peu profonds dans lesquels les racines pourront bien s'étaler. En outre, le mélange s'y tassera moins, ce qui favorisera le drainage indispensable. On peut aussi grouper plusieurs petites fougères à racines courtes, comme des phyllitis et quelques nephrolepis,

sur un tuteur commun. Les garder dans un endroit chaud, humide et à mi-ombre et arroser aussi souvent qu'il le faut pour que le substrat de culture et la sphaigne demeurent constamment humides.

Installer les fougères à rhizome rampant dans des pots deux ou trois fois plus larges que hauts. Les rhizomes des sujets très développés sont à l'aise dans de grandes corbeilles suspendues, sur la surface desquelles le rhizome s'étend. Les grands polypodiums, les nephrolepis et les davallias viennent très bien aussi en corbeilles.

Rempoter les fougères lorsque leurs racines occupent tout l'espace (voir page 426) ou que le rhizome, après avoir couvert toute la surface du mélange, commence à déborder. Dans des conditions idéales de lumière, de chaleur, d'arrosage et de fertilisation, un rempotage peut s'imposer tous les six ou sept mois. Autrement, une fougère peut rester deux ans dans le même pot. Rempoter de préférence au printemps ou au début de l'été, dans un pot d'une seule taille au-dessus. Une trop grande quantité de mélange terreux entraîne des besoins d'eau

trop considérables et le mélange devient trop mouillé pour que les racines restent saines.

Lorsqu'une fougère a atteint sa taille optimale, il vaut mieux la diviser ou la multiplier d'une autre manière. Il est également possible de diminuer la motte de racines du tiers ou de la moitié. Remettre alors la fougère dans son pot après l'avoir bien nettoyé et rempli de mélange frais.

Multiplication Selon le type de fougères, on aura recours à une ou plusieurs méthodes de multiplication, mais on pratiquera l'opération de préférence au début du printemps. La méthode la plus facile consiste à segmenter le rhizome, mais elle est réservée aux fougères à rhizomes souterrains, comme les adiantums et les polystichums. Retirer la fougère de son pot et dégager délicatement le substrat qui adhère aux racines. A l'aide d'un couteau tranchant, couper le rhizome en segments en s'assurant que chacun porte quelques frondes. Planter chaque segment dans un pot de 7 ou 8 cm rempli de l'un des mélanges recommandés. Celui-ci sera humide mais non imbibé d'eau.

Pour atténuer le choc que peut causer l'opération, enfermer le rhizome empoté dans un sachet de plastique transparent ou une caissette de multiplication et le garder dans un endroit chaud et ombragé. Après environ un mois, acclimater le plant à l'atmosphère plus sèche d'une pièce en le découvrant pendant des périodes de plus en plus longues. Arroser parcimonieusement. Après trois ou quatre semaines d'acclimatation, cultiver la jeune fougère comme un sujet adulte.

La multiplication des fougères dont le rhizome rampe à la surface du sol se fait bien à l'aide de boutures de rhizomes. Il n'est pas nécessaire que ces segments terminaux d'environ 5 cm soient pourvus de frondes. Les coucher à la surface du mélange terreux dans des demi-pots de 8 cm et les fixer légèrement à l'aide d'un fil métallique. Placer les pots dans un sachet de plastique transparent ou une caissette de multiplication et les garder dans un endroit chaud et ombragé. Lorsque la bouture a fait

Confection d'une colonne à fougère

Une colonne décorative se fabrique en enveloppant de sphaigne un treillis cylindrique.

Modeler et installer le cylindre autour d'un tuteur enfoncé dans un pot rempli de mélange.

Combler les vides entre le tuteur et la sphaigne avec du mélange terreux; les plantes s'y enracineront.

Pour dissimuler le tuteur, réunir les extrémités du cylindre avec du fil métallique.

Planter d'abord une fougère terrestre, comme le pteris, en insérant ses racines dans la colonne.

Ajouter de la même manière d'autres espèces; elles s'enracineront si le mélange demeure humide.

des racines et qu'apparaissent en surface de minuscules frondes, ce qui prend quatre à cinq semaines, découvrir progressivement le jeune plant et l'arroser parcimonieusement durant deux ou trois semaines d'acclimatation à l'air ambiant. Le cultiver ensuite comme un sujet adulte.

On peut agir de la même façon avec les stolons qui émergent des rhizomes des nephrolepis. Il n'est pas nécessaire de les couper pour qu'ils s'enracinent dans le mélange terreux. Ils pourront être prélevés au moment où ils auront fait des racines. Traiter comme un sujet adulte le stolon d'un nephrolepis porteur de racines qu'on aura mis dans un pot de 8 cm.

Pour les espèces comme *Asplenium bulbiferum*, la meilleure méthode consiste à utiliser les plantules ou bulbilles qui poussent sur leurs frondes. Prélever la bulbille avec un morceau de la foliole et la placer à la surface d'un pot de 8 cm rempli de mélange humidifié. Enfermer dans un sachet de plastique transparent ou une caissette de multiplication pendant l'enracinement; dégager progressivement en quatre semaines environ.

Multiplication par les spores Cette méthode n'est pas recommandée aux horticulteurs amateurs, car elle demande beaucoup de patience et des soins spéciaux. Par contre, elle donne beaucoup de satisfaction à ceux qui ont le courage d'attendre pendant près d'un an que leurs efforts soient récompensés.

Il s'agit en premier lieu de récolter les spores. Choisir une foliole dont les sores sont mûrs. Pour s'assurer qu'ils sont à point, passer le doigt sur les sores; s'il s'est déposé une petite poussière, c'est qu'ils le sont. Détacher la foliole, la poser à l'envers sur une feuille de papier lisse et la garder ainsi dans un endroit chaud pendant un ou deux jours. Pendant ce temps, préparer le substrat à semis (tourbe ou terreau de feuilles). Le stériliser et l'humecter à fond. En remplir aux trois quarts un pot de 6 cm ou une petite boîte de plastique à couvercle transparent. Après 24 heures environ, un nombre incalculable de spores se seront déposées sur le papier. Tapoter doucement la foliole pour dégager celles qui restent.

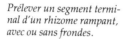

Prélever un segment terminal d'un rhizome rampant, avec ou sans frondes.

Le coucher sur le mélange humide et le maintenir en place avec du fil métallique.

Couvrir la bouture et la garder dans un local chaud, à mi-ombre.

Epandre toutes les spores à la surface du mélange à semis; refermer la boîte ou enfermer le pot dans un sachet de plastique transparent. Placer les spores dans un endroit chaud où elles recevront en abondance une lumière vive tamisée. Il ne se produira vraisemblablement rien avant deux ou trois mois. La croissance s'annoncera par l'apparition d'une impalpable mousse verte à la surface du mélange à semis. Commencer alors les arrosages en humidifiant légèrement le mélange, sans l'imbiber, mais de sorte que l'humidité dans la boîte ou le sachet soit toujours très élevée. Peu à peu la mousse verte se définira : cet organisme vivant ne ressemblant encore en rien à une jeune fougère constitue pourtant la première étape dans le cycle de vie de cette plante.

Lorsque, après quelques mois d'attente, on se retrouve devant de petites fougères bien caractérisées, les repiquer chacune dans un godet de 3 ou 4 cm rempli du mélange à semis utilisé pour les spores. Elles demandent beaucoup d'humidité; les enfermer dans un sachet de plastique transparent ou une caissette de multiplication; leur donner de la chaleur et une lumière vive tamisée. Lorsqu'elles mesurent de 2,5 à 5 cm, les fertiliser tous les 15 jours avec un engrais liquide riche en azote, au huitième de la concentration recommandée par le fabricant. Les rempoter quand leurs racines remplissent les pots et augmenter graduellement la concentration d'engrais. Lorsque la fougère remplit un pot de 8 cm, l'empoter dans un des mélanges recommandés pour les sujets adultes et les cultiver normalement.

Remarques Plusieurs insectes nuisibles s'attaquent aux fougères. Or, le malheur veut que ces plantes soient tout aussi vulnérables aux insecticides qu'aux ravageurs. Il est donc recommandé de lire attentivement les instructions du fabricant avant d'utiliser quelque insecticide que ce soit. On se rendra compte également que, dans bien des cas, on peut se débarrasser des ravageurs sans recourir à des produits chimiques. Par exemple, une solution faible de détergent réussira à éliminer les pucerons qui attaquent les jeunes frondes.

L'alcool dénaturé agit efficacement contre les cochenilles et les cochenilles farineuses. Les premières affectionnent les veines sous les frondes; les secondes, les nouvelles pousses. Badigeonner les insectes avec un pinceau trempé dans de l'alcool dénaturé; néanmoins, ne pas abuser de ce produit qui peut endommager les jeunes frondes.

Il faut aussi mentionner le nématode. Ce ravageur pénètre dans la plante par ses racines; sa présence se révèle par la distorsion que subissent les frondes. On ne connaît pas de moyen de le combattre, mais heureusement ces insectes attaquent rarement les fougères. La meilleure mesure préventive consiste à utiliser un mélange stérilisé ou à stériliser un mélange qui ne l'est pas avant de s'en servir.

Consulter le *Guide alphabétique* sous :

Adiantum	*Pellaea*
Asplenium	*Phyllitis*
Blechnum	*Platycerium*
Cyrtomium	*Polypodium*
Davallia	*Polystichum*
Nephrolepis	*Pteris*

Fuchsia

ONAGRACÉES

Fuchsia hybride

Les fuchsias sont des arbustes à bois tendre renommés pour leurs magnifiques fleurs. La plupart des variétés que l'on connaît maintenant sont des hybrides. Il en existe des centaines : retombantes, érigées ou naines. Quelques-unes donnent des fleurs peu nombreuses, mais très grandes; d'autres, une abondance de petites fleurs. Certaines sont remarquables par leur feuillage panaché. Les variétés de petite taille sont d'autant mieux adaptées à la culture en appartement qu'elles sont moins sensibles à la chaleur et à la sécheresse.

Les feuilles des fuchsias sont de tailles et de formes variables; le plus souvent elliptiques, légèrement dentées, elles mesurent 4 à 6,5 cm de long et 2 à 4 cm de large. Portées sur des pétioles d'au plus 2,5 cm, elles sont opposées ou viennent par groupes de 3 ou 5 sur des tiges plus souvent rigides que retombantes. A l'extérieur, la floraison est inin-terrompue; en appartement, elle dure trois à quatre mois. Les fleurs naissent à l'aisselle des feuilles et sont portées par paires sur de fines tiges pendantes de 2,5 à 5 cm. Elles présentent 4 sépales arqués, une ou plusieurs corolles en cloches dont les coloris contrastent souvent avec ceux des sépales, ainsi que de longues étamines et un style extrêmement long. Les coloris sont variés : blanc, rose, rouge, magenta et pourpre.

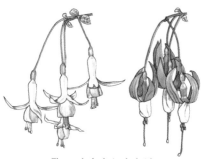

Fleurs de fuchsias hybrides

Les fuchsias adultes provenant du jardin ou de la serre ont du mal à s'acclimater à l'air sec d'un appartement. Ils y perdent généralement des fleurs et des boutons, parfois même quelques feuilles; il faut les acclimater graduellement à leur nouveau milieu. On aura donc intérêt à acheter au printemps des petits plants de 10 à 15 cm. Ils perdront quelques feuilles, mais, en revanche, ils auront le temps de s'habituer à leur nouvel environnement avant la floraison. On les y aidera en leur donnant le plus d'humidité possible, par exemple en posant les pots sur des plats remplis de gravillons gardés humides et en bassinant leur feuillage plusieurs fois par jour.

SOINS PARTICULIERS

Lumière Pour fleurir, les fuchsias ont besoin d'une lumière très vive et d'au moins trois heures de soleil par jour.

Température Ils préfèrent des températures fraîches, se situant autour de 16°C. Les boutons risquent de ne pas bien se développer et les fleurs de tomber rapidement si la température est trop élevée. Les plantes dont on ne se défait pas à l'automne auront besoin d'un repos hivernal au frais (voir « Remarques », à la page suivante).

Arrosage Pendant la période de croissance, arroser abondamment pour que le mélange soit constamment très humide. En automne, réduire graduellement les apports d'eau et espacer les arrosages en prévision du repos hivernal. Durant cette période, n'arroser que pour empêcher le mélange de se dessécher complètement.

Engrais Les fuchsias sont gourmands. Durant la floraison, les fertiliser chaque semaine avec un engrais liquide ordinaire. Bien que les plantes au repos n'aient pas besoin de fertilisation, il est préférable de commencer dès le printemps à donner de l'engrais liquide ordinaire aux jeunes plants tous les 15 jours.

Empotage et rempotage Utiliser un mélange à base de terreau (voir page 429). Les fuchsias fleurissent bien dans des pots de 14 cm; des pots plus grands encouragent la multiplication des feuilles au détriment des fleurs. Dès que leur crois-

Les gracieuses corolles du fuchsia se marient bien au feuillage des peperomias et des lierres étoilés.

sance est bien amorcée et que leurs racines remplissent un pot de 8 cm, transplanter les jeunes plants dans un pot de 14 cm. Pour obtenir un meilleur effet, grouper plusieurs petits plants dans une même corbeille, sans toutefois mélanger les variétés. En effet, celles-ci n'ont pas toutes la même vigueur et l'une d'elles pourrait supplanter les autres.

Multiplication Il est facile de multiplier les fuchsias. L'opération se pratique soit en automne, après quoi les nouveaux plants entrent en repos hivernal, soit au printemps, quand la croissance a repris. Prélever des boutures terminales de 8 à 10 cm, juste sous un nœud; enlever les feuilles du bas et planter les boutures dans des pots de 8 cm remplis d'un mélange humidifié, à volume égal de tourbe et de sable ou de perlite. Enfermer chaque bouture dans un sachet de plastique transparent ou une caissette de multiplication et les garder dans un endroit chaud, moyennement éclairé. L'enracinement se fait en trois ou quatre semaines.

Les boutures du printemps seront transplantées dans des pots de 8 cm remplis de mélange ordinaire et cultivées comme des sujets adultes. Les boutures d'automne seront découvertes et mises au repos pour l'hiver à une température de 7 à 10°C, dans un endroit très éclairé mais non ensoleillé. N'arroser que pour empêcher la chute des feuilles. Dès le printemps suivant, les cultiver comme des sujets adultes. Les plantes d'automne devraient fleurir plus tôt que

celles du printemps. Lorsque les nouvelles pousses ont 5 à 8 cm de hauteur, pincer le bourgeon terminal. Quatre à six rameaux latéraux feront leur apparition; c'est sur eux que naîtront les fleurs.

Remarques On se défait souvent des fuchsias en automne, après la floraison. Pour les garder, il faut pouvoir leur ménager une quasi-dormance tout l'hiver. Tailler à peu près la moitié de la pousse et garder les plants empotés dans un endroit frais, où la température se maintiendra entre 7 et 10°C. L'éclairement n'a pas besoin d'être vif. Arroser parcimonieusement (voir « Arrosage », à la page précédente). Les feuilles tomberont et les tiges deviendront ligneuses. Au début du printemps, rabattre celles-ci au tiers de leur hauteur initiale et exposer les plants à une lumière vive et à une température normale; laisser sécher le mélange aux deux tiers entre les arrosages.

Certaines variétés se ramifient naturellement; les autres n'y arrivent que si l'on pince le bourgeon terminal quand les plantes sont jeunes. A la reprise de la croissance, dépoter la plante, nettoyer le

Pour conserver un fuchsia, le rabattre de moitié après la floraison et le mettre au repos pour l'hiver.

pot ou en prendre un plus petit selon la densité des racines, et empoter en utilisant du mélange frais. Fertiliser d'abord avec discrétion (voir « Engrais », à la page précédente). Donner les autres soins recommandés pour les sujets adultes.

Attention aux pucerons et aux mouches blanches (voir page 455). Soigner la plante infestée avec un insecticide approprié.

Fusain, voir *Euonymus japonica.*

Gardenia
RUBIACÉES

Arbustes buissonnants à croissance lente, les gardénias sont renommés surtout pour leurs fleurs parfumées. Ce ne sont pas des plantes exigeantes, mais, pour fleurir, elles demandent tout de même certains soins. La seule espèce qui s'acclimate aux appartements est *G. jasminoides* (jasmin du Cap). En pot, ce gardénia commun excède rarement 45 cm de hauteur et d'étalement, alors qu'il peut atteindre 1,80 m quand il est cultivé à l'extérieur.

Les feuilles de *G. jasminoides* sont luisantes, coriaces, lancéolées et d'un vert sombre très riche; elles sont habituellement opposées, quelquefois disposées en verticilles de trois ou plus et mesurent 10 cm de longueur. Les fleurs peuvent être doubles ou semi-doubles (dans ce dernier cas, elles n'ont que deux rangées de pétales). Elles mesurent 5 à 10 cm de diamètre et apparaissent solitaires à l'aisselle des feuilles, au sommet des rameaux. On cultive plusieurs formes de cette espèce : *G. j.* 'Belmont', plante très buissonnante portant de grandes fleurs blanches à nombreux pétales, virant au crème avec le temps (ce sont les fleurs de cette variété que vendent les fleuristes); *G. j.* 'Fortuniana' ou *G. j.* 'Florida', plante moins buissonnante dont les fleurs de taille moyenne, à nombreux pétales cireux d'un blanc immaculé, jaunissent en vieillissant; et *G. j.* 'Veitchii', plante très rameuse dont les fleurs de taille moyenne et à

Pour faire fleurir un gardénia au début de l'hiver, pincer tous les boutons floraux en été et au début de l'automne.

Jasmin du Cap
Gardenia jasminoides

pétales nombreux demeurent d'un blanc pur.

La plupart des gardénias fleurissent en été. Pour les faire fleurir au début de l'hiver, pincer les boutons floraux sitôt qu'ils se forment, en été et au début de l'automne. Cette technique réussit très bien à *G. j.* 'Vetchii'.

SOINS PARTICULIERS

Lumière Exposer les gardénias à une lumière vive, sans soleil.

Température Les gardénias fleuriront mieux s'ils sont gardés à une température stable de 17°C pendant la période où se forment les boutons floraux. Tout écart de température à ce moment peut entraîner la chute des boutons. En dehors de cette période, garder les gardénias à la température normale d'une pièce, entre 16 et 24°C. L'air doit être très humide lors de la formation des boutons floraux. Pour augmenter l'humidité, poser les pots sur de la tourbe ou sur des gravillons gardés humides et bassiner le feuillage au moins une fois par jour avec de l'eau tiède. Attention : l'eau décolore les fleurs.

Arrosage Les gardénias n'ont pas de période de repos bien définie. Leur croissance est plus lente durant les mois d'hiver, dans les régions où la lumière est très réduite. Là, en été, arroser modérément;

bien mouiller le mélange terreux, et le laisser sécher sur 1 cm entre les arrosages. D'octobre à février, laisser le mélange sécher sur 3 ou 4 cm avant d'arroser de nouveau.

Les arrosages seront réduits même pour les plantes qu'on force à fleurir en hiver. Dans les régions qui bénéficient d'une bonne lumière hivernale, arroser modérément à longueur d'année. Utiliser de préférence de l'eau tiède, non calcaire.

Engrais Donner de l'engrais acide tous les 15 jours, de mars à septembre : les gardénias sont des plantes calcifuges.

Empotage et rempotage Même si les gardénias tolèrent une légère alcalinité, la plupart des horticulteurs préfèrent les cultiver dans un substrat non calcaire. Un mélange à volume égal de terreau de feuilles et de tourbe leur convient très bien. Comme le terreau de feuilles renferme peu d'éléments nutritifs et la tourbe aucun, les apports réguliers d'engrais sont donc indispensables. Si on utilise un mélange commercial à base de tourbe (voir page 429), s'assurer qu'il convient bien aux plantes calcifuges, ce qui n'est pas toujours le cas. Dans la mesure où il n'est pas calcaire, un mélange à base de terreau (voir page 429) est également approprié et nécessite moins d'engrais.

Ne rempoter les gardénias que lorsque leurs racines pointent à la surface du mélange ou s'échappent par le trou de drainage, signes qu'elles manquent de place. Ils fleurissent mieux dans des pots un tout petit peu exigus. Le rempotage se pratique au printemps quand la croissance reprend; toucher le moins possible aux racines.

Multiplication Au début du printemps, prélever des boutures terminales de 8 cm. Les plonger dans une poudre d'hormones à enracinement et les planter dans de petits pots remplis d'un mélange humidifié à base de tourbe, convenant à des plantes calcifuges. Enfermer les pots dans un sachet de plastique transparent ou une caissette de multiplication chauffante (voir page 444) et les garder à une température de 16 à 18°C, sous une lumière vive mais tamisée par un store ou des rideaux translucides. L'enracinement se fait en quatre à six semaines. A la fin de l'été, rempoter les jeunes plants dans le mélange recommandé pour les sujets adultes. Les arroser modérément et les fertiliser au moins une fois par mois jusqu'à ce qu'ils soient bien développés. Les cultiver dès lors comme des gardénias adultes.

Remarques Si l'on veut leur garder leur petite taille et leur port buissonnant, il faut tailler les gardénias au printemps. Sur les jeunes plants, pincer les bourgeons terminaux des longues pousses; rabattre des deux tiers le vieux bois des plantes adultes. Ne pas pincer les boutons floraux. On peut rabattre les tiges une fois que les fleurs sont fanées. La coupe se fera de préférence au-dessus des bourgeons terminaux qui pointent vers l'extérieur.

Tailler les gardénias au-dessus des bourgeons pointant vers l'extérieur; de la sorte, les nouvelles pousses ne nuiront pas à l'équilibre de l'arbuste.

Gasteria

LILIACÉES

Gastéria langue-de-boeuf
G. verrucosa

Le genre *Gasteria* comprend près de 50 espèces de petites plantes grasses, souvent sans tiges, produisant des touffes de rejets à la souche. Dans la plupart des cas, les feuilles sont disposées sur deux rangées, mais elles se présentent parfois en rosettes. Ces plantes sont très appréciées pour leur feuillage décoratif, mais aussi pour les charmantes petites fleurs qui poussent le long de grandes hampes arquées, à la fin du printemps et en été. Chaque tige porte entre 15 et 20 fleurettes de 2,5 cm de long dont la forme tubuleuse curieusement renflée à la base a valu leur nom aux gastérias (du grec « gaster », ventre, estomac). Les fleurs orange ou rouges sont pointées de vert. Les gastérias font d'excellentes plantes d'intérieur car ils se plaisent dans un milieu chaud et sec, et préfèrent un éclairement moyen à une lumière vive. Dans la nature, ils poussent généralement à l'abri d'autres plantes; voilà pourquoi ils tolèrent mieux l'ombre que la plupart des autres plantes grasses. Ce sont principalement des plantes d'été car ils entrent en repos en hiver et poussent très lentement au printemps et en automne. Les espèces décrites ci-dessous illustrent les deux types de feuillage que présentent les sujets de ce genre.
Voir aussi PLANTES GRASSES.

ESPÈCES RECOMMANDÉES
G. liliputana, l'une des plus petites espèces, présente des feuilles lancéolées et nettement carénées, de 3 à 6,5 cm de long sur 1 cm de large, disposées en rosette spiralée. Elles sont vert sombre mouchetées de blanc.

G. liliputana

G. maculata est l'une des espèces les plus répandues. Ses feuilles linguiformes, cornées et vernissées mesurent en général 15 cm sur 5. Elles sont vert sombre, abondamment rayées ou tachetées de blanc. Sur les jeunes sujets, elles sont disposées en deux rangs plats. Certains conservent cette caractéristique tandis que les feuilles de certains autres sont en rosette spiralée.
G. pseudonigricans offre des feuilles linguiformes et luisantes, disposées sur deux rangs. Elles sont d'un vert sombre moucheté de blanc et mesurent environ 14 cm sur 4. Les pointes des feuilles, qui sont hori-zontales à la base, cherchent à se redresser.

G. verrucosa (gastéria langue-de-boeuf) porte des feuilles vert sombre de 10 à 15 cm sur 1,5, à peine concaves, qui vont s'amincissant. Elles sont couvertes de petites excroissances blanches et disposées par paires sur deux rangs.

SOINS PARTICULIERS
Lumière Placer les gastérias près d'une fenêtre orientée au nord. S'ils tolèrent une lumière vive, ils ne supportent pas les rayons directs du soleil qui, en été surtout, brunissent leurs feuilles.

Température En période de croissance, la température normale d'une pièce leur convient. En période hivernale de repos, les garder au frais, si possible à une température de 10°C.

Arrosage En période de croissance, arroser modérément. Le substrat de culture doit être complètement humide, mais on doit le laisser sécher sur 1 cm entre les arrosages. Durant la période hivernale de repos, arroser parcimonieusement. Humecter le mélange à chaque arrosage, et en laisser sécher les deux tiers avant d'arroser de nouveau.

Engrais Le mélange terreux étant suffisamment riche, les apports d'engrais seraient superflus et provoqueraient même une croissance excessive.

Empotage et rempotage Pour que le substrat de culture soit suffisamment poreux, ajouter à un mélange ordinaire à base de terreau (3/4) [voir page 429] du sable grossier ou de la perlite (1/4). Les gastérias produisent en général beaucoup de rejets; il faut donc les installer dans une large terrine plutôt que dans un pot ordinaire. Renouveler le mélange tous les ans au début de la période estivale de croissance. Ne changer de pot que lorsque les rejets ne trouvent plus de place. Un jeu de 4 cm entre le rebord de la terrine et la plante devrait suffire pour un an. On ne dépassera pas un pot de 15 à 20 cm. Si le pot dans lequel se trouve le gastéria est assez grand pour que ses racines y soient à l'aise, le rempotage ne sera pas nécessaire. Dépoter simplement la plante, nettoyer le pot et y remettre la plante dans du mélange frais. Certains gastérias produisent une telle abondance de rejets qu'il faut couper ceux-ci régulièrement.

Multiplication La multiplication des gastérias se fait facilement au moyen des rejets qu'on arrache d'une simple torsion. Planter les rejets pourvus de racines dans le mélange recommandé et les traiter comme des sujets adultes. Laisser sécher à l'air deux ou trois jours ceux qui n'ont pas de racines, puis les enfoncer doucement dans le mélange. Leur donner les mêmes soins qu'aux plantes adultes. L'enracinement devrait se faire en quelques semaines. Pratiquer cette opération de préférence en été.

Les gastérias se multiplient aussi par semis. Comme ils s'hybrident facilement, cette méthode n'est pas très sûre, dans la mesure où l'on veut obtenir un sujet bien caractéristique.

Gastéria langue-de-bœuf, voir *Gasteria verrucosa.*

Multiplication du gastéria

Au cours de l'été, détacher les rejets. Ils se séparent facilement de la plante mère et sont souvent déjà pourvus de quelques bonnes racines.

Planter les rejets avec racines directement dans le mélange recommandé pour les sujets adultes et leur donner les mêmes soins qu'à ceux-ci.

Geogenanthus
COMMÉLYNACÉES

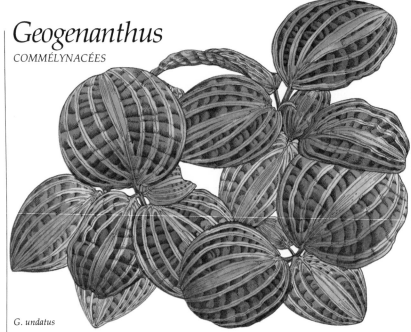

G. undatus

Une seule espèce du genre *Geogenanthus* (éphémère) est cultivée à l'intérieur : *G. undatus,* espèce souvent appelée *Dichorisandra musaica undata.* Cette plante basse produit 2 ou 3 tiges de 25 cm, charnues, dressées, non ramifiées. Ces tiges portent des feuilles ovales de 8 à 15 cm sur 5 à 10 , dressées sur des pétioles de 1 cm. Le limbe curieusement froncé est d'un vert profond avec des rayures longitudinales vert argent sur le dessus, rouge vin en dessous. Les feuilles ont une texture légèrement ouatée. *G. undatus* produit en outre de mignonnes fleurs violettes de 1 cm, à pétales frangés, qui durent à peine quelques heures. Elles viennent l'été en petites inflorescences terminales, à l'aisselle des feuilles, sur de courts pédoncules.

SOINS PARTICULIERS

Lumière Exposer *G. undatus* à une lumière vive tamisée à longueur d'année.

Température Ces plantes ont constamment besoin de chaleur. La température minimale sera de 18°C. Si l'air est sec, augmenter l'hygrométrie en plaçant les pots sur des gravillons gardés humides.

Arrosage Il doit toujours être modéré, de façon que le mélange soit simplement humide. Laisser sécher sur 1 cm entre les arrosages.

Engrais Bien que *G. undatus* ne prenne pas de période de repos, sa croissance est plus marquée d'avril à octobre. Durant ces mois, fertiliser tous les 15 jours avec un engrais liquide ordinaire.

Empotage et rempotage Utiliser un substrat de culture à volume égal de terreau de feuilles, de tourbe et de sable grossier ou de perlite. Rempoter les plantes quand leurs racines remplissent le pot (voir page 426). Comme les jeunes sujets sont plus beaux, il vaut mieux obtenir de nouveaux plants lorsque la plante mère loge dans un pot de 15 cm.

Multiplication Au printemps, prélever des boutures terminales de 5 à 7 cm; supprimer les feuilles du bas et planter les boutures dans un pot de 5 à 8 cm rempli d'un mélange humidifié, à volume égal de tourbe et de sable grossier ou de perlite. Enfermer les pots dans un sachet de plastique transparent ou une caissette de multiplication (voir page 443) et les garder dans un endroit chaud sous une lumière vive tamisée. L'enracinement prend de trois à cinq semaines. Découvrir ensuite graduellement les pots durant deux ou trois semaines d'acclimatation. Lorsque des racines affleurent, transplanter les pousses dans du mélange pour sujets adultes.

Géranium à feuilles de chêne, voir *Pelargonium quercifolium.*
Géranium lierre, voir *Pelargonium peltatum.*
Géranium menthe, voir *Pelargonium tomentosum* 'Peppermint'.

Gesneria

GESNÉRIACÉES

G. cuneifolia

Les gesneria d'intérieur sont des plantes à tiges courtes et de croissance lente qui fleurissent toute l'année si elles sont gardées dans de bonnes conditions. Presque acaules et alternes, les feuilles elliptiques vertes présentent des nervures saillantes. Les fleurs naissent sur de longues hampes à l'aisselle des feuilles, tantôt solitaires, tantôt en bouquets. Leur corolle tubuleuse s'évase légèrement à l'embouchure et repose dans un calice vert à 5 lobes. Des coulants souterrains semblables à des stolons s'échappent de la plante mère et forment de nouvelles rosettes dès que leur extrémité perce la surface du mélange. Les gesneria croissent mieux dans l'atmosphère humide d'un terrarium (voir page 54).
Voir aussi GESNERIACEES.

ESPÈCE RECOMMANDÉE

G. cuneifolia, seule espèce très répandue, croît si lentement que sa tige met plusieurs années à atteindre 15 cm de haut et 1 cm de large. Elle est velue, verte, parfois teintée de rouge et elle se ramifie avec le temps pour produire de nouvelles rosettes qui se recouvrent lentement de poils blancs. Le limbe vert, plus sombre à la surface qu'au revers, mesure 15 cm sur 5. Des fleurs de 3 cm, délicatement frangées, avec une embouchure de 1 cm, naissent sur des pédoncules de 5 cm, verts et velus. Elles sont d'un rouge vif teinté d'orange à la gorge et couvertes elles aussi de courts poils blancs. Elles continuent

Le gesneria se plaît dans l'atmosphère chaude et humide d'un jardin en bouteille. Il y fleurira probablement toute l'année.

de naître à l'aisselle des feuilles même lorsque celles-ci sont tombées. Une variété facile à cultiver, *G. c.* 'Quebradillas', présente des fleurs jaunes et orange. *G.* 'Lemon Drop' est un hybride de *G. cuneifolia*; il lui ressemble mais ses fleurs sont jaune franc.

SOINS PARTICULIERS

Lumière Les gesneria ont besoin de beaucoup de lumière en tout temps. Les exposer au soleil pendant trois ou quatre heures par jour, mais leur éviter le soleil de midi. Pour pallier le manque de soleil, on peut utiliser un tube fluorescent (voir page 446) pendant une douzaine d'heures par jour. Placer les plantes à 40 cm sous le tube.

Température Ces plantes exigent en tout temps une température d'au moins 18°C. Elles ont également besoin de beaucoup d'humidité. Pour augmenter l'hygrométrie, placer les pots sur des gravillons baignant dans de l'eau. A moins d'être bassiné plusieurs fois par jour, *G. cuneifolia* croîtra mal en dehors d'un terrarium.

Arrosage Donner beaucoup d'eau, aussi souvent qu'il le faut pour que le mélange soit très humide. Le moindre manque d'eau compromet la floraison. Ne jamais cependant laisser les pots dans l'eau.

Engrais A chaque arrosage, ajouter une faible dose — le huitième de la concentration recommandée — d'un engrais liquide riche en phosphate.

Empotage et rempotage A l'état sauvage, les gesneria poussent sur des collines de calcaire. Le meilleur substrat de culture sera donc un volume égal de sphaigne, de tourbe, de perlite et de vermiculite, additionné de 15 ml de calcaire dolomitique ou de calcaire broyé pour un quart de litre de mélange. Pour encourager la formation de coulants, mettre les plantes dans des pots peu profonds de 14 cm. Le rempotage est inutile. Tous les ans, amputer la motte de racines du tiers et remettre la plante dans son pot après avoir nettoyé celui-ci. Ajouter du mélange terreux au besoin.

Multiplication Utiliser les jeunes plants produits par les coulants. Les planter individuellement et les cultiver comme des sujets adultes.

GESNÉRIACÉES

La famille des *Gesnériacées* groupe environ 120 genres et 2 000 espèces dont les fleurs aux coloris remarquables diffèrent de la plupart des autres par leurs pétales soudés à la base qui forment une corolle tubuleuse. On donne à la fin de cet article une liste des principaux genres cultivés à l'intérieur. Se reporter pour chacun au *Guide alphabétique*.

Les plantes de la famille des *Gesnériacées* présentent trois systèmes racinaires différents : des racines fibreuses, des rhizomes écailleux à racines nourricières et des racines tubéreuses. Les premières sont les plus communes; ce sont celles des plantes terrestres comme les episcias, les saintpaulias et les streptocarpus, et des épiphytes comme les aeschynanthus et les columneas. Dans les conditions les plus favorables, les gesnériacées à racines fibreuses croissent toute l'année.

Les rhizomes sont des tiges modifiées, et les écailles de ceux qui en portent des feuilles de structure particulière. Ceux des gesnériacées s'étalent dans toutes les directions, sous terre, à partir de la tige de surface. Ces plantes connaissent habituellement une période de dormance annuelle pendant laquelle les tiges et les feuilles meurent. Cette période peut durer quelques semaines dans le cas des kohlerias, ou plusieurs mois dans celui des smithianthas. Dans des conditions normales, après cette période, la pointe du rhizome, ou de chaque segment de rhizome si celui-ci a été coupé, se redresse pour produire une nouvelle plante.

Les gesnériacées à tubercules les plus connues sont les sinningias dont les gloxinias font partie. Le tubercule consiste en un renflement charnu et ligneux à la base de la tige. Il emmagasine les matières nutritives dont la plante aura besoin après sa période de dormance annuelle. Le tubercule des gesnériacées ressemble à une boule aplatie, légèrement concave, d'où s'élèvent les tiges. Des racines filiformes émergent des bords et du dessus, mais jamais du dessous. Il faut se le rappeler lorsqu'on met en terre un de ces tubercules en état de dormance. On peut utiliser tout segment de tubercule portant au moins un « œil » d'où sort la tige.

Les organes aériens des gesnériacées diffèrent aussi suivant les genres. Par exemple, les aeschynanthus et les columneas présentent de longues tiges rampantes porteuses de feuilles charnues, lancéolées ou elliptiques. De telles plantes se suspendent avantageusement. D'autres gesnériacées, les smithianthas, par exemple, ont des tiges dressées garnies de feuilles opposées, souvent pileuses, ovales ou cordiformes et dentées. Enfin, un troisième groupe, dans lequel on retrouve plusieurs saintpaulias, des sinningias miniatures et des streptocarpus, comprend des plantes acaules ou à tiges extrêmement courtes et des feuilles, souvent ovales ou rondes, disposées en rosettes ou en spirales. Même les fleurs qui ont des caractéristiques communes se présentent différemment : elles viennent solitaires, en bouquets, sur des hampes axillaires ou au sommet des tiges, ou encore près de la base des nervures médianes des feuilles.

SOINS PARTICULIERS
Lumière Les gesnériacées d'intérieur étant originaires des régions tropicales, elles exigent une lumière brillante. Cependant, le soleil de midi brûle leurs feuilles et provoque chez les sujets de certains genres une croissance désordon-

---

Types de fleurs
Les fleurs sont tubuleuses et ont cinq pétales. Leur taille est variable. Remarquer les étamines jumelées des saintpaulias (à g.) et les étamines soudées des aeschynanthus (à dr.)

Systèmes racinaires
Les racines peuvent être fibreuses comme celles des saintpaulias (en haut, à dr.), tubéreuses comme celles des sinningias (à g.), ou rhizomateuses comme celles des smithianthas (en bas).

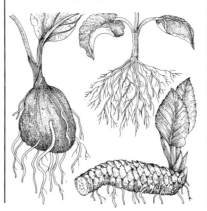

Croissance
Les gesnériacées terrestres sont arbustives ou cespiteuses comme le streptocarpus (à g.). Dans leur forêt d'origine, les espèces épiphytes comme le columnea (à dr.) croissent au faîte des arbres.

Types représentatifs de gesnériacées

Les gesnériacées constituent une famille de plantes renommées pour leurs fleurs tubuleuses, leur ravissant feuillage souvent aussi coloré que les fleurs et leurs habitudes de croissance très variées. Chaque plante illustrée ci-dessous représente chacun des genres étudiés dans le *Guide*. Il va sans dire que ces genres comprennent bien d'autres espèces souvent bien différentes de celles que l'on voit ici.

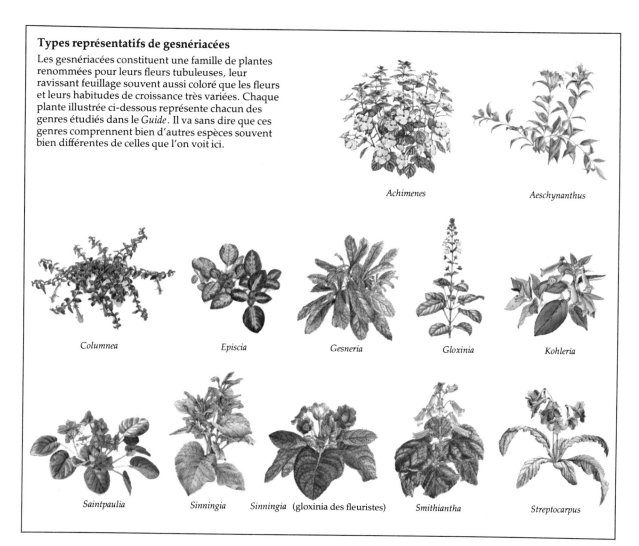

Achimenes

Aeschynanthus

Columnea

Episcia

Gesneria

Gloxinia

Kohleria

Saintpaulia

Sinningia

Sinningia (gloxinia des fleuristes)

Smithiantha

Streptocarpus

née. Aussi faut-il les placer de préférence près d'une fenêtre orientée à l'est ou à l'ouest où elles recevront le soleil du matin ou de la fin d'après-midi. Autrement, tamiser le soleil de midi par un store ou des rideaux translucides. D'autre part, si la plante manque de lumière, elle développe de longues tiges chétives et ne fleurit pas.

Autre contrainte : l'intensité de la lumière doit être constante. Une exposition de 10 à 14 heures par jour à un éclairement artificiel approprié assure aux gesnériacées une croissance continue. A cet égard, les tubes fluorescents sont les meilleurs dispositifs. (Voir page 446.) Seule l'expérience permet de décider de la distance idéale qui doit séparer les plantes des tubes. Celle-ci peut varier de 15 à 35 cm. Les plantes en dormance n'ont pas besoin de lumière.

Température Dans leur habitat naturel, les gesnériacées étudiées dans cet article sont soumises à des températures élevées et constantes. En principe, elles exigent, pour bien se porter, d'être gardées entre 18 et 24°C le jour. La nuit, la température peut baisser de 3 degrés. En hiver, la plupart des genres supportent une température de 13°C, mais en dessous de 18°C, la croissance ralentit. Elle arrête complètement à 13°C. (Pour avoir plus de détails, se reporter à chaque genre dans le *Guide alphabétique*.) Gardés au sec, les achimènes et certains sinningias dormants peuvent tolérer une température de 7°C.

Des températures supérieures à 27°C peuvent ralentir la croissance des plantes de certains genres, comme les saintpaulias, et en endommager d'autres, les smithianthas par exemple. Par temps chaud,

il faut prévoir une bonne circulation d'air autour des plantes et ne pas oublier d'augmenter l'humidité en posant les pots sur des gravillons trempant dans un peu d'eau ou en suspendant des soucoupes d'eau sous les corbeilles. Faire aussi des vaporisations d'eau tiède autour des plantes, en prenant soin de ne pas diriger le jet sur les feuilles. Les gesnériacées ont un feuillage délicat que ternissent les gouttes d'eau. En tenant le vaporisateur à environ 60 cm de la plante, seul un fin brouillard tombe sur les feuilles.

Arrosage Les besoins en eau des gesnériacées varient beaucoup d'un genre à l'autre. Suivre les recommandations du *Guide alphabétique*. Toutes cependant exigent un bon drainage. Même si leurs racines demandent beaucoup d'humidité, elles ne doivent pas baigner dans un mélange saturé d'eau.

Dans certains cas, il est préférable de placer le pot dans une cuvette assez grande et d'y verser de l'eau jusqu'à ce que la surface du mélange soit mouillée. Ne pas oublier de laisser la plante s'égoutter avant de la remettre à sa place. Néanmoins, arroser la plante par le dessus une fois toutes les quatre à six semaines. Cet arrosage entraînera vers le fond les sels minéraux qui se seront concentrés dans les couches supérieures du mélange, n'alimentant plus les racines. Lors de cet arrosage, afin de laisser l'eau s'écouler librement, ne pas placer le pot dans une assiette.

On peut également arroser les gesnériacées par capillarité, en insérant une mèche dans le mélange terreux. La plante tire alors son eau d'un petit réservoir dans lequel trempe la mèche (voir page 423).

Les plantes en période de dormance n'ont à peu près pas besoin d'eau. Suivre rigoureusement les recommandations données dans le *Guide alphabétique*.

En cas d'absence, on peut assurer à la plante l'eau dont elle a besoin en l'installant au-dessus d'un réservoir d'eau et en insérant dans le mélange terreux une mèche qu'on laisse tremper dans l'eau.

Engrais Comme toutes les plantes florifères en pots et surtout parce qu'elles poussent dans un mélange à base de tourbe, les gesnériacées ont besoin d'apports réguliers d'engrais pour croître et fleurir. Choisir un engrais à teneur égale en azote, en phosphate et en potassium ou un engrais moins riche en azote, selon les recommandations données pour chaque genre. Il est parfois préférable d'utiliser le premier type d'engrais pour les jeunes plants et d'adopter le second pour les sujets adultes. Les gesnériacées qui ne connaissent pas de période de repos auront besoin d'engrais

toute l'année. On peut ajouter de temps à autre un léger engrais foliaire à l'eau de vaporisation (voir « Température » à la page précédente). Dans ce dernier cas, faire encore plus attention de ne pas mouiller le feuillage.

Un excès d'engrais peut facilement endommager les racines filiformes de toutes les plantes de la famille des *Gesnériacées*. Il vaut mieux, pour cette raison, utiliser un engrais liquide plus dilué qu'on ne le recommande sur l'étiquette du produit et compenser en fertilisant plus souvent.

Si l'arrosage se fait par capillarité, n'ajouter à l'eau du réservoir que le huitième de la dose habituelle d'engrais. Etant donné que la plante s'alimente de façon continue, une dose plus forte lui nuirait.

Empotage et rempotage Pour les gesnériacées, choisir un mélange terreux riche en matières organiques, et assez léger pour que les racines filiformes puissent s'y déployer. Un mélange à volume égal de sphaigne, de tourbe, de perlite et de vermiculite aura la perméabilité voulue, tout en restant humide. La plupart des gesnériacées demandent un substrat légèrement acide (voir page 430); ajouter au mélange ci-dessus 15 ml de calcaire dolomitique broyé par quart de litre de mélange. Pour chaque genre, il importe cependant de consulter les recommandations que précise le *Guide alphabétique*, car certaines plantes, comme les aeschynanthus, préfèrent un sol encore plus acide.

On trouve aussi dans le commerce des substrats de culture spécialement préparés pour les gesnériacées.

Comme les gesnériacées sont des plantes pourvues de racines superficielles, utiliser des pots peu profonds, de préférence en plastique. La culture en corbeille suspendue convient aux espèces rampantes comme les columneas ou à celles qui portent des stolons comme les episcias. Les gesnériacées dont la croissance est ininterrompue fleurissent davantage si elles sont à l'étroit dans leur pot. Ne les rempoter que lorsque leurs racines manquent d'espace. On peut aussi amputer la motte de racines du tiers et replacer la plante dans le même pot

après avoir renouvelé partiellement le mélange.

L'époque du rempotage varie avec les espèces. Les gesnériacées dont le cycle comprend une période de repos bien définie sont généralement rempotées au début du printemps, juste avant la reprise de la croissance, tout comme celles qui ont une période de dormance.

Multiplication Plusieurs gesnériacées se multiplient par bouturage de tiges, de segments terminaux ou, dans le cas des episcias, de stolons. Toujours utiliser un couteau tranchant pour prélever une bouture. Planter tout simplement le bout entaillé dans un mélange terreux humide; enfermer le pot dans un sachet de plastique transparent ou une caissette de multiplication (voir page 443) et le garder dans un endroit chaud, éclairé par une lumière vive tamisée. L'enracinement terminé, acclimater lentement le jeune plant à l'ambiance plus sèche de la pièce en le découvrant pendant des périodes de plus en plus longues, et cela durant quelques jours. Pour de plus amples détails sur l'arrosage et la fertilisation des gesnériacées, consulter le *Guide alphabétique* à chaque genre.

Les gesnériacées rhizomateuses produisent tant de petits rhizomes en une seule année qu'ils suffisent à la multiplication. Diviser les rhizomes ou sectionner un rhizome en segments et les empoter. Dans un mélange humide et sous une lumière vive tamisée, ils feront rapidement des tiges.

Au printemps, quand la croissance reprend, diviser les tubercules en segments porteurs d'un œil. Avant d'empoter les boutures, poudrer les coupes avec un fongicide : cette mesure préviendra les maladies cryptogamiques. Afin d'empêcher les tubercules de pourrir, garder le mélange à peine humide jusqu'à ce qu'ils soient bien établis.

On peut aussi multiplier certaines gesnériacées, dont les saintpaulias, par bouturage des feuilles arrivées à maturité. Ne pas se servir des vieilles feuilles. Tailler le pétiole avec un couteau tranchant et le planter dans un mélange terreux humide. Enfermer le pot dans un sachet de plastique transparent ou une caissette de multiplication et le garder dans un endroit chaud et bien éclairé (voir *Multiplication*, page 439). Au bout d'un mois environ, la feuille aura fait des racines et une plantule apparaîtra un mois plus tard. Dès qu'elle se manipule facilement, la séparer de la feuille et l'empoter.

On obtient également une plantule en entaillant la nervure d'une feuille qu'on couche ensuite sur la surface du mélange. Cette méthode convient bien aux sinningias. Chose curieuse : alors qu'un pétiole de sinningia planté dans un substrat de culture produit un tubercule duquel émerge avec le temps une tige aérienne, la nervure entaillée des feuilles de la même plante donne une plantule caractérisée.

La multiplication par semis ne pose aucun problème. Les graines sont fines : bien les disperser à la surface du mélange. Comme elles ont besoin de lumière pour germer, choisir de préférence comme récipient une boîte de plastique munie d'un couvercle transparent qui s'ajuste bien. Utiliser le mélange recommandé pour les sujets adultes. En l'égrenant bien, pour émietter la tourbe, en remplir la boîte à moitié et bien humidifier. Une fois

les graines semées, placer la boîte dans un endroit chaud, éclairé par une lumière vive tamisée. Les graines fraîches germent au bout d'un mois.

Après la germination, éviter soigneusement l'assèchement des minuscules racines. La condensation qui se forme sur le couvercle est un indice de déshydratation du mélange. Incliner doucement la boîte d'un côté et de l'autre pour faire retomber l'eau condensée. Après deux mois, les plantules devraient pouvoir être manipulées. Eclaircir les rangs si elles sont trop tassées. Une fois par semaine, donner aux nouvelles plantes un engrais riche en azote au huitième de la concentration habituelle. Avant de les transplanter, les acclimater à la température normale d'une pièce en les découvrant un peu plus longtemps chaque jour. A partir de ce moment, cultiver chaque plantule comme un sujet adulte.

Ravageurs Les insectes les plus communs sont les pucerons qui sucent les jeunes pousses : ils nichent entre les petites feuilles. Surveiller les cochenilles farineuses qui se tiennent à l'aisselle des feuilles et sous celles-ci. Les thrips, qui vivent

généralement à l'extérieur, peuvent s'introduire dans la maison; ces insectes attaquent les boutons floraux. Mais le plus dangereux des ravageurs est le tarsonème du cyclamen qui tue la plante en dévorant ses bourgeons terminaux. Une fois implanté, il est impossible à éliminer et il ne reste plus qu'à brûler la plante. (Sur les ravageurs, voir pages 454 à 456.)

Les mélanges terreux non stérilisés contiennent très souvent deux types de ravageurs : les cochenilles des racines, vulnérables aux insecticides, et les nématodes, résistants aux insecticides. Les plantes infestées de nématodes doivent absolument être détruites. Se rappeler donc qu'il ne faut jamais planter les gesnériacées dans un mélange qui n'a pas été stérilisé.

Maladies Un excès d'humidité entraîne parfois le mildiou qui se guérit avec un fongicide. On peut cependant le prévenir en aérant la plante. Il faut également surveiller la pourriture du collet et des racines qui, si on n'y prend pas garde, s'étend aux autres parties de la plante. Elle se produit quand les arrosages sont trop abondants ou quand les températures sont ou trop élevées ou trop basses. (Voir *Le diagnostic*, pages 456 à 459.)

Lorsque la température est élevée, il ne faut pas arroser les gesnériacées à l'eau froide, car elles peuvent subir un choc. Des cernes blanchâtres ou crème se forment alors sur les feuilles. Ces cernes inesthétiques sont permanents, mais on peut les prévenir en arrosant les plantes à l'eau tiède. Ils ne sont pas les symptômes d'une maladie, mais plutôt les résultats d'une erreur d'horticulture.

Pour garder les gesnériacées à l'abri des ravageurs et des maladies, il suffit de mettre les nouveaux sujets en quarantaine pendant au moins quatre semaines. C'est à peu près le temps qu'il faut pour s'assurer qu'ils sont vraiment en bonne santé.

Consulter le *Guide alphabétique* sous :

Achimenes	Kohleria
Aeschynanthus	Saintpaulia
Columnea	Sinningia
Episcia	Smithiantha
Gesneria	Streptocarpus
Gloxinia	

Deux méthodes de multiplication des gesnériacées

Le bouturage des nervures

Le bouturage des feuilles permet d'obtenir des plantules à partir du pétiole ou de la nervure. Cette dernière méthode est souvent la plus rapide. C'est le cas notamment pour les sinningias dont le pétiole ne donne qu'un seul tubercule. Au contraire, l'entaille des nervures, si elle est bien faite, permet d'obtenir plusieurs plantules.

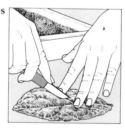

Entailler le dessous des principales nervures. Coucher la feuille sur le mélange.

La mettre sous verre, en pleine lumière. Des plantules ne tarderont pas à apparaître aux entailles.

La segmentation des rhizomes

La façon la plus simple de multiplier les gesnériacées rhizomateuses telles que les smithianthas consiste à diviser les nombreux petits rhizomes que produit la plante. Il est même possible de couper un rhizome en plusieurs morceaux et de les planter dans des pots individuels.

Au printemps, diviser les petits rhizomes avec les doigts.

Planter chaque segment dans un petit pot, à 2,5 cm de profondeur.

Gloxinia

GESNÉRIACÉES

![G. perennis illustration]

G. perennis

Il ne faut pas confondre les espèces de ce genre avec les gloxinias botaniques ou gloxinias des fleuristes qui sont des plantes tubéreuses du genre *Sinningia*. Le véritable genre *Gloxinia* (gloxinie) regroupe quelques plantes à rhizomes souterrains écailleux.

Deux espèces sont couramment cultivées en appartement : le gloxinia arborescent, parfois appelé *G. lindeniana* et souvent classé dans le genre *Kohleria lindeniana* (voir l'article *Kohleria*), et *G. perennis* qui produit chaque année plusieurs rhizomes de 6 mm d'épaisseur et de quelques centimètres de long. Une tige unique jaillit au bout de chaque rhizome; elle est verte, parfois tachetée de rouge. Comme elle atteint jusqu'à 75 cm, elle demande un tuteur. Les feuilles ovales et festonnées, légèrement pileuses, de 8 à 18 cm de long sur 7 à 15 cm de large sont opposées. Le pétiole est court et le limbe vert, vernissé, est parfois maculé de rouge en dessous. Des fleurs de 4 cm, duveteuses et campanulées, poussent à l'aisselle des feuilles, sur la moitié supérieure des tiges.

G. perennis fleurit en été et bien avant d'atteindre sa taille maximale. Tiges et feuilles s'étiolent au début de l'automne et la plante est dormante tout l'hiver.

Voir aussi GESNERIACEES.

SOINS PARTICULIERS

Lumière En période de croissance, donner trois ou quatre heures de soleil par jour, mais éviter les chauds rayons du soleil de midi. En période de dormance, les gloxinias n'ont pas besoin de lumière.

Température En période de croissance, les gloxinias apprécient des températures de 18 à 29°C. Poser les pots sur des gravillons maintenus humides. Gardés au sec, les rhizomes en dormance supportent 7°C.

Arrosage A partir du moment où la croissance reprend, arroser modérément et laisser sécher sur 1 cm avant d'arroser de nouveau. A l'approche de la période de dormance, diminuer le volume et la fréquence des arrosages pendant trois semaines jusqu'au flétrissement des tiges. Supprimer tout arrosage jusqu'au rempotage, le printemps suivant.

Engrais En période de croissance, donner à chaque arrosage un engrais liquide riche en phosphate, au quart de la concentration recommandée.

Empotage et rempotage Utiliser un mélange composé de tourbe de sphaigne (3/6), de perlite (1/6) et de vermiculite (2/6), additionné de 15 ml de calcaire ou de coquilles d'œufs broyées par quart de litre. Laisser la plante en dormance dans son pot jusqu'au printemps. Retirer alors les rhizomes, dégager l'ancien mélange et diviser les rhizomes. Les planter individuellement à 2,5 cm de profondeur dans des pots de 12 à 16 cm remplis de mélange frais à peine humide et les garder à une lumière vive tamisée. Ne pas fertiliser avant que la croissance reprenne. Cultiver alors les jeunes plants comme des sujets adultes.

Multiplication Le plus souvent, elle se fait par bouturage des rhizomes. On peut aussi multiplier *G. perennis* par semis, mais cela demande beaucoup de soins.

Remarque Pour que la plante se ramifie, pincer toutes les tiges lorsqu'elles ont 15 cm.

Gloxinia élégant, voir *Sinningia speciosa*.
Gloxinia des fleuristes, voir *Sinningia*.
Gloxinie, voir *Gloxinia*.
Gommier, voir *Eucalyptus*.

Graptopetalum

CRASSULACÉES

G. pachyphyllum

Les plantes du genre *Graptopetalum* ressemblent à certaines formes du genre *Echeveria* auquel d'ailleurs elles sont apparentées. Ce sont des plantes grasses, petites et compactes, renommées pour leurs formes curieuses et leurs fleurs délicates. Les feuilles lisses, épaisses et lancéolées sont toujours disposées en rosette sur des tiges courtes très ramifiées. Sous un bon éclairement, elles prennent diverses nuances de blanc, de gris ou de bleu. Au printemps, des grappes de petites fleurs campanulées naissent sur des hampes de 15 cm à l'aisselle des feuilles. Chaque fleur dure un ou deux jours, mais la floraison s'étend sur plusieurs semaines. Les sujets adultes produisent de nombreux rejets à la souche.
Voir aussi PLANTES GRASSES.

ESPÈCES RECOMMANDÉES

G. pachyphyllum est une jolie plante naine à tiges épaisses de 2,5 cm de long portant des rosettes de 2,5 cm de diamètre. Les feuilles bleutées ont 1 cm de long, 0,5 cm de large et 0,5 cm d'épaisseur, et les fleurs rouges mesurent 2 cm sur 0,5.

G. paraguayense porte des tiges de 6,5 cm, habituellement érigées. Des rosettes de 1 cm formées de feuilles gris-blanc, à revers caréné, apparaissent au sommet des tiges et des rameaux. Elles mesurent 5 à 7,5 cm de long, 2,5 cm de large et 2 cm d'épaisseur. Les fleurs blanches ont 1 cm sur 0,5.

SOINS PARTICULIERS

Lumière Pour garder leur forme et leur couleur, ces plantes ont besoin de tout le soleil possible.

Température Du printemps à l'automne, l'atmosphère normale d'une pièce leur convient. En période de repos, les garder à une température de 10°C environ.

Arrosage En période de croissance, arroser modérément. Bien humidifier le mélange à chaque arrosage et le laisser sécher sur 1 cm avant d'arroser de nouveau. En période de repos, n'arroser que pour empêcher le mélange de se dessécher complètement. Il faut éviter de mouiller le feuillage car l'eau pourrait y laisser des marques.

Engrais Les graptopetalums n'ont jamais besoin d'engrais.

Empotage et rempotage Utiliser un mélange composé de sable grossier ou de perlite (1/4) et de mélange ordinaire à base de terreau (3/4) [voir page 429]. Les graptopetalums croissent et s'étalent rapidement; il vaut mieux les installer dans des terrines ou des demi-pots. Chaque printemps, au moment du rempotage, enlever les feuilles flétries. Lorsqu'un graptopetalum a perdu beaucoup de feuilles et qu'il remplit un demi-pot de 12 cm, il est généralement temps de s'en défaire. Conserver les rejets pour obtenir de nouvelles plantes.

Multiplication Au printemps ou en été, prélever des rosettes latérales en coupant la tige avec un couteau tranchant. Dépouiller la tige de ses feuilles sur 1 cm. Laisser la bouture sécher pendant deux jours avant de l'enfoncer doucement dans un pot de 5 cm rempli du mélange recommandé pour les sujets adultes. Exposer la bouture à une lumière vive tamisée et arroser modérément durant toute la période d'enracinement. Traiter ensuite le plant comme un sujet adulte.

La multiplication par semis n'est pas courante.

Remarque Les graptopetalums sont sujets aux attaques des cochenilles farineuses. (Voir page 454. Voir aussi *Echeveria*, « Remarque ».)

Grenadier, voir *Punica granatum*.
Grenadier nain, voir *Punica granatum* 'Nana'.

Grevillea
PROTÉACÉES

G. robusta

De toutes les espèces de grevilleas, *G. robusta* est la seule à être cultivée à l'intérieur. Cet arbre à feuillage persistant et à croissance rapide se voit dans les jardins des régions chaudes des Etats-Unis. Ses feuilles finement bipennées, de 15 à 40 cm de long, ressemblent à des frondes de fougères. On en trouve de jeunes sujets parmi les fougères offertes dans le commerce. En deux ou trois ans, ce grevillea peut atteindre en appartement 1,80 m de hauteur et 45 cm d'étalement. Duveteuses, les feuilles vert sombre, teintées de brun quand elles sont jeunes, sont soyeuses en dessous. Il ne fleurit pas.

SOINS PARTICULIERS

Lumière En été, le plein soleil aussi bien qu'une lumière moyenne conviennent au grevillea. En hiver, placer la plante à un endroit où elle recevra le maximum de lumière.

Température Cette plante croît plus rapidement dans une pièce chaude où l'air est assez humide. Au-dessus de 18°C cependant, poser les pots sur des gravillons couverts d'eau ou sur de la tourbe humide. Le minimum tolérable en hiver est de 7°C.

Arrosage En période de croissance, arroser modérément et bien humidifier le mélange; le laisser sécher sur 1 cm entre les arrosages. En période de repos, arroser parcimonieusement. Laisser le mélange sécher de moitié avant d'arroser de nouveau.

Engrais Faire des apports d'engrais liquide ordinaire tous les 15 jours, pendant la période de croissance seulement.

Empotage et rempotage Un mélange ordinaire à base de terreau convient, mais ces plantes préfèrent un sol neutre ou un peu acide. Utiliser si possible un substrat non calcaire (voir page 429). Rempoter au printemps dans des pots de deux tailles au-dessus. Si la plante est très vigoureuse, il faudra peut-être la rempoter deux fois par an. Ne jamais rempoter de la mi-automne au début du printemps.

Multiplication La multiplication par semis est une opération délicate. Il serait préférable d'acheter au printemps de jeunes plants. Mais si l'on tient au semis, faire germer les graines dans une cassette de multiplication chauffante (voir page 444) ou sur un appui de fenêtre bien éclairé, mais non exposé au soleil, à environ 15°C. Utiliser un mélange à semis non calcaire et le garder humide (voir page 444). Lorsque les plantules ont 5 cm, les replanter individuellement dans des pots de 8 cm et les cultiver comme des sujets adultes.

Cette composition réunit un grevillea (60 cm) et un hedera qui dominent un gracieux mélange : stromanthe, cyclamen, kalanchoe, peperomia et maranta.

Guzmania

BROMÉLIACÉES

G. lingulata minor

Les guzmanias sont des plantes à rosettes de feuilles tendres, vernissées, soit vert uni, soit rayées de brun ou de rouge. Certaines formes sont cultivées pour leur feuillage, d'autres pour leurs inflorescences apparaissant sur des tiges plus ou moins hautes au centre de la rosette. Les fleurs, de courte durée, sont blanches ou jaunes, mais les bractées et les autres parties de l'inflorescence sont d'un rouge ou d'un orange brillant et gardent longtemps leur fraîcheur. La floraison a généralement lieu à la fin de l'hiver.
Voir aussi BROMELIACEES.

ESPÈCES RECOMMANDÉES
G. lingulata est une espèce qui présente des sujets variés. Elle se caractérise par des feuilles vertes de 45 cm sur 2,5 et une hampe florale de 30 cm portant des fleurettes jaunes au centre d'une inflorescence en forme de coupe ou d'entonnoir composée de bractées cramoisies de 5 cm. Parmi les nombreuses formes, on remarque *G. l. cardinalis*, un peu plus grande que l'espèce et à bractées d'un rouge plus vif; et *G. l. minor*, qui n'excède pas 30 cm, avec des feuilles de 10 cm et des fleurs à bractées diversement colorées, portées sur de courtes tiges.

G. monostachia (autrefois *G. tricolor*) présente des feuilles d'un vert brillant, de 40 cm, et un long épi floral cylindrique composé de fleurons blancs de 2,5 cm et de bractées blanc-vert rayées de pourpre dont l'extrémité est rouge ou orange. *G. m. variegata* a des feuilles panachées de blanc.

G. monostachia

G. musaica offre des feuilles plus coriaces de 60 cm de long, d'un vert brillant, marquées transversalement de lignes brunes sur le dessus et de lignes pourpres en dessous. La hampe florale de 40 cm est couronnée d'une vingtaine de fleurs ovales, rosées et cireuses, mesurant 4 cm, qui éclosent entre les bractées jaunes striées de rose.
G. zahnii a des feuilles minces, de 45 cm de long. Elles sont remarquables, presque transparentes,

avec de fines rayures longitudinales rouges sur le dessus et le dessous. Le centre de la rosette est d'un rouge cuivre ardent. Les fleurs jaunes ou blanches sont entourées de bractées rouges plantées au sommet d'une hampe de 30 cm porteuse de petites bractées rouges.

Note : De nombreux et superbes hybrides de *Guzmania* (*G.* 'Orangeade' et *G.* 'Omer Morobe' en sont des exemples) font constamment leur apparition sur le marché.

SOINS PARTICULIERS
Lumière Pour fleurir, les guzmanias ont besoin d'une lumière vive tamisée.
Température Maintenir la température au-dessus de 18°C. Placer les pots sur des gravillons gardés humides et bassiner le feuillage tous les jours.
Arrosage Arroser généreusement le mélange qui doit demeurer très

Dans leurs forêts pluviales d'origine, les guzmanias s'assèchent rarement. Garder les rosettes pleines d'eau de pluie.

humide. Garder la rosette pleine d'eau, sauf durant la floraison.
Engrais Donner de l'engrais liquide ordinaire tous les 15 jours, non seulement au mélange terreux, mais aussi au feuillage et à la coupe.
Empotage et rempotage Utiliser le mélange terreux recommandé pour les broméliacées (voir page 107). Comme ces plantes ont peu de racines, un pot de 8 à 10 cm devrait suffire. Rempoter au printemps au besoin.
Multiplication Au printemps, détacher les rejets lorsqu'ils ont 8 cm. Les planter dans un pot de 5 ou 6 cm rempli d'un mélange pour broméliacées. Les exposer à une lumière vive tamisée et les arroser modérément. Après six mois environ, quand le rejet a pris racine, le rempoter et le cultiver comme un sujet adulte.

Gymnocalycium

CACTACÉES

G. quehlianum

On compte une quarantaine d'espèces de cactées du désert et plusieurs variétés dans le genre *Gymnocalycium*. Certains gymnocalyciums considérés par les botanistes comme des variétés sont souvent donnés comme des « espèces » et portent donc plusieurs noms. Ces plantes ont de très jolies fleurs, mais ce sont surtout leurs aiguillons qui font leur beauté. La tige est verte, presque globuleuse, côtelée et un peu renflée entre les aréoles. Ce genre se caractérise aussi par des boutons floraux complètement lisses, d'où leur nom de « gymnocalycium » composé d'un mot grec, *gumnos*, qui veut dire nu et du mot latin *calyx* qui signifie calice.

Même à l'état adulte, ces cactées restent petites : une collection demande donc peu de place. Certaines espèces s'entourent très jeunes de rejets, d'autres sont solitaires; quelques-unes forment des touffes de petites tiges. Bien que les gymnocalyciums commencent normalement à fleurir quand ils ont 5 cm de diamètre, certains sont plus précoces. Les fleurs, étalées ou légèrement cupuliformes et tubulées, couronnent la plante. Elles sont blanches, roses, rouges ou jaunâtres et mesurent 3 à 8 cm de diamètre.

Voir aussi CACTEES.

ESPÈCES RECOMMANDÉES

G. baldianum (qu'on appelait auparavant *G. venturianum*) a un diamètre d'environ 8 cm. Il présente des côtes larges et saillantes et des protubérances prononcées. Les fleurs, d'un rouge brillant, parfois roses, ont jusqu'à 5 cm de diamètre. La plante n'a que des aiguillons radiaux blanchâtres ou jaunâtres mesurant 0,5 cm.

G. bruchii (parfois appelé *G. lafaldense*) est une petite plante compacte et florifère formée de plusieurs tiges globuleuses de 2,5 cm s'étalant sur environ 10 cm. Chaque tige présente 12 côtes peu saillantes. Les fleurs, de 2,5 cm, sont d'un rose délicat et les aiguillons de 0,5 cm, blancs et fins, sont disposés en étoile. Ils sont radiaux mais on trouve parfois un aiguillon central brun.

G. denudatum (cactus araignée) présente une forme sphérique de 10 cm sur 15. Il est marqué de larges côtes saillantes. Celles-ci sont hérissées d'aiguillons radiaux épais et recourbés de 1 cm, gris tachetés de brun. La plante donne des fleurs blanches qui peuvent mesurer jusqu'à 7,5 cm de diamètre.

G. mihanovichii peut atteindre 7,5 cm de diamètre, mais fleurit bien avant d'être arrivé à maturité. Ses côtes saillantes sont très anguleuses et sa tige souvent striée de rouge. Tous les aiguillons sont radiaux, minces et recourbés; ils sont jaunes et mesurent 1 cm. Les fleurs de 2,5 à 5 cm sont jaune-vert ou roses. Cette plante a donné naissance à de nombreuses variétés dont quelques-unes, connues sous le nom de 'Ruby Ball' ou 'Hibotan', présentent des tiges rouge vif. Dé-

pourvues de chlorophylle, elles doivent être greffées sur un cactus qui en produit.

G. platense atteint un diamètre d'environ 10 cm. Il présente des protubérances prononcées et des aiguillons radiaux blanchâtres de 1 cm, teintés de rouge à la base. Les fleurs de 7,5 cm de diamètre sont blanches, avec des nuances de vert et de rouge à la base.

G. quehlianum est plutôt aplati que globuleux. Il atteint un diamètre de 15 cm et une hauteur d'au plus 5 cm. La tige d'un vert-bleu terne montre 8 à 12 côtes larges et saillantes ainsi que des excroissances qui démarquent les aréoles rondes et laineuses. Chaque aréole porte 5 ou 6 aiguillons radiaux minces, de 0,5 à 1 cm, légèrement recourbés vers la tige. Ils sont jaunes virant au rouge-brun à la base. Il n'y a pas d'aiguillons centraux. Les fleurs, très abondantes, mesurent de 5 à 7,5 cm; elles sont blanches teintées de rouge au centre. *G. q. zantnerianum* (parfois vendu sous le nom de *G. zantnerianum*) n'offre qu'une différence marquée : ses fleurs sont roses plutôt que blanches et leur centre est rouge sombre.

G. saglione, l'un des sujets les plus gros, montre des protubérances fortement rainurées. Il fleurit rarement avant d'avoir atteint 18 à 20 cm de diamètre, mais il est plus attrayant quand il est petit. Ses aiguillons robustes et recourbés sont d'un brun-rouge qui pâlit avec le

G. baldianum

G. denudatum
(cactus araignée)

G. mihanovichii

temps. Chaque aréole porte jusqu'à 12 aiguillons radiaux de 2,5 à 5 cm et 2 ou 3 aiguillons centraux un peu plus courts. Les fleurs en entonnoir vont du verdâtre au rose et mesurent environ 5 cm. Les aiguillons de la variété *G. s. tilcarense* sont moins recourbés.

SOINS PARTICULIERS

Lumière Donner une lumière très vive, sinon la plante perd sa forme globuleuse et fleurit mal.

Température Les cactées du désert supportent des températures hivernales d'environ 4°C. En appartement, elles ne souffrent donc pas du froid. Trop de chaleur en hiver peut même nuire à la floraison. En cette saison donc, les garder dans un endroit très frais mais bien éclairé. En été, elles ne souffrent aucunement de la chaleur.

Arrosage Arroser généreusement au printemps et en été; le mélange doit être très humide mais jamais saturé. Réduire les apports d'eau avec la venue de l'hiver : n'arroser que pour empêcher la plante de se racornir.

Engrais Donner un engrais riche en potassium (engrais à tomates) tous les 15 jours, en période de croissance.

Empotage et rempotage Ajouter du sable grossier ou de la perlite (1/3) à un mélange à base de terreau ou sans terreau (2/3) [voir page 429]. Rempoter au printemps si les racines semblent remplir le pot, pour terminer dans un pot de 10 cm. Pour améliorer le drainage, disposer des tessons de grès au fond du pot. Celui-ci peut être en plastique ou en grès.

Multiplication Au printemps, détacher les rejets avec un couteau tranchant; les laisser sécher pendant quelques jours pour qu'ils durcissent. Les planter dans un mélange à enracinement (voir page 444), soit individuellement dans des pots de 8 cm, soit à plusieurs dans un demi-pot de 16 cm, en laissant un espace de 2,5 cm entre les rejets. Les placer dans un endroit chaud et ombragé et humecter le mélange. Lorsque des racines apparaissent par les trous d'évacuation, transplanter les rejets dans un pot d'une taille au-dessus rempli d'un mélange pour sujets adultes. Donner les soins habituels.

Gynura
COMPOSÉES

G. sarmentosa

Les gynuras sont appréciés pour la beauté de leur feuillage. Les tiges, les feuilles et les têtes florales des espèces cultivées en appartement sont recouvertes d'un épais duvet pourpre. Au printemps et en été, ils produisent des fleurs orangées qu'il vaut mieux enlever avant leur éclosion, car elles dégagent une odeur désagréable. Les jeunes

Fleurs de
G. sarmentosa

feuilles sont d'un pourpre encore plus vif que les feuilles adultes.

Une très grande confusion entoure les noms des espèces de ce genre. Elle tient en partie au fait que deux types d'organes apparaissent chez certaines plantes à des moments différents.

ESPÈCES RECOMMANDÉES

G. aurantiaca (gynura orangé) présente des tiges d'abord dressées, puis étalées. Dans la nature, elles peuvent atteindre

2,75 m. Les feuilles ovales et fortement dentées mesurent 20 cm sur 10. Les horticulteurs taillent sévèrement cette plante pour la rendre plus compacte, ce qui risque de lui faire perdre son port érigé.

G. aurantiaca
(gynura orangé)

G. sarmentosa est l'une de ces espèces dont le nom porte à confusion. Il ne s'agit probablement pas, d'ailleurs, d'une espèce authentique, mais plutôt d'une variété de *G. aurantiaca*. C'est une plante rampante incapable de se soutenir par elle-même. Les feuilles ont de 7,5 à 10 cm de long et autant de large. Cette plante devient particulièrement décorative lorsqu'on la suspend en corbeille ou qu'on lui permet de déployer de quelque façon son feuillage aux coloris véritablement remarquables.

SOINS PARTICULIERS

Lumière Le gynura a besoin de soleil tous les jours pour garder son port buissonnant et les magnifiques couleurs de son feuillage.

Température L'atmosphère normale d'une pièce lui convient pourvu que l'on règle l'hygrométrie. Si nécessaire, poser les pots sur des gravillons couverts d'eau. Un gynura peut survivre à des températures descendant jusqu'à 13°C.

Arrosage Ne pas mouiller le feuillage : le duvet garde l'eau, ce qui tache les feuilles. Par temps chaud, arroser modérément et laisser sécher le mélange sur 2,5 cm entre les arrosages. Si la température descend au-dessous de 16°C, n'arroser que pour empêcher le mélange de se dessécher complètement.

Engrais Donner de l'engrais liquide ordinaire une fois par mois, toute l'année. Une fertilisation excessive donne des tiges épaisses et molles.

Empotage et rempotage Utiliser un mélange à base de terreau (voir page 429). Les deux espèces de gynuras croissent rapidement; les rempoter au printemps. Après deux ans, les plantes perdent leur beauté et il vaut mieux les remplacer par de jeunes sujets.

Multiplication Les gynuras se multiplient facilement par boutures terminales au début du printemps. Planter trois ou quatre boutures de 8 à 10 cm dans un pot de 8 cm contenant un mélange à volume égal de tourbe et de sable. Les placer dans un endroit chaud à la lumière vive tamisée et garder le mélange tout juste humide. L'enracinement se fait en deux ou trois semaines. Quatre ou cinq semaines plus tard, commencer les apports bimensuels d'engrais liquide ordinaire. Lorsque les plants ont pris 15 cm, les rempoter dans un pot de 12 cm rempli de mélange ordinaire et les cultiver comme des sujets adultes. Pour obtenir un plus bel effet, grouper plusieurs plants.

Remarques Pincer régulièrement *G. sarmentosa* pour l'encourager à se ramifier; autrement, la plante poussera en hauteur.

Les pucerons attaquent les jeunes pousses. On les repère facilement sur les feuilles pourpres; les enlever un à un s'ils ne sont pas trop nombreux. S'ils abondent, utiliser un insecticide (voir page 460).

Gynura orangé, voir *Gynura aurantiaca.*

Haemanthus
AMARYLLIDACÉES

H. albiflos

Le genre *Haemanthus* comprend des plantes bulbeuses à fleurs insolites. Certaines espèces ont des feuilles caduques et doivent prendre un repos au sec pendant deux ou trois mois; d'autres ont des feuilles persistantes et prennent une brève période de repos. Les fleurs varient beaucoup de taille et de coloris.
Voir aussi BULBES, CORMUS et TUBERCULES.

ESPÈCES RECOMMANDÉES

H. albiflos est une espèce à feuilles persistantes, charnues et oblongues, qui mesurent de 23 à 30 cm sur 10. Elles ont un limbe mat, vert sombre, bordé de fins poils blancs. Chaque bulbe produit 4 feuilles jumelées, acaules et arquées. Au printemps, 2 nouvelles feuilles naissent au centre du bulbe, après quoi les feuilles extérieures se flétrissent. Une seule inflorescence cupuliforme composée de plusieurs fleurs apparaît à la fin de l'été ou au début de l'automne sur une hampe verte de 25 cm de long et 2 cm d'épaisseur. L'inflorescence de 5 cm se compose de 8 à 10 bractées de 2,5 cm, en forme de pétales, entourant des douzaines d'étamines de 2,5 cm. Les bractées sont blanches et striées de fines lignes vertes. Après quelques années, la plante produit des rejets.

H. coccineus présente des feuilles vert sombre acaules, charnues, rubanées, de 60 cm sur 15, à raison de 2 par bulbe. Elles se développent pleinement après la floraison et meurent l'été suivant. Après un court repos, une hampe florale verte tachetée de rouge jaillit du bulbe effeuillé. Au début de l'automne, elle mesure 25 à 30 cm sur 2,5 et porte une inflorescence cupuliforme de 6,5 cm composée de 6 à 8 bractées de 5 cm entourant des étamines de 5 cm. Les bractées sont rouge sang. La plante ne produit pas de rejets.

H. katharinae (fleur de sang) produit des tiges de 60 cm qui portent des feuilles lancéolées de 23 à 30 cm sur 10 à 15 rattachées par un pétiole de 2,5 cm. Ces feuilles persistantes et ondulées sont vertes avec des veines plus pâles. En été, une hampe verte, souvent tachetée de rouge à la base, s'élève du bulbe.

Une inflorescence sphérique de 15 à 23 cm la couronne. Les fleurs tubuleuses rose saumon ont 5 cm de long et leurs étamines 2,5 cm. La plante n'émet pas de rejets.

H. multiflorus présente 3 ou 4 feuilles ovales de 25 cm sur 10 à 13 avec des pétioles de 2,5 cm, disposées autour d'une tige de 15 à 23 cm. La tige et les feuilles naissent au printemps et meurent à l'automne. L'inflorescence rouge vif, de moins de 15 cm, apparaît à la fin du printemps sur une hampe de 30 cm. La plante ne produit pas de rejets.

SOINS PARTICULIERS

Lumière Donner une lumière vive et quelques heures de soleil chaque jour, en période de croissance seulement.

Température L'atmosphère normale d'une pièce leur convient. La température ne doit jamais descendre au-dessous de 13°C, même en période de dormance.

Arrosage Arroser modérément et laisser le mélange sécher sur 1 cm entre les arrosages. Lorsque les feuilles des espèces décidues jaunissent, réduire graduellement les apports d'eau. Donner aux bulbes en dormance et, l'hiver, aux espèces à feuillage persistant, juste assez d'eau pour éviter un assèchement complet.

Engrais Faire des apports d'engrais liquide riche en potassium tous les 15 jours pendant la période de croissance.

Empotage et rempotage Utiliser un mélange à base de terreau (voir page 429). Pour les bulbes, choisir des pots laissant un jeu de 2,5 cm entre le bulbe et le bord. Rempoter quand les racines apparaissent en surface ou que le bulbe effleure le rebord du pot. Autrement, renouveler simplement la couche superficielle du mélange (voir page 428) au début du printemps.

Multiplication Au début du printemps, diviser les bulbes de *H. albiflos*. Les planter séparément en les enfouissant à moitié dans le substrat de culture. Arroser parcimonieusement pendant quatre ou cinq semaines et éviter de fertiliser tant que le jeune plant n'est pas bien établi. Pour le reste, traiter comme un sujet adulte. Les haemanthus qui ne produisent pas de rejets se multiplient par semis.

Hamatocactus
CACTACÉES

H. setispinus

Ces cactées du désert n'ont qu'une tige et ne produisent pas de rejets. Des fleurs jaunes et cupuliformes, de 7,5 à 10 cm, naissent des aréoles supérieures. Il en apparaît 3 ou 4 à la fois en été et au début de l'automne, et elles durent plusieurs jours.
Voir aussi CACTÉES.

ESPÈCES RECOMMANDÉES

H. hamatacanthus (parfois appelé *Ferocactus hamatacanthus*) a une tige ronde vert sombre, qui s'allonge graduellement. Un sujet de 10 ans dans un pot de 15 cm mesure 25 cm sur 15. De 13 à 17 côtes étroites et saillantes, marquées de tubercules, portent des aréoles blanchâtres renfermant 8 à 12 aiguillons radiaux fins de 2,5 cm et 4 aiguillons centraux récurvés de 5 cm. Les jeunes aiguillons sont rouges; ils blanchissent par la suite. Ce cactus fleurit quand il mesure entre 10 et 15 cm.

H. setispinus a une tige vert sombre pouvant atteindre 15 cm sur 10 dans un pot de 14 cm. Une douzaine de côtes étroites à tubercules portent des aréoles grises d'où jaillissent de 12 à 15 aiguillons radiaux, fins et bruns, de 2,5 cm, et de 1 à 3 aiguillons centraux, récurvés, plus longs et plus robustes. Des baies succèdent aux fleurs.

SOINS PARTICULIERS

Lumière Ces cactus ont besoin de soleil pour fleurir.

Température L'atmosphère normale d'une pièce leur convient en période de croissance, mais ils ont besoin d'un repos hivernal à 10°C et tolèrent un minimum de 4°C.

Arrosage En période de croissance, arroser modérément et laisser le mélange sécher sur 1 cm entre les arrosages. En hiver, n'arroser que pour empêcher le mélange de s'assécher complètement.

Engrais Au printemps et en été, faire des apports d'engrais à tomates, riche en potassium, à raison d'une fois tous les 15 jours.

Empotage et rempotage Utiliser un mélange composé de sable grossier ou de perlite (1/4) et de mélange à base de terreau ou de tourbe (3/4) [voir page 429]. Dépoter la plante tous les printemps. La rempoter si les racines remplissent le pot. Sinon, remettre la plante dans le même pot, après l'avoir nettoyé. Renouveler en partie le mélange.

Multiplication La multiplication se fait uniquement par semis (voir *CACTÉES*, page 119).

Remarque Les aréoles de *H. setispinus* sécrètent parfois un miellat physiologique, cause de fumagine. Laver la plante à l'eau tiède et la laisser sécher au chaud.

Haworthia

LILIACÉES

H. tessellata

Les haworthias (haworthie), dont il existe plus de 160 espèces, sont de petites plantes grasses appréciées pour leur forme curieuse et leur feuillage coloré. Leurs feuilles épaisses et acaules sont disposées en rosette autour d'une tige à peine visible. Certains sujets sont courts et compacts; d'autres, plus grands, comportent plusieurs rangées de feuilles superposées. Les uns ont des feuilles coriaces; les autres, des feuilles tendres et charnues, au limbe parfois partiellement transparent. Dans la nature, les haworthias vivent à moitié enfouis dans le sable et jouissent ainsi, en saison sèche, d'une lumière tamisée.

Chez toutes les espèces, des fleurs blanchâtres et tubuleuses de 2,5 cm sur 0,5 apparaissent en grappes sur des tiges longues, fines et raides. Elles sont sans intérêt et on les coupe habituellement dès leur apparition. Il n'y a pas de période définie de floraison.

Les haworthias se cultivent facilement et, contrairement aux autres plantes grasses, ils aiment la demi-obscurité. Les espèces décrites ci-dessous produisent plusieurs rejets qui servent au bouturage.
Voir aussi PLANTES GRASSES.

ESPÈCES RECOMMANDÉES

H. cuspidata est une espèce qui croît lentement. Ses feuilles triangulaires de 2,5 cm sur 1 cm à la base forment des rosettes serrées de 7,5 cm de diamètre. Les feuilles épaisses et tendres sont acuminées et de couleur vert clair. Elles se recourbent vers l'extérieur, dissimulant ainsi les courtes tiges. L'extrémité du limbe est transparente sur le dessus; au dessous, elle est ronde et carénée.

H. margaritifera (aloès perlé) présente des feuilles lancéolées et coriaces, vert foncé, joliment décorées de tubercules blancs. Les tiges sont si courtes que les rosettes de 15 cm de diamètre et de 7,5 à 10 cm de haut paraissent acaules. Les vieilles feuilles sont dressées, tandis que les jeunes se recourbent vers l'intérieur. Elles mesurent 0,5 cm d'épaisseur, 9 cm de long et 3 cm de large à la base. Elles sont planes sur le dessus et carénées en dessous. Il ne faut qu'un an pour que se forme une touffe de rosettes.

H. reinwardtii se distingue par des tiges d'environ 15 cm de long, chargées de feuilles triangulaires, coriaces et vert sombre qui se recourbent vers l'intérieur. Elles ont une longueur de 4 cm et sont aussi épaisses que larges à la base (1 cm). Elles sont recouvertes de minuscules excroissances perlées. Le dessus du limbe est plat, le dessous arrondi et caréné vers la pointe. Les feuilles se chevauchent, si bien qu'elles dissimulent les tiges. Il se forme, en une année ou deux, un bouquet de rejets qui ont d'abord l'aspect de cônes de pin. *H. reinwardtii* a donné naissance à des formes très variées.

H. reinwardtii

H. margaritifera (aloès perlé)

H. tessellata se caractérise par des bouquets de rosettes acaules de 5 cm de haut et de 7,5 cm de diamètre. Les feuilles, vertes ou brunâtres, dentées et triangulaires mesurent environ 5 cm de long, 2,5 cm de large et 0,6 cm d'épaisseur à la base. Elles se rétrécissent en pointe aiguë. La face supérieure est translucide, légèrement arrondie et sillonnée d'un réseau de lignes blanches. Le dessous est complètement couvert de petites protubérances blanches.

SOINS PARTICULIERS

Lumière Ne pas exposer les haworthias au soleil, surtout en été : le feuillage se fanerait. Un éclairement moyen convient à toutes les espèces.

Température L'atmosphère normale d'une pièce leur convient généralement. Toutefois, en hiver, une température inférieure à 16°C est préférable. Durant la période de repos qui va de la mi-hiver à la fin du printemps, ils tolèrent 4°C, mais préfèrent plus de chaleur.

Arrosage Arroser modérément en période de croissance et laisser sécher le mélange sur 1 cm entre les arrosages. En période de repos, n'arroser que pour empêcher le mélange de se dessécher complètement. Bien qu'étant des plantes grasses, les haworthias ne survivraient pas à une sécheresse totale.

Engrais Ne jamais fertiliser les haworthias.

Empotage et rempotage Utiliser un substrat poreux composé de sable grossier ou de perlite (1/3) et de mélange à base de terreau (2/3) [voir page 429]. Choisir des pots peu profonds, les haworthias ayant peu de racines. Toujours laisser un jeu de 4 à 5 cm entre le corps de la plante et le bord du pot. Rempoter au printemps dès que la croissance reprend. Ce rempotage ne s'impose toutefois que si le groupe de rosettes couvre toute la surface du mélange. Enlever d'abord les feuilles fanées ou mortes. On ne dépassera pas un pot de 12 à 16 cm. Diviser les plantes très développées.

Multiplication Prélever les rejets en été : ils s'enlèvent facilement. Empoter immédiatement ceux qui ont des racines et les cultiver comme des sujets adultes. Laisser sécher pendant trois jours ceux qui n'ont pas de racines, puis les planter dans le mélange terreux et les traiter comme des plantes adultes.

Les haworthias se multiplient bien par semis (voir *PLANTES GRASSES*, page 323), mais ils s'hybrident facilement.

Haworthie, voir *Haworthia.*

Hedera
ARALIACÉES

Les quelques espèces constituant le genre *Hedera* (lierre) comportent plusieurs variétés de plantes ligneuses et grimpantes. Quelques-unes dépassent 6 m et présentent des feuilles larges, mais la plupart sont courtes, compactes et ont de petites feuilles. Le feuillage est toujours coriace et souvent lobé. La plupart des espèces produisent de courtes racines adventives qui s'accrochent à toute surface humide.

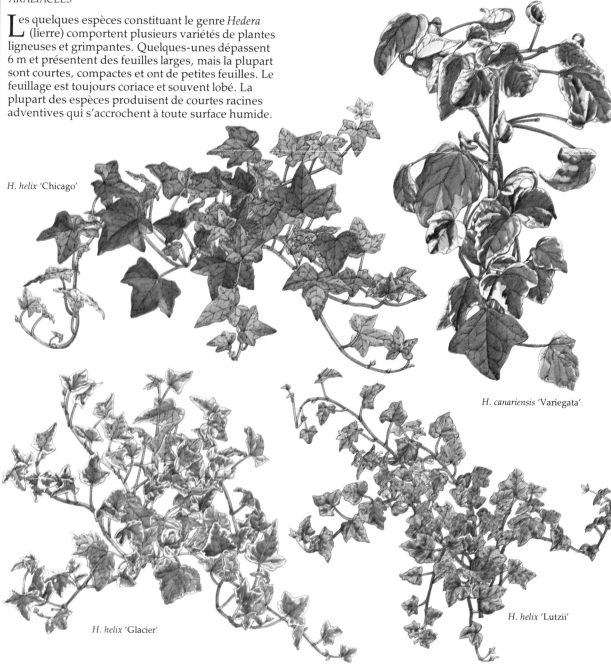

H. helix 'Chicago'

H. canariensis 'Variegata'

H. helix 'Glacier'

H. helix 'Lutzii'

HEDERAS RECOMMANDÉS

H. canariensis est une espèce à grand développement dotée de feuilles triangulaires, à peine lobées, de 13 cm sur 15. Elles sont vert sombre et sillonnées de fines veines vert clair, tandis que les tiges et les pétioles sont rouge foncé. Une forme panachée, *H. c.* 'Variegata' (parfois appelée *H. c.* 'Gloire de Marengo'), offre des feuilles de 8 à 10 cm de long et de 5 à 8 cm de large, panachées de vert-gris et largement marginées de jaune crème. *H. colchica* est aussi une plante haute. Ses feuilles cordiformes vert sombre ont 25 cm de long et 20 cm de large. Une variété, *H. c.* 'Ravenholst', présente des pétioles rouges. *H. helix* (lierre commun) offre des feuilles à 3 ou 5 lobes, typiques du lierre, avec un lobe supérieur plus long et plus pointu. L'espèce type a été éclipsée par de nombreuses variétés. La plupart de celles dont il est question ici se ramifient abondamment d'elles-mêmes et sont, par conséquent, fort attrayantes. Les variétés qui ne se ramifient pas naturellement sont indiquées. Il

Formes et panachures
des feuilles de hederas

faudra pincer leurs bourgeons terminaux de temps en temps.

H. h. **'Chicago'** a des feuilles vert moyen de 3 à 4 cm sur 4. Celles de *H. h.* 'Chicago Variegata' sont marginées de crème, tandis que le feuillage de *H. h.* 'Golden Chicago' est joliment panaché de jaune d'or.

H. h. **'Cristata'** a des feuilles vert moyen de 4 à 5 cm sur 5, si ondulées qu'elles semblent frisées.

H. h. **'Emerald Gem'** et *H. h.* 'Emerald Jewel' offrent tous deux des feuilles émeraude très pointues, de 3 cm sur 4.

H. h. **'Glacier',** aux feuilles vert moyen de 4 cm sur 3, se caractérise par des marbrures vert-gris, des taches blanches et des bords roses. Pour la rendre plus compacte, il faut pincer cette plante deux ou trois fois par an.

H. h. **'Jubilee'** est une plante touffue. Ses feuilles vert sombre de 3 cm sur 2 sont panachées de gris et de blanc.

H. h. **'Little Diamond'** a des feuilles en losange de 3 cm sur 2, vert moyen, finement marginées de blanc. Le pinçage rend cette plante rameuse.

H. h. **'Lutzii'** porte des feuilles vert sombre de 4 cm sur 3, maculées de vert clair et de jaune. Pincer deux ou trois fois par an.

H. h. **'Sagittifolia'** a des feuilles sagittées vert sombre de 5 cm sur 4. *H. h.* 'Sagittifolia Variegata' présente un feuillage panaché de vert clair et de jaune pâle. Ce sont de belles plantes rampantes dont il faut pincer les bourgeons terminaux si on les préfère compactes.

SOINS PARTICULIERS

Lumière Les hederas ont besoin d'une lumière vive. Pour conserver leurs coloris, les formes panachées réclament deux ou trois heures de soleil par jour, mais les autres craignent l'ensoleillement. Toutefois, les feuilles s'espacent et les tiges s'allongent quand les plantes sont exposées à une lumière insuffisante.

Température Les hederas ne sont pas exigeants sous ce rapport, mais ils craignent les écarts trop prononcés. Au-dessus de 18°C, augmenter l'humidité. Pendant l'hiver, les inciter à prendre un court repos en les gardant dans un endroit frais, à une température de 10°C.

Arrosage Arroser modérément en période de croissance et laisser sé-

Une composition de lierres dont les feuilles sont de forme et de couleur variées crée un très bel effet.

cher le mélange sur 1 cm entre les arrosages. En période de repos, arroser parcimonieusement et laisser le mélange sécher à moitié avant d'arroser de nouveau.

Engrais Donner de l'engrais liquide ordinaire tous les 15 jours, en période de croissance.

Empotage et rempotage Utiliser un mélange à base de terreau (voir page 429). Rempoter lorsque des racines apparaissent par les trous de drainage. On ne dépassera pas un pot de 14 à 16 cm. Renouveler annuellement la surface du mélange si les plantes ne sont pas rempotées (voir page 428). Grouper quatre à six jeunes sujets dans une corbeille à suspendre.

Multiplication Il suffit de mettre des boutures de 8 à 10 cm à tremper dans un verre d'eau et de les garder à la température ambiante, sous une lumière vive mais indirecte. Lorsque les racines qui se formeront atteindront environ 3 cm, grouper deux ou trois boutures dans un pot de 8 cm rempli du mélange recommandé pour les sujets adultes.

Une autre méthode consiste à planter trois ou quatre boutures terminales dans un pot de 8 cm rempli d'un mélange humide, à volume égal de tourbe et de sable grossier ou de perlite. Enfermer le pot dans un sachet de plastique transparent ou une caissette de multiplication chauffante (voir page 444). Gardées à la chaleur sous un éclairement vif mais indirect, les boutures s'enracineront en deux ou trois semaines. Les découvrir, arroser modérément et fertiliser une fois par mois avec un engrais liquide ordinaire. Lorsque des racines s'échappent par les trous de drainage, rempoter les jeunes plants dans du mélange ordinaire et les cultiver comme des sujets adultes. On peut aussi pratiquer le marcottage (voir page 439).

Remarques Attention aux araignées rouges (voir page 454). Bassiner le feuillage une ou deux fois par semaine, et le laver à l'eau courante au moins une fois par mois.

Au début du printemps, couper les tiges faibles sur les plantes qui n'ont pas eu de repos hivernal. Rabattre en tout temps les pousses trop longues.

Enracinement d'une bouture terminale

Prélever une bouture terminale juste au-dessus d'un bourgeon.

Mettre la bouture dans l'eau : elle fera rapidement des racines assez longues pour qu'on l'empote.

Heliocereus

CACTACÉES

H. speciosus

Des cinq espèces du genre *Heliocereus*, *H. speciosus* est la seule qui soit cultivée comme plante d'intérieur. Renommée pour ses fleurs magnifiques, cette cactée des forêts pluviales présente des tiges d'un vert lumineux, minces et retombantes, se ramifiant à la base. Elles peuvent atteindre 90 cm sur 5 et montrent 3 à 5 côtes étroites séparées par des sillons larges et peu profonds. Les crénelures renferment des aréoles laineuses, espacées de 3 cm, portant 5 à 8 aiguillons de 1,5 cm, dont la couleur varie du blanc au brun.

Les fleurs en forme d'entonnoir sortent des aréoles tout le long des tiges. Elles sont délicatement parfumées, mesurent environ 15 cm

Fleur de
H. speciosus albiflorus

sur 10, et sont rouge écarlate, irisées d'un reflet bleu au niveau de la gorge. Cette cactée a donné naissance à un grand nombre d'hybrides de *Epiphyllum* dont les fleurs portent les couleurs de celles de *H. speciosus*. Les fleurs de l'heliocereus se succèdent au printemps et en été, et durent plusieurs jours. *H. s. albiflorus* (synonyme de *H. s. amecamensis* ou de *H. amecamensis*) a des fleurs blanches.
Voir aussi CACTEES.

SOINS PARTICULIERS

Lumière Ces cactées apprécient une lumière vive et un peu de soleil, si ce n'est pas celui de midi.

Température L'atmosphère normale d'une pièce leur convient.

Arrosage Les heliocereus n'ont pas de périodes de croissance et de repos bien définies, mais ils se développent davantage au printemps et en été. Durant ces deux saisons, arroser généreusement pour garder le mélange très humide, mais ne jamais laisser les pots dans l'eau. Le reste de l'année, arroser plus modérément et laisser sécher le mélange sur 1 cm entre les arrosages. Cependant, ne jamais permettre la déshydratation complète.

Engrais Donner de l'engrais à tomates, riche en potassium, pendant la formation des boutons floraux. Fertiliser tous les 15 jours jusqu'à la fin de la floraison.

Empotage et rempotage Utiliser un substrat à volume égal de mélange à base de terreau (voir page 429), de sable grossier ou de perlite et de terreau de feuilles. Quand on n'a pas de terreau de feuilles, utiliser du sable ou de la perlite (1/4) et un mélange à base de terreau ou de tourbe (3/4). Rempoter à la fin de la floraison. Dépoter la plante en soutenant les tiges avec une feuille de papier journal et examiner les racines. Si celles-ci remplissent le pot, rempoter la plante; sinon, enlever le plus possible de l'ancien mélange sans endommager les racines, nettoyer le pot et y remettre la plante en ajoutant du mélange au besoin.

Les tiges rampantes de l'heliocereus font de ce cactus une plante idéale à suspendre en corbeille. Cultivé en pot, il a besoin d'être tuteuré. Attacher les tiges à de minces baguettes enfoncées dans le mélange terreux. Même avec des tiges de 90 cm de long, un heliocereus ne doit pas dépasser un pot de 16 cm de diamètre.

Multiplication L'heliocereus se reproduit de préférence par bouturage des tiges, au printemps ou en été. Détacher un rameau de 10 à 15 cm, à la base de la plante, et le laisser sécher pendant un ou deux jours. Le planter à 3 cm de profondeur dans un pot de 8 cm rempli du mélange recommandé pour les sujets adultes. Garder la bouture à la température normale d'une pièce, sous un éclairement moyen et arroser de façon à garder le mélange tout juste humide. Procéder de cette manière jusqu'à ce que de nouvelles pousses indiquent que l'enracinement est fait. Traiter alors la plante comme un heliocereus adulte.

On peut aussi prélever une tige de 30 à 60 cm de long, la couper obliquement en trois segments ou davantage qu'on plantera dans le sens où ils étaient. A noter que la plante ne sera pas normale si le segment est planté dans le sens opposé à celui où il poussait auparavant. Cultiver par la suite comme les petites boutures.

Hemigraphis
ACANTHACÉES

H. alternata

Une seule espèce du genre *Hemigraphis, H. alternata* (qui se nommait autrefois *H. colorata*), et un hybride, *H. 'Exotica'*, sont très répandus comme plantes d'intérieur. Ils se ressemblent beaucoup par leurs tiges charnues, rouge violacé, de 30 cm de long, et leur port rampant ou retombant, qui permet de les suspendre. D'ovales à cordiformes, les feuilles de 7,5 cm sur 5 sont opposées et portées sur des pétioles rouge violacé de 1,5 à 2,5 cm. Elles sont dentées et leur couleur, d'un gris-pourpre métallique sur le dessus, passe au rouge violacé au revers. De modestes fleurs blanches éphémères, de 1,5 à 2 cm de long, apparaissent en épis terminaux à la fin de l'été. Les tiges s'enracinent dès qu'un nœud touche au mélange terreux.

HEMIGRAPHIS RECOMMANDÉS
H. alternata a des feuilles nettement plus cordiformes que celles de *H. 'Exotica'*. Leurs nervures très profondes sont particulièrement remarquables.

H. 'Exotica' se distingue de l'espèce pure par le pourpre soutenu de ses feuilles dont la surface est plus ridée que celle des feuilles de *H. alternata*.

SOINS PARTICULIERS
Lumière Exposer les hemigraphis à une lumière vive, mais non au soleil. Ne pas les éloigner de plus de 1,20 m d'une fenêtre, sinon ils pousseront tout en hauteur.

Température Maintenir la température entre 18 et 24°C toute l'année, et l'humidité élevée. Poser les pots sur des gravillons gardés humides et suspendre des assiettes d'eau sous les corbeilles. Bassiner le feuillage chaque jour, quand il fait plus de 21°C.

Arrosage En période de croissance, arroser généreusement, mais ne pas laisser les pots tremper dans l'eau de la soucoupe. Durant les deux mois de repos hivernal, arroser très peu.

Engrais Enrichir d'engrais liquide ordinaire tous les 15 jours, en période de croissance.

Empotage et rempotage Utiliser un mélange à volume égal de tourbe et de terreau de feuilles de texture grossière. Rempoter les sujets en pots toutes les six à huit semaines en période de croissance. Ne pas dépasser un pot de 16 cm; remplacer plutôt la plante. Rempoter tous les ans les sujets suspendus.

Multiplication Les boutures terminales peuvent être prélevées à n'importe quel moment de l'année et doivent avoir de 5 à 7,5 cm. Les garder dans des bocaux d'eau opaques sous une lumière vive mais tamisée. L'enracinement se fait en deux ou trois semaines. Lorsque les racines ont 2,5 cm, planter 3 ou 4 boutures dans un pot de 8 cm rempli du mélange recommandé, ou en repiquer 5 ou 6 dans une corbeille suspendue, et les cultiver comme des sujets adultes. On peut également couper des boutures sous un nœud; enlever les feuilles du bas et plonger la plaie dans une poudre d'hormones. Planter 3 ou 4 boutures dans un pot de 8 cm rempli de mélange humide et le garder pendant trois semaines dans un sachet de plastique transparent sous une lumière vive tamisée. Découvrir alors les jeunes plants et les cultiver comme des sujets adultes.

Heptapleurum
ARALIACÉES

Proches parents des brassaias, appelés autrefois scheffleras, les heptapleurums, qu'on vend souvent sous ces noms, ne fleurissent pas à l'intérieur. Une seule espèce, *H. arboricola*, a été identifiée, mais il en existe deux variétés. Leur tige unique peut atteindre 1,80 m de haut, mais on les incite à se ramifier en pinçant leurs bourgeons terminaux. Même alors, ces plantes restent peu compactes, car les feuilles poussent sur des pétioles à demi érigés, de 23 à 30 cm. La feuille se compose de 7 folioles ou plus, portées sur des pétioles de 2,5 cm qui irradient autour du pétiole principal.

Leur croissance est ininterrompue, mais elle ralentit en hiver.

HEPTAPLEURUMS RECOMMANDÉS
H. a. 'Geisha Girl' présente des feuilles d'un vert brillant et foncé, disposées à des intervalles de 5 à 7,5 cm sur de fines tiges vertes. Ovales à bouts arrondis, les folioles ont de 5 à 13 cm sur 2,5.

H. a. 'Hayata' a des feuilles vert-gris. Les folioles sont acuminées.

SOINS PARTICULIERS
Lumière Les heptapleurums requièrent deux ou trois heures de soleil par jour. Les pétioles s'allongent indûment lorsque l'éclairement est insuffisant.

Température Maintenir la température au-dessus de 16°C. Augmenter la teneur en humidité en posant les pots sur des gravillons gardés humides.

Arrosage Il doit être modéré. Laisser sécher le mélange sur 1 cm entre les arrosages.

Engrais Enrichir d'engrais liquide ordinaire tous les 15 jours, du début du printemps à la fin de l'automne.

Empotage et rempotage Utiliser un mélange à base de terreau (voir page 429). Rempoter l'heptapleurum tous les printemps jusqu'à ce qu'il ait atteint sa taille optimale. Ensuite, renouveler simplement le mélange en surface (voir page 428) chaque année.

Multiplication Au printemps, prélever sous un nœud foliaire des boutures de tiges, terminales ou

Heptapleurum arboricola
'Hayata'

Hibiscus

MALVACÉES

Variété de H. rosa-sinensis

Deux des nombreuses espèces du genre *Hibiscus* (ketmie, mauve en arbre, rose de Chine) sont cultivées à l'intérieur. Ces arbustes très ramifiés peuvent atteindre 1,80 m ou plus s'ils ne sont pas sévèrement rabattus. Les feuilles vert foncé, de 5 à 7,5 cm sur 2,5 à 4, sont ovales, pointues et dentées. A la fin du printemps, durant l'été et parfois à d'autres moments au cours de l'année, des fleurs axillaires en forme d'entonnoir, de courte durée, naissent solitaires au sommet des tiges et des rameaux.

ESPÈCES RECOMMANDÉES

H. rosa-sinensis arbore des fleurs simples de 13 cm de diamètre, à

Variété de
H. rosa-sinensis

H. schizopetalus

non, de 7,5 à 10 cm. Enlever les feuilles du bas et plonger la plaie dans une poudre d'hormones. Planter les boutures dans des pots de 8 cm remplis d'un mélange humide à volume égal de tourbe et de sable grossier ou de perlite. Les enfermer dans un sachet de plastique transparent ou une caissette de multiplication chauffante (voir page 444); maintenir la température entre 18 et 24°C; au-dessous, les boutures risquent de pourrir. Si la lumière est vive et tamisée, et la chaleur soutenue, l'enracinement se fera en trois ou quatre semaines. Quand la croissance reprend, découvrir peu à peu les plants pendant une quinzaine de jours et arroser pour que le mélange soit tout juste humide.

Une fois les jeunes plants découverts, les exposer à une lumière vive, arroser modérément et fertiliser tous les mois avec un engrais liquide ordinaire jusqu'à ce qu'un fin réseau de racines se voie à la surface du mélange. Ce réseau sera déjà visible lorsque deux ou trois feuilles auront fait leur apparition. Rempoter alors les plants dans des pots remplis d'un mélange à base de terreau. Cultiver normalement.

Remarque Si les bourgeons terminaux ne sont pas régulièrement pincés, tuteurer la tige principale à mesure qu'elle grandit.

Herbe à panda, voir *Kalanchoe tomentosa.*
Herbe à panier, voir *Oplismenus.*
Herbe aux turquoises, voir *Ophiopogon.*

5 pétales cramoisis. Il en existe plusieurs variétés à 5 pétales ou plus, dont les fleurs sont blanches, jaunes, roses, orange ou rouges. Les étamines des variétés à 5 pétales sont réunies en une colonne tubulaire atteignant 5 cm, tandis que celles des variétés à plusieurs pétales forment un bouquet plutôt lâche. *H. r.-s.* 'Cooperi' offre des fleurs écarlates à 5 pétales et des feuilles vert olive panachées de rose et de blanc.

H. schizopetalus présente des tiges grêles qu'il faut tuteurer. Les fleurs retombantes vermillon, de 5 cm, ont des pétales incurvés aux bords frangés.

SOINS PARTICULIERS

Lumière Donner aux hibiscus une lumière vive et un peu de soleil tous les jours.

Température L'atmosphère tempérée d'une pièce convient en période de croissance. Ménager un repos hivernal de deux à trois mois à une température de 13°C.

Arrosage Il doit être modéré en période de croissance. Laisser sécher le mélange sur 1 cm entre les arrosages. En période de repos, arroser parcimonieusement.

Engrais Faire un apport d'engrais liquide riche en potassium tous les 15 jours, en période de croissance.

Empotage et rempotage Utiliser un mélange à base de terreau (voir page 429). Rempoter au printemps et, quand la plante a atteint sa taille optimale, renouveler le mélange en surface (voir page 428).

Multiplication Au printemps ou en été, prélever des boutures terminales ou à talon de 8 à 10 cm. Les planter chacune dans un pot de 8 cm rempli d'un mélange humide à volume égal de tourbe et de sable grossier ou de perlite. Exposer les pots dans un sachet de plastique transparent ou une caissette de multiplication (voir page 443) à une lumière vive tamisée. Une fois l'enracinement réussi, découvrir, fertiliser et arroser modérément les plants. Trois mois après le début de l'opération, les transplanter dans des pots de 10 cm remplis de mélange à base de terreau et les cultiver comme des hibiscus adultes.

Remarque Au début du printemps, couper les pousses inutiles et rabattre tiges et rameaux à 15 cm.

Hippeastrum
AMARYLLIDACÉES

H. 'Apple Blossom'

Les hippeastrums sont des plantes bulbeuses improprement appelées amaryllis; bien qu'elles appartiennent à la même famille, elles s'en distinguent pourtant. Les hippeastrums connaissent une période hivernale de dormance durant laquelle ils perdent leurs feuilles; aussi vend-on généralement les bulbes dormants. Peu d'espèces types sont actuellement en vente, les horticulteurs ayant mis au point une vaste gamme d'hybrides. Les variétés hybrides qui proviennent de rejets ont un nom déposé. Celles qui sont obtenues par semis sont tout simplement désignées par leur couleur. Toutes arborent des fleurs splendides, portées à l'extrémité d'une hampe nue, épaisse et creuse, n'excédant pas 45 cm de haut, jaillissant d'un côté du bulbe. Généralement, les fleurs apparaissent à la fin de l'hiver. Peu après (ou plus rarement avant l'apparition de la hampe) sortent à leur tour les feuilles rubanées vert moyen qui se recourbent alternativement d'un côté et de l'autre du bulbe; elles aussi peuvent atteindre 45 cm.

Les fleurs, en forme de trompette et à étamines saillantes, épousent tous les tons du blanc, du rouge, de l'orangé et parfois du jaune. Certaines sont presque d'une seule couleur, d'autres présentent un pourtour, des raies, des taches ou un cœur de teinte contrastante. Chaque hampe en porte 2, 3 ou 4 qui peuvent mesurer chacune, chez les variétés de qualité supérieure, de 15 à 18 cm de diamètre. Elles restent belles deux à trois semaines, mais souvent les gros bulbes de 10 cm et plus produisent aussitôt une deuxième hampe florale. Certains bulbes traités fleurissent à temps pour Noël et le Nouvel An. En règle générale, ils demandent les mêmes soins que les autres.

Les bulbes d'hippeastrums qu'on achète comportent une fleur embryonnaire déjà parfaitement formée. Il suffit, la première année, de leur donner les soins de base jusqu'à ce qu'ils fleurissent. Mais si l'on veut qu'ils refleurissent les

Fleurs d'hippeastrums hybrides

années suivantes, il faudra leur prodiguer des soins spéciaux.
Voir aussi BULBES, CORMUS et TUBERCULES.

SOINS PARTICULIERS
Lumière Les hippeastrums requièrent une lumière vive et un peu d'ensoleillement durant leur période de croissance. Un manque de lumière produit des feuilles démesurées et empêche une nouvelle floraison que favorise, par contre, une exposition continue à la vive lumière du soleil, de la fin de la floraison à la mi-automne. L'éclairement est sans importance en période de dormance.
Température L'atmosphère d'une pièce chaude stimule la croissance des hippeastrums et hâte leur floraison, mais un excès de chaleur diminue de beaucoup la longévité des fleurs. Ne pas dépasser 18°C au moment de la floraison.

Arrosage Humidifier à peine le mélange des bulbes nouvellement empotés. Quand ils ont fait des racines (ce qu'indiquent de nouvelles pousses saines), arroser un peu plus, mais laisser le mélange sécher à moitié entre les arrosages. Lorsque la plante est en pleine croissance, maintenir le mélange humide. Cesser les arrosages à la mi-automne pour que le bulbe soit forcé d'entrer en dormance. Le feuillage jaunit alors et se fane. Garder le mélange tout à fait sec durant la période de dormance, qui se termine au moment où une nouvelle pousse apparaît (généralement, la pointe du bouton floral). Certains horticulteurs continuent d'arroser pendant assez longtemps les plantes dont la période de croissance est terminée; toutefois, si ces arrosages se prolongent trop, le feuillage, tout en demeurant vert, perd de sa beauté.
Engrais Enrichir d'engrais liquide ordinaire tous les 15 jours, depuis la fin de la floraison jusqu'à la mi-été. Utiliser alors un engrais à tomates, riche en potassium, qui aidera le bulbe à acquérir sa maturité et à produire une nouvelle hampe florale l'année d'après. Ne plus fertiliser à partir de la mi-automne.
Empotage et rempotage Utiliser un mélange riche à base de terreau (voir page 429) et tapisser le fond des pots d'une épaisse couche de tessons de grès. Enfouir à demi chaque bulbe dans un pot de 13 à 18 cm. Certains horticulteurs recommandent de faire tremper la base des bulbes dans l'eau pendant 24 heures. Bien tasser le mélange autour du bulbe et sur les racines, s'il y en a.

Pendant les trois ou quatre années qui suivent le premier empotage, dépoter le bulbe en veillant à ne pas toucher la motte de racines; enlever le mélange qui se dégage facilement et remettre le bulbe dans son pot en rajoutant du mélange frais au besoin. Faire cette opération quand de nouvelles pousses commencent à apparaître au tout début de la période de croissance. Rempoter tous les trois ou quatre ans, en changeant complètement le mélange terreux.
Multiplication Des caïeux se forment à la base du bulbe; les détacher lorsqu'ils ont 2,5 à 4 cm de

Cycle annuel de l'hippeastrum

Les racines des bulbes se dessèchent parfois. On les fera tremper dans l'eau avant l'empotage. C'est d'abord le bouton floral qui apparaît, suivi des feuilles qui persistent jusqu'à la dormance.

diamètre en leur laissant le plus de racines possible. Pratiquer cette opération au moment du rempotage. Planter chaque caïeu dans un pot de 8 cm et le traiter comme un bulbe adulte, mais le rempoter tous les ans jusqu'à ce qu'il soit de taille à fleurir, c'est-à-dire qu'il ait 8 ou 9 cm de diamètre.

On peut aussi obtenir des hippeastrums par semis, mais il faut attendre trois à cinq ans pour les voir fleurir, période pendant laquelle ils ne prennent pas de repos. La multiplication par rejets est plus facile, mais les semis peuvent réserver de belles surprises en fait de coloris et de panachures.
Remarques Débarrasser les bulbes du feuillage mort avant la période de dormance. Les laisser dans leur pot et les placer dans un endroit sec à 10°C. Les bulbes traités pour fleurir tôt demandent encore plus de soins. L'hippeastrum qui produit beaucoup de feuilles au début de la période de croissance ne fleurira probablement pas, le premier organe à apparaître étant d'habitude le bouton floral.

Hortensia commun, voir *Hydrangea macrophylla.*

Howea
PALMIERS

Palmier frisé
H. belmoreana

Classées autrefois dans le genre *Kentia* (nom qui est encore utilisé parfois), les deux seules espèces du genre *Howea* sont devenues des plantes d'intérieur très recherchées. Ce sont des palmiers à tronc unique, et à frondes retombantes vert foncé divisées presque jusqu'au rachis en plusieurs folioles de 2,5 à 4 cm de large et de 45 à 60 cm de long. Ils supportent tous deux sans problème les contraintes de la culture en appartement, mais ne produisent ni fleurs ni fruits dans ces conditions.
Voir aussi PALMIERS.

ESPÈCES RECOMMANDÉES
H. belmoreana (palmier frisé) peut atteindre 2,50 m de haut et 1,80 m d'étalement. Avec l'âge, la tige se transforme en un stipe épais à la base. Au sommet se forment de courts pétioles de seulement 25 à 45 cm de long, presque érigés. Ils se

prolongent pour devenir les rachis des frondes. Les folioles rapprochées et presque verticales, formant un creuset, donnent aux frondes un port érigé tout en étant gracieusement arqué. Les dimensions des frondes varient avec l'âge, mais excèdent rarement 45 cm de long et de large.

H. forsterana peut atteindre 2,50 m de haut et 3 m d'étalement. Les pétioles mesurent jusqu'à 90 cm de long. Ils portent des frondes dont les folioles retombantes, espacées de 2,5 cm sur le rachis qui prolonge le pétiole, sont placées horizontalement, plutôt que verticalement comme le sont celles de *H. belmoreana*. C'est d'ailleurs la principale différence entre les deux espèces et elle modifie l'apparence entière du palmier. Plus étalé, *H. forsterana* occupe par conséquent plus d'espace que l'autre espèce. Son stipe est également mince à la base

et ses folioles présentent parfois des tavelures ou des marques écailleuses au revers.

SOINS PARTICULIERS
Lumière Un éclairement vif ou moyen convient aux howeas. On peut donc les placer indifféremment près d'une fenêtre ensoleillée ou d'une autre qui n'est pas exposée au soleil. Cependant, si l'intensité lumineuse n'est pas suffisante — par exemple, si les sujets se trouvent loin d'une fenêtre —, ils dépérissent lentement. Dans ce cas, les exposer quelques heures tous les deux jours à la lumière du soleil tamisée. Cette cure de lumière leur permettra de rester en bonne santé. Le soleil tamisé est d'ailleurs idéal toute l'année.

Température L'atmosphère tempérée d'une pièce leur convient et ils supportent l'air relativement sec. Ne pas les exposer à des températures inférieures à 13°C.

Arrosage En période de croissance, arroser généreusement : le mélange doit être très humide, mais ne jamais laisser d'eau dans la soucoupe. En période de repos, arroser parcimonieusement, de sorte que le mélange ne se dessèche jamais complètement.

Engrais Enrichir d'engrais liquide ordinaire tous les 15 jours, en période de croissance.

Empotage et rempotage Utiliser un mélange à base de terreau (voir page 429). Bien le presser contre les racines. Rempoter les plantes à la fin du printemps tous les deux ans, jusqu'à ce qu'elles logent dans des pots de 25 à 30 cm. Par la suite, renouveler annuellement le mélange en surface (voir page 428).

Multiplication Elle se fait par semis seulement et la germination exige une température de 27°C. Il faut donc se servir d'une caissette de multiplication chauffante (voir *PALMIERS*, page 293). La croissance ne se fait que très lentement : on doit parfois attendre six ans pour obtenir une plante qui présente les traits distinctifs du genre.

Remarques Pour nettoyer les frondes, exposer les howeas à une pluie chaude et douce ou les doucher délicatement à l'eau tiède. Ne pas employer de produits commerciaux; ils peuvent endommager le feuillage.

Hoya
ASCLÉPIADACÉES

Hoya cireux
H. carnosa

Les hoyas (fleurs de porcelaine) sont des plantes grimpantes ou rampantes qui se caractérisent par des feuilles charnues et des ombelles de fleurs cireuses en forme d'étoile, quelquefois parfumées. Les espèces grimpantes, qui peuvent atteindre quelques mètres, doivent généralement être tuteurées. Les espèces rampantes sont d'un bel effet groupées dans des corbeilles suspendues. L'été apparaissent les ombelles de fleurs qui durent toute la saison. Chaque ombelle composée d'une trentaine de fleurs étoilées se dresse sur un pédoncule axillaire ligneux de 2,5 cm. Les fleurs de 1,3 cm sont portées sur des pédicelles de 4 à 5 cm.

ESPÈCES RECOMMANDÉES

H. australis est une plante grimpante à croissance rapide dont les feuilles cireuses ovales ont de 5 à 7,5 cm sur 4. Vert foncé, elles sont parfois mouchetées d'argent. Les fleurs, réunies en ombelles, sont blanches à centre rouge. Chaque ombelle en contient une quinzaine.

H. bella est une plante rameuse, rampante quand elle atteint 30 cm. Ses feuilles cordiformes mates ont environ 2,5 cm sur 1,5; vert-gris, elles sont lignées de brun au centre. Les fleurs réunies en ombelles de 8 à 10 sont blanches à centre pourpre.

1 *H. bella* 2 *H. carnosa* 'Variegata' 3 *H. australis*

H. carnosa (hoya cireux) est une vigoureuse plante grimpante dont les feuilles elliptiques vernissées, vert foncé, mesurent 7,5 cm sur 2,5. Les fleurs réunies en ombelles de 10 à 30 vont du blanc au rose très pâle; le centre est rouge. Il existe deux variétés panachées : *H. c.* 'Exotica' dont les feuilles ont un centre doré; et *H. c.* 'Variegata', à feuilles marginées de crème et parfois teintées de rose.

SOINS PARTICULIERS

Lumière Pour bien fleurir, les hoyas ont besoin de trois à quatre heures de soleil par jour.

Température L'atmosphère tempérée d'une pièce leur convient.

Arrosage Il doit être modéré. Laisser sécher le mélange sur 1 cm entre les arrosages. En période de repos, arroser très peu.

Engrais Pendant la période de croissance, enrichir tous les 15 jours d'engrais liquide à forte teneur en potassium.

Empotage et rempotage Utiliser un mélange à base de terreau (voir page 429). Rempoter les hoyas grimpants tous les printemps, et les hoyas rampants tous les deux ans. Quand le pot est jugé suffisamment grand, renouveler simplement le mélange en surface (voir page 428).

Multiplication Au printemps, prélever des boutures de tiges de 8 à 10 cm sous une paire de feuilles. Plonger la coupure dans une poudre d'hormones et planter deux ou trois segments dans un pot de 5 à 8 cm rempli d'un mélange humide à volume égal de tourbe et de sable ou de perlite. Placer les pots dans un sachet de plastique transparent ou une caissette de multiplication et les exposer à une lumière moyenne. L'enracinement se fait en six à huit semaines. Découvrir alors les plants et arroser très peu. Lorsque la croissance a bien repris, fertiliser régulièrement. Trois mois environ après le bouturage, repiquer les plants dans un mélange à base de terreau et les cultiver comme des hoyas adultes.

Remarque Supprimer les fleurs mortes avec leur pédicelle, mais laisser le pédoncule ligneux en place. Il refleurit d'année en année.

Hoya cireux, voir *Hoya carnosa*.

Hyacinthus
LILIACÉES

Jacinthe de Hollande
Hyacinthus hybride

d'eau jusqu'au goulot. L'eau ne *doit pas* effleurer le bulbe; seules les racines doivent tremper.

Le bulbe repose dans le goulot de ce vase. Il demeure donc au sec, tandis que ses racines baignent dans l'eau.

Les jacinthes hybrides sont des plantes bulbeuses à fleurs printanières très parfumées qui mettent quelques semaines à éclore et durent ensuite deux ou trois semaines. On en connaît trois types principaux. Au premier rang se place la jacinthe de Hollande qui produit un seul épi floral de 10 à 15 cm de haut sur une hampe de 5 à 7,5 cm. L'épi est composé d'une multitude de fleurs campanulées, de 2,5 à 5 cm, à pétales arqués blancs, rouges, roses, jaunes ou bleus. En second lieu vient la jacinthe romaine qui produit 2 ou 3 hampes plus frêles de 15 cm de haut portant des fleurs blanches, roses ou bleues, plus espacées et moins nombreuses. Sa floraison est plus hâtive que celle de la jacinthe de Hollande. Enfin, il y a la jacinthe multiflora, ou cynthella, qui émet plusieurs hampes de 15 cm par bulbe, et dont les fleurs arborent les couleurs primaires. Dans les trois cas, les feuilles naissent à la souche et entourent les hampes florales.

Les bulbes de jacinthes de Hollande sont vendus selon leur taille. Ceux de 19 cm de diamètre sont dits bulbes « d'exposition »; ils produi-

sent les épis floraux les plus hauts et les plus larges. Les bulbes de 17 et de 18 cm sont considérés de taille moyenne et les petits ont 16 et 17 cm. Il vaut mieux grouper plusieurs petits bulbes que quelques gros, car les lourds épis des gros sont difficiles à tuteurer. Les jacinthes romaines et multiflora n'ont pas besoin de support. Les bulbes sont entourés de très fines tuniques qui sont, selon la variété, argentées ou bleu-pourpre. Certains, traités, fleurissent plus tôt.

Vendus au début de l'automne, les bulbes doivent être plantés avant l'hiver. En étalant la plantation sur plusieurs semaines, il est possible d'obtenir des fleurs durant deux ou trois mois. Planter plusieurs bulbes dans un même pot rempli de mélange à base de terreau ou de tourbe (voir page 429), ou de mélange pour bulbes (mélange de tourbe, de charbon de bois broyé et souvent d'écailles d'huîtres écrasées). Les bulbes ne doivent pas se toucher. Il vaut mieux ne pas grouper des jacinthes de coloris différents, parce qu'elles fleurissent rarement au même moment. On peut aussi placer un seul bulbe dans une carafe à jacinthe remplie

Quand ils sont plantés dans un mélange terreux, les bulbes doivent être à demi enterrés. On peut utiliser des pots, des bols ou des plateaux, avec ou sans trous d'évacuation, mais un contenant sans trous rempli de mélange fibreux est de beaucoup préférable. Au moment de la plantation, le mélange doit être humide et non imbibé d'eau. Après avoir mis les bulbes en terre, arroser légèrement pour tasser un peu le mélange. Les garder ensuite au frais (à moins de 10°C) et à l'obscurité (on peut enfermer les pots dans un sachet de plastique opaque durant 8 à 10 semaines, ou pendant 6 semaines pour les bulbes traités), le système racinaire n'en sera que plus robuste.

Les horticulteurs plantent les jacinthes à l'automne et les enfouissent dans de la tourbe jusqu'à ce qu'elles aient développé des racines. Au moment voulu, découvrir progressivement les plants pour qu'ils s'acclimatent à la lumière. Humidifier le mélange et le laisser sécher sur 1 cm entre les arrosages. Garder les plants au frais jusqu'à l'apparition des boutons floraux. Leur donner alors une lumière vive et un peu de soleil. Il sera peut-être nécessaire de tuteurer les lourdes hampes florales. Après la floraison, planter les bulbes à l'extérieur, car ils ne fleuriront plus dans la maison.

Voir aussi BULBES, CORMUS et TUBERCULES.

Hydrangea
SAXIFRAGACÉES

Hortensia
H. macrophylla 'Hortensia'

De toutes les espèces du genre *Hydrangea*, seule *H. macrophylla* (hortensia commun, hydrangée, quatre-saisons), est cultivée à l'intérieur. Cependant, elle est difficile à conserver d'une année à l'autre, car, pour refleurir, elle réclame fraîcheur et aération constantes. Aussi achète-t-on plutôt les hydrangeas en boutons, au début du printemps, pour les jeter ou les planter à l'extérieur une fois la floraison passée. Il existe plusieurs variétés de *H. macrophylla*. Celles qu'on cultive normalement en pots appartiennent à *H. m.* 'Hortensia'. Ce sont des arbrisseaux de croissance lente dont la hauteur et l'étalement dépassent rarement 30 à 60 cm. Chacun présente une tige courte et ligneuse et 4 à 8 rameaux portant des feuilles opposées, ovales, pointues et brillantes de 7,5 à 15 cm sur 5 à 10, avec des pétioles de 2,5 cm. La tige principale et les rameaux peuvent se couronner chacun d'une inflorescence arrondie de 13 à 20 cm de diamètre, composée de plusieurs fleurs à 4 pétales de 2,5 à 4 cm de large. On trouve des sujets à tige non ramifiée couronnée d'un seul corymbe.

Les boutons floraux verdâtres de *H. m.* 'Hortensia' éclosent en fleurs blanches, roses, rouges, pourpres ou bleues. Les coloris dépendent du degré d'alcalinité ou d'acidité du mélange dans lequel croissent les plantes (voir page 430). Quand elles sont dans un mélange acide ou neutre, les variétés à fleurs roses ou rouges donnent des fleurs bleues ou pourpres. Dans un mélange alcalin, les variétés à fleurs bleues produisent des inflorescences roses ou pourpres.

SOINS PARTICULIERS
Lumière Exposer les hydrangeas à une lumière vive, et non au soleil.
Température Gardées à une température inférieure à 16°C, les fleurs peuvent durer huit semaines, mais seulement trois ou quatre à la température normale d'une pièce.
Arrosage Maintenir le mélange très humide en arrosant généreusement. Ne jamais le laisser sécher : la plante s'affaisserait. Pour la ranimer, plonger le pot dans une cuvette. Le traitement peut réussir, mais la floraison s'en trouvera écourtée.
Engrais Enrichir d'engrais liquide ordinaire tous les 15 jours tant que la plante est à l'intérieur.
Empotage et rempotage Le rempotage n'est pas nécessaire. La plupart des sujets plantés dans un coin abrité du jardin sont vivaces.
Multiplication Elle est difficile à pratiquer dans un appartement. Les boutures de rameaux s'enracinent, mais les plantes qui en résultent fleurissent peu à l'intérieur.

Hypoestes
ACANTHACÉES

Seule espèce du genre *Hypoestes* à être cultivée à l'intérieur, *H. phyllostachya* (mieux connue sous le nom de *H. sanguinolenta*) est surtout appréciée pour la beauté de son feuillage. Communément appelée plante aux éphélides, elle arbore en effet des feuilles vert olive foncé sur lesquelles sont disséminées des taches rose pâle, mais très apparentes. Opposées, ovales et pointues, elles mesurent 6,5 cm sur 4 et sont portées sur des pétioles de 4 cm. La plante devient vite buissonnante, car des rameaux latéraux naissent à l'aisselle de toutes les feuilles. Elle ressemble alors à un arbuste. Elle peut atteindre des dimensions importantes, mais paraît hirsute lorsqu'elle dépasse 40 cm de hauteur et d'étalement. Au début du printemps apparaissent de petites fleurs lilas qui ne présentent aucun intérêt et qu'on supprime généralement.

Une des variétés, *H. p.* 'Splash', présente des taches roses plus brillantes et plus grandes que celles qui marquent les feuilles de l'espèce type. Ces macules atteignent même parfois jusqu'à 1,5 cm.

SOINS PARTICULIERS
Lumière Exposer les plantes aux rayons du soleil tamisés par un store ou des rideaux translucides. Un mauvais éclairement diminue les taches roses des feuilles et les affadit.
Température L'atmosphère tempérée d'une pièce leur convient; elles ne survivent pas à des températures de moins de 14°C.
Arrosage En période de croissance, arroser modérément pour bien humidifier le mélange, et laisser sécher sur 1 cm entre les arrosages. Durant la brève période de repos hivernal, garder le mélange à peine humide et le laisser sécher à moitié avant d'arroser de nouveau.
Engrais Enrichir d'engrais liquide ordinaire tous les 15 jours, en période de croissance.
Empotage et rempotage Utiliser un mélange à base de terreau (voir page 429). Rempoter les jeunes plants quand leurs racines remplissent le pot (voir page 426). Les sujets adultes logeront dans un pot de 12 cm.

Plante aux éphélides
H. phyllostachya

Impatiens

BALSAMINACÉES

Les plantes du genre *Impatiens* (populairement appelées balsamines, impatiences, impatientes ou patiences) présentent des tiges charnues, rameuses et fleurissent presque toute l'année. Leur nom tiendrait à l'impatience qu'elles manifestent à faire éclater leurs graines dès que celles-ci sont mûres; et l'appellation populaire patience, à la persistance de leur floraison. On trouve parfois quelques espèces authentiques, mais la plupart des sujets cultivés aujourd'hui sont des hybrides remarquables par leur port buissonnant et leurs fleurs à longs éperons.

Si on leur donne les soins voulus, ces impatiens hybrides se couvriront toute l'année de fleurs colorées.

Multiplication Elle se fait par semis au début du printemps dans un mélange à enracinement (voir page 445), ou par boutures terminales, toute l'année. Prélever des boutures de 7,5 à 10 cm; leur faire prendre racine dans l'eau ou les planter dans des pots de 8 cm remplis d'un mélange humide, à volume égal de tourbe et de sable. Enfermer les pots dans un sachet de plastique transparent et les garder à une température de 18 à 21°C, sous une lumière vive tamisée. Ne plus arroser. L'enracinement se fait en six à huit semaines. Sortir alors du sachet et arroser très peu : le mélange doit être tout juste humide. (Les boutures placées dans l'eau seront mises dans un mélange à enracinement quand leurs racines auront 5 cm de long.)

Quand les jeunes plants se sont bien développés et que leurs racines remplissent le pot (voir page 426), les rempoter dans un mélange à base de terreau et les cultiver comme des sujets adultes.

Impatience, voir *Impatiens.*

Multiplication de l'hypoestes

Prélever une pousse terminale et supprimer les feuilles du bas avant de la mettre dans l'eau où elle fera des racines.

IMPATIENS RECOMMANDÉES

I. petersiana est une espèce de 60 à 90 cm de haut, bien ramifiée. Elle arbore plusieurs nuances de rouge avec ses feuilles elliptiques d'un bronze brillant, ses fleurs à pétales plats carmin, portées au sommet de tiges bronze pâle, légèrement translucides et souvent tachetées de rouge. Elle ne fleurit pas dans un pot trop grand, les racines se développant aux dépens des fleurs.
I. repens est une espèce rampante à tiges rouges et à feuilles cireuses réniformes ou cordiformes de 1 cm. Solitaires et axillaires, les fleurs jaune vif en forme de coiffe atteignent 4 cm.
I. wallerana (autrefois *I. holstii* ou *I. sultanii*) est une longue plante décharnée qui a toutefois donné

Impatiens petersiana

naissance à plusieurs hybrides possédant toutes ses qualités, mais aucun de ses défauts. Une seule de ses variétés, *I. w.* 'Variegata', est cultivée à l'intérieur; elle présente des fleurs carmin de 2,5 à 5 cm de diamètre et de 5 à 7,5 cm de long, et des feuilles acuminées vert clair marginées de blanc.

Parmi les nombreux hybrides issus de *I. wallerana*, on en trouve à fleurs blanches, roses, rouges, orangées et même bicolores (par exemple, rouges ou roses rayées de blanc); certaines comportent plus d'une rangée de pétales. Les feuilles, elliptiques ou cordiformes, présentent tous les tons de vert avec ou sans reflets bronze, et le revers porte des taches rouges ou brunes. Certains hybrides ont des noms, mais la plupart ne sont désignés que par leur couleur. Les jeunes sujets de 2,5 à 5 cm fleurissent déjà et presque sans interruption. Aucune des nouvelles formes buissonnantes ne dépasse 30 à 40 cm de haut.

De superbes hybrides à fleurs plus grandes que celles de *I. wallerana* viennent d'apparaître. Ils ont été obtenus à partir de plantes récoltées en Nouvelle-Guinée. Leur feuillage est parfois fortement panaché et les fleurs les plus grandes peuvent dépasser 7,5 cm. En voici quelques-uns.

'Aflame', hybride buissonnant, a des feuilles de 7,5 cm sur 5, marbrées de vert et de jaune et tachetées de rouge, et des fleurs rose pâle de 5 cm.

'Arabesque' est une plante vigoureuse dont les feuilles vertes, à centre doré et à nervures rouges, mesurent 15 cm sur 7,5. Les fleurs rose vif ont 7,5 cm.

'Cheers' produit parfois des fleurs corail à éperons plus pâles, mais on le cultive surtout pour ses feuilles froissées jaunes finement rayées de vert, mesurant 7,5 cm.

'Red Magic', qui atteint 60 cm de haut, a des feuilles rouge bronze de 7,5 cm sur 5 et des fleurs écarlates de 5 cm, à éperons saillants.

Aucune de ces plantes n'a vraiment été mise à l'essai en appartement. Il faudra étudier leur comportement à long terme avant de pouvoir les recommander, mais à ce jour elles semblent aussi faciles à cultiver que les autres hybrides.

SOINS PARTICULIERS

Lumière Les impatiens, et surtout *I. repens,* requièrent pour fleurir une lumière vive, sans soleil.

Température L'atmosphère tempérée d'une pièce leur est indispensable. Ces plantes ne tolèrent pas des températures inférieures à 13°C, et exigent beaucoup d'humidité si le thermomètre monte au-dessus de 24°C. Poser les pots sur des gravillons gardés humides et bassiner le feuillage quotidiennement, surtout pour *I. petersiana, I. repens* et les hybrides de Nouvelle-Guinée.

Arrosage Il doit être modéré; laisser le mélange sécher sur 1 cm entre les arrosages. Ne pas laisser les pots baigner dans l'eau. Quand l'éclairement diminue, la plante entre en repos. Arroser alors très peu et laisser le tiers du mélange sécher entre les arrosages.

Engrais Enrichir d'engrais liquide ordinaire tous les 15 jours, en période de croissance.

Empotage et rempotage Utiliser un mélange à base de terreau (voir page 429). Rempoter les plantes vivaces lorsque leurs racines remplissent le pot (voir page 426). Celui-ci mesurera au plus 12 cm.

Multiplication En appartement, les hybrides récents sont généralement traités comme des annuelles et jetés à la fin de l'automne quand ils cessent de fleurir. On peut cependant, durant l'été, mettre des boutures terminales de 5 à 8 cm dans l'eau; les planter dans un mélange à base de terreau lorsqu'elles ont développé des racines de 1 cm. On peut aussi planter les boutures directement dans un mélange à volume égal de tourbe et de sable ou de perlite avant de les repiquer dans un mélange à base de terreau. Les cultiver dès lors comme des plantes adultes.

La multiplication se fait aussi par semis dans un plateau rempli de mélange à enracinement (voir page 445), tôt au printemps. Les graines se vendent par coloris ou mélangées, sous une appellation descriptive. Garder le plateau dans un sachet de plastique transparent, à une température de 18 à 21°C, sous une lumière vive tamisée. Lorsque les plantules ont 5 cm, les repiquer dans de petits pots remplis de mélange ordinaire. Elles fleuriront six semaines plus tard.

Remarque Attention aux araignées rouges (éviter le soleil et l'air sec), aux pucerons et aux mouches blanches (voir pages 454-455).

Impatiente, voir *Impatiens.*
Ipéca de Saint-Domingue, voir
  Pedilanthus tithymaloides smallii.

Iresine

AMARANTHACÉES

I. herbstii

Des espèces cultivées à l'intérieur, *Iresine herbstii* est celle qui est le plus appréciée. Petite plante buissonnante, elle peut atteindre 60 cm de hauteur et d'étalement, et se distingue par la couleur rouge de ses tiges charnues et de ses feuilles cordiformes. Celles-ci, dont les nervures sont d'un rouge plus pâle, peuvent mesurer 7,5 cm sur 5. Les fleurs, qui font rarement leur apparition à l'intérieur, offrent peu d'intérêt. Une variété, *I. h.* 'Aureoreticulata', diffère de l'espèce type par ses feuilles teintées de vert et ses nervures bien dessinées en jaune.

SOINS PARTICULIERS

Lumière Pour produire des feuilles saines et bien colorées, ces plantes ont besoin d'une lumière vive et d'au moins deux ou trois heures de plein soleil par jour.

Température L'atmosphère tempérée d'une pièce leur convient toute l'année, même en période de repos. Les iresines supportent mal l'air sec. Pour augmenter l'humidité, poser les pots sur des gravillons maintenus humides.

Arrosage En période de croissance, arroser généreusement pour bien humidifier le mélange. Ne jamais laisser d'eau dans la soucoupe. Pendant le repos hivernal, arroser très peu.

Engrais Enrichir d'engrais liquide ordinaire tous les 15 jours, en période de croissance seulement.

Empotage et rempotage Utiliser un mélange à base de terreau (voir page 429). Rempoter quand les racines affleurent, normalement deux fois au cours de la période de croissance. On ne dépassera pas un pot de 15 cm. Lorsque la plante devient trop grosse pour un pot de cette taille, elle est généralement moins belle et ne peut plus servir qu'à la multiplication.

Multiplication Elle se fait au printemps. Prélever des boutures terminales de 5 à 8 cm, les mettre dans un contenant opaque rempli d'eau et les exposer à la lumière vive tamisée. Lorsque les racines ont 1 à 2,5 cm, planter 2 ou 3 boutures (l'effet sera plus décoratif) dans un pot de 8 cm rempli de mélange à base de terreau. Les cultiver dès lors comme des sujets adultes, sans toutefois les arroser aussi abondamment pendant les trois ou quatre semaines qui suivent l'empotage. Pendant cette période également, laisser sécher le mélange sur 1 cm entre les arrosages.

Plutôt que de leur faire prendre racine dans l'eau, on peut placer les boutures dans du mélange. Couper chaque bouture juste sous un nœud; plonger la plaie dans une poudre d'hormones favorisant l'enracinement et grouper 2 ou 3 boutures dans un pot de 8 cm rempli d'un mélange humide à volume égal de tourbe et de sable grossier ou de perlite. Enfermer le pot dans un sachet de plastique transparent ou une caissette de multiplication (voir page 443) et l'exposer à la lumière vive tamisée. Après deux ou trois semaines, découvrir les boutures. Arroser modérément et enrichir d'engrais liquide tous les 15 jours. Quatre ou cinq semaines plus tard, transplanter les jeunes plants tous ensemble dans un pot un peu plus grand rempli de mélange à base de terreau et les cultiver comme il est recommandé pour les sujets adultes.

Remarque Pour donner à la plante un port buissonnant, pincer les segments terminaux tous les deux ou trois mois.

Ixora

RUBIACÉES

I. coccinea

Parmi les plantes du genre *Ixora* se trouvent des arbustes tropicaux à croissance lente, remarquables par leurs inflorescences vivement colorées, composées de nombreuses fleurs groupées en ombrelles. Ces plantes ne sont guère résistantes, aussi les cultive-t-on généralement en serre. Leur beauté vaut bien cependant qu'on leur accorde une attention particulière. *I. coccinea* et ses nombreux hybrides sont parmi les plus faciles à cultiver en appartement.

Il faut compter jusqu'à cinq ans avant que *I. coccinea* atteigne sa taille maximale, c'est-à-dire 1,20 m. C'est un arbuste très ramifié, dont les feuilles oblongues et pointues, luisantes et coriaces, d'au plus 10 cm sur 5, sont disposées par paires ou en spirale sur des pétioles de 1 à 2,5 cm. Le limbe des feuilles adultes est vert foncé, tandis que celui des jeunes feuilles se teinte de bronze. Les fleurs tubuleuses rouge feu s'évasent à l'embouchure en 4 pétales formant une croix de 1 cm. L'inflorescence entière mesure entre 7,5 et 13 cm de diamètre. La floraison se situe en été et se prolonge parfois quelque peu en automne. Les hybrides issus en partie de *I. coccinea* donnent des fleurs de tous les tons de l'orangé, du jaune, du rose et du rouge. L'un des plus populaires, *I. c.* 'Fraseri', a des fleurs rose saumon.

SOINS PARTICULIERS

Lumière Donner aux ixoras au moins quatre heures de plein soleil par jour.

Température Ces plantes ont besoin de chaleur. La température ne doit jamais descendre au-dessous de 16°C. En période de croissance, augmenter l'hygrométrie en mettant les pots sur des gravillons maintenus humides. Pendant le repos hivernal, interrompre la culture sur gravillons.

Arrosage Il doit être modéré en période de croissance; laisser le mélange sécher sur 1 cm avant d'arroser de nouveau. En période de repos hivernal, n'arroser que pour éviter le dessèchement du mélange.

Engrais Enrichir d'engrais liquide ordinaire tous les 15 jours, en période de croissance seulement.

Empotage et rempotage Utiliser un mélange à volume égal de tourbe, de terreau de feuilles et de sable grossier ou de perlite. Rempoter chaque année au printemps, et, lorsque la plante loge dans un pot de 15 à 20 cm, renouveler le mélange en surface (voir page 428).

Multiplication Elle se fait par boutures de tiges de 5 à 8 cm prélevées au printemps. Tailler chaque bouture sous une feuille, supprimer celle-ci, et plonger la plaie dans une poudre d'hormones. Planter chaque bouture dans un pot de 5 à 8 cm rempli d'un mélange humide à volume égal de tourbe et de sable grossier ou de perlite. Enfermer le pot dans un sachet de plastique transparent ou une caissette de multiplication (voir page 443) et l'exposer à la lumière vive tamisée, à une température de 21 à 27°C. Après quatre à six semaines d'enracinement, découvrir peu à peu la bouture durant deux ou trois semaines pour l'acclimater à la sécheresse de l'air ambiant. Lorsqu'elle est à découvert, l'arroser modérément et laisser sécher le mélange sur 2,5 cm entre les arrosages. Enrichir d'engrais liquide ordinaire tous les 15 jours. Trois mois après le début de l'opération, rempoter la bouture dans le mélange approprié aux sujets adultes.

Jacaranda
BIGNONIACÉES

J. acutifolia

Dans leur habitat naturel, les jacarandas sont des arbustes ou de petits arbres pouvant atteindre 9 m. La seule espèce cultivable en appartement, *J. acutifolia* (parfois appelé *J. mimosifolia* ou *J. ovalifolia*), n'a d'abord qu'une tige qui se ramifie lorsque la plante atteint 60 cm. Elle devient alors un arbuste gracieux dont le feuillage ressemble à celui des fougères. Les feuilles vertes, d'au plus 40 cm sur 10, sont divisées en une vingtaine de paires de folioles, chacune subdivisée en de très nombreuses paires de pinnules. En les privant de leurs feuilles inférieures, l'âge fait perdre à ces plantes une partie de leur beauté.

SOINS PARTICULIERS

Lumière Donner aux jacarandas une lumière vive et au moins trois heures de plein soleil par jour.

Température L'atmosphère normale d'une pièce leur convient presque toute l'année. En hiver, les garder à une température de 16°C pour leur accorder un repos. Ces plantes peuvent supporter des froids de 7°C.

Arrosage Il doit être modéré en période de croissance; bien mouiller le mélange et le laisser sécher sur 1 cm entre les arrosages. En période de repos, arroser très peu.

Engrais Enrichir d'engrais liquide ordinaire tous les 15 jours, en période de croissance.

Empotage et rempotage Utiliser un mélange à base de terreau (voir page 429). Tous les printemps, rempoter dans un pot de deux tailles au-dessus pour terminer dans un contenant de 20 à 25 cm. Renouveler ensuite le mélange en surface (voir page 428). Rabattre au printemps les sujets volumineux.

Multiplication Elle se fait surtout par semis. Laisser tremper les graines 24 heures dans l'eau pour amollir leur tégument coriace. Planter chaque graine dans un pot de 8 cm rempli de mélange à enracinement humide (voir page 444). Exposer les pots à la lumière vive tamisée et arroser à peine le mélange. La germination se fait en deux ou trois semaines. Lorsque les plants ont 15 à 20 cm de haut, les repiquer dans un pot de 10 à 13 cm rempli de mélange pour sujets adultes. Cultiver normalement.

Jacinthe, voir *Hyacinthus.*

Jacobinia

ACANTHACÉES

J. pauciflora

Seules deux des 300 espèces du genre *Jacobinia* (plus correctement nommé *Justicia*) sont cultivées à l'intérieur. Ce sont des plantes arbustives et vigoureuses à multiples tiges tendres et à rameaux dressés portant des feuilles coriaces. Elles sont prisées surtout pour leurs fleurs tubuleuses à double labelle. Elles doivent être sévèrement rabattues. Après un an ou deux, elles sont beaucoup moins belles. On peut alors les multiplier.

ESPÈCES RECOMMANDÉES

J. carnea atteint une hauteur de 1,20 m et un étalement de 60 cm. Opposées et acuminées, les feuilles coriaces vert foncé, profondément nervurées, mesurent 15 cm sur 7 et ont des pétioles de 5 cm. Des inflorescences coniques de 10 à 15 cm coiffent les rameaux en août et septembre. Elles se composent de nombreux fleurons rosés de 2,5 à 5 cm entourés de bractées vertes.

J. pauciflora atteint 45 à 60 cm de hauteur et 40 cm d'étalement. De la fin de l'automne au début du printemps, la plante se garnit de petits bouquets de fleurs retombantes, écarlates, à pointes jaunes. Les feuilles vert moyen sont opposées.

SOINS PARTICULIERS

Lumière Procurer aux jacobinias une lumière vive et trois ou quatre heures de plein soleil par jour durant toute l'année.

J. carnea

Température L'atmosphère tempérée d'une pièce leur convient du début du printemps à la fin de l'automne. *J. carnea* demande un long repos hivernal à 13°C. *J. pauciflora* entre en repos dès la fin de la floraison jusqu'à la reprise de la croissance au printemps ou au début de l'été. Ces deux espèces demandent beaucoup d'humidité en période de croissance. Tant que la température se maintient au-dessus de 13°C, les bassiner régu-

lièrement et laisser les pots sur des gravillons maintenus humides.

Arrosage Il doit être généreux en période de croissance, mais on ne doit pas laisser d'eau dans la soucoupe. En période de repos, n'arroser que très parcimonieusement.

Engrais Enrichir d'engrais liquide ordinaire tous les 15 jours, en période de croissance.

Empotage et rempotage Utiliser un mélange à base de terreau (voir page 429). Rempoter lorsque quelques racines sortent des trous d'évacuation ou pointent à la surface du mélange, c'est-à-dire à quelques reprises au cours de la même période de croissance. Lorsque *J. carnea* loge dans un pot de 15 à 20 cm et *J. pauciflora* dans un pot de 13 à 16 cm, les utiliser pour la multiplication (voir « Remarques », ci-dessous).

Multiplication Les boutures de tiges, terminales ou non, de 5 à 10 cm, s'enracinent facilement au printemps. Les tailler juste sous un nœud et supprimer les feuilles qui pourraient toucher au mélange. Plonger la plaie dans de la poudre d'hormones et planter les boutures dans des pots de 8 cm remplis d'un mélange humide à volume égal de tourbe et de sable grossier ou de perlite. Enfermer les pots dans des sachets de plastique transparent ou une caissette de multiplication (voir page 443) et les exposer à la lumière vive tamisée. L'enracinement se fait en deux ou trois semaines. Découvrir alors les boutures, les arroser modérément en laissant sécher le mélange sur 1 cm entre les arrosages et fertiliser avec un engrais liquide ordinaire tous les 15 jours. Six à huit semaines après le bouturage, lorsque les jeunes plants sont bien établis, les transplanter dans un pot de 10 cm rempli de mélange à base de terreau et les cultiver comme des sujets adultes.

Remarques Pour que la plante se ramifie, pincer tous les bourgeons terminaux au début de la croissance. Ne pas conserver les jacobinias plus de deux ans.

Jasmin, voir *Jasminum*.
Jasmin du Cap, voir *Gardenia jasminoides*.
Jasmin de Madagascar, voir *Stephanotis floribunda*.

Jasminum

OLÉACÉES

J. officinale

Il existe plusieurs espèces de jasmin dont trois sont cultivées à l'intérieur. Deux d'entre elles sont de vigoureuses plantes grimpantes à fleurs odorantes; la troisième est un arbuste exubérant à fleurs non parfumées. Les trois espèces offrent des fleurs tubuleuses s'évasant en 4 à 9 pétales arrondis. Les feuilles opposées se divisent en folioles.

ESPÈCES RECOMMANDÉES

J. mesnyi (appelé aussi *J. primulinum*) est un arbuste à tiges sar-

J. mesnyi

menteuses et quadrangulaires qu'il faut tuteurer, et à feuilles trifoliolées. Des fleurs tubuleuses, jaune lumineux, à cœur jaune plus foncé, apparaissent au printemps. Elles sont solitaires et ont souvent plus de pétales que celles des autres jasmins d'appartement, mais ne sont pas parfumées.

J. officinale est une plante grimpante à tiges grêles plutôt carrées et à feuilles composées de 5 à 7 folioles, presque toujours sessiles. Les grappes terminales de fleurs à long tube, très parfumées, s'épanouissent de la mi-été à la mi-automne. Elles sont généralement blanches, parfois lavées de rose.

J. polyanthum est aussi une plante grimpante. Sa tige, d'abord unique, se ramifie abondamment et les rameaux portent des feuilles composées de 5 à 7 folioles. Odorantes, les fleurs à long tube apparaissent en larges grappes axillaires, au sommet des rameaux; elles sont rose clair à l'extérieur et blanc pur à

l'intérieur. La floraison s'étend de la mi-hiver à la mi-printemps.

SOINS PARTICULIERS

Lumière Les jasmins ont besoin, pour fleurir, d'une lumière vive et d'un peu de soleil.

Température Ils préfèrent la fraîcheur, mais croissent tout aussi bien à une température d'environ 16°C.

Arrosage Il doit être généreux en période de croissance. Le reste de l'année, garder le mélange tout juste humide et laisser sécher sur 1 cm entre les arrosages.

Engrais Enrichir d'engrais liquide ordinaire tous les 15 jours, en période de croissance.

Empotage et rempotage Utiliser un mélange à base de terreau (voir page 429). Transplanter dans des pots d'une ou deux tailles au-dessus *J. mesnyi* et *J. polyanthum* l'été et *J. officinale* au début du printemps. Lorsque les plantes sont dans des pots de 20 à 25 cm, renouveler le mélange en surface (voir page 428) seulement.

Multiplication A la mi-été ou au début de l'automne, planter de courtes boutures terminales (prélevées sous un nœud) ou des boutures à talon (prélevées sur les tiges latérales) dans des pots de 8 cm remplis d'un mélange humide à volume égal de tourbe et de sable. Enfermer les pots dans des sachets de plastique transparent et les exposer à la lumière vive tamisée. Quatre semaines plus tard, lorsque les jeunes plants sont bien établis, les repiquer dans des pots de 10 cm remplis de mélange à base de terreau et leur donner les mêmes soins qu'aux jasmins adultes.

Remarques Encourager la multiplication des bourgeons sur les jeunes pousses établies en pinçant le segment terminal de la tige lorsqu'elle atteint 30 cm. Le jasmin croît rapidement et exige des tailles fréquentes; rabattre les rameaux qui ont fleuri. Les sujets dans des pots de 13 à 20 cm ne devraient pas dépasser 90 cm de haut. Enrouler les rameaux autour d'un arceau de rotin ou de fil métallique.

Jonc des chaisiers, voir *Scirpus cernuus.*

Joubarbe des îles Canaries, voir *Aichryson villosum.*

Kalanchoe

CRASSULACÉES

Kalanchoe de Blossfeld
Variété de *K. blossfeldiana*

Le genre *Kalanchoe* regroupe des plantes grasses cultivées les unes pour leur feuillage décoratif, les autres pour leurs bouquets de fleurs. De tailles et de formes variées, les kalanchoes offrent tous des feuilles charnues grâce auxquelles ils peuvent supporter de courtes périodes de sécheresse. Les espèces à feuillage décoratif sont très vivaces. *K. blossfeldiana,* espèce à fleurs très recherchée, ne fleurit généralement qu'une fois en appartement, et se couvre ensuite de repousses qui la déparent. Il vaut mieux s'en défaire à ce moment-là.
Voir aussi PLANTES GRASSES.

ESPÈCES RECOMMANDÉES

K. beharensis dépasse tous les autres kalanchoes par la beauté de son feuillage velouté. Très vigoureux dans son habitat naturel, il n'atteint guère plus de 60 cm en appartement. Les feuilles triangulaires de 30 cm, à marge ondulée et marquées au centre d'une cannelure superficielle, sont couvertes d'un fin duvet brun-roux. Avec le temps, les feuilles inférieures tombent. La tête de la plante devient alors très lourde avec les 8 ou 10 paires de feuilles qu'elle conserve. Aussi faut-il la soutenir avec un tuteur. *K. beharensis* ne fleurit presque jamais à l'intérieur.
K. blossfeldiana (kalanchoe de Blossfeld), rare sous sa forme pure, a été supplanté par des hybrides améliorés, plantes florifères qu'on achète à l'époque de Noël et dont on se défait après la floraison. Ce sont des arbustes compacts de 30 à 40 cm, à feuilles grasses vert foncé, souvent bordées de rouge. Les feuilles plus ou moins rondes mesurent 2,5 à 4 cm. Les inflorescences se présentent en grappes touffues de 20 à 50 fleurons, chaque ombelle ayant au plus 4 cm d'étalement. Les formes naines ne dépassent pas 15 cm : *K. b.* 'Tom Pouce', *K. b.* 'Vulcan' et *K. b.* 'Compacta Lilliput', toutes à fleurs

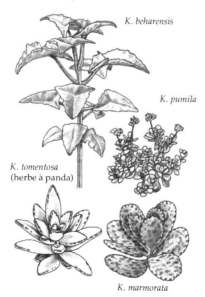

K. beharensis

K. pumila

K. tomentosa
(herbe à panda)

K. marmorata

rouges. Les formes à fleurs jaunes ou orange, comme *K. b.* 'Orange Triumph' et *K. b.* 'Goldrand', se rencontrent moins souvent. Elles fleurissent toutes pendant deux ou trois mois.
K. marmorata (synonyme de *K. somaliensis*) est une plante buissonnante pouvant atteindre une hauteur de 30 cm. Les feuilles ovales, brillantes et charnues ont un limbe bleu-gris marqué de brun et une marge dentée; elles mesurent jusqu'à 10 cm de long. Cette espèce fleurit rarement à l'intérieur.
K. pumila atteint 30 cm et offre un feuillage décoratif ainsi que de jolies fleurs. Les feuilles de 2,5 à 4 cm sont ovales, fortement dentées et recouvertes d'un enduit blanc brillant. Les tiges grêles sont recouvertes du même enduit et ploient sous le poids des lourdes feuilles. A la fin de l'hiver apparaissent des grappes terminales de 6 fleurs ou plus, aux nuances de rose et de violet. Cette plante est particulièrement jolie lorsqu'elle est suspendue dans une petite corbeille.
K. tomentosa (herbe à panda) est une espèce à feuillage très décoratif et à tiges ligneuses atteignant 45 cm. Les feuilles ovales de 4 à 7,5 cm sont disposées en rosettes lâches. Elles sont couvertes d'un fin duvet argenté qui devient roux près de la pointe chez les jeunes plants et brun chocolat chez les sujets plus âgés. L'espèce fleurit rarement.

SOINS PARTICULIERS

Lumière Les kalanchoes doivent être cultivés devant une fenêtre ensoleillée.
Température Toutes les espèces croissent bien dans l'atmosphère tempérée d'une pièce; celles que l'on cultive pour leur feuillage, de même que *K. pumila*, ont besoin d'un repos hivernal à une température se situant entre 10 et 13°C, mais jamais au-dessous de 7°C.
Arrosage En période de croissance, arroser parcimonieusement et laisser sécher le mélange à demi avant d'arroser de nouveau. En période de repos, n'arroser que pour empêcher le mélange de se dessécher complètement. Les kalanchoes, surtout ceux à grandes feuilles, se développent anormalement et perdent de leur rigidité quand ils sont trop arrosés.

Engrais Enrichir d'engrais liquide ordinaire toutes les trois ou quatre semaines du début du printemps à la fin de l'été. Fertiliser *K. blossfeldiana* toutes les deux ou trois semaines durant la floraison.

Empotage et rempotage Utiliser un mélange à base de terreau (voir page 429) additionné d'une petite quantité de sable grossier ou de perlite. Rempoter chaque printemps les espèces à feuillage décoratif en garnissant le fond des pots de 1,5 cm de tessons. On n'utilisera pas des pots de plus de 14 cm, sauf pour *K. beharensis* qui peut demander un pot de 20 cm.

Multiplication Elle se pratique au moyen de pousses terminales prélevées au printemps. Planter celles-ci dans des pots de 8 cm remplis d'un mélange composé de tourbe et de sable. Placer les pots dans un endroit chaud, au soleil tamisé. Arroser lorsque le mélange est sec sur 1 cm. Quand les nouveaux plants sont établis, les transplanter dans du mélange ordinaire et les cultiver comme des sujets adultes.

Les segments terminaux de *K. beharensis* sont d'une taille qui ne facilite pas leur bouturage, leurs feuilles pouvant atteindre 30 cm de long. Il est beaucoup plus simple de bouturer les feuilles. Prélever une feuille adulte et saine et extraire une partie de la marge avec une lame de rasoir pour mettre la chair à nu. Fixer la feuille avec du fil métallique ou des cailloutis sur un lit de sable humide. En principe, des plantules apparaîtront au niveau des entailles. Pour bouturer la feuille sans la détacher de la plante mère, sectionner la marge comme indiqué ci-dessus, et pratiquer en outre trois ou quatre incisions entre la nervure centrale et la marge. Lorsque les nouvelles plantes ont 2,5 cm de haut, les détacher de la feuille et les planter délicatement dans un mélange humide de tourbe et de sable. L'enracinement terminé, les empoter et les cultiver comme des sujets adultes. *K. blossfeldiana* se prête mal à la multiplication en appartement. L'acheter en boutons.

Kalanchoe de Blossfeld, voir *Kalanchoe blossfeldiana.*
Kentia, voir *Howea.*
Ketmie, voir *Hibiscus.*

Kleinia
COMPOSÉES

K. articulata

Le genre *Kleinia* ne fait plus partie de la nomenclature botanique; toutes les plantes qu'il regroupait sont maintenant classées dans le genre *Senecio*. Les espèces décrites ci-dessous sont toutefois encore vendues sous leur ancien nom, aussi l'a-t-on conservé ici. Les kleinias sont de petits arbustes à tiges et à feuilles habituellement charnues. Quand ils sont cultivés à l'intérieur, ils ne produisent pas toujours de fleurs. Celles-ci sont blanches, jaunes ou rouges, et mesurent chacune 2,5 cm. Elles naissent en bouquets serrés à l'extrémité de pédoncules d'environ 25 cm de long. La période de croissance du kleinia se situe en hiver, ce qui en fait une bonne plante d'intérieur, mais la floraison, quand elle a lieu, survient plutôt en été.
Voir aussi PLANTES GRASSES.

ESPÈCES RECOMMANDÉES
K. articulata (plus exactement *Senecio articulatus*) peut atteindre une hauteur de 30 à 60 cm. Les tiges charnues, très ramifiées à la base, se composent d'une suite de segments mesurant chacun 15 cm sur 2, couverts d'une pruine gris pâle qui s'enlève facilement au toucher. Durant la période hivernale de croissance apparaissent, en position terminale, plusieurs feuilles aplaties et grossièrement sagittées, portées sur des pétioles de 2,5 à 5 cm de long. Elles sont vert foncé, divisées en 3 à 5 lobes et mesurent environ 2,5 cm sur 1. Au printemps, elles se flétrissent et tombent. Des fleurs jaunâtres s'épanouissent parfois en automne.

K. tomentosa (dont le nom exact est *Senecio haworthii*) présente des tiges rameuses, non articulées, de 20 à 25 cm. Le vert moyen des tiges et des feuilles disparaît sous une toison dense de poils courts et blancs. Cylindriques, charnues et sessiles, les feuilles d'environ 5 cm sur 1 poussent en rangs serrés tout le long des tiges. Elles persistent toute l'année si l'on procure à la plante des conditions idéales de croissance. Mais *K. tomentosa* est une espèce très fragile qui réagit aux moindres perturbations. Lorsqu'un sujet se met à perdre des feuilles, il vaut mieux l'utiliser pour la multiplication en prélevant des boutures de tiges, et jeter ensuite ce qui reste.

SOINS PARTICULIERS
Lumière Exposer les kleinias au plein soleil, surtout en période hivernale de croissance.

Température L'atmosphère tempérée d'une pièce leur convient en tout temps, mais la température idéale en période active se situe entre 18 et 21°C. Ils supportent 4°C, mais leur croissance s'en ressent.

Arrosage Il doit être modéré en tout temps, même durant la période de repos, du début du printemps au début de l'automne. Bien mouiller le mélange, mais laisser sécher sur 1 cm avant d'arroser de nouveau. Trop d'eau peut faire pourrir la plante, surtout en hiver, alors que l'évaporation est moins intense, la lumière étant plus faible. Si la température tombe à 10°C ou moins, ne pas arroser du tout, à moins que le soleil ne soit assez vif pour faire évaporer l'eau qui s'accumule à la souche.

Engrais Il n'est ni nécessaire ni même souhaitable de fertiliser les kleinias.

Empotage et rempotage Utiliser un mélange poreux composé de sable grossier ou de perlite (1/3) et de mélange à base de terreau (2/3) [voir page 429]. S'il s'avère nécessaire, procéder au rempotage à la fin de l'automne. Un pot de 8 cm suffit normalement à une plante de moins de 15 cm de haut. Lorsque les racines remplissent le pot (voir page 426), dépoter la plante, enlever délicatement l'ancien mélange et la rempoter. Lorsque la plante est dans un pot de 14 cm, l'utiliser pour la multiplication. La tenir toujours près de la souche pour ne pas enlever la pruine ou la toison qui recouvre tiges ou feuilles.

Multiplication Pour *K. tomentosa*, prélever des boutures de tiges de 7,5 cm à la fin de l'été ou au début de l'automne. Supprimer les feuilles inférieures pour dénuder la tige sur au moins 2,5 cm. Laisser sécher la plaie trois jours puis planter la bouture dans un pot de 8 cm rempli du mélange recommandé pour les sujets adultes. Pour *K. articulata*, prélever un segment de tige compris entre deux articulations; il se détache facilement et n'a pas besoin de sécher avant d'être planté dans le mélange recommandé. Dès que les boutures sont empotées, leur donner les mêmes soins qu'aux sujets adultes des espèces dont elles proviennent. L'enracinement ainsi que la reprise de la croissance ne tarderont pas à s'effectuer.

Kohleria
GESNÉRIACÉES

K. eriantha

Ravissantes plantes florifères, les kohlerias produisent, en une seule année, de nombreux rhizomes écailleux de 1 cm d'épaisseur. De chaque rhizome s'élève une tige velue portant des feuilles dentées ou festonnées, en paires opposées ou en spirales de trois ou quatre. Des fleurs pubescentes, campanulées, apparaissent sur des pédoncules retombants, à l'aisselle des feuilles supérieures.
Voir aussi GESNERIACEES.

KOHLERIAS RECOMMANDÉS

K. eriantha présente des rhizomes de 15 cm au plus et des tiges pouvant atteindre 1,20 m. Placée dans un pot de 10 à 14 cm, la plante ne dépassera pas cependant la hauteur plus raisonnable de 45 cm. Garnies de poils rouges ou blancs, les tiges portent des feuilles elliptiques, velues, d'un vert moyen, bordées de poils rouges, qui atteignent 15 cm sur 6,5. Les fleurs poussent habituellement en grappes de trois ou quatre sur des pédoncules rougeâtres de 10 cm. Rouge orangé tacheté de jaune, elles mesurent à l'embouchure environ 5 cm sur 2. La floraison a normalement lieu à la fin du printemps, mais cette espèce peut fleurir toute l'année.

K. lindeniana a des rhizomes de 7,5 cm et des tiges rougeâtres de 30 cm, couvertes de poils blancs. Les feuilles cordiformes, sur des pétioles de 5 cm, mesurent de 3 à 7,5 cm sur 2 à 5. Le dessus du limbe est d'un vert sombre velouté, nervuré de vert argenté; le dessous est pubescent et vert clair lavé de rouge. Solitaires ou géminées, les fleurs naissent sur des pédoncules de 6,5 cm et mesurent 1 cm de long sur environ 3 cm de large au sommet. Elles sont blanches, à gorge jaune marquée d'une tache lavande. La floraison s'étend de la fin de l'été au début de l'automne.

K. 'Rongo' est peut-être le meilleur hybride pour la culture en appartement. Les rhizomes ont 5 cm, et les tiges à poils blancs atteignent 30 cm. Les feuilles pubescentes, vert moyen, mesurent environ 10 cm sur 5 et les pétioles 5 cm. Habituellement solitaires sur des pédoncules de 6,5 cm, les fleurs mesurent 5 cm sur 2,5 à l'embouchure. Magenta vif, elles sont veinées de blanc au sommet. La floraison peut durer toute l'année.

SOINS PARTICULIERS

Lumière En période de croissance, les kohlerias ont besoin d'une lumière vive et d'un peu de plein soleil, mais pas celui de midi. En période de dormance, la lumière n'a aucune importance.

Température Des températures atteignant environ 27°C le jour, avec des chutes de 3 à 6 degrés la nuit, sont idéales en période de croissance. Poser les pots sur des gravillons maintenus humides. Au-dessous de 10°C, tiges et feuilles meurent. Les rhizomes dormants seront gardés dans un mélange à peine humide, à 7°C.

Arrosages En période de croissance, arroser modérément et laisser sécher le mélange sur 1 cm entre les arrosages. Après la floraison, réduire progressivement les apports d'eau pendant 15 jours, jusqu'à ce que le mélange soit tout juste humide. Après quoi, si la plante demeure active toute l'année, revenir aux arrosages modérés. Arroser les rhizomes dormants juste assez pour empêcher le mélange de se dessécher.

Engrais A chaque arrosage, enrichir d'engrais liquide ordinaire, au quart de la concentration recommandée, en période de croissance.

Empotage et rempotage Mélanger trois volumes de tourbe de sphaigne, deux de vermiculite et un de perlite en ajoutant 15 ml de calcaire dolomitique pour chaque 450 ml de mélange. Diviser les touffes de rhizomes une fois par année, au printemps pour ceux qui sont en dormance, après la floraison pour les autres (voir « Remarques », ci-dessous). Mettre chacun des rhizomes dans un pot de 10 à 14 cm, à environ 1 cm de profondeur. Si l'on divise un rhizome à la fin de sa période de dormance, augmenter graduellement, pendant deux ou trois semaines, les arrosages et aussi la fertilisation, lorsque apparaissent de nouvelles pousses. Dès qu'ils sont empotés, cultiver les autres comme des sujets adultes.

Multiplication La division des rhizomes suffit normalement. Sinon, prélever des boutures terminales de 7,5 cm, au printemps, et les planter dans le mélange recommandé pour les sujets adultes. Couvrir chaque bouture d'un sachet de plastique après avoir humidifié le mélange et l'exposer à la lumière vive tamisée. A la reprise de la croissance, découvrir les jeunes plants pendant des périodes de plus en plus longues chaque jour, et ce durant deux semaines, et arroser parcimonieusement. Six à huit semaines après le bouturage, rempoter les plants et les cultiver normalement.

Remarque Après la floraison, rabattre *K. eriantha* et *K.* 'Rongo' presque jusqu'à la souche. Les tiges ne tarderont pas à produire de nouvelles pousses si la plante est gardée dans un endroit chaud et à la lumière.

Kumquat, voir *Fortunella.*
Kumquat ovale, voir *Fortunella margarita.*

Laelia
ORCHIDACÉES

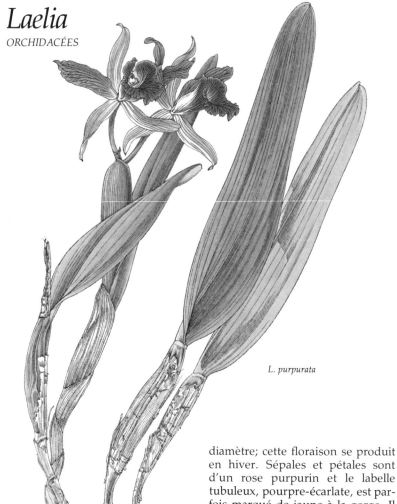

L. purpurata

Ces plantes sont des orchidées épiphytes dont les pseudo-bulbes portent une ou parfois deux feuilles charnues, allongées, à nervures médianes contrastantes. Une seule hampe florale jaillit du sommet du pseudo-bulbe et arbore une ou plusieurs fleurs étoilées qui restent belles près de six semaines. Ces orchidées ont une période de repos hivernal qui coïncide parfois avec la floraison.
Voir aussi ORCHIDEES.

ESPÈCES RECOMMANDÉES

L. anceps a des pseudo-bulbes quadrangulaires de 7,5 à 15 cm, d'un vert moyen souvent lavé de pourpre. Chacun porte une ou deux feuilles de 25 cm sur 5. La hampe florale de 45 à 60 cm arbore 4 à 8 fleurs d'environ 10 cm de diamètre; cette floraison se produit en hiver. Sépales et pétales sont d'un rose purpurin et le labelle tubuleux, pourpre-écarlate, est parfois marqué de jaune à la gorge. Il en existe de nombreuses variétés.

L. cinnabarina présente des pseudo-bulbes vert rougeâtre, cylindriques, de 15 à 30 cm, donnant chacun naissance à une ou deux feuilles de 30 cm sur 1 à 2,5. Sur une hampe florale dressée, d'environ 25 cm, naissent en hiver 5 à 15 fleurs atteignant 6,5 cm. Sépales et pétales sont étroits et d'un orangé vif, tandis que le petit labelle tubuleux est orangé sombre.

L. purpurata a des pseudo-bulbes verts de 45 cm, en forme de massue, portant chacun une feuille de 50 à 75 cm sur 5 à 7,5. Une hampe florale épaisse et dressée, de 25 à 30 cm, porte l'été jusqu'à 7 fleurs de 20 cm chacune. Les sépales et les pétales à bords ondulés vont du rose au blanc. Le labelle pourpre foncé s'évase largement. *L. p.* 'Werkhauseri' est une variété particulièrement remarquable qui produit des fleurs blanches à labelle d'un violet bleuté.

SOINS PARTICULIERS

Lumière Procurer aux laelias une lumière vive, mais les abriter cependant du soleil de midi.

Température Des températures diurnes de 16°C et nocturnes de 11°C (jamais moins de 9°C) sont idéales. Durant les mois d'été, poser les pots sur des gravillons maintenus humides et bassiner le feuillage tous les jours.

Arrosage En période de croissance, arroser modérément et laisser le mélange sécher aux deux tiers entre les arrosages. Durant la période de repos, donner juste assez d'eau pour que les pseudo-bulbes ne se dessèchent pas.

Engrais Enrichir d'engrais foliaire riche en azote tous les trois ou quatre arrosages, durant la période de croissance seulement.

Empotage et rempotage Utiliser l'un des mélanges recommandés pour les orchidées épiphytes (voir page 289). Les espèces moins développées peuvent croître sur des supports à épiphytes. Transplanter les plantes dans des pots de deux ou trois tailles au-dessus au début de la période de croissance, dès que la pointe du rhizome atteint le rebord du pot. Arroser parcimonieusement les plantes nouvellement rempotées; pendant trois ou quatre semaines, les garder dans un endroit frais, moyennement éclairé et bassiner une fois par jour. Les cultiver ensuite normalement.

Multiplication Lorsque le rhizome a produit 8 pseudo-bulbes ou davantage, on peut le diviser. Cette opération doit s'effectuer au début de la reprise de la croissance. Faire une entaille dans le rhizome de façon à délimiter un segment portant au moins 4 pseudo-bulbes. Laisser la plante dans son pot sans la diviser jusqu'à ce que l'autre segment ait produit un nouveau pseudo-bulbe. Lorsque celui-ci mesure 7,5 à 10 cm, dépoter la plante et achever la division en sectionnant le rhizome; couper en même temps avec un couteau stérilisé les bulbes bruns qui ont perdu leurs feuilles. Les deux segments du rhizome peuvent alors être empotés séparément dans des pots d'une taille convenable et traités comme des sujets qu'on vient de rempoter (voir « Empotage et rempotage », ci-dessus).

Laeliocattleya
ORCHIDACÉES

Laeliocattleya hybride

Issues du croisement entre *Laelia* et *Cattleya*, les variétés d'orchidées hybrides décrites ci-dessous produisent durant la saison froide des fleurs parfumées à labelle pourpre veiné de jaune or.
Voir aussi ORCHIDEES.

LAELIOCATTLEYAS RECOMMANDÉS

L. **'Anna Ingham'** arbore des fleurs de 15 à 18 cm de diamètre, dont les coloris vont du pourpre au mauve.

L. **'Derma'** produit des hampes florales qui ne portent qu'une ou deux fleurs jaunes de 15 cm.

L. **'Dorset Gold'** présente des hampes florales sur lesquelles naissent jusqu'à 6 fleurs de 15 cm, à pétales jaunes ourlés de rouge.

SOINS PARTICULIERS

Lumière Procurer à ces plantes une lumière vive tamisée, sauf durant les mois d'hiver où il leur faut quelques heures de plein soleil.

Température L'atmosphère tempérée d'une pièce leur convient en tout temps. Elles ne tolèrent pas des températures inférieures à 13°C. Au-dessus de 21°C, poser les pots sur des gravillons dans un peu d'eau et bassiner chaque jour.

Arrosage En temps normal, arroser modérément et laisser le mélange sécher presque complètement entre les arrosages. Durant les six semaines de repos qui suivent la floraison, arroser parcimonieusement.

Engrais Les plantes actives doivent être enrichies d'engrais foliaire tous les trois ou quatre arrosages.

Empotage et rempotage Utiliser l'un des mélanges recommandés pour les orchidées (voir page 289). Transplanter les plantes dans des pots de deux tailles au-dessus dès que les pseudo-bulbes couvrent la surface du mélange. Procéder à cette opération à la fin d'une période de repos. Mouiller à fond le mélange des plantes rempotées. Durant les quatre à six semaines qui suivent, cependant, bassiner simplement les plantes chaque jour et les garder sous un éclairage moyen. Les cultiver ensuite comme des sujets adultes. Quand la plante est arrivée à maturité, la multiplier.

Multiplication Dépoter la plante et diviser le rhizome en deux parties à peu près égales. Démêler les racines autant que possible et enlever celles qui sont pourries ou endommagées. Planter chaque demi-rhizome dans un pot de mélange frais; les exposer à une lumière moyenne et les arroser très parcimonieusement durant quatre à six semaines. Cultiver normalement.

Langue-de-belle-mère, voir *Sansevieria.*

Langue-de-bœuf, voir *Gasteria verrucosa.*

Langue-de-feu, voir *Anthurium andreanum.*

Lantana

VERBÉNACÉES

Camara commun
L. camara

Des nombreuses espèces du genre *Lantana,* seule *L. camara* (camara commun) fleurit à l'intérieur. C'est à tort qu'on traite cette plante comme une annuelle. En effet, il suffit qu'elle soit rabattue (voir « Remarques », ci-dessous) pour qu'elle dure très longtemps. La taille lui conservera également une hauteur convenable : alors que, laissée à elle-même dans son habitat naturel, elle atteint 1,20 m, rabattue, elle ne dépassera pas 40 cm.

La floraison s'étend de la fin du printemps à la mi-automne. Des capitules arrondis de 5 cm de diamètre, portés sur des pédoncules de même longueur, naissent à l'aisselle de feuilles rudes, aux bords légèrement dentés, qui atteignent 7,5 cm sur 5. Ces capitules réunissent en grappes très serrées des petites fleurs tubuleuses parfumées qui s'ouvrent les unes après les autres, en commençant par les rangées externes. Quel que soit leur coloris, il change et s'assombrit lorsque la plante prend de l'âge. Chaque inflorescence peut donc porter plusieurs teintes apparentées, par exemple jaune, orange et rouge. Certaines variétés qui ont un nom portent des fleurs blanches, jaunes, orangées ou rouges.

SOINS PARTICULIERS

Lumière Pour fleurir, les lantanas ont besoin à longueur d'année d'une lumière vive et d'au moins trois heures de plein soleil par jour.

Température L'atmosphère tempérée d'une pièce convient du début du printemps à la fin de la floraison. A ce moment, poser les plantes sur des gravillons baignant dans un peu d'eau. Leur ménager un court repos hivernal à 10°C.

Arrosage Le mélange doit demeurer très humide en période de croissance, mais ne jamais laisser d'eau dans la soucoupe. En période de repos, arroser à peine.

Engrais Enrichir d'engrais liquide ordinaire tous les 15 jours, en période de croissance.

Empotage et rempotage Utiliser un mélange à base de terreau (voir page 429). Rempoter les petits sujets dès que des racines passent par les trous de drainage ou apparaissent à la surface du mélange. Rempoter deux ou trois fois par an, mais jamais sans nécessité : les lantanas fleurissent mieux dans des pots un peu exigus. Un petit sujet compact aura rarement besoin d'un pot de plus de 15 à 20 cm. Lorsque la plante a atteint sa taille optimale, renouveler simplement la couche superficielle du mélange (voir page 428) chaque printemps.

Multiplication A la mi-été, prélever des boutures de pousses non florifères juste sous une feuille; supprimer les feuilles du bas qui toucheraient au mélange terreux et plonger l'entaille dans une poudre d'hormones. Planter les boutures — individuellement dans un godet de 8 cm ou les grouper dans un plateau à semis — dans un mélange humide à volume égal de tourbe et de sable grossier ou de perlite. Les enfermer dans un sachet de plastique transparent ou une caissette de multiplication (voir page 443) et les exposer à la lumière vive tamisée. Les racines se développent en deux ou trois semaines. Découvrir alors les jeunes plants, les arroser parcimonieusement et les fertiliser tous les 15 jours avec un engrais liquide ordinaire. Lorsque les pousses ont entre 5 et 7,5 cm, les exposer au plein soleil et pincer tous les bourgeons terminaux pour encourager la ramification. Au début du printemps suivant, rempoter les boutures qui étaient dans des godets de 8 cm; planter les autres une à une, au début de l'automne, dans des pots de 8 cm. Utiliser dans les deux cas un mélange à base de terreau, et traiter ensuite les boutures comme des sujets adultes. La multiplication peut aussi se faire par semis au printemps, mais les plantules n'auront pas les mêmes coloris.

Remarques Les jeunes sujets fleurissent plus abondamment que les sujets âgés. Pour éviter qu'ils atteignent une taille trop considérable, pincer rapidement leurs bourgeons (voir « Multiplication », ci-dessus). Quant aux sujets plus âgés, ils conserveront leur forme et pourront refleurir si on les rabat à environ 15 cm de la souche à la fin de l'hiver ou au début du printemps.

Surveiller les mouches blanches sur les feuilles (voir page 455).

Laurier-rose, voir *Nerium oleander.*

Liane sans feuilles, voir *Euphorbia tirucalli.*

Lierre, voir *Hedera.*

Lierre arborescent, voir *Fatshedera lizei.*

Lierre d'été, voir *Senecio mikanioides.*

Limon, voir *Citrus limon.*

Liriope

LILIACÉES

L. muscari

Parmi les nombreuses espèces de plantes acaules du genre *Liriope*, seul *L. muscari* est cultivé à l'intérieur. Ses principaux attraits résident dans son feuillage gracieux et ses jolis épis floraux semblables à ceux de la jacinthe. Coriaces, arquées et vert sombre, les feuilles du liriope, qui atteignent 45 cm sur 2, jaillissent en touffes denses d'un système racinaire charnu présentant des nodosités en forme de tubercules. Des hampes florales lilas, de 25 à 30 cm de long, naissent à l'aisselle des feuilles vers la fin de l'été et le début de l'automne. Ces hampes se terminent par un épi de 5 à 7,5 cm composé de fleurettes campanulées très rapprochées, d'un violet sombre. Elles mesurent chacune 1 cm de long, et 1 cm de diamètre à l'embouchure. Le liriope prend un repos en hiver, mais ne perd pas ses feuilles.

Il existe un grand nombre de variétés de *L. muscari*. L'une d'elles, *L. m.* 'Variegata', ressemble beaucoup à l'espèce, mais ses jeunes feuilles ont des raies longitudinales jaunes qui virent au vert quand la plante est âgée de 6 à 12 mois. D'autres variétés diffèrent seulement par la couleur de leurs fleurs : celles de *L. m.* 'Grandiflora' sont lavande clair, et celles de *L. m.* 'Munroe White' blanches.

SOINS PARTICULIERS

Lumière Les liriopes ont besoin pour fleurir d'une lumière vive, mais doivent être à l'abri des rayons directs du soleil.

Température Ils tolèrent une vaste gamme de températures et supportent les lourdes chaleurs d'été. Mais l'hiver, les garder au frais, jamais au-dessus de 10 à 13°C.

Arrosage En période de croissance, arroser modérément le mélange et le laisser sécher sur 1 cm avant d'arroser de nouveau. En période de repos hivernal, arroser peu.

Engrais Enrichir d'engrais liquide ordinaire tous les 15 jours, en période de croissance.

Empotage et rempotage Utiliser un mélange à base de terreau (voir page 426). Rempoter au printemps, seulement lorsque les touffes de feuilles couvrent toute la surface du mélange. Lorsqu'une plante est à l'étroit dans un pot de 14 cm, il est temps de la diviser.

Multiplication Couper la souche en touffes comportant chacune 8 à 10 feuilles. Planter chaque touffe dans un pot de 8 cm rempli de mélange ordinaire et les cultiver comme des liriopes adultes.

Lis des marais, voir *Acorus gramineus.*

Lithops

AIZOACÉES

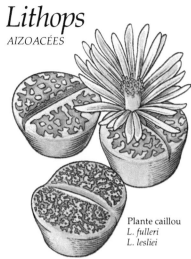

Plante caillou
L. fulleri
L. lesliei

Si on les appelle populairement pierres-vivantes ou plantes cailloux, c'est que les lithops ressemblent beaucoup aux pierres du désert où ils poussent. Les seules parties visibles de la plante sont en effet ses deux feuilles épaisses, charnues et semi-circulaires dont les coloris sont de ceux qui se confondent avec un sol aride et rocailleux. Le dessus du limbe, parfois plat, parfois arrondi en dôme, est tantôt uni, tantôt joliment dessiné. Ces feuilles s'attachent à une courte tige souterraine que prolonge une longue racine pivotante. De taille parfois différente, ces deux feuilles sont fusionnées sur presque toute leur longueur; mais au sommet de la plante s'ouvre une fissure médiane de laquelle jaillit, en fin d'été ou au début de l'automne, une fleur unique semblable à une marguerite. Le diamètre des feuilles réunies excède rarement 5 cm, mais les fleurs peuvent être plus grandes. Après la floraison, les feuilles se flétrissent et meurent; elles sont alors remplacées par deux autres jeunes feuilles.

Certains lithops, comme les plantes des espèces décrites ci-dessous, produisent des touffes. Mais il faut parfois compter des années avant qu'apparaissent 2 ou 3 paires de feuilles.

Voir aussi PLANTES GRASSES.

ESPÈCES RECOMMANDÉES

L. fulleri présente des feuilles bombées de 3 cm d'épaisseur, avec une nervure profonde de 0,5 cm d'où jaillit en automne une fleur blanche. Les feuilles sont d'un gris tourterelle foncé, et le dessus est réticulé de rouille et de brun.

L. lesliei a des feuilles planes pouvant atteindre 4 cm d'épaisseur, avec une nervure de 0,5 cm. De gris rosé à vert olive selon la qualité de la lumière, elles sont marquées sur toute leur surface de taches rouille. Des fleurs jaune or de 3 cm, lavées de rose sous les pétales, apparaissent en fin d'été.

SOINS PARTICULIERS

Lumière Donner aux lithops au moins trois ou quatre heures de plein soleil par jour toute l'année.

Température L'atmosphère tempérée d'une pièce leur convient. Ils peuvent résister au gel, mais éviter de les soumettre à une température inférieure à 10°C.

Arrosage De la fin du printemps à la fin de la floraison, arroser très peu et laisser sécher les deux tiers du mélange entre les arrosages. De l'automne au printemps, les lithops entrent en repos; c'est alors que de nouvelles feuilles remplacent les anciennes. L'eau qu'elles ont emmagasinée suffit à alimenter la plante qui n'a besoin d'aucun arrosage.

Engrais Il n'est pas nécessaire de fertiliser les lithops.

Empotage et rempotage Utiliser un mélange à volume égal de terreau (voir page 429) et de sable grossier ou de perlite et des pots de profondeur normale. Les terrines plates ne conviennent pas aux racines pivotantes de ces plantes. Garnir le fond des pots de 2,5 cm de tessons de grès. Même si les deux espèces décrites ci-dessus produisent des touffes, elles n'ont besoin d'être rempotées que tous les trois ou quatre ans environ, lorsque les touffes débordent du pot. Inutile d'ajouter de l'engrais : le mélange contient assez de matières nutritives pour satisfaire à leurs besoins.

Multiplication Diviser les touffes au début de l'été. Les empoter séparément et les exposer à la lumière vive tamisée. Arroser parcimonieusement, puis cesser durant la période de repos. A la fin du printemps, exposer les plantes au plein soleil : elles sont alors sur le point de fleurir. La multiplication peut aussi se faire par semis, mais les jeunes plants mettent plusieurs années à fleurir.

Livistona
PALMIERS

L. chinensis

Quelques-unes seulement des très nombreuses espèces que comporte le genre *Livistona* se cultivent en appartement; deux d'entre elles sont assez répandues. Dans la nature, ces palmiers à feuilles en éventail peuvent devenir de grands arbres; en pots, ils présentent rarement un stipe et demeurent trapus et acaules. Portées sur des pétioles dentés, les feuilles, pouvant atteindre 60 cm de long et autant de large, sont divisées en segments acuminés de 2,5 à 4 cm de large. Les pointes des segments retombent, tandis que la base des feuilles prend l'aspect d'un ruché.
Voir aussi PALMIERS.

ESPÈCES RECOMMANDÉES

L. australis (parfois nommé *Corypha australis*) se distingue par des feuilles vert foncé, et des pétioles élancés pouvant dépasser 45 cm.

L. chinensis (souvent appelé *Latania borbonica*) présente des feuilles d'un vert lumineux, plus arrondies que celles de *L. australis*. Les pétioles mesurent entre 30 et 40 cm.

SOINS PARTICULIERS

Lumière Procurer aux livistonas une lumière vive tamisée, sans soleil direct.

Température L'atmosphère tempérée d'une pièce leur convient. Ils tolèrent néanmoins 7°C.

Arrosage Bien humidifier le mélange, puis le laisser sécher sur 1 cm avant d'arroser de nouveau. Si la température se maintient au-dessus de 16°C en hiver, la plante ne prendra pas de repos; mais si elle descend bien au-dessous de 13°C, la croissance s'interrompra. Dans ce dernier cas, n'arroser le livistona que très parcimonieusement.

Engrais Enrichir d'engrais liquide ordinaire tous les 15 jours, en période de croissance.

Empotage et rempotage Utiliser un mélange à base de terreau (voir page 429). Transplanter les plantes dans des pots ou des bacs d'une ou deux tailles au-dessus tous les deux printemps jusqu'à ce que les contenants atteignent la taille optimale de 25 à 30 cm. Par la suite, renouveler la couche superficielle du mélange (voir page 428) tous les ans. Veiller à ne pas endommager les racines principales en manipulant les plantes.

Multiplication Elle se fait par semis de graines fraîches, mais ce procédé est très lent. On achètera plutôt de jeunes sujets élevés dans des pépinières commerciales.

Lobivia

CACTACÉES

L. hertrichiana

Le nom « lobivia » est un anagramme de Bolivia (Bolivie) d'où la plupart de ces cactées sont originaires. On évalue à 70 le nombre d'espèces que regroupe le genre *Lobivia*. Toutes ces cactées ont une forme cylindrique ou globuleuse et présentent des rejets à la souche. Elles arborent toutes de belles fleurs non parfumées mais vivement colorées, qui s'ouvrent le matin pour mourir le soir.
Voir aussi CACTEES.

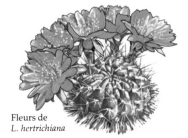

Fleurs de
L. hertrichiana

ESPÈCES RECOMMANDÉES

L. hertrichiana est l'une des espèces les plus connues. Bien que toutes soient cultivables, celle-ci est typique du genre tant par ses caractéristiques physiques que par les soins qu'elle requiert. Elle présente une tige globuleuse, luisante et vert foncé dont le diamètre atteint environ 10 cm lorsque la plante a cinq ou six ans. A ce moment, elle aura déjà produit plusieurs rejets. Chaque tige est constituée de 11 côtes saillantes, profondément crénelées. Rondes et d'aspect laineux, les aréoles logées dans les crénelures portent chacune 6 à 8 épines radiales brunâtres de 1,5 cm, ainsi

qu'une seule épine centrale, jaunâtre, pouvant atteindre 2,5 cm. Plusieurs fleurs écarlates de 7,5 cm sur 5, en forme de coupe, apparaissent à la fois au début de l'été; elles sont éphémères, mais se renouvellent pendant plusieurs semaines.

De splendides hybrides sont nés du croisement entre des espèces du genre *Lobivia* et des espèces des genres *Chamaecereus* et *Echinopsis*.

SOINS PARTICULIERS

Lumière Pour qu'elles aient des épines robustes et des fleurs en abondance, donner à ces plantes le plus de soleil possible, toute l'année. Au printemps et en été, les placer de préférence dehors, dans un endroit ensoleillé.

Température La plupart des lobivias sont des plantes de haute altitude exposées à des hivers secs et froids. Leur ménager un repos hivernal à une température légèrement inférieure à 10°C si possible. En période de croissance, l'atmosphère tempérée d'une pièce leur convient.

Arrosage En période de croissance, bien humidifier le mélange et laisser sécher sur 1 cm avant d'arroser de nouveau. En période de repos, n'arroser que pour empêcher le mélange de se dessécher. Plus la température est basse, moins il faut arroser.

Engrais En période de croissance, faire des apports d'engrais à tomates riche en potassium, tous les 15 jours.

Empotage et rempotage Utiliser un mélange à base de terreau ou de tourbe (3/4) [voir page 429] et lui ajouter du sable grossier ou de la perlite (1/4) afin de le rendre plus poreux. Les lobivias ont un système racinaire étalé; on les placera donc

dans des demi-pots ou des terrines peu profondes de 12 cm, jusqu'à ce que des rejets prolifèrent à la souche. Il leur faudra alors, probablement, des contenants de 20 à 22 cm.

Chaque année, au printemps, dépoter la plante en faisant bien attention de ne pas endommager les rejets. Tenir le cactus entre des feuilles de papier journal, le renverser, tapoter le fond du pot et dégager la plante. Si les racines sont à l'étroit, rempoter la plante. Dans le cas d'une plante dont les rejets s'étendent jusqu'aux parois du pot, procéder au rempotage ou supprimer des rejets. Sinon, enlever délicatement le mélange terreux qui s'accroche aux racines et remettre la plante dans le même pot rempli de mélange frais. Toujours planter le cactus au niveau où il était précédemment.

Multiplication Elle se fait au moyen des rejets qui souvent auront déjà un système racinaire bien développé. Détacher les rejets avec soin; le prélèvement ne leur cause généralement pas de blessure, aussi peut-on les mettre en place immédiatement. Les presser à la surface d'un mélange qui convient aux lobivias, dans un pot de 6 à 8 cm. Creuser légèrement le mélange pour placer les rejets munis de racines. Ensuite, cultiver les boutures comme des sujets adultes. Cette forme de multiplication peut se pratiquer en n'importe quelle saison, exception faite de la période de repos. Toutefois, il est préférable de multiplier les lobivias au printemps ou en été.

La multiplication peut également se faire aisément par semis. (Pour de plus amples détails, voir *CACTEES*, page 119.)

Multiplication du lobivia

Détacher les rejets de la plante mère en se servant de pinces à cactées.

Les meilleurs rejets sont ceux qui ont déjà des racines bien développées.

Ménager un creux pour les racines et tasser le mélange autour du rejet.

Lycaste

ORCHIDACÉES

L. aromatica

On trouve dans le genre *Lycaste* certaines des orchidées les plus faciles à cultiver en appartement. Ce sont des espèces épiphytes dont les pseudo-bulbes ovoïdes, qui rident avec le temps, portent habituellement à leur extrémité 1 à 3 feuilles vert foncé. Etroites à la base, elles s'élargissent au centre pour se rétrécir de nouveau à la pointe. Des hampes florales s'élèvent des pseudo-bulbes les plus jeunes, et arborent chacune une seule fleur cireuse et parfumée qui dure longtemps. Les sépales très ouverts sont toujours plus larges que les pétales, tandis que le labelle est relativement petit. Les lycastes requièrent un long repos hivernal et fleurissent généralement au printemps ou au début de l'été. Certaines espèces peuvent cependant fleurir en hiver.

Outre les espèces décrites ci-dessous, il existe de nombreux hybrides dont certains se caractérisent par des fleurs d'une taille exceptionnellement grande.
Voir aussi ORCHIDEES.

ESPÈCES RECOMMANDÉES
L. aromatica présente des pseudo-bulbes de 5 à 9 cm de haut et de 2,5 à 5 cm de large. Les feuilles, longues de 18 à 25 cm, ont une largeur maximale de 7,5 cm. Quant aux hampes, elles mesurent de 7,5 à 15 cm et sont couronnées d'une fleur presque aplatie de 7,5 cm de large. Les sépales sont d'un jaune rougeâtre, les pétales jaune or, et le labelle est jaune-orange et rouge.
L. cruenta a des pseudo-bulbes d'environ 10 cm sur 5 et des feuilles atteignant 40 cm sur 15. Plusieurs hampes de 20 cm portent chacune une fleur cratériforme de 7,5 cm au plus, à sépales jaune-vert; les pétales et le labelle, jaune-orange, sont mouchetés de rouge sang.
L. deppei se caractérise par des pseudo-bulbes aplatis d'environ 10 cm sur 5 et par des feuilles de 25 à 30 cm sur 10. Les hampes florales de 15 cm portent chacune une fleur de 7,5 à 10 cm de large. Les sépales, très étalés, sont d'un vert clair taché de carmin; ils entourent de petits pétales blancs et un labelle blanc rayé de rouge.

SOINS PARTICULIERS
Lumière Procurer aux lycastes une lumière moyenne toute l'année.
Température Elle devrait être de 18°C le jour avec une chute de 5 degrés la nuit. Mais les lycastes supportent aisément des températures plus élevées en été, de même que des températures aussi basses que 16°C, le jour, pendant de courtes périodes. Il faut toutefois leur procurer, en tout temps, une humidité adéquate.
Arrosage En période de croissance, arroser modérément et laisser le mélange sécher presque complètement entre les arrosages. Au début de la période de repos, vers la mi-automne, ne pas arroser du tout pendant 15 jours. Par la suite, n'arroser que pour empêcher le mélange et les nouveaux pseudo-bulbes de se dessécher.
Engrais Enrichir d'engrais foliaire tous les trois ou quatre arrosages, en période de croissance.
Empotage et rempotage Utiliser l'un des mélanges recommandés pour les orchidées épiphytes (voir page 289). Remplir le pot à demi de tessons de grès. Ajouter au mélange, tous les 10 cm, une poignée de parcelles de charbon de bois. Le rempotage se fait de préférence au printemps. Les lycastes peuvent se cultiver tout aussi bien dans des pots de 22 cm que sur des troncs à épiphytes.
Multiplication Elle se fait au printemps par division du rhizome. Lors du rempotage, couper le rhizome à un point de ramification. Chaque segment doit porter un bourgeon et au moins deux pseudo-bulbes. Placer les boutures à la surface du mélange (qu'on recommande pour les lycastes) dans un pot de 10 à 13 cm. L'entaille doit se trouver près de la paroi du pot. On peut également attacher la bouture à un support à épiphytes. Arroser parcimonieusement pendant six semaines. Cultiver ensuite les plants comme des sujets adultes.

Mammillaria

CACTACÉES

M. zeilmanniana alba

Le genre *Mammillaria,* qui groupe plus de 300 espèces de cactées du désert, est le plus important de la famille des *Cactacées.* Certaines espèces sont si difficiles à cultiver qu'elles présentent un défi aux horticulteurs les plus expérimentés. D'autres, par contre, poussent vite et se cultivent bien en appartement. Toutes fleurissent à l'intérieur, que leur diamètre soit de 5 ou de 90 cm.

Les mammillarias sont des plantes globuleuses ou colonnaires qui produisent souvent des rejets ou se ramifient à la souche. Ces cactées portent non des côtes, comme plusieurs cactées, mais des tubercules saillants, disposés en spirale, au sommet desquels se trouvent des aréoles garnies d'épines. Celles-ci varient d'une espèce à l'autre. Chez certaines, elles ressemblent à des poils ou à des soies; chez d'autres, elles sont plus robustes et sont parfois incurvées. Mais on ne trouve pas chez les mammillarias de ces épines acérées et dures qui caractérisent les cactées du désert. Autre particularité : les fleurs naissent dans les aréoles secondaires, entre les tubercules, et non au sommet de ceux-ci. Elles apparaissent en couronne sur le dessus de la plante et poussent sur du tissu de l'année précédente, si bien que la plante qui croît mal une année fleurit peu l'année d'après.

Petites et campanulées, les fleurs s'ouvrent d'habitude au printemps ou au début de l'été. Chacune ne dure que quelques jours, mais la floraison peut s'étendre sur deux semaines ou davantage. Deux coloris sont surtout présents : blanc crème et rouge. Les plantes à fleurs blanc crème fleurissent généralement plus tôt que les secondes. *M. zeilmanniana* (voir à la page suivante) fait cependant exception. Des baies rouges apparaissent parfois sur la plante au printemps, faisant suite à la floraison de l'année précédente. Formant un anneau au-dessous des fleurs de l'année courante, elles demeurent sur la plante jusqu'à l'automne.

Les espèces décrites ci-dessous sont assez faciles à cultiver.
Voir aussi CACTÉES.

ESPÈCES RECOMMANDÉES

M. bocasana se présente sous la forme d'une masse de tiges globuleuses qui donnent à la plante l'aspect d'un coussin. Chacune des tiges d'un sujet de cinq ans a un diamètre d'environ 5 cm; la plante peut donc avoir un étalement de 20 cm et plus. Les tiges bleu-vert sont couvertes de tubercules de 1,5 cm de haut, couronnés d'aréoles qui portent chacune 25 à 30 épines soyeuses, blanches, d'environ 2,5 cm. La plante semble enveloppée d'un voile argenté. Les aréoles portent en outre 2 à 4 épines centrales jaunâtres de 3 cm, plus robustes que les blanches et dont l'une au

moins est incurvée. Des fleurs jaunes d'environ 2 cm sur 10 s'ouvrent au printemps, même sur les jeunes sujets.

M. celsiana se distingue par une tige unique qui ne se ramifie pas avant que la plante ait cinq ans. Avec le temps, il se forme néanmoins une touffe de tiges de 5 cm d'épaisseur et d'environ 10 cm de hauteur. Bien qu'elles soient bleu-vert, les nombreuses épines dont elles sont recouvertes leur donnent une teinte miel. Les tubercules, d'environ 1 cm de haut, sont en effet couronnés d'aréoles portant une vingtaine d'épines radiales fines et blanches, d'environ 1 cm de long, et 4 à 6 épines centrales plus robustes, d'un jaune soutenu, de 2 cm de long. Au printemps, *M. celsiana* produit des fleurs carmin de 1,5 cm sur environ 0,5. Mais, comme la plupart des espèces à fleurs rouges, il ne fleurit pas avant d'avoir quatre ou cinq ans.

M. elegans est une plante cylindrique. Vers l'âge de cinq ans, sa tige principale mesure environ 10 cm sur 7,5 et elle commence à se garnir de rejets. Les tiges vert clair sont alors complètement masquées par une profusion d'épines blanches qui jaillissent des aréoles au sommet de tubercules de 0,5 cm de haut. Chacune porte en effet 25 à 30

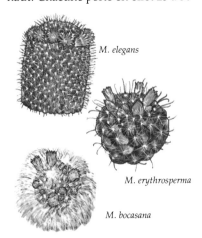

M. elegans

M. erythrosperma

M. bocasana

épines radiales, raides, d'environ 0,5 cm et 1 à 3 épines centrales de 2,5 cm; toutes sont blanches. Les fleurs d'un beau vermillon qui s'épanouissent au début du printemps, lorsque les sujets sont âgés de quatre ans ou plus, mesurent environ 1,5 cm de long et 0,8 cm de diamètre.

M. erythrosperma forme une sorte de coussin qui atteint 60 cm de diamètre chez les sujets à l'état sauvage. En culture, il remplira probablement un pot de 14 cm après cinq ans. Les tiges globuleuses et vert foncé ont environ 5 cm de haut et sont couvertes de tubercules de 1,5 cm. Une vingtaine de délicates épines blanches de 1,5 cm de long, disposées en étoile, irradient des aréoles. Elles donnent à la plante une apparence givrée en dépit des épines centrales d'un brun foncé. L'une de ces épines centrales est recourbée. Les fleurs satinées rouge foncé mesurent environ 2 cm de long et autant de large. La floraison commence quand les plantes ont environ trois ans et a lieu au printemps.

M. gracilis a des tiges cylindriques d'un vert lumineux mesurant environ 10 cm sur 4. Erigées au début, elles ne tardent pas à s'étaler en produisant de nombreux rejets qui se détachent de la plante mère au moindre choc. Les protubérances mammiformes de 1 cm portent des aréoles d'où sortent 12 à 14 aiguillons radiaux de 1,5 cm, blancs et disposés en étoile, et 3 à 5 aiguillons centraux bruns, trois fois plus longs. Des fleurs blanches d'environ 2 cm sur 1,5 apparaissent au printemps dès que les sujets sont âgés de deux ans. Grâce à ses tendres rejets qui se détachent facilement des tiges, *M. gracilis* est l'une des cactées qui se multiplient le plus aisément (voir « Multiplication », à la page suivante).

M. hahniana est une cactée globuleuse qui peut atteindre 10 cm de haut. D'abord solitaire, elle s'entoure après quatre ou cinq ans d'une profusion de rejets. Cette plante se distingue surtout par une toison blanche constituée d'une multitude de soies ondulées de 5 cm, portées par les aréoles secondaires et dissimulant des tiges vert-gris. Les aréoles primaires, au sommet de mamelons de 1,5 cm de haut, sont elles-mêmes laineuses; il en sort une trentaine d'épines radiales de 0,5 cm et 2 épines centrales de 1,5 cm; toutes sont blanches. Des fleurs écarlates de 2 cm sur 1,5 commencent à s'épanouir à la fin du printemps chez les sujets de quatre ans dont les tiges principales ont 5 cm de diamètre.

M. microhelia présente des tiges érigées vert vif pouvant atteindre 15 cm sur 5, auxquelles s'adjoignent des bouquets de touffes. Au sommet des tubercules de 0,5 cm de haut, les aréoles laissent échapper une cinquantaine d'épines radiales dorées et 1 à 4 épines centrales brunes. Les premières, disposées en étoile, ont 1 cm et les secondes 1,5. Des fleurs crème de 1,5 cm de long et de large s'ouvrent à la fin du printemps sur les sujets d'environ trois ans.

M. prolifera est une espèce qui croît à une vitesse impressionnante. Les tiges cylindriques n'ont pas 2,5 cm de diamètre qu'elles produisent déjà des rejets, et la masse devient à la longue très compacte. Un sujet de quatre ans remplit facilement la surface d'un contenant de 14 cm. Chaque tige vert foncé, d'au plus 6,5 cm sur 4, se couvre entièrement de protubérances très tendres de 0,5 cm. Les aréoles portent une quarantaine d'épines radiales, minces et blanches, d'environ 1,5 cm, et 4 à 9 épines centrales jaunâtres de 1 cm. Les longues soies blanches qui poussent dans les sillons entre les tubercules donnent à la plante un aspect laineux. Des fleurs crème de 1,5 cm s'épanouissent à la fin du printemps dès que les sujets ont deux ou trois ans.

M. zeilmanniana, l'un des plus beaux mammillarias, fait exception à la règle voulant que les espèces à fleurs rouges soient plus lentes à fleurir. Jeune, il donne en effet une multitude de fleurs rouge cerise. La tige, d'abord solitaire, s'entoure de rejets presque globuleux, d'un vert brillant, mesurant 6,5 cm sur 5. Un sujet de quatre ans remplit d'ordinaire un pot de 10 cm. Les tubercules ont 0,5 cm de haut et chaque aréole émet 15 à 18 épines radiales blanches et 2 à 4 épines centrales brunes dont l'une est incurvée. Elles ont toutes environ 1,5 cm de long. Les fleurs estivales mesurent chacune 1,5 cm sur 2. Une variété à fleurs blanches, *M. z. alba*, ne diffère de l'espèce que par la couleur de ses fleurs.

SOINS PARTICULIERS

Lumière Pour qu'ils aient de belles fleurs et des épines colorées, exposer les mammillarias au soleil toute l'année.

Température En période de croissance (au printemps et en été), l'atmosphère tempérée d'une pièce leur suffit, mais ces plantes croîtront mieux dehors, dans un endroit ensoleillé. Durant l'hiver, leur ménager un repos à environ 10°C si possible; elles tolèrent à la limite 4°C. L'essentiel est de ne pas les garder dans des lieux chauffés où elles continueraient de croître alors que la lumière est insuffisante; elles perdraient leur forme et ne fleuriraient pas.

Arrosage Au printemps et en été, bien mouiller le mélange à chaque arrosage et laisser sécher sur 1 cm avant d'arroser de nouveau. Veiller à ne pas laisser d'eau se déposer entre les touffes de tiges, ce qui pourrait les faire pourrir. Pour cette raison, d'ailleurs, certains horticulteurs préfèrent arroser les mammillarias par la base du pot.

Une fois par semaine, poser alors les pots, durant deux ou trois minutes, dans un plat contenant 5 cm d'eau, et laisser le mélange boire jusqu'à ce qu'il soit entièrement humide. Pendant le repos hivernal, n'arroser que pour empêcher le mélange de se dessécher tout à fait.

Engrais En période de croissance seulement, faire des apports d'engrais à tomates, riche en potassium, une fois par mois si la plante pousse dans un mélange à base de terreau, et tous les 15 jours si elle est dans un mélange tourbeux.

Empotage et rempotage Utiliser un substrat composé de sable grossier ou de perlite (1/4) et de mélange à base de terreau ou de tourbe (3/4) [voir page 429]. Les espèces qui forment un gros bouquet se trouvent mieux dans un plateau large que dans un pot; prendre un plateau de 10 cm pour un bouquet de 8 cm. Les sujets solitaires, ainsi que ceux qui produisent peu de rejets ou de rameaux, peuvent être cultivés dans des pots ordinaires, un pot de 8 cm convenant à une plante de 5 cm de diamètre. Dépoter la plante au printemps; la tenir près de la souche en s'aidant de pincettes. Manipuler avec le plus grand soin les espèces à épines incurvées; une fois accrochées, celles-ci sont difficiles à dégager sans que soit arrachée du même coup l'aréole tout entière. Rempoter les mammillarias lorsque leurs racines remplissent le pot. Autrement, secouer doucement la plante pour enlever l'ancien mélange, et la remettre dans son pot bien nettoyé et rempli de mélange frais.

Multiplication Dans les pépinières, la multiplication se fait par semis. Plusieurs personnes voudront utiliser les graines produites par leurs propres plantes. Cueillir les baies qui apparaissent après les fleurs en automne. Presser le fruit au-dessus d'un papier buvard pour faire tomber la pulpe et placer le papier au sec pendant plusieurs jours. Recueillir alors les graines et les ranger dans des enveloppes bien étiquetées, jusqu'au printemps suivant. (Voir *CACTEES*, page 119.)

Les plantes qui produisent des rameaux ou des rejets peuvent éga-

Cueillette des graines

Quand les baies sont mûres, les presser au-dessus d'un papier buvard pour faire tomber la pulpe. Lorsque la pulpe est sèche, recueillir les graines.

lement se multiplier au moyen de ces organes, au printemps et en été. C'est la méthode la plus rapide pour obtenir des sujets de taille à fleurir. Couper un rameau et le laisser sécher pendant plusieurs jours, ou prélever un rejet qui se détache facilement; planter la partie inférieure dans un pot de 5 à 8 cm rempli de mélange ordinaire. L'enracinement se fait en quelques semaines. Cultiver les nouveaux plants comme des mammillarias adultes.

Manettia
RUBIACÉES

M. inflata

La seule espèce de ce genre qui soit cultivée à l'intérieur est *Manettia inflata* (parfois appelée *M. bicolor*), plante grimpante dont on peut tuteurer ou laisser retomber les tiges volubiles. Elle arbore des feuilles ovales et acuminées d'environ 5 cm sur 2,5. Du début du printemps à la fin de l'automne s'épanouissent de jolies fleurs tubulées rouges à bout jaune, de 2 cm de long. Elles sont enserrées dans un calice vert et sont portées sur des pédoncules axillaires de 2,5 à 4 cm.

SOINS PARTICULIERS
Lumière Procurer à ces plantes une lumière vive toute l'année, mais ne jamais les exposer au plein soleil.
Température L'atmosphère tempérée d'une pièce leur convient durant la croissance. En période de repos hivernal, la température idéale se situe entre 13 et 16°C.
Arrosage En période de croissance, bien mouiller le mélange terreux, mais ne jamais laisser les pots séjourner dans l'eau. En période de repos, n'arroser que pour empêcher le mélange de se dessécher.
Engrais Enrichir d'engrais liquide ordinaire tous les 15 jours, en période de croissance seulement.

Empotage et rempotage Utiliser un mélange à base de terreau (voir page 429). Rempoter les plantes lorsque des racines apparaissent à la surface du mélange (environ deux fois par année). Quand la plante remplit un pot de 20 à 25 cm, ne plus la rempoter; se contenter de renouveler le mélange en surface (voir page 428) chaque printemps.
Multiplication Au printemps ou en été, prélever des boutures terminales de 5 à 7,5 cm sur des tiges non florifères, juste sous une paire de feuilles. Enlever les feuilles du bas et plonger la coupe dans de la poudre d'hormones. Planter deux ou trois boutures près de la paroi d'un pot de 8 cm rempli d'un mélange humide, à volume égal de tourbe et de sable grossier ou de perlite. Enfermer les pots dans un sachet de plastique transparent ou une caissette de multiplication (voir page 443) et les exposer à la lumière vive tamisée. L'enracinement se fait d'habitude en trois ou quatre semaines, après quoi on découvrira les boutures. Les arroser modérément en laissant le mélange sécher sur 2,5 cm entre les arrosages; enrichir d'engrais liquide ordinaire tous les 15 jours. Lorsque des racines apparaissent par les trous de drainage ou à la surface du mélange, transplanter ensemble les jeunes plants dans des pots de 10 à 13 cm remplis de mélange à base de terreau. Les cultiver alors comme des manettias adultes.
Remarque Pour qu'elles conservent leur beauté, rabattre ces plantes au printemps, même de moitié si nécessaire.

Maranta

MARANTACÉES

Plante qui prie
M. leuconeura erythroneura

A cause de ses feuilles qui se replient la nuit, le maranta a été surnommé « dormeuse » ou « plante qui prie ». Quelques espèces sont parfois confondues avec les plantes des genres *Calathea, Ctenanthe* et *Stromanthe,* auxquelles elles ressemblent. Seul *M. leuconeura* est cultivé en appartement. C'est une plante étalée dont les feuilles, qui atteignent 13 cm sur 7,5, sortent de pétioles engainés. D'un vert pâle satiné orné de taches vert sombre ou brun clair en forme de plumage au-dessus, le limbe est au-dessous d'un beau gris-vert lavé de pourpre.

La variété la plus connue, *M. l. leuconeura* (aussi appelé *M. l.* 'Massangeana' ou *M.* 'Massangeana'), se distingue par des feuilles à marge et à nervure médiane plus pâles, celle-ci entourée de macules presque noires; le dessous est pourpre. Celles de *M. l. erythroneura* sont presque oblongues et d'un vert olive soutenu, avec des marques vert clair près de la nervure médiane d'où irradient des nervures latérales rouge vif; le dessous est rouge pourpré. Toutes les feuilles de *M. l. kerchoviana* ont un limbe vert clair en surface avec des traces vert foncé ou brunes de chaque côté de la nervure médiane; la face inférieure est bleu-gris.

SOINS PARTICULIERS

Lumière Procurer aux marantas une lumière moyenne; les rayons du soleil décolorent le limbe des feuilles et font brunir le pourtour.

Température Une température de 18 à 21°C est idéale toute l'année. Si

M. leuconeura leuconeura

M. leuconeura kerchoviana

le thermomètre s'élève au-dessus de 18°C, poser les pots sur des gravillons maintenus humides et bassiner les feuilles, de préférence avec de l'eau de pluie qui ne laisse pas de dépôts calcaires. Ne jamais garder les marantas à moins de 13°C.

Arrosage Maintenir le mélange très humide en période de croissance. Durant la période de repos hivernal, arroser très peu et laisser sécher la moitié du mélange entre les arrosages.

Engrais Faire un apport d'engrais liquide ordinaire une fois tous les 15 jours, pendant la période de croissance.

Empotage et rempotage Utiliser un mélange à base de terreau (voir page 429). Rempoter au printemps. Ces plantes ayant un système racinaire superficiel, elles croissent bien dans des demi-pots ou des terrines.

Multiplication Elle se fait par division des touffes au printemps ou par bouturage durant la saison chaude. Prélever des boutures de 7,5 à 10 cm, pourvues de 3 ou 4 feuilles; enlever les tuniques des pétioles qui se trouveraient sous la surface du mélange. Planter chaque bouture dans un pot de 5 à 8 cm rempli d'un mélange humide à volume égal de tourbe et de sable. Les enfermer dans un sachet de plastique et les garder à l'ombre. L'enracinement se fait en quatre à six semaines. A la reprise de la croissance, transplanter les plants dans des terrines ou des demi-pots remplis de mélange à base de terreau et les cultiver dès lors comme les marantas adultes.

Mauve en arbre, voir *Hibiscus.*

Multiplication par boutures

A l'aide d'un couteau bien aiguisé, prélever des boutures qui portent au moins trois feuilles.

Enlever les tuniques des pétioles qui autrement seraient enfouies dans le mélange lors de l'empotage.

Maxillaria

ORCHIDACÉES

M. praestans

Voir aussi ORCHIDEES.

Les maxillarias cultivés en appartement sont des plantes épiphytes dont les pseudo-bulbes ovoïdes portent à leur sommet des feuilles coriaces vert foncé. De la base des derniers-nés des pseudo-bulbes émergent une ou plusieurs hampes dressées, couronnées chacune d'une seule fleur. Les sépales et les pétales sont plutôt longs, étroits et pointus; ils donnent à la fleur une forme ailée qui la fait ressembler à un insecte.
Voir aussi ORCHIDEES.

ESPÈCES RECOMMANDÉES

M. picta présente des pseudo-bulbes d'environ 7,5 cm qui se flétrissent avec l'âge. Chacun porte une feuille rubanée, et plus rarement deux, de 25 à 40 cm sur 1,5. Les hampes florales ont environ 20 cm et les fleurs, de 5 cm de diamètre, ont des sépales recourbés et de petits pétales. Sépales, pétales et labelle sont d'une couleur crème que rehaussent des mouchetures ou de fines rayures rouge-marron. La plupart des fleurs s'épanouissent en hiver ou au début du printemps, durant la période de repos.

M. praestans a des pseudo-bulbes de 2,5 cm portant chacun une feuille rubanée de 15 à 20 cm sur 2,5 à 4. Les hampes florales de 10 à 13 cm, érigées, portent chacune une fleur de 2,5 à 4 cm dont les pétales et le labelle, petits et pointant vers le haut, sont entourés de sépales plus grands et étalés. Pétales et sépales sont d'un brun rougeâtre finement ligné de jaune, tandis que le labelle rouge foncé entoure le style jaune. La floraison peut se produire en toute saison, mais elle a lieu généralement au début de l'été.

M. tenuifolia se distingue par un rhizome qui pousse à la verticale. Les pseudo-bulbes espacés sur ce rhizome portent chacun une feuille étroite et rubanée de 30 à 40 cm; ils ne mesurent que 2,5 cm. Les plus jeunes produisent plusieurs hampes de 5 cm soutenant chacune une fleur de 4 à 5 cm de diamètre. Les sépales et les pétales rouge foncé, petits et étroits, sont tachetés de jaune. Le labelle rouge sang, presque oblong, se termine par une pointe jaune mouchetée de pourpre. La floraison survient en été et en automne.

SOINS PARTICULIERS

Lumière Procurer aux maxillarias une lumière vive tamisée, toute l'année. Les rayons directs du soleil brûlent leurs feuilles.

Température La température doit être d'environ 21°C, le jour, en période de croissance, et si possible de 16°C ou moins en période de repos hivernal, avec, dans les deux cas, une chute de 5 degrés la nuit. Maintenir l'humidité élevée en tout temps, en plaçant les pots sur des gravillons gardés humides ou en bassinant tous les jours les plantes qui sont installées sur des supports à épiphytes.

Arrosage En période de croissance, arroser modérément et laisser sécher le mélange sur 1 cm avant d'arroser de nouveau. En période de repos, arroser très peu. Cette recommandation s'applique aussi à *M. picta*. A la fin de la floraison, cesser les apports d'eau durant trois semaines.

Engrais En période de croissance, appliquer de l'engrais foliaire tous les trois ou quatre arrosages.

Empotage et rempotage Utiliser l'un des mélanges recommandés pour les orchidées épiphytes (voir page 289). Rempoter au printemps, mais seulement quand les plantes sont à l'étroit. Durant les semaines qui suivent le rempotage, arroser parcimonieusement. Les petites plantes croissent bien dans des pots de 8 à 13 cm ou sur des supports tels que des cubes de fibre d'osmonde; les grosses plantes, dans des terrines ou des corbeilles ajourées. Si *M. tenuifolia*, dont le rhizome pousse à la verticale, est cultivé en pot, supporter la plante avec une souche de fougère arborescente de 5 cm sur 30.

Multiplication Elle se fait au printemps par division du rhizome. Couper le rhizome en deux avec un couteau bien aiguisé : chaque segment doit porter un bourgeon et au moins deux pseudo-bulbes sains. Planter les segments séparément, dans du mélange ordinaire, en laissant 2,5 cm de jeu entre le rhizome et la paroi du pot, ou attacher individuellement les segments à des supports sur lesquels ils croîtront en épiphytes. Arroser parcimonieusement pendant les six premières semaines, puis cultiver comme des maxillarias adultes.

Medinilla

MÉLASTOMATACÉES

M. magnifica

Certaines plantes du genre *Medinilla* vivent en épiphytes au creux des branches d'arbres, mais la plupart ont une forme arbustive. La seule espèce cultivée à l'intérieur, *M. magnifica*, porte bien son nom, car elle produit de magnifiques grappes de fleurs retombantes. Elle est de culture très difficile, cependant, même dans une serre, et ne fleurit pas en appartement, à moins de bénéficier de conditions idéales. En outre, elle prend beaucoup de volume et peut devenir encombrante. Certains horticulteurs amateurs réussissent parfois à la cultiver dans un terrarium ou dans une vitrine (voir pages 53 et 54).

M. magnifica peut atteindre 2,45 m dans son habitat naturel, mais ne dépasse pas 1,20 m de hauteur et d'étalement dans un pot de 25 à 30 cm. Ses tiges ligneuses et quadrangulaires produisent de nombreux rameaux qui portent des feuilles opposées coriaces, très ondulées et rudes au toucher. Elles sont vertes et sessiles, ont une forme ovale acuminée et atteignent 30 cm sur 15. Des hampes florales pendantes d'au plus 45 cm apparaissent au sommet des rameaux à la fin du printemps. Chacune porte un certain nombre de bractées papyracées rosâtres de 5 à 10 cm sur 5, disposées par étages et entre lesquelles s'intercalent des grappes d'une vingtaine de fleurs rouge cerise. A l'extrémité de la hampe naît toutefois une très belle inflorescence composée d'une quarantaine de fleurs campanulées portées sur de courts pédicelles, et pouvant atteindre chacune 1,5 cm de long et autant de large.

SOINS PARTICULIERS

Lumière Exposer ces plantes au plein soleil tamisé par un store ou des rideaux translucides.

Température Maintenir la température entre 18 et 27°C toute l'année. Elle peut être légèrement plus basse durant le repos hivernal, mais ne doit jamais être inférieure à 13°C. Les medinillas ne fleurissent que s'ils ont beaucoup d'humidité. Poser les pots sur des gravillons maintenus humides et vaporiser le feuillage tous les jours dès que la température s'élève au-dessus de 18°C. Durant la période de repos, laisser sécher les gravillons, mais ne pas interrompre les vaporisations à moins que la température ne se maintienne au-dessous de 18°C pendant plus de deux ou trois jours.

Arrosage En période de croissance, bien humidifier le mélange à chaque arrosage, mais laisser sécher sur 1 cm avant d'arroser de nouveau. En période de repos, arroser très peu. Reprendre les arrosages modérés quand apparaissent de nouvelles hampes florales au début du printemps.

Engrais Faire un apport d'engrais liquide ordinaire une fois tous les 15 jours sitôt que les boutons floraux s'ouvrent. Ne plus fertiliser à partir du début de l'automne, même si la période de croissance de la plante n'est pas terminée.

Empotage et rempotage Utiliser un mélange composé de terreau (1/3) [voir page 429], de terreau de feuilles grossier (1/3), de tourbe (1/6) et de sable grossier ou de perlite (1/6). Rempoter au printemps en faisant bien attention de ne pas endommager les racines. Quand la plante loge dans un pot de 25 à 30 cm, ne plus rempoter; renouveler le mélange en surface chaque printemps (voir page 428).

Multiplication On peut multiplier les medinillas par bouturage de segments terminaux, mais l'opération a peu de chances de réussir en appartement : les feuilles du sommet des tiges sont très grandes, et, pour s'enraciner, les boutures requièrent une humidité élevée et une chaleur constante. Il est préférable d'acheter de jeunes sujets dans les pépinières.

Remarques Les medinillas sont particulièrement vulnérables aux attaques des araignées rouges (voir page 454). Des vaporisations régulières (voir « Température », ci-contre) constituent un bon moyen de prévention, surtout sur le dessous des feuilles où ces ravageurs pullulent.

Rabattre les plantes tout de suite après la floraison, en principe au début de l'été. Tailler les rameaux encombrants ou trop grêles presque jusqu'à la souche; rabattre également de moitié tous les rameaux trop longs, qu'ils aient ou non porté des fleurs.

Microcoelum
PALMIERS

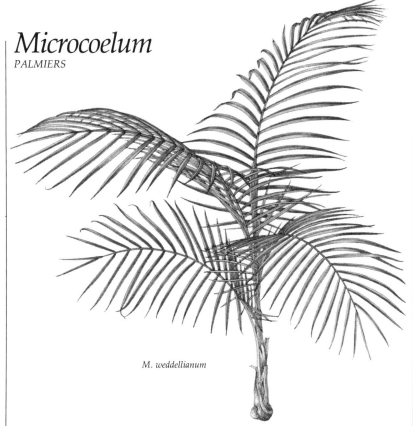

M. weddellianum

Le genre *Microcoelum* (cocotier) comprend deux espèces dont l'une, *M. weddellianum,* est cultivée en appartement. On la vend souvent sous les noms de *Cocos weddelliana* ou *Syagrus weddelliana* qui sont maintenant jugés incorrects.

A l'intérieur, *M. weddellianum* dépasse rarement 1,20 m de hauteur et 60 cm d'étalement. Les jeunes plants que vendent les fleuristes mesurent généralement entre 25 et 30 cm de haut, et les 3 ou 4 frondes qu'ils portent entre 20 et 25 cm. Avec le temps, toutefois, les frondes se développent et peuvent finir par atteindre environ 90 cm sur 20. Les sujets en pots présentent un tronc court et épais d'où jaillissent des frondes d'un vert brillant divisées en plusieurs folioles fuselées. Chaque fronde se dresse sur un pétiole de 7,5 à 15 cm et son rachis est recouvert d'écailles noires. On compte entre 20 et 30 folioles disposées en chevrons de chaque côté du rachis. A l'intérieur, ces plantes ne produisent pas de fleurs.
Voir aussi PALMIERS.

SOINS PARTICULIERS
Lumière Procurer à ces palmiers une lumière vive, mais les protéger des rayons directs du soleil.

Température Les microcoelums ne doivent pas être exposés trop longtemps à des températures inférieures à 16°C ou supérieures à 27°C. Ils sont également très sensibles à la sécheresse de l'air qui fait brunir et flétrir les frondes; aussi faut-il laisser les pots continuellement sur des gravillons maintenus humides.

Arrosage Il sera modéré en tout temps. Bien mouiller le mélange, mais en laisser sécher 1 cm avant d'arroser de nouveau, et 2,5 cm si la température descend au-dessous de 16°C.

Engrais Enrichir d'engrais liquide ordinaire une fois par mois, en période de croissance.

Empotage et rempotage Utiliser un mélange à base de terreau (voir page 429). Veiller à ne pas empoter les microcoelums dans des pots trop grands; les rempoter au printemps, seulement lorsque la souche épaissie des palmiers commence à sortir du pot, soit une fois tous les deux ou trois ans.

Multiplication Les microcoelums se multiplient par semis. L'opération est très lente, aussi faut-il s'armer de patience si on la tente. Il est certainement préférable d'acheter de jeunes plants.

Miltonia
ORCHIDACÉES

Bien qu'il comporte peu d'espèces, le genre *Miltonia* groupe un grand nombre de variétés et d'innombrables hybrides. Ces orchidées épiphytes présentent des pseudo-bulbes ovoïdes lisses, luisants, vert-gris, mesurant environ 5 à 10 cm de haut, 4 cm de large et 1,5 cm d'épaisseur. Chacun porte généralement 1 à 3 feuilles vert clair, longues, étroites, gracieusement arquées et presque translucides à leur extrémité.

De la base des pseudo-bulbes jaillissent des hampes florales qui arborent sur de courts pédoncules jusqu'à 10 grandes fleurs très évasées, de texture veloutée. Pétales et sépales, presque oblongs, semblent se superposer. Le diamètre des fleurs passe de 5 à 10 cm selon les espèces et les variétés. Les coloris sont très riches et le labelle à 2 lobes, plus grand et plus long que les pétales, porte généralement une tache de teinte contrastante au niveau de la gorge. Plusieurs variétés donnent des fleurs parfumées. La floraison principale se produit généralement à la fin du printemps et en été, mais une seconde peut succéder en automne. Les fleurs durent quatre ou cinq semaines.

Les miltonias n'ont pas de période de repos bien définie et, pourvu qu'on leur procure les conditions adéquates, leur croissance se poursuit toute l'année. Toutefois, comme ils sont très vulnérables aux variations de température, il est préférable de les cultiver dans un terrarium (voir page 54).

Il est presque impossible de désigner les hybrides qui se prêtent le mieux à la culture en appartement tant ils sont nombreux; ils ont d'ailleurs pris le pas sur les espèces. Voici cependant quelques espèces et variétés à la fois représentatives du genre et faciles à cultiver. Les horticulteurs amateurs ont intérêt à acheter des plantes déjà en fleur.
Voir aussi ORCHIDEES.

ESPÈCES RECOMMANDÉES
M. spectabilis se reconnaît à ses pseudo-bulbes de 7,5 à 10 cm portant chacun 2 feuilles rubanées d'au plus 15 cm. Les hampes florales de 15 à 20 cm donnent naissance à des

Miltonia hybride

fleurs solitaires de 10 cm au plus, dont les sépales et les pétales sont habituellement blancs ou crème et dont le labelle violet est veiné et éclaboussé à la gorge d'une teinte plus sombre. Ce labelle a des marges ondulées blanches ou rose pâle. La floraison se produit d'habitude à la fin de l'été ou au début de l'automne. *M. s.* 'Moreliana' est une variété populaire à sépales et pétales rouge violacé, avec un labelle plus veiné que celui de l'espèce. *M. vexillaria* se distingue par des pseudo-bulbes d'au plus 6,5 cm, portant chacun au moins 3 feuilles en forme de lanière, de 20 à 30 cm de long. Les pseudo-bulbes peuvent donner plusieurs hampes florales à la fois; celles-ci atteignent 50 cm. Chacune d'elles est couronnée de 3 fleurs parfumées ou plus, mesurant chacune 7,5 cm. Leurs coloris vont du lilas tendre au rouge rosé et le labelle, qui peut atteindre

6,5 cm, est d'une teinte plus sombre que rehausse un croissant jaune très vif. *M. v.* 'Volunteer' est une variété très florifère dont les fleurs rose lavande veinées de pourpre sombre ont un labelle taché de blanc et de jaune.
M. warscewiczii a des pseudo-bulbes vert foncé de 10 cm au plus, portant chacun une seule feuille rubanée pouvant atteindre 18 cm. Plusieurs fleurs de 4 cm environ naissent à l'extrémité de chacune des hampes qui atteignent 30 cm. Pétales et sépales sont d'un brun cannelle bordé de jaune; leurs marges sont ondulées. Le labelle

arrondi rose pourpre est relevé de blanc au sommet et marqué d'une tache centrale brune. La floraison a lieu de la mi-hiver au début du printemps. Les fleurs blanches de *M. w. alba* ont un labelle éclaboussé de lilas, tandis que les sépales et les pétales jaunes de *M. w. xanthina* sont ourlés de blanc.

SOINS PARTICULIERS

Lumière Sauf l'hiver, procurer aux miltonias un éclairement moyen, une lumière trop vive faisant jaunir le feuillage. Pendant les mois d'hiver, les exposer au soleil du matin ou de fin d'après-midi.

Température Elle sera d'environ 21°C le jour et de 18°C la nuit, jamais supérieure à 24°C ni inférieure à 17°C. Ces plantes ont besoin de beaucoup d'humidité; les bassiner tous les matins et poser les pots sur des gravillons maintenus humides.

Arrosage Pour permettre au feuillage de sécher avant la nuit, arroser modérément le matin. Laisser sécher le mélange sur 1 cm avant d'arroser de nouveau.

Engrais Enrichir d'engrais foliaire riche en azote tous les trois ou quatre arrosages durant les mois d'été, et tous les six à huit arrosages le reste de l'année.

Empotage et rempotage Utiliser l'un des mélanges recommandés pour les orchidées épiphytes (voir page 289). Empoter les miltonias dans des pots juste assez grands pour permettre l'apparition de 2 ou 3 pseudo-bulbes. Rempoter, s'il y a lieu, durant l'été, immédiatement après la floraison.

Multiplication Quand un sujet est devenu trop gros, sectionner le rhizome de façon à obtenir des segments porteurs d'au moins 2 pseudo-bulbes. Faire la division en été. Planter les segments dans des petits pots remplis de mélange humide, et les exposer à une lumière moyenne. Ne pas arroser durant quatre semaines, mais bassiner légèrement le feuillage tous les jours. Cultiver ensuite les plants comme des miltonias adultes.

Remarques Enlever sans délai les fleurs et les feuilles mortes : à leur contact, les bonnes feuilles s'abîmeraient. Des taches foliaires noires se forment à basse température. Augmenter alors la chaleur.

Mimosa
LÉGUMINEUSES

Sensitive
M. pudica

Il n'y a que l'espèce *Mimosa pudica* (sensitive) qui se cultive en appartement. Elle s'apparente au mimosa des fleuristes tant apprécié pour ses exquises fleurs globuleuses, au parfum délicat. Mais en fait, le mimosa des fleuristes appartient au genre *Acacia* et non au genre *Mimosa*, et *M. pudica* ne lui ressemble que par son feuillage léger et ses gracieuses fleurs en boule.

M. pudica est une plante tout à fait fascinante. Ses feuilles, au moindre toucher, se replient sur elles-mêmes et font s'affaisser les pétioles. Entraînées dans le mouvement, les folioles retombent à leur tour et se recouvrent les unes les autres. C'est cette réaction qui a valu à la plante son nom populaire. L'effet est heureusement passager. En moins d'une demi-heure, la plante reprend généralement sa forme normale. Certains botanistes estiment cependant qu'il n'est pas bon de provoquer cette réaction trop souvent. Ils ont en effet remarqué que certains sujets sur lesquels l'expérience avait été tentée fréquemment y réagissaient moins promptement et s'en remettaient moins bien.

M. pudica est une plante arbustive qui atteint 50 cm. Ses tiges rameuses et épineuses sont parsemées de fins poils blancs qui se retrouvent également à l'aisselle des feuilles. Celles-ci, portées sur des pétioles de 10 cm au plus, sont vert clair et bipennées, c'est-à-dire divisées en folioles, elles-mêmes subdivisées en pinnules. Ces pinnules elliptiques ont moins de 1 cm de long et sont disposées par paires sur des folioles étroites dont la longueur varie entre 2,5 et 5 cm. De la mi-printemps au début de l'automne apparaissent des bouquets axillaires de 5 à 8 fleurs d'un rose tirant sur le mauve, portées sur de courts pédoncules. Elles se composent de centaines de filaments qui leur donnent l'aspect d'une petite houppe duveteuse de 0,5 à 1,5 cm de diamètre.

Cultivée avec soin, cette espèce vivace peut durer très longtemps, mais elle perd de sa beauté en vieillissant. Après en avoir fait l'acquisition au printemps, on s'en défait habituellement une fois la floraison passée, à la mi-automne.

SOINS PARTICULIERS
Lumière *M. pudica* a besoin d'une lumière vive. Pour qu'il donne une abondante floraison tout l'été, on doit l'exposer au plein soleil au moins trois ou quatre heures par jour.

Température L'atmosphère tempérée d'une pièce lui convient toute l'année. Cette plante requiert cependant beaucoup d'humidité; poser les pots sur des gravillons maintenus humides.

Arrosage Bien mouiller le mélange à chaque arrosage et laisser sécher sur 2,5 cm entre les apports d'eau.

Engrais Enrichir tous les 15 jours d'engrais liquide à forte teneur en potassium.

Empotage et rempotage Même si on ne la garde que de mai à octobre, cette plante requiert souvent plusieurs rempotages. Toutefois, on ne devra la rempoter que lorsque le pot est devenu vraiment trop petit et que les racines sortent par les trous de drainage. En effet, les fleurs et le feuillage seront beaucoup plus épanouis si les racines sont laissées un peu à l'étroit. La taille maximale du pot sera donc de 12 cm. Utiliser un mélange à base de terreau (voir page 429). Il peut arriver que les feuilles s'affaissent après un rempotage de la plante, mais il n'y a pas lieu de s'inquiéter. Elles se redresseront en quelques heures.

Multiplication Au début du printemps, semer ensemble deux ou trois graines dans des pots de 8 cm remplis de mélange à enracinement (voir page 444). Exposer les pots à la lumière vive tamisée et

Les folioles se replient sur elles-mêmes au moindre contact. Il ne faut pas provoquer inutilement cette réaction.

arroser à peine les semis. Lorsque les graines ont germé, ce qui se produit au bout de deux ou trois semaines environ, supprimer les plantules les moins vigoureuses. Lorsque celles qui restent ont à peu près 4 cm, les rempoter, chacune dans un pot de 8 cm rempli de mélange à base de terreau, et les traiter comme des mimosas adultes.

Misère, voir *Tradescantia.*
Misère, voir *Zebrina pendula.*
Mitre-d'évêque, voir *Astrophytum myriostigma.*

Monstera

ARACÉES

Ceriman, monstère
M. deliciosa

À l'état sauvage, les espèces du genre *Monstera* (ananas du pauvre) sont de vigoureuses plantes grimpantes. Leurs grosses racines aériennes, qui s'accrochent aux troncs et aux branches, leur procurent l'eau et les éléments nutritifs dont elles ont besoin. Une seule espèce, *M. deliciosa* (ceriman ou monstère), est devenue une plante d'intérieur recherchée. Ses feuilles vernissées et cordiformes, non découpées lorsqu'elles sont petites, ressemblent à celles du philodendron (ce qui a valu aux jeunes plants l'appellation incorrecte de *Philodendron pertusum*). Mais avec l'âge, les feuilles présentent de nombreuses perforations et se découpent presque jusqu'à la nervure médiane. Ces deux caractéristiques permettent à la plante dans son habitat naturel de résister aux grands vents tropicaux. Portées sur des pétioles de 30 cm, les feuilles peuvent atteindre 45 cm. Celles de *M. d.* 'Variegata' sont éclaboussées de taches blanches ou crème, de forme et de taille irrégulières. Les monsteras fleurissent rarement en appartement. L'inflorescence, lorsqu'elle apparaît chez les sujets adultes, et ce, à n'importe quelle période de l'année, se compose d'une spathe blanc crème à demi ovale entourant un spadice charnu de 25 cm. Celui-ci se transforme en un fruit blanc, comestible, ayant un peu le goût de l'ananas.

Cultivés avec soin, les monsteras peuvent vivre très longtemps à l'intérieur et atteindre une hauteur de 3 à 4,50 m et un diamètre de 1,80 à 2,45 m. Ils seront en bien meilleure santé si on leur permet de grimper à des supports moussus.

SOINS PARTICULIERS

Lumière En période de croissance, exposer les monsteras à une lumière vive tamisée, mais, en hiver, on peut les placer en plein soleil. Mal éclairées, elles produisent de très longs pétioles et de petites feuilles peu découpées.

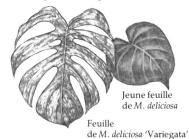

Jeune feuille
de *M. deliciosa*

Feuille
de *M. deliciosa* 'Variegata'

Température L'atmosphère tempérée d'une pièce leur convient. Mais au-dessus de 21°C, placer les pots sur des gravillons maintenus humides.

Arrosage Humidifier à peine le mélange et en laisser sécher le tiers avant d'arroser de nouveau.

Engrais En période de croissance, enrichir d'engrais liquide ordinaire tous les 15 jours.

Empotage et rempotage Utiliser un mélange à base de terreau (2/3) [voir page 429] additionné de terreau de feuilles grossier (1/3). Rempoter chaque printemps jusqu'à ce que la plante ait atteint une taille qu'on jugera convenable. Par la suite, renouveler chaque année le mélange en surface (voir page 428).

Multiplication Elle est difficile à réaliser en appartement. Toutefois, on peut tenter de planter au printemps l'extrémité d'une pousse ayant au moins 2 feuilles. Mettre la bouture dans un pot de 10 cm rempli d'un mélange humide, à volume égal de tourbe et de sable. Enfermer dans un sachet de plastique transparent et la garder à la chaleur, sous une lumière vive tamisée. Lorsque la croissance reprend, la rempoter dans le mélange recommandé pour les sujets adultes et la cultiver normalement.

On peut aussi pratiquer le marcottage aérien (voir page 440), méthode lente mais sûre. Enfin, les semis ont des chances de succès, mais les feuilles des plantes semées mettront au moins deux ans à se découper.

Remarques Nettoyer souvent les feuilles avec une éponge. Attacher les racines aériennes à un support recouvert de mousse ou les enterrer dans le mélange.

Monstère, voir *Monstera deliciosa*.
Mousse espagnole, voir *Tillandsia usneoides*.
Mousse rampante, voir *Selaginella*.
Myrte, voir *Myrtus*.

En plus d'attacher M. deliciosa *à un support enrobé de mousse, aider les racines aériennes à s'y agripper.*

Myrtus
MYRTACÉES

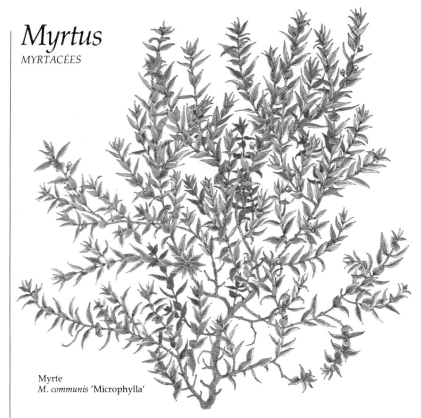

Myrte
M. communis 'Microphylla'

Bien que le genre *Myrtus* (myrte) comporte environ 16 espèces d'arbustes et de petits arbres, les sujets cultivés en appartement sont généralement tous des variétés de *M. communis*. Ce sont des plantes de petite taille. L'espèce, qui dans son habitat naturel atteint une hauteur de 4,50 m, dépasse rarement 60 à 90 cm à l'intérieur. Elle porte des feuilles ovales et acuminées, d'un vert foncé et brillant, qui exhalent une odeur aromatique lorsqu'on les froisse. Les fleurs, parfumées elles aussi, apparaissent en fin d'été sur de courts pédoncules. Atteignant 2 cm de diamètre, elles se composent d'une touffe d'étamines jaunes proéminentes et de 5 petits pétales blancs ou rose pâle.

MYRTUS RECOMMANDÉS

M. communis boetica a des feuilles de 4 cm, très odorantes.
M. c. **'Microphylla'** est une variété naine ne dépassant pas 60 cm, dont les feuilles mesurent moins de 2,5 cm. Elle se prête tout particulièrement à la taille ornementale (voir « Remarques », ci-dessous).
M. c. tarentina, dont les tiges et les pétioles sont recouverts d'un duvet blanc, présente des feuilles très robustes de 2,5 cm.

M. c. **'Variegata'** arbore des feuilles pointues ourlées de blanc crème, atteignant 5 cm.

Bouton, fleur et fruit
de *M. communis*

SOINS PARTICULIERS

Lumière Procurer aux myrtus l'éclairement le plus vif possible en tout temps : placés à plus de 30 à 60 cm d'une fenêtre ensoleillée, ils s'étiolent. Les tourner pour leur assurer une forme régulière.
Température *M. communis* a besoin de fraîcheur, mais toutes ses variétés croissent bien dans l'atmosphère tempérée d'une pièce. Prévoir cependant un repos hivernal à environ 7°C. L'air chaud et sec fera tomber les feuilles. En période de croissance, l'air frais rend ces plantes plus robustes. Les placer à l'extérieur durant la saison estivale, dans un endroit ensoleillé.

Arrosage En période de croissance, arroser abondamment. En période de repos, mouiller le mélange à fond et laisser sécher sur 2,5 cm avant d'arroser de nouveau. Utiliser si possible de l'eau de pluie ou une eau non calcaire.
Engrais Ne fertiliser les myrtus que quand ils sont restés plus de trois mois dans le même pot. Par la suite, faire des apports d'engrais tous les 15 jours, en période de croissance.
Empotage et rempotage Utiliser un mélange à base de terreau (2/3) [voir page 429] additionné de terreau de feuilles ou de tourbe (1/3). Eviter les mélanges calcaires. En effet, les myrtus croissent mieux en milieu neutre ou légèrement acide (voir page 430). Rempoter régulièrement au printemps, lors de la reprise de la croissance. Bien tasser le mélange autour des racines et enfouir les tiges à la profondeur où elles se trouvaient dans l'ancien pot. Lorsqu'un myrtus loge dans un pot de 18 à 20 cm, renouveler simplement le mélange en surface (voir page 428) tous les printemps.
Multiplication Bien que le processus soit lent, l'enracinement demandant entre six et huit semaines, on peut bouturer cette plante. Utiliser des boutures à talon (avec un morceau d'écorce). Placer ensemble plusieurs boutures près de la paroi d'un pot de 8 cm rempli d'un mélange à enracinement humide (voir page 444). Enfermer le pot dans un sachet de plastique transparent ou une caissette de multiplication. L'exposer à une lumière moyenne, près d'une fenêtre ombragée par exemple, et le garder à une température d'environ 16°C. Quand la croissance reprend, empoter individuellement les boutures dans des pots de 8 cm remplis du mélange recommandé pour les sujets adultes et les cultiver normalement.
Remarques Afin de leur conserver un port harmonieux, tailler judicieusement ces petits arbustes; supprimer les grosses pousses encombrantes qui rompent leur symétrie. Ne pas cependant abuser de la taille, car elle peut réduire la floraison. Pincer régulièrement quelques bourgeons terminaux pour rendre les sujets plus touffus.

Narcisse, voir *Narcissus.*

271

Narcissus

AMARYLLIDACÉES

Narcisse
N. 'Carlton'

Les narcisses sont des plantes à bulbes renommées pour leurs gracieuses fleurs aux couleurs fraîches, quelquefois parfumées. Au jardin, ils fleurissent dès la fin de l'hiver, mais par le forçage on peut les amener à fleurir encore plus tôt à l'intérieur. Les narcisses en pots sont de courte durée : le bulbe ne fleurit qu'une fois et la plante meurt après cette floraison.

Les types à bouquets, qui sont pour la plupart des variétés de *N. tazetta*, de même que certaines variétés à grandes fleurs, sont les plus faciles à cultiver en appartement. Parmi ces dernières se rangent certains narcisses à trompettes, qu'on appelle à tort jonquilles pour les distinguer des espèces qui ont une couronne en forme de coupe, plus ou moins grande. Les variétés de *N. tazetta* se prêtent particulièrement bien à la culture sur gravillons, tandis que les sujets à grandes fleurs se cultivent mieux dans un mélange à base de terreau

dans lequel la plante s'ancre plus solidement lorsqu'elle fleurit.
Voir aussi BULBES, CORMUS et TUBERCULES.

NARCISSUS RECOMMANDÉS

Les narcisses à grandes fleurs recommandés pour la culture en appartement sont les suivants : *N.* 'Mount Hood', à pétales ivoire et à trompette crème; *N.* 'King Alfred', à pétales et trompette jaune d'or; *N.* 'Celebrity', à pétales blancs

N. t. 'Cheerfulness'   *N.* 'Mount Hood'

N. t. 'Geranium'

et à trompette jaune clair; *N.* 'Carlton', dont les fleurs jaune tendre ont une trompette courte, large et frangée; *N.* 'Jack Snipe', à pétales blancs arqués et à trompette courte, frangée, jaune primevère; et *N.* 'Valiant Spark', à pétales dorés et à trompette courte, mandarine vif. *N. tazetta* comprend certaines plantes d'intérieur parmi lesquelles : *N. t.* 'Cheerfulness', à nombreux pétales jaune crème, à cœur orange; *N. t.* 'Cragford', à pétales blancs et à coupe très courte, écarlate; *N. t.* 'Geranium', à pétales blancs et à coupe rouge orangé; *N. t.* 'Paperwhite', à pétales blancs et à petite coupe blanche; et *N. t.* 'Soleil d'Or', à pétales jaunes et à coupe orange. Toutes portent 3 ou 4 fleurs par hampe.

SOINS PARTICULIERS

On trouve dans le commerce des bulbes de narcisses (surtout des variétés de *N. tazetta*) gardés spécialement en chambre froide pour accélérer la floraison. Ils sont identifiés sur l'étiquette sous le nom de bulbes traités. On peut les faire démarrer aussi bien à la lumière qu'à l'obscurité. Les bulbes non traités *doivent* d'abord être cultivés dans l'obscurité. On les plante tous au début de l'automne, et ils doivent être gardés à une température fraîche pendant quelques semaines.
Culture sur gravillons Couvrir de gravillons le fond d'un contenant étanche profond, d'au moins 10 à 14 cm de diamètre. Disposer sur les gravillons 5 ou 6 bulbes doubles (divisés en 2 segments réunis à la base) ou 8 à 10 bulbes simples de bonne taille. Les faire se toucher ou presque. Ajouter d'autres gravillons pour les ancrer. Verser de l'eau au niveau des racines qui, seules, doivent être immergées. Cette méthode s'apparente à la culture hydroponique (voir page 448). Garder le contenant dans un endroit frais (pas au-dessus de 9°C) et rajouter de l'eau de temps à autre.

Quand les pousses ont environ 7,5 cm et que des boutons floraux sortent de la pointe des bulbes — ce qui peut prendre 8 à 10 semaines pour les bulbes non traités et moins de temps pour les autres —, les exposer progressivement (pendant une semaine) à une lumière très vive et à une température plus

Quelques N. t. 'Geranium' sont ici cultivés sur des gravillons couverts d'eau, dans un contenant étanche. Ils sont d'un effet des plus ravissants.

élevée. Une fois acclimatés, les plants ont besoin de beaucoup de soleil.

Culture en mélange terreux
Utiliser des bols étanches, ou des pots et des plateaux à trous de drainage. Les remplir d'un mélange à base de terreau ou de tourbe (voir page 429) ou d'un mélange fibreux (voir page 111); le mélange sera humide, mais non saturé d'eau. Enfouir à demi plusieurs bulbes dans le même contenant et les garder dans un endroit très frais, à l'obscurité (même s'il s'agit de bulbes traités). A défaut de pouvoir enfouir les contenants dans le sol, sous une épaisse couche de tourbe, les enfermer dans des sachets de plastique opaque.

Vérifier les contenants une fois ou deux au cours des semaines qui suivent. Si le mélange semble se dessécher, ajouter juste assez d'eau pour qu'il soit uniformément humide. Lorsque les bulbes ont des pousses de 7,5 cm et que des boutons floraux commencent à pointer, leur donner les mêmes soins qu'aux bulbes cultivés sur des gravillons.

Remarque Ne pas garder les narcisses en boutons à une température supérieure à 16°C. La chaleur risque de les faire flétrir et abrège la durée de ceux qui s'ouvrent.

Néflier du Japon, voir *Eriobotrya japonica.*

Neoregelia
BROMÉLIACÉES

N. carolinae 'Tricolor'

Ces broméliacées se caractérisent par un feuillage vivement coloré, généralement disposé en rosette aplatie. Durant la floraison, qui peut survenir à n'importe quelle période de l'année, les feuilles changent de couleur. Chez certaines espèces, seule l'extrémité des feuilles se colore de rouge vif; chez d'autres, c'est toute la surface des feuilles internes qui rougit. Ces coloris tout à fait saisissants persistent durant de nombreux mois. Les fleurs présentent moins d'intérêt; généralement blanches ou bleues, elles apparaissent sur une inflorescence composée, nichée au creux de la rosette. Les neoregelias n'ont pas de repos bien défini et croissent lentement toute l'année.

Voir aussi BROMÉLIACÉES.

ESPÈCES RECOMMANDÉES

N. carolinae et ses variétés dépassent rarement 25 cm; leurs feuilles vertes et luisantes ont environ 30 cm de long et 5 cm de large. Les fleurs sont violettes ou bleu lavande. *N. c.* 'Marechalii', la variété la plus compacte, présente des feuilles plus courtes et plus larges; le cœur de la rosette devient rouge carmin à la veille de la floraison. *N. c.* 'Meyendorffii' a des feuilles vert olive cuivré; celles du centre virent au marron sombre lors de la floraison. La variété la plus populaire, *N. c.* 'Tricolor', se signale par des feuilles striées de blanc, de rose et de vert. Avec l'âge, les feuilles se colorent de rose et, à l'approche de la floraison, celles du centre virent au rouge éclatant.

N. concentrica se caractérise par des feuilles rigides de 30 cm sur 10, d'un vert pâle émaillé de pourpre sur le dessus et rayé de gris argent en dessous; elles sont bordées de courtes épines noires. Avant l'apparition des fleurs bleu clair, le cœur de la rosette devient d'un pourpre très vif.

N. marmorata se signale par des feuilles atteignant 40 cm sur 6,5, d'un vert vif marbré des deux côtés de brun-rouge. Les fleurs sont bleu lavande pâle. (La plupart des plantes vendues sous ce nom sont en fait des hybrides issus de *N. marmorata* et *N. spectabilis*.)

N. sarmentosa est l'une des nombreuses espèces rampantes dont les stolons de 15 à 30 cm produisent quelques rosettes. Celles-ci comportent rarement plus de 10 feuilles mesurant chacune 25 cm sur 2,5. D'un vert profond, le limbe est parfois ombré de pourpre au niveau de l'aisselle et parsemé d'écailles blanches au revers. Cette espèce ne change pas de couleur lorsque apparaissent les fleurs blanches.

N. *spectabilis* présente des feuilles vert olive de 40 cm sur 5, rayées de gris au revers, et portant à l'extrémité, quand naissent les fleurs bleues, une tache qui fait penser à un ongle carminé.

SOINS PARTICULIERS

Lumière Ces plantes ont besoin, pour fleurir et avoir un feuillage compact et bien coloré, d'une lumière vive et de quelques heures de plein soleil.

Température L'atmosphère tempérée d'une pièce leur convient; elles ne peuvent tolérer moins de 10°C. Augmenter l'hygrométrie en posant les pots sur des gravillons maintenus humides. Par temps chaud et sec, bassiner le feuillage quotidiennement.

Arrosage Bien humidifier le mélange et en laisser sécher le tiers entre les arrosages. Garder pleines d'eau en tout temps les coupes au centre des rosettes. Renouveler cette eau une fois par mois pour éviter qu'elle ne se corrompe.

Engrais Tous les 15 jours, verser de l'engrais liquide dilué de moitié dans le mélange, sur le feuillage et au centre de la rosette.

Empotage et rempotage Utiliser un mélange à volume égal de terreau de feuilles, de tourbe et de sable. Rempoter les jeunes plantes au printemps. Les neoregelias ont rarement besoin de pots de plus de 12 cm.

Multiplication Au printemps, prélever de jeunes rosettes produites près de la base des plantes ou au bout des stolons. Les premières seront peut-être déjà enracinées dans le mélange. En les détachant, conserver le plus de racines possible. Les placer chacune dans un pot de 8 cm rempli d'un mélange humide à volume égal de tourbe et de sable; les enfermer dans un sachet de plastique transparent et les placer dans un endroit chaud, à une lumière moyenne. Après six à huit semaines, transplanter chaque rosette dans un pot de 8 cm rempli du mélange recommandé pour les sujets adultes et les cultiver de la façon habituelle.

Sans les détacher de la plante mère, empoter les rosettes produites par les stolons. Ce procédé s'apparente au marcottage (voir page 439).

Nephrolepis
POLYPODIACÉES

Fougère de Boston
Variété de N. *exaltata*

Deux espèces du genre *Nephrolepis* sont des plantes d'intérieur populaires. Elles ont donné naissance à plusieurs variétés fort différentes, si bien que l'amateur dispose d'un très vaste choix.

Chez toutes les variétés, cependant, les frondes jaillissent d'un rhizome souterrain dont la partie supérieure, visible, forme une tige courte et épaisse. Longues et arquées, les frondes sont divisées en plusieurs folioles étroites qui alternent de chaque côté du rachis. Sous chaque foliole se trouvent deux rangées de sporanges réniformes bruns, situées de chaque côté de la nervure médiane. Ces plantes sont particulièrement décoratives lorsqu'elles sont placées sur un socle. Gardées dans les conditions voulues, elles continuent de croître toute l'année. Tous les nephrolepis produisent de nombreux stolons minces et velus qui courent à la surface du mélange et s'y enracinent. Ce sont eux qui produisent les nouvelles plantes.
Voir aussi FOUGERES.

ESPÈCES RECOMMANDÉES
N. *cordifolia* est une fougère qui porte des frondes érigées vert clair pouvant atteindre 60 cm de long; elles ont 10 cm de large à la base,

mais s'amenuisent pour ne plus mesurer que 0,5 cm à leur extrémité. N. *c.* 'Plumosa' présente des

N. *cordifolia*

frondes d'un vert plus foncé et des folioles aux pointes déchiquetées qui donnent à la plante l'aspect d'une touffe de plumes.

N. *exaltata* ressemble à N. *cordifolia*, mais ses frondes peuvent atteindre 1,20 à 1,80 m. Les variétés sont plus connues que l'espèce. Parmi elles, on trouve la fougère dite de Boston. Chez les variétés les plus recherchées, chaque foliole se divise en plusieurs segments, ce qui donne aux plantes leur aspect plumeux. Les frondes sont beaucoup plus courtes que celles de l'espèce. N. *e.* 'Whitmanii' et N. *e.* 'Rooseveltii', par exemple, ont des frondes finement divisées de 90 cm de long, ayant l'apparence de plumes.

Lumière Donner à ces fougères une lumière vive, sans soleil direct. Elles toléreront un éclairement moyen pendant un mois.

Température L'atmosphère tempérée d'une pièce leur convient toute l'année. Elles dépérissent à moins de 10°C. Au-dessus de 21°C, poser les pots sur des gravillons maintenus humides et bassiner le feuillage chaque jour.

Arrosage Les racines de ces fougères ne doivent jamais être sèches. Au-dessus de 13°C, arroser généreusement de façon à maintenir le mélange bien humide. Si le thermomètre descend au-dessous de 13°C pendant plus de un ou deux jours, laisser le tiers du mélange sécher avant d'arroser de nouveau.

Engrais En période de croissance, enrichir d'engrais liquide ordinaire, tous les 15 jours si la plante est cultivée dans un mélange à base de tourbe, et tous les mois si elle est dans un mélange à base de terreau.

Empotage et rempotage Utiliser un mélange à base de tourbe, ou un mélange à volume égal de terreau et de terreau de feuilles (voir page 429). Au printemps, rempoter la plante dont les racines remplissent le pot (voir page 426). Quand la plante est dans un pot qu'on juge de taille suffisante, la dépoter, couper les racines périphériques et la remettre dans le même pot bien nettoyé. Ajouter du mélange frais.

Multiplication Prélever sur le stolon une plantule munie de racines. Se servir d'un couteau bien aiguisé et couper le stolon à environ 5 cm de l'extrémité. Mettre la plantule dans un pot de 8 cm rempli de l'un des mélanges pour sujets adultes. Cultiver normalement.

Les plantes de l'espèce type se multiplient également au moyen des spores, mais ce processus est lent (voir *FOUGERES*, page 215). Il est d'ailleurs impossible de multiplier ainsi les variétés les plus intéressantes, leurs spores n'étant pas viables.

Remarque Chez les variétés très plumeuses de *N. exaltata*, il arrive qu'une fronde reprenne l'apparence de l'espèce type. La couper dès qu'elle apparaît. Il faut aussi éliminer les frondes faiblement segmentées, sinon elles envahiront la plante entière.

Nerium
APOCYNACÉES

Laurier-rose
N. oleander

Il n'existe que deux ou trois espèces de neriums et l'une d'elles seulement, *N. oleander* (parfois nommée *N. indicum* ou *N. odorum*, et communément appelée oléandre ou laurier-rose), est populaire. Cet arbuste peut atteindre 6 m à l'extérieur, mais dépasse rarement 1,80 m à l'intérieur. Les tiges, ligneuses et généralement dressées, se ramifient par intervalles : tous les 45 à 60 cm, deux ou plusieurs rameaux se forment. Coriaces, étroites et lancéolées, les feuilles mates vert foncé ont une nervure centrale proéminente et peuvent atteindre 25 cm sur 2,5. Elles poussent par groupes de 3 sur de courts pétioles; certaines retombent, d'autres se tiennent à l'horizontale, mais la plupart forment un angle de 45 degrés avec la tige. Les fleurs, groupées en cymes au sommet des rameaux, mesurent entre 2,5 et 5 cm de diamètre. Dans les régions chaudes, ces plantes fleurissent toute l'année; à l'intérieur, la floraison ne se produit qu'en été.

La couleur typique des fleurs est le rose, mais il existe des variétés à fleurs rouges, pourpres, jaunes, orangées et blanches. Elles peuvent être simples ou doubles. Les premières ont 5 lobes en forme de pétales aplatis sur une base tubuleuse, tandis que les secondes se composent de plusieurs pétales comme les roses.

Certaines sont parfumées, dont une variété très populaire à fleurs rouges doubles (vendue souvent sous le nom de *N. odorum*). *N. o.* 'Variegata', à fleurs roses et à feuilles rayées de jaune, est aussi très connue.

N. oleander 'Variegata'

Lumière Le laurier-rose requiert toute l'année une lumière vive et même le plein soleil. Seuls les rameaux exposés au soleil donnent des fleurs.

Température L'atmosphère tempérée d'une pièce lui convient. Il est toutefois préférable de lui ménager un repos annuel à une température inférieure à 16°C; il peut même supporter 7°C.

Arrosage En période de croissance, arroser modérément pour que le mélange devienne humide, puis le laisser sécher sur 1 cm avant d'arroser de nouveau. En période de repos, garder le mélange à peine humide, mais ne jamais le laisser se dessécher.

Planté au jardin, le laurier-rose peut supporter sans dommages des périodes de sécheresse. Mais quand il est cultivé en pot, ses bourgeons floraux ne s'épanouissent pas si ses racines se dessèchent.

Engrais Enrichir d'engrais liquide ordinaire tous les 15 jours, en période de croissance.

Empotage et rempotage Rempoter au printemps lorsque les racines remplissent le pot (voir page 426). Utiliser un mélange à base de terreau (voir page 429). Bien tasser le mélange autour des racines. Quand la plante est devenue trop volumineuse, la rempoter dans un petit bac ou la laisser dans son pot en renouvelant le mélange en surface tous les ans (voir page 428).

Multiplication Au début de l'été, prélever sous un nœud des pousses terminales de 7,5 à 15 cm; enlever les 3 feuilles du bas et planter les boutures à 4 ou 5 cm de profondeur dans un mélange humidifié, à volume égal de tourbe et de sable. Garder les boutures à la température normale, près d'une fenêtre ensoleillée mais voilée. Garder le mélange tout juste humide. Lorsque des racines apparaissent par les trous de drainage, rempoter les boutures dans un mélange ordinaire et les cultiver comme des neriums adultes.

On peut aussi mettre les boutures dans l'eau. Les empoter quand les racines ont 2,5 cm.

Remarques Surveiller les cochenilles (voir page 454) qui se logent sous les feuilles près de la nervure médiane. Badigeonner avec de l'alcool dénaturé et vaporiser la plante avec un insecticide.

Miellat et fumagine sur les feuilles signalent la présence de cochenilles, qu'on éliminera avec de l'alcool dénaturé.

Rabattre de moitié les rameaux qui ont fleuri, toute de suite après la floraison. Rabattre aussi les longues pousses latérales.
Mise en garde : Tous les organes du laurier-rose sont très toxiques. Garder la plante hors de la portée des enfants.

Nertera
RUBIACÉES

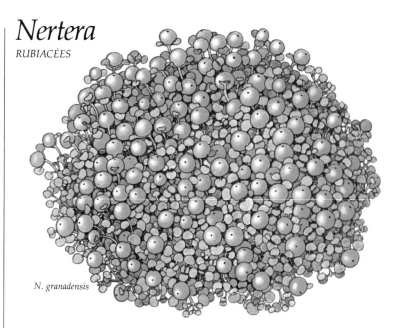

N. granadensis

Les nerteras sont de petites plantes qui tirent principalement leur beauté des baies orangées, de la grosseur d'un pois, qu'elles produisent. Une seule espèce, *N. granadensis* (également connue sous le nom de *N. depressa*), est généralement cultivée en appartement. Ses fines tiges rampantes et très rapprochées, pouvant atteindre 25 cm de long, courent à la surface du mélange. Elles s'enracinent dans celui-ci au niveau de chaque nœud. Elles portent des feuilles vertes, charnues, ovales et sessiles de 5 mm de diamètre. Un sujet arrivé à maturité forme habituellement une boule de 5 à 7,5 cm de hauteur. Des petites fleurs jaune-vert, plutôt banales, apparaissent à l'aisselle des feuilles au début de l'été. Elles sont suivies de ces baies brillantes qui confèrent à la plante tout son cachet. Les baies en plein développement mesurent 5 mm de diamètre, durent plusieurs mois et sont souvent si nombreuses qu'elles dissimulent presque entièrement le feuillage.

Certains amateurs se défont de leur nertera quand il perd ses baies. Il est bon de souligner qu'on peut garder cette espèce plusieurs années à condition de lui procurer les soins voulus.

SOINS PARTICULIERS

Lumière Les nerteras requièrent une lumière vive et au moins trois heures de franc soleil par jour.

Température Ils croissent mieux dans un endroit bien aéré et à des températures de 10 à 16°C. Ils peuvent tolérer des températures supérieures, mais au-dessus de 18°C, leur croissance s'accélère et ils produisent souvent trop de feuilles. Pour fleurir et fructifier, ces plantes ont besoin d'une hygrométrie élevée. Placer les contenants sur des gravillons maintenus humides. Bassiner légèrement la plante tous les jours, du début de la floraison jusqu'à la formation des premières baies. Durant cette période, on devrait idéalement garder la plante à l'extérieur, dans un endroit ensoleillé, mais protégé cependant des orages d'été.

Arrosage Donner suffisamment d'eau à chaque arrosage pour que le mélange soit bien humide et le laisser sécher sur 1 cm avant d'arroser de nouveau. Ne jamais permettre à ces plantes de s'assécher complètement, même durant le court repos qu'elles prennent en hiver. Pendant cette période de repos, continuer d'arroser modérément en laissant le mélange sécher sur 2,5 cm entre les arrosages.

Engrais Des apports excessifs d'engrais stimulent la croissance du feuillage aux dépens de celle des fleurs et des fruits. Fertiliser ces plantes avec de l'engrais liquide ordinaire, une fois par mois tout au plus, et seulement durant la période qui s'étend de la fin de la floraison à la maturation des baies.

Empotage et rempotage Incorporer à du terreau (2/3) [voir page 429] un mélange de tourbe et de sable grossier ou de perlite (1/3). Les nerteras logent généralement dans des pots de 8 cm, mais comme leurs racines sont assez courtes, ils sont plus à l'aise dans des terrines de 8 à 10 cm. Ils n'ont jamais besoin d'être rempotés.

Multiplication Elle se fait par semis en pépinière, mais le procédé est lent et peu sûr. Au printemps, diviser plutôt les vieux plants en 5 ou 6 petites touffes de tiges, qui seront placées près de la paroi d'une terrine de 10 cm remplie de mélange ordinaire. On peut aussi

---

Multiplication du nertera

Quand il a perdu ses baies, diviser le nertera en petites touffes et planter celles-ci dans du mélange ordinaire.

Espacer les touffes uniformément pour qu'elles finissent par couvrir toute la surface du mélange et ne forment qu'une seule plante.

---

planter ensemble plusieurs pousses terminales de 2,5 à 5 cm dans un pot de 6 cm rempli de tourbe et de sable humidifiés. Enfermer les boutures dans un sachet de plastique transparent ou une caissette de multiplication (voir page 443); les garder à la lumière vive tamisée, à une température d'environ 16°C. Lorsque la croissance a repris, empoter ensemble les boutures dans un pot de 8 cm rempli du mélange recommandé pour les sujets adultes. Cultiver les jeunes plants selon les indications ci-dessus.

Nicodemia
LOGANIACÉES

Chêne d'appartement
N. diversifolia

Bien que les botanistes se soient récemment mis d'accord pour inclure les nicodemias dans le genre *Buddleia*, la seule espèce vendue comme plante d'intérieur l'est toujours sous le nom de *N. diversifolia*, alors qu'elle devrait porter celui de *Buddleia indica*. Il s'agit d'un arbuste compact pouvant atteindre 45 cm dans un pot de 20 cm. Ses tiges brunes portent sur des pétioles bronze des feuilles de 2,5 à 5 cm sur 2 à 2,5, lobées et festonnées. Elles ressemblent beaucoup aux feuilles du chêne, ce qui a valu à *N. diversifolia* son nom populaire de chêne d'appartement. Vertes chez les sujets adultes, elles sont souvent lavées de rouge chez les jeunes plants et prennent avec l'âge un reflet bleu métallique. La plante ne produit pas de fleurs à l'intérieur.

SOINS PARTICULIERS

Lumière Sans une lumière vive et quelques heures de plein soleil par jour, les nicodemias s'étiolent.

Température L'atmosphère tempérée d'une pièce leur convient toute l'année, mais ils peuvent supporter une température de 10°C.

Arrosage En période de croissance, bien mouiller le mélange et laisser sécher sur 1 cm entre les arrosages. En période de repos, n'arroser que très parcimonieusement.

Engrais Enrichir d'engrais liquide ordinaire une fois par mois, en période de croissance seulement.

Empotage et rempotage Utiliser un mélange à base de terreau (voir page 429). Rempoter au printemps quand les racines remplissent le pot (voir page 426). Lorsque la plante est dans un pot de 15 à 20 cm, renouveler simplement la couche superficielle du mélange (voir page 428) au printemps.

Multiplication Au début du printemps, prélever sous un nœud des pousses terminales de 7,5 à 10 cm. Enlever les feuilles du bas, plonger l'entaille dans une poudre d'hormones à enracinement et planter chaque bouture dans un pot de 8 cm rempli d'un mélange humidifié, à volume égal de tourbe et de sable grossier ou de perlite. Enfermer les pots dans un sachet de plastique transparent ou une caissette de multiplication (voir page 443) et les exposer à la lumière vive tamisée. Quand la croissance a repris, découvrir les boutures, arroser modérément et fertiliser une fois par mois. En fin d'été, transplanter les jeunes plants dans un mélange à base de terreau. Ne changer le pot pour un plus grand que si les racines sont très à l'étroit dans le pot qui a servi au bouturage. Donner alors aux plantes les mêmes soins qu'à des sujets adultes.

Remarques Surveiller les araignées rouges (voir page 454), surtout si les nicodemias sont gardés à plus de 18°C. Dès que les feuilles jaunissent et se couvrent à l'aisselle de fines toiles, laver la plante sous l'eau courante et la vaporiser avec un insecticide approprié (voir page 460). Bassiner deux fois par semaine, à l'eau tiède, les plantes gardées dans des pièces chaudes.

Même si les nicodemias sont buissonnants, pincer quelques bourgeons au printemps.

Nid-d'oiseau ou **fougère nid-d'oiseau**, voir *Asplenium nidus*.

Nidularium

BROMÉLIACÉES

N. innocentii

Les plantes du genre *Nidularium* présentent une rosette de feuilles tendres, luisantes et rubanées, à marges parfois épineuses. Le cœur de cette rosette, normalement vert comme les feuilles du pourtour, vire au rouge vif au moment de la floraison. Cette coloration, qui persiste pendant plusieurs mois, n'affecte le plus souvent qu'une touffe de feuilles modifiées, de 5 à 8 cm de long, mais aussi parfois la base des feuilles véritables. Du centre de la rosette jaillit une inflorescence composée de fleurettes tubuleuses, éphémères. Les nidulariums ne fleurissent qu'à maturité, c'est-à-dire à trois ou quatre ans, après quoi la rosette meurt lentement. Pendant la floraison et les quelques mois qui suivent, la plante produit des rejets à l'aisselle des feuilles inférieures. Ainsi, quand vient le moment de se défaire de la rosette mère, il y a déjà des jeunes plants pour la remplacer. La floraison ne se produit pas à une date précise; on peut donc acheter en toute saison des plants à la veille de fleurir ou déjà en fleur.
Voir aussi BROMELIACEES.

ESPÈCES RECOMMANDÉES
N. fulgens présente une rosette qui atteint jusqu'à 45 cm d'étalement. Les feuilles, vert clair, tachetées de vert plus foncé, à marges épineuses, mesurent 30 cm sur 5. Au moment de la floraison, le cœur de la rosette prend une belle teinte rouge cerise. Tout de suite après

N. fulgens

apparaissent des fleurs bleu sombre marginées de blanc.
N. innocentii est de même forme et de même taille que *N. fulgens*. Ses feuilles d'un vert foncé métallique sont très luisantes au revers. Le cœur de la rosette vire au rouge-brun lors de la floraison qui se produit habituellement à l'automne. Les fleurs sont blanches. *N. i. nana*, à feuilles plus courtes, vert olive dessus, pourpres et luisantes dessous, dépasse rarement un étalement de 25 cm. *N. i. lineatum* et *N. i. striatum* ont des feuilles vert clair rayées longitudinalement : la première, de larges bandes blanches, la seconde, de bandes plus étroites, blanches ou crème.
N. purpureum forme une rosette moins compacte et plus dressée que celle des autres espèces. Les feuilles, de 30 à 40 cm de long sur 6 de large, sont vert sombre à reflets pourpres sur le dessus et rouge-brun brillant au revers. Les fleurs sont généralement roses.

SOINS PARTICULIERS

Lumière Exposer les nidulariums à une lumière vive tamisée.

Température L'atmosphère normale d'une pièce leur convient, et ils ne peuvent être exposés à des températures inférieures à 13°C. Ils aiment l'humidité : poser les pots sur un plateau de gravillons maintenus humides.

Arrosage Arroser toujours modérément. Mouiller complètement le mélange mais laisser sécher sur 1 cm entre les arrosages. Ajouter au besoin de l'eau dans la rosette. Une fois par mois, vider celle-ci en tenant la plante à l'envers et la remplir d'eau fraîche.

Engrais Fertiliser tous les 15 jours avec de l'engrais liquide ordinaire dilué de moitié.

Empotage et rempotage Utiliser l'un des mélanges recommandés pour les broméliacées (voir page 107). Les nidulariums se plaisent dans de petits pots qui ne dépasseront pas 8 à 10 cm. Rempoter la plante quand ses racines remplissent le pot (voir page 426), de préférence au printemps.

Multiplication La plupart des nidulariums produisent à l'aisselle des feuilles inférieures de courts stolons ligneux porteurs de rejets. Lorsque les rejets présentent 3 ou 4 feuilles disposées en rosette, ils sont prêts pour la multiplication. A l'aide d'un couteau tranchant, prélever les rejets en leur conservant une portion de stolon et les planter dans des pots de 5 à 8 cm remplis d'un mélange humide, à volume égal de tourbe et de sable grossier ou de perlite. Enfermer les pots dans un sachet de plastique transparent ou une caissette de multiplication (voir page 443) et les exposer à une lumière vive tamisée, dans un endroit chaud. Au bout de quatre à huit semaines, les racines devraient être bien établies. Découvrir les jeunes plants et arroser parcimonieusement en laissant le mélange sécher sur 2,5 cm entre les arrosages. Trois mois après le début de l'opération, fertiliser avec un engrais liquide dilué de moitié, à raison d'une fois par mois. Attendre encore trois mois avant de transplanter les jeunes plants dans un des mélanges recommandés pour les broméliacées et les cultiver comme des sujets adultes.

Notocactus
CACTACÉES

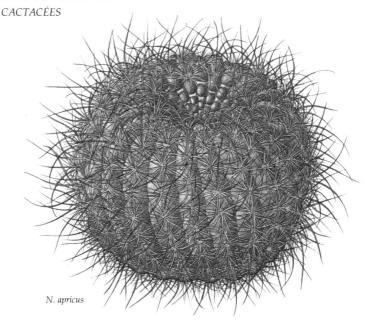

N. apricus

Ce genre comprend environ 25 espèces de cactées du désert, remarquables par leurs aiguillons et leurs fleurs. La tige vert vif n'est pas ramifiée. Elle est globuleuse et, chez certaines espèces, elle devient cylindrique avec l'âge. Les côtes sont toujours longitudinales, et les aréoles très rapprochées. Celles-ci renferment des touffes d'aiguillons rayonnants dont trois ou quatre, au centre, ne sont pas de la même couleur ni de la même longueur que les autres. Certaines espèces produisent des rejets; d'autres demeurent solitaires. L'été, les fleurs en forme de coupe ou d'entonnoir s'épanouissent, par groupe de trois ou quatre, au sommet de la plante. Chaque fleur dure environ une semaine et chaque aréole, comme chez toutes les cactées florifères, n'en produit qu'une par floraison.
Voir aussi CACTÉES.

ESPÈCES RECOMMANDÉES

N. apricus présente une tige qui demeure globuleuse et atteint 8 à 10 cm de diamètre. Elle porte 15 à 20 côtes presque aplaties. De chaque aréole sortent 18 à 20 épines radiales jaunâtres, hérissées, de 1 cm environ, et 4 épines centrales rougeâtres, plus longues et plus raides. Lorsque la tige mesure environ 5 cm, des fleurs infundibuliformes de 8 cm sur 5 apparaissent. Elles sont d'un jaune brillant et lumineux et marginées de rouge. Les sujets de trois ans et plus produisent parfois des rejets à la souche.

N. concinnus se distingue par sa tige globuleuse de 8 cm de diamètre portant une quinzaine de côtes étroites et proéminentes caractérisées par des crénelures entre lesquelles sont logées les aréoles. Chaque aréole blanche et laineuse porte 10 à 12 épines radiales jaunes et hérissées, de 5 mm, et 4 épines centrales brunes de 2 cm, très fines et un peu courbées. Les fleurs en forme d'entonnoir ont 5 cm sur 7. Les pétales extérieurs sont rougeâtres, et les pétales intérieurs d'un jaune vif et satiné. Cette espèce ne produit pas de rejets.

N. leninghausii est l'un des plus gros notocactus. Il fleurit moins abondamment que les autres, mais on le cultive pour sa forme et ses aiguillons. Vers l'âge de trois ans, sa tige globuleuse devient peu à peu cylindrique. Après 20 ans ou plus, elle peut atteindre 60 cm de haut et 8 à 10 cm de large. La tige, qui est divisée en une trentaine de côtes peu saillantes, présentant des aréoles rapprochées, disparaît presque complètement sous les touffes d'aiguillons. En effet, de chaque aréole sortent environ 15 aiguillons radiaux jaunes, de moins de 1 cm, entourant des aiguillons centraux jaune or de 8 à 10 cm. Quand elle atteint 15 cm, la plante produit parfois quelques fleurs infundibuliformes jaune vif de 5 cm sur 5, ainsi que des rejets à la souche.

N. ottonis reste sphérique. Chaque tige présente une douzaine de côtes larges et arrondies; les aréoles sont garnies de touffes de 10 à 12 aiguillons radiaux bruns de 1 cm et 3 ou 4 aiguillons centraux, plus fins et plus foncés. Après trois ans, la tige mère mesure 5 cm de diamètre et produit des rejets à la souche. La plante forme, avec le temps, une colonie de tiges, d'un diamètre total de 15 cm; chaque tige secondaire ne mesure que 5 à 7 cm. Vers l'âge de trois ans, la plante produit également des fleurs en entonnoir jaune vif, de 8 cm environ, qui s'ouvrent une à une. Il existe plusieurs variétés qui ne diffèrent de l'espèce que par des caractères d'importance secondaire, comme la couleur et la taille de leurs aiguillons.

N. scopa prend une forme cylindrique avec l'âge. Après une dizaine d'années, la plante mesure environ 18 cm sur 8 à 10. Elle peut alors produire des rejets, mais la plupart des sujets demeurent solitaires. La tige, d'un vert beaucoup plus clair que celui des autres espèces, porte entre 30 et 40 côtes arrondies et peu prononcées ainsi que des aréoles blanches d'où sortent des touffes d'une quarantaine d'épines soyeuses. Les épines extérieures sont blanches et mesurent 0,5 cm, tandis que les autres, de 1 cm, sont brunes. Les fleurs en forme d'entonnoir sont jaune vif et mesurent 5 cm sur 5. Parmi les nombreuses variétés de *N. scopa*, la plus facile à trouver est *N. s. ruberrima*, remarquable par la teinte écarlate de ses épines.

N. ottonis

N. leninghausii

N. scopa

SOINS PARTICULIERS

Lumière Pour stimuler la floraison et conserver aux notocactus leur port spécifique, il faut donner à ces plantes, tout au long de l'année, le plus grand ensoleillement possible.

Température L'atmosphère normale d'une pièce leur convient au printemps et en hiver, alors qu'elles sont en pleine croissance. En période de repos hivernal, garder ces plantes au frais, si possible dans une pièce où la température se maintient autour de 10°C.

Arrosage En période de croissance, arroser modérément. Bien mouiller le mélange mais laisser sécher sur 1 cm avant d'arroser de nouveau. En période de repos, n'arroser les notocactus que pour empêcher le mélange terreux de se dessécher complètement.

Engrais Donner de l'engrais liquide à tomates, riche en potassium, tous les 15 jours, en période de croissance seulement, c'est-à-dire au printemps et en été.

Empotage et rempotage Utiliser un substrat poreux composé de mélange à base de terreau ou de tourbe (3/4) [voir page 429] et de sable grossier ou de perlite (1/4). Garder les plants de 5 cm de diamètre ou moins dans des pots de 8 cm. Dépoter les sujets plus volumineux au moins une fois par an, de préférence au début du printemps, afin d'examiner les racines. Si elles sont à l'étroit, rempoter la plante, sinon enlever le plus de mélange possible et remettre la plante dans le même pot en ajoutant du mélange frais au besoin.

Multiplication On peut, au printemps ou en été, couper des rejets à l'aide d'un couteau tranchant. Laisser sécher les rejets pendant trois jours pour que les entailles cicatrisent. Les planter ensuite dans le mélange terreux recommandé pour les sujets adultes. On peut les empoter individuellement dans des pots de 5 cm ou en grouper quelques-uns dans une grande terrine à semis. Exposer les rejets à une lumière modérée et à la température normale d'une pièce, et garder le mélange tout juste humide. L'enracinement se fait en deux ou trois mois.

Les notocactus, *N. ottonis* en particulier, se multiplient bien par semis. (Voir *CACTÉES*, page 119.)

Odontoglossum
ORCHIDACÉES

Les plantes du genre *Odontoglossum* sont en majorité des orchidées épiphytes présentant des pseudo-bulbes ovoïdes et aplatis groupés sur un même rhizome. Du sommet de chaque pseudo-bulbe s'élèvent 2 ou 3 feuilles rubanées vert clair, repliées au centre le long de la nervure médiane. Une hampe florale souvent arquée jaillit de la base de chaque pseudo-bulbe. Jusqu'à 30 fleurs charnues, persistantes et parfois odorantes apparaissent en disposition alterne le long des deux tiers supérieurs de la hampe. Elles ont une forme aplatie : leurs pétales et leurs sépales sont soit très espacés, soit légèrement superposés. Dans de bonnes conditions, la floraison est à peu près continue. Il existe plusieurs hybrides, naturels ou cultivés.
Voir aussi ORCHIDEES.

ESPÈCES RECOMMANDÉES

O. bictoniense se signale par des pseudo-bulbes de 8 à 18 cm portant 2 ou 3 feuilles lancéolées d'au plus 30 cm. La hampe florale érigée peut atteindre 75 cm de haut; elle porte une douzaine de fleurs de 4 cm de diamètre. Les pétales et les sépales sont jaune-vert à taches brun noisette avec un labelle cordiforme rose pâle, ou presque blanc, maculé de jaune. La floraison s'étend normalement de l'automne au début du printemps.

O. crispum présente des pseudo-bulbes de 10 cm à 2 feuilles rubanées de 23 à 30 cm. Une hampe florale arquée de 75 cm peut porter une trentaine de fleurs d'au plus 13 cm de diamètre, le plus souvent blanches avec un labelle maculé de rouge et de jaune. La floraison a généralement lieu à la fin de l'hiver et au début du printemps.

O. grande produit des pseudo-bulbes de 8 à 10 cm qui portent 2 feuilles de 5 cm à pétiole court, ce qui est rare chez les orchidées. Une hampe florale de 30 cm porte jusqu'à 7 fleurs d'environ 20 cm de diamètre. Les pétales et les sépales sont d'un jaune vif à rayures brun cannelle, avec un labelle court et arrondi de couleur crème ou jaune clair. La floraison s'étend de la fin de l'été à la fin de l'automne.

O. grande

Oncidium

ORCHIDACÉES

On trouve plus de 400 espèces d'orchidées épiphytes dans le genre *Oncidium.* Celles qui sont cultivées comme plantes d'intérieur ont des pseudo-bulbes ovoïdes desquels jaillissent 2 grandes feuilles vertes. La hampe florale, dressée ou arquée, dépasse souvent 1 m. Elle porte de nombreuses petites fleurs sur ses multiples rameaux. Ces fleurs peuvent être brunes, rouges, roses, vertes ou blanches et se distinguent par une crête à la base du labelle, souvent garnie de protubérances.
Voir aussi ORCHIDEES.

ESPÈCES RECOMMANDÉES

O. crispum comporte des pseudo-bulbes de 10 à 13 cm, légèrement aplatis et couronnés de 2 feuilles presque oblongues de 15 à 20 cm sur 5. La hampe florale arquée mesure 60 à 120 cm et porte jusqu'à 40 fleurs de 5 à 10 cm, brun noisette ou cuivre, maculées et marginées de jaune. Les pétales et les sépales sont fortement ondulés. La floraison a lieu en automne.

O. ornithorhynchum présente des pseudo-bulbes de 3 à 5 cm couronnés d'une paire de feuilles rubanées de 18 à 25 cm sur 1. Une hampe florale arquée d'environ 90 cm porte une cinquantaine de fleurs de 2 cm chacune. Elles sont odorantes et roses, et leur labelle en forme de violon est décoré d'un croissant jaune. La floraison commence à l'automne et dure tout l'hiver.

O. wentworthianum se signale par des pseudo-bulbes aplatis de 8 cm d'où jaillissent 2 feuilles rubanées d'environ 25 cm sur 1,5. Les tiges florales qui mesurent 1,20 m portent plusieurs rameaux sur lesquels poussent de nombreuses petites fleurs de 3 cm. On peut en compter jusqu'à une cinquantaine sur une seule hampe. Elles sont jaunes et maculées de rouge-brun avec un labelle lobé à la base. Cette espèce fleurit en été.

SOINS PARTICULIERS

Lumière Exposer ces orchidées au plein soleil, sauf à celui de midi. Leur donner quelques heures d'éclairement artificiel durant les journées d'hiver (voir page 446).

O. pulchellum se caractérise par des pseudo-bulbes de 5 à 8 cm portant chacun 2 feuilles étroites de 20 à 30 cm. Une hampe florale dressée de 25 cm produit 5 à 10 fleurs odorantes d'environ 3 cm de diamètre. Les fleurs blanches ont l'air d'être posées à l'envers avec leur labelle à croissant jaune piqué au sommet. La floraison se produit habituellement au printemps.

SOINS PARTICULIERS

Lumière Les odontoglossums réclament une lumière vive tamisée. Leur donner un peu de soleil direct durant les courtes journées d'hiver.

Température Ils préfèrent une température de 16°C toute l'année, avec une humidité élevée. Au-dessus de 16°C, poser les pots sur des plateaux de gravillons maintenus humides et bassiner le feuillage deux fois par jour.

Arrosage Arroser modérément en période de croissance. Laisser sécher la moitié du mélange entre les arrosages. En période de repos, n'arroser que pour empêcher le mélange de se dessécher.

Engrais En période de croissance, donner de l'engrais foliaire tous les trois ou quatre arrosages.

Empotage et rempotage Utiliser un mélange de fibres d'osmonde broyées fin (2/3) et de tourbe de sphaigne (1/3), additionné d'un peu de sable grossier. Remplir les pots au tiers de tessons de grès. Rempoter chaque année au printemps ou au début de l'automne. Quand la plante a atteint sa taille maximale, diviser les touffes.

Multiplication Elle se fait par division des touffes au moment du rempotage. Prélever des segments de rhizome portant environ 4 pseudo-bulbes. S'assurer que l'un d'eux a de nouvelles pousses ou un bourgeon terminal. Planter chaque segment dans un petit pot rempli de mélange à peine humide et l'exposer à une lumière modérée. Arroser parcimonieusement pendant quatre à six semaines. Cultiver ensuite comme un sujet adulte.

Oiseau-de-paradis, voir *Strelitzia.*
Oléandre, voir *Nerium oleander.*

Ophiopogon
LILIACÉES

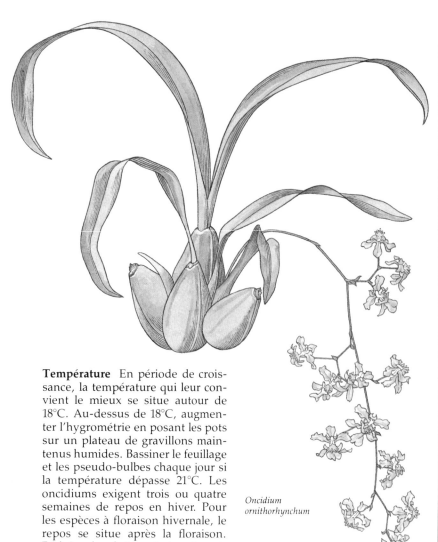

Herbe aux turquoises
O. jaburan 'Variegatus'

Température En période de croissance, la température qui leur convient le mieux se situe autour de 18°C. Au-dessus de 18°C, augmenter l'hygrométrie en posant les pots sur un plateau de gravillons maintenus humides. Bassiner le feuillage et les pseudo-bulbes chaque jour si la température dépasse 21°C. Les oncidiums exigent trois ou quatre semaines de repos en hiver. Pour les espèces à floraison hivernale, le repos se situe après la floraison. Réduire alors la température à environ 13°C et laisser sécher les gravillons.

Arrosage Arroser parcimonieusement les oncidiums en période de croissance. Mouiller tout le mélange à chaque arrosage mais en laisser sécher la moitié entre les arrosages. En période de repos, n'arroser que pour empêcher les pseudo-bulbes de se flétrir.

Engrais En période de croissance, donner de l'engrais foliaire tous les trois ou quatre arrosages.

Empotage et rempotage Utiliser un mélange poreux composé de sphaigne (1/3) et de fibres d'osmonde (2/3) additionné d'un peu de sable grossier. Assurer un bon drainage en remplissant au moins le tiers des pots de tessons de grès. Rempoter tous les printemps jusqu'à ce que la plante ait atteint sa taille maximale. Diviser alors les plants. Si l'on veut obtenir un exemplaire bien touffu, ne rempoter que tous les deux ou

*Oncidium
ornithorhynchum*

trois printemps. Pour ce faire, dégager le mélange qui adhère aux racines, couper le rhizome en segments porteurs d'au moins 2 pseudo-bulbes et supprimer les racines pourries ou endommagées. Disposer ensuite les segments contre la paroi du pot, après l'avoir lavé et rempli de mélange frais, en dirigeant les pousses vers le centre. Elles ne tarderont pas à s'étendre.

Multiplication Au printemps, diviser les plants trop grands en suivant la méthode indiquée ci-dessus. Pour obtenir plusieurs plants, empoter séparément les petits groupes de pseudo-bulbes dans des pots de la dimension appropriée. Durant les quatre à six premières semaines, humidifier à peine le mélange et exposer les pots à une lumière vive tamisée. Cultiver ensuite les plants comme des sujets adultes.

U ne seule espèce du genre *Ophiopogon*, *O. jaburan* (herbe aux turquoises), est cultivée en appartement. Cette plante herbacée et cespiteuse porte des feuilles coriaces vert sombre de 60 cm de long et de 1 cm de large, issues du rhizome. En été, ou parfois au début de l'automne, des tiges aplaties de 25 à 40 cm jaillissent au centre des touffes de feuilles; ces tiges soutiennent des grappes de 6 à 20 fleurs pendantes. Les fleurs tubuleuses de 1 cm de long, d'un blanc pur ou teinté de lilas, laissent parfois derrière elles des baies bleu foncé de la grosseur d'un pois. On confond quelquefois *O. jaburan* et *Liriope muscari*, tant ils se ressemblent. Un examen attentif révèle néanmoins que les fleurs des ophiopogons sont un peu plus grosses que celles de son proche parent et qu'elles s'inclinent plus souplement.

Un certain nombre de formes à feuillage panaché présentent d'étroites rayures longitudinales blanches, crème ou jaunes. On remarque notamment *O. j.* 'Argenteo-vittatus', *O. j.* 'Aureo-variegatus' et *O. j.* 'Variegatus'. Une forme non panachée, *O. j.* 'Caeruleus', offre des feuilles vert sombre et des fleurs bleu-violet.

SOINS PARTICULIERS

Lumière Exposer ces plantes à une lumière vive, mais jamais au plein soleil. Il ne faut pas espérer les voir fleurir si on ne leur procure pas cet éclairement.

Température Bien que les ophiopogons tolèrent une vaste gamme de températures, ils préfèrent toujours une atmosphère fraîche. La température idéale se situe entre 13 et 18°C, mais il ne faut pas qu'elle descende au-dessous de 10°C.

Arrosage En période de croissance, arroser les ophiopogons modérément. Bien mouiller le mélange et le laisser sécher sur 1 cm entre les arrosages. En période de repos, n'arroser que pour empêcher le mélange de sécher complètement.

Engrais Donner de l'engrais liquide ordinaire tous les 15 jours, pendant la période de croissance exclusivement.

Empotage et rempotage Mélanger du sable grossier (1/3) et du substrat à base de terreau (2/3) [voir page 429]. Rempoter au printemps lorsque c'est nécessaire, c'est-à-dire lorsque les touffes de feuilles couvrent toute la surface du mélange terreux. Lorsque la plante remplit un pot de 16 cm environ, s'en servir pour la reproduction.

Multiplication Le printemps est la meilleure saison pour effectuer la multiplication des ophiopogons. Diviser alors les plantes qui ont dépassé une taille convenable; sectionner le rhizome en segments porteurs de 8 à 10 feuilles. Conserver autant de racines que possible; si elles sont très enchevêtrées, laver la motte à l'eau courante pour la débarrasser du mélange terreux qui y adhère. Une fois nettoyées, les racines se démêleront mieux. Planter chaque touffe dans un pot de 8 cm rempli du mélange terreux recommandé pour les sujets adultes. Leur donner dès lors les mêmes soins qu'aux ophiopogons adultes, sauf en ce qui concerne la fertilisation : ne pas donner d'engrais avant trois ou quatre mois.

Oplismenus
GRAMINÉES

Herbe à panier
O. hirtellus 'Variegatus'

SOINS PARTICULIERS

Lumière Exposer les oplismenus toute l'année à une lumière vive comportant deux ou trois heures de plein soleil par jour. Autrement, les tiges s'allongeront et les feuilles perdront leurs coloris.

Température L'atmosphère normale d'une pièce leur convient. Ne pas les exposer à des températures inférieures à 13°C.

Arrosage En période de croissance, arroser généreusement pour bien mouiller le mélange. En période de repos hivernal, n'arroser que pour empêcher le mélange de se dessécher complètement.

Engrais Donner de l'engrais liquide ordinaire tous les mois, en période de croissance.

Empotage et rempotage Utiliser un mélange à base de terreau (voir page 429). On recommande de grouper 15 à 20 boutures enracinées dans une corbeille suspendue de 16 à 20 cm. Remplacer les sujets d'un an par des boutures enracinées en renouvelant le mélange terreux.

Multiplication Des pousses terminales de 5 à 8 cm s'enracinent très facilement au printemps ou en été. En grouper 6 à 8 dans un pot de 8 à 10 cm rempli de mélange humide à base de terreau et les enfermer dans un sachet de plastique transparent ou une caissette de multiplication. Les garder dans une pièce chauffée et les exposer à une lumière vive tamisée : l'enracinement prendra environ deux semaines. Cultiver alors les plants comme des sujets adultes.

La seule espèce du genre *Oplismenus* (herbe à panier) qui soit communément cultivée en appartement, *O. hirtellus* 'Variegatus' (qu'on appelle parfois *Panicum variegatum*), est une plante à feuillage panaché, particulièrement décorative. Elle présente des tiges très rameuses, d'abord érigées puis retombantes, pouvant atteindre 40 cm. Ses feuilles sessiles poussent de part et d'autre des tiges : elles sont minces, plates, lancéolées et acuminées, et mesurent 5 cm de long sur 1. Le limbe vert est traversé de rayures longitudinales blanches. Quand elles sont exposées à une lumière suffisamment vive, les jeunes feuilles se teintent de rose et les plus vieilles parfois de pourpre. Les sujets adultes produisent, en été, des fleurettes vertes sans grand intérêt qui apparaissent sur des pédicelles tire-bouchonnés.

Ces plantes peuvent être cultivées en pots, mais elles sont plus intéressantes en corbeilles suspendues. On les remplace au bout d'un an, quand elles commencent à perdre leurs feuilles.

Oponce, voir *Opuntia.*

Opuntia
CACTACÉES

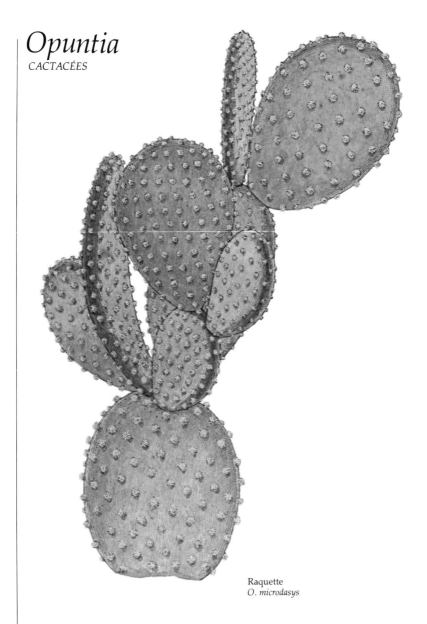

Raquette
O. microdasys

Des aiguillons remplaceront les pseudo-feuilles qui apparaissent sur les nouvelles pousses de cet opuntia.

Les opuntias n'ont pas de feuilles; ce qui en tient lieu sont de petits organes cylindriques fragiles qui apparaissent parfois sur les nouvelles pousses et qui ne tardent pas à se faner et à tomber. Alors que dans la nature les opuntias atteignent des proportions étonnantes et se couvrent de fleurs superbes, ils n'arrivent pas à fleurir en appartement. Même les formes naines y fleurissent difficilement, car ce sont des plantes d'altitude qui, dans nos régions, ne reçoivent pas suffisamment de lumière. On cultive donc les opuntias plutôt pour leurs formes remarquables et pour leurs aiguillons.
Voir aussi CACTEES.

ESPÈCES RECOMMANDÉES
O. basilaris (cactus queue-de-castor) se ramifie et atteint 90 cm quand il est dans son milieu naturel. En culture, sa croissance est très lente. Il lui faut environ cinq ans pour atteindre une hauteur de 20 à 30 cm, et il n'a jamais besoin d'un pot de plus de 12 cm. D'abord solitaire, la tige aplatie se ramifie ensuite abondamment à la souche. Chaque rameau comporte 2 ou 3 segments ovales et aplatis, d'environ 10 cm de long, 8 cm de large et 1 cm d'épaisseur. La tige est d'un bleu pourpre. Les aréoles, espacées de 1 cm, portent des touffes de glochides rougeâtres, mais sont dépourvues d'aiguillons. C'est l'un des rares opuntias qui fleurissent facilement à l'intérieur; la floraison se produit vers l'âge de quatre ou cinq ans. Les fleurs apparaissent au printemps ou en été au sommet des

Les opuntias (figuiers de Barbarie, oponces) sont parmi les cactées les plus répandues. Leur forme et leur taille varient beaucoup. En effet, on trouve des espèces à tiges colonnaires, érigées et non ramifiées, des espèces naines qui poussent en colonies denses, ainsi que des espèces dont les tiges sont composées de segments plats, ou raquettes, garnis d'épines redoutables. Ce sont les opuntias à raquettes, appelés communément figuiers de Barbarie, qui, à l'état sauvage, donnent les fruits piriformes et épineux que nous connaissons. Contrairement à la majorité des cactées, l'opuntia ne porte pas de côtes. Les aréoles des sujets à tiges cylindriques sont posées sur des tubercules verruqueux et aplatis. Celles des opuntias à raquettes sont disposées très régulièrement sur la tige.

Les aiguillons varient tout autant. Certaines espèces en sont dépourvues, d'autres ne présentent que quelques soies, et un grand nombre d'autres portent des aiguillons très acérés. Quelques opuntias produisent des aiguillons radiaux et centraux nettement distincts, mais la plupart n'ont qu'un seul type d'épines. Toutes les espèces se caractérisent cependant par des touffes de poils raides, appelés glochides, qui sortent des aréoles. Ces glochides, presque imperceptibles à l'œil nu, pénètrent facilement dans la peau et sont extrêmement difficiles à extraire. Il faut donc être très prudent lorsqu'on manipule ces plantes.

articles. Elles sont rouge carmin, campanulées, et mesurent 5 à 8 cm. Elles ne sont pas parfumées et ne vivent que deux jours, mais la floraison s'étend habituellement sur une période d'environ une semaine.

O. cylindrica, comme son nom l'indique, présente une tige cylindrique d'un vert vif qui, dans un pot de 16 cm, peut atteindre plus de 1 m de haut et 5 cm de diamètre. Cette plante ne se ramifie pas naturellement, mais si on coupe le sommet de sa tige, elle donne de nouvelles pousses et prend la forme d'un candélabre. La tige est entièrement couverte de tubercules plats, en losange, surmontés d'une aréole. Les aréoles renferment, outre les glochides, plusieurs aiguillons blancs de 0,5 cm. Des organes cylindriques de 0,5 à 1 cm, en forme de feuilles, apparaissent sur les nouvelles pousses, mais ne tardent pas à tomber. Comme la plupart des opuntias, *O. cylindrica* ne fleurit pas en appartement. Dans la nature, il donne des fleurs rouges.

O. robusta   O. cylindrica

O. imbricata produit plusieurs segments cylindriques très rameux qui ne dépassent pas 8 cm sur 3 chez les sujets cultivés en pots. Dans la nature, la plante atteint la taille d'un arbre; dans un pot de 10 cm, elle a un étalement et une hauteur de 20 à 30 cm. Les segments sont couverts de tubercules au centre desquels sont logées de grandes aréoles jaunâtres portant quelques glochides blancs et jusqu'à 20 aiguillons blanc-jaune de 3 à 4 cm de long. Les sujets développés s'affaissent sous leur propre poids. De petites feuilles cylindriques, de courte durée, apparaissent sur les nouvelles pousses. L'espèce ne fleurit pas en appartement.

O. microdasys (raquette, oreille-de-lapin) est une plante abondamment ramifiée comportant plusieurs segments ovales et aplatis d'environ 8 cm de long, 5 de large et 0,5 d'épaisseur. Ces segments vert-jaune sont dépourvus d'aiguillons, mais les aréoles, très rapprochées les unes des autres, portent de nombreux glochides jaune or, extrêmement piquants. Au bout de six ans, *O. microdasys* peut atteindre une hauteur et un étalement de 30 cm. Un pot de 16 cm suffira alors. Il arrive que la plante produise des fleurs jaune pâle d'environ 4 cm, mais il ne faut pas trop compter sur cette floraison.

O. robusta est un opuntia vigoureux qui, dans la nature, atteint la taille d'un arbre et se ramifie abondamment. Les articles arrondis, vert-gris, sont recouverts d'une pruine bleuâtre. Leur taille varie de 5 à 30 cm de diamètre, et leur épaisseur de 0,5 à 1 cm. *O. robusta* demeure petit si on le garde dans un pot de 16 cm. Quand il a atteint plus de 30 cm, il vaut mieux en faire des boutures. Des aréoles à glochides brunâtres, espacées de 1 cm, couvrent tous les articles. Chacune porte quelques aiguillons jaunes très courts. Dans son habitat naturel, *O. robusta* produit beaucoup plus d'aiguillons ainsi que des fleurs jaunes.

O. rufida est parfois donné comme une variété d'*O. microdasys* auquel il ressemble. C'est une plante plus petite, à articles plus courts et plus épais, de 3 à 5 cm de long sur 5 de large et 1 d'épaisseur. Ils sont d'un vert-gris sombre. Leurs aréoles portent des glochides brun-rouge mais aucun aiguillon. Dans un pot de 10 cm, la plante ne dépassera pas une hauteur et un étalement de 20 à 25 cm. Elle produit parfois des fleurs campanulées jaunes ou orange d'environ 3 cm. La floraison a lieu au printemps ou en été.

O. salmiana se distingue par des articles cylindriques très ramifiés d'environ 15 cm de long et de 1 cm d'épaisseur. Ils sont d'un vert profond, parfois lavés de rose. La plante peut atteindre une hauteur de 30 cm et un étalement de 15 à 20 cm dans un pot de 10 cm. Les petites aréoles espacées sur les tiges et les rameaux lisses portent des touffes de glochides blancs et 3 à 5

aiguillons jaunes de 0,5 cm. *O. salmiana* est l'opuntia qui fleurit le mieux en appartement. Même les sujets qui n'ont que 13 cm de hauteur produisent d'innombrables fleurs blanches campanulées d'environ 4 cm. Les tiges grêles de cette espèce demandent toutefois à être tuteurées : les attacher à des baguettes enfoncées dans le mélange terreux.

O. subulata ressemble beaucoup à *O. cylindrica,* quoique sa tige ne se ramifie pas beaucoup naturellement. Un étêtage fait cependant apparaître des rameaux latéraux près de la coupe. Ces rameaux donnent à la cactée l'aspect d'un candélabre. Si l'on poursuit la comparaison, on peut dire qu'*O. subulata* est plus robuste qu'*O. cylindrica.* C'est une plante vigoureuse qui peut atteindre, en quatre ou cinq ans, dans un pot de 15 à 20 cm, une hauteur de plus de 1,80 m et un diamètre de 5 à 8 cm. On ralentit sa croissance en la forçant à se ramifier. Au centre des tubercules larges et plats qui couvrent toute la tige se trouvent des aréoles d'où pointent quelques glochides jaunâtres, ainsi que 1 ou 2 aiguillons raides et jaune clair de 3 à 5 cm. Vers la fin du printemps commence la période de croissance, et le sommet de la tige et des rameaux se couvre alors de feuilles cylindriques. Ces feuilles mesurent 5 à 8 cm de long et 0,5 cm de large et persistent tout l'été. Elles se racornissent et tombent à l'approche de l'hiver. *O. subulata* ne trouve pas en appartement les conditions qui lui permettraient de fleurir. Mais dans la nature, il donne des fleurs rouges.

O. vestita appartient au groupe des opuntias colonnaires qui se ramifient naturellement. La tige vert clair, qui peut atteindre 45 cm sur 3, se ramifie en effet à son extrémité. Elle est verruqueuse et les aréoles rondes et jaunâtres au centre des verrues renferment 4 à 8 aiguillons raides et acérés de 1 à 2 cm, ainsi que plusieurs glochides blancs et de longs poils également blancs. Ces poils recouvrent toute la plante et lui donnent une texture pelucheuse très attrayante. Les feuilles cylindriques produites sur les nouvelles pousses au sommet de la tige principale et des rameaux mesurent à peu près 1 cm et persistent durant plusieurs semaines. Elles tombent ensuite comme chez les autres espèces. *O. vestita,* qui est l'un des plus petits opuntias colonnaires, se contentera d'un pot de 10 cm. Il ne fleurit pas à l'intérieur.

SOINS PARTICULIERS

Lumière Tous les opuntias ont besoin, à longueur d'année, du maximum de soleil possible. Ils se déforment dès qu'ils manquent de lumière et l'éclairage artificiel ne leur suffit pas. Le printemps et l'été, placer les opuntias dehors, dans un endroit très ensoleillé.

Température Bien qu'en hiver ils préfèrent une température de 7°C, l'atmosphère normale d'une pièce convient en tout temps à la plupart des opuntias. *O. microdasys* et *O. rufida* exigent cependant plus de chaleur pendant la saison froide, car au-dessous de 10°C, leurs tiges se couvrent de taches brunes.

Arrosage Au printemps et en été, arroser les opuntias modérément. Mouiller complètement le mélange, et le laisser sécher sur 1 cm entre les arrosages. Ces plantes tolèrent des apports d'eau plus abondants que la plupart des autres cactées du désert. Certains sujets à raquettes, qui poussent très haut, se flétriront si on ne leur donne pas suffisamment d'eau en été, mais ils se rétabliront rapidement après avoir été arrosés. En période hivernale de repos, n'arroser les opuntias que pour empêcher le mélange de se dessécher complètement. Prendre soin, en les arrosant, de ne pas éclabousser les cactées à articles, car l'eau peut laisser des marques. A cet égard, *O. robusta,* qui est couvert d'une pruine bleuâtre, est particulièrement fragile.

Engrais Donner aux opuntias un engrais à tomates riche en potassium, tous les 15 jours en période de croissance.

Empotage et rempotage Le mélange doit être poreux : ajouter du sable grossier ou de la perlite (1/5) à un mélange normal à base de terreau ou de tourbe (4/5) [voir page 429]. En principe, il faut rempoter annuellement la plupart des opuntias. Mais pour savoir si le rempotage s'impose vraiment, dépoter la plante au printemps et examiner ses racines. Les aiguillons acérés que portent plusieurs opuntias

rendent cette opération délicate. Se protéger les mains en entourant la plante de plusieurs feuilles de papier journal. Saisir les tiges le plus près possible de la souche pour éviter d'endommager les aiguillons ou les glochides. Si les racines ne remplissent pas le pot, le nettoyer, débarrasser les racines du mélange terreux qui y adhère et remettre la plante dans son pot après l'avoir rempli de mélange frais. Dans la plupart des cas, cependant, les racines auront rempli le pot; il faudra alors en prendre un d'une taille au-dessus.

Dans leur habitat naturel, plusieurs des opuntias cultivés à l'intérieur ont tendance à ramper. Ces espèces auront sûrement besoin

Enfoncer une baguette dans le mélange et y attacher la tige de cet opuntia au point d'articulation d'une raquette.

d'être tuteurées. Enfoncer au besoin une baguette dans le mélange, du côté opposé à celui où la plante s'incline, et l'y attacher. La croissance sera alors plus équilibrée et la plante aura meilleure apparence.

Multiplication Cette opération ne présente aucun problème pour les opuntias à articles. Au printemps ou en été, arracher ou couper un

article. Laisser sécher la plaie durant au moins trois jours. Enfoncer alors la partie de la coupe dans le mélange. La taille du pot dépendra de celle de l'article. Une fois empoté, cultiver le jeune plant comme un sujet adulte. L'enracinement se fera en quelques semaines.

La multiplication des opuntias colonnaires est également très facile. Mais s'il s'agit d'un sujet à tige unique, son apparence ne sera plus la même après l'opération. Comme nous l'avons expliqué à la page précédente (voir *O. cylindrica* et *O. subulata*), en coupant l'extrémité de la tige, on encourage celle-ci à se ramifier. Il suffit donc de prélever des boutures de 5 à 8 cm et de les laisser sécher pendant quatre ou cinq jours. On procédera ensuite de la même façon que pour un article (voir ci-dessus).

Les opuntias se multiplient aussi par semis. On peut se procurer facilement les graines des espèces les plus populaires. Comme ce sont de grosses graines (elles ont jusqu'à 0,5 cm de diamètre), elles doivent être plantées dans des pots individuels. La germination demande normalement une semaine. Les plantules ont ceci de remarquable qu'elles ne ressemblent pas du tout à une cactée. On voit d'abord apparaître deux cotylédons, sans aiguillons ni glochides. Ces derniers apparaissent sur une pousse qui sort entre les cotylédons et qui devient la tige principale. (Pour de plus amples détails, voir *CACTÉES,* page 119.)

Oranger, voir *Citrus sinensis.*
Oranger de Panama, voir *Citrus mitis.*

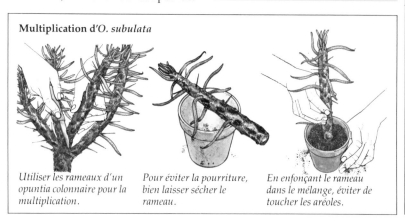

Multiplication d'*O. subulata*

Utiliser les rameaux d'un opuntia colonnaire pour la multiplication.

Pour éviter la pourriture, bien laisser sécher le rameau.

En enfonçant le rameau dans le mélange, éviter de toucher les aréoles.

ORCHIDÉES

Les orchidées constituent sans doute la plus grande famille de plantes florifères. Si elles ont des exigences spéciales, elles donnent en retour les fleurs les plus fascinantes. On trouvera à la fin de cet article la liste des genres qui se prêtent le mieux à la culture en appartement. Se reporter aussi au *Guide alphabétique*.

On croit généralement que les orchidées ne se cultivent que dans les serres. Cette croyance est erronée. Bien qu'elles demandent des soins spéciaux, un grand nombre d'entre elles peuvent croître dans l'atmosphère normale d'une pièce. Cependant, il faut respecter rigoureusement leurs exigences. Certains amateurs préfèrent cultiver leurs orchidées dans un terrarium ou une vitrine (voir pages 53 et 54) où la lumière, la température et l'humidité peuvent être réglées avec précision. Mais il suffit d'un peu d'attention pour avoir des orchidées qui fleurissent année après année.

Les *Orchidacées* regroupent près de 750 genres, plus de 20 000 espèces et des milliers d'hybrides botaniques. Environ la moitié des espèces sont terrestres, c'est-à-dire qu'elles poussent dans le sol; les autres espèces sont épiphytes et croissent sur des arbres, des arbustes ou des surfaces rocheuses. Ce sont surtout des espèces épiphytes qui sont cultivées à l'intérieur. A vrai dire, on ne trouve qu'un seul genre de plante terrestre, *Paphiopedilum*, parmi les orchidées d'appartement.

La plupart des orchidées terrestres ont des racines épaisses et charnues et des radicelles fines et fibreuses par lesquelles elles se nourrissent. Les espèces épiphytes ont, en plus, un système de racines adventives qui leur permet de grimper aux supports qu'elles trouvent. Ces racines cylindriques sont d'une épaisseur normale.

Les orchidées épiphytes se divisent en deux groupes. Certaines, comme celles du genre *Vanda*, présentent une seule tige principale qui s'élève d'une masse de racines à la souche. Cette tige érigée s'enveloppe de feuilles sur toute sa longueur et peut atteindre 1 m et plus en pot. Des tiges latérales apparaissent parfois, mais elles sont plus petites et beaucoup moins vigoureuses que la tige principale. Les hampes florales prennent naissance à l'aisselle des feuilles, au sommet de la plante, tandis que les racines adventives viennent à l'aisselle des feuilles inférieures. On dit que ce sont des orchidées *monopodes*, c'est-à-dire à pied unique.

Le second groupe se rencontre plus fréquemment. Il se compose d'orchidées épiphytes, dites *sympodes*, qui présentent plusieurs tiges jaillissant d'un rhizome horizontal. Dans la nature, ce rhizome rampe vers un support; dans un pot, il repose à la surface du mélange terreux que vont explorer ses racines. Des tiges épaisses, appelées pseudo-bulbes, s'élèvent de toutes les parties du rhizome. Ce sont, comme les bulbes, des organes de réserve où la plante peut puiser sa nourriture et son eau durant de courtes périodes de sécheresse. Ces pseudo-bulbes d'ordinaire vert clair sont de formes et de tailles très variées. Ils peuvent être ronds, fuselés, cannelés, cylindriques, ovoïdes, et plus ou moins aplatis. Ils ressemblent aussi parfois à des tiges ordinaires ou à des bulbes allongés.

Certains pseudo-bulbes mesurent moins de 3 cm, d'autres dépassent 1 m. Ceux des orchidées d'appartement n'excèdent généralement pas 20 cm. Une ou plusieurs feuilles sortent de l'extrémité de chaque pseudo-bulbe et quelques autres, parfois, des côtés ou de la base. La hampe florale peut également jaillir soit du sommet, soit de la base. Un pseudo-bulbe ne fleurit qu'une fois, après quoi il dépérit lentement et meurt.

Un nouveau pseudo-bulbe apparaît chaque année au bout du rhizome, pendant que celui qui a fleuri se fane et meurt. Ce dépérissement peut cependant prendre jusqu'à cinq ans. Chez certaines espèces, au contraire, toutes les feuilles d'un pseudo-bulbe qui a fleuri meurent annuellement durant la période de repos. Comme le rhizome progresse d'une année à l'autre en produisant de nouveaux pseudo-bulbes, on qualifie parfois les vieux pseudo-bulbes de pseudo-bulbes postérieurs.

Les feuilles des orchidées peuvent emprunter toutes sortes de formes et leur taille varie beaucoup; elles sont minces ou épaisses, coriaces, charnues ou papyracées. La plupart sont d'un vert uni, mais certaines portent des macules d'une autre couleur.

Les fleurs comportent toutes six segments disposés symétriquement, dont certains peuvent être jumelés. On appelle sépales les segments supérieurs et inférieurs jumelés qui sont de taille, de forme et de couleur identiques. Les deux pétales qui entourent le sépale supérieur sont plus larges. Enfin, le troisième pétale diffère toujours par sa forme et sa couleur des sépales et

Types d'organes

Les orchidées monopodes, comme les vandas (en haut), n'ont qu'une tige. Les orchidées sympodes, comme les odontoglossums (en bas), ont un rhizome à plusieurs tiges. Ces tiges renflées s'appellent pseudo-bulbes.

Formes représentatives d'orchidées

Chacune des espèces illustrées ici appartient à l'un des genres de la famille des *Orchidacées*. Les genres comportent d'autres espèces qui peuvent différer beaucoup de celles-ci.

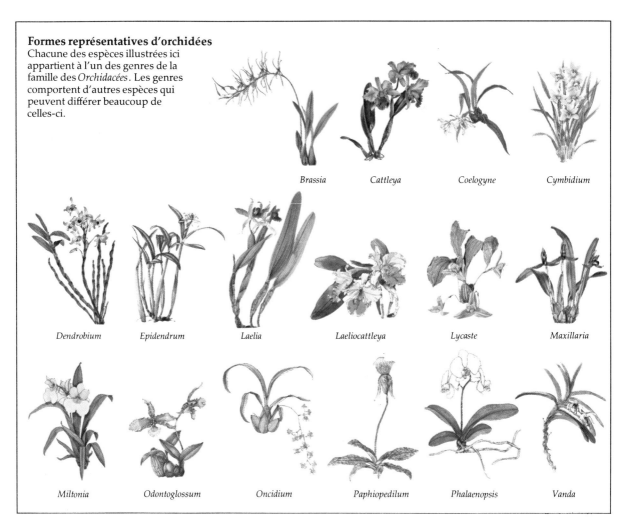

Brassia   Cattleya   Coelogyne   Cymbidium

Dendrobium   Epidendrum   Laelia   Laeliocattleya   Lycaste   Maxillaria

Miltonia   Odontoglossum   Oncidium   Paphiopedilum   Phalaenopsis   Vanda

Structure de la fleur d'orchidée

La fleur d'orchidée présente toujours trois pétales alternant avec trois sépales pétaliformes. Le segment inférieur est différent : c'est le labelle. Au centre, la colonne groupe les organes reproducteurs : étamines et pistil.

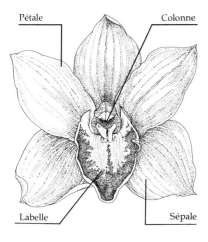

Pétale — Colonne

Labelle — Sépale

des autres pétales; il porte le nom de labelle. Au centre de la fleur s'élève la colonne, organe qui comprend les étamines et le pistil.

Si elles ont ces caractéristiques communes, les fleurs d'orchidées n'en offrent pas moins bien des différences. Elles peuvent être solitaires ou en bouquets, odorantes ou sans parfum, naître sur une hampe dressée ou retombante. La plupart ont une texture cireuse et charnue. Elles persistent normalement de 3 à 6 semaines, parfois même jusqu'à 12 semaines. Il est préférable de les supprimer dès qu'elles commencent à se faner. Contrairement aux autres fleurs, les orchidées coupées tôt durent aussi longtemps dans l'eau que si on les laissait sur la plante.

SOINS PARTICULIERS

Lumière Dans la nature, les orchidées poussent en plein soleil ou à l'ombre des arbres environnants. A l'intérieur, les exposer à une lumière vive tamisée ou les placer près d'une fenêtre qui reçoit quelques heures de soleil le matin ou l'après-midi. Les lycastes, les miltonias et les paphiopedilums préfèrent en tout temps une lumière moyenne.

Durant les mois d'hiver, donner aux orchidées épiphytes le plus de soleil possible. De plus, leur procurer si possible six à huit heures par jour d'éclairement artificiel (voir page 446). Ces plantes demandent un minimum de dix heures de lumière par jour.

Température Les orchidées exigent généralement une chaleur constante, même durant la brève période de repos que prennent certaines espèces. Les floraisons subséquentes peuvent être mises en péril si l'on ne respecte pas les échelles de température indiquées. Dans les régions chaudes, on pourra installer les orchidées épiphytes au jardin, dans un coin ombragé.

Les orchidées exigent beaucoup d'humidité. Sauf en période de repos, lorsque la température s'élève au-dessus de 21°C, placer les pots et les corbeilles suspendues sur des gravillons dans un plat contenant de l'eau ou de la tourbe humide et bassiner le feuillage une ou deux fois par jour.

Arrosage C'est souvent aux arrosages trop généreux qu'on peut attribuer les échecs dans la culture des orchidées. Arroser modérément en période de croissance et laisser le mélange terreux sécher presque complètement avant d'arroser de nouveau. Avec les mélanges recommandés ci-dessous, un seul arrosage par semaine devrait suffire. Les orchidées cultivées sur de la fibre d'osmonde ou un autre support fibreux demanderont un peu plus d'eau, mais il ne faut jamais les arroser tant que la base n'est pas sèche au toucher. La meilleure façon d'arroser une orchidée épiphyte cultivée en corbeille suspendue ou sur un support fibreux est de la plonger pendant quelques minutes dans une cuvette remplie d'eau. Arroser normalement les plantes en pots.

Certaines orchidées ont une période de repos durant laquelle les feuilles peuvent tomber. Cela se produit généralement en automne et en hiver et ne dure que quelques semaines. N'arroser alors que pour empêcher le mélange de se dessécher complètement.

Engrais Bien que les orchidées cultivées selon les règles n'aient pas vraiment besoin d'engrais, une légère fertilisation peut leur être bénéfique. Il faut être prudent toutefois, car les plantes trop fertilisées développent de longues tiges molles à la place des fleurs. En période de croissance, un apport d'engrais foliaire tous les trois ou quatre arrosages est suffisant.

Mélange terreux Il doit s'égoutter facilement. Cultiver les orchidées terrestres dans un mélange composé à volume égal de terreau fibreux, de terreau de feuilles ou de tourbe, de sphaigne hachée et de sable grossier ou de perlite.

Les mélanges recommandés pour les orchidées épiphytes comportent presque toujours de la fibre d'osmonde composée de racines desséchées de cette fougère, coupées contre le fil, en morceaux de 5 cm de long. Cette matière poreuse existe dans différentes textures. Bien choisie et combinée aux bons ingrédients, elle assure le drainage approprié. Cependant, elle est plutôt rare et assez coûteuse. On peut la remplacer par de l'écorce de sapin broyée. Ces deux matières se vendent sous forme de plaquettes ou de pavés qui peuvent aussi servir de supports aux plantes.

On obtient un bon mélange pour orchidées épiphytes en mélangeant de la fibre d'osmonde ou de l'écorce broyée (2/3) à de la sphaigne (1/3). Des horticulteurs y ajoutent de la poudre d'os, qui a une valeur nutritive de longue durée. On trouve aussi dans le commerce des mélanges préparés.

Empotage et rempotage Les orchidées épiphytes aussi bien que les orchidées terrestres sont généralement cultivées en pots. Les meilleurs contenants sont les pots en grès perforés et les paniers en lattes de bois ou en fil métallique. On peut aussi attacher les plantes à une branche d'arbre, à une tige de fougère arborescente ou à des plaquettes d'écorce broyée ou de fibre d'osmonde. Pour améliorer le drainage, remplir les pots à moitié de tessons de grès et doubler le fond des paniers d'une fine couche de sphaigne qui empêchera le mélange de s'échapper par les fentes.

Le rempotage ne s'impose généralement que tous les deux ans. Rempoter lorsque la croissance des racines reprend, habituellement au printemps. Supprimer alors les racines mortes ou endommagées et débarrasser les autres du mélange qui y adhère. S'il s'agit d'une plante à tige unique, l'installer au centre du pot. Dans le cas d'une plante rhizomateuse, coucher le rhizome à la surface du mélange de façon que la partie postérieure affleure le bord du pot, ce qui permettra au rhizome de progresser vers le centre. Les racines s'enfonceront dans le substrat et, dans le cas des épiphytes, le rhizome produira de nouveaux pseudo-bulbes. Choisir un pot dans lequel la plante pourra être à l'aise pendant deux ans.

Bien tasser le mélange terreux autour de la souche de la plante. Le faire pénétrer soigneusement entre les racines à l'aide d'un crayon. Pour faciliter l'arrosage, ne pas remplir le pot complètement; cependant, éviter d'arroser tant que les racines ne sont pas bien établies. Il suffit généralement de bassiner le feuillage tous les jours durant les quatre premières semaines.

Les plantes disposées sur un support de bois, de fougère ou de fibre d'osmonde s'arrosent en plongeant les souches dans l'eau. Laisser les plantes s'égoutter pendant une demi-heure avant de les rattacher à leur support. Placer une boule de sphaigne à la base de l'orchidée, étaler doucement ses racines sur le support et les attacher avec du fil de cuivre ou de nylon.

Multiplication Les orchidées sympodes se multiplient par division du rhizome. Sectionner une première fois un mois ou deux avant de faire la division définitive. La plaie aura ainsi le temps de se cicatriser. Chaque segment devrait comporter deux ou trois pseudo-

Multiplication des orchidées sympodes

Couper le rhizome en segments porteurs de plusieurs pseudo-bulbes et de plusieurs feuilles.

Deux mois plus tard, dépoter la plante et la diviser en dégageant soigneusement les racines.

Planter chaque segment dans un pot de 8 à 10 cm en tassant bien le mélange frais autour des racines.

bulbes ou touffes de feuilles. Au moment de la division, dépoter la plante, démêler les racines et empoter chaque segment individuellement ou l'attacher à un support. On peut également empoter ensemble dans une grande corbeille plusieurs segments de rhizome. Arroser parcimonieusement les plants qui ont été nouvellement empotés; un simple bassinage quotidien peut suffire. Lorsque les racines sont bien établies, de nouvelles pousses apparaissent; cultiver dès lors les plants comme des sujets adultes.

Les orchidées monopodes se multiplient à partir de pousses latérales ou de segments terminaux ayant conservé au moins deux racines aériennes. Planter dans un pot de 8 cm en enterrant les racines aériennes avec les boutures. Garder le pot dans une pièce chaude, sous une lumière vive tamisée. Arroser parcimonieusement durant les quatre à six premières semaines. Cultiver ensuite le jeune plant comme un sujet adulte. Ne pas jeter la plante mère : bassinée chaque jour, elle produira une ou deux nouvelles pousses qui pourront servir à la multiplication sitôt qu'elles auront développé quelques racines aériennes.

Remarques Nettoyer chaque semaine avec une éponge les feuilles des orchidées. Surveiller les différentes sortes de cochenilles qui peuvent se loger sous les feuilles séchées ou à la base des vieilles hampes florales rabattues. (Voir page 454.)

Consulter le *Guide alphabétique* à :

Brassia	*Lycaste*
Cattleya	*Maxillaria*
Coelogyne	*Miltonia*
Cymbidium	*Odontoglossum*
Dendrobium	*Oncidium*
Epidendrum	*Paphiopedilum*
Laelia	*Phalaenopsis*
Laeliocattleya	*Vanda*

Oreille-d'éléphant, voir *Streptocarpus.*

Oreille-de-lapin, voir *Opuntia microdasys.*

Orpin, voir *Sedum.*

Orpin de Morgan, voir *Sedum morganianum.*

Orpin de Siebold, voir *Sedum sieboldii.*

Osmanthus
OLÉACÉES

Osmanthus faux-houx
O. heterophyllus
'Variegatus'

Les plantes du genre *Osmanthus* sont des arbustes et des arbres à croissance lente, dont les feuilles ressemblent à celles du houx. Une seule espèce est cultivée en appartement : *O. heterophyllus* (également connue sous les noms d'*O. aquifolium* et d'*O. ilicifolius*, et communément appelée osmanthus faux-houx). C'est un arbuste à tiges ligneuses qui peut atteindre 90 cm de haut et 60 cm d'étalement dans un pot de 20 à 26 cm. Les feuilles opposées, à limbe vert brillant, mesurent 6,5 cm sur 4 et sont portées sur des pétioles de 1 cm. Un même sujet peut avoir des feuilles de diverses formes. Certaines feuilles sont elliptiques, dentées, et se terminent par une longue épine. D'autres ont également cette épine terminale, mais sont ovoïdes et à marges lisses. L'osmanthus ne fleurit pas en appartement.

La variété d'intérieur la plus populaire est *O. h.* 'Variegatus', forme panachée de blanc crème, parfois marginée de rose. Une autre forme, *O. h.* 'Purpureus', présente des feuilles d'un noir pourpré qui, avec le temps, verdissent et se teintent de pourpre. *O. h.* 'Rotundifolius', variété naine, dépasse rarement 45 cm et ses feuilles vert foncé peuvent avoir 4 cm sur 3.

SOINS PARTICULIERS

Lumière Les osmanthus demandent quotidiennement une lumière vive et trois ou quatre heures d'ensoleillement.

Température Ces plantes préfèrent une situation fraîche et bien aérée, comme celle d'une véranda. Contrairement à la plupart des plantes d'intérieur, elles tolèrent les courants d'air. Si possible, les garder constamment à une température inférieure à 13°C.

Arrosage En période de croissance, arroser modérément; bien mouiller le mélange et le laisser sécher sur 1 cm entre les arrosages. En période de repos, n'arroser que pour l'empêcher de se dessécher.

Engrais Donner de l'engrais liquide ordinaire tous les 15 jours, en période de croissance.

Empotage et rempotage Utiliser un mélange à base de terreau (voir page 429). Renouveler le mélange tous les printemps et ne rempoter que lorsque les racines remplissent le pot (voir page 426). Quand la plante loge dans un pot de 20 à 26 cm, se contenter de rafraîchir la couche superficielle du mélange (voir page 428).

Multiplication Au printemps, prélever une pousse terminale de 8 à 10 cm, juste sous un nœud. Enlever les feuilles du bas et plonger la coupure dans de la poudre d'hormones. Planter cette bouture dans un pot de 8 cm rempli d'un mélange humide à volume égal de tourbe et de sable grossier ou de perlite. Enfermer dans un sachet de plastique transparent ou une caissette de multiplication chauffante (voir page 444) et exposer à une lumière vive tamisée, à 18°C. Après six à huit semaines d'enracinement, découvrir la bouture et l'exposer au soleil. Arroser modérément tous les 15 jours, mais ne pas fertiliser. Quatre mois après le début de l'opération, empoter la nouvelle plante dans un mélange à base de terreau et la cultiver comme un sujet adulte.

Remarques Au printemps, rabattre les pousses nuisibles. Pincer les bourgeons terminaux tous les trois ou quatre mois.

Osmanthus faux-houx, voir *Osmanthus heterophyllus.*

Pachyphytum

CRASSULACÉES

Pierre-de-lune
P. oviferum

Proches parentes des echeverias, les plantes du genre *Pachyphytum* leur ressemblent beaucoup. Ce sont de petits arbustes à courtes tiges ramifiées portant des feuilles alternes charnues, aux coloris remarquables. Des hampes florales de 5 à 15 cm naissent au printemps et en été à l'aisselle des feuilles. Elles sont couronnées d'une grappe de fleurs campanulées à 5 pétales d'environ 2 cm de long et de 1 cm de diamètre à l'embouchure. Mais c'est surtout pour leur feuillage que ces plantes sont recherchées.
Voir aussi PLANTES GRASSES.

PACHYPHYTUMS RECOMMANDÉS

P. amethystinum (synonyme de *Graptopetalum amethystinum*) présente des tiges de 10 cm de haut sur 1 cm d'épaisseur. Elles sont d'abord érigées, mais, en vieillissant, elles tendent à retomber. Les feuilles acuminées, dodues et ovales mesurent 4 cm sur 2 et ont 0,5 cm d'épaisseur. Elles alternent le long des rameaux. Vues d'en haut, elles ont l'aspect d'une rosette serrée. Le limbe est bleu-gris joliment lavé

P. amethystinum

d'améthyste. Des fleurs roses ou blanches s'ouvrent en été.

P. bracteosum se distingue par des tiges de 15 cm de long sur 1 cm d'épaisseur qui portent des rosettes de feuilles en forme de cuiller, dodues et acuminées. Les feuilles de 8 cm de long et de 0,5 cm d'épaisseur ont 3 cm de large au sommet et s'effilent à la base. Le limbe grisâtre est recouvert d'une pruine fragile, blanche et farineuse.
P. oviferum (pierre-de-lune) est l'espèce la plus populaire. Ses tiges de 15 cm de long sur 1 cm d'épaisseur portent des rosettes de feuilles ovoïdes de 3 cm de long et de 2 cm de large et autant d'épaisseur. Chaque rosette peut avoir un étalement de 10 cm. Le limbe est grisâtre lavé de rose et les feuilles sont couvertes de pruine blanche. Les fleurs sont rouge vif.
P. 'Pachyphytoides' est un hybride bigénérique né du croisement entre une espèce de pachyphytum et une variété d'echeveria. Il tient de cette dernière une taille peu commune pour un pachyphytum. Les tiges peuvent en effet atteindre une hauteur de 40 cm et une épaisseur de 3 cm. Elles portent des feuilles dodues et arrondies de 8 à 10 cm de long sur 3 cm de large et 1,5 cm d'épaisseur, dont le limbe blancgris est teinté de pourpre. Les fleurs rose clair naissent sur des hampes de 50 cm à différentes périodes de l'année.

SOINS PARTICULIERS

Lumière Pour conserver leurs coloris et leur port, les pachyphytums ont besoin de tout le soleil qu'on peut leur procurer.

Température L'atmosphère normale d'une pièce leur convient presque toute l'année. Il est préférable cependant de leur ménager un repos hivernal (voir « Arrosage », ci-dessous). Pour ralentir leur croissance, les garder à une température se situant entre 10 et 16°C.

Arrosage En période de croissance, arroser modérément. Bien mouiller le mélange et le laisser sécher sur 1 cm entre les arrosages. Comme la plupart des membres de la famille des *Crassulacées*, les pachyphytums n'ont pas de période de repos bien définie. Toutefois, pour leur éviter les distorsions que leur cause la faible lumière hivernale, il est préférable de les forcer au repos pendant cette saison. Il suffit alors de les garder dans une pièce plus fraîche et de diminuer et d'espacer les arrosages. Bien mouiller le mélange à chaque arrosage et le laisser sécher sur 4 cm avant d'arroser de nouveau.

Engrais Les apports d'engrais ne sont pas recommandés pour ces plantes.

Empotage et rempotage Utiliser un substrat composé de sable grossier ou de perlite (1/3) et de mélange ordinaire à base de terreau (2/3) [voir page 429]. Les pachyphytums sont vigoureux : ils ont besoin d'un rempotage tous les printemps tant qu'ils ne sont pas dans un pot de 12 à 16 cm. Par la suite, au printemps, renouveler la couche superficielle du mélange (voir page 428) ou, mieux encore, utiliser la plante pour la multiplication. Pour protéger les feuilles de *P. bracteosum* et de *P. oviferum*, tenir les plantes par la souche au moment du rempotage. Il n'y a pas intérêt à conserver une plante dont les rameaux sont espacés; elle ne se ramifiera plus.

Multiplication L'opération est facile à exécuter. Au printemps, prélever avec un couteau tranchant ou un sécateur un rameau latéral de 8 à 10 cm de long; le laisser sécher deux ou trois jours puis planter, coupe enfoncée dans le mélange. Utiliser un pot de 8 cm rempli du mélange recommandé pour les sujets adultes. On peut d'ailleurs lui donner tout de suite les mêmes soins qu'à ceux-ci. L'enracinement se fera en quatre semaines environ.

Pachystachys
ACANTHACÉES

P. lutea

Ce genre peu répandu est d'introduction récente. Il ne comporte qu'une espèce cultivée à l'intérieur, *P. lutea*. Cet arbuste prostré à fleurs tubuleuses entourées de bractées décoratives peut atteindre 45 cm dans un pot de 18 cm. Ses tiges érigées, que l'âge rend ligneuses, portent des feuilles opposées vert sombre, luisantes et lancéolées, de 15 cm environ. Elles se distinguent par un limbe gaufré, des nervures très marquées et des marges légèrement ondulées. Chaque tige se couronne d'une inflorescence de 10 à 15 cm composée de bractées cordiformes, jaune d'or à pointes vertes, d'où émergent des fleurs blanches de 5 cm. Chaque fleur ne dure que quelques jours, mais la floraison persiste tout l'été et les bractées gardent leurs coloris 8 à 12 semaines.

SOINS PARTICULIERS

Lumière Exposer les pachystachys à une lumière vive tamisée.

Température Il leur faut la température normale d'une pièce, jamais moins de 16°C.

Arrosage Arroser modérément en laissant sécher le mélange sur 1 cm entre les arrosages. Les pachystachys ne prennent pas de repos.

Engrais Fertiliser tous les 15 jours avec un engrais liquide ordinaire. Si un sujet de 30 cm ne fleurit pas, donner un engrais riche en potassium. Après la première floraison, revenir à un engrais ordinaire.

Empotage et rempotage Utiliser un mélange à base de terreau (voir page 429). Rempoter tous les printemps pour terminer dans un pot de 20 cm. Par la suite, renouveler le mélange en surface (voir page 428).

Multiplication Au printemps, prélever sur des rameaux inférieurs des boutures terminales de 8 à 10 cm, juste sous une paire de feuilles. Supprimer ces feuilles, plonger les coupures dans de la poudre d'hormones et les planter dans des pots de 5 à 8 cm remplis d'un mélange humide à volume égal de tourbe et de sable grossier ou de perlite. On peut aussi grouper plusieurs boutures dans un pot de 10 cm. Enfermer les pots dans un sachet de plastique ou une caissette de multiplication chauffante (voir page 444) et les exposer au plein soleil tamisé, à une température de 21°C. Quand la croissance a repris, découvrir les plants et arroser modérément. Après 8 à 10 semaines, empoter dans des pots de 10 cm remplis de mélange ordinaire et cultiver normalement.

Palmier d'Arec, voir *Chrysalidocarpus lutescens.*
Palmier céleri, voir *Caryota urens.*
Palmier-dattier, voir *Phoenix dactylifera.*
Palmier éventail, voir *Washingtonia filifera.*
Palmier frisé, voir *Howea belmoreana.*
Palmier moulin, voir *Trachycarpus fortunei.*
Palmier nain, voir *Chamaedorea elegans.*

Multiplication du pachystachys

Au printemps, prélever une bouture terminale sous une paire de feuilles. Enlever les feuilles du bas et plonger la bouture dans de la poudre d'hormones.

PALMIERS

Les palmiers sont des plantes tropicales à stipe colonnaire couronné de frondes en forme de plume ou d'éventail. Dans cet article, on traitera des caractéristiques propres aux palmiers d'intérieur et des soins culturaux qu'ils exigent. Une liste des genres les plus répandus complète ces données. Pour plus de détails sur chaque genre en particulier, se reporter au *Guide alphabétique*.

La grande famille des *Palmiers* comporte plus de 200 genres et près de 3 000 espèces dont certaines sont naturellement peu vigoureuses mais compactes, alors que la majorité présente des troncs élancés, non ramifiés. En appartement, cependant, les palmiers atteignent rarement ce stade. Ils ne produisent en moyenne qu'une ou deux, et tout au plus trois, nouvelles frondes par année. Certains palmiers croissent si lentement que les horticulteurs ne cultivent plus maintenant que quelques espèces.

Même s'ils vivent très longtemps, les palmiers empotés très jeunes n'arrivent presque jamais à maturité. Ils n'évoluent pas non plus comme les palmiers sauvages. En effet, non seulement la taille de leurs tiges, quand ils en ont, ou celle de leurs feuilles diffèrent, mais leur apparence générale et leurs caractéristiques végétatives ne sont pas les mêmes.

Certains palmiers sauvages ou cultivés (les microcoelums, par exemple) développent un tronc unique assez court, souvent réduit à une simple souche trapue. D'autres, comme les howeas, sont acaules ou presque : bien avant qu'ils ne soient suffisamment formés pour présenter une tige véritable, ils produisent des touffes de pétioles. Enfin, d'autres sujets, tels que les chrysalidocarpus, se distinguent par leurs touffes de tiges grêles.

Les palmiers se caractérisent tous par la présence, sur chacune de leurs tiges, d'un bourgeon terminal unique d'où sortent toutes les feuilles. Ce bourgeon, issu du centre d'une touffe de feuilles, est souvent partiellement caché par le bouquet que forment les feuilles dressées. Si le bourgeon terminal est détruit ou endommagé, la plante n'en produit pas d'autre et finit par mourir. Si on peut tailler ses feuilles, on ne peut donc pas rabattre un palmier.

Les feuilles de palmiers portent le nom de frondes. Elles se divisent en deux catégories : les frondes pennées qui, comme celles des chamaedoreas et des phoenix, ressemblent à des plumes, et les frondes palmées, comme celles des chamaerops et des washingtonias, qui se déploient en éventail. Les deux types de frondes ont des pétioles à base large et épaisse. Les pétioles eux-mêmes peuvent être lisses et luisants, velus, épineux ou dentés. Celui d'une fronde palmée se termine avec le limbe. Celui d'une fronde pennée se prolonge dans la nervure médiane en un rachis, le limbe ou lame se divisant en segments appelés folioles ou, parfois, pinnules. Ces segments se situent de part et d'autre du rachis.

Dans les frondes palmées, la lame s'étale en éventail autour d'un axe, à l'extrémité du pétiole. Des échancrures la divisent en segments. Parfois ces échancrures ne dépassent pas le milieu du limbe, parfois elles descendent jusqu'à l'axe et délimitent des segments en forme de dague. Le pétiole est alors souvent denté ou épineux.

Tous les palmiers adultes produisent des inflorescences de petites fleurs sphériques, vertes ou jaunes. Elles apparaissent au printemps ou en été sur de courts pédoncules qui émergent d'une touffe de pétioles. Les seuls palmiers d'appartement susceptibles de fleurir sont les petits chamaedoreas, mais la floraison ne se produit pas avant qu'ils aient atteint quatre ou cinq ans. Les palmiers cultivés en appartement donnent rarement de fruits.

Parce qu'on voit des palmiers dans des lieux mal éclairés comme

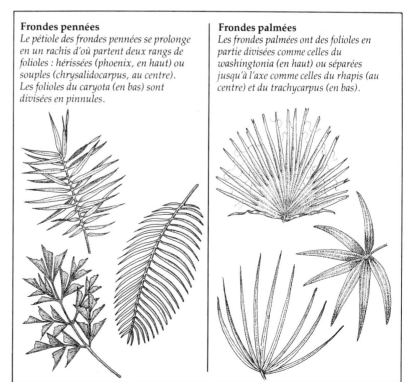

Frondes pennées
Le pétiole des frondes pennées se prolonge en un rachis d'où partent deux rangs de folioles : hérissées (phoenix, en haut) ou souples (chrysalidocarpus, au centre). Les folioles du caryota (en bas) sont divisées en pinnules.

Frondes palmées
Les frondes palmées ont des folioles en partie divisées comme celles du washingtonia (en haut) ou séparées jusqu'à l'axe comme celles du rhapis (au centre) et du trachycarpus (en bas).

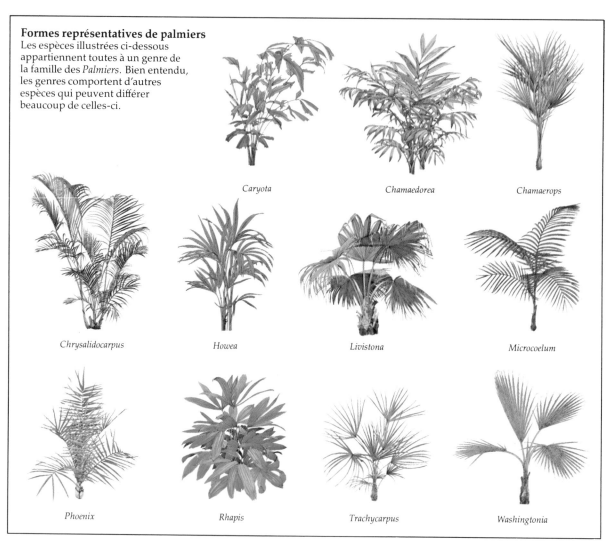

Formes représentatives de palmiers

Les espèces illustrées ci-dessous appartiennent toutes à un genre de la famille des *Palmiers*. Bien entendu, les genres comportent d'autres espèces qui peuvent différer beaucoup de celles-ci.

Caryota

Chamaedorea

Chamaerops

Chrysalidocarpus

Howea

Livistona

Microcoelum

Phoenix

Rhapis

Trachycarpus

Washingtonia

les halls d'hôtel, on en déduit souvent que ces plantes sont plus tolérantes qu'elles ne le sont réellement. Elles ne sont pas fragiles, mais elles deviennent incomparablement plus belles quand on les cultive selon leurs besoins.

Normalement, les palmiers prennent un repos de deux ou trois mois en hiver. La croissance reprend au milieu du printemps et se poursuit jusqu'à la fin de l'automne. Bien que cela ne soit pas essentiel, la plupart des palmiers profiteront d'un séjour au jardin l'été, dans un endroit ensoleillé et abrité. Les palmiers recommandés dans ce livre vivent bien dans l'atmosphère normale d'une pièce.

SOINS PARTICULIERS

Lumière La plupart des palmiers sont originaires de régions où le soleil est intense. Cependant, s'ils étaient dans leur milieu naturel, les sujets que l'on cultive en pots (qui sont jeunes) seraient protégés des rayons directs du soleil par la végétation environnante. Il est donc préférable de les exposer à une lumière vive, avec seulement deux ou trois heures de plein soleil par jour. Certaines espèces préfèrent une lumière vive tamisée. Même si les palmiers peuvent tolérer pendant plusieurs mois un éclairement insuffisant, à la longue ils cessent de croître et s'étiolent. Quand ils sont en situation ombragée, il suffit de les exposer à une lumière vive tous les deux jours, pendant deux ou trois heures pour qu'ils continuent à croître.

Température En période de croissance, la température normale d'une pièce leur convient. En période hivernale de repos, seuls les sujets plus robustes, tels que les chamaerops, les livistonas, les phoenix, les rhapis, les trachycarpus et les washingtonias, tolèrent des températures fraîches (7°C). Pour les autres, 13°C est la température minimale. Les palmiers supportent l'air un peu sec, mais trop de sécheresse fait brunir leurs frondes. Comme l'humidité embellit leur feuillage, on suggère, durant la période de croissance, de les disposer sur des gravillons maintenus humides.

Arrosage Consulter le *Guide alphabétique* car les besoins varient d'un genre à l'autre. En général, les palmiers réclament des arrosages généreux durant leur période de croissance. Arroser jusqu'à ce que l'eau commence à s'écouler par les trous de drainage. Certains sujets peuvent même rester dans l'eau, mais pas plus d'une demi-heure à chaque arrosage. En période de repos, le volume d'eau à donner dépend beaucoup de la température ambiante. Plus la pièce est fraîche, moins il faut arroser. Cependant, même si la température se maintient au-dessus de 16°C, on encouragera les palmiers à prendre un repos hivernal en les arrosant très parcimonieusement pendant deux ou trois mois.

Engrais Suivre les recommandations données pour chaque genre dans le *Guide alphabétique*. Ne pas fertiliser en période de repos.

Empotage et rempotage Un mélange à base de terreau, parfois additionné d'un peu de tourbe ou de terreau de feuilles, leur convient. Pour assurer un bon drainage, disposer au fond des pots une couche de 3 cm de gravier ou de cailloux de la grosseur d'un pois, de préférence.

Certains palmiers produisent de grosses racines blanches et charnues qui s'enroulent autour du mélange terreux et sortent par les trous de drainage, et des radicelles qui s'étalent à la surface. Si ces dernières n'ont pas beaucoup d'importance, il faut cependant faire très attention de ne pas endommager les autres. De légères blessures à ces racines ne vont pas faire mourir la plante, mais peuvent en ralentir sérieusement la croissance, sinon l'interrompre complètement pendant plusieurs semaines.

Le rempotage ne s'impose que lorsque les racines remplissent le pot (voir page 426), ce qui se produit tous les deux ou trois ans seulement. Lors du rempotage, bien tasser le mélange autour de la plante, en prenant toujours garde de ne pas blesser les grosses racines. Les petits palmiers se plaisent dans des pots de grès ou de plastique. Mais les sujets bien développés seront plus stables dans des pots de grès ou des bacs en bois. Laisser 3 à 5 cm de jeu sur le dessus, non seulement pour les arrosages, mais parce que les racines, en se développant, font gonfler le mélange. Une fois que la plante est arrivée à maturité, renouveler simplement le mélange (voir page 428) sur 3 à 5 cm en ajoutant un peu d'engrais à action lente.

Multiplication En serre, les horticulteurs multiplient les palmiers à partir de semis. Certaines semences mettent jusqu'à deux ans à germer et il faut encore attendre plusieurs années avant que les plantules ne prennent l'aspect caractéristique des palmiers. C'est pourquoi la plupart des amateurs préfèrent acheter de jeunes plants.

Certains palmiers produisent des surgeons ou rejets qu'on peut détacher et empoter au printemps. Lorsqu'un surgeon a au moins 3 belles frondes, le détacher de la plante mère avec un couteau et le planter dans du mélange humide composé à volume égal de tourbe et de sable grossier ou de perlite. Enfermer le pot dans un sachet de plastique transparent ou une cassette de multiplication (voir page 443) et l'exposer à une lumière vive tamisée, à une température de 21 à 24°C. Durant la période d'enracinement, n'arroser que pour empêcher le mélange de se dessécher complètement. Lorsque la croissance a repris, au bout de 12 semaines, découvrir le jeune plant, arroser parcimonieusement et fertiliser

une fois par mois avec un engrais liquide ordinaire. Ne pas rempoter avant le printemps suivant. Le cultiver alors comme un sujet adulte.

Remarques La plupart des palmiers aiment les endroits aérés, mais ils ne supportent ni les courants d'air, ni la grande chaleur, ni les brusques variations d'éclairage. Acclimater progressivement les plantes à l'atmosphère extérieure et les rentrer bien avant les froids. Durant la belle saison, les exposer une demi-heure aux pluies douces et tièdes. On peut également les laver sous la douche, bassiner le feuillage ou essuyer chaque fronde avec une éponge.

Attention aux cochenilles et aux araignées rouges. Utiliser un insecticide approprié (voir page 454).

Consulter le *Guide alphabétique* à :

Frondes pennées	Frondes palmées
Caryota	*Chamaerops*
Chamaedorea	*Livistona*
Chrysalidocarpus	*Rhapis*
Howea	*Trachycarpus*
Microcoelum	*Washingtonia*
Phoenix	

Rempotage des palmiers

Rempoter les plantes au printemps lorsque leurs racines remplissent le pot.

Bien nettoyer le pot et le tapisser d'une couche de 3 cm de gravier.

Tasser le mélange autour des racines et laisser du jeu pour l'arrosage.

Multiplication par rejets

Au printemps, détacher un rejet muni de frondes et de racines.

Le planter dans un petit pot rempli de mélange terreux humide.

Enfermer le pot dans un sachet de plastique et l'y laisser quelques semaines.

Pandanus
PANDANACÉES

Vaquoi
P. veitchii

On trouve dans le genre *Pandanus* plusieurs espèces d'arbres et d'arbustes. Les feuilles coriaces et luisantes s'enroulent en spirale sur elles-mêmes. Les plantes adultes présentent un tronc ligneux d'environ 25 cm couronné d'une rosette de feuilles sessiles, en forme de glaive et gracieusement arquées, de près de 1 m de long. Vers l'âge de deux ou trois ans, la plante produit, sous les feuilles inférieures, des racines charnues de plus de 1 cm d'épaisseur qui lui servent de support. Les sujets adultes donnent naissance à de petits rejets qui, une fois détachés, s'enracinent vite.

P. veitchii (vacquois, vaquoi), la plus connue des espèces cultivées en appartement, présente des feuilles vert sombre bordées de rayures longitudinales blanches, crème ou jaunes. Ces feuilles de 8 cm de large atteignent 90 cm de longueur. Un sujet de six à huit ans peut avoir une hauteur de 1,20 m et un étalement de 90 cm. Il faut prendre garde aux petites dents acérées qui ourlent le bord des feuilles. Une forme plus compacte, *P. v.* 'Compacta', se distingue par des feuilles de 40 à 60 cm sur 4 ou 5 cm, avec des marges bordées de blanc et des rayures plus prononcées. Cette plante pousse aussi haut que l'espèce, mais son étalement n'est que de 60 cm.

SOINS PARTICULIERS

Lumière Leur donner au moins trois heures de plein soleil par jour.

Température L'atmosphère normale d'une pièce leur convient. Le minimum tolérable est de 13°C. Un air trop sec fait brunir les feuilles : poser les plantes sur des gravillons maintenus humides.

Arrosage En période de croissance, arroser généreusement, mais ne jamais laisser les pots baigner dans l'eau. En période de repos, n'arroser que pour empêcher le mélange de se dessécher complètement.

Engrais Donner un engrais liquide ordinaire tous les 15 jours, en période de croissance seulement.

Empotage et rempotage Utiliser un mélange à base de terreau (voir page 429). Rempoter tous les printemps. Quand on juge la plante assez développée, renouveler simplement le mélange en surface (voir page 428). Les racines aériennes du pandanus tendent à soulever la plante qui paraît alors juchée. Parer à cet inconvénient en ne remplissant pas le pot complètement. Au début de l'automne, couvrir de mélange les racines qui auront débordé au cours de la période de croissance.

Multiplication Au début du printemps, prélever les surgeons ou rejets et les planter individuellement dans des pots de 8 à 10 cm remplis d'un mélange humide, à volume égal de tourbe et de sable grossier ou de perlite. Les enfermer dans un sachet de plastique transparent ou une caissette de multiplication (voir page 443) et les exposer à une lumière vive tamisée. L'enracinement se fait en quatre à six semaines. Dans les deux semaines qui suivent, découvrir les jeunes plants, pendant des périodes de plus en plus longues. Arroser modérément pendant un mois en laissant le mélange sécher sur 3 cm entre les arrosages. Lorsque les jeunes plants paraissent bien établis, les cultiver comme des sujets adultes sans toutefois les exposer au soleil. Quatre mois après le début de l'opération, les transplanter dans des pots de 14 cm remplis d'un mélange à base de terreau.

Paphiopedilum

ORCHIDACÉES

Sabot de Vénus
P. callosum

Les paphiopedilums (communément appelés sabots de Vénus parce que le labelle des fleurs a effectivement la forme d'un sabot) sont des plantes terrestres et acaules dont les feuilles rubanées et acuminées sortent, par touffes, d'un court rhizome. Ces feuilles sont épaisses et charnues, et sont divisées par une nervure médiane en saillie. Les fleurs varient énormément de taille, de forme et de couleur; elles naissent sur des hampes, au centre d'une touffe de feuilles. Le sépale supérieur ou dorsal est généralement d'une couleur qui contraste avec celle des pétales et du labelle. Celui-ci, en forme d'urne (ou de sabot), dissimule les deux sépales inférieurs qui sont soudés. La fleur entière est charnue et présente souvent un aspect cireux. La floraison s'étend de l'automne au printemps, chaque fleur durant 8 à 12 semaines. Les espèces du genre *Paphiopedilum* ont donné des milliers d'hybrides. *Voir aussi ORCHIDEES.*

ESPÈCES RECOMMANDÉES

P. callosum présente des feuilles de 30 cm sur 5, vert foncé, maculées de vert vif. Une tige florale de 5 cm porte 1 ou 2 fleurs de 10 cm dont le sépale dorsal et les pétales sont blancs rayés de pourpre et de vert. Les pétales, enroulés vers l'intérieur, portent sur la marge supérieure des macules saillantes, noires et pubescentes. Le labelle est d'un rouge pourpré. La floraison est printanière.

P. fairieanum porte des feuilles vert pâle de 20 cm sur 3 et une hampe de 30 cm couronnée par 1 ou 2 fleurs de 5 cm de diamètre environ. Le sépale dorsal et les pétales sont blancs striés de fines lignes pourpres, et les pétales ourlés de fins poils noirs. Le labelle est rouge veiné de pourpre. Les fleurs naissent en automne.

P. hirsutissimum présente des feuilles qui peuvent atteindre 25 cm sur 3, vert foncé, tachetées de vert clair, ainsi qu'une hampe florale de 25 cm couverte de fins poils noirs et couronnée d'une fleur unique de 13 cm. Le sépale dorsal, ondulé et vert clair, est taché de brun-pourpre. Les pétales ondulés sont verts lavés de rose clair au sommet et maculés de brun-rouge. Le labelle vert est marqué de brun. La floraison est printanière.

P. insigne se caractérise par des feuilles vert moyen de 25 cm sur 3 et une hampe florale de 25 cm portant 1 ou 2 fleurs de 10 cm. Le sépale dorsal est blanc teinté de vert et fortement marqué de brun et de pourpre, tandis que les pétales et le labelle sont brun-jaune tachetés de rouge-pourpre. La floraison a lieu à la fin de l'hiver. Cette espèce offre plusieurs formes différentes.

P. spiceranum présente des feuilles vert vif de 15 cm sur 3, pourpres au revers. La tige florale de 20 cm porte 1 ou 2 fleurs de 7 cm. Le sépale dorsal blanc est traversé d'une strie longitudinale pourpre. Les pétales sont vert-jaune avec une raie perpendiculaire cramoisie. Le labelle est également cramoisi. Les fleurs éclosent en automne.

P. venustum offre des feuilles de 15 cm sur 3 d'un vert-bleu maculé de vert sombre. La tige florale de 30 cm ne porte qu'une fleur de 5 cm dont le sépale dorsal blanc est marqué de plusieurs stries vertes. Les pétales vert clair sont teintés de rose à la pointe et marginés de taches saillantes, noires et poilues. Le labelle est beige rayé de brun. La floraison va de la fin de l'automne au début du printemps.

SOINS PARTICULIERS

Lumière Exposer les paphiopedilums à une lumière moyenne, et jamais au plein soleil. La floraison sera plus réussie si on leur donne de la lumière artificielle de la fin de l'automne au début du printemps (voir page 446).

297

Température Les paphiopedilums se plaisent à la température normale d'une pièce. Pour augmenter l'hygrométrie, placer les pots sur des gravillons maintenus humides. Quand la température s'élève au-dessus de 21°C, bassiner le feuillage chaque jour.

Arrosage Arroser modérément en période de croissance, et laisser le mélange sécher sur 3 à 5 cm entre les arrosages. Durant les six semaines qui suivent la floraison, lorsque la croissance ralentit, arroser parcimonieusement et laisser sécher presque complètement le mélange entre les arrosages.

Engrais Donner de l'engrais foliaire tous les trois ou quatre arrosages, sauf durant les six semaines qui suivent la floraison.

Empotage et rempotage Utiliser l'un des mélanges recommandés pour les orchidées (voir page 289). Pour toutes les espèces, à l'exception de *P. callosum*, ajouter trois ou quatre parcelles de calcaire de 1 cm² au matériel de drainage. Rempoter après la floraison chaque fois que les touffes de feuilles recouvrent la surface du mélange. Garder la base des feuilles au niveau où elles étaient dans l'ancien pot, car elles pourrissent lorsqu'elles sont enfouies plus profondément. Quand on juge la plante assez grosse, diviser les touffes.

Multiplication Diviser les sujets qui ont six touffes de feuilles ou plus. Après la floraison, dégager le mélange qui adhère aux racines, supprimer les racines mortes et diviser le rhizome en segments porteurs d'au moins deux touffes de feuilles. Démêler délicatement les racines plutôt que de les couper. Planter chaque segment dans un pot de 8 cm; l'exposer à une lumière moyenne et le bassiner tous les jours durant trois semaines. Lui donner ensuite les mêmes soins qu'à un sujet adulte.

Remarques Les racines des paphiopedilums sont fragiles et un excès d'eau les fait pourrir.

Les bourgeons floraux ont tendance à s'incliner. Enfoncer un tuteur dans le mélange et y nouer la tige sous le bourgeon pour que la fleur pousse droite.

Papyrus, voir *Cyperus.*

Parodia
CACTACÉES

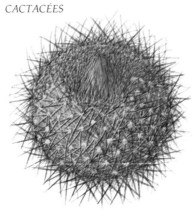

P. chrysacanthion

Les parodias sont des cactées du désert dont la tige sphérique s'allonge quelque peu avec l'âge. La plupart des espèces portent des tubercules de 5 mm disposés en spirale qui, dans certains cas, se rejoignent pour former des côtes. Chaque tubercule présente une aréole. A la fin du printemps, une douzaine de fleurs s'ouvrent dans les aréoles du sommet. Elles sont cupuliformes et durent quatre jours. La plante refleurit au cours de l'été. Certains parodias forment plusieurs rejets, d'autres quelques-uns ou pas du tout.
Voir aussi CACTEES.

ESPÈCES RECOMMANDÉES
P. aureispina présente, vers l'âge de sept ans, une tige colonnaire de 20 cm de haut et de 15 cm de diamètre. Chaque aréole renferme une quarantaine d'aiguillons radiaux fins de couleur blanche et 6 aiguillons centraux plus gros, jaune d'or. Ces derniers ont tous 1 ou 2 cm et l'un d'eux est crochu. La tige vert vif disparaît presque sous la touffe d'aiguillons. Les fleurs jaunes mesurent 4 cm de diamètre.

P. chrysacanthion garde sa forme sphérique plus de sept ans et atteint un diamètre de 10 à 15 cm. Sa tige est vert clair. Des aréoles sortent 30 à 40 aiguillons radiaux jaune pâle, élancés, d'environ 1 cm et 3 à 5 aiguillons centraux jaune d'or, qui peuvent avoir plus de 2 cm. Les fleurs jaune d'or ont 2,5 cm.

P. sanguiniflora présente une tige vert foncé qui, après sept ans, devient cylindrique et mesure 15 cm de haut sur 10 de large. Les tubercules ont tendance à se rejoindre. Chaque aréole porte une quinzaine d'aiguillons radiaux blancs de 1 cm et 4 aiguillons centraux bruns de plus de 2 cm dont l'un est crochu. Les fleurs rouge sang ont 5 cm.

SOINS PARTICULIERS
Lumière Exposer les parodias au plein soleil toute l'année.

Température L'atmosphère normale d'une pièce leur convient en période de croissance. En période de repos hivernal, maintenir la température autour de 10°C si possible.

Arrosage Il doit être modéré en période de croissance : laisser le mélange sécher sur 1 cm entre les arrosages. En période de repos, n'arroser que pour empêcher le mélange de se dessécher.

Engrais Donner de l'engrais à tomates riche en potassium, une fois par mois, en période de croissance seulement.

Empotage et rempotage Utiliser un mélange à volume égal de sable grossier ou de perlite et de mélange à base de terreau ou de tourbe (voir page 429). Des demi-pots suffisent à ces plantes munies de quelques rares racines. Rempoter tôt au printemps si les racines remplissent le pot ou si les tiges touchent à la paroi. On ne dépassera pas un pot de 16 cm. Si le rempotage ne s'impose pas, enlever le vieux mélange et replacer la plante dans son pot en ajoutant la quantité de mélange frais nécessaire.

Multiplication Au début de l'été, couper des rejets sur les espèces formant des colonies. Les laisser sécher pendant trois jours, puis les planter dans des pots de 6 cm remplis du mélange recommandé et les cultiver comme des sujets adultes. La croissance ne reprend souvent que trois mois plus tard.

Les parodias qui ne produisent pas de rejets se multiplient par semis (voir *CACTEES*, page 119).

Remarques Les racines des parodias ont tendance à pourrir : au moment du rempotage, si l'on se rend compte qu'un sujet n'a plus de racines, couper les parties noires et pourries et planter comme un rejet (voir « Multiplication », ci-dessus). Si cela se produit en hiver, dépoter le cactus, le garder au plein soleil dans un endroit sec et le rempoter au printemps suivant.

Passiflora
PASSIFLORACÉES

Passiflore bleue,
fleur de la Passion
P. caerulea

Environ 400 espèces de plantes grimpantes vigoureuses forment le genre *Passiflora* (fleur de la Passion, passiflore). Ces plantes ont de longues tiges grêles qui, grâce à leurs vrilles en spirale, s'accrochent au moindre support. La plupart peuvent atteindre plus de 6 m. Une seule espèce, *P. caerulea* (culotte-de-Suisse, passiflore bleue), est cultivée à l'intérieur et, contrairement aux autres espèces, elle fleurit très jeune.

P. caerulea a un étalement d'environ 10 cm. Cette passiflore présente des tiges anguleuses et filiformes vert foncé portant des feuilles palmées, composées de 5 à 9 lobes. Celles-ci sont vert foncé brillant et viennent sur des pétioles d'environ 3 cm. Les boutons floraux, ovales et dodus, naissent solitaires sur les tiges et éclosent en fleurs qui forment de gracieuses coupelles. Chaque fleur se compose de 5 pé-

tales et de 5 sépales blancs, de même longueur, entourant un bouquet circulaire de fins filaments colorés, avec 5 anthères jaune d'or en saillie et 3 stigmates bruns au centre. Les filaments sont pourpres à la base, blancs au centre et bleus au sommet. Sur les sujets cultivés à l'extérieur, les fleurs donnent naissance à des baies charnues de 5 cm, jaunes ou orange. Cette plante demande à être tuteurée et sévèrement rabattue (voir « Remarques », ci-dessous).

SOINS PARTICULIERS

Lumière Exposer les passiflores toute l'année à une lumière vive et leur donner trois ou quatre heures de plein soleil par jour.

Température En période de croissance, elles ont besoin d'une pièce chaude, mais leur ménager un repos hivernal au frais, à une température d'environ 10°C.

Arrosage Arroser généreusement en période de croissance, mais ne jamais laisser les pots tremper dans l'eau. En période de repos, n'arroser que pour empêcher le mélange de sécher complètement.

Engrais En période de croissance, donner de l'engrais liquide ordinaire tous les 15 jours.

Empotage et rempotage Utiliser un mélange à base de terreau (voir page 429). Bien qu'un jeune plant fleurisse dans un pot de 10 cm, il faut le rempoter dans un pot de 16 cm le printemps suivant. Par la suite, rempoter si nécessaire, au printemps. Ne jamais dépasser un pot de 20 cm, autrement les tiges et les feuilles croîtront au détriment des fleurs. Renouveler chaque année la couche superficielle du mélange (voir page 428).

Multiplication En été, prélever des boutures de 8 à 10 cm, juste sous une feuille. Enlever la feuille, plonger la plaie dans de la poudre d'hormones à enracinement et planter la bouture dans un pot de 8 cm rempli d'un mélange humide à volume égal de tourbe et de sable grossier. L'enfermer dans un sachet de plastique transparent ou une caissette de multiplication (voir page 443) et l'exposer à une lumière vive tamisée. L'enracinement se fait en trois ou quatre semaines. Découvrir alors la plante, l'exposer à une lumière vive et donner de l'engrais liquide ordinaire tous les 15 jours. Arroser parcimonieusement et cesser tout apport d'engrais au début de l'hiver. Au début du printemps, empoter le jeune plant dans un pot de 10 cm et le cultiver comme un sujet adulte.

Remarques Tôt au printemps, rabattre les jeunes plants (mais non les nouvelles boutures) à 15 cm de la surface du mélange. Rabattre sévèrement les vieux sujets et tailler les rameaux latéraux à environ 6 cm. Enrouler les jeunes tiges sans vrilles autour de baguettes enfoncées dans le mélange. Les passiflores sont jolies lorsqu'elles s'enroulent autour d'un arceau.

Passiflore, voir *Passiflora.*
Passiflore bleue, voir *Passiflora caerulea.*
Patte-de-lapin, voir *Davallia.*
Patte-d'oie, voir *Syngonium.*

Pedilanthus

EUPHORBIACÉES

Ipéca de Saint-Domingue
P. tithymaloides smallii
'Variegatus'

Les pedilanthus sont des arbustes à feuilles succulentes dont les tiges poussent en zigzag. On ne cultive, en appartement, qu'une forme d'une seule espèce, *P. tithymaloides smallii* (ipéca de Saint-Domingue). Elle est plus dense que l'espèce. Ses tiges vertes d'environ 60 cm de long, qui forment des coudes environ tous les 3 cm, donnent à la plante un port compact sur son pourtour, le centre étant plus aéré. Les feuilles ovales acuminées ont 10 cm de long sur 5 de large. Elles sont vert pomme et fortement carénées comme la coque d'un bateau. Les feuilles alternes poussent sur chaque coude.

Il existe également une forme panachée, *P. t. s.* 'Variegatus', dont les feuilles ont une large marge blanc crème assez mal délimitée, légèrement teintée de rose.

Les sujets adultes poussant dans leur milieu naturel produisent des inflorescences serrées qui évoquent la forme d'une tête d'oiseau. Elles sont rouges, parfois roses ou pourpres. En appartement, on ne doit pas s'attendre à voir fleurir un pedilanthus.
Voir aussi PLANTES GRASSES.

SOINS PARTICULIERS

Lumière Pour avoir un beau feuillage, les pedilanthus doivent être exposés à une lumière vive, comportant deux ou trois heures de plein soleil chaque jour.

Température Une atmosphère chaude et sèche leur convient. Garder les pedilanthus à des températures variant entre 18 et 27°C. Ils supportent de brèves périodes plus fraîches, mais jamais des températures inférieures à 13°C.

Arrosage Les pedilanthus n'aiment pas l'eau. Arroser parcimonieusement toute l'année. Bien mouiller le mélange et en laisser sécher la moitié entre les arrosages. Si la température descend au-dessous de 16°C, réduire encore davantage les arrosages. Un excès d'eau peut entraîner le mildiou, ou pire, la pourriture de la tige principale.

Engrais Donner de l'engrais liquide ordinaire une fois par mois, en période de croissance.

Empotage et rempotage Utiliser un mélange à base de terreau (2/3) additionné de sable très grossier ou de perlite (1/3) [voir page 429]. Bien tasser le mélange sur les racines. Les racines des pedilanthus doivent être à l'étroit. Ne rempoter que lorsque la motte est devenue très compacte, c'est-à-dire habituellement tous les deux ans. Le rempotage se pratique de préférence au début de la période de croissance. Quand la plante est dans un pot de 14 ou 15 cm, elle n'a plus besoin d'être rempotée; renouveler le mélange en surface tous les deux printemps (voir page 428).

Multiplication Elle se pratique au moyen de boutures terminales ou de segments de tige de 5 à 15 cm. Comme toutes les euphorbiacées, les pedilanthus perdent beaucoup de latex quand on les entaille. Pour arrêter l'écoulement, plonger l'entaille dans l'eau et la laisser sécher pendant 24 heures. Procéder ensuite à la plantation dans un mélange à peine humide et très sablonneux (2/3 de sable, 1/3 de tourbe). Une douce chaleur de fond, comme celle d'une caissette de multiplication (voir page 444), accélère l'enracinement. Ne pas enfermer la bouture dans un sachet de plastique à cause de l'humidité qui peut entraîner le mildiou. Arroser très parcimonieusement jusqu'à la reprise de la croissance. Empoter alors la bouture dans un mélange à base de terreau.

Remarque Le latex est très irritant. Eviter soigneusement le contact avec la peau ou les yeux.

Multiplication du pedilanthus

La multiplication du pedilanthus par boutures terminales provoque une hémorragie de latex à l'endroit de la coupe.

On arrête cet écoulement en plongeant la plaie dans l'eau. Eviter le contact avec la peau et les yeux : ce latex est très irritant.

Pelargonium
GÉRANIACÉES

C'est au genre *Pelargonium* qu'appartiennent les plantes qu'on appelle communément géraniums. Il ne faut pas confondre ce genre avec le genre *Geranium,* auquel la plante connue sous ce nom n'appartient pas. Les pélargoniums d'intérieur sont renommés pour leurs fleurs et leurs feuilles ravissantes. La plupart de ces plantes sont des hybrides.

Variété de *P. domesticum*

Géranium lierre
Variété
de *P. peltatum*

Géranium zonal
Variété
de *P. hortorum*

Géranium à feuilles de chêne
Variété de *P. quercifolium*

Il existe plusieurs sortes de pélargoniums (géraniums) qui appartiennent tous à l'un des 4 groupes principaux suivants : les hybrides de *P. domesticum* (synonyme de *P. regale*), les hybrides de *P. hortorum* (synonyme de *P. zonale*), les hybrides de *P. peltatum* (géraniums lierres) et les pélargoniums à feuilles odorantes, petit groupe d'espèces et d'hybrides qui sont davantage cultivés pour leur feuillage que pour leurs fleurs. Enfin, il existe des formes miniatures ou naines qui, en pots, mesurent 15 à 25 cm.

Les pélargoniums d'intérieur se présentent sous la forme d'arbustes buissonnants à tiges tendres et cassantes. Les feuilles, de forme et de taille variées, ont à peu près la même longueur que les pétioles. Elles sont le plus souvent rondes et légèrement lobées. Au toucher, elles dégagent une odeur caractéristique. Des inflorescences sphériques apparaissent au sommet de longues hampes. Les fleurs, tantôt petites et insignifiantes, tantôt grandes et brillamment colorées, ont 5 pétales en forme de cuiller, dont 2 pointent vers le haut et 3 s'inclinent. Elles sont blanches ou elles vont du rose au rouge et persistent longtemps.

Fleurs de pélargoniums hybrides

PÉLARGONIUMS RECOMMANDÉS
Les **hybrides de** *P. domesticum*, qui peuvent atteindre entre 40 et 60 cm, présentent des feuilles rugueuses, ovales, de 5 à 10 cm sur 8, légèrement découpées et ondulées. Les fleurs en entonnoir, composées d'une seule rangée de pétales, mesurent entre 5 et 6,5 cm. Elles apparaissent en groupes de 10 au sommet des tiges et des jeunes rameaux. Une tache plus foncée autour de laquelle se dessinent parfois de petites lignes sombres orne la base des pétales.

La floraison de *P. domesticum* (plus brève que celle des autres pélargoniums) s'étend du début du printemps au milieu de l'été. Les fleurs remarquables sont parfois si abondantes qu'elles cachent tout le haut du feuillage.

Les hybrides de *P. domesticum* dont la liste suit sont particulièrement beaux et sont très répandus.

P. d. **'Chorus Girl'** présente des pétales froncés lavande couverts de marques saumon vif.

P. d. **'Conspicuous'**, offre des fleurs admirables, dont les pétales sont veinés de rouge sombre et maculés de noir.

P. d. **'Dawn'** se distingue par des fleurs abricot, teinte rare chez les pélargoniums.

P. d. **'Easter Greetings'**, très florifère, présente des pétales rouge cerise maculés de brun-orange.

P. d. **'Grand Slam'** offre des fleurs d'un riche rouge rosé.

P. d. **'Pink Bonanza'** a des fleurs couleur fraise.

P. d. **'Snowbank'** présente des pétales froncés blancs dont certains ont une tache centrale rose.

Les **hybrides de** *P. hortorum* (géranium zonal) s'utilisent souvent dans les plates-bandes. Ils dépassent 1,20 m de haut. Les feuilles rondes et dentelées de 8 à 15 cm de large sur des pétioles de 4 à 8 cm sont d'un vert franc avec une remarquable zone centrale généralement marron. Cette zone est d'ailleurs plus ou moins bien définie. Certaines formes présentent des feuilles multicolores à bandes crème, rouges ou orange qui contournent la zone. Les fleurs apparaissent en belles ombelles sphériques sur des hampes de 25 cm qui prennent naissance à l'aisselle des feuilles. Elles mesurent environ 5 cm de large et sont plus petites que les fleurs de *P. domesticum*, mais, par contre, la floraison dure plus longtemps. Certains sujets fleurissent presque toute l'année, ne s'interrompant que pour une brève période de repos.

Les hybrides suivants de *P. hortorum* sont particulièrement recommandés.

P. h. **'Apple Blossom'** présente de grandes fleurs blanches teintées de rose au centre.

P. h. **'Blaze'** est une plante compacte et très florifère, à fleurs rouge vif.

P. h. **'Mrs. Cox'** se distingue par des feuilles vertes à bandes bien marquées de rouge, de jaune et de brun. Les fleurs sont rose saumon pâle, mais cette variété est surtout cultivée pour son feuillage.

P. h. **'Happy Thought'** présente des feuilles vert clair à centre jaune et des fleurs cramoisies simples. Cette variété n'a pas la zone distinctive.

P. h. **'Irene'** offre des feuilles vertes à zone marron et des fleurs cramoisies doubles.

P. h. **'Mamie'** a des fleurs d'un rouge très vif.

P. h. **'Snowball'**, son nom le dit, offre de belles fleurs blanches.

Les pélargoniums 'Carefree' offrent un éventail de formes aux coloris très variés.

Les **hybrides de** *P. peltatum* sont des plantes prostrées qui, grâce à leurs tiges pouvant atteindre 90 cm de long, se prêtent à la culture en corbeille suspendue. Les tiges sont fragiles cependant et se cassent facilement. Portées sur des pétioles d'environ 5 cm, les feuilles vertes, souvent vernissées, ressemblent à des feuilles de lierre. De petits bouquets de fleurs d'à peu près 5 cm naissent sur des hampes de 25 cm. La floraison est régulière et abondante au printemps; elle se produit aussi occasionnellement en été et en automne.

Les hybrides suivants de *P. peltatum* sont recommandés.

P. p. **'Apricot Queen'** présente des fleurs saumon devenant rose pâle, presque blanches, avant de mourir.

P. p. **'Barbary Coast'** offre de grosses fleurs bleu lavande.

P. p. **'Charles Turner'** se distingue par de longues tiges, des feuilles vertes très échancrées et de grosses fleurs roses.

P. p. **'Mexican Beauty'** a de longues tiges et des fleurs rouge sang.

Formes à feuilles odorantes Toutes les feuilles de pélargoniums dégagent une odeur caractéristique dès qu'on les froisse. Celles de certaines formes sont véritablement parfumées. Mais plusieurs de ces espèces deviennent beaucoup trop grandes pour être cultivées en appartement. Il y en a quelques autres, par contre, qui ne prennent pas trop d'ampleur et dont le feuillage est très attrayant. En général, on les suspend pour pouvoir les effleurer au passage. Les espèces suivantes sont recommandées à la fois pour leur apparence et leur parfum.

P. **'Cinnamon'** présente de jolies feuilles vert sombre à l'odeur de cannelle.

P. tomentosum **'Peppermint'** (géranium menthe) est une forme rampante à feuilles d'un vert velouté et à l'odeur de menthe.

P. **'Mabel Grey'**, un hybride, peut atteindre 60 cm et présente des feuilles arrondies, rugueuses et très échancrées de 8 cm sur un pétiole de même longueur. Elles dégagent un fort parfum de citron ou de pamplemousse.

P. quercifolium (géranium à feuilles de chêne) peut atteindre 90 cm. Ses feuilles vertes, gaufrées et lobées, ont 5 cm sur 4; elles sont portées par des pétioles de 5 à 8 cm. Le feuillage est très parfumé.

SOINS PARTICULIERS

Lumière Pour bien fleurir, les pélargoniums exigent au moins quatre heures de plein soleil par jour.

Température La température normale d'une pièce leur convient toute l'année. En hiver, leur ménager un repos à environ 10°C.

Arrosage Arroser modérément en période de croissance. Bien mouiller le mélange à chaque arrosage, et laisser sécher sur 1 cm entre les arrosages. Les hybrides de *P. domesticum*, contrairement aux autres, exigent six à huit semaines de repos, en été, après la floraison. Durant cette période, n'arroser que pour empêcher le mélange de se dessécher. Au début de l'automne, augmenter graduellement les apports d'eau jusqu'au moment où les arrosages doivent reprendre normalement (voir « Empotage et rempotage »). Durant la période hivernale de repos, n'arroser que pour empêcher le mélange terreux de se dessécher complètement.

Engrais Fertiliser les pélargoniums avec un engrais à tomates, riche en potassium, tous les 15 jours, en période de croissance seulement.

Rajeunissement des pélargoniums

Les vieux pélargoniums doivent être dépotés tous les printemps.

Pour faire naître de nouvelles pousses, les rabattre de moitié.

Couper les grosses racines pour garder les plantes dans des pots de petite taille.

Empotage et rempotage Utiliser un mélange à base de terreau (voir page 429). Pour améliorer le drainage, garnir le fond des pots d'une couche de 1 cm d'épaisseur de tessons de grès. Les pélargoniums fleurissent mieux et leur feuillage est plus coloré s'ils sont à l'étroit dans leur pot. Rempoter au printemps lorsque les racines sortent par les trous de drainage. On dépasse rarement un pot de 14 cm. Renouveler annuellement le mélange terreux des vieux pélargoniums. Sauf pour les variétés de *P. domesticum*, dépoter les plantes tous les printemps. Dégager le mélange qui adhère aux racines, rabattre de moitié les organes aériens ainsi que toute racine longue et épaisse, et mettre les plantes dans des pots propres remplis de mélange frais.

Faire de même pour les hybrides de *P. domesticum*, mais les dépoter après leur repos estival plutôt qu'au printemps. Une fois rabattus et empotés, recommencer à les arroser, d'abord parcimonieusement, puis augmenter progressivement le volume d'eau jusqu'à la reprise de la croissance.

Ne pas dépasser un pot de 10 cm pour les formes naines ou miniatures. Elles ont l'air rachitiques dans de grands pots.

Multiplication En été, prélever des boutures terminales de 8 à 10 cm (de 4 à 5 cm pour les formes naines) juste sous un nœud. Enlever les fleurs et les bourgeons, de même que les feuilles du bas, et plonger la coupe dans de la poudre d'hormones. Planter les boutures séparément dans des pots de 6 ou 7 cm, ou groupées près du bord d'un pot de 10 cm, remplis d'un mélange

humide à volume égal de tourbe et de sable grossier ou de perlite. Les exposer à une lumière vive tamisée par un store ou des rideaux translucides. Arroser parcimonieusement pendant les deux ou trois semaines d'enracinement. Quand la nouvelle plante est établie, augmenter graduellement le volume d'eau. Trois ou quatre semaines plus tard, exposer les boutures au plein soleil et les cultiver comme des sujets adultes. Lorsque les racines remplissent le pot (voir page 426), rempoter les jeunes plants dans un mélange à base de terreau. Rempoter dans des pots individuels les boutures qui avaient été plantées ensemble.

Remarques Pincer les bourgeons des jeunes sujets pour qu'ils se ramifient. Rabattre chaque année les plantes adultes (voir « Empotage et rempotage », ci-dessus). Comme les vieilles tiges ligneuses produisent de nouvelles pousses, la taille peut être sévère.

Les pélargoniums peuvent souffrir d'une maladie appelée pied noir, pourriture noire ou pourriture des racines (voir page 453). L'affection se situe au point de contact des tiges avec le mélange. La maladie se répand rapidement et peut détruire toute la plante. C'est souvent un taux d'humidité trop élevé, soit dans le mélange, soit dans l'air, qui l'occasionne. Donc, ne jamais oublier qu'il faut une atmosphère sèche à ces plantes. Il faut aussi noter que les boutures sont encore plus sujettes à cette maladie que les plantes adultes. D'autres maladies, comme le mildiou, se propagent par les feuilles jaunies, séchées ou mortes et les fleurs fanées. Les supprimer régulièrement.

Pellaea

POLYPODIACÉES

P. rotundifolia

Deux espèces seulement du vaste genre *Pellaea* sont couramment cultivées en appartement. Elles n'ont pas le même type de frondes, mais elles présentent quelques caractères communs. Chez les deux espèces, pétioles et rachis sont velus et filiformes; les tiges sortent directement d'un rhizome très ramifié et certaines frondes sont composées de folioles à marge frisée sous lesquelles sont logées les spores. D'autres frondes ont des folioles à marge dentée non porteuses de sporanges. Dans de bonnes conditions, ces fougères croissent sans interruption, quoique de façon ralentie durant l'hiver.
Voir aussi FOUGERES.

ESPÈCES RECOMMANDÉES

P. rotundifolia ne ressemble pas à la fougère classique. Ses frondes, qui peuvent atteindre 30 cm sur 4, s'arquent vers le bas et s'étalent un peu à la façon des plantes rampantes. Chaque fronde comprend un court pétiole et un rachis sur lequel alternent 12 à 20 paires de folioles coriaces vert foncé, et se termine par une foliole unique. Le pétiole et le rachis sont presque noirs. Les folioles arrondies ont un diamètre d'environ 1 cm. La foliole terminale est presque ovale et mesure 2 cm sur 1.

P. viridis présente des frondes triangulaires dressées qui peuvent atteindre 75 cm. Chaque fronde comporte un pétiole de 15 cm et un rachis de 60 cm, le long duquel alternent environ 15 paires de pinnules lancéolées dont les plus grandes mesurent au plus 10 cm sur 3. Le rachis et le pétiole noircissent avec le temps.

Cette espèce comprend deux variétés très répandues, *P. v.* 'Macrophylla' et *P. v.* 'Viridis'. Toutes deux se rapprochent de l'espèce par leur port, leur taille et les coloris de

P. viridis

leurs frondes. Les pinnules de *P. v.* 'Macrophylla', cependant, sont plus grandes et moins nombreuses. En outre, quand elles vieillissent, elles se divisent en lobes à la base. *P.v.* 'Viridis' est une fougère d'aspect plus gracile que la

précédente. En effet, ses frondes, pourtant de même dimension, se divisent en un plus grand nombre de folioles.

SOINS PARTICULIERS

Lumière Les pellaeas préfèrent une lumière moyenne. Ne jamais les exposer au plein soleil.

Température La température normale d'une pièce leur convient toute l'année. Néanmoins, ces fougères supportent des températures hivernales de 10°C. Par contre, en été, si le thermomètre monte au-dessus de 21°C durant plus de trois ou quatre jours, elles en souffriront. Les bassiner à l'eau tiède chaque jour tant que dure la vague de chaleur.

Arrosage Arroser généreusement pour bien mouiller le mélange, mais ne jamais laisser d'eau dans la soucoupe. Si la température descend au-dessous de 13°C pendant plusieurs jours, arroser parcimonieusement et laisser sécher le tiers du mélange entre les arrosages.

Engrais Donner de l'engrais liquide ordinaire tous les 15 jours aux pellaeas cultivés dans un mélange à base de tourbe et tous les mois à ceux qui sont dans un mélange à base de terreau.

Empotage et rempotage Utiliser un mélange à base de tourbe ou un mélange composé à volume égal de terreau de feuilles et de terreau (voir page 429).

P. rotundifolia n'ayant pas un système racinaire très développé, le planter dans une terrine ou un demi-pot. *P. viridis* et ses variétés demandent des pots de hauteur normale. Rempoter au printemps quand les racines n'ont plus de place (voir page 426). Quand la plante est dans un pot de 14 à 20 cm, la diviser ou réduire la motte de racines. La remettre ensuite dans son ancien pot propre et rempli de mélange frais. Coucher le rhizome juste sous la surface du mélange.

Multiplication Au printemps, sectionner le rhizome en segments porteurs de frondes et de racines et les planter séparément dans des pots de 8 cm remplis d'un des mélanges recommandés.

La multiplication peut aussi se faire au moyen des spores (voir *FOUGERES*, page 215).

Pellionia

URTICACÉES

P. daveauana

Les pellionias d'intérieur sont des plantes rampantes à jolies feuilles multicolores dont on se sert pour recouvrir le mélange terreux dans les vasques où poussent des plantes plus volumineuses, ou pour dissimuler les parois des bacs. Leurs tiges retombantes leur permettent d'être cultivées en corbeil-

Les pellionias, lorsqu'ils sont suspendus, attirent l'attention par le contraste qu'offrent leurs feuilles vertes et leurs tiges pourpres.

les suspendues. Les pellionias s'enracinent là où un nœud entre en contact avec le mélange terreux. Les feuilles des deux espèces cultivées en appartement ont des formes variées, mais elles sont toujours disposées en deux rangées, une feuille derrière l'autre, de chaque côté de la tige. De minuscules fleurs d'un vert fade apparaissent sur de courts pédicelles près de la souche.

ESPÈCES RECOMMANDÉES

P. daveauana présente des tiges rosées pouvant atteindre 60 cm de long. Elles portent des feuilles de 4 à 7 cm, à courts pétioles. Les feuilles ont toutes les marges légèrement découpées en pointes irrégulières, mais elles ont des formes et des couleurs très variées. Les unes sont vaguement oblongues, les autres sont ovales. Elles peuvent être soit vert pomme uni, soit finement veinées de vert foncé, soit largement marginées de vert olive cuivré, ou presque noires.

P. pulchra se distingue par des tiges mauves de 45 cm et des feuilles de 5 cm plus uniformes que celles de *P. daveauana*. Elles sont ovales et le limbe, d'un vert émeraude profond sur le dessus et pourpre clair au revers, est marqué de larges nervures presque noires. Les pétioles très courts sont souvent dissimulés derrière des petites bractées pointues de 5 cm.

SOINS PARTICULIERS

Lumière Exposer les pellionias à une lumière vive, mais jamais aux rayons directs du soleil. Le plein soleil tamisé par un store ou des rideaux translucides est ce qui leur convient le mieux.

Température Elles croissent bien à la température normale d'une pièce et ne tolèrent pas des températures inférieures à 13°C.

Arrosage En période de croissance, arroser généreusement pour bien mouiller le mélange, mais ne jamais laisser d'eau dans la soucoupe. En période de repos, n'arroser que pour empêcher le mélange de se dessécher complètement.

Engrais Donner de l'engrais liquide ordinaire tous les 15 jours, en période de croissance.

Empotage et rempotage Utiliser un mélange à base de terreau (2/3) [voir page 429], additionné de terreau de feuilles grossier ou de tourbe moulue grossièrement (1/3). Les pellionias préfèrent de petits pots ou des demi-pots. Rempoter au printemps si leurs racines sont à l'étroit. Dans une corbeille de 20 cm, grouper six plants en les plaçant contre les parois.

Multiplication Au printemps ou au début de l'été, planter des boutures terminales d'environ 5 cm dans un mélange humide, à volume égal de tourbe et de sable. Les enfermer dans un sachet de plastique transparent et les garder trois à cinq semaines dans un endroit chaud à la lumière vive tamisée. Transplanter ensuite individuellement dans des pots de 8 cm ou en grouper trois dans des pots ou des demi-pots de 10 à 13 cm remplis du mélange recommandé pour les sujets adultes.

Les pellionias se multiplient aussi par marcottage (voir page 439).

Pentas

RUBIACÉES

P. lanceolata

La seule espèce cultivée à l'intérieur est *P. lanceolata,* parfois désignée sous le nom de *P. carnea.* Cette plante sous-arbustive à tiges ligneuses et tendres atteint, en pot, entre 30 et 45 cm. En hiver, elle se couvre de petites fleurs étoilées, des plus gracieuses. Les tiges très rameuses et presque dressées portent des feuilles lancéolées, vert brillant et poilues, de 8 à 10 cm de long sur 3 de large. Elles sont faiblement pétiolées et disposées par paires ou en spirales de trois ou plus. Les fleurs viennent sur un court pédicelle et forment, au sommet des branches, des grappes arrondies de 20 fleurettes ou plus. L'inflorescence peut mesurer 10 cm. Elle varie du blanc au magenta en passant par le rose et le bleu lavande. Chaque fleurette, de 1 cm de diamètre, se compose d'un tube de 3 cm qui s'évase en 5 pétales. La variété la plus populaire est *P. l.* 'Orchid Star' à fleurs bleu lavande. Les pentas fleurissent du début de l'automne au milieu de l'hiver, mais quelques fleurs peuvent apparaître en d'autres saisons.

SOINS PARTICULIERS

Lumière Les pentas demandent une lumière vive et au moins quatre heures de plein soleil par jour toute l'année.

Température Bien qu'ils préfèrent des températures de plus de 18°C, les pentas supportent des températures plus fraîches, mais jamais moins de 10°C.

Arrosage En période de croissance, arroser modérément. Bien mouiller le mélange et laisser sécher sur 1 cm entre les arrosages. Après la floraison, mettre les pentas au repos pendant six à huit semaines. Durant cette période, ne les arroser que pour empêcher le mélange de se dessécher complètement.

Engrais Donner de l'engrais liquide ordinaire tous les 15 jours, sauf durant la période de repos.

Empotage et rempotage Utiliser un mélange à base de terreau (voir page 429). Rempoter au printemps jusqu'à ce que les plantes aient trois ans et que les tiges deviennent éparses. Les remplacer alors par de jeunes sujets.

Multiplication Au printemps ou en été, prélever, sur des tiges non florifères et sous un noeud, une bouture de 5 à 7 cm. Enlever les feuilles inférieures, plonger la coupe dans de la poudre d'hormones et planter cette bouture dans un pot de 8 cm rempli d'un mélange humide, à volume égal de tourbe et de sable grossier ou de perlite. Enfermer le pot dans un sachet de plastique transparent ou une caissette de multiplication (voir page 443) et l'exposer à la lumière vive tamisée. Trois ou quatre semaines plus tard, découvrir le jeune plant, l'arroser et le fertiliser comme un sujet adulte, mais ne pas l'exposer au plein soleil. Quatre semaines après, le transplanter dans un mélange ordinaire et le cultiver comme un sujet adulte.

Peperomia

PIPÉRACÉES

Plus d'une douzaine d'espèces et de variétés du genre *Peperomia* sont devenues des plantes d'intérieur très répandues. Le feuillage croît lentement et varie selon les espèces. Les fleurs sont spéciales : elles ont l'aspect de longs épis blancs ou crème. La période et la fréquence de la floraison ne sont pas les mêmes pour chaque espèce.

Dans ce groupe, les belles panachures de P. obtusifolia *'Variegata' rivalisent avec celles de* P. argyreia *et avec le feuillage gaufré de* P. caperata.

ESPÈCES RECOMMANDÉES

P. argyreia (autrefois connu sous le nom de *P. sandersii* et appelé communément pépéromie de Sanders) présente des feuilles épaisses, lisses, arrondies mais légèrement pointues au sommet. Elles mesurent 10 cm sur 8. Le limbe gris argenté est sillonné de bandes vert foncé qui suivent les nervures principales. Les pétioles sont rouges et les épis floraux blancs ont environ 10 cm. La plante avec ses épis floraux ne dépasse pas 30 cm de haut.

P. caperata se distingue par des feuilles cordiformes de 4 cm, à surface gaufrée, vert foncé, devenant presque noires dans les sillons. Les pétioles sont rouges ou roses. Des épis floraux blancs de diverses hauteurs apparaissent en été et en automne. Normalement, la plante ne dépasse pas 25 cm de hauteur. Parmi ses nombreuses variétés, les plus populaires sont *P. c.* 'Emerald Ripple', plante de petite taille à feuil-

P. caperata

les cireuses, groupées en touffe; *P. c.*
'Little Fantasy', une forme naine; et
P.c. 'Variegata' (également nommé
P.c. 'Tricolor') dont les feuilles plus
petites sont largement marginées de
blanc.

P. fraseri (également appelé *P. resediflora*) offre de belles fleurs légères et parfumées, peu typiques, sur
des épis de 60 cm. Les petites feuilles cordiformes, à pétiole mince,
sont rouges au revers; elles mesurent moins de 3 cm et s'étalent en
larges spirales qui peuvent regrouper jusqu'à 6 feuilles.

P. glabella porte, sur de fins
pétioles roses, des feuilles de 4 cm
vertes et charnues, presque ovales.
Qu'elle soit rampante ou dressée, la
plante dépasse rarement 15 cm. Les
épis floraux verdâtres ont 8 à 15 cm.
P. g. 'Variegata' offre des feuilles
marginées de blanc.

P. griseoargentea (également appelé *P. hederifolia*) se caractérise par
des feuilles peltées d'aspect métallique, ayant 7 cm. Le limbe gris-vert
est nervuré d'une teinte plus sombre à reflets argentés et le pétiole est
rose. La plante atteint 15 cm de
hauteur. Des épis floraux blanc-vert
à hampes rougeâtres s'élèvent à
près de 25 cm. *P. g.* 'Nigra' présente
des feuilles à nervures plus foncées.

P. magnoliifolia (auparavant connu
sous le nom de *P. tithymaloides*) est
une plante robuste à feuilles ovales
de 15 cm, vert sombre et vernissées,
donnant rarement des épis floraux.
Quand elles ont atteint 30 cm de
haut, les tiges retombent et rampent à la surface du mélange. *P. m.*
'Variegata' offre des tiges tachées de
rouge et des feuilles panachées de
vert-jaune.

P. obtusifolia (pourpier des bois)
peut atteindre 30 cm. Ses feuilles
rondes, charnues et luisantes, se
terminent en pointe. Elles ont
environ 10 cm. Le limbe est d'un
vert-pourpre foncé et les tiges d'un
pourpre léger. Des épis floraux
blancs de 5 à 8 cm s'épanouissent
de la fin du printemps au début de
l'automne. Il existe plusieurs formes panachées : *P. o.* 'Alba', dont
les jeunes feuilles, jaune citron
clair, s'assombrissent avec l'âge;
P. o. 'Albo-marginata', à feuilles
gris-vert marginées d'argent; *P. o.*
'Variegata' et *P. o.* 'Greengold', à
macules crème ou jaunes sur fond
vert-gris. Enfin, l'espèce compte
également des formes naines,
comme *P. o.* 'Minima', dont les
feuilles denses mesurent 5 cm.

P. orba est une espèce rare qui a
donné naissance à plusieurs variétés naines. La plus populaire est
P. o. 'Astrid' (ou *P. o.* 'Princess
Astrid'), plante buissonnante à
tiges maculées de rouge et à feuilles

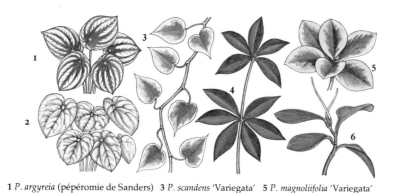

1 *P. argyreia* (pépéromie de Sanders)   3 *P. scandens* 'Variegata'   5 *P. magnoliifolia* 'Variegata'
2 *P. griseoargentea*   4 *P. verticillata*   6 *P. obtusifolia* (pourpier des bois)

vert clair en forme de cuiller. Les feuilles pubescentes ont environ 5 cm sur des pétioles de 3 cm. Des épis floraux blanc crème apparaissent de temps à autre.

P. scandens (également désigné sous le nom de *P. serpens*) n'est pas vendu, mais une de ses formes panachées, *P. s.* 'Variegata', est devenue populaire. Cette plante grimpante ou rampante, qui peut atteindre environ 1 m, présente des feuilles cordiformes et pointues de 5 cm, dont le limbe, presque entièrement jaune clair et luisant chez les jeunes sujets, devient peu à peu vert et marginé de crème. Les pétioles de 3 cm sont rose clair. La plante ne fleurit pas en culture.

P. verticillata dépasse 30 cm de hauteur. Ses feuilles acuminées, un peu luisantes, de 5 cm, sont réunies par groupes de 4 ou 5, en spirales espacées de 10 cm. Des épis floraux de 15 cm, blanc crème, très grêles, apparaissent au sommet de longues hampes.

SOINS PARTICULIERS

Lumière Les peperomias à feuilles vertes doivent être abrités du plein soleil durant les mois les plus chauds, tandis que ceux à feuillage panaché demandent quelques heures de soleil par jour.

Température Ces plantes s'accommodent de la température normale d'une pièce. Même en période de repos, elles demandent une température d'au moins 13°C. Le manque d'humidité leur fait perdre beaucoup de feuilles. Donc, si on les garde dans des pièces très chaudes, placer les pots sur des gravillons ou de la tourbe maintenus humides.

Arrosage Même durant une brève période, des arrosages trop généreux entraîneront la chute des feuilles, sinon la mort de la plante. Arroser très parcimonieusement, lorsque le besoin s'en fait clairement sentir. Laisser sécher le mélange terreux presque complètement entre les arrosages. Les feuilles épaisses et charnues de la plupart des espèces leur permettent de supporter de courtes périodes de sécheresse. Lorsque les feuilles deviennent anormalement transparentes, c'est qu'elles manquent d'eau.

Engrais Donner de l'engrais liquide ordinaire semi-concentré une fois par mois du milieu du printemps jusqu'à l'automne. Un excès d'engrais ramollit la plante et peut la faire s'affaisser.

Empotage et rempotage Utiliser un mélange à base de tourbe. Les peperomias ont peu de racines : les planter dans des petits pots, des demi-pots, des terrines ou des corbeilles à suspendre. Rempoter les jeunes sujets au printemps. Déposer 2 cm de tessons au fond des pots. Les sujets adultes dans des pots de 11 ou 12 cm n'ont pas besoin de rempotage.

Multiplication Au printemps ou au début de l'été, prélever des pousses terminales de 5 à 7 cm. En planter quelques-unes dans un pot de 6 ou 7 cm rempli d'un mélange à peine humide, à volume égal de tourbe et de sable grossier ou de perlite. Les garder à une température d'environ 18°C, et les exposer à une lumière vive sans soleil. Arroser très parcimonieusement.

On peut aussi bouturer les feuilles de *P. argyreia*, de *P. caperata* et de ses variétés ainsi que de *P. griseoargentea*. Utiliser des feuilles jeunes mais bien développées. Pour *P. argyreia*, on peut même couper une feuille en quatre et mettre les coupures en contact avec le mélange à enracinement. Le succès est assuré si on utilise une feuille entière avec un pétiole de 3 cm qu'on enfonce jusqu'au point de jonction avec la feuille dans un pot de 6 cm. Arroser parcimonieusement durant l'enracinement.

Les boutures de tiges s'enracinent en quatre à six semaines; les feuilles prennent un peu plus de temps. Rempoter les plants quand leurs racines remplissent le pot. Il est généralement préférable de grouper plusieurs jeunes plants.

Remarque Au printemps ou en été, le fait de pincer de temps à autre quelques bourgeons favorise la ramification de la plante. Les espèces rampantes seront rabattues au besoin au printemps. Eviter cependant de pincer trop de bourgeons, car cela réduit la floraison.

Pépéromie de Sanders, voir *Peperomia argyreia.*
Pervenche de Madagascar, voir *Catharanthus roseus.*
Petite-pantoufle, voir *Calceolaria.*

Bouturage des feuilles

Planter les pétioles de quelques feuilles dans un mélange à enracinement : ils produiront des plantules qu'on peut détacher et replanter.

P. argyreia se multiplie également au moyen de segments de limbe de feuilles qu'on plante verticalement dans un mélange à enracinement.

Pfeiffera
CACTACÉES

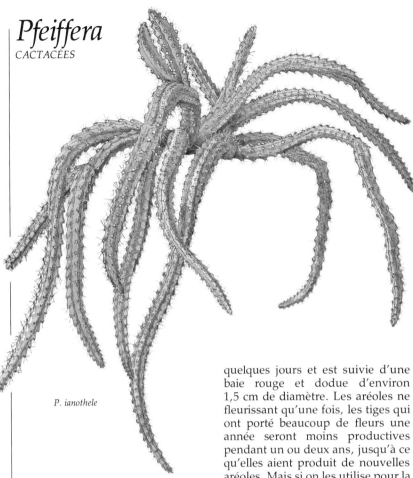

P. ianothele

On ne cultive à l'intérieur qu'une seule espèce du genre *Pfeiffera*. Il s'agit de *P. ianothele*, cactée des forêts tropicales denses. Elle porte des tiges vert clair, grêles et retombantes qui se ramifient abondamment à la souche. Ces tiges peuvent atteindre 45 cm de long sur 2 d'épaisseur. Chacune présente 4 côtes saillantes. De leurs aréoles rougeâtres sortent 6 ou 7 fins aiguillons bruns d'environ 5 mm. Durant l'été, des fleurs cupuliformes blanc rosé, de 3 cm environ, naissent le long des tiges. Chaque fleur dure

Fleurs
de *P. ianothele*

quelques jours et est suivie d'une baie rouge et dodue d'environ 1,5 cm de diamètre. Les aréoles ne fleurissant qu'une fois, les tiges qui ont porté beaucoup de fleurs une année seront moins productives pendant un ou deux ans, jusqu'à ce qu'elles aient produit de nouvelles aréoles. Mais si on les utilise pour la multiplication, elles ne tarderont pas à s'allonger et à fleurir abondamment.
Voir aussi CACTÉES.

SOINS PARTICULIERS
Lumière Ces cactées demandent une lumière vive. Si elles aiment le soleil du début de la matinée, elles doivent par contre être protégées du plein soleil le reste de la journée. Au printemps et en été, *P. ianothele* se plaît au jardin dans un endroit partiellement ombragé.
Température L'atmosphère normale d'une pièce leur convient toute l'année. En hiver, les pfeifferas ont tendance à prendre un repos ou, pour le moins, à ralentir leur croissance, mais ils n'exigent pas une température plus fraîche durant cette période.
Arrosage En période de croissance, arroser généreusement. Bien mouiller le mélange; dès que la couche supérieure paraît sèche, faire un nouvel apport d'eau. En période de repos, laisser le mélange sécher sur 3 cm entre les arrosages.

Engrais En période de croissance, donner de l'engrais à tomates riche en potassium, tous les 15 jours.
Empotage et rempotage Utiliser un mélange poreux à base de terreau ou de tourbe (3/4) [voir page 429], additionné de sable grossier ou de perlite (1/4). Utiliser des pots ou des corbeilles assez grands pour qu'il y ait un jeu d'environ 1 cm entre la paroi et la motte de racines. Vérifier les racines tous les printemps. Rempoter si elles sont à l'étroit et ne jamais dépasser un pot de 10 à 13 cm. Sinon, renouveler le mélange et remettre la plante dans son pot bien nettoyé.

Les pfeifferas peuvent être suspendus en corbeille. Cultivés à la verticale, ils ont besoin d'être tuteurés sur de fines baguettes enfoncées dans le mélange terreux.
Multiplication Les baies qui succèdent aux fleurs renferment des graines dans leur pulpe juteuse. A la fin de l'été ou au début de l'automne, elles sont mûres et éclatent. C'est alors le moment de les cueillir. Pour récolter les graines, presser la pulpe au-dessus d'un morceau de papier buvard et laisser sécher pendant quelques jours. Essuyer ensuite les graines et les conserver jusqu'au printemps suivant où l'on pourra s'en servir pour la multiplication. Une fois semées, elles donnent rapidement des plantules (voir « Multiplication des cactées par semis », page 119).

Pour avoir de jeunes sujets qui fleurissent plus vite, prélever, au printemps ou en été, des boutures de tiges de 10 cm. Les laisser sécher pendant une journée avant de les planter à 1 cm de profondeur dans un pot de 6 cm rempli du mélange recommandé pour les sujets adultes. Garder le mélange à peine humide et ne pas fertiliser. Donner les soins recommandés pour les sujets adultes. Arroser et fertiliser normalement sitôt que la croissance reprend, c'est-à-dire environ trois semaines plus tard.

Planter les tiges par le bas. Si elles sont plantées à l'envers, elles s'enracineront mais les plantes seront sans doute anormales.
Remarque Le printemps et l'été, suspendre les corbeilles de pfeifferas à des branches d'arbres. Surveiller les limaces si les pots sont placés directement sur le sol.

Phalaenopsis

ORCHIDACÉES

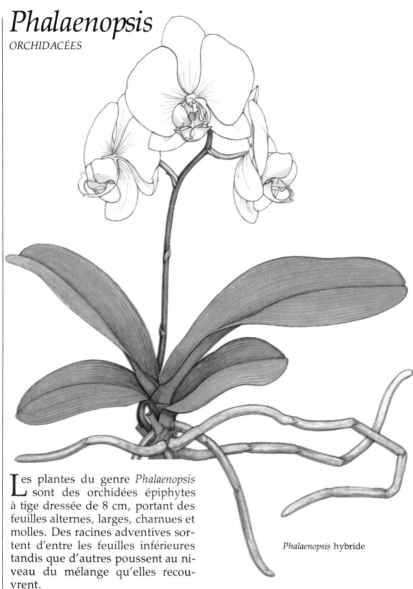

Phalaenopsis hybride

Les plantes du genre *Phalaenopsis* sont des orchidées épiphytes à tige dressée de 8 cm, portant des feuilles alternes, larges, charnues et molles. Des racines adventives sortent d'entre les feuilles inférieures tandis que d'autres poussent au niveau du mélange qu'elles recouvrent.

Les hampes florales arquées qui naissent à l'aisselle des feuilles peuvent avoir 90 cm, et les rameaux 25 cm. Elles sont couronnées d'une trentaine de fleurs semblables à des pensées. La floraison se produit en tout temps durant l'année et chaque fleur dure jusqu'à trois semaines.

En plus des espèces recommandées, il existe de nombreux hybrides renommés pour leurs fleurs. *Voir aussi ORCHIDEES.*

ESPÈCES RECOMMANDÉES

P. amabilis présente des feuilles de 30 cm sur 10, vert foncé, à revers pourpre. La hampe florale porte entre 20 et 30 fleurs de 10 cm de diamètre, blanches avec un labelle à gorge jaune, maculé de rouge.

P. schillerana offre des feuilles de 45 cm sur 8, vert foncé teintées de gris argent, et rouges au revers. La tige florale porte une trentaine de fleurs de 7 cm. Les sépales et les pétales sont rose clair, mais les deux sépales inférieurs sont maculés de brun-rouge. Le labelle rose présente une gorge jaune marquée de brun-rouge.

P. stuartiana se signale par des feuilles gris-vert maculées d'argent, de 40 cm sur 10, et par une hampe florale portant une vingtaine de fleurs de 5 cm à sépales et pétales blancs. Les sépales inférieurs sont fortement marbrés de pourpre et le labelle à gorge rose est jaune et coloré de pourpre.

SOINS PARTICULIERS

Lumière Exposer toute l'année les phalaenopsis à une lumière vive tamisée. Durant l'hiver, compenser le manque de lumière par un éclairage artificiel (voir page 446); la plante n'en fleurira que mieux.

Température Il leur faut constamment une température supérieure à 20°C. Augmenter l'humidité en posant les pots sur des gravillons maintenus humides et bassiner la plante tous les jours.

Arrosage Arroser modérément, le matin, et laisser sécher le mélange sur 1 cm entre les arrosages.

Engrais Donner de l'engrais liquide ordinaire tous les 15 jours ou de l'engrais foliaire tous les trois ou quatre arrosages.

Empotage et rempotage Utiliser de la fibre d'osmonde, de l'écorce (voir page 289) ou un mélange à base de tourbe. Garnir le fond des pots de 4 cm de tessons de grès. Ces orchidées se plaisent dans des corbeilles de bois ou de fil métallique tapissées de sphaigne. Rempoter tous les deux ans. A défaut de rempotage, renouveler le mélange tous les deux ans. Dépoter la plante, dégager les racines et couper celles qui sont mortes. Garder alors la plante à l'ombre trois ou quatre semaines. Ne pas dépoter les phalaenopsis en fleur.

Multiplication Les phalaenopsis produisent des rejets à la base ou à la jonction des tiges florales lorsque les fleurs sont mortes. Prélever les rejets avec soin et les planter individuellement dans des pots de 8 cm remplis du mélange recommandé. Les garder dans une pièce chaude, à une lumière vive tamisée, et arroser parcimonieusement durant les six premières semaines. Puis cultiver comme des sujets adultes.

Remarques On prolongera la floraison en supprimant les tiges florales dès que les fleurs sont fanées. On les coupera sous les premières fleurs qui sont apparues.

Eponger soigneusement les feuilles qui auraient reçu des gouttes d'eau, car les phalaenopsis sont sujets à la pourriture et aux maladies cryptogamiques. Des taches noires indélébiles se forment rapidement sur les feuilles humides.

Phalangère, voir *Chlorophytum.*

Philodendron

ARACÉES

Les philodendrons appartiennent à un très vaste genre groupant surtout des plantes grimpantes renommées pour leur remarquable feuillage coriace. Les espèces cultivées ne fleurissent que rarement et les fleurs qu'elles donnent n'ont que peu d'intérêt.

Dans la nature, le philodendron grimpe le long des troncs et des branches d'arbres au moyen des racines aériennes qui se forment à chaque nœud sur ses tiges. Ces racines s'accrochent à l'écorce et apportent à la plante certaines substances nutritives. Mais c'est surtout dans le sol que le philodendron puise sa nourriture.

En appartement, les espèces grimpantes peuvent atteindre une hauteur de plus de 2 m lorsqu'on les attache à des tuteurs ou à des supports recouverts de mousse (voir « Remarques », ci-dessous). D'autres espèces à feuilles plus petites sont plutôt cultivées en corbeilles suspendues. Les quelques espèces à tige trapue et érigée portent des feuilles disposées en rosette.

Les feuilles du philodendron varient avec les espèces. Elles sont cordiformes, lancéolées, sagittées ou spatulées. Les marges sont lisses, légèrement dentées ou si profondément lobées que la feuille semble presque divisée en folioles. Le feuillage change parfois complètement d'aspect avec l'âge. C'est une particularité dont il faut tenir compte quand on achète une jeune plante. Certains philodendrons, qui, jeunes, semblent différents des autres, prennent ensuite des formes familières. Généralement, le limbe est d'un beau vert brillant, parfois teinté de rouge au revers, et dans certains cas, en surface également. Les pétioles ont entre 5 et 60 cm.

PHILODENDRONS RECOMMANDÉS

P. angustisectum (également connu sous le nom de *P. elegans*) présente des tiges grimpantes qui, si elles sont tuteurées, peuvent atteindre entre 1,20 et 1,80 m de long. Les feuilles sont ovales et profondément découpées en segments digités vert sombre, d'environ 3 cm

de large. Elles mesurent 40 cm sur 30 environ, et leurs pétioles ont 30 cm de long.

P. bipennifolium, espèce grimpante, atteint rapidement 1,80 m de haut. Les feuilles sont d'abord cordiformes. Avec l'âge, leur centre se rétrécit en forme de violon, leur sommet s'arrondit et 2 lobes se dessinent à la base. Ces feuilles coriaces, vert olive clair, mesurent 40 cm sur 20 et se dressent sur des pétioles de 30 cm. Les plantes de cette espèce doivent être attachées à des tuteurs robustes.

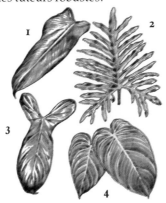

1 *P. wendlandii* 2 *P. bipinnatifidum*
3 *P. bipennifolium* 4 *P. melanochrysum*

P. bipinnatifidum est une vigoureuse plante dressée. Dans un pot, elle peut atteindre 1,20 m de haut. Sa tige est courte et épaisse comme un tronc. Elle est garnie de feuilles sagittées vert sombre, de 40 cm de long et de large, portées sur des pétioles de 30 à 40 cm, et disposées en rosette. Ces feuilles sont incisées si profondément qu'on les croirait composées de folioles, mais les échancrures n'atteignent pas la nervure médiane. Les feuilles des jeunes sujets sont cordiformes et légèrement dentées. A les voir, on n'imagine pas à quel point les feuilles des plantes adultes seront divisées.

P. 'Burgundy' est un hybride mixte qui croît moins vite que les autres espèces grimpantes. Il prend seulement 8 à 15 cm par an et n'a besoin que d'un fin tuteur. Ses feuilles portées par des pétioles horizontaux de 30 cm et très rapprochées lui donnent beaucoup d'ampleur. Les pétioles et les tiges sont rouges. Les feuilles lancéolées mesurent 30 cm sur 10. Elles sont d'abord rouge vif

durant les premières semaines, puis deviennent vert olive sur le dessus et d'un beau rouge violacé au revers.

P. erubescens (philodendron roux) est une vigoureuse espèce grimpante qui peut dépasser 1,80 m de hauteur quand elle est bien tuteurée. Les feuilles sagittées ont un limbe d'un vert sombre et brillant sur le dessus, à reflets cuivrés en dessous. Elles mesurent 25 cm sur 20. Les pétioles, qui mesurent 25 cm, et les tiges principales sont d'un rouge violacé.

P. imbe, quand il est bien tuteuré, peut atteindre en quelques années une hauteur de 2,50 m. Ses feuilles minces mais fermes sont cordiformes et mesurent 25 cm sur 15. Elles sont pourvues de pétioles horizontaux d'une longueur de 30 cm qui donnent à la plante un aspect étagé. Certaines formes présentent des pétioles lavés de rouge comme le dessous des feuilles.

P. melanochrysum (également appelé *P. andreanum*) est une espèce à croissance lente qui peut atteindre une hauteur de 1,80 m. Les feuilles cordiformes des jeunes sujets s'allongent avec l'âge. Elles peuvent atteindre 60 cm sur 25 et le limbe velouté, vert très sombre, porte des nervures saillantes vert clair. Elles pendent au bout de pétioles de 45 cm dressés en oblique. Pour bien se développer, cette espèce doit être attachée à un support enrobé de mousse humide.

P. pedatum (parfois appelé *P. laciniatum*) croît si lentement qu'un tuteur de 1,20 m lui suffira pendant de nombreuses années. Ses feuilles vertes et luisantes mesurent environ 25 cm sur 18 et sont portées par des pétioles de 25 cm. Elles sont divisées en 5 lobes dont 4 sont parfois dédoublés tandis que le lobe terminal est en fer de lance.

P. scandens (philodendron grimpant) est le plus populaire des philodendrons grimpants à petites feuilles et l'une des plantes d'intérieur les plus faciles à cultiver. Ses tiges grêles portent des feuilles cordiformes de 10 cm sur 8, montées sur des pétioles de 5 à 8 cm. Elles se terminent en pointes aiguës. Le limbe est presque transparent et a des reflets bronze quand les feuilles sont jeunes, mais il vire rapidement au vert sombre. Cette plante peut avoir un port rampant

Philodendron
suite

P. 'Burgundy'

Philodendron grimpant
P. scandens

P. selloum

ou grimpant selon qu'on attache ses longues tiges à des tuteurs ou qu'on les laisse pendre d'une corbeille suspendue. Pour rendre *P. scandens* plus compact, on recommande de pincer régulièrement les bourgeons terminaux. Autrement, les tiges s'allongent à l'extrême et la plante paraît trop chétive.

P. selloum n'est pas une espèce grimpante. Il forme une rosette de feuilles qui, à la longue, s'élève au sommet d'une tige courte et trapue ayant l'aspect d'un tronc. Des pétioles arqués de 45 à 60 cm portent des feuilles de 30 à 45 cm de long sur 30 de large. Cette espèce ressemble beaucoup à *P. bipinnatifidum,* mais ses feuilles sont plus petites et moins découpées.

P. wendlandii, une autre espèce non grimpante, produit une rosette de feuilles lancéolées de 30 à 45 cm portées sur des pétioles de 15 à 25 cm. Leur limbe vert sombre et vernissé est marqué d'une nervure médiane saillante qui est filiforme au sommet de la feuille, mais qui va s'élargissant pour atteindre jusqu'à 3 cm à la base.

SOINS PARTICULIERS
Lumière Exposer les philodendrons à une lumière vive tamisée, mais leur éviter le soleil direct. Ils survivent si l'éclairement est insuffisant, mais donnent des tiges grêles et des feuilles clairsemées de couleur fade.

Température L'atmosphère normale d'une pièce leur convient. Ils ne tolèrent pas des températures inférieures à 13°C.

Arrosage En période de croissance, arroser modérément. Bien mouiller le mélange et en laisser sécher la couche supérieure sur 1 cm entre les arrosages. En plein hiver, durant la courte période de repos, n'arroser que pour empêcher le mélange de se dessécher.

Engrais Donner de l'engrais liquide ordinaire tous les 15 jours pendant la période de croissance.

Empotage et rempotage Utiliser un substrat composé d'une égale quantité de mélange à base de terreau (voir page 429) et de terreau de feuilles ou de tourbe grossière. Rempoter quand les racines remplissent le pot (voir page 426). Le rempotage peut s'effectuer en tout temps, sauf durant la période de repos. Quand la plante loge dans un pot de 25 à 30 cm, cesser le rempotage et renouveler simplement la couche superficielle du mélange (voir page 428) tous les printemps.

Pour les plantes des trois espèces non grimpantes à grandes feuilles, *P. bipinnatifidum,* *P. selloum* et *P. wendlandii,* le meilleur contenant est un petit bac de 30 à 38 cm de diamètre. Plus solide et moins haut que les pots ordinaires, il assure aux plantes une meilleure stabilité.

Multiplication Pour multiplier les philodendrons grimpants, prélever au printemps des boutures terminales de 8 à 10 cm. Couper juste sous un nœud, enlever les feuilles du bas et planter les boutures dans un mélange à volume égal de tourbe et de sable grossier ou de perlite. Grouper trois ou quatre boutures à petites feuilles dans un pot de 8 cm, mais installer les boutures à grandes feuilles dans des pots individuels de 10 à 15 cm. Enfermer les boutures dans un sachet de plastique transparent ou une caissette de multiplication (voir page 443) et les exposer à une lumière vive tamisée dans l'atmosphère normale d'une pièce. L'enracinement se fait en trois ou quatre semaines. Quand la croissance est amorcée, découvrir les pots et arroser parcimonieusement. Fertiliser une fois par mois avec un engrais liquide ordinaire. Trois mois après le début de l'opération, rempoter ensemble les boutures qui avaient été mises en terre séparément. Utiliser le mélange recommandé pour les sujets adultes. Cultiver comme des philodendrons établis. Quand il devient nécessaire de les rempoter, grouper plusieurs boutures de plantes à petites feuilles. On sera sûr ainsi d'obtenir un sujet bien touffu.

La multiplication par boutures terminales se pratique aisément avec *P. scandens* dont les feuilles sont petites, mais elle est plus difficile à réussir avec les espèces grimpantes à grandes feuilles. Aussi faut-il manipuler les boutures de toutes ces dernières espèces avec la plus grande douceur, spécialement durant l'enracinement. En effet, le moindre dommage causé aux racines en cours de développement peut être fatal aux plantes.

Les espèces non grimpantes se multiplient mieux par semis. Au printemps, semer les graines à un peu plus de 1 cm de profondeur dans un mélange à enracinement approprié. Garder les contenants à une température de 26 à 29°C. Lorsque les plantules ont 5 cm de haut, les rempoter séparément dans des pots de 5 à 8 cm remplis du mélange recommandé et les cultiver comme des sujets adultes. (Voir la multiplication par semis, page 441.)

Remarques La plupart des philodendrons grimpants ont besoin d'être attachés à un ou plusieurs tuteurs enfoncés dans le mélange terreux. La plante paraît mieux cependant si on l'incite à s'accrocher d'elle-même à un support au moyen de ses racines aériennes. Pour cela, il faut lui fournir une surface humide car les racines ne s'agrippent pas à du bois sec. Envelopper complètement le support d'une couche de sphaigne de 5 à 8 cm d'épaisseur, ou y clouer un morceau d'écorce de liège à texture rude. Vaporiser la sphaigne ou l'écorce au moins une fois par jour. Tant que les racines aériennes ne sont pas bien agrippées, les aider en les attachant au support. Choisir le support en fonction de la hauteur qu'atteindra la plante au cours des ans. S'il se révélait trop court, il serait très difficile de le remplacer ou de l'allonger.

Dans la nature, le philodendron se sert de ses racines aériennes pour s'accrocher à un support. A l'intérieur, il a besoin de l'aide d'un tuteur.

Philodendron grimpant, voir
Philodendron scandens.
Philodendron roux, voir
Philodendron erubescens.

Phoenix

PALMIERS

P. canariensis

Les trois espèces du genre *Phoenix* que l'on peut cultiver en appartement sont des plus décoratives. De croissance plutôt lente, elles gardent plusieurs années une taille raisonnable. A la longue, bien sûr, elles grossissent beaucoup. Elles présentent toutes des frondes pennées, c'est-à-dire divisées en folioles, et très arquées. Le tronc est trapu, presque bulbeux. Le fil brun qui relie les folioles de chaque fronde tombe lorsque celles-ci s'ouvrent. Les folioles elles-mêmes sont en partie repliées ou nervurées au point d'insertion sur le pétiole. Les phoenix produisent des fleurs et des fruits (dattes) lorsqu'ils sont très vieux, mais pas à l'intérieur.

Les palmiers du genre *Phoenix* diffèrent beaucoup les uns des autres, soit à cause de différences naturelles, soit parce qu'ils s'hybrident facilement. Plusieurs d'entre eux sont d'ailleurs des hybrides. *Voir aussi PALMIERS.*

ESPÈCES RECOMMANDÉES

P. canariensis ressemble un peu au palmier-dattier. Son stipe court, fort et trapu se compose de larges feuilles vert émeraude, engainantes à la souche et partiellement couvertes de poils fibreux bruns. Les frondes, d'un beau vert sombre, sont profondément divisées; elles sont portées par des pétioles d'un vert plus clair. Les folioles plutôt rigides sont pourtant assez robustes. Elles sont disposées en chevrons, certaines opposées, d'autres pas. Leur taille varie beaucoup : elles sont plus courtes à la base et au sommet de la fronde, et sont plus longues au centre. Dans un bac, ce palmier atteint 1,80 m de haut, et ses frondes 90 cm de long. *P. dactylifera* (dattier, palmier-dattier) se distingue par des frondes bleu-vert et des folioles à piquants, mais non épineuses. Elles s'élancent d'un stipe vert, très effilé. Ce palmier croît plus vite que *P. canariensis,* mais il est moins beau.

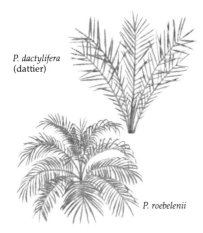

P. dactylifera (dattier)

P. roebelenii

P. roebelenii (parfois confondu avec *P. loureirii*) est un palmier d'appartement très répandu. Cette gracieuse plante de petite taille, presque dépourvue de tiges dans sa jeunesse, porte une couronne de frondes étroites, vert sombre et arquées, recouvertes d'une fine couche d'écailles blanches. Avec l'âge, le stipe devient rugueux et parfois se ramifie. Il est préférable de couper sans tarder ces rameaux latéraux pour ne garder qu'une seule couronne de feuilles. L'espèce *P. roebelenii* dépasse rarement 90 cm de hauteur, mais son étalement peut atteindre 1,20 m, alors que ses frondes peuvent avoir jusqu'à 90 cm de hauteur.

SOINS PARTICULIERS

Lumière *P. canariensis* et *P. dactylifera* aiment le plein soleil. *P. roebelenii* préfère la lumière vive tamisée, sans pour autant que le plein soleil lui soit nocif.

Température Tous les phoenix se plaisent dans l'atmosphère tempérée d'une pièce. Il vaut mieux toutefois leur ménager une période de repos pendant l'hiver, en les gardant dans un endroit où la température se maintient aux environs de 10 à 13°C.

Arrosage En période de croissance, arroser généreusement, mais au début, y aller progressivement. Ne jamais laisser les pots baigner dans l'eau. A l'approche de l'hiver, diminuer progressivement les arrosages. En période de repos, arroser parcimonieusement pour garder le mélange à peine humide.

Engrais En période de croissance seulement, donner aux plants bien établis de l'engrais liquide ordinaire, tous les 15 jours.

Empotage et rempotage Utiliser un mélange à base de terreau (voir page 429). Tous les deux ou trois ans, à la reprise de la croissance printanière, rempoter dans des pots de 4 ou 5 cm plus grands. Le rempotage s'impose lorsque de fines radicelles apparaissent en grand nombre à la surface du mélange. Bien tasser le mélange sur les racines, tout en évitant de les endommager. Un sujet de 1,20 m se plaît dans un pot de 25 à 30 cm. Les sujets plus gros iront dans un bac. Laisser un jeu à la surface pour les arrosages. Quand la plante est dans un pot suffisamment grand, renouveler simplement le mélange sur 3 ou 4 cm (voir page 428).

Multiplication En pépinière, on pratique la multiplication par semis. Cette opération demande beaucoup de patience et, par conséquent, n'est pas recommandée aux jardiniers amateurs. Certains mettent des noyaux de dattes en terre. Ceux-ci germent aisément au printemps s'ils sont gardés humides dans un endroit très chaud, mais la première feuille n'est pas composée et il faut attendre deux ou trois ans pour que les frondes se divisent. Planter chaque noyau dans un pot de 8 cm ou en planter plusieurs dans une terrine à semis (voir page 441). Dans ce dernier cas, empoter séparément les plantules lorsqu'elles ont 6 cm de haut. Puis cultiver comme des sujets adultes.

P. roebelenii produit parfois des rejets. Les détacher avec soin en leur gardant quelques racines et les planter individuellement dans des pots de 8 cm remplis de mélange ordinaire. Les exposer à une lumière vive tamisée et n'arroser que pour garder le mélange humide. Quand la croissance a repris et que le rejet est bien enraciné, le cultiver comme un sujet adulte.

Phyllitis
POLYPODIACÉES

Il n'y a qu'une espèce du genre *Phyllitis, P. scolopendrium* (scolopendre), intéressante à cultiver en appartement. Des touffes de frondes se déroulent à partir d'un rhizome dressé et ramifié, en partie enfoui dans le mélange. Ce rhizome couvert d'écailles brunes et velues est d'habitude caché par les tiges des frondes. Selon leur âge et leurs conditions de culture, les tiges mesurent 3 à 25 cm de long; par ailleurs, leur couleur passe du noir au vert sombre quand elles se transforment en rachis. Le limbe, d'un vert moyen, est rubané et pointu au sommet. Dans la nature, les frondes peuvent atteindre 50 cm sur 15, mais, en pot, elles ne dépassent pas la moitié de ces dimensions. D'abord dressées, elles s'arquent en allongeant. La plupart portent au revers des sporanges disposés en chevrons. Leur marge est ondulée, parfois plissée, et leur sommet pointu ou crêté. On peut trouver toutes ces formes sur une même plante. C'est principalement cette dernière caractéristique qui plaît aux amateurs. Assorti à des plantes florifères, *P. scolopendrium,* par son port gracieux et ses frais coloris, crée d'intéressants contrastes.

Plusieurs variétés de *P. scolopendrium* présentent des frondes dont la forme ne varie pas. Celles de *P. s.* 'Capitatum' sont ondulées avec une pointe crêtée. Celles de *P. s.* 'Crispum' ont des marges très dentées et fortement ondulées ou plissées comme une collerette de l'époque élisabéthaine, avec une pointe simple, tandis que celles de *P. s.* 'Crispum cristatum' ont des pointes crêtées et des marges très plissées.

La croissance des phyllitis, bien que continue, connaît un léger ralentissement en hiver.
Voir aussi FOUGERES.

SOINS PARTICULIERS

Lumière Exposer les phyllitis à un éclairement moyen toute l'année. Eviter complètement le plein soleil qui brûlerait leurs frondes.

Température Ces plantes se satisfont de la température normale d'une pièce, tout en pouvant tolérer des températures minimales de

Scolopendre
Phyllitis scolopendrium 'Crispum'

Pilea

URTICACÉES

Le genre *Pilea* (plante aluminium, piléa) groupe de jolies plantes rampantes ou dressées qui, en vieillissant, ont tendance à s'éparpiller ou à se dégarnir. Les espèces rampantes sont à leur avantage dans des terrines peu profondes où elles forment des sortes de coussins. Quant aux espèces à feuillage gaufré et coloré, elles peuvent être associées à diverses espèces d'autres plantes pour former d'attrayants bouquets de verdure.

P. spruceana 'Norfolk' est une plante rampante qui ne tarde pas à couvrir toute la surface du mélange. C'est pour cette raison qu'on la cultive dans des terrines.

10°C. Au-dessus de 18°C, poser les pots sur des plateaux de gravillons maintenus humides.

Arrosage Il doit être modéré. Bien mouiller le mélange, et en laisser sécher la couche supérieure sur 1 cm avant d'arroser de nouveau. Si la température ambiante tombe au-dessous de 13°C durant plusieurs jours, réduire les apports d'eau et laisser sécher le mélange à moitié entre les arrosages.

Engrais Utiliser un engrais liquide ordinaire dilué de moitié. La fréquence des apports d'engrais dépend de la nature du mélange terreux. Fertiliser une fois par mois si la plante est dans un mélange à base de terreau, et tous les 15 jours si le mélange est à base de tourbe.

Empotage et rempotage Utiliser un mélange à base de tourbe ou un substrat à volume égal de mélange à base de terreau (voir page 429) et de terreau de feuilles. Dans le premier cas, ajouter 15 g de calcaire broyé pour 225 ml de mélange afin de neutraliser l'acidité de la tourbe (voir page 430). Rempoter au printemps si les racines remplissent le pot (voir page 426). Quand la plante se trouve dans un pot de 15 à 20 cm,

la multiplier ou enlever soigneusement le tiers de la motte de racines avant de la remettre dans le même pot en ajoutant un peu de mélange frais. Toujours planter le rhizome debout, une moitié à l'extérieur du mélange.

Multiplication Au printemps, prélever sur le rhizome principal des petits rameaux portant une touffe de frondes. Planter chaque bouture dans un pot de 8 cm rempli de l'un des mélanges recommandés, en l'enfouissant à demi. L'exposer à une lumière moyenne dans une pièce où la température est normale. Garder le mélange à peine humide jusqu'à ce que la croissance soit amorcée. Cultiver ensuite la jeune plante comme un sujet adulte.

On peut aussi, en tout temps, multiplier ces fougères au moyen de leurs spores (voir FOUGÈRES, page 208).

Pied-de-veau, voir *Zantedeschia aethiopica.*
Pierre-de-lune, voir *Pachyphytum oviferum.*
Pierres-vivantes, voir *Lithops.*

ESPÈCES RECOMMANDÉES

P. cadierei est l'espèce la plus populaire. C'est une plante érigée, très facile à cultiver. Cependant, lorsqu'elle atteint une hauteur de 25 à 30 cm, c'est-à-dire au bout d'un an environ, il lui arrive de perdre ses feuilles inférieures. Les feuilles minces et oblongues sont opposées et mesurent au plus 8 cm. Elles ont des marges légèrement incisées et portent, entre les nervures vertes, quatre rangées de taches argentées, en relief. Les fleurs sont sans intérêt. La forme naine, *P. c. 'Minima'*, ressemble à l'espèce, mais elle ne dépasse pas 15 cm et ses feuilles sont deux fois plus petites.

P. involucrata présente des feuilles charnues et très gaufrées, disposées en rosettes serrées au sommet de tiges de 8 à 15 cm. Elles sont arrondies et pointues, et mesurent environ 3 à 8 cm. Le limbe vert sombre à reflets cuivrés a des marges festonnées et le dessous des feuilles est pourpre foncé. Des inflorescences compactes, composées de fleurettes roses, apparaissent en été à l'aisselle des feuilles. Une excellente forme de *P. involucrata* est souvent vendue sous le nom de

P. cadierei

P. mollis ou, plus communément, sous celui de *P.* 'Moon Valley'. Ses feuilles gaufrées sont d'un beau vert à reflets cuivrés dans les dépressions des nervures. C'est l'un des plus beaux piléas.

P. microphylla (également désigné sous le nom de *P. muscosa*, et communément appelé piléa à petites feuilles) est une plante connue pour la façon dont les anthères expulsent le pollen, à 1 m de distance, quand les fleurs sont arrivées à maturité. Ses petites feuilles vert moyen, disposées comme des frondes de fougères, ne dépassent pas 6 mm. La plante elle-même n'excède jamais 25 cm. De petites fleurs jaune-vert s'épanouissent tout l'été. *P. m.* 'Variegata' a des feuilles panachées de rose et de blanc.

P. nummulariifolia (piléa rampant) est une petite plante qui croît rapidement et se cultive bien en corbeille suspendue. Les branches, fines et rouges, portent des feuilles de 2 cm, vert clair, gaufrées et presque rondes. Les fleurs plutôt banales s'épanouissent tout l'été.

P. spruceana (considéré par certains botanistes comme identique à *P. involucrata*) présente deux variétés très populaires. *P. s.* 'Norfolk' se distingue par des feuilles rondes de 4 à 8 cm disposées en rosettes. Le limbe, rayé d'argent et de bronze, prend une teinte cuivrée à la lumière et bleu argent à l'ombre. Les tiges rampantes s'enracinent dans le mélange terreux au niveau des nœuds. *P. s.* 'Silver Tree' est une plante courte et érigée à feuilles triangulaires gaufrées de 8 cm. Elles sont vert bronze et marquées au centre d'une large bande argentée. Les plantes vendues sous les noms de *P. s.* 'Bronze' ou *P. s.* 'New Silver' semblent identiques à 'Silver Tree'.

P. involucrata

P. spruceana 'Norfolk'

P. spruceana 'Silver Tree'

SOINS PARTICULIERS

Lumière Les piléas préfèrent la mi-ombre. L'été, on peut les cultiver à proximité d'une fenêtre. Toujours éviter une lumière très vive, et surtout le soleil.

Température Ces plantes tropicales aiment la chaleur et l'humidité. Placer les pots sur des gravillons maintenus humides et ne pas exposer les plantes à des températures de moins de 13℃.

Arrosage Les apports d'eau doivent être parcimonieux : le mélange à peine humidifié doit sécher aux deux tiers entre les arrosages.

Engrais Donner de l'engrais liquide ordinaire tous les 15 jours, de mai à septembre seulement.

Empotage et rempotage Utiliser un substrat à volume égal de tourbe et de mélange à base de terreau (voir page 429) ou un mélange à base de tourbe. Dans ce dernier cas, la fertilisation au printemps et en été devient essentielle. Les piléas, qui n'ont pas un système racinaire très développé, se plaisent dans des pots de 8 à 10 cm. Comme ils se détériorent, ne pas les rempoter, mais plutôt les bouturer.

Multiplication A la fin du printemps, prélever des boutures terminales de 8 cm. Plonger la coupe dans de la poudre d'hormones et planter les boutures dans des pots de 6 cm remplis d'un mélange composé de sable grossier ou de perlite (1/3) et de tourbe (2/3). L'enracinement se fait en trois ou quatre semaines dans un endroit ombragé et chaud. Garder le mélange à peine humide. A la reprise de la croissance, les empoter dans l'un des mélanges recommandés pour les sujets adultes et les cultiver normalement.

Remarque La plante se ramifie d'elle-même. Il est néanmoins recommandé de rabattre les tiges trop longues de temps en temps, de façon à équilibrer la croissance et à stimuler la ramification.

Piléa à petites feuilles, voir *Pilea microphylla*.

Piléa rampant, voir *Pilea nummulariifolia*.

Piment commun, voir *Capsicum annuum*.

Pin de Norfolk, voir *Araucaria heterophylla*.

Piper

PIPÉRACÉES

Poivrier
P. crocatum

Le genre *Piper* (poivrier) comprend plus de 1 000 espèces dont *P. nigrum* qui donne le poivre noir. L'espèce la plus fréquemment cultivée en appartement est *P. crocatum,* à tiges grimpantes ou retombantes, appréciée pour son feuillage coloré. Cultivée en corbeille suspendue, cette plante est très jolie, mais on peut aussi l'enrouler sur trois ou quatre fins tuteurs enfoncés dans le mélange terreux.

P. crocatum peut devenir une jolie plante grimpante si on attache ses tiges volubiles à trois ou quatre tuteurs.

P. crocatum présente des tiges grêles et des feuilles cordiformes et pointues de 13 cm sur 10, avec des pétioles rouges de 2,5 cm attachés, non pas à la base, mais près du centre des feuilles. Le limbe des feuilles est gaufré et sur le fond vert olive se détachent des marques rose-argent très prononcées. Le rose des taches est encore plus soutenu près de la nervure médiane. Le revers des feuilles est marron foncé uni. La plante ne fleurit pas en appartement.

SOINS PARTICULIERS

Lumière Exposer les piper au plein soleil tamisé par un store ou des rideaux translucides.

Température Les piper sont des plantes sensibles : il leur faut un minimum de 16°C, sinon ils perdent la plupart de leurs feuilles. Par ailleurs, ils ne fleurissent pas s'ils sont soumis à des écarts de température ou si l'air est sec. Les garder dans un local où la température est stable et augmenter l'humidité en plaçant les pots sur des gravillons maintenus humides. Bassiner le feuillage une fois par semaine. Ces plantes se cultivent de préférence en terrarium ou dans des vitrines (voir page 53).

Arrosage En tout temps, arroser modérément. Bien mouiller le mélange et laisser sécher sur 2,5 cm entre les arrosages.

Engrais Sauf en plein hiver, où la croissance ralentit un peu, donner de l'engrais liquide ordinaire tous les 15 jours.

Empotage et rempotage Utiliser un mélange à base de terreau (voir page 429). Les piper ayant un système racinaire peu développé, il faut éviter les grands pots : de fait, ils n'auront jamais besoin de pots de plus de 14 ou 15 cm. Ne rempoter la plante que lorsqu'elle s'est développée au point de paraître disproportionnée par rapport au contenant. Les racines seront alors sans doute à l'étroit. Le rempotage peut s'effectuer en toute autre saison que l'hiver. Pour obtenir une plante plus décorative, grouper deux ou trois jeunes sujets dans une corbeille suspendue de 20 cm et les remplacer tous les deux ans.

Multiplication A la fin du printemps ou au début de l'été, prélever des boutures de tiges de 8 à 10 cm, juste sous une feuille qu'on enlève. Plonger la coupe dans de la poudre d'hormones et planter les boutures dans des pots de 6 cm remplis d'un mélange humide, à volume égal de tourbe et de sable grossier. (Ne pas remplacer le sable par de la perlite qui garde beaucoup trop l'humidité.) Enfermer les pots dans un sachet de plastique transparent ou une caissette de multiplication chauffante (voir page 444) et les exposer au plein soleil tamisé à une température de 24°C. Lorsque la croissance reprend, au bout de quatre à six semaines, découvrir les jeunes plants un peu plus chaque jour, et cela, pendant une période de deux semaines. Ainsi, ils s'acclimateront graduellement à l'atmosphère moins humide de la pièce. Arroser très parcimonieusement tant que la plante n'a pas fait de nouvelles pousses. Attendre 10 à 12 semaines après le début du bouturage pour fertiliser. Lorsque les plants ont environ 6 cm de haut, les rempoter dans un mélange à base de terreau et les cultiver comme des sujets adultes. Plutôt que de les rempoter individuellement, grouper quelques sujets dans une même corbeille : l'effet obtenu sera de beaucoup plus intéressant.

Pisonia
NYCTAGINACÉES

P. umbellifera variegata

Il n'y a qu'un seul pisonia couramment utilisé comme plante d'appartement : c'est une variété panachée de *P. umbellifera* (également appelé *Heimerliodendron brunonianum*), connue sous le nom de *P. u. variegata*. En pot, cet arbrisseau buissonnant dépasse rarement 0,90 à 1,20 m. Les feuilles, lisses et oblongues, mesurent 40 cm sur 15 et les pétioles ont au plus 5 cm. Le limbe est vert foncé fortement maculé de jaune crème. Le suc visqueux qui recouvre les nervures médianes des feuilles semble attirer les oiseaux. Les pisonias ne fleurissent pas lorsqu'ils sont cultivés en appartement.

SOINS PARTICULIERS
Lumière Exposer les pisonias à une lumière vive, et leur procurer trois ou quatre heures de soleil par jour. Ils perdent leurs panachures si la lumière est insuffisante.
Température L'atmosphère normale d'une pièce leur convient toute l'année, mais ils ne tolèrent pas des températures inférieures à 10°C.
Arrosage En période de croissance, arroser modérément. Le mélange doit être bien mouillé; laisser sécher sur 2,5 cm entre les arrosages. En période hivernale de repos, n'arroser que pour empêcher le mélange de se dessécher complètement.
Engrais En période de croissance, donner de l'engrais liquide ordinaire tous les 15 jours.
Empotage et rempotage Utiliser un mélange à base de terreau (voir page 429). Rempoter tous les printemps. Quand la plante est dans un pot de 20 à 25 cm, se contenter de renouveler chaque année la couche superficielle du mélange (voir page 428).
Multiplication Au printemps, prélever sous un nœud des pousses terminales de 8 à 10 cm. Plonger la coupe dans de la poudre d'hormones et planter chaque bouture dans un pot de 8 cm rempli d'un mélange humide à volume égal de tourbe et de sable grossier ou de perlite. Les enfermer dans un sachet de plastique transparent ou une caissette de multiplication (voir page 443) et les exposer au plein soleil tamisé. Après quatre à six semaines d'enracinement, quand la croissance s'amorce, découvrir les jeunes plants, arroser modérément et fertiliser une fois par mois. Cinq ou six mois plus tard, les transplanter dans des pots de 10 cm remplis de mélange ordinaire et les cultiver comme des sujets adultes.

Pittosporum
PITTOSPORACÉES

Pittosporum du Japon
P. tobira

Ce genre comprend des arbustes au feuillage coriace et vernissé. L'espèce d'intérieur la plus décorative est *P. tobira* (pittosporum du Japon) qui, en pot, dépasse rarement 1,50 m. Ses feuilles elliptiques de 10 cm sur 3 sont disposées en spirales ou en rosettes sur des tiges ligneuses. De petites fleurs délicatement parfumées, blanches ou jaunes, apparaissent en grappes terminales. Une forme à feuillage panaché, *P. t. 'Variegata'*, présente des macules blanches ou crème.

SOINS PARTICULIERS
Lumière Donner une lumière vive et trois heures de soleil par jour.
Température La température normale d'une pièce leur convient. En hiver, les garder à 10°C.
Arrosage En période de croissance, arroser généreusement. En période de repos, n'arroser que pour empêcher le mélange de se dessécher complètement.

Engrais Donner de l'engrais liquide ordinaire tous les 15 jours, en période de croissance.

Empotage et rempotage Utiliser un mélange à base de terreau. Rempoter au printemps pour terminer dans un pot de 30 cm. Ensuite, renouveler le mélange en surface.

Multiplication A la fin du printemps, prélever sur de nouvelles pousses des boutures terminales de 6 cm; enlever les feuilles du bas. Plonger dans de la poudre d'hormones et planter dans des pots de 6 cm remplis d'un mélange humide à volume égal de tourbe et de sable grossier ou de perlite. Enfermer dans un sachet de plastique transparent ou une caissette de multiplication (voir page 443) et exposer à une lumière moyenne. Quand la croissance reprend, au bout de six semaines, découvrir les pots et arroser parcimonieusement en laissant les deux tiers du mélange sécher entre les arrosages. Exposer graduellement les plants à une lumière plus vive pendant une ou deux semaines. Fertiliser quand ils atteignent 7 cm. Quand des racines apparaissent en surface, rempoter dans un mélange ordinaire et cultiver comme des sujets adultes.

Les pittosporums se multiplient aussi par semis (voir page 441).

Remarque Au printemps, rabattre les tiges et les pousses maigres, sous une spirale ou une rosette.

Plante aluminium, voir *Pilea.*

Plante araignée, voir *Chlorophytum comosum* 'Variegatum' et *C. c.* 'Vittatum'.

Plante à ruban, voir *Dracaena sanderana.*

Plante aux éphélides, voir *Hypoestes phyllostachya.*

Plante caillou, voir *Lithops.*

Plante de belle-mère, voir *Aspidistra.*

Plante des marchands de vin, voir *Aspidistra.*

Plante du Christ, voir *Euphorbia milii.*

Plante en fer forgé, voir *Aspidistra elatior.*

Plante ombrelle, voir *Cyperus alternifolius.*

Plante paon, voir *Calathea makoyana.*

Plante qui prie, voir *Maranta.*

Plante verte chinoise, voir *Aglaonema modestum.*

Plante zèbre, voir *Aphelandra.*

PLANTES GRASSES

Les plantes grasses se caractérisent par des organes succulents, qui emmagasinent l'eau. Elles sont réparties entre plusieurs familles botaniques. On trouvera à la fin de cet article une liste des genres comportant des plantes grasses d'intérieur autres que des cactées. Voir le nom du genre, dans le *Guide alphabétique*, et la liste de cactées, page 122.

Dans les régions tempérées, les plantes sauvages reçoivent de l'eau de façon régulière à longueur d'année. Mais dans les régions où les pluies sont rares ou saisonnières, les plantes vivaces doivent, pour survivre, emmagasiner de l'eau pendant les périodes de fortes pluies, en prévision des périodes de sécheresse. Ces plantes qui sont dotées d'organes de réserves sont connues sous le nom de plantes grasses. Les tissus qui contiennent les réserves d'eau se trouvent généralement dans les feuilles ou dans les tiges épaisses et charnues (ou succulentes).

Les plantes grasses à tiges succulentes sont souvent dépourvues de feuilles : ce sont les tiges qui non seulement emmagasinent l'eau mais aussi nourrissent la plante. Les cactées entrent dans cette catégorie de plantes grasses à tiges succulentes. Elles appartiennent à une seule famille : celle des *Cactacées* (voir *CACTEES*, pages 114 à 122).

Les autres plantes grasses sont réparties entre plusieurs familles botaniques. Malheureusement, la définition même des plantes grasses n'est pas très précise, puisque

les agaves et quelques aloès, qui résistent à la sécheresse mais possèdent peu d'organes de réserves, se classent néanmoins dans la catégorie des plantes grasses et se cultivent essentiellement de la même façon.

Les plantes grasses d'appartement autres que les cactées appartiennent presque toutes à l'une des sept familles suivantes : *Agavacées, Aizoacées, Asclépiadacées, Composées, Crassulacées, Euphorbiacées* et *Liliacées.* Elles proviennent pour la plupart des prairies arides et des régions semi-désertiques, mais elles sont extrêmement différentes les unes des autres : elles varient non seulement par leur forme et leur port mais aussi par leur façon d'emmagasiner l'eau. Voici quelques exemples de ces différences : *Euphorbia pseudocactus*, comme son nom l'indique, ressemble beaucoup à une cactée avec ses tiges colonnaires succulentes, garnies d'épines; par contre, les agaves présentent des feuilles minces et rubanées qui n'ont à première vue rien de succulent. L'echeveria, avec ses rosettes denses de feuilles plus ou moins charnues, est une plante grasse au

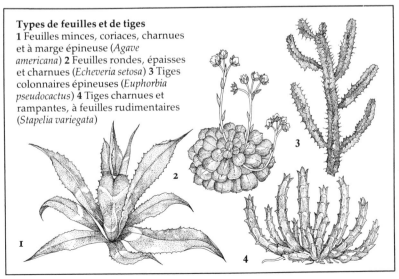

Types de feuilles et de tiges
1 Feuilles minces, coriaces, charnues et à marge épineuse (*Agave americana*) **2** Feuilles rondes, épaisses et charnues (*Echeveria setosa*) **3** Tiges colonnaires épineuses (*Euphorbia pseudocactus*) **4** Tiges charnues et rampantes, à feuilles rudimentaires (*Stapelia variegata*)

Formes représentatives des plantes grasses

Les plantes illustrées ci-dessous sont toutes des plantes grasses. Elles appartiennent chacune à un genre différent, mais elles ne sont pas nécessairement représentatives de ce genre.

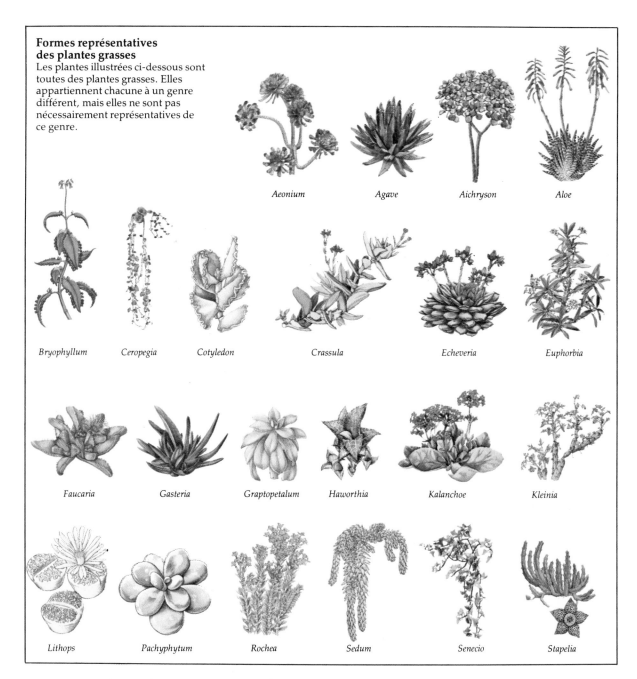

Aeonium

Agave

Aichryson

Aloe

Bryophyllum

Ceropegia

Cotyledon

Crassula

Echeveria

Euphorbia

Faucaria

Gasteria

Graptopetalum

Haworthia

Kalanchoe

Kleinia

Lithops

Pachyphytum

Rochea

Sedum

Senecio

Stapelia

même titre que le stapelia, avec ses tiges charnues et ses feuilles rudimentaires.

Si, comme nous venons de le voir, les plantes grasses sont différentes par leur feuillage, elles le sont aussi par leurs fleurs. Les fleurs des cactées présentent toutes les mêmes caractéristiques, mais celles des autres plantes grasses diffèrent selon la famille à laquelle elles appartiennent. En outre, plusieurs ne fleurissent qu'à l'état sauvage et non dans le milieu artificiel qui est le leur en appartement. Les espèces non florifères ou dont les fleurs sont dénuées d'intérêt sont toutefois cultivées en appartement pour la forme curieuse de leurs tiges et de leurs feuilles ou les coloris remarquables de celles-ci.

Quelques plantes grasses d'appartement présentent un véritable défi à l'horticulteur le plus expérimenté. Dans l'ensemble, cependant, les plantes grasses sont faciles à cultiver. Grâce à leurs organes de réserves, elles savent mieux se défendre contre de mauvaises conditions culturales que beaucoup d'autres plantes d'intérieur.

SOINS PARTICULIERS

Lumière Elle joue un rôle primordial dans la culture des plantes grasses. C'est d'ailleurs la condition culturale qui pose le plus de problèmes en appartement. En effet, à l'exception de certains membres de la famille des *Liliacées*, comme les haworthias et les gastérias, qui préfèrent un peu d'ombre, les plantes grasses sont extrêmement friandes de soleil. Il faut donc les placer près de la fenêtre la plus ensoleillée de la maison.

La lumière d'une fenêtre ne venant que d'un seul côté, il faut, pour équilibrer la croissance, tourner régulièrement les plantes grasses. A la belle saison, on leur donnera un quart de tour tous les jours. Si les tiges d'un sujet s'allongent de façon exagérée et s'amincissent, c'est qu'il ne reçoit pas assez de lumière. Ce symptôme se manifeste particulièrement chez les sujets à rosettes denses comme les echeverias. L'echeveria sain présente une rosette aplatie. S'il ne reçoit pas suffisamment de lumière, la rosette s'étire, les feuilles se ramollissent et la plante perd toute sa beauté.

Température Les plantes grasses s'accommodent particulièrement bien des températures élevées et du faible degré d'humidité qui règnent dans les maisons et les appartements d'aujourd'hui. En hiver, la chaleur artificielle ne nuit pas à la floraison. Certaines espèces, cependant, exigent un repos hivernal au frais. Pour plus de détails, se reporter à chaque genre dans le *Guide alphabétique*.

Durant les belles journées ensoleillées du printemps et de l'été, il est recommandé de placer les plantes grasses à l'extérieur, dans leur pot. Certaines précautions s'imposent cependant. Il ne faut pas laisser sous la pluie les sujets dont les feuilles sont petites et fragiles et ceux dont le feuillage est recouvert d'une pruine blanche, comme les echeverias et les pachyphytums. Mais on peut laisser ces plantes dehors en les couvrant d'une cloche de verre ou de plastique transparent. Les sujets plus robustes, comme les agaves, peuvent rester dehors au soleil tout l'été. Certains membres de la famille des *Liliacées*, comme les aloès, les gastérias et les haworthias, fleuriront en plein air, mais ils doivent être protégés des rayons ardents du soleil. Il est très important de rentrer toutes les plantes grasses à l'intérieur bien avant que le froid s'installe.

Arrosage Grâce aux organes de réserves dont elles sont dotées, les plantes grasses ne se flétrissent pas aussi vite que les autres lorsqu'elles sont privées d'eau. Mais il ne faut pas les négliger pour autant. On croit souvent à tort qu'étant originaires de régions sablonneuses, arides ou semi-désertiques, elles demandent peu d'eau, ou pas du tout. Il n'en est rien : on peut faire mourir une plante grasse tout aussi sûrement qu'un bégonia, en la privant d'eau; la mort sera lente, tout simplement. Par ailleurs, il est tout aussi néfaste de les arroser trop généreusement, car l'excès d'eau peut faire pourrir la plante, surtout en période de repos.

Dans la nature, les plantes grasses obéissent à un rythme végétatif simple : elles croissent durant la saison des pluies (en été ou en hiver, selon l'hémisphère) et entrent en repos durant la saison sèche. Il faut donc en tenir compte. Arroser assez généreusement durant la période de croissance, mais n'arroser que pour empêcher le mélange de se dessécher complètement durant la période de repos. Suivre cependant les instructions données pour chaque genre dans le *Guide alphabétique*.

Les plantes grasses présentent souvent des tiges et des feuilles fragiles que l'eau peut marquer de façon indélébile. Aussi, la meilleure façon de procéder à l'arrosage est de déposer le pot dans un récipient contenant 5 cm d'eau et de l'y laisser jusqu'à ce que la couche superficielle du mélange soit devenue humide. Retirer alors le pot et le laisser s'égoutter. Ne jamais le maintenir dans l'eau plus longtemps qu'il ne faut pour bien humidifier le mélange. Si cette méthode ne se révèle pas pratique, utiliser un arrosoir à bec long et fin et éviter de mouiller les tiges et les feuilles. Laisser toujours le mélange sécher sur 1 cm entre les arrosages, même en période de croissance. Enfin, il est toujours préférable d'utiliser de l'eau de pluie plutôt que de l'eau du robinet.

Engrais Les plantes grasses à croissance rapide bénéficieront d'un apport d'engrais liquide, environ tous les 15 jours en période de croissance. Certaines d'entre elles se contenteront d'un engrais ordinaire. D'autres, cependant, auront besoin d'un engrais riche en potassium, comme celui que l'on recommande pour les tomates. Ce détail sera précisé à chaque genre dans le *Guide alphabétique*. La fertilisation est une opération délicate : tout excès d'azote entraîne en effet une dégénérescence des organes aériens qui ramollissent, et peut même empêcher la floraison. Les plantes grasses à croissance lente n'ont généralement pas besoin d'être fertilisées.

Empotage et rempotage Même lorsque l'arrosage des plantes grasses est fait avec toutes les précautions désirées, il y a toujours risque d'un excès d'humidité autour des racines. Le meilleur moyen d'éviter la pourriture de celles-ci est d'améliorer le drainage. Si l'on utilise un mélange à base de terreau, le mêler à du sable grossier ou à de la perlite; on calcule généralement un volume de sable pour deux de mélange; mais pour certaines plantes grasses, la quantité de sable doit être supérieure. Voir le *Guide alphabétique* aux noms de genre.

On peut se servir de pots de grès ou de plastique. Se rappeler néanmoins que le plastique conservant mieux l'humidité, les arrosages devront être moins fréquents. Les sujets qui se ramifient à la souche ou qui forment des touffes ou des colonies seront plus à l'aise dans des terrines ou des demi-pots. Quant aux espèces rampantes, elles sont toujours plus jolies en corbeilles suspendues. Ne pas oublier que tous les contenants, quels qu'ils soient, doivent être pourvus de trous de drainage. Pour améliorer encore davantage l'évacuation de l'eau, il est recommandé de couvrir le fond des pots d'une couche de tessons de grès avant d'y mettre le mélange recommandé.

La plupart des plantes grasses doivent être rempotées une fois par an. Mais les espèces à croissance lente se contenteront d'un rempotage tous les deux ou trois ans. La meilleure période pour effectuer le rempotage est au début de la reprise de croissance. Pour dépoter une plante grasse cultivée dans un pot de grès, introduire un crayon ou un objet semblable dans le trou de drainage en tenant le pot à l'envers et pousser un peu sur la motte en la tirant légèrement de l'autre main. Si le pot est en plastique, il suffit d'en presser les côtés pour décoller le mélange. Prendre un pot plus grand si les racines remplissent l'ancien pot ou si les touffes ou les rejets que la plante a formés sont appuyés contre la paroi. Autrement, nettoyer le pot, enlever l'ancien mélange en secouant délicatement la plante et la remettre dans son pot en rajoutant la quantité nécessaire de mélange frais. La plante doit toujours être au même niveau.

A l'exception des cactées, la plupart des plantes grasses se manipulent facilement: on ne risque pas de se blesser les mains. A vrai dire, c'est plutôt la plante qu'on risque de blesser. Certaines espèces ont en effet un feuillage pruineux ou cassant que la manipulation risque d'endommager. Il vaut mieux les tenir alors au niveau de la souche, tout près du mélange terreux. Envelopper les plantes épineuses, comme certaines euphorbes ou les agaves, dans plusieurs épaisseurs de papier journal.

La taille maximale du pot dépendra de l'espèce cultivée; cependant, avec les plantes grasses, on a rarement besoin d'un pot de plus de 15 à 20 cm.

Multiplication Les plantes grasses sont parmi les plantes d'intérieur qui se reproduisent le plus facilement. Les sujets à tige unique ou sans tige produisent souvent des rejets ou des colonies à la souche. Il suffit généralement de détacher ceux-ci délicatement, de les planter dans de petits pots et de les traiter comme des sujets adultes. Si les rejets doivent être coupés, laisser sécher la blessure pendant deux ou trois jours avant de les mettre en pot. Il importe peu que les rejets aient ou non des racines. Elles se développeront rapidement au contact d'un mélange humide si les rejets sont exposés à la température et à la lumière appropriées.

Certaines plantes grasses, notamment les *Crassulacées*, se multiplient par bouturage des feuilles. Enlever les feuilles avec le plus grand soin et les laisser sécher pendant deux ou trois jours. Dans le cas de longues feuilles rubanées, en enfoncer la base dans le mélange; dans les autres cas, coucher les feuilles sur le mélange. Pour plus de détails, voir le *Guide alphabétique* aux noms de genre, et la description de la méthode à la page 439.

Deux méthodes de multiplication des plantes grasses

Bouturage de feuille

Couper une feuille avec un couteau. (Les crassulas se multiplient de cette façon.)

Laisser sécher la coupure. Si la feuille est petite, la coucher sur le mélange.

Si elle est longue, comme celle du Crassula falcata, la planter dans le mélange.

Semis

Etendre du mélange à enracinement humide sur des gravillons.

Recouvrir le tout avec du sable fin pour obtenir une surface unie.

Semer clair. Grouper les graines par espèce dans des compartiments séparés.

Chez les membres de la famille des *Aizoacées* qui produisent des touffes, comme les faucarias et les lithops, la multiplication se fait en détachant une touffe de la plante mère et en la cultivant immédiatement comme un sujet adulte.

Chez les plantes grasses à tiges ramifiées, la multiplication se fait en prélevant une tige que l'on laisse sécher pendant trois jours et que l'on traite ensuite comme un rejet. Il faudra peut-être tuteurer la tige pour qu'elle tienne debout.

Ces différentes méthodes de multiplication se pratiquent de préférence au moment de la période de croissance propre à chaque espèce, généralement au printemps ou en été. Pour de plus amples détails, se reporter à chaque genre dans le *Guide alphabétique*.

Semis La multiplication par semis ne varie guère d'une famille de plantes grasses à l'autre. Si les semis se font avec une seule sorte de semence, utiliser un pot de 6 cm, en grès ou en plastique. S'ils se font avec des semences de plantes grasses différentes, on peut soit utiliser un pot par type de graines, soit prendre une terrine à semis et bien étiqueter les graines qu'on y sème. Déposer environ 1,5 cm de gravillons ou de perlite au fond du contenant et le remplir jusqu'à 1,5 cm du bord avec un mélange à enracinement ordinaire. Comme les graines de certaines plantes grasses supportent mal un excès d'humidité, il est bon d'ajouter du sable moyen (1/4) au mélange ordinaire (3/4) pour améliorer le drainage.

Humidifier uniformément le mélange. Ensuite, verser un peu de sable fin par-dessus et semer en espaçant les graines. Ne pas enfouir la semence. Les graines varient de taille selon la plante, mais aucune n'est très grosse. Certaines, notamment celles des *Aizoacées*, sont si fines qu'on dirait de la poussière.

Couvrir la terrine à semis d'une plaque de verre ou d'un sachet de plastique transparent pour conserver l'humidité. L'exposer à une température d'au moins 21°C. Le temps le plus favorable pour les semis est le printemps et l'été. La lumière est sans importance avant la germination, mais si la terrine se trouve près d'une fenêtre, la protéger des rayons ardents du soleil en la couvrant, par exemple, d'une feuille de papier fin. Dès que les graines ont germé, les exposer au plein soleil tamisé. Soulever un peu la plaque ou entrouvrir le sachet de plastique pour assurer une bonne ventilation. La germination se fait ordinairement en deux ou trois semaines, parfois plus. Les stapelias et les céropégias, par contre, germent avec une rapidité étonnante et des plantules apparaissent après quelques jours seulement. C'est pourquoi il vaut mieux utiliser des godets qu'une terrine.

La fonte des semis est le principal problème que l'on rencontre : les plantules s'effondrent et se décomposent peu de temps après la germination. Il existe des produits chimiques pour prévenir cette maladie cryptogamique. Surtout, utiliser des contenants propres et assurer une bonne ventilation après la germination. Garder le mélange humide et ne pas exposer les plantules au plein soleil durant la première année. Rempoter les sujets à croissance rapide individuellement, dans des pots de 6 cm remplis d'un mélange ordinaire, s'ils semblent à l'étroit dans leur contenant d'origine, mais ne pas transplanter les autres avant un an. Après le premier rempotage, cultiver les jeunes plants comme des sujets adultes.

Ravageurs et maladies Les cochenilles farineuses et les cochenilles des racines trouvent un abri idéal dans les feuilles ou les racines de nombreuses plantes grasses. Attention aussi aux limaces et aux escargots si les plantes sont placées dehors à la belle saison (voir pages 452 à 459).

Voici la liste des genres dans lesquels on retrouve des plantes grasses. (La liste des genres qui appartiennent à la famille des *Cactacées* se trouve à la page 122.)

Aeonium	Gasteria
Agave	Graptopetalum
Aichryson	Haworthia
Aloe	Kalanchoe
Bryophyllum	Kleinia
Ceropegia	Lithops
Cotyledon	Pachyphytum
Crassula	Rochea
Echeveria	Sedum
Euphorbia	Senecio
Faucaria	Stapelia

Platycerium

POLYPODIACÉES

Les platyceriums (communément appelés bois-de-cerf) sont des fougères épiphytes originaires des forêts équatoriales denses qui s'adaptent bien à la culture en appartement pourvu qu'on les acclimate graduellement. Elles présentent toutes deux sortes de frondes : les unes, à la base de la plante, s'agrippent au support qu'elles trouvent et évoquent la forme d'un bouclier, et les autres, étalées et pendantes, sont découpées comme les cornes d'un cerf.

L'unique fronde plate ne produit pas de spores. Elle sert à soutenir la plante et à recueillir les débris organiques qui tombent de l'arbre qui la supporte. Avec le temps, elle brunit et se parchemine avant de céder sa place à une autre fronde verte. Les frondes fertiles, plus décoratives, sont nombreuses, charnues et d'un vert profond. Elles sont recouvertes d'une fine pruine blanche et feutrée. A l'âge adulte, elles portent au revers des amas de sporanges qui se concentrent au sommet. Les platyceriums se cultivent très bien sur des morceaux d'écorce rude ou des souches de fougère arborescente.
Voir aussi FOUGÈRES.

ESPÈCES RECOMMANDÉES

P. bifurcatum (également désigné sous le nom de *P. alcicorne* et communément appelé corne-de-cerf ou corne-d'élan) est l'espèce la plus facile à cultiver en appartement. Sa fronde stérile se renouvelle constamment : la nouvelle fronde se présente d'abord comme une tache argentée sur la précédente. Elle s'étend peu à peu jusqu'à recouvrir entièrement cette dernière qui devient brune et parcheminée. Quand elle est jeune, cette fronde « bouclier » d'un doux vert menthe est étroitement accrochée à la fronde qui l'a précédée, puis elle se déroule encore sur 4 à 5 cm pour former une sorte de coupe dans laquelle elle recueille les feuilles tombées des arbres et d'autres débris organiques, quand, bien entendu, la plante est dans la nature.

Les frondes fertiles naissent au centre de la fronde stérile. Elles peuvent atteindre 90 cm, la partie terminale fourchue mesurant jusqu'à 25 cm. Ces longues frondes sont à demi dressées. Certaines formes ont des frondes plus ou moins foncées, à segments terminaux plus courts ou plus longs.

P. grande est plus grand que *P. bifurcatum* et ses frondes stériles sont plus pâles. Elles sont également plus dressées, ondulées et fourchues. Les frondes fertiles, très retombantes, atteignent 1,20 m.

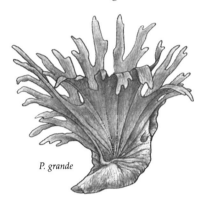

P. grande

Enfin, la couche de pruine argentée qui les recouvre est plus mince que celle de *P. bifurcatum*.

SOINS PARTICULIERS

Lumière Dans la nature, les platyceriums grimpent très haut sur les arbres et se plaisent dans une lumière vive. Le plein soleil décolore cependant leurs frondes et y laisse des marques déplaisantes.

Température Ils tolèrent une température de 24°C accompagnée d'une forte humidité. Les bassiner une fois par jour si la pièce est chaude. En été, la température idéale est de 21°C; en hiver, elle ne doit pas tomber à moins de 13°C. Un local bien aéré leur plaît. Les cultiver de préférence sur un morceau d'écorce ou dans une corbeille suspendue.

Arrosage Au printemps et en été, mouiller complètement le mélange à chaque arrosage et le laisser sécher presque complètement avant d'arroser de nouveau. En période de repos, arroser très parcimonieusement, juste pour que le mélange soit un peu humide. La fronde stérile couvre souvent toute la surface du mélange, de sorte qu'il est impossible d'arroser la plante par le haut. La meilleure solution (et probablement la meilleure façon d'ar-

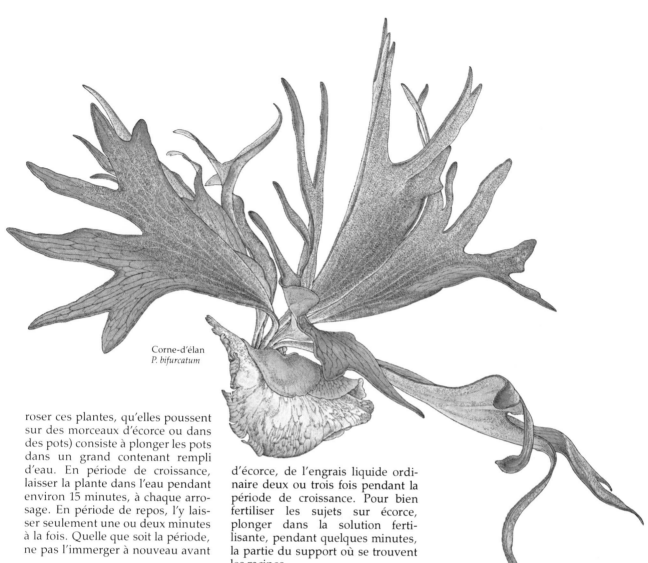

Corne-d'élan
P. bifurcatum

roser ces plantes, qu'elles poussent sur des morceaux d'écorce ou dans des pots) consiste à plonger les pots dans un grand contenant rempli d'eau. En période de croissance, laisser la plante dans l'eau pendant environ 15 minutes, à chaque arrosage. En période de repos, l'y laisser seulement une ou deux minutes à la fois. Quelle que soit la période, ne pas l'immerger à nouveau avant

Les platyceriums en pots s'arrosent mal par le dessus : plonger les pots dans l'eau pendant quelques minutes quand l'arrosage devient nécessaire.

qu'elle en ait vraiment besoin. Attendre que les frondes retombent plus que de coutume ou que le pot soit très léger.

Engrais Donner aux plantes adultes, en particulier à celles qui sont cultivées sur des morceaux

d'écorce, de l'engrais liquide ordinaire deux ou trois fois pendant la période de croissance. Pour bien fertiliser les sujets sur écorce, plonger dans la solution fertilisante, pendant quelques minutes, la partie du support où se trouvent les racines.

Empotage et rempotage Il y a trois façons de cultiver des platyceriums. La plus naturelle consiste à laisser la plante s'attacher d'elle-même à la surface rude et humide d'un morceau d'écorce ou de quelque autre support. On peut aussi l'installer dans une corbeille en bois suspendue. La troisième façon, et la moins bonne, est de la cultiver en pot. Les jeunes plants sont souvent vendus sur des souches de fougère arborescente ou des morceaux d'écorce. Lorsque la fronde stérile recouvre presque tout le support, attacher la plante à un support plus grand cloué sur le précédent.

Pour installer un platycerium sur un support, entourer la motte de racines d'un mélange à volume égal de tourbe et de sphaigne grossières et l'attacher au support avec du fil de coton. (Ne pas utiliser de fil de

nylon.) Garder humides le support et la mousse jusqu'à ce que les racines, peu nombreuses, et la fronde stérile aient adhéré au support. Voici une autre méthode : planter la fougère dans une petite corbeille à claire-voie, en bois, remplie du mélange de tourbe et de sphaigne.

Seuls les petits plants peuvent être empotés. Car, en croissant, la fronde stérile entoure le pot et le rempotage devient très difficile.

Multiplication Elle se fait généralement au moyen des spores, méthode peu praticable en appartement. Les grosses plantes produisent à l'occasion un petit rejet latéral qu'on peut détacher sans nuire à la plante et installer sur un morceau d'écorce ou dans une corbeille. On peut aussi diviser la

Fixation d'un platycerium

Envelopper la motte de racines d'un mélange à volume égal de tourbe et de sphaigne humides.

Attacher fermement au support la motte ainsi enveloppée. Utiliser un fil de coton robuste.

Garder l'écorce et la motte bien humides. Les racines et la fronde stérile finiront par s'agripper au support.

plante, mais au risque d'endommager les segments.

Remarques Les platyceriums sont parfois infestés de cochenilles qui s'agglomèrent sous les frondes (voir page 454). A l'aide d'un fin pinceau, badigeonner directement les insectes avec de l'alcool dénaturé.

La meilleure façon de nettoyer les frondes consiste à exposer la plante à une fine pluie tiède. On peut également la bassiner. L'utilisation d'un chiffon ou d'une éponge risquerait d'enlever leur jolie mousse décorative. Ne jamais laisser d'eau se déposer sur les frondes.

Plectranthe, voir *Plectranthus*.

Plectranthus
LABIACÉES

P. oertendahlii

Si le genre *Plectranthus* (plectranthe) regroupe des sous-arbrisseaux et des espèces rampantes, ce sont les secondes que l'on cultive surtout en appartement, de préférence en corbeille suspendue. Les tiges lisses et presque quadrangulaires, de 45 à 60 cm, portent des feuilles tendres et pubescentes à marge crénelée; au toucher, il s'en dégage un arôme caractéristique. Les plectranthus s'enracinent facilement là où un nœud entre en contact avec le mélange. Ils se développent vite et produisent des grappes lâches de fleurettes lavande, semblables à celles du coleus dont le plectranthus est proche parent. Elles sont sans intérêt et on peut les enlever.

ESPÈCES RECOMMANDÉES

P. australis présente des feuilles ovales acuminées d'un beau vert sombre, mesurant 4 cm. Contrairement aux autres espèces, celle-ci est buissonnante et peut atteindre 90 cm de haut.

P. coleoides est une espèce rare, mais *P. c.* 'Marginatus' se rencontre fréquemment. Cette forme panachée est d'abord érigée; elle devient ensuite rampante. Ses feuilles velues et cordiformes, à belles marges blanc crème, mesurent 5 à 6,5 cm.

P. nummularius est une autre espèce rampante, à feuilles arrondies et charnues d'au plus 6,5 cm.

P. oertendahlii, le plus répandu des plectranthus, présente des feuilles arrondies de 2,5 cm, vert bronze et veloutées, à nervures argentées et à marges pourpres. Le dessous des feuilles adultes est également pourpre.

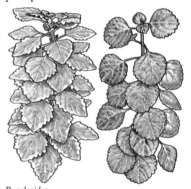

P. coleoides
'Marginatus'   *P. australis*

SOINS PARTICULIERS

Lumière Ces plantes exigent trois ou quatre heures de plein soleil tous les jours. Si la lumière est insuffisante, les feuilles s'espacent et leurs couleurs s'affadissent.

Température Les plectranthus croissent bien dans les pièces où la température varie entre 16 et 21°C. Par grandes chaleurs, il leur faut plus d'humidité. Augmenter l'hygrométrie en posant les pots sur un plateau de gravillons humides. Ménager aux plantes un repos hivernal à 13 ou 14°C.

328

Arrosage En période de croissance, arroser généreusement pour que le mélange reste bien humide, mais ne jamais laisser d'eau dans la soucoupe. Les espèces rampantes cultivées en corbeilles suspendues nécessiteront un arrosage quotidien si elles sont placées près d'une fenêtre très ensoleillée. En période de repos, n'arroser que pour empêcher le mélange de se dessécher complètement. Les feuilles inférieures tomberont si le mélange s'assèche, même peu de temps.

Engrais Fertiliser avec un engrais liquide ordinaire tous les 15 jours, en période de croissance seulement. Bien nourri, le plectranthus produit des tiges robustes et de grandes feuilles.

Empotage et rempotage Utiliser un mélange à base de terreau (voir page 429). On a rarement besoin de rempoter les plectranthus car, les jeunes plants étant plus beaux, on se sert des vieux plants pour la multiplication.

Multiplication Planter des boutures terminales de 5 à 8 cm dans un mélange terreux ordinaire. Les arroser modérément et les exposer au plein soleil tamisé. Quand la croissance reprend, on peut soit grouper trois ou quatre boutures dans une corbeille suspendue, soit les transplanter individuellement dans des pots de 8 cm remplis d'un mélange à base de terreau.

Certaines tiges de P. oertendahlii *grimpent le long des cordelettes de la corbeille tandis que les autres retombent autour d'un episcia en fleur.*

Remarque Pour les encourager à se ramifier et obtenir des sujets plus touffus, pincer régulièrement les bourgeons terminaux de toutes les espèces de plectranthus.

Pleomele
AGAVACÉES

P. reflexa variegata

Le genre *Pleomele* regroupe des plantes arbustives à feuillage décoratif qui appartiennent en fait au genre *Dracaena*, mais que l'on décrit ici car elles sont surtout connues sous le premier nom. La seule espèce cultivée à l'intérieur est *P. reflexa* (en réalité *D. reflexa*). Elle présente des tiges érigées de 0,5 cm de diamètre, à bourgeon terminal faisant un angle de 45 degrés avec la verticale. Les feuilles lancéolées poussent en touffes compactes et mesurent de 13 à 23 cm sur 2,5. Elles sont vert sombre, sauf chez *P. r. variegata* : le feuillage de cette variété est vert moyen, marginé de vert lime chez les jeunes sujets, devenant vert clair, marginé de crème. Avec l'âge, les pleomeles se dénudent du bas, et leurs tiges ont besoin de tuteurs.

SOINS PARTICULIERS

Lumière Exposer les pleomeles à une lumière vive sans soleil.

Température Les pleomeles se plaisent à la température normale d'une pièce. Ils ne peuvent être exposés à moins de 13°C. Laisser les pots sur un plateau de gravillons maintenus humides.

Arrosage Il doit être modéré : humidifier le mélange, puis laisser sécher sur 1 cm entre les arrosages.

Engrais Donner de l'engrais liquide ordinaire tous les 15 jours, du début du printemps à l'automne.

Empotage et rempotage Utiliser un mélange à base de terreau (2/3) [voir page 429] et de tourbe grossière ou de compost de feuilles (1/3). Rempoter tôt au printemps. Quand la plante a atteint la taille souhaitée, renouveler seulement la couche superficielle du mélange (voir page 428).

Multiplication Prélever une bouture terminale ou une pousse basale de 10 cm, au début du printemps. Enlever les feuilles inférieures, plonger dans une poudre d'hormones et planter dans un pot de 8 cm rempli d'un mélange humide, à volume égal de tourbe et de sable grossier ou de perlite. Enfermer dans un sachet de plastique ou une caissette de multiplication (voir page 443) et garder dans une pièce chaude au plein soleil tamisé. Quand une pousse apparaît, arroser et donner de l'engrais liquide tous les 15 jours. Six mois plus tard, transplanter dans le mélange recommandé et cultiver comme un sujet adulte.

Plumbago
PLUMBAGINACÉES

P. auriculata

Le seul plumbago cultivé à l'intérieur est *P. auriculata* (autrefois *P. capensis*). Les tiges grêles, éparses, de cette plante grimpante qu'il faut tuteurer peuvent atteindre 1,20 m. Ses feuilles elliptiques vert moyen, à court pétiole, s'infléchissent vers le sol; elles mesurent 5 cm. Des panicules terminales d'une vingtaine de fleurs apparaissent du printemps à l'automne. Chaque fleur, de 2,5 cm de diamètre, présente un long tube de 4 cm qui s'étale en 5 pétales bleu clair, marqués au centre d'un filet bleu foncé. Il existe une variété à fleurs blanches, *P. a.* 'Alba'.

SOINS PARTICULIERS
Lumière Exposer les plumbagos au plein soleil.
Température En période de croissance, il leur faut la température normale d'une pièce et, en hiver, une température entre 7 et 10°C.
Arrosage En période de croissance, arroser généreusement mais ne pas laisser d'eau dans la soucoupe. En hiver, n'arroser que pour empêcher le mélange de se dessécher.
Engrais Donner de l'engrais liquide riche en potassium tous les 15 jours, en période de croissance.

Empotage et rempotage Utiliser un mélange à base de terreau (voir page 429) et rempoter tôt au printemps. Quand la plante loge dans un pot de 20 cm, renouveler simplement le mélange en surface tous les ans.
Multiplication Prélever des boutures de 7,5 à 10 cm, au printemps ou en été; ne pas prendre les vieilles tiges, trop ligneuses, ni les jeunes, trop tendres. Planter chaque bouture dans un pot de 8 cm rempli d'un mélange humide, à volume égal de tourbe et de sable grossier ou de perlite. Enfermer dans un sachet de plastique ou une caissette de multiplication et exposer au plein soleil tamisé. L'enracinement terminé, découvrir le jeune plant et l'arroser modérément en laissant sécher 1 cm du mélange entre les arrosages; donner de l'engrais liquide ordinaire tous les mois. Lorsque la plante atteint 30 cm, pincer l'extrémité des pousses pour favoriser la ramification, la rempoter dans du mélange ordinaire et la cultiver comme un sujet adulte.
Remarque Les fleurs naissant sur les pousses de l'année, tailler la plante tous les printemps. Rabattre les tiges des deux tiers.

Podocarpus
PODOCARPACÉES

S'il peut atteindre de grandes dimensions dans son milieu naturel, *Podocarpus macrophyllus* (podocarpus chinois) ne dépasse pas la taille d'un arbuste quand on le cultive dans un pot ou un bac. Ses tiges très ramifiées sont d'abord érigées, puis légèrement retombantes. Ses feuilles plates, aciculaires et coriaces se caractérisent par une nervure médiane très marquée. Elles poussent en touffes denses et mesurent 6,5 à 10 cm sur 0,5. Vert pâle chez les jeunes sujets, elles deviennent d'un beau vert sombre et certaines s'infléchissent vers le sol. La plante ne fleurit pas à l'intérieur.

SOINS PARTICULIERS
Lumière Ce conifère croît particulièrement bien au plein soleil, tamisé par un store ou des rideaux translucides; il s'accommodera cependant d'un peu de soleil et d'un peu d'ombre tous les jours.
Température La croissance du podocarpus ne connaît pratiquement pas d'interruption à la température normale d'une pièce. Cependant, au-dessous de 13°C en hiver, la plante prendra un court repos. On ne doit pas l'exposer à moins de 10°C.
Arrosage Il doit être modéré; bien humidifier le mélange, mais laisser sécher sur 1 cm entre les arrosages. En cas de période de repos, n'arroser que pour empêcher le mélange de se dessécher.
Engrais Donner de l'engrais liquide ordinaire tous les 15 jours, en période de croissance.
Empotage et rempotage Utiliser un mélange à base de terreau (voir page 429). Rempoter au printemps lorsque les racines remplissent tout le pot. Ne pas placer un podocarpus dans un trop grand pot : il recevrait trop d'eau. Lorsque le pot mesure de 26 à 30 cm, renouveler seulement la couche superficielle du mélange (voir page 428) tous les ans. Le podocarpus peut atteindre 1,80 m de haut; il dépasse rarement cette hauteur.
Multiplication *P. macrophyllus* se multiplie par boutures terminales. Prélever au printemps des boutures de 8 à 10 cm, immédiatement au-

Podocarpus chinois
P. macrophyllus

Polypodium

POLYPODIACÉES

U ne seule espèce du genre *Poly-podium* est très répandue comme plante d'appartement. Il s'agit de *P. aureum* (également connu sous le nom de *Phlebodium aureum*). Cette fougère présente des rhizomes traçants et ramifiés qui ont tendance à épouser la forme du contenant dans lequel ils se trouvent. Ils sont recouverts d'écailles velues blanches ou rousses et mesurent environ 2,5 cm de diamètre. Les pétioles verts, qui peuvent mesurer 60 cm, deviennent bruns avec le temps et se prolongent en un rachis de même longueur. Les frondes forment un triangle dont la base peut atteindre 45 cm. Elles peuvent se composer d'une vingtaine de folioles opposées, vert clair, d'environ 10 cm de long, que couronne une seule foliole terminale de 15 cm. Les folioles ont toutes 5 cm de large. Les sporanges brun doré sont disposés en lignes parallèles sous les folioles, de chaque côté de la nervure médiane. Après leur chute, les frondes laissent une cicatrice à leur point d'insertion sur le

dessous d'un nœud. Enlever les feuilles inférieures et plonger dans une poudre d'hormones à enracinement. Planter deux ou trois boutures dans un pot de 8 cm rempli d'un mélange humide, composé à volume égal de tourbe et de sable grossier ou de perlite. Enfermer dans un sachet de plastique ou une caissette de multiplication (voir page 443) et exposer à une lumière moyenne. L'enracinement peut prendre jusqu'à huit semaines; ne pas arroser durant cette période. Lorsque la croissance a repris, traiter les jeunes plants comme des sujets adultes. Dès que leurs racines seront à l'étroit dans le premier pot, les rempoter individuellement

dans des pots de 8 cm, remplis de mélange ordinaire.

Remarques Il est préférable de supporter les tiges principales du podocarpus avec de fins tuteurs en laissant les tiges latérales retomber naturellement. Si l'on veut obtenir une plante plus touffue, rabattre de moitié tous les rameaux latéraux au printemps ou en été.

Podocarpus chinois, voir *Podocarpus macrophyllus*.

Poinsettia, voir *Euphorbia pulcherrima*.

Poinsettie éclatante, voir *Euphorbia pulcherrima*.

Poivrier, voir *Piper*.

Voici le dessous d'une fronde de polypode adulte. On remarque les sporanges disposés de chaque côté de la nervure médiane des folioles.

rhizome. Les polypodes ont une croissance ininterrompue qui se ralentit légèrement en hiver.

Il existe une variété d'une très grande beauté, *P. a.* 'Mandaianum', qui se caractérise par des frondes bleu-vert argenté. Les folioles chatoyantes ont un pourtour très ondulé et comme gaufré.

SOINS PARTICULIERS

Lumière Exposer les polypodes à une lumière moyenne. Le plein soleil ne convient absolument pas à ces fougères.

Multiplication du podocarpus

Prélever des boutures sur de jeunes pousses vertes. Les vieilles tiges trop ligneuses s'enracinent mal.

Enlever plusieurs feuilles inférieures avant de plonger les boutures dans de la poudre d'hormones.

L'enracinement est lent. Aussi, bien fermer le sachet qui enveloppe le pot pour que l'humidité n'en sorte pas.

Polypodium aureum

Polyscias
ARALIACÉES

P. balfouriana
'Marginata'

Température Les polypodes poussent bien toute l'année à la température d'une pièce, mais ils peuvent tolérer à l'occasion des températures de 10°C. Diminuer les arrosages si la température se maintient au-dessous de 13°C durant plusieurs jours. Au-dessus de 21°C, augmenter l'hygrométrie en plaçant les pots sur un plateau de gravillons humides et en bassinant le feuillage tous les jours. Employer un jet fin car les gouttes d'eau peuvent décolorer les frondes.

Arrosage Le mélange doit toujours rester humide; aussi, arroser généreusement. Si la température tombe au-dessous de 13°C plus de deux ou trois jours, arroser plus modérément et laisser sécher la couche supérieure du mélange sur 1 cm entre les arrosages.

Engrais Donner de l'engrais liquide ordinaire, dilué de moitié, une fois par semaine.

Empotage et rempotage Utiliser un substrat composé à volume égal de terreau de feuilles et de mélange à base de terreau (voir page 429). Rempoter quand les rhizomes occupent toute la surface du pot. Cette opération se pratique de préférence au printemps. Utiliser un demi-pot ou un contenant large et peu profond. Quand la plante occupera un pot de 20 à 26 cm, s'en servir pour la multiplication.

Multiplication Au printemps, diviser les rhizomes et prélever des segments de 5 à 7,5 cm au niveau de la touffe. Placer chaque segment dans un demi-pot de 10 cm rempli du mélange recommandé pour les sujets adultes; bien humidifier. Pour faciliter l'enracinement, fixer chaque segment à la surface du mélange, avec du fil métallique ou une épingle à cheveux. Enfermer les pots dans un sachet de plastique transparent ou une caissette de multiplication chauffante (voir page 444). Exposer à une lumière moyenne et à une température de 18 à 21°C. L'enracinement demande quatre à cinq semaines. Quand la croissance a repris, habituer les jeunes plants à l'humidité de la pièce en les découvrant un peu plus chaque jour et ce, sur une période d'un mois; pendant ce temps, garder le mélange à peine humide. Cultiver ensuite les plants comme des sujets adultes.

La multiplication s'effectue aussi, mais plus lentement, par les spores (voir *FOUGERES*, page 215).

Dans le genre *Polyscias*, on trouve des arbrisseaux ou des arbres à feuillage décoratif, généralement panaché. S'ils atteignent de grandes tailles dans leur habitat naturel parce que leurs racines ne sont pas confinées, en pot, ils dépassent rarement 90 cm. On connaît environ 80 espèces de polyscias dont quelques-unes seulement sont cultivées à l'intérieur.

ESPÈCES RECOMMANDÉES
P. balfouriana présente des tiges abondamment ramifiées, vert moucheté de gris. Contrairement à la plupart des autres espèces, elles ne virent pas au brun et ne se lignifient pas avec l'âge. Les feuilles vert sombre et luisantes, à marge festonnée, changent cependant de structure. Chez les jeunes sujets, elles sont solitaires, rondes, à demi érigées sur des pétioles de 7,5 cm et ont 5 cm de diamètre. Chez les sujets plus âgés, le pétiole est terné : il se divise en 3 pétiolules, portant chacun une foliole ronde de 5 à 10 cm de diamètre.

Deux variétés de cette espèce sont plus appréciées en raison de leur feuillage panaché. Les folioles de *P. b.* 'Marginata' sont bordées de blanc crème, tandis que celles de *P. b.* 'Pennockii' présentent des macules vert-jaune clair le long de la nervure médiane. Les folioles de cette dernière variété mesurent environ 2 cm de diamètre de plus que les autres.

P. guilfoylei (faux caféier) s'apparente davantage à un petit arbre qu'à un arbuste et sa taille n'en fait pas une plante d'intérieur très répandue. L'une de ses variétés, cependant, *P. g.* 'Victoriae' (caféier sauvage), ne dépasse pas 90 cm de haut. Elle est moins touffue que *P. balfouriana* et présente des feuilles

P. guilfoylei
(faux caféier)

composées, plus grandes et beaucoup plus divisées. Les feuilles, montées sur des pétioles de 7,5 à 15 cm, se composent de 3 à 7 folioles de 5 à 7,5 cm de diamètre, à court pétiole. Chaque groupe de folioles s'étale sur 30 à 40 cm. Les folioles n'ont pas de forme définie. Elles sont divisées ou échancrées, certaines étant lobées, d'autres dentées. Leur limbe gris-vert porte souvent une étroite marge blanche.

SOINS PARTICULIERS
Lumière Exposer les polyscias à une lumière vive, sans soleil.
Température La chaleur est indispensable aux polyscias. Ils ne peuvent supporter des températures inférieures à 18°C. Augmenter l'hygrométrie en plaçant les pots sur un plateau de gravillons humides.
Arrosage Il doit être modéré toute l'année. Bien mouiller le mélange, mais laisser sécher la couche supérieure sur 1 cm entre les arrosages.
Engrais Donner de l'engrais liquide ordinaire tous les 15 jours, du début du printemps à la fin de

l'automne. Le polyscias n'a pas de véritable période de repos, mais sa croissance ralentit en hiver.

Empotage et rempotage Utiliser un mélange à base de terreau (voir page 429). Rempoter au début du printemps, et de nouveau à la fin de l'été si des radicelles sortent par le trou d'évacuation. Quand la plante loge dans un pot de 20 à 26 cm, se contenter de renouveler la couche superficielle du mélange au printemps (voir page 428).
Multiplication Prélever des boutures terminales de 7,5 à 10 cm au début du printemps. Couper juste au-dessous d'une feuille, enlever celle-ci et plonger dans de la poudre d'hormones à enracinement. Planter chaque bouture dans un pot de 8 cm rempli d'un mélange humide, composé à volume égal de tourbe et de sable grossier ou de perlite. Enfermer dans un sachet de plastique ou une caissette de multiplication chauffante (voir page 444). Exposer au plein soleil tamisé dans un endroit où il fait au moins 21°C. L'enracinement demande deux à trois semaines. Quand la croissance a repris, acclimater progressivement le jeune plant à des conditions normales en ouvrant un peu tous les jours le sachet ou la caissette, pendant environ une semaine. Ensuite, le cultiver comme un polyscias adulte. Au début de l'été, le transplanter dans un pot de 10 cm rempli d'un mélange à base de terreau.

Multiplication du polyscias

Après avoir prélevé la bouture, enlever les feuilles inférieures, puis la planter dans le mélange.

Polystichum
POLYPODIACÉES

La seule espèce du genre *Polystichum* communément cultivée à l'intérieur est *P. tsus-simense* (fougère houx). Le rhizome de cette fougère est couvert d'écailles presque noires. Il est à demi enfoui dans le sol et se ramifie peu à peu en produisant des touffes de feuilles. Avant de se dérouler, les jeunes frondes sont recouvertes d'une épaisse couche d'écailles blanc argenté. Quand elles sont devenues adultes, elles forment un triangle qui peut mesurer jusqu'à 30 cm de haut sur 13 cm de base. Elles se divisent en folioles opposées, lancéolées et vert sombre, de 6,5 cm sur 2,5. Les folioles sont elles-mêmes formées de pinnules opposées de 1,5 cm sur 0,5. Les pétioles de 13 cm, qui portent chaque fronde, sont couverts d'écailles brun foncé; ils se prolongent en rachis. De minuscules sporanges brun foncé apparaissent sur la face inférieure des pinnules adultes, de chaque côté de la nervure médiane.

Bien que la croissance de *P. tsus-simense* soit sans interruption, elle

La fronde d'un polystic est bipennée. Au-dessous de chaque pinnule se trouvent de minuscules sporanges.

risque cependant de ralentir quelque peu durant les mois d'hiver.
Voir aussi FOUGÈRES.

SOINS PARTICULIERS
Lumière Exposer *P. tsus-simense* à une lumière moyenne ou vive toute l'année, mais jamais aux rayons directs du soleil qui pourraient brûler ses frondes.

Température Ce polystic ne peut être mis dans une pièce où la température descend au-dessous de 13°C. Au-dessus de 18°C, augmenter l'hygrométrie; placer les pots sur un plateau de gravillons

Fougère houx
*Polystichum
tsus-simense*

maintenus humides et bassiner le feuillage à l'eau tiède tous les jours.

Arrosage Ne jamais laisser le mélange terreux s'assécher complètement; arroser généreusement pour le garder constamment humide. Si la température descend au-dessous de 16°C durant plusieurs jours, arroser moins et laisser la couche supérieure du mélange sécher sur 2,5 cm entre les arrosages.

Engrais Donner de l'engrais liquide ordinaire dilué de moitié, tous les 15 jours si la plante se trouve dans un mélange à base de tourbe, et seulement tous les mois si elle est placée dans un mélange à base de terreau.

Empotage et rempotage Utiliser un substrat à base de tourbe ou composé à volume égal de mélange à base de terreau (voir page 429) et de terreau de feuilles. Dès que les racines remplissent le pot, transplanter dans un pot d'une taille plus grande (voir page 426). Cette opération se pratique de préférence au début du printemps. Quand la plante loge dans un pot de 20 à 26 cm, cesser les rempotages et la diviser pour la multiplication.

Multiplication Elle se fait tôt au printemps. Diviser le rhizome et le sectionner en segments comportant à la fois des racines et une touffe de frondes. Coucher chaque segment dans un pot de 8 cm en l'enfouissant à demi dans le mélange humide, qui doit être à base de tourbe ou de terreau. Traiter comme un sujet adulte.

Les polystics se multiplient également par spores en toute saison (voir *FOUGÈRES*, page 215).

Pommier d'amour, voir *Solanum.*
Pourpier des bois, voir *Peperomia obtusifolia.*
Primevère, voir *Primula.*
Primevère de Chine, voir *Primula sinensis.*
Primevère de Kew, voir *Primula kewensis.*

Primula
PRIMULACÉES

Il existe quelques espèces vivaces du genre *Primula* (primevère) que l'on peut cultiver en appartement, mais la plupart sont traitées comme des annuelles : on s'en défait après la floraison. Celles que l'on veut conserver une année de plus doivent être placées dans un endroit frais, éclairé et bien aéré. Toutes les primevères gélives (qui ne peuvent supporter le gel) fleurissent généralement à la fin de l'hiver ou au début du printemps. Les inflorescences sont réunies en verticilles ou en ombelles de 6 à 10 fleurettes sur des hampes érigées.

ESPÈCES RECOMMANDÉES

P. kewensis (primevère de Kew) est la seule espèce d'intérieur à fleurs jaunes. Elle atteint 40 cm de haut. Ses fleurs odorantes de 2 cm sont réunies en verticilles. Elles s'ouvrent à la mi-hiver et au printemps sur des hampes de 25 à 30 cm. Les feuilles ovales et pruineuses ont la marge dentelée et ondulée. Les variétés non pruineuses sont moins attrayantes.

P. obconica

P. sinensis
(primevère de Chine)

P. kewensis
(primevère de Kew)

P. malacoides

Enlever les fleurs mortes pour prolonger la floraison des primevères. Au lieu de produire des graines, les plantes continueront à fleurir.

P. malacoides est une petite espèce sauvage à fleurs mauves. Les formes cultivées en appartement atteignent 45 cm. Du milieu de l'hiver au printemps, on peut voir s'ouvrir 20 à 30 fleurettes de 1,5 cm, rose vif, rouges ou blanches, qui s'élèvent au-dessus des feuilles vert clair, velues et festonnées.

P. obconica se caractérise par ses fleurs de 2,5 cm réunies en ombelles au sommet d'une hampe de 30 cm. Elles peuvent être roses, rouges, saumon, mauves ou blanches; le cœur des fleurs est vert pomme. La floraison peut s'étendre du milieu de l'hiver au début de l'été. Les feuilles arrondies sont coriaces et poilues, à marge dentelée et froncée. Les hybrides récents ont peu de poils sur le dessus des feuilles, mais en ont beaucoup sur le dessous et sur les tiges. Attention : les poils peuvent provoquer une éruption cutanée chez les personnes allergiques.

P. sinensis (primevère de Chine) présente un épi floral qui s'allonge à mesure que les fleurs s'ouvrent et peut atteindre 30 cm. Chaque épi comporte 2 ou 3 groupes de fleurettes de 2,5 à 4 cm, roses ou pourpres, à pétales délicatement ondulés et échancrés. Le cœur des fleurs est jaune. Les feuilles sont velues et lobées.

SOINS PARTICULIERS

Lumière Donner une lumière vive et un peu de soleil toute l'année.

Température Garder les primevères en fleur à une température de 10 à 13°C. Au-dessus de 16°C, la floraison est écourtée. Si la plante est installée temporairement dans une pièce plus chaude, placer les pots sur un plateau de gravillons maintenus humides et bassiner fréquemment le feuillage.

Arrosage Le mélange doit toujours être très humide; aussi faut-il arroser généreusement, mais ne pas laisser d'eau dans la soucoupe.

Engrais Donner de l'engrais liquide ordinaire tous les 15 jours durant la floraison, dès l'apparition des épis floraux.

Empotage et rempotage Utiliser un mélange à base de terreau (voir page 429). Transplanter rapidement les petits plants qu'on achète au début de l'automne dans des pots de 10 à 12 cm.

Multiplication En pépinière, elle se fait par semis, impraticable en appartement.

Pour garder *P. obconica* et *P. sinensis* une autre année, les placer dans un lieu frais, bien aeré et légèrement ombragé durant l'été et n'arroser que pour empêcher le mélange de se dessécher complètement. Un balcon protégé du soleil ou un châssis froid au jardin font très bien l'affaire. Au début de l'automne, enlever les feuilles mortes ou jaunies, renouveler la couche superficielle du mélange (voir page 428) et augmenter les apports d'eau.

Le jaunissement des jeunes feuilles peut indiquer un manque de magnésium. Pour corriger cette déficience, faire un apport de sulfate de magnésium en solution à raison de 7 ml par litre d'eau.

A l'automne, rentrer les primevères que l'on a gardées de l'année précédente. Enlever les feuilles mortes et renouveler le mélange en surface.

Pseuderanthemum

ACANTHACÉES

P. atropurpureum

Le genre *Pseuderanthemum* regroupe des plantes arbustives
que l'on classait autrefois dans le
genre *Eranthemum* et qui sont parfois encore vendues sous ce nom.
Les pseuderanthemums ont un
feuillage panaché très décoratif.
L'espèce la plus fréquemment cultivée en appartement est *P. atropurpureum*, un arbuste qui peut atteindre 90 cm de haut. Les jeunes
sujets sont plus beaux que les
vieux, les feuilles ayant tendance à
se clairsemer avec le temps et les
tiges à s'affaisser. Cependant, la
plante ne fleurit que lorsqu'elle atteint l'âge adulte. Les tiges droites
portent des feuilles opposées elliptiques, de 10 à 15 cm de long sur 5
de large, à court pétiole. Le limbe
luisant, pourpre et vert, présente
des macules roses, blanches ou
crème. En été, des épis floraux de
15 cm apparaissent au bout des
tiges, seulement chez les sujets
adultes. Ils sont composés de
nombreuses fleurettes tubuleuses
et élancées, blanches maculées de
rose, mesurant environ 2,5 cm.

SOINS PARTICULIERS

Lumière Exposer ces plantes au
plein soleil tamisé toute l'année.
Température Elles ont besoin de
chaleur et d'humidité et ne supportent pas des températures inférieures à 16°C. Placer les pots sur un
plateau de gravillons humides.

*Pour que les feuilles du
pseuderanthemum demeurent belles,
laisser toujours les pots sur des
gravillons maintenus humides.*

Arrosage Il doit être modéré toute
l'année. Bien humidifier le mélange
mais laisser sécher sur 1 cm entre
les arrosages.
Engrais Du printemps à l'automne, donner de l'engrais liquide
ordinaire tous les 15 jours.
Empotage et rempotage Utiliser un
mélange à base de terreau (voir
page 429). Rempoter quand des
racines apparaissent à la surface du
mélange et par les trous d'évacuation. Dès que la plante loge dans
un pot d'environ 16 cm, s'en servir
pour la multiplication.
Multiplication Au printemps, prélever des boutures terminales de 5 à
7,5 cm sous une paire de feuilles.
Enlever les feuilles inférieures et
plonger dans de la poudre d'hormones à enracinement. Planter
chaque bouture dans un pot de
8 cm rempli d'un mélange humide,
à volume égal de tourbe et de sable
grossier ou de perlite. Enfermer
dans un sachet de plastique ou une
caissette de multiplication chauffante (voir page 444). Exposer au
plein soleil tamisé à une température de 21 à 24°C. Quand la croissance reprend, découvrir le jeune
plant, l'arroser et le fertiliser
comme un sujet adulte. Dix semaines après, le transplanter dans un
pot de 10 cm rempli de mélange à
base de terreau.

Ptéride, voir *Pteris.*

Pteris

POLYPODIACÉES

Le genre *Pteris* (ptéride) est un
vaste genre qui regroupe de
nombreuses espèces de fougères,
dont plusieurs sont cultivées en
appartement. Les courts rhizomes
souterrains donnent naissance à
des touffes de frondes dont la
pointe a tendance à s'arquer. Certaines espèces présentent deux
types de frondes : les unes courtes
et stériles, les autres longues et porteuses de sporanges sur la face
inférieure des marges. Les autres
espèces présentent soit des frondes
stériles, soit des frondes fertiles.
Celles-ci, chez les espèces qui en
ont, s'enroulent autour des sporanges, ce qui fait disparaître leur
marge, visible sur les frondes
stériles.

Dans de bonnes conditions, les
pteris croissent toute l'année.
Voir aussi FOUGERES.

ESPÈCES RECOMMANDÉES

P. cretica n'a qu'un seul type de
frondes montées sur un pétiole noir
d'environ 15 cm. Les frondes vert
moyen ou vert clair mesurent ap-
proximativement 30 cm sur 20. Elles
se composent de paires (il peut y en
avoir jusqu'à quatre) de folioles
couronnées d'une foliole terminale.
Chaque foliole rubanée mesure
environ 10 cm de long sur 2 de large
et se termine en pointe. Chez les
sujets fertiles, toutes les folioles
peuvent porter des sporanges. La
variété *P. c.* 'Albolineata' présente
une étroite bande crème de chaque
côté de la nervure médiane des
folioles.

P. ensiformis se caractérise par
deux types de frondes triangulaires
vertes. Les unes, fertiles, peuvent
mesurer 35 cm de long sur 20 de
large avec un pétiole de 15 cm; elles
se composent de 8 paires de folioles
d'environ 10 cm sur 0,5. Les autres,
stériles, ne dépassent pas 23 cm de
long sur 15 de large avec un pétiole
de 10 cm; elles présentent seulement 6 paires de folioles de 7,5 cm
sur 1,5. Dans les deux cas, les
folioles sont souvent divisées en
pinnules. La variété *P. e.* 'Victoriae'
est très décorative : ses folioles et
parfois ses pinnules sont marbrées
de blanc argenté le long des nervures médianes.

P. cretica 'Albolineata'

Grenadier nain
P. granatum 'Nana'

P. tremula (fougère à crêtes) est une espèce importante et de croissance plus rapide que les deux autres. Elle ne porte qu'un type de fronde, à limbe triangulaire vert-jaune de 60 cm sur 30. Les pétioles vert moyen peuvent atteindre 40 cm. Chaque fronde se compose d'environ 4 paires de folioles lancéolées de 15 cm sur 5, elles-mêmes divisées en pinnules de petite taille, si bien que la fronde entière fait penser au feuillage de la carotte. Chez les sujets adultes, les marges des pinnules sont plus sombres à cause des nombreux sporanges bruns qui se trouvent au-dessous.

SOINS PARTICULIERS

Lumière Exposer les pteris à une lumière vive, mais jamais aux rayons directs du soleil.

Température On ne peut laisser les pteris à une température inférieure à 13°C. Si la température se maintient au-dessus de 18°C, placer les pots sur un plateau de gravillons maintenus humides et bassiner le feuillage tous les jours.

Arrosage Les pteris ne tolèrent aucune sécheresse au niveau des racines. Arroser généreusement en tout temps pour que le mélange reste très humide. Si la température ambiante tombe au-dessous de 16°C pendant plus d'une journée ou deux, laisser la couche supérieure du mélange sécher sur 1 cm entre les arrosages.

Engrais Donner de l'engrais liquide ordinaire dilué de moitié une ou deux fois par mois selon la composition du mélange. Il faut fertiliser plus souvent avec un mélange à base de tourbe.

Empotage et rempotage Utiliser un substrat à base de tourbe ou un composé à volume égal de mélange à base de terreau et de terreau de feuilles (voir page 429). Rempoter au printemps dans un récipient d'une taille supérieure, seulement lorsque les racines remplissent le pot (voir page 426). Le rhizome doit être enfoui à la surface du mélange. Quand la plante loge dans un pot de 20 à 24 cm, s'en servir pour la multiplication.

Multiplication Elle se pratique par division des touffes au printemps. Sectionner le rhizome en segments comportant chacun un bouquet de frondes et des racines. Les planter dans des pots de 10 cm remplis d'un mélange frais et humide et les cultiver comme des sujets adultes.

La plante produit tant de spores qu'on trouve souvent des plantules de pteris dans les pots des sujets adultes. On peut les transplanter dans des pots de 4 cm et les cultiver comme des sujets adultes. On peut aussi utiliser directement les spores (voir *FOUGERES*, page 215).

Remarque Couper les vieilles frondes extérieures lorsqu'elles se flétrissent. Elles seront vite remplacées par de nouvelles.

Des deux espèces qui constituent le genre *Punica*, une seule, *P. granatum* (grenadier), est cultivée à l'intérieur sous sa forme naine, *P. g.* 'Nana' (grenadier nain). Cette plante à croissance lente se présente sous la forme d'un arbuste touffu de 0,90 à 1,20 m de haut. Les feuilles vert moyen, coriaces, lancéolées et luisantes, de 2,5 cm sur 1,5, sont faiblement pétiolées. Elles poussent par paires ou en spirales de 3 ou 4 sur de courtes ramilles. Les fleurs campanulées et rouge-orange ont le calice rouge-pourpre; elles mesurent 2,5 cm et poussent au sommet des tiges latérales, seules ou par groupes de 2 ou 3.

La floraison commence à la fin du printemps et dure tout l'été. Elle est suivie par l'apparition de fruits ronds, de couleur jaune ou orange et de 5 cm de diamètre, auxquels le calice demeure attaché. Ils sont si nombreux que les branches ploient sous leur poids; ils sont comestibles mais peu savoureux. Après la fructification, les feuilles tombent.

SOINS PARTICULIERS

Lumière En période de croissance, exposer les punicas à une lumière vive et à trois ou quatre heures de plein soleil tous les jours. En période de repos, une lumière moyenne leur suffit.

Température En période de croissance, la température normale d'une pièce leur convient. Les garder au frais, à environ 13°C, après la chute des feuilles.

Arrosage Garder le mélange bien mouillé en période de croissance, mais ne pas laisser d'eau dans la soucoupe. En période de repos, n'arroser que pour empêcher le mélange de se dessécher.

Engrais Donner de l'engrais liquide ordinaire tous les 15 jours, pendant la croissance.

Empotage et rempotage Utiliser un mélange à base de terreau (voir page 429). Les punicas fleurissent mieux s'ils sont à l'étroit : rempoter tous les deux ans au printemps, pour terminer dans un pot de 16 à 20 cm. Ensuite, renouveler seulement le mélange en surface tous les ans (voir page 428).

Multiplication Elle se pratique en été par bouturage des pousses latérales. Prélever une bouture à talon de 5 à 8 cm; plonger le talon dans une poudre d'hormones et planter dans un pot de 8 cm rempli d'un mélange humide de tourbe et de sable grossier. Enfermer dans un sachet de plastique ou une caissette de multiplication (voir page 443) et exposer au plein soleil tamisé. Quand la croissance a repris, au bout de six à huit semaines, découvrir le jeune plant et arroser en laissant 2,5 cm du mélange sécher entre les arrosages. Pendant l'hiver, l'exposer à une lumière moyenne à environ 13°C. Au printemps, le placer au plein soleil tamisé. Quand il présente 5 à 8 cm de nouvelles pousses, le transplanter dans un pot de 10 cm rempli d'un mélange à base de terreau.

Remarque Rabattre les tiges faibles ou surchargées au début de l'hiver.

Quatre-saisons, voir *Hydrangea macrophylla.*
Queue-de-chat, voir *Acalypha hispida.*
Queue-de-rat, voir *Aporocactus.*
Raquette, voir *Opuntia microdasys.*

Rebutia
CACTACÉES

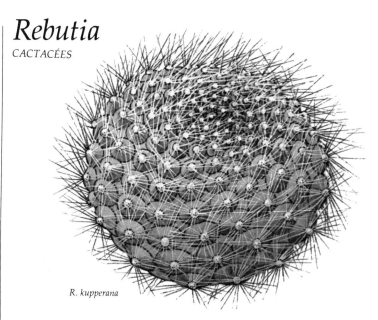

R. kupperana

Le genre *Rebutia* groupe une vingtaine d'espèces de cactées du désert, cultivées en appartement à cause de leur petite taille et de leurs fleurs remarquables. Leurs tiges sphériques ou cylindriques présentent des tubercules disposés en spirale et couronnés d'une aréole. Des fleurs ravissantes, en forme d'entonnoir et vivement colorées, apparaissent à la fin du printemps et au début de l'été. Elles poussent autour de la base des tiges en formant souvent des cercles complets. Elles s'ouvrent le matin pour se refermer

Pour obtenir un ensemble plus remarquable, ne pas détacher tous les rejets de la plante. Les fleurs des rebutias sortent des aréoles inférieures.

le soir et durent deux ou trois jours. Mais comme elles ne s'épanouissent pas toutes en même temps, la floraison peut durer plusieurs semaines. Les rebutias fleurissent généralement avant les autres cactées. Par ailleurs, même les jeunes sujets de 2 à 3 cm de diamètre peuvent fleurir. Ces plantes ne vivent cependant pas très longtemps. On verra souvent un rebutia de cinq ans mourir de sa floraison : la plante se couvre littéralement de fleurs, puis brunit et meurt.
Voir aussi CACTEES.

ESPÈCES RECOMMANDÉES

R. calliantha se caractérise par des tiges vert vif pouvant atteindre 15 cm de haut sur 6,5 de large. Avec ses rejets, la plante peut remplir un pot de 16 cm en moins de cinq ans. On y remarque jusqu'à 27 rangées de tubercules, chacun couronné d'une aréole portant 12 à 22 fines épines blanchâtres, entrecroisées, de 0,5 cm de long. Les fleurs rouge sang, de 4 cm, s'ouvrent au début de l'été.

R. kupperana présente des tiges vert foncé de 10 cm de haut sur 5 de large. Cette espèce est lente à former des rejets et peut mettre au moins six ans à remplir un pot de 16 cm. Ses tiges portent une quinzaine de rangées de tubercules de 3 mm de haut, couronnés d'aréoles garnies de 13 à 15 épines radiales brunes, de 0,5 cm, et de 1 à 3 épines centrales brun foncé, deux fois plus longues. Les fleurs rouge foncé, de 2,5 cm, s'ouvrent tôt en été. Elles apparaissent un peu plus haut sur la tige que celles des autres rebutias et entourent rarement la plante.

R. minuscula est une espèce à tiges presque sphériques, vert clair, d'au plus 5 cm de diamètre. Sa croissance est si rapide qu'elle peut remplir un pot de 16 cm en trois ou quatre ans. Les tubercules, de 2 mm de haut, sont disposés en 20 rangées. Chaque aréole porte 20 à 25 fines épines blanchâtres de 3 mm de long. Les fleurs rouge pâle s'ouvrent à la fin du printemps. Elles mesurent environ 4 cm de haut sur 2 de large.

R. minuscula produit plusieurs variétés dont deux très belles : *R. m. grandiflora*, à grandes fleurs rouges de 6,5 cm sur 5, et *R. m. violaciflora*, à fleurs violettes de 4 cm sur 2,5; les fleurs de cette dernière variété ont les pétales incurvés vers le bas et elles sont plus hâtives que celles des autres rebutias.

R. senilis se caractérise par ses tiges sphériques, vert clair, d'au plus 7,5 cm de diamètre. En moins de quatre ans, la plante peut former des colonies d'un étalement de 15 cm. Les tubercules n'ont que 2 mm de haut. Les aréoles portent 35 à 40 épines blanches d'environ 3 cm de long, aussi fines que des

R. calliantha

R. xanthocarpa salmonicolor

R. minuscula

cheveux, qui donnent à la plante un aspect argenté. Les fleurs rouge clair de 4 cm de long sur 2,5 de large apparaissent à la fin du printemps. Les fleurs de *R. s. kesselringiana* sont jaune d'or, et celles de *R. s. lilacinorosea* lilas.

R. xanthocarpa présente des tiges vert clair d'au plus 7,5 cm de haut sur 5 de large. En quatre ans, la plante peut atteindre un étalement de 15 cm avec ses rejets. Les tubercules de 2 mm de haut sont couronnés d'aréoles d'où sortent 15 à 20

épines radiales blanches de 0,5 cm. Les fleurs rose pâle de cette espèce sont très petites : elles mesurent seulement 2 cm de haut sur un peu plus de 1 cm de large. Elles s'ouvrent vers la fin du printemps. La variété la plus remarquable est *R. x. salmonicolor* dont les fleurs sont rose saumon.

SOINS PARTICULIERS

Lumière Bien que classés parmi les cactées du désert, les rebutias croissent dans des régions semi-désertiques où la végétation les protège un peu des rayons ardents du soleil. Il ne faut donc pas les exposer trop longtemps au soleil en été. Durant les trois autres saisons, par contre, les garder dans un endroit très ensoleillé, les rebutias poussant mal à l'ombre.

Température En période de croissance, la température normale d'une pièce leur convient. Pour favoriser la floraison, leur ménager un repos hivernal à 10°C ou moins; ils peuvent supporter des froids de 2 à 4°C.

Arrosage En période de croissance, il doit être modéré. Bien mouiller le mélange, mais laisser sécher la couche supérieure sur 1 cm entre les arrosages. En période de repos, il ne faut arroser que pour empêcher le mélange de se dessécher complètement.

Engrais Dans le cas des rebutias cultivés dans un mélange à base de terreau, donner un engrais à tomates riche en potassium, une fois par mois, pendant la période de croissance seulement. Si le mélange est à base de tourbe, fertiliser deux fois par mois, avec le même type d'engrais, pendant la période de croissance seulement.

Empotage et rempotage Utiliser un substrat poreux composé de sable grossier ou de perlite (1/4) et de mélange à base de terreau ou de tourbe (3/4) [voir page 429]. Comme les rebutias s'étalent beaucoup et ont un système radiculaire peu développé, il est préférable de les installer dans des contenants peu profonds ou dans des demi-pots. Un sujet à tige unique de 5 cm demande d'être placé dans un demi-pot de 8 cm, mais les rebutias de cette taille sont généralement déjà entourés de nombreux rejets et exigent un contenant plus grand.

Au début de la période de croissance, dépoter le rebutia. Si le contenant est plein de racines ou si les rejets touchent la paroi du pot, rempoter dans un contenant d'une taille plus grande. Sinon, enlever le plus de mélange possible sans endommager les racines et remettre la plante dans son pot après avoir nettoyé celui-ci. Ajouter du mélange de façon que la plante se trouve au même niveau que précédemment. Les épines des rebutias ne sont pas trop acérées, aussi la plante se manipule-t-elle facilement, contrairement à la plupart des autres cactées. S'il est recommandé d'entourer la plante de papier journal, c'est moins pour se protéger les doigts que pour éviter de l'endommager.

Multiplication La façon la plus simple consiste à détacher les rejets de la plante mère. Installer chaque rejet en le pressant dans un petit pot, rempli d'un mélange à base de terreau ou de tourbe, et le traiter immédiatement comme un sujet adulte. Il prendra racine très rapidement et produira à son tour des rejets. Ne pas détacher de la plante mère trop de rejets à la fois, car elle risquerait dès lors de perdre sa forme harmonieuse.

La multiplication par rejets donne des sujets identiques à l'espèce. On peut aussi procéder par semis. Cette méthode, également facile, donne de bons résultats, car les plantules d'un an peuvent parfois déjà fleurir, encore qu'il faille normalement attendre deux ans. On peut se procurer des graines dans le commerce et les rebutias en produisent eux-mêmes sous forme de cosses après la floraison. L'ennui, c'est que la plante s'hybridant facilement, on n'est jamais sûr de ce qu'on va obtenir, surtout si différentes espèces ont fleuri en même temps. Ceux que cette incertitude n'inquiète pas pourront récolter leurs propres graines lorsque les cosses s'ouvriront. Ces cosses ne sont pas mucilagineuses; il suffit donc de les secouer un peu et de mettre les graines de côté en attendant de les semer, au printemps suivant. (Voir la multiplication par semis chez les *CACTEES*, page 119.)

Rhapide, voir *Rhapis excelsa.*

Rhapis
PALMIERS

Rhapide
R. excelsa

Seulement deux espèces du genre *Rhapis* se cultivent à l'intérieur. Ce sont des palmiers à croissance lente, dotés de feuilles vert foncé en forme d'éventail. Ces feuilles, découpées longitudinalement en segments minces, sont portées sur des pétioles de 23 à 30 cm. Les tiges, non ramifiées et rigides, sont groupées en touffes; elles sont recouvertes d'une sorte d'écorce fibreuse et coriace, brun foncé. Les feuilles inférieures ont tendance à sécher et à tomber avec le temps. On peut les arracher soi-même. Dans leur chute, elles entraînent un peu d'écorce, laissant une cicatrice et découvrant la tige lisse vert sombre.
Voir aussi PALMIERS.

ESPÈCES RECOMMANDÉES

R. excelsa (parfois appelé *R. flabelliformis* et communément appelé rhapide) est la plus petite des deux espèces. Il présente des touffes de tiges de 2,5 cm d'épaisseur. Les feuilles sont composées de 5 à 8 segments à pointe émoussée et à marge dentée qui peuvent atteindre 23 cm sur 5. *R. excelsa* dépasse rarement 1,50 m de haut à l'intérieur. Sa forme à feuilles panachées, *R. e.* 'Zuikonishiki', présente des macules jaunes et dépasse rarement 60 cm de haut.

R. excelsa
'Zuikonishiki'

R. humilis peut atteindre 2,50 m de hauteur, mais ses tiges n'ont que 1 à 1,5 cm d'épaisseur; elles font penser à des roseaux. Ses feuilles sont plus arrondies que celles de *R. excelsa*. Elles se composent de 10 à 20 segments à extrémité pointue, pouvant atteindre 30 cm de long. La largeur des segments varie entre 0,5 et 4 cm.

SOINS PARTICULIERS

Lumière Exposer ces palmiers au plein soleil tamisé. En hiver, leur donner trois à quatre heures de plein soleil par jour.

Température Les rhapis supportent aussi bien la température normale d'une pièce que le froid, jusqu'à environ 7°C. Au froid, ils entrent en repos ou croissent plus lentement.

Arrosage Il doit être modéré en période de croissance. Bien humidifier le mélange, mais laisser sécher la couche supérieure sur 1 cm entre les arrosages. Si la plante entre en période de repos, arroser parcimonieusement en laissant 5 cm du mélange sécher entre les arrosages.

Engrais Donner de l'engrais liquide ordinaire une fois par mois, en période de croissance.

Empotage et rempotage Utiliser un mélange à base de terreau (voir page 429). Rempoter seulement tous les deux ans. Les rhapis viennent mieux dans des pots un peu petits pour leur taille. Quand la plante loge dans un pot de 30 cm, cesser les rempotages et renouveler seulement la couche superficielle du mélange (voir page 428) tous les printemps.

Multiplication Les rhapis produisent des surgeons à la souche qui peuvent servir à la multiplication. Choisir de préférence un surgeon possédant quelques racines. Le planter dans un pot de 8 à 12 cm rempli du mélange recommandé pour ces palmiers. Placer le pot dans un endroit chaud, à une lumière moyenne et arroser parcimonieusement : humidifier à peine le mélange et laisser sécher la couche supérieure sur 2,5 cm entre les arrosages. Lorsque la croissance a repris, traiter le jeune rhapis comme un sujet adulte.

Les rhapis se multiplient aussi par semis (voir *PALMIERS*, page 295), mais cette opération demande beaucoup de patience. La multiplication par surgeons est plus rapide et les résultats sont plus sûrs.

Rhipsalidopsis
CACTACÉES

Cactus de Pâques
R. gaertneri

Les deux espèces du genre *Rhipsalidopsis* (cactus jonc) ainsi que les nombreux hybrides nés de leur croisement sont très appréciés comme plantes d'intérieur. Ces cactées des forêts équatoriales denses produisent en effet des fleurs ravissantes au début du printemps, et, bien que chacune d'elles ne dure que deux ou trois jours, la floraison entière s'étale sur plusieurs semaines. Même les jeunes sujets fleurissent. Les tiges se composent de plusieurs articles aplatis, parfois anguleux, d'un beau vert vif. Les bords dentelés des articles portent de minuscules aréoles. Au sommet de chaque article se trouve une grande aréole allongée d'où sortent de nouveaux rameaux ou des fleurs, solitaires ou jumelées. Toutes les aréoles portent des poils jaunâtres ou bruns. Comme ils ne sont ni raides ni acérés, la plante se manipule sans danger. Les tiges sont d'abord dressées, puis elles tendent à s'arquer en allongeant, si

bien que le rhipsalidopsis se cultive avec bonheur en corbeille suspendue. Les sujets en bonne santé atteignent une hauteur et un étalement de 30 cm dans une corbeille de 10 à 12 cm, en trois à quatre ans. *Voir aussi CACTEES.*

ESPÈCES RECOMMANDÉES
R. gaertneri (connu autrefois sous le nom de *Schlumbergera gaertneri* et communément appelé cactus de Pâques) présente des articles minces et aplatis de 4 cm de long sur 2 de large. Les fleurs campanulées sont écarlates. Leur corolle mesure entre 2,5 et 4 cm.
R. rosea présente des articles aplatis ou à trois ou quatre côtés qui ne mesurent pas plus de 2 cm sur 1 à 1,5. Les fleurs rose pâle, plus étoilées que celles de *R. gaertneri*, ont 2,5 cm de diamètre.

Des croisements entre *R. gaertneri* et *R. rosea* ont produit plusieurs très beaux hybrides : notamment *R.* 'Paleface', *R.* 'Salmon Queen', *R.* 'Spring Dazzler' et *R.* 'Spring Princess'. Les tiges articulées de ces hybrides ressemblent plus à celles de *R. gaertneri* qu'à celles de *R. rosea*. Les fleurs campanulées ont souvent les pétales pointus, en

étoile, et leurs coloris vont du rose au pourpre.

SOINS PARTICULIERS
Lumière Ne pas exposer ces cactées aux rayons directs du soleil. Une lumière moyenne leur suffit. L'été, les placer à l'extérieur dans un endroit ombragé.

Température Il leur faut toute l'année la température normale d'une pièce. Ces plantes ne nécessitent pas un repos hivernal et ne supportent pas des températures inférieures à 10°C.

Arrosage Du tout début du printemps à la fin de la floraison, arroser généreusement pour que le mélange demeure très humide, mais ne pas laisser d'eau dans la soucoupe. Après la floraison, donner un court répit à la plante, pendant deux ou trois semaines, en ne l'arrosant que pour empêcher le mélange de se dessécher complètement. Après quoi, arroser modérément en laissant sécher la couche supérieure du mélange sur 1 cm entre les arrosages, jusqu'au printemps suivant. Si la température ambiante tombait au-dessous de 16°C pendant plusieurs jours, n'arroser durant cette période que pour empêcher le mélange de se dessécher complètement. Dans une pièce normalement chauffée, le rhipsalidopsis fleurira s'il a assez d'humidité; bassiner la plante quotidiennement. Si possible, arroser avec de l'eau de pluie à la même température que la pièce.

Engrais Dès l'apparition de boutons floraux, au tout début du printemps, donner tous les 15 jours de l'engrais à tomates riche en potassium. Si la plante se trouve dans un mélange à base de terreau, cesser de fertiliser dès que le dernier bouton s'est ouvert. Si elle se trouve dans un mélange à base de tourbe, cesser de fertiliser durant les deux ou trois semaines qui suivent la floraison (voir « Arrosage », ci-dessus); ensuite, redonner de l'engrais une fois par mois.

Empotage et rempotage Utiliser un mélange à base de terreau ou de tourbe (voir page 429), le second étant préférable au premier. Ajouter un quart de sable grossier ou de perlite pour améliorer le drainage. Rempoter après la courte période de repos, à la fin du printemps ou

339

au début de l'été. Dépoter la plante et enlever le plus de mélange possible autour des racines. Si les racines remplissent le pot, rempoter dans un contenant un peu plus grand. Autrement, nettoyer le pot et y replacer la plante dans du mélange neuf. Ces cactées n'ont pas beaucoup de racines; on ne devrait donc pas avoir à utiliser un pot de plus de 10 à 12 cm. Si le rhipsalidopsis est mis dans une corbeille suspendue, tapisser de sphaigne le fond de celle-ci pour retenir le mélange terreux.

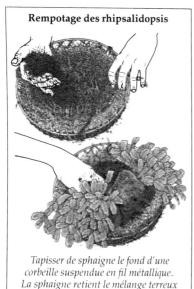

Rempotage des rhipsalidopsis

Tapisser de sphaigne le fond d'une corbeille suspendue en fil métallique. La sphaigne retient le mélange terreux et l'ensemble est plus beau à voir.

Multiplication Peu de cactées se multiplient aussi facilement que celle-ci. Au printemps ou en été, détacher un ou deux articles d'un léger mouvement de torsion. Si on en prélève deux, ne pas les séparer l'un de l'autre. Insérer l'article assez profondément dans un mélange ordinaire pour qu'il tienne debout. Utiliser un pot de 4 cm pour une seule bouture ou en grouper plusieurs dans une terrine ou un pot plus grands. Traiter tout de suite comme des sujets adultes.

Le rhipsalidopsis ne produit de graines que s'il a été délibérément pollinisé par croisement. Cependant, on peut se procurer dans le commerce des graines étiquetées « rhipsalidopsis hybrides », et la multiplication par semis ne présente aucune difficulté (voir CACTEES, page 119).

Rhipsalis
CACTACÉES

R. houlletiana

Les plantes du genre *Rhipsalis* (cactus corail) sont des cactées des forêts équatoriales denses. Elles se caractérisent par des tiges rampantes et très ramifiées qui rappellent peu le cactus et qui diffèrent beaucoup d'une espèce à l'autre. Certaines, minces, arrondies et entrelacées, ont donné son nom au genre (Rhipsalis dérive en effet d'un mot grec qui veut dire « vannerie »). D'autres sont formées d'articles arrondis tandis que d'autres encore sont aplaties et rubanées. Les aréoles sont disséminées sur les tiges arrondies tandis qu'elles sont logées dans les crénelures des tiges aplaties. Elles sont parfois laineuses et elles portent souvent des poils ou des soies. Le port retombant de ces plantes les destine à la culture en corbeilles suspendues.

Les fleurs du rhipsalis sont petites, mais nombreuses et jolies. Certaines sentent très bon. Elles ont généralement la forme d'une étoile et durent quelques jours. Elles cèdent la place ensuite à des petites baies blanches, persistantes. Les rhipsalis peuvent avoir deux floraisons annuelles : l'une au début du printemps, l'autre en hiver. *Voir aussi CACTEES.*

ESPÈCES RECOMMANDÉES
R. cereuscula présente de minces tiges arrondies vert vif qui peuvent mesurer 40 cm et se ramifient au sommet. La plante produit aussi de nombreux rameaux latéraux de 1 à 1,5 cm qui se couronnent de fleurs verdâtres de 1,5 cm. Les aréoles laineuses des tiges et des rameaux portent quelques poils courts.

R. cereuscula

R. crispata se caractérise par ses tiges vert clair de 60 cm dont les articles aplatis à bords crénelés peuvent atteindre 10 cm sur 5. Des fleurs jaunâtres de 1 à 1,5 cm sortent des aréoles presque invisibles situées dans les crénelures. Les tiges ne retombent pas autant que celles des autres espèces.
R. houlletiana présente des tiges arrondies, vert pâle, de 15 à 20 cm de long sur 0,5 de diamètre. Chaque tige porte deux sortes de rameaux : les uns, fins et arrondis, ont jusqu'à 30 cm de long, tandis que les autres, aplatis et semblables à des feuilles, peuvent mesurer 25 cm sur 2,5. Ces derniers sont

robustes et coriaces; ils sont bordés de dentelures garnies de petites aréoles d'où sortent des poils à peine visibles. La plante produit en abondance des fleurs blanc-jaune de 1 à 1,5 cm sur les seuls rameaux aplatis. Ceux-ci ont tendance à retomber, alors que les autres sont plutôt érigés.

R. pilocarpa est une espèce à tiges rondes, entrelacées et vert sombre qui peuvent mesurer 40 cm sur 0,5 et présentent des côtes longitudinales. Les fleurs de 2 cm, blanches ou crème et délicieusement parfumées, apparaissent sur les aréoles du sommet des tiges.

SOINS PARTICULIERS

Lumière Comme toutes les cactées des forêts équatoriales, les rhipsalis demandent de l'ombre; sous les rayons ardents du soleil, leurs tiges rougissent et se ratatinent. Les exposer à une lumière moyenne et les placer dehors pour l'été, dans un endroit ombragé.

Température Si l'air est suffisamment humide, la température normale d'une pièce leur convient toute l'année. Pour augmenter l'hygrométrie, poser les pots sur un plateau de gravillons maintenus humides ou suspendre des soucoupes d'eau sous les corbeilles; bassiner la plante tous les jours.

Arrosage Ne jamais laisser le mélange terreux sécher complètement. En période de croissance, c'est-à-dire au printemps et en été, arroser généreusement; le mélange doit rester très humide, mais il ne faut pas laisser d'eau dans la soucoupe. En hiver, à la température normale d'une pièce, arroser modérément en laissant la couche supérieure du mélange sécher sur 1 cm entre les arrosages. Les rhipsalis sont des plantes calcifuges; il est donc préférable de les arroser et de les bassiner avec de l'eau qui n'est pas dure, de l'eau de pluie par exemple.

Engrais Donner de l'engrais à tomates une fois tous les 15 jours, pendant la floraison, et une fois par mois le reste de l'année. Faire des apports d'engrais plus fréquents dès l'apparition du premier bouton floral et diminuer lorsque le dernier bouton s'est ouvert.

Empotage et rempotage Utiliser un mélange à base de tourbe (3/4), sans terreau, et de sable grossier ou de perlite (1/4). Lorsque les rhipsalis sont cultivés dans une corbeille suspendue, tapisser le fond de celle-ci de sphaigne pour retenir le mélange terreux. Les rhipsalis ont un système radiculaire peu développé et se contentent de petits pots. Un sujet à tiges retombantes de 30 cm ou plus s'accommodera bien d'un pot ou d'une corbeille de 8 à 10 cm de diamètre. Renouveler le mélange terreux une fois par an, même si la plante n'a pas besoin d'être rempotée. Enlever simplement l'ancien mélange, nettoyer le pot et y remettre le rhipsalis dans du mélange frais. Cette opération se pratique à n'importe quelle période de l'année, sauf au milieu de l'hiver. Dans le cas de rhipsalis à tiges articulées, ne pas oublier que les articles se détachent facilement les uns des autres et prendre les précautions qui s'imposent.

Multiplication Les rhipsalis se multiplient par boutures au printemps ou en été. Détacher un article ou prélever une branche et la couper en segments de 5 à 8 cm. Insérer les boutures dans un mélange ordinaire et les traiter comme des sujets adultes. On peut démarrer ensemble trois ou quatre boutures dans un pot de 6 à 8 cm. Les rempoter séparément quand elles se sont développées ou les grouper dans une corbeille suspendue.

Dans le cas de *R. houlletiana*, qui porte simultanément deux types de rameaux, les boutures pourront produire des jeunes plants identiques à la plante mère ou seulement au type de rameau prélevé. On évite ceci en procédant par semis (voir *CACTÉES*, page 119), mais le choix des graines est très limité.

Pour multiplier des rhipsalis non articulés, prélever une branche entière; ensuite, couper cette branche en plusieurs segments.

Rhododendron
ÉRICACÉES

Toutes les formes cultivées en appartement du genre *Rhododendron* sont issues de deux espèces : *R. obtusum* et *R. simsii* (nommé parfois à tort *Azalea indica* ou *R. indicum*). Les rhododendrons d'intérieur, presque tous des hybrides d'origine mixte, se présentent sous la forme de petits arbustes ne dépassant pas 45 cm de hauteur et d'étalement. Leurs feuilles, ovoïdes et coriaces, mesurent environ 2,5 cm de long, et leurs fleurs en forme d'entonnoir apparaissent au sommet des tiges.

On achète généralement ces plantes pour leurs fleurs, et il est possible de les conserver plusieurs années en leur donnant les soins voulus (voir « Empotage et rempotage » à la page suivante). Dans la nature, le rhododendron fleurit au printemps, mais les horticulteurs espacent leurs semis de façon à obtenir des sujets qui fleurissent à diverses périodes entre le début de l'hiver et la fin du printemps.

ESPÈCES RECOMMANDÉES

R. obtusum (azalée kurume) regroupe des hybrides à feuilles vernissées et à tiges couvertes d'un fin duvet brun, chez les jeunes sujets. Les fleurs mesurent 2,5 cm de diamètre. Elles apparaissent solitaires ou par groupes de deux ou trois. Elles peuvent être blanches, magenta ou de toutes les nuances de rose et de rouge.

Fleurs de
R. obtusum hybride

R. simsii (azalée) donne des hybrides à grandes fleurs. Les feuilles, parfois vernissées, présentent presque toujours des marges velues. Les inflorescences sont formées de bouquets de 2 à 5 fleurettes qui mesurent chacune 4 à 5 cm de diamètre et peuvent être

Azalée
*Rhododendron
simsii* hybride

simples ou doubles, avec parfois des pétales gaufrés. Les coloris sont les mêmes que ceux de l'autre espèce, sauf que les fleurs de certains *R. simsii* sont bicolores.

SOINS PARTICULIERS

Lumière Les rhododendrons en bouton ou en fleur doivent être exposés à une lumière vive, mais non aux rayons ardents du soleil. En dehors de la période de floraison, les exposer à une lumière moyenne, celle d'une fenêtre sans soleil par exemple; ils supportent une lumière plus vive si la pièce est fraîche.

Température Les rhododendrons aiment la fraîcheur, entre 7 et 16°C. Au-dessus de 21°C, les racines se dessèchent, les fleurs se fanent et les feuilles tombent. Augmenter la température très graduellement, s'il le faut à tout prix, mais les fleurs dureront moins longtemps.

Arrosage Il doit être généreux pour que les racines, qui se trouvent généralement dans de la tourbe seulement, ne soient jamais au sec. Utiliser de l'eau non calcaire, autrement la plante peut souffrir de chlorose, et ses feuilles se mettront à jaunir (voir page 458). Pour em-

pêcher cela, utiliser de l'eau de pluie ou ajouter à l'eau de la séquestrène ou chélate de fer. Augmenter l'humidité en plaçant les pots sur des gravillons humides.

Engrais Donner de l'engrais liquide non alcalin tous les 15 jours, de la fin du printemps au début de l'automne.

Empotage et rempotage Utiliser un substrat non alcalin composé de tourbe (1/2), de mélange à base de terreau (1/4) [voir page 429] et de sable grossier ou de perlite (1/4).

Pour donner à un rhododendron l'humidité dont il a besoin, on peut, par exemple, insérer son pot dans un autre plus grand, rempli de tourbe humide.

On ne peut garder ces plantes en appartement plus d'une saison à moins de faire comme suit : après la floraison, placer la plante dans un endroit très frais et arroser modérément en laissant le mélange sécher sur 1 cm entre les arrosages. Par temps doux, la mettre dehors. Lorsque tout danger de gel est écarté, la placer dehors à l'ombre ou, mieux encore, enfouir le pot dans le sol si celui-ci n'est pas calcaire. Arroser pour que le mélange reste humide et bassiner le feuillage durant les soirées chaudes. Fertiliser avec un engrais non alcalin. Au tout début de l'hiver, mais avant les premiers gels, rentrer la plante dans la maison pour une nouvelle saison de floraison.

Garder la plante dans une pièce fraîche pendant que les boutons se développent : un air chaud et sec ferait tomber les boutons et les feuilles. L'idéal serait de placer la plante dans une serre où la température se maintient entre 7 et 13°C. Dès le début de la floraison, le rhododendron peut être exposé à une lumière plus vive et à la température normale d'une pièce, mais pas au-dessus de 21°C.

Rempoter tous les deux ou trois ans, après la floraison mais avant de placer la plante dehors. Les hybrides de *R. obtusum* sont rustiques et peuvent être transplantés au jardin après la floraison si on ne désire pas les garder à l'intérieur.

Multiplication Elle se pratique par bouturage des nouvelles pousses au printemps. Planter une bouture terminale de 5 à 7,5 cm dans un pot de 8 cm rempli d'un mélange humide composé de tourbe (1/3) et de sable grossier ou de perlite (2/3). Enfermer dans un sachet de plastique ou une caissette de multiplication (voir page 443) et placer à l'ombre. L'enracinement se fait en 8 à 12 semaines. Transplanter alors la bouture dans un pot de 8 cm rempli du mélange recommandé pour les sujets adultes et lui donner les mêmes soins.

Remarque Seuls les gros plants se conservent. Les jeunes plants ont souvent été rempotés trop tôt dans des pots trop petits, leurs racines ont été coupées et ils sont incapables de supporter le traitement qui leur permettrait de continuer à croître et de refleurir.

Rhoeo
COMMÉLYNACÉES

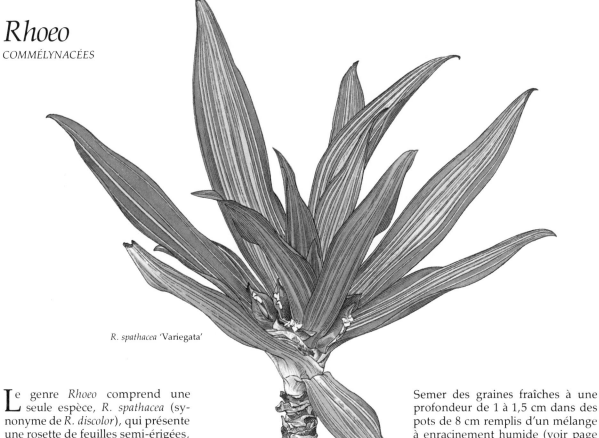

R. spathacea 'Variegata'

Le genre *Rhoeo* comprend une seule espèce, *R. spathacea* (synonyme de *R. discolor*), qui présente une rosette de feuilles semi-érigées, vert foncé sur le dessus et pourpres sur le dessous. Les feuilles mesurent 23 à 30 cm de long sur 6 de large. En vieillissant, la rosette développe une tige courte et charnue. De petites fleurs blanches et éphémères naissent à l'aisselle des feuilles. Elles sont enchâssées dans des bractées d'un beau vert-pourpre qui restent décoratives pendant plusieurs mois.

Il existe une magnifique variété panachée de cette espèce, *R. s.* 'Variegata' (ou *R. s.* 'Vittata'), dont les feuilles portent des rayures longitudinales jaune vif, qui peuvent se teinter de rose si la plante est exposée à une lumière vive. On a obtenu récemment une forme à rosette plus dense et à feuilles plus courtes, de 12 à 15 cm environ. Les rhoeos sont d'un bel effet en corbeilles suspendues.

SOINS PARTICULIERS
Lumière Exposer les rhoeos à une lumière vive sans soleil.
Température Il leur faut des températures supérieures à 15°C et beaucoup d'humidité : placer les pots sur un plateau de gravillons couverts d'eau.

Arrosage En période de croissance, arroser généreusement. Le reste de l'année, arroser parcimonieusement et laisser sécher les deux tiers du mélange entre les arrosages.
Engrais Donner de l'engrais liquide ordinaire seulement en période de croissance, tous les 15 jours.
Empotage et rempotage Utiliser un mélange à base de tourbe ou de terreau (voir page 429). Rempoter tous les printemps jusqu'à ce que la plante atteigne la taille désirée, ensuite renouveler seulement la couche superficielle du mélange (voir page 428). Les rhoeos ont peu de racines et viennent très bien dans des demi-pots.
Multiplication Après la floraison, la plante produit à la souche des rejets qu'on peut prélever dès qu'ils ont de 7,5 à 10 cm. Les planter individuellement dans des pots de 8 à 10 cm, remplis d'un mélange composé à volume égal de tourbe et de sable, et les cultiver comme des sujets adultes.

La multiplication peut également se faire par semis, au printemps.

Semer des graines fraîches à une profondeur de 1 à 1,5 cm dans des pots de 8 cm remplis d'un mélange à enracinement humide (voir page 444). Les enfermer dans un sachet de plastique transparent ou une caissette de multiplication (voir page 443) et les placer dans un endroit chaud, à une lumière moyenne. Lorsque les graines ont germé, au bout de quatre à six semaines, découvrir les pots. Donner alors de l'engrais liquide ordinaire une fois par mois et arroser modérément en laissant la couche supérieure du mélange sécher sur 1 cm entre les arrosages. Quand les plantules ont atteint 10 cm, les rempoter individuellement dans du mélange ordinaire et les cultiver comme des sujets adultes.

Pour réussir la multiplication d'un rhoeo, prélever à la souche un rejet qui possède déjà quelques racines.

Rhoicissus
VITACÉES

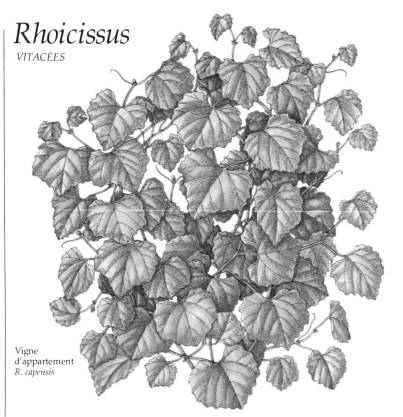

Vigne
d'appartement
R. capensis

Rochea
CRASSULACÉES

R. coccinea

Une seule espèce du genre *Rhoicissus* se cultive à l'intérieur : il s'agit de *R. capensis* (vigne d'appartement), à tiges ligneuses rampantes. Les feuilles luisantes, arrondies ou cordiformes, et festonnées peuvent atteindre 20 cm de diamètre. Elles présentent des marges dentelées et ondulées. Leur limbe vert émeraude, veiné de vert clair, est brun rouille au revers. La plante produit des vrilles qui s'accrochent à n'importe quel support. Elle est facile à cultiver et atteint rapidement 1,20 à 1,80 m de haut.
Note : Pour *Rhoicissus rhomboidea*, voir *Cissus rhombifolia*.

SOINS PARTICULIERS
Lumière Exposer la plante à une lumière vive, sans soleil.
Température Le rhoicissus s'accommode de températures chaudes ou fraîches. Lui ménager un repos hivernal entre 10 et 13°C.
Arrosage Il doit être généreux en période de croissance pour que le mélange reste constamment humide. Pendant le repos hivernal, laisser sécher les deux tiers du mélange entre les arrosages.
Engrais En période de croissance, donner de l'engrais liquide ordinaire tous les 15 jours.

Empotage et rempotage Utiliser un mélange à base de terreau (voir page 429). Rempoter tous les printemps pendant les premières années, puis renouveler seulement la couche superficielle du mélange (voir page 428) tous les ans.
Multiplication Prélever des boutures terminales de 8 à 10 cm au moment où la croissance reprend au printemps. Plonger dans de la poudre d'hormones à enracinement et planter trois ou quatre boutures dans un pot de 8 cm rempli d'un mélange humide, composé à volume égal de tourbe et de sable. Enfermer dans un sachet de plastique et placer dans un endroit chaud, au plein soleil tamisé par un store ou un rideau. L'enracinement se fait en quatre à six semaines. Rempoter alors chaque bouture dans un mélange ordinaire et la cultiver comme un sujet adulte.
Remarques Pincer les bourgeons terminaux pour favoriser la ramification. Tuteurer les branches indisciplinées. Rabattre les sujets trop volumineux : de nouvelles pousses sortiront des vieilles tiges.

Ricinelle, voir *Acalypha*.
Rince-bouteilles, voir *Callistemon*.

Les rocheas sont de tout petits arbrisseaux cultivés principalement pour leurs grappes de fleurs. Ces plantes grasses dépassent rarement 45 cm de hauteur et 20 cm d'étalement. Elles présentent des tiges très ramifiées de 30 à 60 cm de long et de 8 mm de diamètre. Les feuilles alternes et coriaces sont elliptiques et pointues. Elles sont vert moyen, mesurent environ 2,5 sur 1 cm et ont 3 mm d'épaisseur. Les fleurs rouges ou blanches sont réunies en ombelles de 5 à 7,5 cm de diamètre, au sommet des tiges. Chaque fleur est formée d'un tube qui peut atteindre 2,5 cm de long et qui s'évase en 5 minuscules pétales. La floraison a lieu au printemps et en été.
Voir aussi PLANTES GRASSES.

ESPÈCES RECOMMANDÉES
R. coccinea, l'espèce la mieux connue, porte de belles fleurs rouge vif. Deux de ses variétés sont encore plus renommées qu'elle : il s'agit de *R. c.* 'Flore-albo', à fleurs blanc pur, et de *R. c.* 'Bicolor', à fleurs rouge et blanc. Toutes les formes de cette espèce ont un parfum qui rappelle beaucoup celui de la jacinthe.
R. versicolor présente des feuilles presque lancéolées; elles sont plus étroites que celles de *R. coccinea*. Les fleurs sont de couleurs très différentes d'une forme à l'autre : elles peuvent être blanches, jaune pâle ou roses, et leur surface extérieure est souvent maculée de rouge.

Lumière Exposer les rocheas au plein soleil toute l'année, pour avoir des plants bien touffus.

Température Il leur faut presque toute l'année la température normale d'une pièce. Il est conseillé cependant de leur faire prendre un repos hivernal durant les mois où les jours sont très courts. Les placer dans un endroit frais, à une température de 10 à 16°C.

Arrosage Il doit être modéré en période de croissance : bien mouiller le mélange, mais en laisser sécher la couche supérieure sur 1 cm entre les arrosages. Durant les mois d'hiver où la croissance doit ralentir, arroser parcimonieusement et laisser sécher les deux tiers du mélange entre les arrosages, autrement les rocheas continueront à croître à un moment où la lumière est insuffisante (voir « Lumière », ci-dessus).

Engrais Dès l'apparition des boutons floraux, donner de l'engrais à tomates riche en potassium tous les 15 jours. Cesser de fertiliser quand les dernières fleurs se sont fanées.

Empotage et rempotage Utiliser un substrat poreux composé de sable grossier ou de perlite (1/3) et de mélange ordinaire à base de terreau (2/3) [voir page 429]. Rempoter tous les printemps. Si, en hiver, la plante se dégarnit trop de ses feuilles inférieures, il vaut mieux s'en défaire et la remplacer par un jeune plant obtenu par bouturage. Il est peu probable que la plante ait à occuper un pot de plus de 14 cm.

Multiplication Les rocheas se multiplient facilement par bouturage des tiges, au printemps ou en été. Prélever une bouture terminale de 7,5 à 10 cm à l'aide d'un couteau ou d'un sécateur. La laisser sécher pendant deux ou trois jours, puis la placer dans un pot de 8 cm rempli du mélange recommandé pour les sujets adultes. La traiter immédiatement comme un sujet adulte. L'enracinement prend trois à quatre semaines.

Il est également possible de procéder à la multiplication par semis (voir *PLANTES GRASSES*, page 323), mais cette méthode demande beaucoup de patience et les résultats ne sont pas toujours satisfaisants. Aussi n'est-elle pas recommandée.

Rohdea

LILIACÉES

R. japonica

Dans le genre *Rohdea*, il n'y a qu'une seule espèce cultivée à l'intérieur : *R. japonica*. Cette plante vivace à souche rhizomateuse présente des feuilles épaisses, coriaces et arquées, disposées en touffes sur deux rangées. Chaque feuille rubanée et légèrement ondulée, d'un beau vert mat, peut atteindre 30 cm sur 7,5. Au début du printemps, une hampe florale de 30 cm s'élève au centre de la plante. Elle est coiffée par un épi de fleurs blanches ou jaune clair de 5 cm. Aux fleurs succèdent des baies rouges.

Cette espèce a donné naissance à de nombreuses formes panachées, entre autres : *R. j.* 'Marginata' à feuilles marginées de blanc et *R. j.* 'Variegata' à feuilles rayées de blanc ou de jaune.

SOINS PARTICULIERS

Lumière Exposer les rohdeas à une lumière moyenne, jamais au plein soleil. On peut les cultiver dans des endroits sombres mais, loin d'une fenêtre, ils ne fleuriront pas.

Température Les rohdeas croissent mieux à des températures fraîches, de 13 à 18°C. Durant leur repos hivernal, les laisser dans une pièce où il fait environ 10°C. Au-dessus de 18°C, augmenter l'hygrométrie en plaçant les pots sur un plateau de gravillons humides.

Arrosage Il doit être généreux en période de croissance; en période de repos, n'arroser que pour empêcher le mélange de se dessécher complètement.

Engrais Donner de l'engrais liquide ordinaire tous les 15 jours, pendant la période de croissance seulement.

Empotage et rempotage Utiliser un substrat composé à volume égal de mélange à base de terreau (voir page 429) et de tourbe ou de terreau de feuilles. Enfouir le rhizome ou les segments de rhizome juste sous la surface du mélange. Rempoter à la fin de la floraison. Quand la plante atteint la taille désirée, cesser les rempotages et renouveler seulement la couche superficielle du mélange au début de la floraison (voir page 428).

Multiplication Elle se fait par division des touffes au printemps. Lorsqu'un sujet devient trop volumineux, le dépoter, enlever presque tout l'ancien mélange autour du rhizome et des racines, et séparer les touffes. Pour chaque groupe de feuilles, garder un segment de rhizome d'au moins 5 cm. Planter chaque segment dans un pot de 8 cm rempli du mélange terreux recommandé pour les sujets adultes et donner aux jeunes plants les mêmes soins qu'à ceux-ci.

Rosa

ROSACÉES

Rose de Chine
Variété de *R. chinensis*

Les seuls rosiers cultivés à l'intérieur sont des formes miniatures dérivées pour la plupart d'une espèce naine, *R. chinensis* (rosier ou rose de Chine). Les hybridations ont été nombreuses et toutes les variétés actuelles sont issues de croisements. On trouve des rosiers buissonnants, grimpants et même arbustifs. En appartement, ils mesurent généralement de 25 à 30 cm de haut. Ce sont des plantes très rameuses, à bois tendre, portant peu d'épines. Les feuilles vert moyen se composent de 5 ou 7 folioles ovales, dentées. Les fleurs peuvent être simples ou doubles, parfumées ou non, et de différentes couleurs. Leur diamètre varie entre 0,5 et 4 cm. Parmi les rosiers miniatures, on trouve des hybrides de thé, caractérisés par des boutons coniques s'ouvrant grand sur une longue hampe, des rosiers floribunda dont les fleurs sont groupées en bouquets, et des rosiers mousseux dont les tiges et les boutons, en groupes de 3 ou 4, sont recouverts d'un duvet moussu.

Les rosiers d'intérieur constituent généralement des acquisitions éphémères : on les garde durant leur floraison, puis on s'en défait. Il est pourtant possible de les conserver longtemps en leur ménageant un repos annuel dans un endroit froid.

SOINS PARTICULIERS

Lumière En période de croissance, les rosiers exigent pour fleurir 14 à 16 heures de lumière par jour. Quand les jours raccourcissent, suppléer au manque de lumière naturelle par un éclairage artificiel (voir page 446). Disposer les plantes à 8 ou 10 cm de tubes fluorescents. Durant leur repos hivernal, les rosiers perdent leurs feuilles; la lumière est alors sans importance.

Température La température normale d'une pièce leur convient bien, pendant la croissance. Les rosiers qu'on veut conserver doivent cependant être mis dans un endroit où la température ne monte pas au-dessus de 7°C, durant deux mois. Si le climat le permet, on peut les placer sur le rebord extérieur d'une fenêtre, sur une véranda ou un balcon en novembre et en décembre : dans certains cas, la croissance reprendra dès le mois de janvier et les rosiers fleuriront avant la fin de l'hiver. Il faut leur éviter les brusques écarts de température et les acclimater graduellement au passage du repos à la croissance, et vice versa.

Arrosage En période de croissance, arroser modérément. Bien mouiller le mélange, mais laisser sécher sur 1 cm entre les arrosages. En période de repos, n'arroser que pour empêcher le mélange de se dessécher.

Engrais Donner de l'engrais liquide ordinaire tous les 15 jours, pendant la période de croissance seulement.

Empotage et rempotage Utiliser un mélange à base de terreau (voir page 429). Les rosiers miniatures fleurissent plus généreusement si leurs racines sont à l'étroit et s'ils sont régulièrement rabattus (voir « Remarques », ci-dessous). Les cultiver dans des pots de 10 à 12 cm et renouveler le mélange terreux après le repos hivernal.

Multiplication Elle se pratique au début du printemps, par bouturage des tiges ou par semis. Prélever des boutures terminales de 5 à 7,5 cm. Plonger dans de la poudre d'hormones à enracinement et planter individuellement dans des pots de 8 cm remplis d'un mélange humide, composé à volume égal de tourbe et de sable. Enfermer dans un sachet de plastique transparent et placer au plein soleil tamisé, dans un endroit chaud. Au bout de six à huit semaines, quand de nouvelles pousses apparaissent, découvrir le jeune plant, l'arroser juste assez pour que le mélange reste humide et lui donner de l'engrais liquide ordinaire tous les 15 jours. Trois ou quatre mois plus tard, le transplanter dans un mélange à base de terreau et lui donner les mêmes soins qu'à un sujet adulte.

Les semis ne permettent pas toujours de reproduire les formes exactement. Et on ne trouve généralement de graines que pour *R. chi-*

Fleurs de variétés
de *R. chinensis*

nensis 'Minima' et *R. polyantha* 'Nana'. Toutefois, si l'on veut procéder par semis, planter une seule graine à environ 1 cm de profondeur dans un pot de 6 cm rempli d'un mélange à enracinement humide, ou planter plusieurs graines franchement espacées dans une terrine à semis. Enfermer dans un sachet de plastique et garder à environ 10°C durant trois ou quatre semaines. Ensuite, placer dans une pièce où règne une température normale. Dès qu'une plantule apparaît, ouvrir le sachet et exposer au plein soleil tamisé par un store ou un rideau transparent. Arroser juste assez pour que le mélange reste humide. Lorsque les plantules ont 2,5 à 5 cm de haut, leur donner de l'engrais liquide ordinaire tous les 15 jours. Les transplanter dans un pot de 8 cm contenant du mélange ordinaire et les exposer à une lumière vive dès qu'elles mesurent entre 7,5 et 10 cm. Donner plus d'eau, mais laisser le mélange sécher sur 1 cm entre les arrosages. A cette étape, un éclairage artificiel peut hâter la croissance (voir page 446). Lorsque les jeunes plants ont atteint 13 à 15 cm de haut, les transplanter dans des pots de 10 cm. Cultiver alors comme des sujets adultes.

Remarques A la fin de la période de repos, rabattre de moitié les pousses de la croissance précédente. Couper au-dessus d'un bourgeon extérieur, de façon à bien dégager le centre de la plante. Supprimer régulièrement les fleurs fanées en coupant un segment de 5 cm de tige. Cette dernière taille doit se faire durant la période de croissance.

Les rosiers exigent beaucoup d'humidité pendant leur croissance. Par ailleurs, l'humidité les protège des araignées rouges (voir page 454). Poser les pots sur des plateaux de gravillons couverts d'eau ou de la tourbe humide et bassiner le feuillage chaque jour. Ils ont aussi besoin d'air : les placer souvent près d'une fenêtre ouverte.

Rose de Chine, voir *Hibiscus.*
Rose de Chine, voir *Rosa chinensis.*
Roseau à taureau, voir *Scirpus cernuus.*
Rosier, voir *Rosa chinensis.*

Ruellia
ACANTHACÉES

R. makoyana

Une seule espèce du genre *Ruellia* est cultivée à l'intérieur : *R. makoyana*, une plante rampante à floraison hivernale. Ses feuilles satinées, opposées et ovales mesurent environ 7,5 cm de long sur 2,5 à 4 cm de large. Leur limbe vert olive à reflets violets présente des veines argentées très marquées sur le dessus. Le dessous des feuilles est pourpre sombre. Les fleurs en forme de trompette sont rouge rosé. Elles mesurent 5 cm de long et leur corolle a un diamètre d'environ 6 cm. Elles naissent solitaires à l'aisselle des feuilles supérieures. Les tiges rameuses et rampantes peuvent mesurer 60 cm.

SOINS PARTICULIERS

Lumière Exposer les ruellias à une lumière vive, sans soleil. Un manque de lumière en hiver peut abréger la floraison.

Température Garder ces plantes dans une atmosphère chaude et humide, jamais au-dessous de 13°C. Placer les pots sur un plateau de gravillons couverts d'eau et suspendre des soucoupes d'eau sous les corbeilles. Si la température s'élève au-dessus de 21°C, bassiner le feuillage tous les jours.

Arrosage Il doit être modéré : laisser sécher le mélange sur 1 cm entre les arrosages. A la fin de la floraison, accorder à la plante un repos de six à huit semaines : n'arroser alors que pour empêcher le mélange de se dessécher.

Engrais Donner de l'engrais liquide ordinaire tous les 15 jours, sauf pendant la période de repos.

Empotage et rempotage Utiliser un substrat composé à volume égal de tourbe ou de terreau de feuilles et de mélange à base de terreau (voir page 429). Rempoter au printemps dans des demi-pots ou des corbeilles suspendues, si les racines occupent tout le contenant.

Multiplication En été, prélever des boutures terminales de 7,5 à 10 cm au-dessous d'un nœud. Enlever les feuilles inférieures et plonger dans de la poudre à enracinement. Planter individuellement dans des pots de 6 à 8 cm remplis d'un mélange humide, composé à volume égal de tourbe et de sable grossier ou de perlite. Enfermer chaque pot dans un sachet de plastique ou une caissette de multiplication (voir page 443) et exposer au plein soleil tamisé. Quand la croissance a repris, découvrir le jeune plant et arroser parcimonieusement. Dès que les nouvelles pousses atteignent 5 à 7 cm, donner de l'engrais tous les 15 jours. Au bout de 10 à 12 semaines, rempoter dans un pot de 10 cm rempli du mélange recommandé pour les sujets adultes (ou grouper 3 ou 4 plants dans une corbeille suspendue). Cultiver comme des ruellias adultes.

Remarque Les pucerons peuvent attaquer les jeunes pousses des ruellias (voir page 455).

Sabot-de-Vénus, voir *Paphiopedilum.*
Sagoutier, voir *Cycas revoluta.*

Saintpaulia

GESNÉRIACÉES

Les saintpaulias (violettes africaines, violettes d'Uzambara ou violettes du Cap) sont peut-être les plantes d'intérieur les plus prisées. Le genre comporte plus de 20 espèces, mais l'amateur accorde sa préférence aux variétés et aux hybrides modernes plutôt qu'aux espèces types. On trouvera dans ces pages de superbes formes modernes ainsi que les 5 espèces d'où proviennent la plupart des nouveaux hybrides. Ce sont toutes des plantes florifères très colorées.

Les saintpaulias ont un système radiculaire restreint. Ils se caractérisent par une courte tige couronnée d'une rosette de feuilles ou, au contraire, par une tige rampante et rameuse portant des feuilles alternes. Les feuilles sont arrondies ou ovales, pubescentes, vert moyen sur le dessus et vert clair sur le dessous. Leurs pétioles charnus sont vert clair.

S. 'Rhapsodie Venus'

S. 'Ballet Eva'

S. 'Winter's Dream'

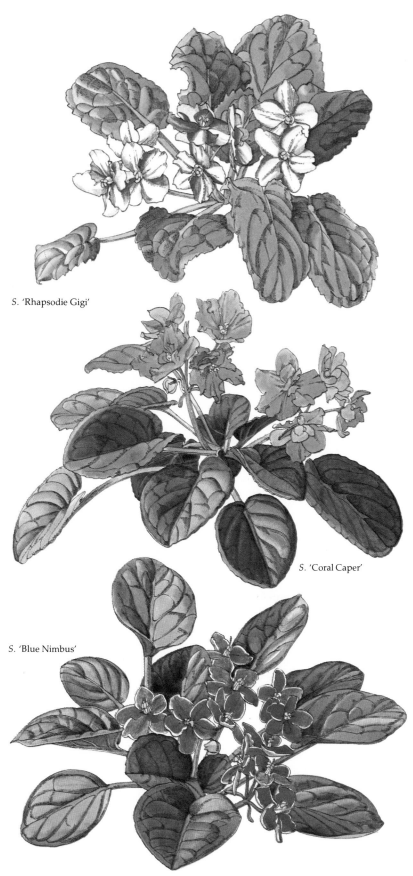

S. 'Rhapsodie Gigi'

S. 'Coral Caper'

S. 'Blue Nimbus'

Chez les sujets adultes, les pédoncules floraux naissent à l'aisselle des feuilles. Ils se ramifient au sommet et chaque rameau donne naissance à un petit calice vert clair portant une corolle tubuleuse de 3 mm de long. La corolle s'évase en 5 lobes si étalés qu'ils ressemblent à des pétales. Les fleurs des espèces sont simples : elles n'ont qu'une rangée de pétales. Mais on trouve des fleurs doubles chez les hybrides et les variétés. En général, les 2 lobes supérieurs sont beaucoup plus petits que les 3 autres, mais certaines formes ont des fleurs étoilées à lobes égaux. Les étamines jaune d'or ressortent toujours beaucoup au centre des fleurs qui peuvent être blanches ou de toutes les nuances du bleu, du pourpre, du rose et du rouge. La croissance des saintpaulias est ininterrompue.

Il existe maintenant des milliers de variétés de saintpaulias. Il n'y a donc pas à s'inquiéter si l'on ne trouve pas l'une des formes nommées ici. Par ailleurs, on ne peut toujours préciser les dimensions des feuilles et des fleurs, car la taille même des variétés et des hybrides dépend des conditions de culture.

SAINTPAULIAS RECOMMANDÉS

S. **'Ballet'** est un groupe d'hybrides dont les feuilles ovales ou elliptiques, vert moyen ou sombre, présentent une marge festonnée. Les fleurs à 5 lobes ou davantage sont gaufrées. Elles peuvent être blanches, roses, pourpres, bleu uni ou bleues à marges blanches. La plante entière a un étalement d'environ 30 cm. Elle est très facile à cultiver.

S. **'Bicentennial Trail'** est une plante rampante à feuilles lancéolées vert moyen et à fleurs doubles rose foncé. Elle est très jolie en corbeille suspendue. Les tiges s'enracinent au niveau des nœuds.

S. confusa est une espèce à rosette. Ses feuilles arrondies, velues et légèrement festonnées mesurent 4 cm sur 3. Les pétioles ont 7,5 cm de long. Les pédoncules floraux peuvent atteindre 10 cm de haut et portent jusqu'à 4 fleurs bleu-mauve, de 2,5 à 3 cm de diamètre.

S. **'Eternal Snow'** présente des feuilles vert moyen et de grandes fleurs doubles, blanches. La rosette atteint 40 cm.

S. grandifolia se distingue par des feuilles plus minces et plus grandes que celles des autres espèces à rosette. Les feuilles ovales et festonnées atteignent 10 cm sur 9, et leurs pétioles 10 cm. Les tiges florales, d'environ 7 cm, portent jusqu'à 20 fleurs violettes, de 2 cm de diamètre.

S. grotei a donné naissance à un grand nombre de saintpaulias rampants. Les tiges très ramifiées peuvent mesurer 20 cm. Les feuilles arrondies et veloutées, d'environ 7 cm de diamètre, présentent des marges en dents de scie. Leur pétiole atteint 25 cm. Les hampes, d'environ 18 cm, portent 2 à 4 fleurs de 2,5 cm de diamètre; elles sont violet foncé au centre et bleu-violet sur les marges des pétales.

S. ionantha est une espèce à rosette dont les feuilles ovales, veloutées et légèrement festonnées ont 7,5 cm sur 4. Leur pétiole mesure 6,5 cm. Le dessous du limbe est parfois teinté de rouge. Les hampes, de 12 cm, portent 2 ou 3 fleurs violettes de 2,5 cm environ de diamètre.

S. 'Little Delight' est un hybride miniature dont la rosette dépasse rarement 15 cm de diamètre. Les feuilles lancéolées sont vert moyen. Les fleurs doubles sont blanches à marge pourpre.

S. 'Midget Bon Bon' se caractérise par ses feuilles vert clair panachées de blanc et ses fleurs rose pâle à 5 lobes. La plante ne dépasse pas 15 cm de diamètre.

S. 'Mini-Ha-Ha' ne dépasse pas non plus 15 cm de diamètre. Ses feuilles lancéolées sont vert foncé et ses fleurs doubles sont mauves, teintées de pourpre.

S. 'Optimara' est un groupe d'hybrides récents. Les feuilles vert moyen, arrondies et légèrement festonnées, sont groupées en rosette. Les fleurs à 5 lobes, bleues, blanches ou rouges, ont les marges gaufrées.

S. 'Pink N Ink', hybride à rosette de 25 cm de diamètre, se caractérise par des feuilles arrondies vert moyen et des fleurs étoilées roses, striées de pourpre.

S. 'Pixie Trail' est une plante miniature rampante qui se distingue par ses feuilles cordiformes et ses fleurs roses. Contrairement aux autres formes rampantes plus volumineuses que l'on doit placer en corbeille suspendue, celle-ci se cultive dans un demi-pot.

S. 'Rhapsodie' forme un groupe d'hybrides dont plusieurs sont maintenant connus sous le nom de *S. 'Melodie'*. Leurs feuilles arrondies et légèrement festonnées sont vert foncé. Les fleurs, simples ou doubles, peuvent être roses, rouges ou bleues. Ces plantes atteignent 30 cm de diamètre et se cultivent aussi facilement que les hybrides *S. 'Ballet'*.

S. schumensis est une espèce à rosette dont dérivent plusieurs saintpaulias miniatures. Ses feuilles, de 3 cm, sont arrondies, festonnées et velues. Leur pétiole mesure 5 cm. Les hampes, d'environ 5 cm, portent jusqu'à 5 fleurs mauve pâle, maculées de violet sur les lobes supérieurs, de 2,5 cm.

S. 'Tommie Lou' forme un groupe d'hybrides très renommés pour leur feuillage panaché. Les feuilles ovales et à peine festonnées sont vert foncé au centre avec des marges et des macules en forme de plumes, blanches ou crème. Les fleurs simples ou doubles arborent toutes les couleurs propres aux saintpaulias. La rosette ne dépasse pas 40 cm de diamètre.

S. 'Violet Trail', plante rampante volumineuse, se caractérise par des feuilles cordiformes vert foncé sur le dessus et rouges sur le dessous. Ses fleurs chatoyantes et étoilées, d'un mauve violet, ont les 5 lobes égaux.

SOINS PARTICULIERS

Lumière Exposer toute l'année les saintpaulias à une lumière vive, sans soleil. Deux ou trois heures par jour de plein soleil tamisé leur conviennent bien à condition que ce ne soit pas vers midi : les fleurs et les feuilles risqueraient d'être brûlées. Les saintpaulias poussent bien à la lumière artificielle : placer les plantes à 30 cm des tubes fluorescents pendant 12 heures tous les jours (voir page 446). La floraison est généralement ininterrompue.

Température La maintenir entre 18 et 24°C sous peine de voir la croissance des saintpaulias ralentir ou s'arrêter. L'humidité est essentielle. Poser les pots sur un plateau de gravillons couverts d'eau ou suspendre des soucoupes d'eau sous les corbeilles.

Arrosage Il doit être modéré. Bien mouiller le mélange, mais le laisser sécher sur 1 cm entre les arrosages. Si la température ambiante tombe au-dessous de 16°C pendant quelques jours, laisser sécher le mélange sur 2,5 cm avant d'arroser de nouveau. Ne jamais donner trop d'eau : les racines risqueraient de pourrir.

Engrais A chaque arrosage, donner de l'engrais liquide contenant de l'azote, du phosphate et du potassium à doses égales; le diluer des trois quarts.

Empotage et rempotage Utiliser un mélange à volume égal de tourbe de sphaigne, de perlite et de vermiculite, additionné de 45 à 60 ml de chaux dolomitique par litre de substrat. Planter les saintpaulias à rosette dans des pots peu profonds dont le diamètre sera égal au tiers environ de celui de la rosette. On ne devrait pas avoir besoin d'un pot de plus de 12 à 15 cm. Les formes miniatures et les jeunes sujets rampants peuvent être cultivés en pots, mais des corbeilles suspendues conviennent mieux aux formes rampantes volumineuses : leurs tiges auront tout l'espace voulu pour prendre racine.

Les saintpaulias donnent de meilleurs résultats lorsqu'ils sont un

Pour les saintpaulias à rosette, prendre un pot dont le diamètre est égal au tiers de celui de la plante.

peu à l'étroit dans leur pot. Ne les rempoter dans un contenant de taille supérieure que deux mois après que leurs racines ont rempli le pot (voir page 426). Cela peut se faire en toute saison, pourvu que la température ambiante soit supérieure à 16°C. Si certains pétioles ont été endommagés par le rebord du pot, enlever toute la couronne extérieure au moment du rempotage : ne pas couper les pétioles mais les casser d'un coup sec sur le côté pour tout enlever : s'il en reste des morceaux, ils peuvent, en pourrissant, contaminer la tige principale.

Lors du rempotage d'un saintpaulia, enlever les feuilles endommagées. Saisir le pétiole entre le pouce et l'index et tirer d'un coup sec.

Multiplication Prélever une feuille avec son pétiole dans la seconde ou la troisième couronne de la rosette en partant de l'extérieur, ou près du sommet de la tige dans le cas d'une espèce rampante. Tailler le pétiole pour qu'il en reste 2,5 à 4 cm. L'insérer à une profondeur de 1,5 à 2 cm dans un pot de 6 cm, rempli de mélange humide. Enfermer dans un sachet de plastique transparent ou une caissette de multiplication (voir page 443) et placer au plein soleil tamisé à un endroit où la température se maintient entre 18 et 24°C. Ne pas arroser. Au bout de 7 à 10 semaines, une touffe de plantules sortira du mélange, près du pétiole. Au cours des 4 semaines suivantes, acclimater les plantules à la température et à l'humidité ambiantes en les découvrant un peu plus chaque jour. N'arroser que pour empêcher le mélange de se dessécher et donner une fois par semaine de l'engrais liquide ordinaire au huitième de la concentration habituelle. Lorsque les plantules ont 4 ou 5 cm de haut, les détacher de la feuille mère et les planter individuellement dans des pots de 6 cm. Les cultiver comme des sujets adultes.

Les feuilles de saintpaulias peuvent produire des racines dans l'eau (voir page 439).

Remarque Les saintpaulias peuvent être infestés par les pucerons, les tarsonèmes du cyclamen, les cochenilles farineuses et les cochenilles des racines (voir pages 454 à 456). Pour prévenir la contagion, isoler les nouveaux sujets pendant un mois, et les traiter s'il y a lieu.

Sanchezia
ACANTHACÉES

S. speciosa

La seule espèce du genre *Sanchezia* communément cultivée à l'intérieur est *S. speciosa* (souvent dénommée à tort *S. nobilis glaucophylla* ou *S. glaucophylla*). Cet arbuste érigé, dont la hauteur ne dépasse pas 90 cm en appartement, présente des tiges ramifiées garnies de feuilles opposées et sessiles. Chaque feuille lancéolée, à marge fortement dentée, mesure 20 à 30 cm de long sur 8 à 10 cm de large. Le limbe est vert foncé, maculé de jaune ou de blanc le long de la nervure médiane et des veines. Au début de l'été, des grappes de 8 à 10 fleurs tubuleuses jaunes, de 5 cm, apparaissent au sommet de courts pédoncules. Deux bractées ovales rouge vif, de 2,5 à 4 cm, entourent la base de chaque grappe de fleurs.

Il existe plusieurs variétés de *S. speciosa*, toutes maculées le long des nervures. L'une des plus belles, *S. s. variegata*, a les feuilles tachetées de blanc, de crème et de jaune.

SOINS PARTICULIERS

Lumière Exposer les sanchezias au plein soleil tamisé par un store ou des rideaux translucides, toute l'année.

Température La température normale d'une pièce leur convient en tout temps. Ne jamais les exposer à moins de 13°C. En période de crois-

sance, il leur faut beaucoup d'humidité. Poser les pots sur un plateau de gravillons humides qu'on laissera s'assécher pendant la période de repos hivernal.

Arrosage Il doit être modéré en période de croissance. Bien mouiller le mélange mais en laisser sécher la couche supérieure sur 1 cm entre les arrosages. Pendant le repos hivernal, n'arroser que pour empêcher le mélange de se dessécher.

Engrais En période de croissance, donner de l'engrais liquide ordinaire tous les 15 jours.

Empotage et rempotage Utiliser un mélange à base de terreau (voir page 429). Les sanchezias croissent rapidement; aussi faut-il les rempoter deux et même trois fois durant la période de croissance, dès que leurs racines remplissent le pot (voir page 426). Lorsque la plante a atteint 75 à 90 cm de haut et exige un pot d'un diamètre supérieur à 18 ou 20 cm, s'en défaire plutôt que de la rempoter (voir « Remarque », ci-dessous).

Multiplication Elle se pratique à la mi-été par bouturage des pousses latérales qui se développent sous les pédoncules floraux. Prélever des boutures de 8 à 10 cm juste au-dessous d'un nœud et enlever les deux feuilles inférieures. Plonger la coupure dans de la poudre d'hormones à enracinement et planter 3 ou 4 boutures près de la paroi d'un pot de 10 cm rempli d'un mélange humide, composé à volume égal de tourbe et de sable grossier ou de perlite. Enfermer dans un sachet de plastique transparent ou une caissette de multiplication (voir page 443) et exposer au plein soleil tamisé. Lorsque la croissance a repris, quatre à six semaines plus tard, découvrir les jeunes plants. Arroser parcimonieusement et donner de l'engrais liquide ordinaire tous les 15 jours. Tôt à l'automne, transplanter les boutures individuellement dans des pots de 8 cm, remplis de mélange à base de terreau, et les cultiver comme des sujets adultes.

Remarque Les jeunes sujets sont beaucoup plus beaux que les vieux. Aussi est-il recommandé de remplacer les plants tous les deux ans.

Sansevière, voir *Sansevieria.*

Sansevieria

AGAVACÉES

S. trifasciata 'Laurentii'

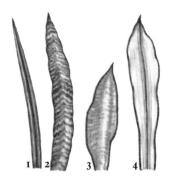

1 S. cylindrica 2 S. trifasciata
3 S. trifasciata 'Moonshine' 4 S. liberica

Communément appelées lan-gues-de-belle-mère ou sanse-vières, les plantes du genre *Sansevieria* sont faciles à cultiver. Il existe deux sortes d'espèces : les unes érigées, à feuilles coriaces en forme de glaive; les autres naines, en rosette. Les premières sont souvent groupées avec d'autres plantes plus trapues qui mettent en relief leur profil élancé.

La plupart des sansevières présentent un feuillage marbré, particulièrement décoratif. Les feuilles s'élèvent directement d'un rhizome épais qui court sous la surface du mélange. Elles se terminent par un dard non piquant qu'il ne faut pas endommager : la disparition de ce dard arrête la croissance de la feuille. Les inflorescences, rares, d'une couleur tirant sur le blanc ou le jaune, sont souvent parfumées. Elles naissent en épis sur des hampes érigées.

ESPÈCES RECOMMANDÉES

S. cylindrica est une espèce rare dont les feuilles cylindriques et légèrement arquées ont 2,5 cm de diamètre et peuvent atteindre 90 cm de haut. Les feuilles rigides vert foncé portent des sillons longitudinaux et des bandes horizontales gris-vert.

S. liberica présente des feuilles rigides et épaisses qui peuvent atteindre 90 cm. Elles sont rayées sur la longueur de larges bandes d'un blanc presque pur.

S. trifasciata a des feuilles vert foncé de 30 à 45 cm, légèrement tordues en spirale. L'espèce n'est pas aussi bien connue que les di-verses formes qui en sont issues. L'une d'entre elles, *S. t.* 'Bantel's Sensation', conserve les marbrures de l'espèce mais y ajoute des bandes longitudinales crème dans le haut des grandes feuilles. Chez *S. t.* 'Craigii', les marges des feuilles arborent de larges bandes jaune crème. Enfin, la variété la plus répandue, *S. t.* 'Laurentii', se caractérise par ses feuilles bordées de jaune. Chez toutes, les feuilles en forme de glaive peuvent atteindre 1,20 m de haut.

Une variété de création récente, *S. t.* 'Moonshine', présente des feuilles de 23 à 30 cm de long sur 7 à 10 cm de large, d'un vert très pâle. Elles sont ourlées d'une fine ligne vert sombre.

S. t. 'Hahnii' ne ressemble pas aux formes précédentes. En effet, elle se présente en rosette et ne dépasse pas 15 cm de haut. On la trouve en différents motifs et couleurs. *S. t.* 'Golden Hahnii', par

S. trifasciata
'Golden Hahnii'

exemple, a des feuilles vertes, rayées et marginées d'un jaune d'or vif, tandis que *S. t.* 'Silver Hahnii' a des feuilles vert argenté, délicatement maculées de vert sombre.

S. zeylanica présente des feuilles vert-gris à bandes horizontales vert foncé, disposées en rosette lâche. Elles mesurent 60 à 75 cm.

SOINS PARTICULIERS

Lumière Les sansevières exigent une lumière vive et supportent bien le plein soleil. Elles tolèrent un peu d'ombre, mais leur croissance s'arrête si on les expose pendant quelque temps à une lumière insuffisante. Les sujets habitués à vivre à l'ombre ne peuvent supporter un changement soudain d'exposition : il faut les habituer progressivement au soleil pour éviter que leurs feuilles ne soient brûlées.

Température Les sansevières sont tropicales; aussi, aiment-elles la chaleur et donc des températures de 18 à 27°C. Il ne faut en aucun cas les exposer à moins de 13°C.

Arrosage Il doit être modéré. Bien mouiller le mélange, mais le laisser sécher sur 2,5 cm entre les arrosages. Pendant la période de repos, laisser sécher au moins la moitié du mélange avant d'arroser de nouveau. Un excès d'eau fait affaisser les grandes feuilles et peut faire pourrir la plante. Chez les espèces à rosette, ne pas laisser d'eau entre les feuilles.

Engrais Il ne faut pas trop en donner. Une application mensuelle d'engrais liquide ordinaire, dilué de moitié, pendant la période de croissance suffit largement.

Empotage et rempotage Utiliser un mélange à base de terreau (2/3) [voir page 429] et de sable grossier ou de perlite (1/3). Pour améliorer le drainage, déposer des tessons de grès au fond des pots.

Les sansevières s'accommodent d'être à l'étroit et elles peuvent rester dans le même pot plusieurs années. Des racines charnues, de couleur crème, apparaissent souvent en surface, mais le rempotage ne s'impose que lorsque le pot

Surfaçage des sansevières

Les sansevières poussent mieux à l'étroit. Plutôt que de les rempoter, enlever simplement 2,5 cm de mélange.

Remplacer par du mélange frais. Bien tasser sur la motte racinaire et couvrir les racines exposées.

craque sous leur poussée. Il vaut mieux, cependant, devancer légèrement ce stade. Chez les sujets à port dressé, rempoter lorsque les feuilles occupent presque toute la surface du mélange. Pour *S. t.* 'Hahnii' et ses variétés à rosette, rempoter lorsque les racines sont si tassées qu'on voit à peine le mélange. Le rempotage s'effectue de préférence au début du printemps. Choisir des pots en grès pour les plantes érigées. S'il n'y a pas lieu de rempoter, renouveler simplement la couche superficielle du mélange (voir page 428) en faisant attention de ne pas endommager les racines superficielles.

Multiplication Les sansevières se multiplient par bouturage des feuilles ou par division des touffes. La seconde méthode donne de meilleurs résultats. Avec un couteau, détacher les touffes de la motte racinaire lorsque les feuilles ont 15 cm de haut, chez les espèces érigées, et 5 cm, chez les espèces à rosette. La plupart des touffes portent quelques racines : on peut les planter directement dans du mélange ordinaire. Les autres doivent être placées temporairement dans un mélange de tourbe et de sable.

Si on veut procéder par bouturage des feuilles, couper celles-ci transversalement en segments de 5 cm. Bien noter le haut et le bas. Insérer 3 ou 4 segments à 1,5 cm de profondeur dans un pot de 8 cm rempli d'un mélange humide de tourbe et de sable. Exposer à une lumière vive dans une pièce chaude et arroser parcimonieusement pour que le mélange reste à peine humide. Les segments finiront par produire des rhizomes, mais il faut être très patient. En outre, les variétés panachées de *S. trifasciata* perdent leurs belles marges jaunes lorsque la multiplication se fait de cette façon.

Note : Lorsque les nouveaux rhizomes sont suffisamment gros pour être placés dans du mélange ordinaire, il est préférable d'enlever les vieux segments de feuilles.

Remarque Surveiller la présence de charançons. Le dommage qu'ils causent aux feuilles des sansevières est irréparable. Voir les mesures à prendre à la page 454.

Sapin de Norfolk, voir *Araucaria heterophylla.*

Deux méthodes de multiplication des sansevières

Méthode simple : détacher un drageon de la souche rhizomateuse. Le replanter.

L'autre méthode est plus lente. Prélever une feuille avec un couteau tranchant.

La couper en segments de 5 cm qu'il faudra planter en respectant le sens de la feuille.

Planter plusieurs segments ensemble. Avec le temps, ils donneront des pousses.

Saxifraga
SAXIFRAGACÉES

Saxifrage de la Chine
S. stolonifera

Les longs stolons filiformes de S. s.
'Tricolor' *sont ravissants avec leurs
plantules, surtout lorsque la plante est
suspendue, mais ils sont très fragiles.*

Une seule espèce du vaste genre *Saxifraga* (saxifrage) est cultivée à l'intérieur. Il s'agit de *S. stolonifera* (connu sous le nom de *S. sarmentosa* et communément appelé araignée ou saxifrage de la Chine). Cette plante acaule ne dépasse pas 25 cm de haut. Elle présente des rosettes lâches de feuilles arrondies pouvant atteindre 10 cm de diamètre, de gracieux épis floraux et de très jolis stolons qui portent des plantules. Les feuilles dentelées sont vert olive, finement veinées d'argent sur le dessus et purpurines en dessous. Elles sont portées par des pétioles d'environ 10 cm et sont couvertes, comme leur pétiole, d'un duvet rouge qui devient vert avec le temps. La plante produit de nombreux stolons filiformes rouges, ressemblant à ceux du fraisier, qui peuvent atteindre 90 cm. Ces stolons, ou coulants, émergent du centre de la plante. Ils se ramifient parfois. Les plantules qu'ils portent restent généralement petites tant qu'elles sont rattachées à la plante mère, mais certaines atteignent une grande taille et servent au bouturage (voir « Multiplication », à la page suivante).

Les hampes florales apparaissent vers la fin de l'été. Elles peuvent atteindre 45 cm. Les fleurs étoilées, blanches à cœur jaune, sont réunies en panicules lâches. Chaque fleur, d'environ 2,5 cm de diamètre, a deux pétales plus longs que les autres. La variété *S. s.* 'Tricolor' est plus petite que l'espèce. Elle croît plus lentement et produit moins de stolons. Ses feuilles marginées de crème virent au rose si la plante est exposée à une lumière vive.

Les saxifrages ne sont pas assez touffues pour remplir à elles seules une corbeille suspendue, mais elles seront du plus bel effet si on les suspend dans un petit pot.

SOINS PARTICULIERS

Lumière Les saxifrages ont de plus vives couleurs si on les expose un peu au soleil. Les placer tôt le matin dans un endroit ensoleillé pendant une heure ou deux, mais éviter une exposition prolongée au soleil de midi. *S. s.* 'Tricolor' demande au moins trois heures d'ensoleillement par jour, sinon la plante s'étiole et les panachures s'estompent.

Température *S. stolonifera* se développe mieux à des températures fraîches, entre 10 et 16°C. En période de croissance, du printemps à la fin de l'automne, la plante tolère un peu plus de chaleur durant le jour. Pour sa part, *S. s.* 'Tricolor' se plaît à la température normale d'une pièce toute l'année. Mais il faut augmenter l'humidité pour toutes les saxifrages si la température ambiante dépasse 18°C. Poser les pots sur des plateaux de gravillons couverts d'eau et suspendre des soucoupes d'eau sous les corbeilles. Placer les plantes dans un endroit aéré, mais pas dans les courants d'air. On ne saurait exposer les saxifrages à des températures inférieures à 4°C.

Arrosage Il doit être généreux en période de croissance. Bien mouiller le mélange, mais ne pas laisser d'eau dans la soucoupe. Après la floraison, diminuer graduellement les apports d'eau pendant 15 jours.

Durant la période de repos, n'arroser que pour empêcher le mélange de se dessécher complètement.

Engrais En période de croissance, donner de l'engrais liquide ordinaire une fois par mois.

Empotage et rempotage Utiliser un mélange à base de terreau (voir page 429). Améliorer le drainage en plaçant 2,5 cm de tessons de grès au fond des pots. Rempoter au printemps s'il y a lieu. Les vieux sujets ont tendance à s'affaisser; aussi ne garde-t-on généralement les saxifrages que deux ou trois ans, d'autant plus que les jeunes plants sont plus beaux et se mettent très rapidement à produire des stolons (voir « Multiplication », ci-dessous).

Multiplication Les stolons de la saxifrage portent des plantules. Détacher celles-ci et les planter individuellement dans des pots de 4 à 8 cm remplis d'un mélange à volume égal de tourbe et de sable. Les placer près d'une fenêtre à demi ombragée, dans une pièce chaude, et arroser pour que le mélange reste à peine humide. L'enracinement se fait en quelques semaines. Transplanter alors les plants dans du mélange ordinaire et les cultiver comme des sujets adultes. On peut également procéder à la multiplication sans détacher les plantules. Il suffit de maintenir celles-ci en contact avec un mélange à enracinement, dans un pot placé à côté de la plante mère. Quand les plantules ont émis des racines, les séparer de la plante mère. Ce procédé de multiplication s'apparente à une méthode appelée marcottage (voir page 439).

Pour multiplier une saxifrage, il suffit de détacher les plantules qui poussent sur les stolons et de les mettre en pot.

Saxifrage, voir *Saxifraga.*
Saxifrage de la Chine, voir *Saxifraga stolonifera.*

Schizocentron
MÉLASTOMATACÉES

S. elegans

Les botanistes ont récemment décidé de classer *Schizocentron elegans* dans le genre *Heterocentron.* Le nom correct de la plante est donc *H. elegans,* mais comme elle est mieux connue sous son ancien nom, nous avons conservé celui-ci.

S. elegans est une charmante plante rampante ou retombante dont les tiges grêles, rougeâtres et velues sont porteuses de nœuds qui s'enracinent en entrant en contact avec le mélange terreux, formant comme un épais tapis. En corbeille suspendue, la plante laisse retomber ses tiges très ramifiées qui peuvent atteindre 30 à 60 cm. Les feuilles vert foncé sont opposées, ovales et pointues, à court pétiole; elles mesurent 0,5 à 2 cm de long sur 1 à 1,5 cm de large. La floraison a lieu en été. Les fleurs, de 2,5 cm de diamètre, sont composées de 4 pétales ronds d'un rose-pourpre vif, disposés en croix autour d'un bouquet d'étamines saillantes pourpres. Elles apparaissent au sommet des rameaux.

SOINS PARTICULIERS

Lumière Pour fleurir, les schizocentrons ont besoin d'être placés au plein soleil tamisé toute l'année.

Température Les schizocentrons croissent bien à la température normale d'une pièce si l'air est suffisamment humide. Pour augmenter l'hygrométrie, placer les pots sur un plateau de gravillons couverts d'eau ou suspendre des soucoupes d'eau sous les corbeilles. Ne pas exposer ces plantes à des températures inférieures à 13°C.

Arrosage Il doit être modéré toute l'année. Laisser le mélange sécher sur 2,5 cm entre les arrosages.

Engrais Donner de l'engrais liquide ordinaire une fois par mois, pendant toute l'année.

Empotage et rempotage Utiliser un substrat composé à volume égal de mélange à base de terreau (voir page 429) et de terreau de feuilles grossièrement moulues ou de tourbe. Ne rempoter que lorsque les racines remplissent le pot (voir page 426). Remplacer les plantes en corbeilles par des boutures tous les deux ou trois ans.

Multiplication On peut prélever en tout temps une bouture terminale de 8 cm, garnie de 3 ou 4 paires de feuilles. Couper juste au-dessous d'un nœud. Enlever les feuilles inférieures. Placer 3 ou 4 de ces boutures dans un pot de 8 cm rempli d'un mélange humide, composé à volume égal de tourbe et de sable grossier ou de perlite. Enfermer dans un sachet de plastique ou une caissette de multiplication (voir page 443) et exposer au plein soleil tamisé. L'enracinement se fait en trois ou quatre semaines. Découvrir alors le pot. Arroser parcimonieusement en laissant sécher les deux tiers du mélange entre les arrosages. Commencer à donner de l'engrais liquide ordinaire, à raison d'une fois par mois. Lorsque les sujets ont trois ou quatre mois, les grouper dans un pot de 10 cm rempli du mélange recommandé plus haut. Grouper 9 à 12 boutures dans une corbeille suspendue. Cultiver comme des sujets adultes.

Schlumbergera
CACTACÉES

Cactus de Noël
S. truncata

I l n'existe que 3 espèces reconnues du genre *Schlumbergera*, mais les plantes d'intérieur de ce nom sont pour la plupart des hybrides. Dans la nature, cette cactée habite les forêts tropicales humides et vit sur des débris organiques, au creux des branches d'arbres. Pour la cultiver avec succès, il faut reproduire le plus possible son habitat naturel. Un bon sujet présente généralement une hauteur et un étalement de 30 cm. Les tiges articulées et très ramifiées sont pour la plupart retombantes. Les articles vert moyen sont minces et plats. Ils mesurent 2,5 à 4 cm de long sur 2 à 2,5 cm de large et présentent une nervure médiane saillante. Leurs caractéristiques varient beaucoup d'une espèce ou d'un hybride à l'autre. De minuscules aréoles, dont certaines portent de tout petits poils, garnissent les crénelures marginales des articles. A l'extrémité du dernier article de chaque tige se trouve une aréole terminale, allongée, plus grosse que les autres, d'où sortent des fleurs solitaires ou jumelées. La floraison, qui est assez longue, a lieu au début ou à la fin de l'hiver, souvent aux alentours de Noël.

Les fleurs des schlumbergeras sont asymétriques et par là même différentes de la plupart des fleurs de cactus. Elles mesurent 2,5 cm de large sur 4 à 8 cm de long et les plus longues paraissent constituées de plusieurs groupes de pétales. Elles ne durent que quelques jours, mais la floraison de la plante peut s'étendre sur plusieurs semaines. *Voir aussi CACTEES.*

SCHLUMBERGERAS RECOMMANDÉS
S. 'Bridgesii' (communément appelé cactus de Noël et synonyme de *S.* 'Buckleyi') est un hybride issu d'un croisement entre *S. truncata* et une espèce très rare, *S. russelliana.* Les crénelures et les extrémités de ses articles sont arrondies. Les fleurs rose magenta s'épanouissent aux alentours de Noël, parfois un peu plus tard.

S. 'Bridgesii'
(cactus de Noël)

S. truncata (synonyme de *Zygocactus truncatus* et communément appelé cactus de Noël, comme le précédent) présente des articles profondément crénelés qui se terminent par des dents fourchues dont la forme rappelle celle des pinces du crabe. Les fleurs à pétales recourbés qui varient du rose au rouge sombre commencent à s'ouvrir quelques semaines avant Noël. La plupart des hybrides de schlumbergeras sont issus de *S. truncata;* ils sont nombreux et portent des noms qui peuvent différer d'un endroit à l'autre. Les uns se signalent par des articles arrondis, les autres par des articles pointus. Les fleurs, de forme différente d'un hybride à l'autre, peuvent être blanches, roses ou rouges.

En plus des hybrides dont nous venons de parler, les botanistes ont obtenu une plante tout à fait extraordinaire en greffant un schlumbergera sur un cactus colonnaire. En grandissant, les nombreuses tiges du schlumbergera retombent autour de ce tronc unique et on obtient de la sorte un cactus « pleureur », du plus bel effet quand la plante est en pleine floraison.

SOINS PARTICULIERS
Lumière A l'instar des autres cactées des forêts tropicales, il ne faut pas exposer les schlumbergeras au plein soleil en été. Une lumière moyenne, celle d'une fenêtre ombragée par exemple, leur convient en toute saison; mais en hiver les rayons directs du soleil ne peuvent leur causer de dommages. Par ailleurs, les boutons floraux commencent à se former au début de l'automne et la lumière des courtes journées hivernales peut stimuler la floraison. Dès que les boutons apparaissent, ne plus laisser ces plantes dans une pièce éclairée le soir, à moins de les recouvrir d'une pellicule de plastique

noir dès qu'on allume la lumière. La solution la plus simple consiste à les placer dans une pièce dont on ne se sert pas le soir. Lorsqu'un sujet habituellement en fleur à la fin de décembre fleurit bien plus tard, réduire la période d'éclairement dès le début de l'automne en le plaçant à l'obscurité, du crépuscule jusqu'au matin. Ce traitement doit être effectué avec prudence (voir « Remarques », ci-dessous).

Température Les schlumbergeras se plaisent à la température normale d'une pièce toute l'année. A la fin du printemps, il serait bon de les placer dans un endroit ombragé à l'extérieur et de les y laisser tout l'été. Les rentrer bien avant les froids.

Arrosage Bien que leur floraison soit hivernale, ces plantes ont une période de croissance normale qui s'étend du début du printemps au début de l'automne. Arroser généreusement toute l'année, sauf durant une courte période après la floraison. Garder le mélange bien mouillé, mais ne pas laisser d'eau dans les soucoupes. A la fin de la floraison, réduire les apports d'eau; bien mouiller le mélange, mais le laisser sécher sur 1 cm entre les arrosages. Recommencer à arroser généreusement dès que la croissance des tiges reprend au printemps. Pour augmenter l'humidité, bassiner le feuillage tous les jours, surtout au printemps et en été. Les schlumbergeras sont sensibles aux eaux dures (contenant beaucoup de calcaire). Dans la mesure du possible, utiliser de l'eau de pluie. Ne jamais laisser le mélange sécher complètement.

Engrais Donner de l'engrais à tomates riche en potassium tous les 15 jours, sauf durant la courte période de repos qui suit la floraison.

Empotage et rempotage Il faut aux schlumbergeras beaucoup d'eau, surtout en période de croissance, mais sans exagération; pour améliorer le drainage, utiliser préférablement un mélange à base de tourbe (3/4) et de sable grossier ou de perlite (1/4). Placer les plants dans des pots ordinaires ou des corbeilles suspendues. Ces dernières conviennent plus spécialement aux sujets volumineux. Pour retenir le mélange terreux, tapisser de sphaigne le fond de la corbeille.

Rempoter après la floraison si les racines remplissent le pot. Sinon, enlever l'ancien mélange, nettoyer le pot, le remplir de mélange frais et y remettre la plante. Les schlumbergeras n'ont pas un système racinaire très important : un sujet de 30 cm d'étalement se contentera d'un pot ou d'une corbeille de 10 à 12 cm de diamètre.

Multiplication Elle se pratique très facilement au printemps ou en été au moyen de boutures. Prélever une partie de tige comportant 2 ou 3 articles soudés les uns aux autres. Laisser sécher quelques heures. Puis enfoncer l'article inférieur dans un pot de 8 cm, rempli du mélange terreux recommandé pour les sujets adultes. L'enfouir juste assez profondément pour qu'il tienne debout. On peut aussi grouper plusieurs boutures sur les bords d'un contenant plus grand. Donner tout de suite aux jeunes plants les soins que réclament les sujets adultes. La croissance devrait reprendre au bout de quatre semaines environ.

On trouve parfois des graines dans le commerce : elles sont étiquetées « hybrides mélangés ». La multiplication des schlumbergeras à partir de semis ne pose pas de problème (voir CACTEES, page 119), mais il faut attendre trois ou quatre ans avant d'en connaître les résultats.

Remarques A Noël, on trouve communément chez les fleuristes des schlumbergeras en pleine floraison. Ne pas se décourager si, en appartement, ces cactées manifestent plus d'indépendance. Elles fleuriront généralement plus tard, n'étant pas soumises au forçage que subissent les premières.

Les boutons tombent parfois avant de s'ouvrir. Des courants d'air, des changements brusques de température, la sécheresse ou l'asphyxie des racines par excès d'eau peuvent en être responsables. Mais ce problème peut être lié à un autre facteur : en effet, si l'on tourne la plante au moment où les boutons sont petits, ceux-ci vont avoir tendance à suivre la lumière et cet effort les affaiblira. Aussi, si l'on déplace un schlumbergera en bouton (comme il est dit ci-dessus, au paragraphe intitulé « Lumière »), prendre garde de ne pas modifier son orientation.

Scilla
LILIACÉES

Les plantes du genre *Scilla* (scille) sont bulbeuses et de petite taille. Les scilles d'intérieur sont de deux sortes : rustiques ou gélives. Les premières, qui résistent aux plus grands froids, ne fleurissent qu'une seule fois en appartement. On les traite comme des plantes éphémères dont on se défait après la floraison ou qu'on replante au jardin. Les espèces gélives, qui ne supportent pas le froid, peuvent être conservées plusieurs années à l'intérieur. Elles connaissent un repos hivernal, mais leur feuillage demeure décoratif après la floraison, alors que les formes rustiques perdent tous leurs organes aériens. Les fleurs de ces dernières ont cependant des coloris plus vifs.

Dans les deux cas, les bulbes ont 1 à 1,5 cm de diamètre. Ils sont verts ou crème, couverts d'une tunique papyracée, parfois luisante et transparente, parfois opaque et pourpre foncé ou brun teinté de pourpre. Les espèces rustiques ont un seul bulbe qui ne se multiplie pas. Les espèces gélives produisent par contre des caïeux en abondance. En quelques années seulement, ceux-ci peuvent recouvrir la surface du mélange terreux. Toutes les scilles ont des feuilles sessiles, lancéolées, de 5 à 25 cm de long et de 2 à 2,5 cm de large. Le feuillage est d'un beau vert brillant, marbré chez les espèces gélives. Trois ou quatre hampes florales s'élèvent au milieu des feuilles. Elles portent plusieurs fleurs campanulées pendantes.

Voir aussi BULBES, CORMUS et TUBERCULES.

ESPÈCES RECOMMANDÉES

S. adlamii, espèce gélive, présente des feuilles vert olive charnues, striées longitudinalement de minces filets bruns. Elles mesurent entre 20 et 25 cm de long. De toutes petites fleurs pourpre foncé s'épanouissent au printemps en groupe serré à l'extrémité des hampes grêles, de 8 à 10 cm de long. Le bulbe vert mat est recouvert d'une tunique transparente.

S. ovalifolia est une autre espèce gélive. Chaque bulbe ne porte que 2 ou 3 feuilles de 6 à 8 cm de long, à

Scilla violacea

marge ondulée et à limbe vert clair maculé de vert sombre sur le dessus. De minuscules fleurs vertes, réunies en un épi peu dense de 5 à 8 cm de long, apparaissent au printemps, à l'extrémité d'une hampe florale de 10 à 15 cm. Le bulbe vert pâle est recouvert d'une tunique transparente.

S. siberica (scille de Sibérie), espèce rustique, se caractérise par des feuilles vert clair de 15 cm, étroites et marquées d'un sillon. Les fleurs d'un bleu profond, de 2 cm de diamètre, sont groupées par 3 sur des hampes de 8 à 13 cm. Elles s'ouvrent au début du printemps. Le bulbe blanc est recouvert d'une tunique violacée. Les fleurs de la variété *S. s.* 'Alba' sont blanches, celles de *S. s.* 'Atrocoerulea' sont bleu foncé.

S. tubergeniana (scille de Tubergen), autre espèce rustique, présente des feuilles vert pomme qui peuvent mesurer 10 cm. Les fleurs bleu pâle, de 2,5 cm de diamètre, s'épanouissent au printemps. Le centre des pétales est souligné d'un mince filet bleu foncé. Les fleurs sont groupées par 3 sur une hampe de 8 à 13 cm : les unes pendent, d'autres sont érigées, d'autres encore sont horizontales. Le bulbe est jaune à tunique transparente.

S. violacea (maintenant *Ledebouria socialis*) est la plus répandue des scilles gélives. Elle présente des feuilles charnues acuminées, de 5 à 10 cm de long, dont le dessus est gris argent, maculé et rayé de vert olive, et le dessous violet foncé. Des inflorescences denses de petites fleurs vertes ourlées de blanc apparaissent au printemps sur des hampes de 8 à 15 cm. Le bulbe à tunique transparente est pourpre.

SOINS PARTICULIERS

Lumière Les scilles gélives demandent une lumière vive et trois ou quatre heures de plein soleil par jour. Quant aux espèces rustiques, il faut planter leurs bulbes à l'automne et les garder à l'obscurité durant 10 à 12 semaines, pendant que se forment les racines et les organes aériens. A la fin de l'hiver, dès qu'apparaissent les boutons floraux, les amener graduellement (en 10 jours) au plein soleil tamisé. Ne jamais les exposer aux rayons directs du soleil.

Température En période de croissance, il faut aux scilles gélives la température normale d'une pièce; en période de repos, les maintenir à des températures de 10 à 16°C. Quant aux espèces rustiques, ne pas exposer leurs bulbes à plus de 10°C en hiver. Lorsqu'elles sont en boutons, les exposer à des températures plus élevées, jusqu'à 16°C. Elles supportent des températures supérieures, mais la chaleur abrège leur floraison.

Arrosage Pour les espèces gélives, il doit être modéré en période de croissance. Laisser le mélange sécher sur 1 cm entre les arrosages. En période de repos, n'arroser que pour empêcher le mélange de se dessécher.

Durant la longue période où les bulbes rustiques s'enracinent dans l'obscurité, vérifier l'humidité du mélange tous les 15 jours : il ne doit pas s'assécher. A partir du moment où les têtes florales émergent du bulbe et durant toute la floraison, arroser généreusement.

Engrais Il n'est pas nécessaire de fertiliser les espèces rustiques, mais donner de l'engrais liquide ordinaire une fois par mois aux espèces gélives, durant la période de croissance.

Empotage et rempotage Utiliser un mélange à base de terreau (voir page 429) et planter les bulbes dans des demi-pots. Dans le cas des bulbes rustiques, en enfouir plusieurs sous la surface du mélange de façon qu'ils se touchent presque, au début de l'automne. Bien humidifier le mélange et placer le pot à l'obscurité et au frais. Au besoin, l'enfermer dans un sachet de plastique noir et le garder sur un appui de fenêtre ou un balcon. L'obscurité et la fraîcheur sont essentielles à la formation des racines et des organes aériens.

Empoter les bulbes des scilles gélives au printemps. Utiliser un demi-pot de 10 à 15 cm, mais ne pas grouper plus de 3 bulbes ensemble. Les espacer uniformément et les enfouir à demi. Durant les quatre à six premières semaines, ne pas fertiliser et arroser parcimonieusement en laissant le mélange sécher à moitié entre les arrosages. Lorsque les racines semblent bien établies, traiter la plante comme un sujet adulte. Diviser les caïeux tous les deux ou trois ans.

Multiplication Les scilles rustiques ne se multiplient pas en appartement. Pour les espèces gélives, diviser les caïeux après la floraison, à la fin du printemps, et les mettre en pot (voir ci-dessus).

Scille, voir *Scilla*.
Scille de Sibérie, voir *Scilla siberica*.
Scille de Tubergen, voir *Scilla tubergeniana*.

Scindapsus

ARACÉES

Arum grimpant
S. aureus

Le genre *Scindapsus* regroupe des plantes grimpantes apparentées aux philodendrons. L'espèce d'intérieur la plus répandue, *S. aureus*, a récemment été reclassifiée dans le genre *Epipremnum*.

Dans leur habitat naturel, les scindapsus grimpent très haut le long des troncs et des branches d'arbres et y accrochant leurs racines aériennes charnues. A l'intérieur, ils ne dépassent pas 1,20 à 1,80 m de haut. Leurs feuilles cordiformes et alternes ont un limbe coriace et généralement luisant. Les pétioles qui les portent mesurent 5 à 8 cm. Il n'y a pas d'inflorescences chez les espèces cultivées en appartement. On peut tuteurer tous les scindapsus (voir page 432). On peut également leur faire produire des racines aériennes en les faisant grimper sur des morceaux d'écorce humide. Enfin, on peut laisser retomber leurs tiges.

SCINDAPSUS RECOMMANDÉS

S. aureus (maintenant *Epipremnum aureum* et communément appelé arum grimpant) présente des tiges anguleuses vert-jaune. Les feuilles vert vif, maculées de jaune, mesurent 10 à 15 cm chez les jeunes sujets, et jusqu'au double chez les sujets adultes. *S. a.* 'Golden Queen' a les feuilles et les tiges presque jaune d'or. *S. a.* 'Marble Queen' a les tiges et les pétioles blancs marbrés de vert; ses feuilles sont blanches ou crème maculées de vert et de gris-vert. Enfin, *S. a.* 'Wilcoxii' présente des feuilles vertes et jaunes à marbrures bien délimitées.

S. pictus 'Argyraeus' (autrefois *Pothos argyraeus* et communément appelé arum grimpant) est la seule forme de l'espèce cultivée à l'intérieur. Ses tiges arrondies sont vert olive. Ses feuilles mates, de 5 à 8 cm de long, sont vert olive foncé, panaché de vert-gris sur le dessus, et vert clair au-dessous.

SOINS PARTICULIERS

Lumière Exposer les scindapsus au plein soleil tamisé toute l'année. Ils s'étiolent lorsque la lumière est insuffisante.

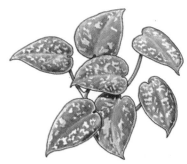

S. pictus 'Argyraeus'
(arum grimpant)

Température En période de croissance, la température normale d'une pièce leur convient. Leur ménager un repos hivernal à environ 16°C, mais ne pas les exposer à moins de 10°C. Pour augmenter l'humidité dans une pièce chaude, poser les pots sur un plateau de gravillons couverts d'eau et suspendre des soucoupes d'eau sous les corbeilles.

Arrosage Il doit être modéré en période de croissance : laisser la couche supérieure du mélange sécher sur 1 cm entre les arrosages. En période de repos, n'arroser que pour empêcher le mélange de se dessécher complètement.

Engrais Donner de l'engrais liquide ordinaire tous les 15 jours en période de croissance.

Empotage et rempotage Utiliser un mélange à base de terreau (voir page 429). Rempoter tous les printemps jusqu'à ce que la plante loge dans un pot de 20 cm. Ensuite, se contenter de renouveler la couche superficielle du mélange (voir page 428).

Multiplication Elle se pratique au printemps au moyen de boutures terminales de 8 à 10 cm de long, prélevées juste au-dessous d'un nœud. Enlever les feuilles inférieures et plonger dans de la poudre d'hormones. Planter 3 ou 4 boutures sur les bords d'un pot de 8 cm rempli d'un mélange humide, composé à volume égal de tourbe et de sable grossier ou de perlite. Enfermer dans un sachet de plastique ou une caissette de multiplication (voir page 443) et exposer au plein soleil tamisé. L'enracinement se fait en quatre à six semaines. Découvrir alors les jeunes plants, les arroser modérément et leur donner de l'engrais liquide ordinaire une fois par mois. Trois mois plus tard, rempoter individuellement dans des pots de 8 à 10 cm remplis de mélange ordinaire et cultiver comme des sujets adultes. On peut aussi grouper plusieurs plants dans une corbeille suspendue.

Remarque Pour empêcher qu'une plante adulte ne devienne trop volumineuse, rabattre les tiges au printemps.

Scirpe, voir *Scirpus.*
Scirpe penché, voir *Scirpus cernuus.*

Scirpus

CYPÉRACÉES

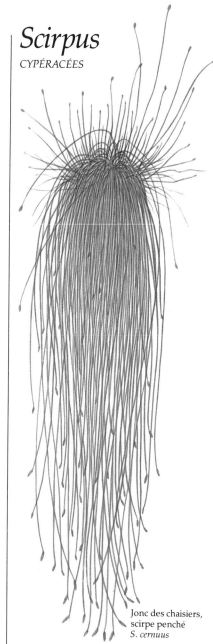

Jonc des chaisiers,
scirpe penché
S. cernuus

Le genre *Scirpus* (scirpe) groupe plus de 300 espèces de plantes acaules qui croissent en sol marécageux ou au bord de l'eau. La seule espèce cultivée à l'intérieur, *S. cernuus* (jonc des chaisiers, roseau à taureau, scirpe penché), est une gracieuse plante herbacée qui présente des touffes denses de feuilles filiformes, jaillies directement des rhizomes traçants. Les feuilles vert tendre sont cylindriques. Elles atteignent environ 25 cm de long. Chacune d'elles se couronne d'une minuscule fleur blanche ou crème, qui peut apparaître en toute saison. Les feuilles des scirpes sont d'abord

érigées, puis retombantes : la culture en corbeille suspendue leur convient donc bien.

SOINS PARTICULIERS

Lumière Exposer les scirpes à une lumière moyenne. Contrairement à la plupart des plantes d'intérieur, ils préfèrent une fenêtre ombragée ou orientée au nord.

Température Les scirpes se plaisent à la température normale d'une pièce. Au-dessus de 13°C, leur croissance ne connaît pas d'interruption. Mais ils peuvent être exposés l'hiver à des températures inférieures, jusqu'à environ 7°C; si la température reste basse pendant plus de deux ou trois jours, leur ménager un repos (voir « Arrosage », ci-dessous).

Arrosage En période de croissance, c'est-à-dire toute l'année si la température se maintient au-dessus de 13°C, arroser généreusement pour que le mélange reste très humide. On peut même laisser de l'eau dans la soucoupe. Les sujets cultivés en corbeilles suspendues s'assèchent rapidement : il faudra sans doute les immerger quelques minutes dans l'eau tous les jours. Au-dessous de 13°C, faire prendre à la plante un repos en arrosant très parcimonieusement pour empêcher le mélange de se dessécher complètement.

Engrais En période de croissance, donner de l'engrais liquide ordinaire une fois par mois.

Empotage et rempotage Utiliser un mélange à base de terreau (voir page 429). Rempoter lorsque les touffes de feuilles recouvrent toute la surface du mélange. Les jeunes sujets sont plus beaux, aussi ne devrait-il pas être nécessaire d'utiliser un pot de plus de 12 cm. Dès qu'une plante atteint cet étalement, s'en servir pour la multiplication.

Multiplication Elle se fait par division des touffes, au printemps. Séparer délicatement en laissant au moins 20 feuilles par section. Planter les touffes individuellement dans des pots de 8 cm ou les grouper par 3 ou 4 dans des corbeilles suspendues. Cultiver immédiatement comme des sujets adultes.

Scolopendre, voir *Phyllitis scolopendrium.*

Sedum

CRASSULACÉES

Il existe des centaines d'espèces du genre *Sedum* (orpin), les unes arbustives, les autres rampantes ou retombantes. Leurs tiges charnues, très ramifiées, sont littéralement recouvertes de feuilles sessiles, également charnues. On les cultive en appartement principalement pour la beauté de leur feuillage, car elles ne donnent pas toujours des fleurs. Les inflorescences, de 5 à 8 cm de diamètre, apparaissent au sommet des tiges. Les fleurettes étoilées qui les composent ont 0,5 à 1,5 cm de large; elles sont généralement blanches, parfois roses ou jaunes.
Voir aussi PLANTES GRASSES.

ESPÈCES RECOMMANDÉES

S. adolphi atteint 15 cm de hauteur et d'étalement. Ses tiges sont érigées. Ses feuilles elliptiques, à pointe arrondie, sont vert-jaune, ourlées de rouge. Elles mesurent 2,5 cm de long sur 1,5 de large et 0,5 d'épaisseur. Des fleurs blanches peuvent apparaître au printemps.

S. allantoides est une espèce buissonnante qui atteint 30 cm de hauteur et autant d'étalement. Les tiges retombantes portent des feuilles épaisses, alternes, en forme de

S. rubrotinctum   *S. adolphi*

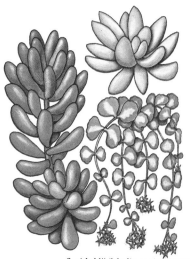

S. sieboldii 'Medio-variegatum'

massue, qui mesurent 2,5 cm sur 2 et qui sont couvertes d'une pruine blanchâtre. Des fleurs blanc-vert apparaissent en été.

Orpin de Morgan
S. morganianum

qui ne dépasse jamais 7 cm de haut, mais dont les tiges peuvent atteindre 25 cm de long. Ses feuilles lancéolées ont 2,5 cm de long sur moins de 0,5 de largeur et autant d'épaisseur. Leur limbe vert clair est marginé de blanc crème. Les fleurs jaune vif s'ouvrent au printemps ou en été.

S. morganianum (orpin de Morgan) est une plante idéale pour les corbeilles suspendues. Ses tiges retombantes, qui peuvent atteindre 90 cm de long, sont recouvertes de petites feuilles cylindriques superposées. Ces feuilles, de 2 cm de long et 1 cm d'épaisseur, sont couvertes d'une pruine blanchâtre. La plante doit être manipulée avec précaution car elle perd facilement ses feuilles. Des fleurs roses apparaissent parfois au printemps, mais l'espèce n'est pas très florifère.

S. pachyphyllum présente des tiges érigées et ramifiées qui peuvent mesurer 30 cm. Les feuilles cylindriques vert-gris qui les recouvrent mesurent 4 cm de long et 1,5 cm de diamètre. Leur pointe émoussée est souvent rougeâtre. Des fleurs jaune vif apparaissent au tout début du printemps.

S. praealtum (plus exactement *S. dendroideum praealtum*) présente des tiges érigées très ramifiées pouvant atteindre 60 cm. Les feuilles brillantes, vert moyen et lancéolées sont réunies en bouquets à l'extrémité des tiges et des rameaux. Elles mesurent 5 à 8 cm de long, 2 cm de large et 0,5 cm d'épaisseur. Des fleurs jaune vif naissent parfois au début du printemps.

S. bellum atteint environ 15 cm de hauteur et 30 cm d'étalement. Les tiges de cette espèce ne se ramifient qu'à la base. Les feuilles rondes, en forme de cuiller, sont placées très près les unes des autres. Elles mesurent 2,5 cm de long sur 1,5 de large et 0,5 d'épaisseur, et sont recouvertes d'une pruine farineuse si épaisse qu'on devine à peine le vert vif du limbe. La première année, *S. bellum* produit une hampe florale, mais les fleurs blanches n'apparaissent qu'à la fin de l'hiver de l'année suivante.

S. lineare se rencontre surtout sous sa forme panachée, *S. l.* 'Variegatum'. C'est une plante prostrée

S. rubrotinctum mesure 10 à 15 cm de haut. Ses tiges grêles, ramifiées à la base, portent à leur extrémité des grappes de petites feuilles ovoïdes très charnues, de 2 cm de long sur 0,5 d'épaisseur. Le limbe, vert vif lorsque la plante est placée dans un endroit frais et humide, vire au rouge s'il fait trop chaud et trop sec. Les tiges ont tendance à s'enraciner là où elles entrent en contact avec le mélange. Des fleurs jaunes apparaissent parfois en hiver.

S. sieboldii (orpin de Siebold) ne dépasse pas 10 cm de haut, mais ses tiges retombantes peuvent mesurer 20 cm. Ses feuilles vert-gris, arrondies et légèrement dentées mesurent 2 cm de diamètre sur 0,5 d'épaisseur. Elles sont disposées par groupes de 3 le long des tiges. Des fleurs roses s'épanouissent en automne. La variété la plus répandue, *S. s.* 'Medio-variegatum', a des feuilles vertes teintées de rose et panachées de blanc ou de crème au centre. Cette plante est magnifique en corbeille suspendue. Bien que les tiges aient tendance à se flétrir après la floraison, elles se remettent à croître au printemps.

SOINS PARTICULIERS

Lumière Exposer les sedums au plein soleil toute l'année. Un manque de lumière les fait s'étioler.

Température En période de croissance, la température normale d'une pièce leur convient. En période de repos, c'est-à-dire pendant l'hiver, et ce, même pour les espèces à floraison hivernale, placer les sedums dans un endroit frais où la température se maintient autour de 10°C. Ne pas les exposer à des températures inférieures à 4°C.

Arrosage Il doit être modéré en période de croissance. Bien mouiller le mélange mais le laisser sécher sur 1 cm entre les arrosages. En période de repos, laisser les deux tiers du mélange sécher entre les arrosages.

Engrais Les sedums n'ont pas besoin d'engrais.

Empotage et rempotage Utiliser un substrat composé de sable grossier ou de perlite (1/3) et de mélange ordinaire à base de terreau (2/3) [voir page 429]. Les sedums préfèrent les demi-pots et les corbeilles suspendues où ils peuvent s'étaler.

Rempoter tous les printemps en laissant un jeu de 4 cm entre la motte de racines et le haut du pot. Comme les sedums sont plus beaux quand ils sont jeunes, il est préférable de s'en défaire lorsqu'ils sont devenus trop grands pour des pots de 15 à 20 cm.

Multiplication Au printemps ou en été, prélever des boutures de tiges de 5 à 8 cm de long. Enlever les feuilles inférieures sur une hauteur de 2,5 cm et laisser sécher la coupure pendant un ou deux jours. Planter dans un pot de 5 à 8 cm rempli du mélange recommandé pour les sujets adultes. Cultiver immédiatement comme s'il s'agissait d'un sedum adulte et rempoter dès que le besoin s'en fait sentir.

Multiplication du sedum

Avec un couteau, prélever une bouture de tige de 5 à 8 cm de long sur un sedum adulte, en prenant soin de ne pas détruire l'harmonie de la plante.

Pour éviter tout risque de pourriture, enlever toutes les feuilles inférieures. Laisser sécher la coupure pendant un ou deux jours.

Planter la bouture dans un petit pot rempli de mélange ordinaire. Aucune feuille ne doit toucher le mélange. Cultiver comme un sujet adulte.

Selaginella
SÉLAGINELLACÉES

S. martensii

Parmi les nombreuses espèces qui constituent le genre *Selaginella* (mousse rampante, sélaginelle), quelques-unes sont cultivées à l'intérieur pour leur feuillage décoratif. Ces plantes exigent beaucoup d'humidité et un terrarium (voir page 54) leur offrira des conditions idéales. Certaines sélaginelles prostrées rappellent la mousse, les autres présentent des tiges très ramifiées, soit érigées, soit rampantes. Leurs minuscules feuilles sont généralement groupées en rangées de 4 autour de la tige. Les rangées s'étalent de la souche jusqu'à 1,5 cm du sommet où se trouvent des sporanges.

ESPÈCES RECOMMANDÉES
S. apoda présente un feuillage vert clair et des tiges rampantes qui peuvent mesurer 10 cm. Cette espèce forme un tapis dense qui fait penser à la mousse.
S. emmeliana (synonyme de *S. pallescens*) présente des tiges presque érigées qui se ramifient dès la base et peuvent atteindre 30 cm de haut. Comme elles se déploient en éventail, la plante ressemble à une fougère. Les feuilles minuscules sont vert clair, marginées de blanc. La variété *S. e.* 'Aurea' se distingue par ses feuilles vert doré.

S. kraussiana est une espèce rampante à croissance exceptionnellement rapide. Ses tiges de 30 cm s'enracinent en se ramifiant et forment un épais tapis de feuilles vert vif. On l'utilise souvent comme couvre-sol dans les terrariums. La variété *S. k.* 'Aurea' a les feuilles vert doré.

S. martensii diffère des autres espèces cultivées à l'intérieur par ses tiges moins ramifiées, de 30 cm, qui se dressent sur la moitié de leur longueur puis retombent gracieusement. Elles sont supportées par des racines robustes qui partent de l'aisselle des feuilles inférieures et

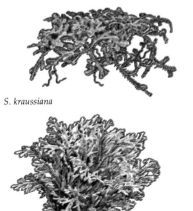

S. kraussiana

S. martensii
'Watsoniana'

s'enfoncent perpendiculairement dans le mélange. Les feuilles vert moyen, charnues et vernissées mesurent environ 1,5 cm de long; elles sont plus grandes que chez les autres espèces décrites ici. Celles de *S. m. variegata* ont l'extrémité panachée de blanc argenté. Quant à la variété *S. m.* 'Watsoniana', elle présente des feuilles plus pâles, à l'extrémité panachée d'argent.

SOINS PARTICULIERS

Lumière Les sélaginelles aiment l'ombre. Les exposer à une lumière moyenne toute l'année.

Température Ces plantes se plaisent à la température normale d'une pièce en tout temps. Leur croissance est ininterrompue dans une atmosphère chaude et humide. Si l'air est trop sec, les feuilles s'enroulent sur elles-mêmes, brunissent et sèchent. Bassiner le feuillage à l'eau tiède (jamais à l'eau froide) une ou deux fois par jour, à moins que les sélaginelles ne soient cultivées en terrarium.

Arrosage Il doit être généreux toute l'année pour que le mélange reste très humide, mais ne pas laisser d'eau dans la soucoupe.

Engrais Donner de l'engrais liquide ordinaire dilué des trois quarts, tous les 15 jours.

Empotage et rempotage Pour améliorer le drainage, utiliser un mélange à base de tourbe (2/3) [voir page 429] et de sable grossier (1/3). Rempoter tous les printemps dans un contenant peu profond. Lorsque la plante loge dans un pot de 15 à 20 cm, remplacer tout simplement le mélange après avoir nettoyé le pot. Si la plante croît trop rapidement, la ramener à de justes proportions en la taillant : rabattre de moitié au besoin.

Multiplication Au moment de la taille au printemps, prélever des boutures de 5 à 8 cm de long. Les enfouir à 1,5 cm de profondeur dans une terrine remplie de mélange humide. Placer dans un endroit chaud, à une lumière moyenne, et arroser modérément. L'enracinement se produit après deux semaines environ. Cultiver ensuite les nouveaux plants comme des sélaginelles adultes.

Sélaginelle, voir *Selaginella*.

Senecio
COMPOSÉES

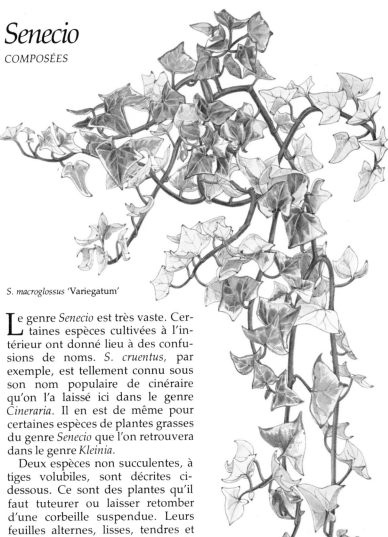

S. macroglossus 'Variegatum'

Le genre *Senecio* est très vaste. Certaines espèces cultivées à l'intérieur ont donné lieu à des confusions de noms. *S. cruentus*, par exemple, est tellement connu sous son nom populaire de cinéraire qu'on l'a laissé ici dans le genre *Cineraria*. Il en est de même pour certaines espèces de plantes grasses du genre *Senecio* que l'on retrouvera dans le genre *Kleinia*.

Deux espèces non succulentes, à tiges volubiles, sont décrites ci-dessous. Ce sont des plantes qu'il faut tuteurer ou laisser retomber d'une corbeille suspendue. Leurs feuilles alternes, lisses, tendres et charnues ressemblent à celles du lierre : elles sont découpées en lobes arrondis ou acuminés. Leur pétiole est de même longueur que leur limbe. Les fleurs jaunes ressemblent à des marguerites. Cependant, ces plantes fleurissent rarement à l'intérieur, et lorsque cela se produit, la floraison coïncide avec la période de repos.

ESPÈCES RECOMMANDÉES

S. macroglossus a des feuilles lancéolées vert foncé, à 3, 4 ou 5 lobes, de 6,5 cm de long sur 5 de large. La variété plus répandue, *S. m.* 'Variegatum', présente des tiges grêles pourpres. Les feuilles vert moyen, panachées de crème, sont portées par des pétioles pourpres. Les feuilles de certaines pousses peuvent être complètement crème. Ces pousses sont dépourvues de chlorophylle : elles ne peuvent donc servir à multiplier la plante puisqu'elles n'ont pas de vie organique propre. Les fleurs, lorsqu'il y en a, viennent seules ou en petits bouquets au sommet des tiges; elles ont 5 cm de diamètre.

S. mikanioides (lierre d'été, séneçon-lierre) présente des tiges et des pétioles vert moyen. Ses feuilles vert foncé, de 5 à 10 cm de long, ont 5 à 7 lobes acuminés, striés de nervures qui rayonnent du pétiole vers leur pointe. Des bouquets de fleurs parfumées, de 0,5 cm de diamètre, apparaissent parfois à l'extrémité des tiges.

SOINS PARTICULIERS

Lumière Il faut aux séneçons une lumière vive toute l'année et deux à trois heures de plein soleil par jour.

Température En période de croissance, les placer à température normale d'une pièce. En période de repos hivernal, les garder dans un endroit frais, entre 10 et 13°C. Ne pas les exposer à moins de 7°C.

Arrosage Il doit être modéré en période de croissance. Laisser le mélange sécher sur 1 cm entre les arrosages. Pendant le repos hivernal, n'arroser que pour empêcher le mélange de se dessécher.

Engrais En période de croissance, donner de l'engrais liquide ordinaire tous les 15 jours.

Empotage et rempotage Utiliser un substrat composé de sable grossier ou de perlite (1/4) et de mélange à base de terreau (3/4) [voir page 429]. Au printemps, rempoter les plants trop volumineux, mais ne pas les garder plus de 18 mois, les jeunes sujets étant plus beaux.

Multiplication Elle se fait par bouturage des tiges entre le début du printemps et la fin de l'été. Couper l'extrémité de la tige sous un nœud. Enlever la feuille inférieure et grouper 2 ou 3 boutures dans un bocal opaque rempli d'eau. Laisser dans un endroit chaud, au plein soleil tamisé, jusqu'à ce qu'il y ait 2,5 cm de racines. Grouper alors les boutures dans un pot de 8 à 10 cm rempli du mélange recommandé pour les sujets adultes et donner les mêmes soins qu'à ceux-ci.

On peut également insérer les 2 ou 3 boutures dans un pot de 8 cm rempli d'un mélange humide, composé à volume égal de tourbe, de sable grossier ou de perlite. Les exposer au plein soleil tamisé et n'arroser que pour empêcher le mélange de se dessécher. Au bout de sept semaines environ, les rempoter ensemble dans un pot de 10 cm rempli du mélange recommandé pour les sujets adultes. Si l'on veut rempoter dans une corbeille suspendue, grouper 6 à 8 boutures. Cultiver immédiatement comme des séneçons adultes.

Remarque Examiner fréquemment les bourgeons terminaux des séneçons pour voir s'il ne s'y trouve pas de pucerons (voir page 455).

Séneçon-lierre, voir *Senecio mikanioides*.
Sensitive, voir *Mimosa pudica*.

Setcreasea
COMMÉLYNACÉES

S. purpurea

Le genre *Setcreasea* vient d'être redéfini par les botanistes : certaines formes qui lui étaient attribuées se trouvent maintenant dans le genre *Callisia*. *S. purpurea*, la seule espèce cultivée à l'intérieur, présente des tiges rampantes à extrémité dressée et des feuilles de 10 à 15 cm de long sur 2,5 de large, pourpre violacé. De petites fleurs rose magenta à 3 pétales naissent à l'aisselle des feuilles en été. Après la floraison, couper les tiges florifères qui ont porté des fleurs à leur extrémité. Les setcreaseas peuvent être cultivés en pot ou en corbeille suspendue.

Le contraste entre un setcreasea et un tradescantia est très heureux. Exposer le pot au plein soleil.

SOINS PARTICULIERS

Lumière Exposer les setcreaseas aux rayons directs du soleil trois ou quatre heures par jour.

Température Ils aiment les pièces chaudes où la température reste au-dessus de 18°C, mais supportent des températures de 7°C.

Arrosage Il doit être modéré toute l'année. Bien mouiller le mélange, mais le laisser sécher sur 1 cm entre les arrosages.

Engrais En période de croissance, donner de l'engrais liquide ordinaire une fois par mois aux plants bien établis (ceux qui sont empotés depuis plus de deux mois).

Empotage et rempotage Utiliser un mélange à base de terreau (voir page 429). Les setcreaseas poussent vite; il faudra peut-être les rempoter tous les six mois. Les remplacer par de jeunes sujets au bout de 18 à 24 mois.

Multiplication Prélever des boutures terminales de 8 cm au printemps ou en été. Enlever les feuilles inférieures pour éviter la pourriture et planter dans du mélange ordinaire. Exposer au plein soleil tamisé pendant deux ou trois semaines en veillant à ce que le mélange reste tout juste humide. Quand la croissance a repris, cultiver comme des sujets adultes.

Remarque Toucher le moins possible les setcreaseas. Les feuilles sont en effet recouvertes d'une pruine fragile qu'effrite un simple frottement, laissant des plaques luisantes. Sans cette pruine, le feuillage est moins beau.

Siderasis
COMMÉLYNACÉES

S. fuscata

Il n'y a qu'une seule espèce dans le genre *Siderasis*, *S. fuscata*. C'est une plante tropicale à rosette et à port prostré, remarquable par ses fleurs et son riche feuillage, mais très difficile à cultiver autrement que dans un terrarium (voir page 54) ou une vitrine (voir page 53). Dans de bonnes conditions, sa croissance est ininterrompue.

Les feuilles elliptiques de *S. fuscata* jaillissent directement d'une courte tige souterraine. Elles sont disposées en une rosette qui ne dépasse pas 8 cm de haut et elles peuvent atteindre 20 cm sur 8. Leur limbe est vert olive pâle sur le dessus, avec une bande longitudinale blanche de 0,5 cm au centre, et rouge pourpré en dessous. Un fin duvet roux recouvre la plante. A la fin de l'été, des hampes duveteuses apparaissent près du centre de la rosette et chacune donne naissance à une fleur à 3 pétales, de 2,5 cm de diamètre. La couleur des fleurs varie du violet au pourpre rosé. Les sujets adultes produisent des rejets à la souche.

SOINS PARTICULIERS
Lumière Il faut aux siderasis une lumière moyenne, jamais vive.
Température Elle doit se maintenir constamment entre 21 et 24°C, sans écart de plus de deux ou trois degrés. Garder constamment les pots sur un plateau de gravillons maintenus humides.

Arrosage Il doit être modéré toute l'année. Laisser le mélange sécher sur 1 cm entre les arrosages. Ne pas donner trop d'eau : la pourriture s'installe facilement aux points d'insertion des feuilles sur la tige souterraine.
Engrais Donner de l'engrais liquide ordinaire une fois par mois, pas plus : trop d'engrais ramollit la plante et provoque une trop abondante montée de sève.
Empotage et rempotage Utiliser un substrat composé à volume égal de mélange à base de terreau (voir page 429), de terreau de feuilles ou de tourbe et de sable grossier (mais pas de perlite, elle retient trop l'eau). Déposer environ 1,5 cm de tessons de grès au fond des pots. Rempoter les jeunes sujets tous les printemps. Lorsque la plante loge dans un pot de 12 à 15 cm, la diviser pour la multiplication.
Multiplication Elle se fait en toute saison par division des touffes de rosettes. Prendre garde de ne pas endommager les racines. Planter chaque rosette dans un pot de 8 cm rempli du mélange humide recommandé, et l'enfermer dans un sachet de plastique transparent ou une caissette de multiplication chauffante (voir page 444). La placer pendant 10 jours à une lumière moyenne et à une température de 24°C environ. Découvrir alors le jeune plant et lui donner les mêmes soins qu'à un sujet adulte.

Sinningia
GESNÉRIACÉES

Les formes les plus connues du genre *Sinningia* sont celles que l'on appelle communément gloxinias des fleuristes (à ne pas confondre avec le genre *Gloxinia*) : ce sont des variétés de *S. speciosa*. Mais le genre *Sinningia* comporte d'autres espèces, fort différentes.

Il y a d'abord celles qui, jusqu'à tout récemment, faisaient partie du genre *Rechsteineria*. Ces espèces, à tiges pubescentes et érigées, portent des feuilles velues, faiblement pétiolées. Leurs fleurs naissent en bouquets à l'aisselle des feuilles supérieures. Chacune se compose d'un calice à 5 lobes et d'une corolle étroite, tubuleuse, qui s'épanouit également en 5 lobes. La floraison est suivie d'une période de dormance durant laquelle tous les organes aériens meurent. Elle est courte cependant, car souvent de nouvelles pousses apparaissent avant que les anciennes ne soient complètement fanées.

Ensuite, on trouve des espèces et des hybrides miniatures qui sont les sinningias les plus florifères. Certaines espèces se présentent sous forme de rosettes acaules, d'autres ont des tiges qui peuvent atteindre 8 cm. Leur croissance est rapide et elles fleurissent toute l'année.

Quant aux gloxinias des fleuristes et aux espèces voisines de sinningias, ils se distinguent par leurs feuilles veloutées et leurs courtes tiges. Les fleurs en forme de trompette ont un calice étalé à 5 lobes et une corolle à 5 lobes. Elles sont blanches, rouges ou pourpres. Elles connaissent une période de dormance de cinq à six mois.

Ces trois sortes de sinningias ont quelques traits communs : leurs tiges émergent de tubercules fibreux et leurs racines partent du dessus et non du dessous des tubercules. Leurs fleurs tubuleuses sont très colorées.
Voir aussi GESNERIACEES.

ESPÈCES RECOMMANDÉES
S. cardinalis (autrefois *Rechsteineria cardinalis*) présente des tiges vert moyen, couvertes d'un fin duvet blanc, qui peuvent mesurer 25 cm. Les feuilles ovales, acuminées et pubescentes, de 8 à 15 cm sur 5 à

S. cardinalis

Gloxinia élégant
S. speciosa hybride

12 cm ont la marge festonnée. Le limbe vert moyen présente des nervures vert foncé. Le dessous des feuilles est vert pâle. Des fleurs rouge sang s'épanouissent à l'automne durant trois mois. Le calice vert et pubescent, de 0,5 cm de long, enserre une corolle duveteuse de 5 cm. Les 2 lobes supérieurs de la corolle sont soudés et s'avancent au-dessus des autres, comme la visière d'une casquette.

S. leucotricha (autrefois *Rechsteineria leucotricha*) présente des tiges et des feuilles vert tendre, recouvertes d'un dense duvet blanc. Les feuilles elliptiques à marge réfléchie, de 15 cm sur 10, sont disposées en spirale autour des tiges qui peuvent mesurer 25 cm. Le limbe est fortement veiné en dessous. Les fleurs roses, presque cylindriques, s'épanouissent en été et à l'automne sur une période de deux mois. Chacune porte un calice vert pâle, velu, de 0,5 cm, et une corolle de 2,5 cm.

S. pusilla est l'espèce miniature la plus fréquemment cultivée en appartement. Ses tiges ont environ 1 cm de long. Ses feuilles arrondies, à marge festonnée, de 1 cm de diamètre, sont portées par des pétioles de 3 mm. Le limbe est duveteux; il est vert moyen, veiné de vert plus foncé sur le dessus, et vert clair, veiné de rouge sur le dessous. Les fleurs en forme de trompette naissent solitaires à l'aisselle des feuilles, sur des pédicelles de 2,5 cm. Elles s'appuient sur un calice vert de 3 mm. Leur corolle atteint 2 cm de long et 1,5 cm de diamètre. Les 5 lobes sont inégaux, les 3 lobes inférieurs s'avançant au-dessous des 2 autres qui sont plus petits. Les fleurs sont violettes ou lavande, parfois marquées de lignes sombres rejoignant une gorge blanche.

S. *pusilla* a donné naissance à de nombreux hybrides miniatures : *S.* 'Bright Eyes' à fleurs pourpres et à lobes d'un rouge plus foncé, *S.* 'Dollbaby' à fleurs bleu lilas lavées de blanc, *S.* 'Little Imp' à fleurs lavande et lobes magenta, *S.* 'Pink Petite' à fleurs roses, *S.* 'White Sprite' à fleurs blanches, et *S.* 'Wood Nymph' à fleurs rouge pourpré présentant une gorge tachetée de blanc. La floraison de S. *pusilla* et de ses hybrides est ininterrompue : les hampes florales se succèdent au-dessus des tubercules qui ont la grosseur d'un pois. Les plantes sèment sans arrêt leurs graines d'où sortent de nouveaux sujets. La culture en terrarium (voir page 54) leur convient bien.

S. regina présente des tiges pubescentes purpurines qui peuvent atteindre 20 cm de long. Les feuilles ovales, veloutées et dentées, de 10 à 20 cm de long sur 8 à 15 de large, sont portées par des pétioles pourpres de 2 à 6 cm. Le limbe est vert foncé, veiné de blanc sur le dessus, et pourpré en dessous. De 4 à 6 hampes florales mesurant 5 à 10 cm naissent à l'aisselle des feuilles; elles portent chacune une seule fleur pendante. Le calice vert, de 1 à 1,5 cm de long, présente des lobes pointus, disposés en étoile. Il porte une corolle violette, de 4 cm, qui s'évase à son extrémité, le lobe inférieur faisant saillie. La gorge des fleurs est maculée de pourpre. La floraison a lieu à la fin de l'été.

S. speciosa (gloxinia élégant) a donné naissance à d'innombrables formes. L'espèce présente des tiges pubescentes qui peuvent mesurer 30 cm. Les feuilles opposées, ovales et veloutées, à marge festonnée, atteignent 20 cm sur 15; elles sont portées par des pétioles de 4 cm. Le limbe est vert moyen, veiné d'un vert plus clair sur le dessus, tandis qu'il est vert pâle lavé de rouge en dessous. De 1 à 3 hampes florales de 10 cm s'élèvent à l'aisselle des feuilles supérieures. Elles portent chacune une fleur pendante dont la corolle, de 4 cm, jaillit d'un calice étoilé, de 2 cm. Les 2 lobes supérieurs de la corolle sont réfléchis, tandis que les 3 autres font saillie. Les fleurs sont blanches, rouges ou violettes, parfois rayées de jaune ou de blanc. La gorge peut être maculée de rouge. La floraison s'étale sur deux mois, en été.

Les hybrides de *S. speciosa* sont généralement acaules et présentent des feuilles plus grandes et des fleurs plus colorées que celles de l'espèce. De plus, leurs fleurs en forme d'entonnoir ont des lobes égaux et symétriques et laissent voir leur gorge. Il peut y avoir plus de 5 lobes sur les corolles et leur marge froncée les fait souvent paraître doubles. On ne peut dresser la liste de ces hybrides, car il s'en crée sans cesse de nouveaux.

SOINS PARTICULIERS

Lumière En période de croissance, exposer les sinningias au plein soleil tamisé. La lumière n'a pas d'importance en période de dormance. Les formes miniatures viennent bien sous une lumière artificielle (voir page 446). Les placer à 25 cm des tubes fluorescents, 12 heures par jour.

Température En période de croissance, les sinningias se plaisent à une température de 18 à 24°C.

S. 'Pink Petite'

Augmenter l'humidité en posant les pots sur un plateau de gravillons couverts d'eau. Au-dessus de 24°C, vaporiser de l'eau autour de la plante mais non sur le feuillage : l'eau tache les feuilles et les fleurs. Garder les tubercules dormants à des températures de 7 à 16°C.

Arrosage Il doit être généreux en période de croissance, mais il ne faut pas laisser d'eau dans les soucoupes. Si la température tombe au-dessous de 18°C, arroser moins en attendant qu'elle remonte. L'hiver, n'arroser les formes miniatures et celles qui appartenaient avant au genre *Rechsteineria* que pour empêcher le mélange de se dessécher (autrement leurs tubercules risqueraient de pourrir); arroser les autres formes modérément en laissant le mélange sécher sur 2,5 cm entre les arrosages. Réduire peu à peu la fréquence de ceux-ci avant la période de dormance, quand les feuilles jaunissent. Lorsque les organes aériens sont morts, garder les tubercules au sec.

Engrais Il faut aux sinningias à dormance de l'engrais liquide riche en phosphate, dilué de moitié. Donner l'engrais, du début de la floraison jusqu'à la mort des organes aériens, à raison d'une fois par

tous les 15 jours. Donner le même engrais dilué des sept huitièmes aux formes miniatures à floraison persistante, à raison d'une fois tous les 15 jours pendant toute l'année.

Empotage et rempotage Utiliser un mélange à volume égal de tourbe de sphaigne, de perlite et de vermiculite, additionné de 7,5 ml de calcaire dolomitique ou de calcaire broyé pour 250 ml. Les sujets les plus gros logeront dans un pot de 10 à 12 cm, tandis que les formes miniatures se contenteront d'un pot de 4 à 6 cm. Empoter les tubercules dormants au début du printemps juste sous la surface. Arroser d'abord parcimonieusement; augmenter les apports d'eau à mesure que la croissance progresse. Dans le cas de *S. regina* et de *S. speciosa*, retirer les tubercules des pots au début de la période de dormance, mais ne pas déranger ceux des espèces qui appartenaient autrefois au genre *Rechsteineria*. Garder ces derniers dans le même pot trois ou quatre ans, puis les rempoter ou s'en défaire. Rempoter les formes miniatures tous les ans, à n'importe quelle période de l'année.

Multiplication Elle se fait par bouturage des jeunes tiges pour tous les sinningias, sauf les formes miniatures. Prélever des boutures de 2,5 à 10 cm au début de l'été. Planter individuellement dans des pots de 4 à 6 cm remplis de mélange humide. Enfermer dans un sachet de plastique ou une caissette de multiplication (voir page 443) et exposer pendant quatre à six semaines au plein soleil tamisé. La croissance reprend quand la bouture s'est dotée de racines et d'un tubercule. Acclimater progressivement les jeunes plants à leur nouveau milieu ambiant en les découvrant un peu plus tous les jours, sur une période de quatre semaines; garder le mélange humide. Cultiver ensuite comme des sujets adultes.

Tous les sinningias se multiplient aussi par semis ou par bouturage des feuilles (voir *GESNERIACEES*, page 225). De nombreuses formes miniatures se propagent d'elles-mêmes en répandant leurs graines. Il suffit alors de prélever et d'empoter les plantules.

Smilax, voir *Asparagus asparagoides.*

Smithiantha

GESNÉRIACÉES

S. zebrina

Le genre *Smithiantha* groupe 4 ou 5 espèces dont la période de floraison est suivie de plusieurs mois de dormance totale. Le système radiculaire de ces plantes part de plusieurs rhizomes écailleux qui peuvent atteindre 5 cm de long sur 1,5 de diamètre. Les tiges sont simples ou ramifiées. Elles portent des feuilles opposées, pubescentes et cordiformes, à marge fortement dentée. Les fleurs tubuleuses et retombantes, de 5 cm de long, présentent une corolle à 5 lobes. Elles naissent sur de courts pédicelles qui alternent de chaque côté de la tige, formant une sorte d'épi au-dessus des feuilles. La floraison se produit au milieu de l'hiver, les fleurs inférieures s'ouvrant les premières; elle dure un mois.
Voir aussi GESNERIACEES.

ESPÈCES RECOMMANDÉES

S. cinnabarina (incorrectement appelé *Naegelia cinnabarina*) présente des tiges de 45 à 60 cm et des feuilles vert foncé qui peuvent atteindre 15 cm sur 12. Le duvet rouge qui les recouvre leur donne des reflets veloutés. La gorge et le dessous des fleurs vermillon portent des bandes jaunes ou blanches. L'intérieur des 5 lobes est maculé et rayé de lignes rouge clair qui convergent vers la gorge.
S. fulgida se distingue de *S. cinnabarina* par ses feuilles entièrement vertes et ses fleurs écarlates à gorge et à lobes jaunes.
S. zebrina peut atteindre 75 cm de haut. Ses feuilles de 18 cm sont vert foncé, à nervures brunes ou pourpres. L'extérieur des fleurs est rouge rayé de jaune, la gorge est jaune maculé de rouge. Les 2 lobes supérieurs sont plus petits que les 3 autres; les premiers sont jaune-orange; les derniers sont jaunes.
Note : Plusieurs hybrides ne dépassent pas 20 à 30 cm de haut; cela les rend plus faciles à cultiver en appartement que les espèces. Leurs fleurs sont toujours à dominance rouge, orange ou jaune, et elles sont diversement rayées et tachetées. *S.* 'Golden King', par exemple, présente des fleurs jaune d'or, maculées de rouge, et *S.* 'Little One' des fleurs rouge et jaune.

SOINS PARTICULIERS

Lumière Exposer les smithianthas à une lumière moyenne, celle d'une fenêtre ombragée ou de tubes fluorescents (voir page 446). Ils tendent à se rabougrir sous la lumière vive.
Température Il faut aux smithianthas des températures chaudes et humides. Ne jamais laisser la température descendre au-dessous de 18°C. La culture en vitrine (voir page 53) convient particulièrement bien à ces plantes.
Arrosage Il doit être modéré. Laisser sécher le mélange sur 1 cm entre les arrosages. Un excès d'eau, tout comme une chaleur sèche, fait brunir les feuilles.
Engrais Donner de l'engrais liquide ordinaire, dilué des trois quarts, à chaque arrosage.
Empotage et rempotage Utiliser un mélange de tourbe de sphaigne (3/6), de vermiculite (2/6) et de perlite (1/6) et y ajouter un peu de calcaire dolomitique, de calcaire broyé ou de coquilles d'œufs pulvérisées pour diminuer l'acidité de la tourbe de sphaigne (voir page 430). Quand des tiges apparaissent, empoter les rhizomes individuellement dans de grands demi-pots. Les pots doivent être larges parce que les smithianthas ont des racines très étalées.
Multiplication La méthode la plus simple consiste à diviser un rhizome en 2 ou 3 segments avant la reprise de la croissance. Empoter chaque segment et le traiter comme il est dit ci-dessus (voir « Empotage et rempotage »). Mais on peut également semer des graines à la surface du mélange recommandé, au début du printemps. Garder le mélange humide (non détrempé) dans un endroit ombragé où la température se maintient entre 16 et 21°C. La germination prend un mois. Lorsque les plantules ont 2 à 4 feuilles, les séparer, les rempoter et les cultiver comme des sujets adultes. La floraison se produit 9 à 10 mois après les semis.
Remarque Après la floraison, il est recommandé de laisser les organes aériens mourir et les rhizomes sécher. Lorsqu'ils sont tout à fait secs, dépoter les rhizomes, les secouer pour détacher le mélange et les placer dans de la tourbe ou de la vermiculite jusqu'à ce qu'ils soient prêts pour une nouvelle croissance.

Solanum

SOLANACÉES

S. capsicastrum

Il y a dans le genre *Solanum* (pommier d'amour) quelque 1 700 espèces arbustives et grimpantes dont 2 surtout sont cultivées comme plantes d'appartement. Il s'agit de 2 espèces buissonnantes pouvant atteindre 45 cm de hauteur et d'étalement. Leurs ramilles portent de petites feuilles vert foncé et des fleurs étoilées, dépourvues d'intérêt, qui s'épanouissent en été. Elles sont remplacées par des baies non comestibles mais très décoratives et persistantes. On se procure les solanums à la fin de l'automne ou au début de l'hiver, au moment où les baies vertes sont devenues orange ou vermillon, et on s'en défait lorsque celles-ci tombent, quelques mois plus tard. Pourtant, si elles sont cultivées correctement et passent l'été à l'extérieur, ces plantes produiront fleurs et fruits l'année suivante.

ESPÈCES RECOMMANDÉES

S. capsicastrum présente des feuilles lancéolées, légèrement pubescentes, portées sur des pétioles de 0,5 cm. Les feuilles, à marge ondulée, peuvent atteindre 7,5 cm sur 4. Elles sont disposées près les unes des autres le long des nombreuses ramilles qui partent des tiges ligneuses. Les fleurs apparaissent par groupes de 2 ou 3 sur des pédicelles de 2,5 cm, à l'aisselle des feuilles. Elles sont blanches, à étamines orange, et mesurent environ 1 cm de diamètre. A la fin de l'automne ou au début de l'hiver, des baies ovales vertes, de 1,5 à 2 cm, les remplacent. Elles reposent sur des bractées vertes. Les baies deviennent rouge orangé en mûrissant et elles persistent presque tout l'hiver. *S. c.* 'Variegatum' est une forme à feuilles panachées ou marginées de jaune crème.

S. pseudocapsicum (cerisier de Jérusalem, cerisier d'amour) ressemble à *S. capsicastrum*, mais il est plus robuste et donc plus facile à cultiver. Les baies sont un peu plus grosses, globuleuses, d'un rouge presque écarlate; elles restent longtemps sur la plante. Il existe 2 formes naines, *S. p.* 'Nanum' et *S. p.* 'Tom Thumb', qui ne dépassent pas 25 à 30 cm de haut, tout en donnant des baies aussi grosses et aussi persistantes que celles de l'espèce.

SOINS PARTICULIERS

Lumière Exposer les solanums au plein soleil durant la fructification, du début de l'automne au début du printemps. Pour conserver la plante, la placer dehors durant tout l'été, à l'abri des rayons ardents du soleil de midi.

Température Pendant l'automne et l'hiver, placer si possible les solanums dans une pièce où la température ne dépasse pas 16°C, en leur donnant beaucoup d'humidité : une atmosphère chaude et sèche abrège la durée des baies. Poser les pots sur un plateau de gravillons maintenus humides et bassiner le feuillage tous les jours. De la fin du printemps à la fin de l'été, la plante est laissée à l'extérieur. Quand le temps est très sec, bassiner le feuillage. Rentrer les solanums bien avant les premières gelées. Ne pas les exposer à moins de 10°C.

Arrosage Il doit être généreux, car le mélange doit toujours rester très humide. Cependant, ne jamais laisser d'eau dans les soucoupes. Donner aux sujets qu'on veut garder une deuxième année une période de repos de quatre ou cinq semaines avant de les placer à l'extérieur. Arroser alors très peu.

Engrais Donner de l'engrais liquide ordinaire tous les 15 jours, sauf pendant la période de repos.

Empotage et rempotage Les plants achetés à la fin de l'automne ou au début de l'hiver ne seront rempotés qu'à la mi-printemps, probablement dans un pot de 10 cm, avant d'être placés à l'extérieur. Utiliser un mélange à base de terreau (voir page 429). Les solanums obtenus par semis doivent être rempotés dès que des racines apparaissent en surface ou par le trou de drainage. Normalement, on ne garde pas les solanums plus de deux ans.

Multiplication Les graines semées au début du printemps donnent des sujets qui fleuriront et fructifieront la même année. Semer les graines dans un petit pot ou une terrine peu profonde remplis d'un mélange à enracinement humide (voir page 444). Espacer les graines de 1,5 cm et les faire pénétrer à peine dans le mélange. Enfermer le pot dans un sachet de plastique transparent ou une caissette de multiplication (voir page 443) et l'exposer au plein soleil tamisé par un store ou des rideaux translucides. La germination demande deux à trois semaines. Découvrir alors le pot; les plantules ont besoin d'une lumière vive avec au moins deux heures d'exposition au plein soleil tous les jours. Garder le mélange tout juste humide et fertiliser dès que les plantules atteignent 5 à 8 cm. Huit semaines après les semis, transplanter les jeunes plants individuellement dans des pots de 8 cm et leur donner les mêmes soins qu'aux sujets adultes. Les garder si possible à l'extérieur jusqu'à ce que les baies commencent à se former en automne.

Remarque A la fin du printemps, avant de placer les solanums à l'extérieur, tailler sévèrement en rabattant des deux tiers la pousse de l'année précédente. Pour obtenir une plante plus touffue, pincer les bourgeons terminaux des nouvelles tiges du printemps. Bassiner les solanums tous les jours durant la floraison pour favoriser le développement des fruits.

Sonerila
MÉLASTOMATACÉES

S. margaritacea

Une seule espèce du genre *Sonerila* se cultive couramment à l'intérieur : il s'agit de *S. margaritacea*, plante prostrée et buissonnante. Les tiges rouges et rampantes, de 25 cm, portent des feuilles opposées et lancéolées de 10 cm sur 5. Leur limbe vert sombre est maculé de blanc argenté. Le dessous des feuilles est pourpre uni. Les pétioles de 5 cm sont rouges. Les fleurs pourpre rosé à 3 pétales, de 1,5 cm, apparaissent en petites inflorescences en été et en automne sur des pédicelles de 5 à 8 cm, à proximité des bourgeons terminaux des tiges et des rameaux. Les sonerilas sont des plantes tropicales à croissance ininterrompue.

SOINS PARTICULIERS
Lumière Exposer les sonerilas au plein soleil tamisé, toute l'année.
Température Les sonerilas exigent une température minimale de 18°C et beaucoup d'humidité. Ce sont de bons sujets à cultiver en terrarium (voir page 54) ou dans un jardin en bouteille (voir page 56).
Arrosage Il doit être modéré toute l'année; laisser le mélange sécher sur 1 cm entre les arrosages.
Engrais Donner de l'engrais liquide ordinaire tous les 15 jours.
Empotage et rempotage Utiliser un mélange à volume égal de tourbe et de terreau de feuilles. Rempoter

tous les printemps dans des demi-pots ou des terrines. Les sonerilas ont tendance à perdre leurs feuilles inférieures, aussi, dès qu'ils logent dans un contenant de 12 à 15 cm, les remplacer par de jeunes sujets.
Multiplication Elle se fait par bouturage des tiges, du milieu du printemps au début de l'automne. Prélever des boutures de 5 à 8 cm près de la souche, sous une paire de feuilles. Enlever les feuilles inférieures et plonger dans de la poudre d'hormones à enracinement. Grouper 2 ou 3 boutures dans un pot de 8 cm rempli d'un mélange humide, composé à volume égal de tourbe et de sable grossier ou de perlite. Enfermer dans un sachet de plastique ou une caissette de multiplication (voir page 443) et exposer au plein soleil tamisé dans une pièce chaude. L'enracinement demande trois à quatre semaines. Acclimater les jeunes plants en les découvrant un peu plus tous les jours. Les racines bien établies, arroser et fertiliser modérément. Trois mois après le bouturage, transplanter les jeunes plants ensemble dans un pot de 10 cm rempli du mélange recommandé pour sujets adultes. Cultiver comme des sonerilas adultes.

Souchet, voir *Cyperus alternifolius.*

Sparmannia
TILIACÉES

Les plantes du genre *Sparmannia* (tilleul d'appartement) sont des arbrisseaux qui peuvent atteindre 1,80 à 3 m de haut en appartement. On ne cultive communément à l'intérieur que l'espèce *S. africana* et ses variétés *S. a.* 'Flore Pleno', à fleurs doubles, et *S. a.* 'Nana', forme naine. L'espèce présente des feuilles cordiformes, légèrement pubescentes et vert clair, de 20 à 25 cm de long, portées par des pétioles de 15 à 25 cm. Le tronc et les branches vert clair et velus chez

Comme les sparmannias sont lourds, il vaut mieux les cultiver dans des pots de grès remplis d'un mélange à base de terreau.

les jeunes sujets virent au brun avec le temps. Des ombelles terminales de fleurs blanches à 4 pétales s'épanouissent à la fin de l'hiver ou au début du printemps, au bout de longs pédoncules. Dans une pièce fraîche, la plante peut fleurir presque toute l'année. Les boutons qui sont d'abord pendants se redressent en s'ouvrant, laissant voir une touffe d'étamines jaunes à extrémité pourprée. Les fleurs se fanent en quelques jours, mais peuvent rester sur la plante plusieurs semaines; il vaut mieux les enlever.

Certains spécimens de l'espèce fleurissent rarement, tout comme la variété à fleurs doubles. Si l'on veut une plante florifère, il vaut mieux choisir la variété naine. Enfin, c'est à deux ans qu'un sparmannia est le plus beau.

S. africana

Spathiphyllum
ARACÉES

Le genre *Spathiphyllum* comprend des plantes acaules, renommées pour leur feuillage vernissé et leurs inflorescences semblables à celles des arums. Ce sont surtout les hybrides que l'on cultive en appartement. Les spathiphyllums présentent tous de courts rhizomes souterrains d'où jaillissent des touffes de feuilles lancéolées ou elliptiques, vert foncé, à pétioles engaînés. Les inflorescences apparaissent au printemps, en été et parfois au début de l'automne sur de longues hampes qui s'élèvent au centre des touffes de feuilles. Chaque fleur comporte une grande spathe blanche entourant un spadice érigé, blanc, crème ou vert, de 5 à 8 cm de long. L'inflorescence parfumée ne garde sa couleur que durant une semaine environ : la spathe devient peu à peu vert pâle et le spadice brunit. Mais l'ensemble reste décoratif pendant cinq à six autres semaines, après quoi il vaut mieux l'enlever.

SPATHIPHYLLUMS RECOMMANDÉS

S. 'Mauna Loa' est un hybride qui peut atteindre 60 cm de haut. Ses feuilles, de 20 à 25 cm de long sur 13 de large, sont portées par des pétioles de 25 à 30 cm. Il fleurit surtout au printemps. La hampe mesure 35 à 50 cm. La spathe blanche qui entoure le spadice crème est ovale et acuminée; elle atteint 10 à 15 cm de long sur 10 de large.

S. wallisii, seule espèce cultivée à l'intérieur, dépasse rarement 30 cm de haut. Ses feuilles de 15 cm sur 8 sont montées sur des pétioles de 15 cm. Les fleurs apparaissent au printemps et parfois de nouveau à la fin de l'été sur des hampes de 20 à 25 cm. Leur spadice crème s'élève à la base d'une spathe ovale et acuminée de 8 à 10 cm de long sur 5 à 8 cm de large.

SOINS PARTICULIERS

Lumière Exposer les spathiphyllums à une lumière moyenne. Le plein soleil brûle leurs feuilles.
Température Il faut aux spathiphyllums la température normale d'une pièce. Ne pas les exposer à moins de 13°C. Ils sont sensibles à

SOINS PARTICULIERS

Lumière Exposer les sparmannias au plein soleil tamisé. La plante ne fleurit pas et s'étiole lorsque la lumière est insuffisante. Eviter cependant les rayons directs du soleil qui risquent de brûler les feuilles.
Température Les sparmannias se développeront mieux dans une pièce où la température se maintient autour de 16°C. S'ils sont placés dans une pièce plus chaude, augmenter l'hygrométrie en plaçant les pots sur un plateau de gravillons maintenus humides.
Arrosage Pendant la période de croissance, arroser modérément. Bien mouiller le mélange, mais le laisser sécher sur 1 cm entre les arrosages, sauf si les racines remplissent le pot : il faut alors garder le mélange constamment humide. Pendant la période de repos, n'arroser que pour empêcher le mélange de se sécher complètement.
Engrais Donner de l'engrais liquide ordinaire tous les 15 jours, à partir du printemps (ou plus tôt, si les boutons floraux apparaissent hâtivement) jusqu'à l'automne.

Empotage et rempotage Utiliser un mélange à base de terreau (voir page 429). Rempoter quand les racines remplissent le pot, plusieurs fois durant l'année si nécessaire, mais ni à la fin de l'automne ni pendant l'hiver. Un pot de 26 cm convient à un sujet de 1,80 m.
Multiplication Prélever au printemps des boutures terminales de 15 cm et les faire s'enraciner dans l'eau ou dans un mélange composé à volume égal de tourbe et de sable. Garder les boutures dans un endroit chaud, moyennement éclairé. Quand la croissance a bien repris, les transplanter individuellement dans des pots de 8 cm remplis d'un mélange ordinaire. Les cultiver ensuite comme des sujets adultes. Souvent, les boutures du printemps fleurissent à la fin de l'hiver.
Remarques Favoriser la ramification des boutures en pinçant la tige principale au printemps. On peut garder les vieux plants en les rabattant sévèrement, mais leur tronc étant dénudé, il vaut mieux repartir à neuf. Il n'est pas nécessaire de tuteurer les sparmannias.

Spathiphyllum 'Mauna Loa'

la sécheresse : laisser toujours les pots sur un plateau de gravillons humides. Au-dessus de 18°C, la croissance est ininterrompue, mais elle ralentit un peu en hiver.

Arrosage Il doit être modéré : bien mouiller le mélange, mais le laisser sécher sur 1 cm entre les arrosages. Si la température tombe au-dessous de 16°C, diminuer les arrosages, mais ne jamais laisser le mélange se dessécher complètement.

Engrais Donner de l'engrais liquide ordinaire tous les 15 jours, du début du printemps à la fin de l'automne. Maintenir les apports d'engrais toute l'année pour les plants cultivés dans de la tourbe.

Empotage et rempotage Utiliser un mélange à base de tourbe ou un substrat composé à volume égal de mélange à base de terreau (voir page 429), de terreau de feuilles et de sable grossier ou de perlite. Rempoter tous les printemps jus-qu'à ce que la plante loge dans un pot de 15 à 20 cm. Ensuite, se contenter de renouveler annuellement la couche superficielle du mélange (voir page 428).

Multiplication Elle se pratique au printemps par division des grosses touffes de feuilles. Séparer les rhizomes délicatement. Chaque segment doit comporter au moins 2 ou 3 feuilles. Les planter individuellement dans des pots de 8 cm remplis d'un des deux mélanges recommandés. Les enfouir à la même profondeur que le rhizome dont ils proviennent. Ne pas fertiliser pendant trois mois, mais leur donner tous les autres soins spécifiés pour les sujets adultes.

Remarque Les araignées rouges infestent les spathiphyllums si l'humidité est insuffisante (voir page 454). Bassiner le feuillage une fois par semaine, en surveillant spécialement le dessous des feuilles.

Stapelia
ASCLÉPIADACÉES

Le genre *Stapelia* (étoile ou stapélie) regroupe des plantes grasses à grosses tiges quadrangulaires qui se ramifient à la base. Ces tiges, d'environ 20 cm de long, paraissent dépourvues de feuilles, mais leurs arêtes portent des dents souples qui sont en réalité des feuilles rudimentaires. C'est surtout par leurs fleurs étranges que ces plantes se distinguent. Elles s'ouvrent, solitaires, sur de courtes tiges qui prennent naissance à la base de la plante. Leur corolle à 5 pétales étoilés mesure 5 à 30 cm de diamètre, selon les espèces. Les fleurs des stapelias sont brunes, jaunes ou pourpres, souvent maculées ou rayées d'une autre couleur. Certaines sont pubescentes. Mais elles ont une désagréable odeur de viande avariée qui leur enlève beaucoup de charme. La floraison se produit entre la fin du printemps et le début de l'automne, et chaque fleur dure plusieurs jours. Des gousses en forme de cornet, pleines de graines soyeuses, leur succèdent. Les stapelias ne sont pas très faciles à cultiver.
Voir aussi PLANTES GRASSES.

ESPÈCES RECOMMANDÉES
S. gigantea donne naissance à des fleurs plus grandes que toutes celles des espèces connues : elles mesurent en effet 30 cm de diamètre et parfois même davantage. Leurs pétales jaunes, rayés de lignes transversales rouges, sont couverts d'un duvet pourpre clair. Les fleurs apparaissent au bas de tiges lisses, érigées, vert pâle, de 15 à 20 cm de long sur environ 2,5 cm de diamètre. *S. gigantea* fleurit vers le milieu ou la fin de l'été, mais la

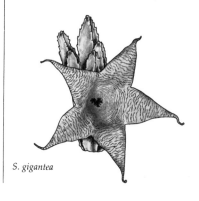

S. gigantea

S. variegata

floraison n'est ni abondante ni assurée, et les fleurs ont une odeur légèrement nauséabonde.

S. variegata, la plus répandue des espèces de stapelias, est aussi l'une des plus petites. Ses tiges ne dépassent pas 15 cm sur 1,5 et ses fleurs ont 5 à 8 cm de diamètre. Les tiges brillantes et vert clair portent des marbrures brunâtres. D'abord érigées, elles retombent peu à peu avec le temps. La floraison estivale est abondante. Les fleurs glabres, d'un jaune vif maculé de brun pourpré sombre, ont malheureusement une désagréable odeur d'ordures ménagères.

SOINS PARTICULIERS

Lumière Exposer les stapelias au plein soleil toute l'année.

Température Un air chaud et sec leur convient. Ne jamais les exposer à une température inférieure à 16°C, même si certaines espèces peuvent supporter des tempéra-

tures plus fraîches : elles risquent de souffrir de différentes maladies cryptogamiques.

Arrosage C'est une opération délicate. Si le mélange est trop humide, la plante risque de pourrir à la souche, mais s'il est trop sec, les tiges se racornissent et leurs extrémités se dessèchent. En période de croissance, plutôt que d'arroser par le haut, placer les pots dans 10 cm d'eau et les y laisser jusqu'à ce que le mélange soit complètement humide. Ensuite, laisser sécher le mélange sur 5 cm avant de recommencer l'opération. En période de repos hivernal, procéder de la même façon, mais en laissant seulement le pot cinq minutes dans l'eau, tous les 15 jours : la surface du mélange doit rester sèche.

Engrais En période de croissance, donner une fois par mois de l'engrais liquide à tomates, riche en potassium. Ajouter l'engrais à l'eau dans laquelle baignent les pots.

Empotage et rempotage Utiliser un substrat poreux, composé à volume égal de sable grossier ou de perlite et de mélange ordinaire à base de terreau (voir page 429). Remplir le pot jusqu'à 3 cm du rebord et terminer avec une couche de sable ou de perlite seulement. La croissance des stapelias est rapide. Les placer au début dans des pots de 8 cm, mais rempoter dès que les tiges remplissent le pot. Le rempotage se fait au printemps, en prévision de la période de croissance, mais il faut parfois rempoter à nouveau à la fin de l'été ou en automne. Déranger les racines le moins possible durant cette opération. Comme ils n'ont pas beaucoup de racines, les stapelias ne devraient pas occuper un pot de plus de 16 cm.

Multiplication Les stapelias se multiplient facilement par semis. A 21°C, les graines germent en moins d'une semaine et les plantules se développent rapidement. *S. variegata* peut fleurir dans les trois mois qui suivent les semis, mais les espèces plus volumineuses demandent un ou deux ans d'attente. (Voir *PLANTES GRASSES*, page 323.)

La multiplication se fait également par bouturage en été. Détacher une tige entière avec ses racines; la laisser sécher une journée, puis la planter dans un pot de 8 cm rempli du mélange recommandé pour les sujets adultes. Ou encore, sectionner un segment de tige avec un couteau, le laisser sécher pendant quatre ou cinq jours et insérer la partie coupée dans un pot de 8 cm rempli du même mélange. Dans les deux cas, cultiver immédiatement comme des sujets adultes.

Remarques Les tiges des stapelias ont tendance à pourrir facilement. Lorsqu'on prélève des boutures, ne pas laisser les tiges blessées de la plante mère entrer en contact avec de l'eau durant trois on quatre semaines : la pourriture pourrait s'y installer et contaminer toute la plante.

Attention aussi aux maladies cryptogamiques, surtout en hiver. Traiter la plante avec un fongicide si des marques noires apparaissent (voir page 456).

Stapélie, voir *Stapelia.*

Stenocarpus

PROTÉACÉES

S. sinuatus

clair sur le dessus et teinté de rouge sur le dessous. Les nervures médianes sont d'un vert plus clair, de même que les pétioles qui mesurent 2 à 8 cm. Les feuilles qui viennent de s'ouvrir restent couleur bronze pendant une à deux semaines.

SOINS PARTICULIERS

Lumière Les stenocarpus demandent une lumière vive et au moins trois heures de plein soleil par jour.

Température Les stenocarpus se plaisent à la température normale d'une pièce ou à des températures plus fraîches, mais pas inférieures à 10°C. S'ils sont placés à un endroit où la température se maintient au-dessous de 18°C, les feuilles seront dures et coriaces; si la température est supérieure, elles seront plus souples et plus grandes.

Arrosage Il doit être généreux en période de croissance pour que le mélange reste constamment humide, mais il ne faut jamais laisser d'eau dans les soucoupes. En période de repos hivernal, arroser parcimonieusement pour empêcher le mélange de se dessécher complètement.

Engrais Donner de l'engrais liquide ordinaire tous les 15 jours en période de croissance.

Empotage et rempotage Utiliser un mélange à base de terreau (voir page 429). Rempoter tous les printemps dans un pot d'une ou de deux tailles supérieures. Lorsque la plante loge dans un pot de 25 à 30 cm, renouveler simplement la couche superficielle du mélange (voir page 428).

Multiplication Au printemps, remplir une terrine à semis d'un mélange à enracinement humide (voir page 444) et y enfouir des graines à 0,5 cm de profondeur. Enfermer dans un sachet de plastique transparent ou une caissette de multiplication (voir page 443). Exposer au plein soleil tamisé, à une température d'au moins 18°C. Découvrir lorsque les graines ont germé et arroser parcimonieusement en laissant le tiers du mélange sécher entre les arrosages. Quand les plantules ont 5 cm de haut et 2 vraies feuilles, les transplanter individuellement dans des pots de 5 à 8 cm remplis de mélange à base de terreau. Les cultiver comme des sujets adultes.

Stenotaphrum

GRAMINÉES

S. secundatum 'Variegatum'

Toutes les espèces du genre *Stenotaphrum*, qui appartient à la grande famille des Graminées, présentent de très jolies feuilles de couleurs vives, en forme de lame. Seule la variété *S. secundatum* 'Variegatum' est communément cultivée à l'intérieur. On la marie facilement avec des plantes à feuillage plus foncé, ou on la cultive isolément en corbeille suspendue. Ses rameaux rampants et aplatis s'enracinent aux nœuds, donnant naissance à de petites touffes de feuilles (ordinairement quatre) de teinte crème, souvent marquées de lignes vertes et parfois également ourlées de vert. Leur longueur peut varier entre 8 et 30 cm, mais leur largeur reste constante : elle ne dépasse pas 1 à 1,5 cm. L'extrémité des feuilles est toujours arrondie.

Avec le temps, quelques feuilles se décolorent et meurent. On les enlèvera sans détruire l'harmonie de la plante. Dans la nature, mais rarement à l'intérieur, le stenotaphrum produit des petites fleurs dénuées d'intérêt.

Une seule espèce du genre *Stenocarpus* se cultive à l'intérieur : *S. sinuatus*. Placée dans un pot ou un bac, cette plante ne dépasse pas 1,80 m de haut. Comme elle se ramifie peu naturellement, il est nécessaire de pincer le bourgeon terminal de la tige principale pour obtenir un sujet plus touffu. Dans son milieu naturel, mais non en appartement, elle produit de belles fleurs rouge vif qui sont réunies en ombelles.

Les feuilles alternes des stenocarpus sont profondément lobées. Elles peuvent atteindre 45 cm sur 20. Les lobes opposés sont disposés de part et d'autre de la nervure médiane qui est très marquée; la feuille se termine par un lobe unique. Chez *S. sinuatus* et ses variétés, le feuillage est brillant, vert

SOINS PARTICULIERS

Lumière Exposer les stenotaphrums à une lumière vive et à trois ou quatre heures de plein soleil par jour. Les feuilles ont tendance à devenir complètement vertes si la lumière est insuffisante. Si elle est très vive, par contre, les feuilles se teinteront de mauve clair, surtout au niveau des nœuds.

Température Les stenotaphrums se développent très rapidement à la température normale d'une pièce. Ne jamais laisser la température descendre au-dessous de 13°C. Pour empêcher les feuilles de jaunir prématurément, augmenter l'hygrométrie en posant les pots sur des plateaux de gravillons maintenus humides; bassiner tous les jours les plantes cultivées en corbeilles suspendues.

Arrosage Il doit être généreux en période de croissance, car le mélange doit toujours rester très humide; mais ne jamais laisser d'eau dans les soucoupes. En période de repos, n'arroser que pour empêcher le mélange de se dessécher.

Engrais En période de croissance seulement, donner de l'engrais liquide ordinaire une fois par mois. Ne pas exagérer les doses : les feuilles deviendraient flasques.

Empotage et rempotage Utiliser un mélange à base de terreau (voir page 429) et des demi-pots ou des corbeilles suspendues, car les stenotaphrums poussent en surface. Rempoter lorsque les tiges couvrent le mélange et retombent à l'extérieur du pot, plusieurs fois par an si nécessaire. Les jeunes sujets sont plus beaux; aussi remplace-t-on la plante tous les deux ans environ.

Multiplication Au printemps ou au début de l'été, détacher des touffes de feuilles enracinées en leur laissant environ 1,5 cm de tige. Planter 3 ou 4 touffes dans un demi-pot de 8 cm rempli d'un mélange humide, composé à volume égal de tourbe et de sable grossier ou de perlite. Exposer au plein soleil tamisé, à une température de 18 à 24°C, et arroser parcimonieusement de sorte que le mélange soit tout juste humide. Lorsque de nouvelles pousses couvrent la surface du mélange, c'est-à-dire trois mois plus tard, rempoter dans du mélange ordinaire et cultiver comme des sujets adultes.

Stephanotis
ASCLÉPIADACÉES

Jasmin de Madagascar
S. floribunda

La seule espèce du genre *Stephanotis* cultivée à l'intérieur est *S. floribunda* (jasmin de Madagascar). Cette plante volubile est surtout prisée pour ses fleurs blanches, cireuses et délicieusement parfumées. Les feuilles vert foncé sont vernissées, obovales et coriaces. Elles peuvent atteindre 10 cm sur 5. Ces feuilles opposées sont portées sur des pétioles de 1 cm. Leur nervure médiane est saillante et d'un vert plus clair que le limbe. Les fleurs apparaissent au printemps et parfois aussi en été. Elles sont groupées en ombelles de 10 ou plus, à l'aisselle des feuilles. Leur corolle tubuleuse, de 4 cm de long, s'étale en 5 lobes pointus.

Les stephanotis sont des plantes particulièrement vigoureuses : palissés sur un treillage dans une grande vitrine, ils peuvent atteindre 3,50 m de haut. Si l'espace manque, on enroulera les tiges autour d'un arceau.

SOINS PARTICULIERS

Lumière Exposer les stephanotis à une lumière vive, mais pas aux rayons directs du soleil qui risqueraient de brûler le feuillage.

Température Les stephanotis se plaisent à des températures de 18 à 21°C, ou supérieures si l'on augmente l'humidité. La température doit toutefois demeurer constante : la plante supporte mal les écarts. En fait, le stephanotis se prête mieux à la culture en serre ou en vitrine (voir page 53).

Arrosage Il doit être généreux en période de croissance pour que le mélange reste constamment humide. En période de repos, arroser seulement lorsque le mélange est à moitié sec, mais ne jamais le laisser se dessécher complètement. Lorsque la température s'élève au-dessus de 21°C, pulvériser un fin jet d'eau sur le feuillage.

Engrais Donner de l'engrais liquide ordinaire tous les 15 jours, pendant la période de croissance seulement.

Empotage et rempotage Utiliser un mélange à base de terreau (voir page 429). Rempoter tôt au printemps. En général, les stephanotis occuperont des pots de 12 à 15 cm, encore que l'on puisse placer un sujet sain et vigoureux dans un pot de 20 cm. Par la suite, se contenter de renouveler la couche superficielle du mélange tous les ans (voir page 428).

Multiplication Au printemps ou au début de l'été, prélever des boutures de 8 à 10 cm sur des pousses latérales n'ayant pas fleuri. Plonger dans de la poudre d'hormones à enracinement. Planter ensuite chaque bouture dans un pot de 8 cm rempli d'un mélange humide, composé à volume égal de tourbe et de sable grossier ou de perlite. Enfermer dans un sachet de plastique transparent ou une caissette de multiplication chauffante (voir page 444). Exposer à une lumière vive mais non aux rayons directs du soleil, à une température d'environ 18°C. L'enracinement se fait en 8 à 10 semaines. Transplanter alors les jeunes plants dans du mélange ordinaire à base de terreau.

Remarque Les stephanotis peuvent être infestés par les cochenilles qui se logent sous les feuilles, généralement près de la nervure médiane. Les enlever à la main ou vaporiser la plante avec l'insecticide approprié (voir pages 454 et 460).

Strelitzia

STRÉLITZIACÉES

Oiseau-de-paradis,
strélitzie de la reine
S. reginae

Les strelitzias (oiseaux-de-paradis) sont renommés pour leurs fleurs très colorées, de forme étrange. Leurs grandes feuilles vert foncé, en bouquet, sont disposées en éventail. Certaines espèces sont arborescentes et peuvent atteindre 7,50 m dans la nature. Une seule espèce est communément cultivée à l'intérieur : *S. reginae* (strélitzie de la reine). Cultivée dans un pot ou un bac, cette plante ne dépasse pas 1,20 m. Les feuilles coriaces sont oblongues ou lancéolées. Elles mesurent 30 à 38 cm de long sur 8 à 15 de large. Les pétioles robustes et cylindriques atteignent 30 à 75 cm; ils sont engainés à la base. Ces strelitzias fleurissent pour la première fois vers l'âge de six ans. Par

la suite, ils fleurissent tous les ans au printemps ou au début de l'été. Chaque inflorescence en forme de huppe d'oiseau est portée par une hampe de 0,90 à 1,20 m de haut qui naît à l'aisselle des feuilles inférieures. Elle se compose d'une bractée verte, parfois teintée de pourpre ou de rouge, d'où sort pendant plusieurs semaines une succession de fleurs à 3 pétales qui

s'épanouissent à la verticale. La bractée, en forme de carène, mesure environ 20 cm. Les fleurs, de 15 cm, sont orange vif. Il en jaillit un organe en forme de langue, de 15 à 20 cm de long sur 2,5 de large, bleu foncé ou violet. L'ensemble est remarquable. Les strelitzias ne sont pas particulièrement difficiles à cultiver à condition de leur ménager un repos hivernal.

SOINS PARTICULIERS

Lumière Donner aux strelitzias une lumière vive et au moins trois ou quatre heures de plein soleil par jour. Ils ne fleuriront pas s'ils manquent de lumière.

Température En période de croissance, la température normale d'une pièce leur convient bien. En automne et en hiver, ils exigent une longue période de repos dans une pièce où la température se maintient autour de 13°C.

Arrosage Il doit être modéré pendant la période de croissance : bien mouiller le mélange, mais le laisser sécher sur 2,5 cm entre les arrosages. En période de repos, n'arroser que pour empêcher le mélange de se dessécher.

Engrais Donner de l'engrais liquide ordinaire tous les 15 jours, pendant la période de croissance seulement.

Empotage et rempotage Utiliser un mélange à base de terreau (voir page 429). Rempoter au printemps dans un pot ou un bac d'une ou deux tailles supérieures. Quand la plante loge dans un pot de 20 à 30 cm, se contenter de renouveler simplement la couche superficielle du mélange au printemps (voir page 428). Ne pas manipuler inutilement les sujets adultes pendant la période de floraison, sous peine d'interrompre celle-ci pendant un ou deux ans.

Multiplication Au printemps, diviser la plante en prélevant sur un sujet adulte une touffe complète ou un groupe de 2 ou 3 feuilles munies de racines. Planter dans un pot de 12 à 15 cm rempli d'un mélange à base de terreau et exposer au plein soleil tamisé, dans un endroit chaud, durant six semaines. Ne pas fertiliser et arroser parcimonieusement en laissant le mélange sécher à moitié entre les arrosages. Au bout de six semaines, la croissance devrait avoir repris. Cultiver alors le jeune plant comme un sujet adulte. Il fleurira deux ou trois ans plus tard.

S. reginae se multiplie aussi par semis, mais cette méthode demande beaucoup de patience. Il faudra peut-être attendre jusqu'à 10 ans avant que les sujets ainsi obtenus se mettent à fleurir.

Remarque Les strelitzias sont parfois infestés par les cochenilles. Examiner de temps à autre le dessous des feuilles, près de la nervure médiane. Voir les mesures à prendre à la page 454.

Strélitzie de la reine, voir *Strelitzia reginae.*

Streptocarpus
GESNÉRIACÉES

S. 'John Innes' hybride

Le genre *Streptocarpus* (oreille-d'éléphant) regroupe des espèces avec tige et des espèces sans tige. Ce sont les espèces acaules que l'on rencontre le plus souvent en appartement parce qu'elles ont donné naissance à de nombreux hybrides très florifères. Certaines ne présentent qu'une grande feuille et meurent après la floraison. Les autres, d'une longévité supérieure, ont des petites feuilles qui poussent à la base de la grande feuille, ou présentent plusieurs feuilles de même taille disposées en rosette. Les hampes naissent à la base des feuilles, qui sont sessiles, et portent de petites grappes de fleurs.

Les streptocarpus rameux se caractérisent par des tiges très ramifiées, garnies de feuilles opposées, alternes ou disposées en spirales de 3 ou 4. Les hampes florales sont axillaires. Les fleurs de tous les streptocarpus présentent un calice à 5 lobes et une corolle tubuleuse qui s'ouvre elle aussi en 5 lobes. On prolonge la floraison en enlevant les fruits, des gousses spiralées, au fur et à mesure.

Voir aussi GESNERIACEES.

STREPTOCARPUS RECOMMANDÉS
S. **'Constant Nymph'** est le plus répandu des hybrides. Il présente une rosette de feuilles rubanées, vert moyen à vert foncé, mesurant jusqu'à 30 cm sur 6. Plusieurs hampes, de 15 cm, prennent naissance à la base de chaque nervure médiane; elles portent 2 à 6 fleurs bleues, de 4 cm de long sur 5 de diamètre. Les lobes inférieurs de la corolle présentent des lignes bleu foncé convergeant vers la gorge jaune pâle. La floraison s'étale du printemps à l'automne.

S. **'John Innes'** regroupe des hybrides qui ressemblent au précédent. Les hampes florales atteignent 20 cm de haut. Les fleurs vont du rose pâle au bleu en passant par le pourpre sombre; elles sont parfois rayées. La floraison dure toute l'année.

S. **polyanthus** est une espèce à feuille unique, mais certaines formes s'agrémentent de feuilles secondaires. Les feuilles pubescentes et légèrement festonnées sont d'un vert moyen. La grande feuille atteint 30 cm sur 15, tandis que les feuilles secondaires ne dépassent pas 5 cm sur 1,5. *S. polyanthus* produit une douzaine de hampes de 30 cm, portant chacune entre 7 et 30 fleurs de 4 cm. Les fleurs sont jaunes à lobes bleus et dentelés. La floraison principale s'étale du printemps à l'automne.

S. rexii est une espèce à rosette. Ses feuilles vert moyen sont ovales, duveteuses, gaufrées et légèrement festonnées; elles atteignent 25 cm sur 10. Chaque feuille adulte donne naissance à 4 hampes florales de 15 à 20 cm, portant jusqu'à 3 fleurs de 5 cm sur 2,5. Les fleurs sont mauve-bleu, rayées de violet sur les lobes inférieurs. Si l'on donne à la plante les soins voulus, la floraison est ininterrompue.

S. saxorum présente des tiges ramifiées, semi-prostrées, qui peuvent atteindre 30 cm de long. Les feuilles ovales et veloutées sont opposées ou groupées par 3 en verticilles. Elles sont vert-gris, à nervures saillantes d'un vert plus clair sur le dessous. Elles mesurent 2,5 cm sur 2 et présentent des marges réfléchies. Les hampes de 8 cm portent chacune une seule fleur de 2,5 cm de long sur 4 de diamètre. La corolle pubescente est blanche, teintée de lilas. La floraison a lieu au printemps et en été.

S. 'Wiesmoor' est un groupe d'hybrides à rosette dont les feuilles rubanées, vert moyen, atteignent 30 cm sur 8. Il en émerge au moins 5 hampes de 15 à 40 cm, portant chacune 3 ou 4 fleurs de 5 cm de long sur 7,5 de diamètre. La corolle en entonnoir s'ouvre en 5 lobes gaufrés ou frangés. Les coloris vont du blanc au rouge foncé en passant par le bleu, souvent avec des marques foncées sur les lobes inférieurs. La floraison s'étale du printemps à l'automne.

SOINS PARTICULIERS
Lumière En période de croissance, exposer les streptocarpus à une lumière vive, mais éviter les rayons directs du soleil. Une lumière moyenne suffit en période de repos. *S. saxorum* supporte bien une lumière moyenne toute l'année.
Température La croissance des streptocarpus est ininterrompue à la température normale d'une pièce. Au-dessus de 24°C, augmenter l'hygrométrie en posant les pots sur des plateaux de gravillons maintenus humides et en recouvrant le mélange d'une couche de sphaigne humide. Si la température descend au-dessous de 13°C pen-

dant plusieurs jours, les streptocarpus (sauf peut-être *S. saxorum*) entrent en repos.
Arrosage Il doit être modéré : laisser 1 cm du mélange sécher entre les arrosages. En laisser sécher 2,5 cm si la plante entre en repos.
Engrais En période de croissance, donner un engrais liquide riche en phosphate et dilué de moitié, tous les 15 jours.
Empotage et rempotage Utiliser un mélange composé à volume égal de tourbe de sphaigne grossièrement moulue, de perlite en gros grains et de vermiculite. Ajouter 7,5 ml de calcaire broyé pour 250 ml de mélange. Rempoter dans des demi-pots quand les racines remplissent le contenant (voir page 426), de préférence après une période de floraison abondante.
Multiplication La multiplication des streptocarpus autres que *S. saxorum* se fait au printemps par bouturage des feuilles. Prélever une feuille, la couper en deux ou en trois sur la largeur. Enfouir la base de chaque segment à 1,5 cm de profondeur, dans un pot de 6 cm rempli du mélange recommandé pour les sujets adultes. Exposer à une lumière moyenne en gardant le mélange tout juste humide. Des plantules apparaissent au bout de quatre à six semaines. Quand elles mesurent 5 à 8 cm, les détacher du segment mère et les planter individuellement dans des pots de 6 cm. Leur donner les mêmes soins qu'aux sujets adultes.

La multiplication de *S. saxorum* se fait par bouturage des tiges au printemps. Prélever des boutures terminales de 5 à 8 cm. Les enfouir individuellement à 1,5 cm de profondeur, dans des pots de 6 cm remplis de mélange humide. Exposer à une lumière moyenne. Arroser parcimonieusement pour que le mélange reste tout juste humide, jusqu'à ce que la croissance reprenne. Cultiver ensuite comme des sujets adultes.
Remarques Les streptocarpus peuvent être atteints de mildiou (voir page 456), si la ventilation est insuffisante lorsque le degré d'humidité est élevé; ne pas, pour autant, les exposer à des courants d'air froids. Faire attention aux cochenilles farineuses (voir page 454) qui se logent sous les feuilles.

Strobilanthes
ACANTHACÉES

S. dyeranus

Une seule espèce du genre *Strobilanthes* se cultive couramment à l'intérieur : il s'agit de *S. dyeranus*, espèce arbustive érigée, très ramifiée. Le feuillage est particulièrement beau chez les jeunes sujets, mais il se flétrit et il s'affaisse avec le temps. Aussi, dès que les sujets dépassent 40 à 45 cm de haut, vaut-il mieux s'en défaire. Les tiges ligneuses, tendres et pubescentes des strobilanthes portent des feuilles ovales-acuminées de 15 cm sur 5, montées sur des pétioles de 2,5 cm. Les feuilles sont vert foncé avec des reflets bleu métallique sur le dessus; le dessous des feuilles est pourpre sombre. Des fleurs bleu clair en forme d'entonnoir, réunies en épis axillaires, apparaissent à la fin de l'été sur les sujets adultes; elles atteignent 4 cm de long. Les jeunes sujets fleurissent rarement à l'intérieur.

SOINS PARTICULIERS
Lumière Exposer les strobilanthes au plein soleil tamisé toute l'année.

Température Les strobilanthes se plaisent à la température normale d'une pièce. Ils ne peuvent être exposés à moins de 13°C.

Arrosage En période de croissance, arroser modérément : bien mouiller le mélange, mais le laisser sécher sur 1 cm entre les arrosages. Ménager aux strobilanthes un repos hivernal pendant deux ou trois mois, en n'arrosant le mélange que pour l'empêcher de se dessécher complètement.

Engrais Donner de l'engrais liquide ordinaire tous les 15 jours, pendant la période de croissance.

Empotage et rempotage Utiliser un substrat composé à volume égal de mélange ordinaire à base de terreau (voir page 429) et de terreau de feuilles. Rempoter dans un pot d'une taille supérieure lorsque des racines apparaissent à la surface du mélange. Quand la plante loge dans un pot de 16 cm, elle commence à perdre sa beauté; aussi vaut-il mieux la remplacer par un jeune sujet. En vieillissant, les strobilanthes se dénudent en effet du bas et leur feuillage se décolore.

Multiplication Elle se fait au printemps par bouturage des tiges. Prélever des boutures de 5 à 8 cm immédiatement au-dessous d'une feuille. Enlever la feuille inférieure pour éviter qu'elle entre en contact avec le mélange. Plonger la coupure dans de la poudre d'hormones à enracinement. Planter chaque bouture dans un pot de 6 à 8 cm rempli d'un mélange humide, composé à volume égal de tourbe et de sable grossier ou de perlite. Enfermer dans un sachet de plastique transparent ou une caissette de multiplication chauffante (voir page 444). Exposer au plein soleil tamisé, dans un endroit où la température se maintient entre 18 et 21°C, jusqu'à ce que la croissance reprenne. L'enracinement se fait en trois à cinq semaines. Découvrir alors le jeune plant et arroser parcimonieusement jusqu'à ce que les nouvelles pousses atteignent 5 à 8 cm de haut. A partir de ce moment, arroser normalement et fertiliser tous les 15 jours (voir ci-dessus). Deux mois après le début de l'opération, rempoter les jeunes plants dans le mélange recommandé pour les sujets adultes et leur donner les soins que ceux-ci exigent.

Stromanthe
MARANTACÉES

S. amabilis

Le genre *Stromanthe* ne renferme que deux espèces cultivées à l'intérieur. Elles se caractérisent par un rhizome rampant d'où jaillissent des feuilles disposées en éventail. Les nouvelles feuilles sont enroulées et sortent du pétiole des anciennes. Celles-ci, oblongues et mucronées, sont ornées de macules vert foncé, disposées en chevrons le long de la nervure médiane.

Note : Les stromanthes se trouvent souvent sous les noms de marantas et de calatheas.

ESPÈCES RECOMMANDÉES

S. amabilis est une plante ramassée. Les feuilles, de 15 à 23 cm de long sur 5 de large, sont vertes, marquées de bandes vert-gris sur le dessus; le dessous est vert-gris uni. *S. sanguinea* présente des feuilles vernissées de 50 cm sur 15, vert pâle maculé de vert émeraude sur le dessus, lie-de-vin en dessous.

SOINS PARTICULIERS

Lumière Exposer les stromanthes à une lumière moyenne.

Température Il faut une humidité élevée et la température normale d'une pièce. La culture en terrarium est idéale (voir page 54).

Arrosage Il doit être modéré toute l'année. Laisser 2,5 cm du mélange sécher entre les arrosages.

Engrais Donner de l'engrais liquide ordinaire dilué de moitié, tous les 15 jours du début du printemps à la fin de l'automne.

Empotage et rempotage Utiliser un mélange à base de tourbe (voir page 429). Rempoter en été quand les pousses terminales se mettent à croître à l'extérieur du pot.

Multiplication Elle se fait par division des touffes, au moment d'une reprise de croissance. Prélever un segment de rhizome portant 2 ou 3 feuilles et le planter dans un pot de 6 à 8 cm, rempli de mélange humide à base de tourbe, additionné d'un peu de sable. Enfermer dans un sachet de plastique et placer dans un endroit chaud, à une lumière moyenne. Lorsque l'enracinement s'est fait, cultiver comme un sujet adulte.

Remarques Les stromanthes ne supportent pas les courants d'air. *S. amabilis* se cultive bien en jardin en bouteille (voir page 56).

Suzanne-aux-yeux-noirs, voir *Thunbergia alata*.

Syngonium
ARACÉES

S. podophyllum

L e genre *Syngonium* (autrefois *Nephthytis* et communément appelé patte-d'oie) renferme une vingtaine d'espèces de vignes tropicales. Les feuilles du *Syngonium* changent de forme avec le temps, si bien que deux types de feuilles coexistent chez les sujets adultes. Les tiges sont soit grimpantes, soit retombantes.

La plupart des syngoniums présentent des feuilles coriaces, vernissées, et des pétioles engainés de même longueur que les feuilles. Chez les jeunes sujets, la feuille est simple mais profondément divisée en 3 ou 5 lobes, alors que chez les sujets adultes, elle est composée de folioles distinctes dont le nombre peut aller jusqu'à 9. La foliole médiane, comme le lobe médian

chez la jeune feuille, est plus grande que les autres. Les jeunes tiges sont charnues et grêles, garnies de nœuds saillants. Avec l'âge, elles durcissent et épaississent, atteignant un diamètre de 2 cm et une longueur maximale de 1,80 m. Les fleurs des syngoniums ressemblent à celles des arums, mais la plante en produit rarement à l'intérieur.

SYNGONIUMS RECOMMANDÉS
S. angustatum 'Albolineatum' est une variété très décorative dont les feuilles changent de forme et de couleur avec le temps. Celles des jeunes sujets, sagittées, mesurent environ 8 cm de long sur 5 de large et sont trilobées. Leur limbe est vert, maculé de blanc ou d'argent le long des nervures. En vieillissant, la plante donne des feuilles divisées en 3 ou 5 folioles, qui peuvent atteindre 25 cm de long et de large. Le limbe devient uniformément vert, à l'exception de la nervure médiane des folioles, qui reste blanche.

S. auritum présente des feuilles charnues vert foncé, de 15 cm sur 8, trilobées chez les jeunes sujets. La feuille adulte atteint 38 cm sur 30 et se divise en 5 folioles. Celle du centre, elliptique, est entourée de 2 folioles moyennes faisant avec elle un angle droit; enfin, 2 minuscules folioles, les oreillettes, complètent la feuille à la base.

S. podophyllum présente des feuilles rondes d'un vert moyen, mesurant 15 cm sur 10, profondément découpées en 3 lobes chez les jeunes sujets. Les feuilles adultes sont divisées en 5 ou 7 folioles; elles peuvent atteindre 30 cm de diamètre. *S. p.* 'Emerald Gem', une des variétés les plus connues, est une plante touffue dont les pétioles sont plus courts que ceux de la plupart des syngoniums. Ses feuilles ridées atteignent au plus 20 cm sur 15 chez les jeunes sujets et les sujets adultes. Leur limbe vert foncé est d'un vert plus clair le long des nervures.

SOINS PARTICULIERS
Lumière Exposer au plein soleil tamisé toute l'année, mais jamais aux rayons directs du soleil.

Température Les syngoniums se plaisent à la température normale d'une pièce et ne peuvent être exposés à moins de 13°C. Au-dessus de 18°C, en période de croissance,

augmenter l'hygrométrie en posant les pots sur des plateaux de gravillons maintenus humides.

Arrosage Il doit être modéré en période de croissance : laisser le mélange sécher sur 1 cm entre les arrosages. Les syngoniums prennent généralement un court repos hivernal durant lequel on ne les arrosera que pour empêcher le mélange de sécher complètement.

Engrais En période de croissance, donner de l'engrais liquide ordinaire tous les 15 jours.

Empotage et rempotage Utiliser un substrat composé à volume égal de mélange à base de terreau (voir page 429) et de terreau de feuilles grossièrement moulues ou de tourbe. Rempoter tous les printemps si les racines remplissent le pot (voir page 426). Lorsque les syngoniums logent dans un pot de 14 à 16 cm, ou dans une corbeille suspendue de 16 à 20 cm, cesser les rempotages et renouveler simplement la couche superficielle du mélange au printemps.

Multiplication Elle se fait à la fin du printemps ou au début de l'été par bouturage des tiges. Prélever une bouture terminale de 8 à 10 cm juste au-dessous d'un nœud. Enlever la feuille inférieure et plonger dans de la poudre à enracinement. Planter 2 ou 3 boutures dans un pot de 8 à 10 cm rempli d'un mélange humide, composé à volume égal de tourbe et de sable grossier ou de perlite. Enfermer dans un sachet de plastique ou une caissette de multiplication (voir page 443) et exposer au plein soleil tamisé. Quand la croissance a repris, au bout de quatre à six semaines, découvrir le pot et garder le mélange tout juste humide. Un mois plus tard, donner de l'engrais liquide ordinaire à raison d'une fois par mois. Quatre ou cinq mois après le début de l'opération, transplanter les boutures ensemble dans le mélange recommandé pour les sujets adultes et leur donner les mêmes soins qu'à ceux-ci. Réunir deux ou trois groupes de boutures dans une corbeille suspendue.

Tête-chenue, voir *Cephalocereus senilis.*
Tête-de-vieillard, voir *Cephalocereus senilis.*

Tetrastigma
VITACÉES

Vigne marronnier
T. voinieranum

Une seule espèce du genre *Tetrastigma* se cultive à l'intérieur : *T. voinieranum* (autrefois connu sous le nom de *Cissus voinieranum* et communément appelé vigne marronnier). Cette plante volubile présente une particularité : elle laisse parfois tomber une partie de ses pousses, un peu comme un lézard abandonne sa queue. Sa croissance est extrêmement rapide dans de bonnes conditions de culture. Les tiges, de 1 à 2 cm de diamètre, sont composées de segments articulés. Les feuilles, qui ressemblent à celles du marronnier, sont portées sur des pétioles de 10 à 30 cm. Elles se composent de plusieurs folioles, généralement 5, d'un vert brillant. Chaque foliole à marge dentée mesure 10 à 20 cm de long; elle est montée sur un pédi-celle de 5 cm. Les tiges et le dessous des folioles sont recouverts d'un duvet roux.

Le tetrastigma a besoin d'un support robuste auquel ses vrilles vigoureuses pourront s'accrocher. Lorsqu'une section de tige tombe, la plante n'en souffre pas, car une autre section de même taille ne tarde pas à la remplacer. Un tetra-stigma bien entretenu peut couvrir un treillage ou un mur de 1,80 m en une seule année. C'est dire qu'il ne convient qu'aux grands espaces. Cultivé à l'intérieur, il ne donne ni fleurs ni fruits.

SOINS PARTICULIERS

Lumière Exposer les tetrastigmas à une lumière vive en tout temps, mais les protéger des rayons ardents du soleil.

Température Les tetrastigmas se développent bien à la température normale d'une pièce et un air sec leur convient bien. Ne pas les placer dans un endroit où la température descend au-dessous de 13°C. Eviter les écarts de température : ils entraînent, semble-t-il, la chute de certaines sections de la plante.

Arrosage En période de croissance, il doit être modéré : bien mouiller le mélange, mais le laisser sécher sur 1 cm entre les arrosages. En période de repos, laisser sécher la moitié du mélange entre les arrosages.

Engrais Donner de l'engrais liquide ordinaire tous les 15 jours pendant la période de croissance.

Empotage et rempotage Utiliser un mélange à base de terreau (voir page 429). Rempoter au printemps dans des pots de deux tailles supérieures. Quand un sujet loge dans un pot de 25 à 30 cm, se contenter de renouveler la couche superficielle du mélange tous les ans (voir page 428).

Multiplication Elle peut se faire en tout temps de l'année. Prélever une bouture terminale de 20 cm, portant au moins une feuille. Plonger dans de la poudre d'hormones à enraci-nement. Planter la bouture dans un pot de 8 cm rempli d'un mélange très humide de tourbe et de sable. Enfermer dans un sachet de plas-tique transparent ou une caissette de multiplication chauffante (voir page 444). Exposer au plein soleil tamisé par un store ou des rideaux translucides, dans un endroit où la température se maintient entre 16 et 24°C; ne pas arroser.

L'enracinement devrait se faire en six à huit semaines. Découvrir alors le jeune plant et l'arroser par-cimonieusement, en laissant la moitié du mélange sécher entre les arrosages. Fertiliser une fois par mois avec un engrais liquide or-dinaire, et ce, sur une période de quatre ou cinq mois. Lorsque la plante semble bien établie, la transplanter dans un pot de 12 cm rempli d'un mélange à base de ter-reau et la cultiver comme un sujet adulte.

Remarque Il faut au tetrastigma un support convenable pour sa taille et son poids. Insérer un bâton dans le mélange terreux, près de la souche de la plante, et y attacher la tige à intervalles réguliers.

Thunbergia

ACANTHACÉES

Suzanne-aux-yeux-noirs
T. alata

La seule espèce du genre *Thunbergia* cultivée à l'intérieur est *T. alata* (Suzanne-aux-yeux-noirs, thunbergie). C'est une plante vivace, volubile, dont on se défait cependant après la floraison qui dure de la fin du printemps à la fin de l'automne. Les feuilles, dentées, sagittées ou triangulaires, atteignent 8 cm de long et de large. Elles sont portées par un mince pétiole. Les fleurs atteignent 5 cm de diamètre; elles naissent sur de courts pédicelles à l'aisselle des feuilles. Elles se composent d'une corolle tubulaire de 2,5 cm qui s'ouvre en 5 lobes étalés ressemblant à des pétales. La couleur des lobes varie, mais ils entourent toujours un « œil » central brun chocolat. C'est par cet œil que les insectes entrent dans le tube pourpre sombre. La base des fleurs est entourée d'une paire de bractées vert pâle, de 2 cm de long. Les fleurs de *T. a.* 'Aurantiaca' sont jaune-orange, celles de *T. a.* 'Alba' blanches, et celles de *T. a.* 'Lutea' jaune vif. On achète généralement de jeunes sujets au printemps et on s'en défait après la floraison, à la fin de l'automne.

SOINS PARTICULIERS

Lumière Il faut aux thunbergias une lumière vive et deux ou trois heures de plein soleil par jour.

Température Les thunbergias se plaisent à la température d'une pièce, mais ne peuvent être exposés à moins de 10°C.

Arrosage Il doit être modéré pour les jeunes plants : laisser sécher 1 cm du mélange entre les arrosages. Dès l'apparition des premiers boutons floraux et pendant toute la floraison, arroser généreusement : le mélange doit demeurer complètement humide.

Engrais Donner de l'engrais liquide ordinaire tous les 15 jours, tant que la plante fleurit.

Empotage et rempotage Utiliser un mélange à base de terreau (voir page 429). Lorsque des racines apparaissent par le trou de drainage des pots, transplanter les thunbergias dans des pots de deux tailles supérieures. On ne devrait pas avoir besoin de pots de plus de 16 cm.

Multiplication Elle se fait facilement par semis au tout début du printemps. Planter 3 graines dans un pot de 8 cm, rempli d'un mélange humide à base de terreau. La germination se fait en trois à cinq semaines si le pot est placé dans une pièce chaude au plein soleil tamisé. Pendant cette période, l'arrosage doit être modéré : bien mouiller le mélange, mais le laisser sécher sur 1 cm entre les arrosages. La croissance des thunbergias est rapide. Dès que les jeunes plants ont 15 cm de haut, les empoter individuellement dans des pots de 8 cm et les cultiver immédiatement comme des sujets adultes.

Remarques Enlever régulièrement les fleurs fanées en les pinçant avec le bout des doigts. Autrement, la floraison sera beaucoup plus courte.

Placer trois ou quatre fins tuteurs au bord du pot, ou tendre une ficelle sur le cadre d'une fenêtre, pour que les tiges volubiles s'enroulent autour.

Il est essentiel d'enlever les fleurs fanées. Elles écourtent la floraison et déparent la plante.

Thunbergie, voir *Thunbergia alata*.

Tibouchina
MÉLASTOMATACÉES

T. urvilleana

Une seule espèce de *Tibouchina*, *T. urvilleana* (synonyme de *T. semidecandra*), est cultivée à l'intérieur. Cette plante arbustive peut atteindre 1,20 m en appartement. Chez les jeunes sujets, les tiges quadrangulaires, tendres et vertes, sont recouvertes d'une fine toison rougeâtre. Avec l'âge, elles deviennent ligneuses et brunes. Les feuilles opposées sont ovales-acuminées et veloutées. Le limbe, vert moyen à vert foncé, présente des nervures longitudinales vert clair et des marges dentées. Chaque feuille mesure 5 à 10 cm de long sur 2,5 à 4 cm de large. Les fleurs, à 5 pétales étalés, pourpre rosé ou violettes, présentent un bouquet d'étamines pourpres. Elles ont environ 8 cm de diamètre et s'épanouissent en grappes du milieu de l'été au début de l'hiver.

SOINS PARTICULIERS
Lumière Exposer les tibouchinas au plein soleil tamisé du début du printemps au milieu de l'automne. Leur donner quatre heures de plein soleil par jour en hiver.
Température En période de croissance, la température normale d'une pièce leur convient bien; poser les pots sur un plateau de gravillons maintenus humides. En période de repos hivernal, exposer ces plantes à environ 10°C.

Arrosage Il doit être généreux en période de croissance, mais ne pas laisser d'eau dans la soucoupe. En période de repos, garder le mélange à peine humide.
Engrais En période de croissance, donner de l'engrais liquide ordinaire tous les 15 jours.
Empotage et rempotage Utiliser un mélange à base de terreau (voir page 429). Rempoter tous les printemps jusqu'à ce que la plante ait la taille souhaitée; ensuite, ne faire qu'un surfaçage (voir page 428).
Multiplication Prélever une bouture de tige de 8 à 10 cm, juste au-dessous d'une paire de feuilles. Enlever les feuilles inférieures. Plonger dans de la poudre à enracinement et planter dans un pot de 8 cm rempli d'un mélange humide, à volume égal de tourbe et de sable grossier ou de perlite. Enfermer dans un sachet de plastique ou une caissette de multiplication (voir page 443) et placer dans une pièce chaude au plein soleil tamisé. Quand la croissance reprend, découvrir et arroser modérément. Huit semaines plus tard, transplanter dans un pot de 10 cm rempli de mélange ordinaire et cultiver comme un sujet adulte.
Remarque Au printemps, rabattre les pousses principales de moitié et ne laisser aux pousses latérales que deux paires de feuilles.

Tillandsia
BROMÉLIACÉES

Le genre *Tillandsia* regroupe de nombreuses broméliacées, très différentes, originaires aussi bien des forêts équatoriales denses que des déserts arides. Les formes cultivées à l'intérieur sont dépourvues de racines ou presque. Elles se nourrissent surtout par leurs feuilles. La culture sur un tronc à épiphytes leur convient donc bien (voir page 107).
Voir aussi BROMELIACEES.

ESPÈCES RECOMMANDÉES
T. cyanea présente une rosette lâche de feuilles de 30 à 45 cm de long sur 1,5 à 2,5 cm de large. Les feuilles acuminées vert-gris portent des rayures longitudinales brun-roux sur le dessous. Une hampe florale de 5 à 8 cm naît au centre de la rosette adulte. Elle porte une inflorescence en éventail, de 10 à 15 cm de long sur 5 de large, composée de plusieurs bractées lisses, roses, qui se chevauchent. Elle persiste environ 10 semaines. Des fleurs tubuleuses à 3 grands pétales apparaissent solitaires entre 2 bractées. Elles sont bleu-violet vif et mesurent 5 cm de diamètre.

Comme chez la plupart des broméliacées, la rosette meurt après sa floraison. Mais des rejets axillaires apparaissent; on peut s'en servir pour la multiplication.
T. lindenii ressemble beaucoup à *T. cyanea*, mais sa hampe florale peut atteindre 30 cm et ses fleurs bleu roi ont la gorge blanche.

On peut placer T. cyanea *et* T. usneoides, *par exemple, sur le même tronc à épiphytes.*

Tillandsia cyanea

Tolmiea

SAXIFRAGACÉES

Le genre *Tolmiea* ne comporte qu'une seule espèce, *T. menziesii*, à tige extrêmement courte. Les pétioles de 10 cm portent des feuilles cordiformes, lobées et dentées, de 5 à 8 cm de diamètre. La plante atteint une hauteur de 30 cm et un étalement de 40 cm. Elle présente une caractéristique intéressante : en effet, certaines de ses feuilles adultes produisent des rejets sur le dessus, à la jonction du limbe et du pétiole. Ce poids supplémentaire fait courber les pétioles, de sorte que le tolmiea peut se cultiver en corbeille suspendue. Les feuilles et les pétioles vert tendre sont recouverts d'un fin duvet. Les fleurs blanc verdâtre sont dénuées d'intérêt et apparaissent rarement en appartement.

T. usneoides (fille-de-l'air, mousse espagnole) est une espèce qui rappelle beaucoup certains lichens. Ses tiges filiformes sont couvertes de minuscules écailles gris argent qui sont en réalité des feuilles. Dans la nature, cette plante pend aux branches des arbres et aux rochers en longs festons entremêlés. On ne la cultive pas en pot, mais sur un morceau d'écorce ou de liège auquel on la fixe avec du fil métallique plastifié. Ses petites fleurs axillaires vert clair apparaissent rarement en appartement.

SOINS PARTICULIERS
Lumière Exposer les tillandsias au plein soleil tamisé.
Température La croissance des tillandsias est ininterrompue si la température ambiante se maintient au-dessus de 16°C. Ils ne peuvent supporter des températures inférieures à 13°C. Augmenter l'hygrométrie en posant les pots sur un plateau de gravillons maintenus humides et en bassinant le feuillage deux ou trois fois par semaine. Dans le cas de *T. usneoides*, bassiner le feuillage tous les jours.
Arrosage Il suffit de bassiner *T. cyanea* et *T. lindenii* comme il est dit ci-dessus pour que les racines reçoivent suffisamment d'eau. Plonger *T. usneoides* et son support dans l'eau pendant 10 minutes une fois par semaine.

Engrais Une fois par mois, donner de l'engrais liquide ordinaire dilué de moitié aux tillandsias qui sont cultivés en pot.
Empotage et rempotage Dans le cas de *T. cyanea* et de *T. lindenii*, utiliser l'un des mélanges recommandés pour les broméliacées (voir page 107). Ces espèces viennent bien dans des pots de 10 cm et n'ont pas besoin de rempotage. Pour *T. usneoides*, voir « Espèces recommandées ».
Multiplication Prélever les rejets de *T. cyanea* et de *T. lindenii* dont les feuilles ont atteint 8 cm de long. Les planter individuellement dans des pots de 6 à 8 cm, remplis d'un mélange composé à volume égal de tourbe et de sable grossier ou de perlite. Enfermer dans un sachet de plastique transparent ou une caissette de multiplication (voir page 443). Quand la croissance reprend, donner les mêmes soins qu'aux sujets adultes. Six mois plus tard, transplanter dans un pot de 10 cm rempli du mélange recommandé pour les broméliacées.

Pour multiplier l'espèce *T. usneoides*, détacher quelques tiges et les fixer à un support, comme il est décrit ci-contre (voir ce nom à « Espèces recommandées »).

Tilleul d'appartement, voir *Sparmannia*.

SOINS PARTICULIERS
Lumière Exposer les tolmieas à une lumière vive ou moyenne. Si l'éclairement est insuffisant, la couleur des feuilles pâlit et les pétioles ont tendance à s'allonger.
Température Les tolmieas s'accommoderont de toute température supérieure à 10°C, mais ils préfèrent la température normale d'une pièce.
Arrosage Il doit être modéré pendant la période de croissance : bien mouiller le mélange, mais le laisser sécher sur 1 cm entre les arrosages. Pendant la courte période de repos hivernal, n'arroser que pour empêcher le mélange de se dessécher complètement.
Engrais En période de croissance, donner de l'engrais liquide ordinaire tous les 15 jours.
Empotage et rempotage Utiliser un mélange à base de terreau (voir page 429). Grouper 3 petits sujets dans un pot de 8 cm. En grouper 4 à 6 dans une corbeille suspendue. Rempoter dès que les racines remplissent le pot (voir page 426), en tout temps de l'année. Comme les jeunes sujets sont plus beaux, il vaut mieux remplacer les tolmieas adultes par de nouveaux plants dès qu'ils ont subi deux rempotages.
Multiplication Cette opération se pratique au printemps ou en été. Couper une feuille nantie d'une plantule en bonne santé en lui lais-

T. menziesii

Trachycarpus

Une seule espèce du genre *Trachycarpus*, *T. fortunei* (palmier moulin), est cultivée à l'intérieur. Les tiges grêles de ce palmier portent de grandes feuilles en éventail sur des pétioles finement dentés. Dans la nature, il peut atteindre 12 m de haut. En appartement, sa croissance est très lente et il ne devrait pas mesurer plus de 2,50 m. Les jeunes feuilles sont plissées et couvertes d'un fin duvet gris ou brun clair. Cette toison

La jeune feuille plissée qui s'élève au milieu des pétioles adultes se divisera en segments distincts au fur et à mesure qu'elle grandira.

laineuse disparaît peu à peu et les plis se divisent presque jusqu'à la base de la feuille en segments robustes mais souples, pouvant avoir 30 cm de long sur 2,5 à 4 cm de large. Parfois, les segments comportent 2 ou 3 plis. La feuille adulte peut atteindre 60 cm de large; elle est vert foncé sur le dessus et vert bleuté sur le dessous. La tige principale ne se ramifie pas et elle se couvre avec le temps d'une tunique fibreuse rude et brune. Les feuilles âgées jaunissent puis brunissent, mais elles ne tombent pas: il faut les arracher ou les couper. Le bout des segments, en particulier, se décolore avec le temps et il finit par se fendiller sur quelques centimètres, mais on peut le couper sans détruire l'harmonie de la feuille. Il s'agit là d'un phénomène naturel et non d'un signe de maladie. Le trachycarpus ne produit ni fleurs ni fruits en appartement.

Voir aussi PALMIERS.

sant environ 2,5 cm de pétiole. La planter dans un pot de 5 à 8 cm rempli d'un mélange à enracinement humide, composé à volume égal de tourbe et de sable grossier ou de perlite. Le pétiole doit être complètement enfoui et la partie de la feuille qui porte la plantule doit reposer sur le mélange. Exposer le pot à une lumière vive et arroser parcimonieusement pour que le mélange soit tout juste humide. Lorsque la croissance a repris, généralement au bout de deux à trois semaines, cultiver le nouveau plant comme un tolmiea adulte. Cinq ou six semaines plus tard, le transplanter dans un mélange ordinaire à base de terreau. La feuille

mère peut rester verte pendant plusieurs mois; quand elle est sèche, la détacher avec précaution de la jeune plante.

On peut également, par une méthode analogue à celle du marcottage (voir page 439), faire s'enraciner la feuille porteuse d'une plantule sans la détacher de la plante mère. Installer près de celle-ci un pot de 8 cm rempli du mélange à enracinement recommandé ci-dessus. Puis, à l'aide d'un fil métallique ou d'un petit caillou, maintenir la feuille porteuse de plantule en contact avec la surface du mélange. Garder les deux pots dans une pièce chaude où la lumière est vive. Arroser la bouture parcimonieusement pour empêcher le mélange de se dessécher. Des racines prendront naissance au point de contact de la feuille avec le mélange. L'enracinement terminé, au bout de deux à trois semaines, couper le pétiole qui relie la feuille à la plante mère et cultiver le jeune plant comme un tolmiea adulte.

La croissance des tolmieas est extrêmement rapide. Cinq ou six mois seulement après le début de la multiplication, l'amateur sera en possession d'un beau spécimen arrivé à maturité.

Prélever une feuille de tolmiea porteuse d'une plantule. S'assurer que le point de jonction entre le limbe et le pétiole touche bien le mélange.

Palmier moulin
Trachycarpus fortunei

Tradescantia

COMMÉLYNACÉES

Les tradescantias (éphémères, misères) sont des plantes rampantes faciles à cultiver et très répandues. Les tiges, qui peuvent dépasser 30 cm de long, présentent des nœuds saillants et changent légèrement de direction à chaque nœud. Les feuilles elliptiques et acuminées sont dépourvues de pétiole. Au printemps et en été, des grappes de petites fleurs blanches, blanc et rose ou roses, à 3 pétales, apparaissent à l'extrémité des tiges. Chaque fleur ne dure qu'une journée. Les tradescantias perdent leurs feuilles inférieures avec le temps : il faut donc les multiplier régulièrement.

ESPÈCES RECOMMANDÉES

T. albiflora est une espèce à fleurs blanches et à feuilles vert uni et vernissées, de 5 à 6 cm de long, dont on cultive surtout les formes panachées : *T. a.* 'Albovittata' à feuilles rayées de blanc; *T. a.* 'Aurea', à feuilles presque entièrement jaunes; et *T. a.* 'Tricolor', à feuilles rayées de blanc et de pourpre clair. L'espèce et ses variétés fleurissent rarement en appartement.

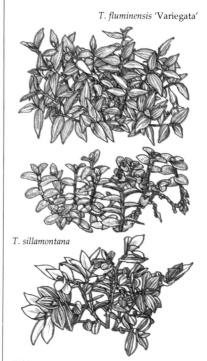

T. fluminensis 'Variegata'

T. sillamontana

T. blossfeldiana 'Variegata'
(éphémère de Blossfeld)

SOINS PARTICULIERS

Lumière Exposer le trachycarpus à une lumière vive toute l'année et à trois ou quatre heures de plein soleil par jour. Une lumière insuffisante limite la croissance de cette plante.

Température Le trachycarpus se plaît à la température normale d'une pièce et supporte bien des températures fraîches, jusqu'à 7°C. L'installer si possible dehors, dans un endroit ensoleillé mais abrité, de la fin du printemps au milieu de l'automne. Cela stimulera l'apparition de nouvelles pousses et les feuilles seront plus fermes.

Arrosage Il doit être modéré pendant la période de croissance : donner assez d'eau pour que le mélange soit complètement humide et le laisser sécher sur 1 cm entre les arrosages. A la température normale d'une pièce, la croissance du trachycarpus est ininterrompue. Au-dessous de 13°C cependant, elle ralentit et peut même s'interrompre. N'arroser alors qu'une fois par mois, juste assez pour humidifier le mélange.

Engrais Pendant la période de croissance des trachycarpus, leur donner de l'engrais liquide ordinaire tous les 15 jours.

Empotage et rempotage Utiliser un mélange à base de terreau (voir page 429). Transplanter les jeunes trachycarpus dans des pots d'une ou de deux tailles supérieures, tous les deux ou trois ans au printemps, jusqu'à ce qu'ils logent dans des pots de 25 à 30 cm. A partir de ce moment, se contenter de renouveler la couche superficielle du mélange (voir page 428) une fois par année.

Multiplication Elle se fait par semis au début du printemps. Les graines mettent cependant jusqu'à un an pour germer et il peut s'écouler plusieurs années avant que la plantule ressemble à un palmier. Il est donc préférable d'acheter de jeunes plants.

Remarque Pour enlever la poussière qui finit par s'accumuler sur les feuilles, exposer le trachycarpus à la pluie durant la belle saison, ou le laver à l'eau froide, sous la douche.

T. fluminensis 'Quicksilver'

T. blossfeldiana (éphémère de
Blossfeld) présente des feuilles
charnues d'au plus 10 cm de long.
Le limbe est vert olive sombre sur le
dessus et pourpre foncé sur le dessous. Les fleurs blanc et rose, de 1 à
1,5 cm, apparaissent au printemps.
Un fin duvet blanc recouvre les
fleurs, les tiges et les feuilles. Un
même exemplaire de *T. b.* 'Variegata' peut présenter des feuilles
vert uni, des feuilles crème et
d'autres panachées; si on l'expose à
une lumière vive, les feuilles
entièrement crème se teinteront de
rose. Pour multiplier les formes
panachées, il est essentiel de
prendre des tiges dont les feuilles
comportent au moins un tiers de
vert : les tiges à feuilles crème ne
s'enracineront pas.
T. fluminensis ressemble à *T. albiflora*, mais ses feuilles, qui ne mesurent pas plus de 5 cm et sont pourpre foncé en dessous, sont plus
pointues. On trouve des variétés
panachées de blanc ou de crème
dont la plus répandue est *T. f.* 'Variegata'. La forme *T. f.* 'Quicksilver'
se caractérise par sa croissance
rapide et par le fait qu'elle perd

moins facilement ses feuilles inférieures que d'autres tradescantias.
Elle est réputée pour ses feuilles de
8 cm rayées vert et blanc, et pour
ses fleurs blanches étoilées qui
poussent en grosses grappes.
T. navicularis est une plante rampante dont la croissance est lente.
Les feuilles charnues et triangulaires, vert bronze, de 2,5 cm de
long, sont très rapprochées les unes
des autres. Elles portent un pli au
niveau de la nervure médiane, des
marges pubescentes et des macules
pourpres sur le dessous. Les fleurs
sont rose vif.
T. sillamontana présente des feuilles ovales vert menthe, de 6 cm de
long. Les feuilles et les tiges sont
recouvertes de longs poils laineux
blancs. Les fleurs sont rose-pourpre. Elles font un beau contraste
avec le feuillage.

SOINS PARTICULIERS
Lumière Donner aux tradescantias
une lumière vive et quelques
heures de plein soleil tous les jours.
Le manque de lumière les décolore.
T. sillamontana en particulier exige
du plein soleil en tout temps.

Température Les tradescantias
préfèrent des températures chaudes et humides, entre 21 et 24°C,
toute l'année. Ne pas les exposer à
moins de 10°C.
Arrosage En période de croissance,
arroser généreusement pour que le
mélange soit toujours très humide.
En dehors de cette période, humidifier complètement le mélange,
puis le laisser sécher au moins des
deux tiers avant d'arroser de
nouveau. *T. navicularis* et *T. sillamontana* demandent des arrosages
parcimonieux en tout temps.
Engrais Donner de l'engrais liquide ordinaire tous les 15 jours, du
printemps à la fin de l'automne.
Empotage et rempotage Utiliser un
mélange à base de terreau (voir
page 429). Dans le cas de *T. navicularis* et de *T. sillamontana*, y ajouter
un tiers de sable grossier ou de
perlite pour améliorer le drainage.
Les espèces les plus vigoureuses ne
devraient pas avoir besoin d'un pot
de plus de 10 à 15 cm. *T. navicularis*
s'accommodera d'un demi-pot de
8 cm pendant plusieurs années.
Rempoter les jeunes plants lorsque
cela s'avère nécessaire.
Multiplication Elle se fait en toute
saison, par bouturage des tiges. Insérer 4 à 6 boutures terminales de
8 cm dans un pot de 8 cm, rempli
d'un mélange composé à volume
égal de tourbe et de sable. Placer le
pot dans une pièce chaude, au plein
soleil tamisé, et garder le mélange à
peine humide. L'enracinement se
fait en deux semaines environ.
Transplanter alors les boutures
ensemble dans un pot plus grand,
rempli du mélange recommandé
pour les sujets adultes, et les cultiver comme ceux-ci. Les boutures
de *T. navicularis* et de *T. sillamontana*
pourrissent facilement lors de la
multiplication. Pour prévenir cet
inconvénient, déposer un peu de
sable ou de perlite dans les trous
avant d'y enfoncer les boutures.

Des boutures de 5 à 8 cm s'enracinent aussi très bien dans des
bocaux opaques, remplis d'eau et
exposés au plein soleil tamisé.
Lorsque les racines ont 2,5 à 4 cm
de long, empoter les boutures et les
cultiver comme des sujets adultes.
Remarque Pincer les bourgeons
terminaux pour favoriser la ramification, et enlever les feuilles mortes
à la base des tiges rampantes.

Trichocereus

CACTACÉES

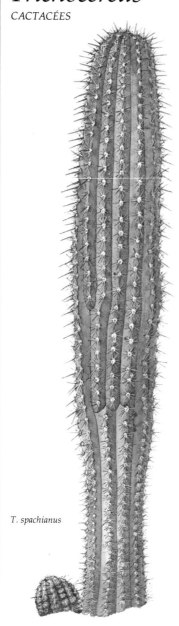

T. spachianus

La seule espèce du genre *Tricho-cereus* communément cultivée à l'intérieur est *T. spachianus*. Cette cactée du désert, d'un vert lumineux, est colonnaire. Elle se ramifie généralement à partir de la souche et peut atteindre 1,50 m de hauteur. Sa croissance est lente : un sujet de cinq ans aura rarement plus de 20 cm de haut et ne dépassera pas 2,5 à 4 cm de diamètre. La tige du trichocereus présente entre 10 et 15 larges côtes, séparées par de profonds sillons. Les aréoles sont situées à environ 1 cm les unes des autres le long des côtes. Elles sont d'abord jaunâtres, puis grises. Chaque aréole porte quelque 8 aiguillons radiaux jaune-brun, de 1,5 cm, qui font penser à des soies, et 1 ou 2 épines centrales plus longues et plus épaisses.

T. spachianus ne fleurit pas avant d'avoir atteint au moins 30 cm de haut : il a alors 8 à 10 ans et présente plusieurs ramifications. Voilà pourquoi le trichocereus est cultivé davantage pour sa forme colonnaire et ses aiguillons colorés que pour ses fleurs. Quand la floraison se produit, cependant, les fleurs en forme de trompette sortent en abondance des aréoles du sommet. Elles sont blanches et mesurent 20 cm de long sur 8 de diamètre. Elles s'ouvrent la nuit pour se faner au matin. La floraison a lieu en été.

Voir aussi CACTÉES.

SOINS PARTICULIERS

Lumière Exposer les trichocereus au plein soleil toute l'année, autrement les aiguillons seront moins colorés et la tige s'allongera indûment. Comme toutes les cactées colonnaires, les trichocereus ont tendance à s'incliner du côté d'où vient la lumière; aussi faut-il les tourner régulièrement, tous les trois ou quatre jours, durant la période de croissance du printemps et de l'été. Les placer si possible à l'extérieur pendant cette période : ils auront plus de lumière et pousseront plus droit.

Température En période de croissance, le trichocereus se plaira dans une pièce chaude. En période de repos hivernal, il faut le placer dans une pièce où la température se maintient au-dessous de 10°C. Dans certaines conditions (voir « Arrosage », ci-dessous), il peut même supporter le gel.

Arrosage Il doit être modéré pendant la période de croissance : bien mouiller le mélange, mais le laisser sécher sur 1 cm entre les arrosages. En période de repos, n'arroser que pour empêcher le mélange de se dessécher complètement. Si, pour quelque raison, la température tombait au-dessous de 2°C, cesser les arrosages. Garder le mélange sec jusqu'à ce qu'elle remonte. De cette manière, la plante ne devrait pas souffrir.

Engrais En période de croissance, donner de l'engrais à tomates liquide, riche en potassium, à raison d'une fois tous les 15 jours si le trichocereus est planté dans un mélange à base de tourbe, et d'une fois par mois s'il est planté dans un mélange à base de terreau.

Empotage et rempotage Utiliser un mélange à base de terreau ou de tourbe (voir page 429). Le trichocereus a beaucoup de racines; un sujet de 8 cm aura sans doute besoin d'un pot de 8 cm. Les sujets plus volumineux seront placés dans des pots proportionnellement plus grands, surtout s'ils se sont ramifiés à la souche. Rempoter tous les printemps. Pour ne pas abîmer la plante et se protéger les mains, l'entourer de papier journal. Si elle remplit le pot de ses racines, la placer dans un pot plus grand. Sinon, la secouer doucement pour faire tomber un peu de mélange terreux et la remettre dans son pot après avoir nettoyé celui-ci. Ajouter du mélange frais.

Multiplication Elle se pratique au printemps ou en été en coupant une ramification à la souche. Laisser sécher la blessure pendant trois jours, puis planter la bouture dans un pot de 8 cm rempli d'un des deux mélanges recommandés; il suffit d'enfoncer l'extrémité coupée dans le mélange. Cultiver immédiatement comme un sujet adulte.

Beaucoup préfèrent multiplier les trichocereus par semis (voir *CACTÉES*, page 119) pour éviter de détruire l'harmonie de la plante mère en coupant une ramification. Les plantules obtenues par semis sont jolies et poussent bien.

Remarque Avec l'âge, la tige de *T. spachianus* se couvre souvent de marques brunes, surtout à la souche. (Les ramifications ne sont pas touchées.) C'est un phénomène regrettable mais naturel. Si la tige n'est pas ramifiée, la couper à 15 cm de la souche; des rejets ne tarderont pas à apparaître sur les bords de la coupure. Lorsqu'ils mesureront 5 à 8 cm de haut, les détacher et les transplanter comme des ramifications (voir « Multiplication », ci-dessus). Pratiquer de préférence cette opération au printemps ou en été. Utiliser la partie supérieure de la tige, si elle n'est pas trop marquée, pour le bouturage.

Tulipa
LILIACÉES

Tulipes
Tulipa hybrides

Si le genre *Tulipa* (tulipe) comprend une centaine d'espèces qui sont essentiellement des plantes de jardin, ce sont les hybrides à petites feuilles, à courtes hampes florales et à grandes fleurs que l'on cultive de préférence en appartement. Les bulbes ronds ou ovales des tulipes ont 4 à 5 cm de diamètre; ils sont recouverts d'une fine pellicule châtain qui se casse facilement, révélant la chair crème. La hampe florale érigée porte une ou plusieurs fleurs cupuliformes simples (c'est-à-dire à 6 pétales au maximum) ou doubles (c'est-à-dire à plusieurs rangs de pétales), roses, rouges, pourpres, jaunes, orange ou blanches, parfois teintées de vert ou panachées.

Les tulipes présentent 2 à 6 feuilles charnues et lancéolées, de 15 à 25 cm de long sur 4 à 6 cm de large, qui sortent directement de la souche ou sont disposées sur la partie inférieure de la hampe florale. Les feuilles peuvent arborer toutes les teintes du vert, souvent accentuées de touches de gris.

Les tulipes les plus faciles à cultiver en appartement sont celles qui fleurissent en hiver. Elles se divisent en deux groupes : les tulipes à fleurs simples hâtives et les tulipes à fleurs doubles hâtives. Elles ne dépassent pas 35 cm de hauteur et leurs fleurs peuvent atteindre un diamètre de 13 cm.
Voir aussi BULBES, CORMUS et TUBERCULES.

TULIPAS RECOMMANDÉES
Simples hâtives En particulier : *T.* 'Bellona' (jaune d'or), *T.* 'Brilliant Star' (écarlate), *T.* 'Couleur Cardinal' (rouge orangé), *T.* 'Diana' (blanc), *T.* 'Pink Beauty' (rose sombre, maculé de blanc) et *T.* 'Van der Neer' (pourpre).
Doubles hâtives En particulier : *T.* 'Electra' (rose-carmin à pétales ourlés de rose pâle), *T.* 'Madame Testout' (incarnat), *T.* 'Maréchal Niel' (jaune orangé), *T.* 'Peach Blossom' (rose vif), *T.* 'Scarlet Cardinal' (rouge écarlate) et *T.* 'Schoonoord' (blanc pur).

SOINS PARTICULIERS
Pour avoir des fleurs en hiver, planter les bulbes au début de l'automne dans des contenants avec ou sans trou de drainage. Grouper 5 ou 6 bulbes sans qu'ils se touchent tout à fait. Les enfouir dans un mélange à base de tourbe ou un mélange spécial pour les bulbes (voir page 111), en en laissant sortir la pointe. Lorsqu'on utilise le mélange spécial, le mouiller à fond, puis le presser entre les mains pour l'essorer.

Placer les pots à l'obscurité dans un endroit où la température se maintient entre le point de congélation et 10°C. Il faut priver les bulbes de lumière et de chaleur pour qu'ils aient de bonnes racines, gage d'une belle floraison. Les horticulteurs mettent leurs pots en terre à l'extérieur, sous un monticule de tourbe humide. A défaut, enfermer les pots dans un sac de plastique opaque et les placer dans un endroit frais (sur un balcon ou un appui de fenêtre ombragés si le climat le permet). Arroser pour que le mélange reste humide, mais non détrempé. Ne pas fertiliser.

Au bout de 8 à 10 semaines, lorsque les feuilles ont atteint 5 à 8 cm de haut, découvrir les pots. Les exposer peu à peu à une lumière moyenne en augmentant graduellement la température. Arroser selon les besoins pour que le mélange reste humide. Quand les hampes florales ont 8 à 10 cm de haut et que les boutons émergent au-dessus du feuillage, augmenter encore la chaleur, sans pourtant dépasser de beaucoup 16°C. Entre 13 et 16°C, les fleurs dureront trois ou quatre semaines, tandis qu'une température supérieure les fera se faner plus rapidement.

Les tulipes ne fleurissent pas deux fois en appartement. Si les bulbes sont plantés au jardin, cependant, ils peuvent fleurir à nouveau durant plusieurs années.

Tulipe, voir *Tulipa.*
Vacquois, voir *Pandanus veitchii.*

Vallota

AMARYLLIDACÉES

Amaryllis
pourpre
V. speciosa

L e genre *Vallota* ne comprend qu'une espèce, *V. speciosa* (synonyme de *V. purpurea* et communément appelé amaryllis pourpre). Ses feuilles vert foncé, étroites et rubanées, ont souvent la base rouge cuivré; elles mesurent 1,5 à 2 cm de large et jusqu'à 38 cm de long. Les fleurs écarlate vif, en entonnoir, ont 8 à 10 cm de diamètre; elles apparaissent à la fin de l'été en grappes de 3 à 8, sur une hampe de

V. speciosa
'Delicata'

V. speciosa
'Alba'

60 cm. Les bulbes brunâtres ne fleurissent que lorsqu'ils ont environ 4 cm de diamètre. Les variétés *V. s.* 'Alba', à fleurs blanches, et *V. s.* 'Delicata', à fleurs rose saumon, sont difficiles à obtenir.
Voir aussi BULBES, CORMUS et TUBERCULES.

SOINS PARTICULIERS

Lumière Pour fleurir, les vallotas doivent être exposés au plein soleil ou, du moins, à une lumière très vive. Les placer à proximité d'une fenêtre ensoleillée.

Température En période de croissance, la température normale d'une pièce leur convient. Leur ménager un repos hivernal à une température se situant entre 10 et 13°C.

Arrosage Les vallotas nouvellement empotés seront arrosés parcimonieusement : laisser sécher les deux tiers du mélange entre les arrosages. Quand ils sont bien établis, six à huit semaines après la mise en terre du bulbe, arroser modérément pour que le mélange reste tout juste humide. En période de repos hivernal, n'arroser que pour empêcher le mélange de se dessécher complètement.

Engrais Du milieu du printemps au milieu de l'été, donner de l'engrais liquide ordinaire tous les 15 jours aux plants bien établis. Leur donner ensuite un engrais à tomates, riche en potassium, jusqu'au début de la période de repos. Cesser alors les apports d'engrais.

Empotage et rempotage Utiliser un mélange riche à base de terreau (voir page 429). L'empotage des nouveaux bulbes, prêts à fleurir, se fait au printemps ou au début de l'été. Placer chaque bulbe dans un pot de 12 cm en l'enfouissant à demi dans le mélange. Bien tasser la terre autour du bulbe. Ne pas rempoter durant les trois ou quatre premières années pour ne pas déranger les racines; renouveler simplement la couche superficielle du mélange (voir page 428) en ajoutant un engrais à action lente, comme de la poudre d'os.

Multiplication Elle se fait par division des caïeux et des bulbes au printemps ou au début de l'été. En effet, pendant les trois ou quatre premières années, le vallota produit un certain nombre de caïeux. Lorsque le dessus du pot est couvert de bulbes, les détacher avec précaution. Ceux qui sont prêts à fleurir ont à peu près la grosseur d'une échalote : les planter dans des pots de 12 cm. Placer les autres, plus petits, dans des pots de 8 cm et les rempoter annuellement jusqu'à ce qu'ils soient devenus assez gros.

Vanda

ORCHIDACÉES

C ontrairement à la plupart des orchidées épiphytes, les vandas présentent une tige unique et pas de pseudo-bulbes. La tige prend naissance dans une touffe de racines et elle porte des racines aériennes épaisses et charnues. Les feuilles vert clair et rubanées couvrent la tige. La hampe florale jaillit près de l'extrémité de celle-ci. Elle porte plusieurs fleurs parfumées qui durent quelques semaines. Les sépales et les pétales sont de même forme et de même taille, mais le labelle est trilobé.
Voir aussi ORCHIDEES.

ESPÈCES RECOMMANDÉES

V. cristata présente une tige de 60 cm. Les feuilles presque opposées sont rubanées, arquées et marquées d'un profond sillon au centre. Elles mesurent 13 à 18 cm sur 1,5 à 2. Leur extrémité est arrondie et légèrement dentée. Des hampes florales axillaires de 10 à 15 cm apparaissent au printemps et en été; elles portent jusqu'à 7 fleurs de 5 cm de diamètre, à sépales et à pétales jaune-vert ou jaune crème. Le court labelle vert et jaune est marqué de lignes pourpres.

V. sanderana a plusieurs tiges de 60 cm et des feuilles opposées, rubanées et arquées, de 30 à 38 cm sur 2,5. Les hampes axillaires, de 25 à 30 cm, portent une dizaine de fleurs qui éclosent à la fin de l'été et à l'automne. Chaque fleur circulaire peut avoir 12 cm de diamètre. Le sépale supérieur et les pétales sont rose-vermeil lavés de blanc, les sépales inférieurs sont jaune rougeâtre à macules sombres et le petit labelle arrondi et saillant est jaune rougeâtre.

V. teres peut atteindre 2 m de haut. Ses feuilles alternes, presque cylindriques, mesurent 10 à 15 cm sur 2,5. Les hampes florales, de 18 à 25 cm, sont opposées aux feuilles. Elles portent jusqu'à 5 fleurs de 8 à 10 cm de diamètre qui éclosent de la fin du printemps au début de l'automne. Les pétales et les sépales en losange et à marge froncée sont rose pourpré pâle lavés de blanc. Le labelle jaune rougeâtre est maculé et strié de rouge. Il existe des variétés de couleurs différentes.

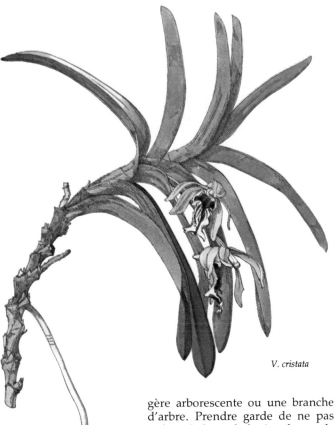

V. cristata

SOINS PARTICULIERS

Lumière Exposer les vandas au plein soleil tamisé toute l'année. Recourir si possible à l'éclairage artificiel en hiver (voir page 446).

Température Les vandas se plaisent à la température normale d'une pièce toute l'année. La nuit, cependant, il leur faut une température plus fraîche de 7 à 8°C que les températures diurnes. Poser les pots sur un plateau de gravillons maintenus humides et bassiner le feuillage tous les jours.

Arrosage Il doit être généreux en tout temps. Ne jamais laisser le mélange s'assécher, mais ne pas laisser d'eau dans la soucoupe.

Engrais Donner de l'engrais liquide ordinaire dilué de moitié, un arrosage sur deux.

Empotage et rempotage Utiliser l'un des mélanges recommandés pour les orchidées épiphytes (voir page 289). Déposer une bonne couche de tessons de grès au fond des pots et ajouter des morceaux de charbon de bois au mélange. Cultiver les vandas dans des pots en offrant comme support à leurs racines aériennes une tige de fou-

gère arborescente ou une branche d'arbre. Prendre garde de ne pas enfouir la base de la tige du vanda dans le mélange. Tous les printemps, rempoter la plante jusqu'à ce qu'elle ait la taille maximale désirée. Ensuite, s'en servir pour la multiplication.

Multiplication Elle permet de réduire les dimensions d'un gros sujet. Prélever un segment de tige bien pourvu de racines aériennes. Le faire tremper dans l'eau pendant deux heures pour assouplir les racines. Le planter ensuite dans un petit pot rempli du mélange recommandé. Enfouir la base de la tige à 5 cm de profondeur et enfoncer dans le mélange un certain nombre de racines aériennes (même celles qui se cassent, après les avoir coupées au-dessus de la cassure; les enfoncer, coupe d'abord). Tuteurer. Durant les six premières semaines, laisser le mélange sécher presque complètement entre les arrosages. Ne pas fertiliser. Par la suite, cultiver le jeune plant comme un sujet adulte. La plante sur laquelle on a prélevé la bouture devrait normalement se ramifier et continuer de croître.

Vaquoi, voir *Pandanus veitchii.*

Veltheimia
LILIACÉES

Les veltheimias sont des plantes bulbeuses qui présentent des feuilles caduques et un épi floral caractéristique. On plante généralement les bulbes à la fin de l'été, le cycle végétatif commençant à la fin de l'automne. Les feuilles viennent d'abord, suivies d'un bel épi floral dont les fleurettes tubuleuses s'épanouissent durant plusieurs semaines. A la fin du printemps, le bulbe entre en dormance et les feuilles jaunissent. Elles tombent au début de l'été mais, quelques mois plus tard, la croissance reprend. *Voir aussi BULBES, CORMUS et TUBERCULES.*

ESPÈCES RECOMMANDÉES

V. capensis présente des feuilles vert bleuté à marges très ondulées, pouvant atteindre 30 cm sur 5. La hampe florale robuste est maculée de pourpre; elle mesure 30 cm de long et porte en épi terminal des fleurs retombantes, rose pâle.

V. viridifolia a les feuilles vert vif, vernissées; elles sont moins ondulées que celles de *V. capensis* et peuvent atteindre 38 cm sur 10. La hampe florale, qui peut avoir 60 cm de long, porte un épi de fleurs pourpre rosé. La variété à fleurs roses et crème, *V. v.* 'Rose-alba', a été créée en Hollande.

SOINS PARTICULIERS

Lumière En période de croissance comme en période de dormance, les veltheimias exigent au moins trois ou quatre heures de plein soleil par jour. Dans leur habitat naturel, l'Afrique du Sud, ces plantes seraient au plein soleil durant toute leur période estivale de repos.

Température Bien qu'exigeant beaucoup de lumière, les veltheimias n'aiment pas la chaleur durant leur croissance hivernale; ils ne fleuriront pas si la température s'élève même à 16°C. Les garder dans un endroit ensoleillé et bien aéré, où la température ne dépasse pas 13°C. Autrement, ce n'est pas la peine de les cultiver.

Arrosage Arroser parcimonieusement les bulbes nouvellement plantés jusqu'à l'apparition d'organes aériens; le mélange doit être tout juste humide. Ensuite, augmenter

Veltheimia capensis

Vriesea
BROMÉLIACÉES

Le genre *Vriesea* comprend de nombreuses plantes d'intérieur, cultivées pour leur feuillage ornemental et leurs magnifiques inflorescences. Les feuilles coriaces, en forme d'épée et lisses, sont disposées en une rosette lâche à coupe centrale profonde. Comme la plupart des broméliacées, les vrieseas mettent plusieurs années à fleurir. Les épis floraux, généralement érigés, apparaissent à diverses périodes de l'année selon les conditions culturales. Leur beauté réside surtout dans leurs bractées aux couleurs vives, qui durent très longtemps. Les fleurs, de forme tubuleuse, sont éphémères.
Voir aussi BROMÉLIACÉES.

ESPÈCES RECOMMANDÉES
V. fenestralis présente une vingtaine de feuilles brillantes et arquées de 45 cm sur 5, vert clair, marquées de vert pâle au-dessus et de pourpre au revers. La hampe de 45 cm se termine par un épi qui peut comporter jusqu'à 20 bractées horizontales vertes, maculées de pourpre sombre. Les fleurs jaunes ou orange clair mesurent 6 cm. *V. fenestralis* se cultive surtout pour son feuillage.

un peu les apports d'eau, mais laisser le mélange sécher sur 1 cm entre les arrosages. Quand le feuillage jaunit, diminuer progressivement les apports d'eau. Les feuilles tombées, garder les bulbes en dormance au sec dans leur pot jusqu'à ce que la croissance reprenne.
Engrais Une fois par mois, donner de l'engrais liquide riche en potassium, dilué de moitié, à partir de la formation des feuilles jusqu'à leur jaunissement.
Empotage et rempotage Utiliser un substrat composé de sable grossier (1/4) et de mélange à base de terreau (3/4) [voir page 429]. Déposer une épaisse couche de tessons de grès au fond des pots. Planter les bulbes dans des pots de 12 cm à la fin de l'été ou au début de l'automne. Les enfouir à demi dans le mélange. Ne pas rempoter avant deux ou trois ans, mais renouveler la couche superficielle du mélange à la fin de l'été (voir page 428). Rempoter au moment de la multiplication (voir ci-dessous).

Multiplication Arrivé à maturité, le bulbe produit des rejets qui envahissent le pot. A la fin de l'été ou au début de l'automne, prélever un rejet muni d'au moins 2 feuilles. En profiter pour rempoter la plante mère. Installer chaque caïeu dans un pot de 8 cm rempli du mélange recommandé pour les sujets adultes. Quand il est en âge de fleurir, trois ans après, le rempoter dans un pot de 12 cm.

Vigne d'appartement, voir *Cissus*.
Vigne d'appartement, voir *Rhoicissus capensis*.
Vigne des kangourous, voir *Cissus antarctica*.
Vigne marronnier, voir *Tetrastigma voinieranum*.
Vigne du Natal, voir *Cissus rhombifolia*.
Violette africaine, voir *Saintpaulia*.
Violette bleue, voir *Browallia*.
Violette du Cap, voir *Saintpaulia*.
Vrai aloès, voir *Aloe barbadensis*.

V. saundersii

V. hieroglyphica

V. psittacina

V. splendens

pourpres, presque noires. La hampe de 60 cm est couronnée d'un épi aplati de 30 cm, composé de bractées rouge vif d'où émergent des fleurs jaunes de 4 ou 5 cm. Certaines variétés de *V. splendens* ont l'épi floral de couleur différente.

SOINS PARTICULIERS

Lumière Pour fleurir, les vrieseas ont besoin d'une lumière vive et de trois ou quatre heures de plein soleil par jour. Eviter cependant les rayons brûlants du soleil de midi.

Température Il faut aux vrieseas la température normale d'une pièce et un degré d'humidité élevé; placer les pots sur un plateau de gravillons maintenus humides.

Arrosage En période de croissance, remplir la coupe centrale de façon que l'eau déborde et coule à travers les feuilles jusqu'au mélange. Ménager aux vrieseas une période de repos hivernal; garder alors le mélange tout juste humide.

Engrais En période de croissance, verser dans la coupe de la rosette et le mélange de l'engrais liquide ordinaire, dilué de moitié.

Empotage et rempotage Utiliser le mélange recommandé pour les broméliacées (voir page 107). Rempoter au printemps, quand les racines remplissent le pot (tous les deux ou trois ans). Ne pas trop tasser le mélange pour permettre aux racines de se déployer. On ne devrait pas avoir besoin d'un pot de plus de 12 cm.

Multiplication Au moment de la floraison, la plupart des vrieseas produisent des rejets à l'aisselle des feuilles ou à la souche. Prélever avec un couteau les rejets à la souche, quand ils mesurent 8 à 15 cm. Planter chaque rejet dans un pot de 8 cm rempli de mélange ordinaire humide. Enfermer dans un sachet de plastique et placer dans une pièce chaude, au plein soleil tamisé. L'enracinement se fait en quatre à six semaines. Cultiver ensuite les jeunes plants comme des sujets adultes.

Ne pas détacher les rejets axillaires et les laisser croître. Ils remplaceront la plante mère; en effet, après avoir fleuri, celle-ci meurt.

Il est possible de multiplier par semis les vrieseas qui ne produisent pas de rejets (voir *BROMELIACEES*, page 108).

V. hieroglyphica est également renommé pour son feuillage. Les feuilles, d'un vert vif et brillant, sont marquées de bandes irrégulières pourpre foncé; elles peuvent mesurer 75 cm de long sur 8 de large. Une rosette adulte de 20 à 30 feuilles atteint 90 cm d'étalement. La hampe de 60 cm se ramifie sur son tiers supérieur. Les ramifications portent des bractées vert pâle de 2,5 cm dissimulant en partie les fleurs tubuleuses jaunes.

V. psittacina présente 15 à 20 feuilles tendres, de 20 à 25 cm de long sur 2,5 de large. Elles sont vert clair et se colorent de bleu violacé près du centre de la rosette. L'inflorescence vert, rouge et jaune, de 5 cm de large, est montée sur une hampe de 25 cm. Les fleurs jaunes sont maculées de vert.

V. saundersii (autrefois *V. botafogensis*) présente 20 à 30 feuilles coriaces de 20 à 30 cm de long sur 4 de large. Leur extrémité pointue est recourbée. Le limbe vert-gris mat est fortement tacheté de pourpre rosé au revers. La hampe florale, de 30 à 40 cm, porte des fleurs jaunes, adossées à des bractées jaunâtres de 2,5 à 5 cm de long.

V. splendens se caractérise par une rosette lâche d'une vingtaine de feuilles de 40 cm sur 4 ou 5, vert foncé à zébrures transversales

Washingtonia
PALMIERS

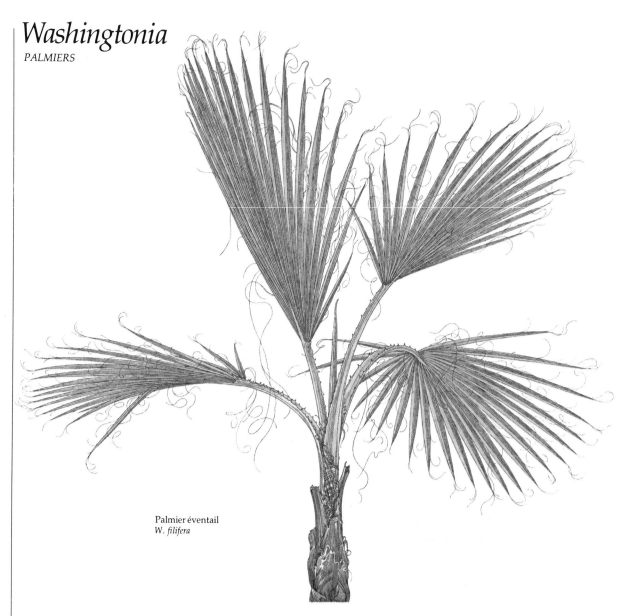

Palmier éventail
W. filifera

Le genre *Washingtonia* ne comprend que deux espèces : *W. filifera* et *W. robusta*. Elles sont répandues dans diverses régions où les conditions climatiques sont pourtant fort différentes. Ces beaux palmiers ornent maintes rues de la Californie et de la Côte d'Azur, régions où le climat est particulièrement doux. Les washingtonias sont faciles à cultiver en appartement. Leur stipe, ou tronc, acajou, trapu et conique, porte, au bout de longs pétioles épineux, des feuilles en éventail, comportant une vingtaine de segments divisés à mi-hauteur. Des filaments décorent les marges des segments.
Voir aussi PALMIERS.

ESPÈCES RECOMMANDÉES
W. filifera (palmier éventail) a un port très étalé. Ses feuilles vert-gris ont 60 cm ou plus d'étalement. Leurs pétioles verts, de 45 cm, sont épineux et plats.
W. robusta présente un stipe plus effilé et plus long que celui de *W. filifera*. Sa croissance est également plus rapide. Ses feuilles vert vif sont ornées à la base d'une tache fauve, et leurs segments sont plus raides et moins divisés.

SOINS PARTICULIERS
Lumière Les washingtonias exigent une lumière vive toute l'année et, si possible, plusieurs heures de plein soleil par jour. La croissance se produit surtout en été. Un bon éclairement est indispensable durant cette période, le manque de lumière pouvant entraîner la formation de feuilles trop petites et décolorées ainsi que la chute des feuilles inférieures.
Température Les washingtonias préfèrent des températures normales et même chaudes, mais ils peuvent supporter des températures fraîches, jusqu'à 10°C. Un air sec ne leur est pas néfaste, mais leurs feuilles sont plus belles si on pose les pots sur un plateau de gravillons maintenus humides. Installer si possible les washingtonias dehors dans un endroit abrité, du début de l'été à l'automne.

Arrosage En période de croissance, arroser généreusement pour garder le mélange bien humide, surtout si le washingtonia se trouve près d'une fenêtre ensoleillée. Cependant, ne jamais laisser les pots baigner dans l'eau. En période de repos hivernal, arroser modérément : bien mouiller le mélange, mais le laisser sécher sur 1 cm entre les arrosages.

Engrais Donner de l'engrais liquide ordinaire tous les 15 jours, en période de croissance.

Empotage et rempotage Il faut aux washingtonias un mélange qui retienne bien l'eau. Utiliser un substrat composé de terreau de feuilles bien décomposées ou de tourbe (1/3) et de mélange ordinaire à base de terreau (2/3) [voir page 429]. Pour améliorer le drainage, déposer une épaisse couche de tessons de grès au fond des pots. Rempoter en période de croissance, mais seulement lorsqu'un grand nombre de racines pâles apparaissent à la surface du mélange, c'est-à-dire tous les deux ou trois ans. Installer les

Ce washingtonia a besoin d'être rempoté. Les racines que l'on voit en surface sont cassantes. Aussi faut-il manipuler la plante avec le plus grand soin.

washingtonias solidement dans leur pot, sans casser les racines principales qui sont fragiles : la plante en souffrirait.

Multiplication Elle se fait par semis dans un milieu où la température est extrêmement élevée. Pour cette raison, elle n'est pas réalisable en appartement.

Yam, voir *Dioscorea*.

Yucca
AGAVACÉES

Y. aloifolia

Dans le genre *Yucca* (dague-espagnole), on trouve une quarantaine d'espèces sans tige ou à tige ligneuse érigée. Les feuilles en forme de glaive sont disposées en rosette lâche. Dans leur habitat naturel, les yuccas atteignent 12 m de haut, mais, en appartement, leur croissance est lente et les spécimens très développés sont rares et chers. Les espèces cultivées à l'intérieur ont un tronc trapu, brun et rugueux, couronné de touffes de feuilles rubanées et coriaces. A l'extérieur, les yuccas produisent une hampe florale de 60 cm qui émerge du centre de chaque rosette. L'épi qui la termine se compose de nombreuses fleurettes blanches ou violettes, campanulées ou étalées, de 10 cm de diamètre. A l'intérieur, la plante ne fleurit qu'en vitrine (voir page 53).

ESPÈCES RECOMMANDÉES
Y. aloifolia présente un stipe non ramifié qui peut mesurer 0,90 à 1,20 m de long sur 5 cm de diamètre. Il est coiffé de touffes de feuilles raides, très pointues, d'un vert-bleu sombre. Les feuilles à marges finement dentées atteignent 60 cm de long sur 5 de large.

Il existe de nombreuses variétés de cette espèce. *Y. a. draconis* se caractérise par des tiges rameuses et, contrairement à l'espèce, a des feuilles arquées et souples. Les feuilles des autres variétés sont semblables par leur texture et leur forme à celles de l'espèce, mais celles de *Y. a.* 'Marginata' sont vert foncé, ourlées de jaune, tandis que celles de *Y. a.* 'Quadricolor' sont rayées de bandes longitudinales blanches, vertes, jaunes et rougeâtres. Chez *Y. a.* 'Tricolor', les feuilles vertes sont rayées au centre de blanc et de jaune; les nouvelles feuilles sont nuancées de rouge. Enfin, les feuilles de *Y. a.* 'Variegata' sont rayées de blanc sur la longueur.

Y. elephantipes (synonyme de *Y. guatemalensis*) présente un stipe de 0,90 à 1,80 m de hauteur et de 4 à 5 cm de diamètre, souvent renflé à la souche. Au sommet de ce stipe, des branches plus fines et beaucoup plus courtes portent des rosettes de feuilles souples et retombantes. Chaque feuille vernissée est vert foncé à marge dentée; elle peut atteindre 1,20 m sur 8 cm et son extrémité n'est pas épineuse. La variété *Y. e.* 'Variegata' a les feuilles ourlées de blanc crème.

SOINS PARTICULIERS
Lumière Exposer les yuccas à une lumière vive et à au moins trois heures de plein soleil par jour, pendant toute l'année. Un manque de lumière ralentit la croissance (voir « Température », ci-dessous).

Température Les yuccas se plaisent à la température normale d'une pièce en tout temps et supportent bien des températures fraîches, mais pas inférieures à 10°C. Pendant les courtes journées d'hiver, les placer au frais si la lumière risque d'être insuffisante. Les yuccas supportent une atmosphère très sèche et sont moins exigeants que la plupart des plantes d'intérieur.

Arrosage En période de croissance, c'est-à-dire au printemps, en été et à l'automne, arroser généreusement; le mélange doit demeurer très humide, mais il ne faut jamais laisser d'eau dans les soucoupes.

Pendant la période de repos hivernal, n'arroser que pour empêcher le mélange de se dessécher.

Engrais Donner de l'engrais liquide ordinaire tous les 15 jours en période de croissance.

Empotage et rempotage Utiliser un mélange à base de terreau (voir page 429). Les rosettes de feuilles deviennent parfois très lourdes et la plante bascule alors facilement. Il vaut mieux, pour cette raison, utiliser des pots en grès plutôt qu'en plastique. Rempoter au printemps, mais seulement si les racines remplissent le pot (voir page 426). Quand la plante loge dans un pot de 30 cm ou un bac de 38 cm, se contenter de renouveler annuellement la couche superficielle du mélange (voir page 428).

Multiplication Les horticulteurs multiplient les yuccas par bouturage de segments de tige, mais c'est un procédé quelque peu fastidieux. Comme la plante produit parfois des rejets, on recommande à l'amateur d'utiliser ceux-ci. Au printemps, prélever un rejet nanti d'au moins 4 feuilles, de 15 à 25 cm de long, à l'aide d'un couteau tranchant ou d'une lame de rasoir. Enfoncer le rejet dans un pot de 10 ou 12 cm rempli d'un substrat composé à volume égal de mélange à base de terreau et de sable grossier ou de perlite. Placer le pot au plein soleil tamisé et garder le mélange à peine humide. L'enracinement se fait normalement en six à huit semaines. Quand de nouvelles pousses apparaissent, signe que la croissance a repris, arroser modérément : bien mouiller le mélange à chaque arrosage, mais le laisser sécher sur 2,5 cm entre les arrosages. Quatre mois après le début de l'opération, commencer à fertiliser régulièrement (voir ci-dessus) jusqu'à la période de repos hivernal. Rempoter le jeune plant dans un mélange ordinaire, le printemps suivant, et le cultiver comme un sujet adulte.

Remarque On stimulera la croissance des yuccas en les plaçant à l'extérieur durant les chauds mois de l'été. Les sortir si possible de la fin du printemps au début de l'automne. Dehors, ils doivent être exposés aux rayons directs du soleil pendant au moins trois ou quatre heures par jour.

Zantedeschia
ARACÉES

Calla
Zantedeschia hybride

Le genre *Zantedeschia* (autrefois *Richardia* et communément appelé calla) renferme un petit nombre d'espèces acaules, à grandes feuilles sagittées et à fleurs remarquables. Les zantedeschias ont des rhizomes charnus et traçants d'où sortent des racines épaisses qui s'enfoncent perpendiculairement dans le mélange. La fleur, typique des arums, présente un spadice central érigé, entouré d'une spathe très décorative. L'inflorescence naît à l'extrémité d'une longue hampe robuste. Dans la nature, les zantedeschias croissent dans des marais qui s'assèchent généralement pendant l'été, période durant laquelle la plante sèche, perd ses feuilles et entre en période de dormance. Ce rythme végétatif doit être respecté en appartement. Le zantedeschia est donc une plante saisonnière, mais son rhizome, si l'on respecte certaines conditions culturales, peut fleurir à nouveau durant plusieurs années.

ESPÈCES RECOMMANDÉES

Z. aethiopica (arum d'Ethiopie, pied-de-veau) est le plus gros des zantedeschias. Ses feuilles sagittées vert foncé, de 45 cm sur 25, sont montées sur des pétioles qui peuvent atteindre 90 cm. La hampe florale apparaît vers la fin de l'hiver ou le début du printemps; elle porte une inflorescence caractérisée par un spadice jaune d'or, entouré d'une spathe d'un blanc laiteux, de 15 à 25 cm de long, dont la marge s'enroule vers l'extérieur. *Z. a.* 'Childsiana', plus compact et plus florifère que l'espèce, se cultive mieux en appartement.

Z. albomaculata se caractérise par des feuilles étroites, de forme triangulaire, vert foncé et tachetées de blanc argenté, qui peuvent atteindre 45 cm de long, mais ont seulement 5 à 8 cm de large à la base. Elles sont portées par des pétioles qui peuvent atteindre 90 cm. La spathe des fleurs, de 10 à 12 cm, est plus tubuleuse que celle de *Z. aethiopica*. Sa couleur va du blanc au jaune crème en passant parfois par le rose; la base du tube porte une macule pourpre à l'intérieur. Le spadice est blanc.

Z. elliottiana diffère des autres espèces par ses feuilles sagittées vert foncé, maculées de blanc, de 28 cm sur 23; elles sont portées par des pétioles de 60 cm. La spathe, de 15 cm, est jaune vif à l'intérieur et jaune-vert à l'extérieur; le spadice est jaune.

Z. rehmannii (arum rose) présente des feuilles étroites, amincies aux deux extrémités. Elles sont vert moyen, souvent maculées de blanc argenté. Elles atteignent 30 cm sur 5, tandis que leur pétiole mesure 30 cm. Les spathes, ouvertes en trompette, ont jusqu'à 13 cm de long; elles sont généralement roses, parfois rouges ou pourprées. Le spadice est blanc crème.

Chacune de ces 4 espèces a donné naissance à de nombreux hybrides dont les spathes sont plus ou moins ouvertes et présentent différentes nuances de rose, de crème, de jaune et de rouge vif.

SOINS PARTICULIERS

Lumière En période de croissance, exposer les zantedeschias à une

Z. rehmannii
(arum rose)

Z. elliottiana

Z. aethiopica
hybride
(arum d'Ethiopie)

lumière vive et à un peu de plein soleil. En période de dormance (de la fin du printemps au début de l'automne), placer la plante desséchée dans un coin ensoleillé du jardin, ou sur une terrasse ou un balcon, une fois qu'il n'y a plus de risques de gel. Des pluies trop abondantes peuvent également être dangereuses (voir « Arrosage », ci-dessous).

Température A partir du début de l'automne, moment où la croissance reprend, exposer les zantedeschias à des températures fraîches, entre 10 et 13°C, pendant trois mois. Monter ensuite la température à 16°C pour Z. *aethiopica* et à 18°C pour les autres espèces et les hybrides. Pendant la floraison, tous les zantedeschias se plaisent à la température normale d'une pièce. Au-dessus de 21°C, cependant, la floraison sera plus courte et les feuilles se faneront plus rapidement. La température est sans importance pour les rhizomes en dormance.

Arrosage Il doit être parcimonieux pour les plantes nouvellement mises en pot et pour les rhizomes qui reviennent à la vie après leur période de dormance : bien humidifier le mélange, mais le laisser sécher aux deux tiers entre les arrosages. Augmenter peu à peu les apports d'eau à mesure que la croissance progresse. Lorsque les zantedeschias sont en pleine feuillaison, les arroser aussi souvent que nécessaire pour que le mélange reste toujours très humide; ils font partie des quelques plantes dont les racines, durant cette période, ont constamment besoin d'humidité. On peut même laisser de l'eau dans les soucoupes. Après la floraison, réduire peu à peu les apports d'eau et cesser complètement d'arroser dès que les feuilles sont devenues jaunes et ont flétri. Laisser les zantedeschias dans leur pot durant la période de dormance, à l'intérieur ou au jardin. Une brève ondée ne leur fera pas de mal, mais une pluie continue leur sera néfaste.

Engrais Dès que les zantedeschias ont leurs feuilles, leur donner de l'engrais liquide ordinaire tous les 15 jours, puis toutes les semaines lorsqu'ils sont en fleur. Cesser de fertiliser à la fin de la floraison.

Empotage et rempotage Utiliser un mélange à base de terreau (voir page 429). Une plante simple, en âge de fleurir, occupera un pot de 16 cm, mais les sujets touffus auront besoin d'un pot plus grand ou d'un petit bac. Si cela s'avère nécessaire, rempoter à l'automne quand la plante se remet à croître. Quand elle a atteint la taille maximale désirée, la diviser (voir ci-dessous). C'est aussi à l'automne que l'on plante les rhizomes secs que l'on vient d'acheter. Les planter individuellement dans des pots de 16 cm ou en grouper 3 dans un pot de 20 à 22 cm. Coucher le rhizome à 5 cm environ sous la surface du mélange.

Multiplication Diviser les rhizomes ou prélever des rejets au moment du rempotage, à l'automne. Planter chaque segment de rhizome dans un pot de 16 cm rempli de mélange légèrement humide et le cultiver immédiatement comme un sujet adulte. Planter chaque rejet dans un pot de 8 ou 10 cm rempli du même mélange, humide, et lui donner les mêmes soins qu'à un sujet adulte.

On peut aussi multiplier les zantedeschias par semis. C'est la meilleure façon d'obtenir des hybrides. Mais c'est une opération longue et compliquée qui exige presque d'être menée dans une serre froide. Elle n'est donc pas à la portée de la plupart des amateurs.

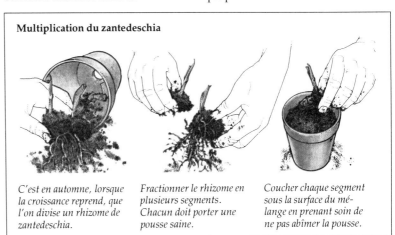

Multiplication du zantedeschia

C'est en automne, lorsque la croissance reprend, que l'on divise un rhizome de zantedeschia.

Fractionner le rhizome en plusieurs segments. Chacun doit porter une pousse saine.

Coucher chaque segment sous la surface du mélange en prenant soin de ne pas abîmer la pousse.

Zebrina

COMMÉLYNACÉES

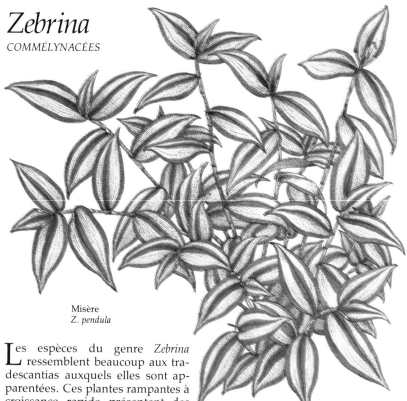

Misère
Z. pendula

Les espèces du genre *Zebrina* ressemblent beaucoup aux tradescantias auxquels elles sont apparentées. Ces plantes rampantes à croissance rapide présentent des feuilles ovales d'environ 5 cm de long, irisées sur le dessus et d'un riche pourpre au-dessous. La culture en corbeille suspendue leur convient bien, mais on peut également les placer dans un pot avec d'autres plantes ou les attacher à un treillage en éventail. De petites grappes de fleurettes à 3 pétales s'ouvrent au printemps et en été.

On peut planter différentes variétés de zebrinas dans le même pot ou la même corbeille pour obtenir un heureux contraste de couleurs.

ZEBRINAS RECOMMANDÉS

Z. pendula (parfois connu sous le nom de *Cyanotis vittata* et communément appelé misère), l'espèce la plus répandue, a donné de nombreuses variétés. Ses feuilles ovales-acuminées sont rayées longitudinalement de vert argenté brillant et de vert moyen. Les fleurs sont rose pourpré.

Z. p. 'Discolor' a les feuilles moins épaisses. Les rayures argentées qui entourent la zone centrale bronze sont plus minces que chez l'espèce.

Z. p. 'Purpusii' (ou *Tradescantia purpurea*) présente des feuilles plus grandes que celles de l'espèce, pourpre-bronze sur le dessus. Les fleurs sont blanc violacé.

Z. p. 'Quadricolor' est la plus belle des variétés avec son feuillage irrégulièrement strié de bandes roses, vertes, crème et argent. Mais c'est aussi la plus difficile à cultiver.

SOINS PARTICULIERS

Lumière Exposer les zebrinas à une lumière vive toute l'année pour obtenir des plantes touffues aux couleurs vives. Si la lumière est insuffisante, les tiges s'étirent indûment et le feuillage se décolore.

Température Les zebrinas aiment la chaleur, mais supportent des températures fraîches, jusqu'à 13°C. Si la température baisse beaucoup, leur croissance ralentit.

Arrosage Il doit être modéré en période de croissance : laisser le mélange sécher sur 2,5 cm avant d'arroser de nouveau. En période de repos, laisser la moitié du mélange sécher entre les arrosages.

Engrais En période de croissance, donner de l'engrais liquide ordinaire tous les 15 jours.

Empotage et rempotage Utiliser un mélange à base de terreau (voir page 429). Rempoter quand les racines remplissent le pot (voir page 426). Grouper plusieurs boutures pour obtenir une plante plus touffue. On peut en grouper 12 à 15 dans une corbeille suspendue.

Multiplication Comme les vieilles feuilles se dessèchent et tombent avec le temps, il est préférable de multiplier la plante fréquemment. Prélever au printemps des boutures terminales de 8 cm et les planter dans un mélange à enracinement, composé à volume égal de tourbe et de sable. Exposer au plein soleil tamisé et donner juste assez d'eau pour que le mélange soit à peine humide. L'enracinement se fait en trois ou quatre semaines. Grouper alors 4 à 6 boutures dans un pot de 8 cm et les cultiver comme des sujets adultes.

On peut aussi faire naître les racines dans l'eau. Placer les boutures dans un bocal opaque rempli d'eau et les exposer au plein soleil tamisé. En deux ou trois semaines, elles auront 3 à 5 cm de racines. Les planter alors dans du mélange ordinaire et les cultiver comme des zebrinas adultes.

Remarque Pincer régulièrement les pointes des longues tiges pour favoriser la ramification. Au printemps, couper les tiges pâlies.

Il faut pincer de temps en temps les extrémités des pousses pour obtenir un zebrina buissonnant.

Tableau récapitulatif

Ce tableau résume les principales caractéristiques des diverses plantes qui ont été étudiées dans le *Guide alphabétique* ainsi que les soins particuliers qu'elles exigent. Il permet de vérifier rapidement si la plante que l'on désire avoir peut s'adapter aux conditions culturales qu'il est possible de lui procurer, et d'effectuer un choix préliminaire parmi les nombreuses plantes qui s'offrent aujourd'hui à l'amateur. Les noms des genres sont donnés à gauche, à la verticale. Lorsque certaines espèces diffèrent du genre par leurs caractéristiques ou par les soins qu'elles réclament, elles sont inscrites en retrait. Dans les cas où la description convient à plusieurs espèces entre lesquelles n'existent que des différences mineures, une seule espèce est nommée, mais elle est suivie d'un astérisque (*). Il suffit alors de se reporter au nom du genre dans le *Guide alphabétique* pour obtenir les renseignements spéci-

fiques. (On ne trouvera dans le tableau que les plantes décrites dans le *Guide alphabétique* de ce livre.)

Voici quelques précisions facilitant la lecture du tableau :

1. Le terme « feuillage » s'applique ici non seulement aux feuilles mais aussi aux tiges des plantes dépourvues de feuilles, comme les cactées.

2. Pour décrire le port des plantes, nous utilisons les termes expliqués aux pages 26 et 27. Ils décrivent l'aspect général de chaque plante et non pas les détails particuliers à chacune. Pour obtenir ces détails, il faudra se reporter au *Guide alphabétique*. Les plantes à tiges retombantes sont classées sous la catégorie « grimpant ou rampant ». Quant à l'expression « en buisson », elle décrit l'apparence générale d'une plante, qu'elle ait ou non la forme d'un buisson au sens strict.

3. Le port de nombreuses plantes change avec l'âge. Certains palmiers, par exemple, sont d'abord buissonnants, puis érigés. La description donnée ici s'applique aux plantes que l'on trouve chez les fleuristes et les pépiniéristes.

4. Les arrosages et les températures minimales et maximales sont précisés pour la période de croissance et pour la période de repos, sauf dans le cas des plantes qui connaissent une croissance ininterrompue à la température normale d'une pièce. Pour celles-ci, on se contente d'indiquer les arrosages et les températures à la section « période de croissance ».

5. Il sera toujours très utile de consulter ce tableau lorsqu'on voudra acheter des plantes d'intérieur. Mais il faudra absolument se reporter au *Guide alphabétique* avant d'arrêter son choix.

Légende des couleurs

Plantes peu exigeantes, faciles à cultiver à l'intérieur.

Plantes exigeantes, moins faciles à cultiver à l'intérieur.

Plantes très exigeantes, difficiles à cultiver à l'intérieur.

	Feuillage			Particularités					Cycle végétatif			Port								Arrosage							Lumière				Température				Humidité	
	Vert	Coloré	Panaché	Fleurs	Parfum	Fruits		Persistant	Caduc	Éphémère		En rosette	En buisson	Graminiforme	Érigé	Arborescent	Grimpant ou rampant		Parcimonieux	Modéré	Généreux	Période de repos Parcimonieux	Modéré	Généreux		Période de croissance	Moyenne	Vive	Plein soleil	Plein soleil tamisé	Min. °C	Max. °C	Min. °C	Max. °C	Faible	Élevée
Abutilon	●			●	●			●				●			●			●			●					●			●	10	24	16	24	●	
A. megapotamicum	●			●		●		●				●					●				●					●			●	10	24	16	24	●	
Acalypha hispida*	●			●				●				●			●			●						●			●		16	24	18	27		●
A. wilkesiana*		●						●				●			●			●						●			●		16	24	18	27		●
A.w. 'Godseffiana'*		●						●						●			●						●			●		16	24	18	27		●
Achimenes*	●			●					●			●						●					●			●	●		4	13	16	27		●
A. grandiflora	●			●					●			●				●							●			●	●		4	13	16	27		●
Acorus	●							●						●			–							●			●		4	24	16	24		
A. gramineus 'Variegatus'*		●						●						●			–	–	–					●			●		4	24	16	24		
Adiantum	●							●						●				●			●					●			10	24	16	24		●
A. raddianum 'Fragrantissimum'	●				●			●						●				●			●					●			10	24	16	24		●
Aechmea		●		●				●				●					–	–	–					●	●				–	–	16	24		●
A. 'Foster's Favorite'*		●		●				●				●					–	–	–					●	●				–	–	16	24		●
Aeonium	●			●				●				●			●			●						●			●		10	13	18	24	●	

CARACTÉRISTIQUES / SOINS PARTICULIERS

	Feuillage Vert	Coloré	Panaché	Fleurs	Parfum	Fruits	Persistant	Caduc	Éphémère	En rosette	En buisson	Graminiforme	Érigé	Arborescent	Grimpant ou rampant	Arrosage Période de repos	Arrosage Parcimonieux	Arrosage Modéré	Arrosage Généreux	Lumière Moyenne	Vive	Plein soleil tamisé	Plein soleil	Temp. Période de repos	Min °C	Max °C	Min °C	Max °C	Humid. Faible	Élevée
A. arboreum 'Atropurpureum'*		•					•			•			•					•			•			•	10	13	18	24	•	
Aeschynanthus	•			•			•								•	•	–	–	–		•		•		–	–	16	24		•
A. marmoratus			•	•			•								•	•	–	–	–		•		•		–	–	16	24		•
Agave	•						•			•			•					•			•				10	13	16	24	•	
A. victoriae-reginae*				•			•			•			•					•			•			•	10	13	16	24	•	
Aglaonema				•			•			•				•				•		•		•			16	24	16	24		•
A. pictum*				•			•			•					•			•		•		•			16	24	16	24		•
Aichryson	•			•			•					•		•			–	–	–		•		•		–	–	16	24	•	
A. domesticum 'Variegatum'			•	•			•							•				•		•			•		13	24	16	24	•	
Allamanda	•			•			•								•	•		•		•			•		16	24	16	27		•
Aloe	•			•			•			•								•			•			•	7	10	16	24	•	
A. variegata*			•	•			•			•								•			•		•		7	10	16	24	•	
Ananas	•			•			•	•		•						•	–	–	–		•			•	–	–	18	27		•
A. comosus variegatus			•	•			•			•						•	–	–	–		•			•	–	–	18	27		•
Anthurium	•			•			•						•				•			•		•			13	21	18	21		•
A. scherzeranum*	•			•	•		•						•				•			•		•			13	21	18	21		•
Aphelandra			•	•			•						•				•			•			•		13	18	18	27		•
Aporocactus	•			•			•						•			•		•			•			•	7	16	16	24	•	
Araucaria	•						•							•		•		•			•	•			7	24	7	24		
Ardisia	•			•		•	•						•			•		•			•		•		7	16	7	21		
Asparagus	•			•			•						•			•		•			•		•		13	24	16	24		•
A. densiflorus 'Myers'	•			•			•					•						•			•		•		13	24	16	24		•
Aspidistra	•			•			•						•				•			•		•			7	18	16	27		
A. elatior 'Variegata'			•	•			•						•				•			•		•			7	18	16	27	•	
Asplenium	•			•			•						•					•			•	•			10	24	16	24	•	
A. nidus	•			•			•			•								•			•	•			16	24	18	24	•	
Astrophytum	•			•			•			•				Globuleux				•			•			•	7	10	16	24	•	
Aucuba			•				•						•				–	–	–		•		•		–	–	4	24		•
A. japonica	•						•						•				–	–	–		•		•		–	–	4	24		•
Begonia						Trop de variétés et de différences pour préciser																								
Beloperone	•			•			•						•				–	–	–	•			•		–	–	18	24	•	
Bertolonia		•		•			•			•						•	•			•	•				16	24	16	24		•
Billbergia			•	•			•			•							–	–	–		•		•		–	–	16	24	•	
B. horrida			•	•	•		•			•							–	–	–		•		•		–	–	16	24	•	
B.h. 'Tigrina'		•		•			•			•							–	–	–		•		•		–	–	16	24	•	
B. nutans			•	•			•			•							–	–	–		•		•		–	–	7	24	•	
Blechnum	•			•			•			•							•		•			•			10	16	18	24	•	•
Bougainvillea	•			•			•								•	•		•			•			•	10	16	16	24		
B. glabra 'Sanderana Variegata'*			•	•			•								•	•		•			•			•	10	16	16	24		
Brassaia		•		•			•							•			•			•		•			13	18	16	24		•
Brassia	•			•			•							•			•			•			•		10	24	10	24		•

	Feuillage			Particularités			Cycle végétatif			Port						Arrosage					Lumière				Température				Humidité	
	Vert	Coloré	Panaché	Fleurs	Parfum	Fruits	Persistant	Caduc	Éphémère	En rosette	En buisson	Graminiforme	Érigé	Arborescent	Grimpant ou rampant	Rep. Modéré	Rep. Parcim.	Crois. Généreux	Crois. Parcim.	Crois. Modéré	Moyenne	Vive	Plein soleil tamisé	Plein soleil	Rep. Min °C	Rep. Max °C	Crois. Min °C	Crois. Max °C	Faible	Élevée
Browallia	●			●			●						●		●	–	–	–				●			–	–	13	18	●	
Brunfelsia	●			●	●		●						●			●						●			10	13	16	24		●
Bryophyllum	●			●			●							●		●						●			16	24	16	24	●	
Caladium		●						●			●		●			●						●			16	18	18	24		●
Calathea			●				●				●		●				●				●	●			16	21	16	21		●
Calceolaria	●			●							●		●			–	–	–				●			–	–	10	21		●
Callisia elegans			●				●				●				●	●						●			10	16	16	24		●
C. fragrans	●						●				●				●	●						●			10	16	16	24		●
Callistemon	●			●			●				●					●						●			7	10	16	24		●
Camellia	●			●			●				●					●						●	●		7	16	7	18		●
Campanula	●			●			●				●					●						●	●		4	10	16	21		●
Capsicum	●					●					●		●			–	–	–				●	●		–	–	13	24		●
Carex	●				●		●						●			–	–	–			●			●	10	16	18	21		●
Caryota	●						●						●				●					●		●	13	21	16	24		●
Catharanthus	●			●			●				●		●			–	–	–				●			–	–	10	24	●	
Cattleya	●			●			●							●		●						●	●		13	16	16	24		●
Cephalocereus	●						●							●			●				●			●	7	18	16	24	●	
Cereus	●			●	●		●							●			●				●			●	10	13	16	24		●
Ceropegia		●		●			●								●	●		●						●	16	24	16	24		
Chamaecereus	●			●			●					En bouquet				●					●			●	2	7	16	24		
C. sylvestri 'Lutea'		●		●			●					En bouquet				●					●			●	2	7	16	24		
Chamaedorea	●						●				●					●						●		●	13	24	18	24		●
Chamaerops	●						●				●					●						●		●	10	16	16	24		
Chlorophytum			●				●				●		●			●			●		●		●		7	21	16	24		●
Chrysalidocarpus	●						●				●					●						●		●	13	24	16	24		●
Chrysanthemum frutescens	●			●							●		●			–	–	–				●		●	–	–	13	18		●
C. morifolium	●			●							●		●			–	–	–				●	●		–	–	13	18		●
Cineraria	●			●							●		●			–	–	–				●	●		–	–	7	18		●
Cissus	●						●								●	●						●		●	13	16	16	24	●	
C. discolor		●					●								●	●		●				●		●	18	24	18	27		
Citrus	●			●		●	●				●				●	●						●		●	10	13	16	24		●
Cleistocactus	●			●			●						●			●						●		●	4	10	16	24	●	
Clerodendrum	●			●			●				●					●						●	●		10	13	16	24		●
C. thomsoniae 'Variegata'			●	●			●				●					●						●			10	13	16	24		●
Cleyera	●						●				●						●					●			10	13	16	24		●
C. japonica 'Tricolor'			●				●				●						●					●	●		10	13	16	24		●
Clivia	●			●			●					●				●						●			7	10	16	24	●	
Codiaeum			●				●				●			●		●						●	●		13	24	16	24		●
Coelogyne	●			●	●		●				●					●						●		●	7	16	16	24	●	
C. pandurata	●			●			●				●					–	–	–				●		●	–	–	16	27	●	
Coffea	●			●	●	●	●				●					●					●	●			13	24	16	24		●

401

	CARACTÉRISTIQUES															SOINS PARTICULIERS															
	Feuillage			Particularités			Cycle végétatif			Port						Arrosage						Lumière				Température				Humidité	
	Vert	Coloré	Panaché	Fleurs	Parfum	Fruits	Persistant	Caduc	Éphémère	En rosette	En buisson	Graminiforme	Érigé	Arborescent	Grimpant ou rampant	Repos Modéré	Repos Généreux	Repos Parcimonieux	Crois. Modéré	Crois. Généreux	Crois. Parcim.	Moyenne	Vive	Plein soleil	Plein soleil tamisé	Repos Min °C	Repos Max °C	Crois. Min °C	Crois. Max °C	Faible	Élevée
Coleus		●											●	●		–	–	–		●					●	–	–	16	24		●
Columnea	●			●			●				●				●	–	–	–		●			●			–	–	18	29		●
C. 'Evlo'		●		●			●				●					●				●			●			13	18	18	29		●
C. linearis*	●			●			●				●		●			–	–	–	●				●			–	–	18	29		●
Cordyline		●					●				●				●	●				●				●		16	24	16	24	●	
C. australis*	●						●				●		●			●				●				●		10	16	10	24	●	
C.a. 'Doucetii'*			●				●				●		●			●				●				●		10	21	10	24	●	
Cotyledon	●			●			●				●			●		●			●				●			16	24	16	24	●	
Crassula arborescens*	●			●			●				●				●				●				●	●		7	13	16	24	●	
C. argentea 'Variegata'*			●	●			●				●				●				●				●	●		7	13	16	24	●	
C. falcata*	●			●			●				●				●				●				●	●		7	13	16	24	●	
C. lactea*	●			●			●				●				●				●				●	●		7	13	16	24	●	
Crinum	●			●			●				●		●						●				●		●	10	13	16	24		●
Crocus	●			●				●		●		●				–	–	–		●				●		–	–	7	16		●
Crossandra	●			●			●				●					●				●		●				18	24	18	27		●
Cryptanthus		●					●			●		●				–	–	–	●				●			–	–	16	24	●	
C. bromelioides*			●				●			●						–	–	–	●				●			–	–	16	24		●
Ctenanthe			●				●				●		●			●				●		●				13	24	16	24		●
Cuphea	●			●			●				●		●			●				●				●		10	13	16	24	●	
Cyanotis	●			●			●				●				●	–	–	–		●				●		–	–	16	24		●
Cycas	●						●				●		●			●				●				●		13	24	16	24		●
Cyclamen	●			●			●			●			●			–	–	–		●				●		–	–	13	18		●
Cymbidium	●			●			●				●				●	●				●				●		16	18	16	24		●
Cyperus	●						●				●	●					●			●				●		10	24	16	24		●
C. alternifolius 'Variegatus'		●	●				●				●	●					●			●				●	●	10	24	16	24		●
C. papyrus	●						●				●	●					●			●				●		16	18	16	24		●
Cyrtomium	●						●				●			●		●				●				●		10	24	16	24		●
Cytisus	●			●			●				●		●	●		–	–	–		●		●				–	–	7	16	●	
Davallia	●						●				●						●			●		●				13	24	16	24	●	
Dendrobium	●			●			●				●				●	●				●				●		10	18	16	21		●
Dichorisandra			●				●				●				●	●				●		●				16	21	18	27		●
Dieffenbachia			●				●				●				●	–	–	–	●				●		●	–	–	16	27		●
D. oerstedii	●						●				●				●	–	–	–	●				●		●	–	–	16	27		●
Dioscorea		●						●					●		●	●				●				●		13	16	16	24	●	
Dipladenia	●			●			●				●				●	●				●				●		10	13	16	27		●
Dizygotheca			●				●				●				●	●				●		●				16	24	18	27		●
Dolicothele	●			●			●	●				Globuleux				●				●				●	●	4	13	16	24	●	
Dracaena			●				●				●				●		●					●				18	24	18	24		●
D. draco*	●						●				●				●		●					●		●		10	24	16	24		●
D. fragrans 'Lindenii'*			●				●				●			●			●					●		●		18	24	18	24		●
Dyckia	●						●			●						●				●				●		10	24	16	24	●	

CARACTÉRISTIQUES — SOINS PARTICULIERS

Groupes d'en-tête : **CARACTÉRISTIQUES** (Feuillage · Particularités · Cycle végétatif · Port) — **SOINS PARTICULIERS** (Arrosage · Lumière · Température · Humidité)

	Vert	Coloré	Panaché	Fleurs	Parfum	Fruits	Persistant	Caduc	Éphémère	En rosette	En buisson	Graminiforme	Érigé	Arborescent	Grimpant ou rampant	Arros. repos – Parcim.	Arros. repos – Modéré	Arros. repos – Génér.	Arros. crois. – Parcim.	Arros. crois. – Modéré	Arros. crois. – Génér.	Moyenne	Vive	Plein soleil	Plein soleil tamisé	Temp. Période de repos	Temp. Période de croissance	Min.°C	Max.°C	Min.°C	Max.°C	Humid. Faible	Humid. Élevée
Echeveria	●						●			●			●				●						●			●		13	16	16	24	●	
E. leucotricha*		●		●			●			●							●						●			●		13	16	16	24	●	
Echinocactus	●						●			●					Globuleux		●							●		●		4	10	16	24	●	
Echinocereus	●						●						●				●						●			●		0	10	16	24	●	
E. pentalophus	●						●								●			●						●		●		0	10	16	24	●	
Echinopsis	●						●						●				●							●		●		0	10	16	24	●	
Elettaria	●						●						●				●					●			●		●	16	24	16	24	●	
Epidendrum	●						●						●				●						●		●		●	13	21	13	21		●
Epiphyllum	●						●								●		●						●		●		●	16	24	18	27	●	
Episcia		●		●			●								●	–	–	–					●		●		●	–	–	18	24		●
E. 'Cygnet'		●					●			●													●		●			–	–	18	24		●
E. dianthiflora		●		●			●			●													●		●			–	–	18	24		●
Erica	●			●			●				●		●			–	–	–					●		●		●	–	–	7	18		●
Eriobotrya	●						●							●			●						●		●	●		10	13	16	24	●	
Espostoa	●						●						●				●					●			●	●		13	16	16	24	●	
Eucalyptus	●						●							●			●						●		●	●		7	24	16	27	●	
Euonymus		●					●						●				●						●		●		●	10	13	13	18		●
Euphorbia milii*	●			●			●						●					●					●			●		13	24	16	24	●	
E. pseudocactus tirucalli*	●						●						●					●					●			●		10	16	16	24	●	
E. pulcherrima	●			●				●			●		●			–	–	–					●				●	–	–	16	24	●	
Exacum	●			●				●	●		●		●			–	–	–				●			●		●	–	–	16	24		●
Fatshedera	●						●						●				●					●		●			●	7	18	16	24	●	
F. lizei 'Variegata'			●				●						●				●					●			●		●	16	18	16	24		●
Fatsia	●						●				●						●						●		●		●	7	13	13	18		●
F. japonica 'Variegata'*			●				●				●						●						●		●		●	7	13	13	18		●
Faucaria	●						●			●					Prostré		●						●			●		10	13	16	24	●	
Ferocactus	●						●								Globuleux		●						●			●		7	16	16	24	●	
Ficus	●						●						●			–	–	–	●					●			●	–	–	16	27	●	
F. pumila*	●						●								●	–	–	–					●		●		●	–	–	10	24		●
F. rubiginosa 'Variegata'*			●				●						●			–	–	–	●				●		●		●	–	–	18	27		●
Fittonia			●				●								●	●						●			●		●	13	18	18	21		●
Fortunella	●					●	●				●		●				●						●		●	●		10	16	16	24		●
Fuchsia hybrides	●			●			●						●				●						●		●		●	13	18	13	18		●
Formes panachées de fuchsia			●	●			●						●				●						●		●		●	13	18	13	18		●
Gardenia	●			●	●		●				●						●						●		●		●	16	24	16	24		●
Gasteria		●					●			●							●						●		●	●		7	16	16	24	●	
Geogenanthus		●					●								Prostré	–	–	–					●		●		●	–	–	18	27		●
Gesneria	●			●			●			●			●			–	–	–					●		●		●	–	–	18	27		●
Gloxinia	●	●		●			●						●			–	–	–					●		●	●		7	16	18	29		●
Graptopetalum		●		●			●			●			●				●						●			●		7	13	13	24	●	
Grevillea	●						●						●				●						●		●		●	7	18	18	27		●

Nom	Vert	Coloré	Panaché	Fleurs	Parfum	Fruits	Persistant	Caduc	Éphémère	En rosette	En buisson	Graminiforme	Érigé	Arborescent	Grimpant ou rampant	Arrosage repos	Arrosage croissance	Lum. Moyenne	Lum. Vive	Lum. Plein soleil	Lum. Plein soleil tamisé	Temp repos Min°C	Temp repos Max°C	Temp crois. Min°C	Temp crois. Max°C	Hum. Faible	Hum. Élevée
Guzmania	●			●			●			●			●			–	●				●			18	27		●
*G. monostachia variegata**			●	●			●			●			●			–	●				●			18	27		●
Gymnocalycium	●			●			●			●				Globuleux		●	●			●		4	16	18	27	●	
G. mihanovichii 'Ruby Ball'		●		●			●			●				Globuleux		●	●			●		4	16	18	27		●
Gynura		●					●				●				●	●	●		●			13	18	16	24		●
Haemanthus	●			●			●							●		●	●		●			13	21	16	24		
*H. coccineus**	●			●		●		●						●		–	●		●			13	18	16	24		
Hamatocactus hamatacanthus	●			●			●							Globuleux		●	●			●		4	13	16	24		
H. setispinus	●			●		●	●							Globuleux		●	●			●		4	13	16	24		
Haworthia		●		●			●			●						●	●		●			4	18	16	24		
H. cuspidata	●			●			●			●						●	●		●			4	18	16	24		
Hedera	●						●								●	–	●		●					16	24		●
H. helix 'Glacier'*			●				●								●	–	●		●					16	24		●
Heliocereus	●			●			●				●					●	●			●		16	24	16	24		
Hemigraphis		●					●						●			●	●		●			16	24	16	24		●
Heptapleurum	●						●							●		–	●		●					16	24		●
Hibiscus	●			●			●							●		●	●			●		10	16	16	24		
H. rosa-sinensis 'Cooperi'			●	●			●							●		●	●			●		10	16	16	24		
Hippeastrum	●			●			●							●		●	●		●			10	18	16	18		
Howea	●						●							●		●	●				●	13	18	16	24		
Hoya	●			●	●		●								●	●	●		●			10	24	10	24		
H. carnosa	●			●			●								●	●	●		●			10	24	10	24		
Hyacinthus	●			●	●		●						●			–	●		●					7	21	●	
Hydrangea	●			●				●					●			–	●		●					7	24	●	
Hypoestes		●					●				●		●			●	●				●	14	24	16	24		
Impatiens	●			●			●				●		●			●	●		●			13	24	16	27		●
Iresine		●					●						●			●	●		●			16	24	16	24		●
I. herbstii 'Aurio-reticulata'			●				●						●			●	●		●			16	24	16	24		●
Ixora	●			●			●							●		●	●		●			16	24	16	27		●
Jacaranda	●						●							●		●	●		●			7	16	16	24	●	
Jacobinia	●			●			●							●		●	●		●			10	16	16	24		●
Jasminum	●			●	●		●								●	●	●			●		7	16	7	16	●	
J. mesnyi	●			●			●								●	●	●			●		7	16	7	16	●	
Kalanchoe			●	●			●							●		●	●	●				10	13	16	24	●	
K. blossfeldiana	●			●			●							●		–	●	●						16	24	●	
*K. pumila**	●			●			●							●		●	●	●				10	13	16	24	●	
Kleinea	●						●							●		●	●		●			16	21	18	21	●	
Kohleria	●			●			●							●		●	●				●	7	10	16	27		●
Laelia	●			●			●							●		●	●		●			9	18	9	18		●
Laeliocattleya	●			●			●							●		●	●				●	13	24	13	24		●
Lantana	●			●			●							●		●	●		●			7	13	16	24		●

	CARACTÉRISTIQUES															SOINS PARTICULIERS															
	Feuillage			Particularités			Cycle végétatif			Port						Arrosage						Lumière				Température				Humidité	
	Vert	Coloré	Panaché	Fleurs	Parfum	Fruits	persistant	Caduc	Éphémère	En rosette	En buisson / Graminiforme / Érigé / Arborescent / Grimpant ou rampant					Période de repos (Parcimonieux / Modéré / Généreux)			Période de croissance (Parcimonieux / Modéré / Généreux)			Moyenne / Vive / Plein soleil / Plein soleil tamisé				Période de repos (Min / Max °C)		Période de croissance (Min / Max °C)		Faible	Élevée
Liriope	●			●			●			●					●	●				●			●			●	10	13	16	29	●
Lithops			●	●			●				Prostré					●				●			●			●	10	21	16	24	●
Livistona	●						●							●		●				●				●		7	16	16	24	●
Lobivia	●			●			●				Globuleux					●				●				●		7	13	16	24	●
Lycaste	●			●	●						●					●				●	●					16	21	16	21		●
Mammillaria	●			●		●	●				Globuleux					●				●				●		4	13	16	24	●
Manettia	●			●			●							●	●	●			●		●				10	16	16	24	●
Maranta	●		●				●						●		●				●	●					13	21	18	21		●
Maxillaria	●			●							●					●				●			●			10	16	16	21	●
Medinilla	●			●			●				●					●				●			●			18	27	18	27	●
Microcoelum	●						●		●					●		●			●			●			16	27	16	27	●
Miltonia	●			●							●				–	–	–	●		●			–	–	17	24				●	
Mimosa	●			●				●			●				–	–	–	●					–	–	16	24					
Monstera	●						●				●				●		●				●			●	16	24	16	24	
M. deliciosa 'Variegata'			●				●				●				●		●				●			●	16	24	16	24	
Myrtus	●			●	●	●	●				●					●		●					●	7	16	13	24	●
M. communis 'Variegata'			●	●	●	●	●				●					●		●					●	7	16	13	24	●
Narcissus	●			●	●					●				●	–	–	–	●					–	–	4	16				
Neoregelia		●	●	●			●			●				●	–	–	–	●		●			–	–	10	24		●	
N. carolinae	●			●			●			●				●	–	–	–	●		●			–	–	10	24		●	
Nephrolepis	●						●						●		●		●			●				●	10	13	13	24	●
Nerium	●			●	●		●				●					●		●				●		7	16	16	24	●	
N. odorum 'Variegata'			●	●	●		●				●					●		●				●		7	16	16	24	●	
Nertera	●			●		●	●				●				●		●			●				●	7	16	10	18		●
Nicodemia	●						●						●		●				●				●		10	24	16	24	●
Nidularium		●	●	●			●			●				●	–	–	–		●				–	–	13	24		
Notocactus	●			●			●				Globuleux					●				●				●		7	13	16	24	●
N. leninghausii*	●			●			●				●					●				●				●		7	13	16	24	●
Odontoglossum	●			●	●		●				●					●				●			●		13	18	13	18	●
Oncidium	●			●			●				●					●			●				●		10	16	16	24	●
Ophiopogon	●			●		●	●						●		●				●			●		10	18	10	24	●
O. jaburan 'Variegatus'*			●	●		●	●						●		●				●			●		10	18	10	24	●
Oplismenus			●					●				●			●				●		●			13	21	16	24	●
Opuntia	●						●				●					●				●				●	7	16	16	24	●
Osmanthus	●			●			●							●	●				●			●		7	13	7	18	●
O. heterophyllus 'Variegatus'*			●	●			●							●	●				●			●		7	13	7	18	●
Pachyphytum		●		●			●						●		●				●				●	7	16	16	24	●
Pachystachys	●			●			●				●				–	–	–	●				●		16	24		●	
Pandanus			●				●				●				●				●		●			13	21	16	24		●
Paphiopedilum	●			●			●				●				●				●	●				16	24	16	24	●
Parodia	●			●			●				Globuleux					●				●				●	7	16	16	24	●

	Feuillage			Particularités			Cycle végétatif			Port						Arrosage (repos)			Arrosage (croissance)			Lumière				Température repos		Température croiss.		Humidité	
	Vert	Coloré	Panaché	Fleurs	Parfum	Fruits	Persistant	Caduc	Éphémère	En rosette	En buisson	Graminiforme	Érigé	Arborescent	Grimpant ou rampant	Parcim.	Modéré	Généreux	Parcim.	Modéré	Généreux	Moyenne	Vive	Plein soleil tamisé	Plein soleil	Min.°C	Max.°C	Min.°C	Max.°C	Faible	Élevée
Passiflora	●			●							●				●		●				●			●		7	16	16	24	●	
Pedilanthus	●				●						●			●			●			●				●		13	21	16	27	●	
P. tithymaloides smallii 'Variegatus'			●		●						●			●			●			●				●		13	21	16	27	●	
Pelargonium domesticum hybrides	●			●							●		●				●			●				●		7	13	16	24	●	
P. hortorum hybrides		●	●								●		●				●			●				●		7	13	16	24	●	
P. peltatum hybrides	●			●							●		●				●			●				●		7	13	16	24	●	
P. quercifolium*	●					●					●		●				●			●				●		7	13	16	24	●	
Pellaea rotundifolia	●										●		●				●		●	●						7	13	13	24		●
P. viridis	●										●		●				●		●	●						7	13	13	24		●
Pellionia		●	●								●				●		●			●					●	13	21	16	24		●
Pentas	●			●							●		●				●			●				●		10	21	18	27	●	
Peperomia	●			●							●		●				●			●					●	13	21	16	24		●
P. scandens 'Variegata'			●								●				●		●			●				●		13	21	16	24		●
Pfeiffera	●									●	●				●		●		●					●		16	24	16	24	●	
Phalaenopsis		●	●										●			–	–	–		●				●		–	–	20	21		●
P. amabilis	●			●									●			–	–	–		●				●		–	–	20	21		●
Philodendron	●										●				●		●			●				●		13	24	13	24		●
P. 'Burgundy'		●									●				●		●			●				●		13	24	13	24		●
P. selloum*	●										●			●			●			●				●		13	24	13	24		●
Phoenix	●												●				●			●			●			7	16	16	24	●	
Phyllitis	●												●				●			●	●					10	13	13	24		●
Pilea		●									●		●			–	–	–	●					●		–	–	13	24		●
P. nummulariifolia*	●										●				●	–	–	–	●					●		–	–	13	24		●
Piper		●									●				●	–	–	–	●						●	–	–	16	24		●
Pisonia		●									●		●				●			●				●		10	24	10	24	●	
Pittosporum	●				●	●					●				●		●			●				●		7	16	16	24	●	
P. tobira 'Variegata'		●		●	●	●					●				●		●			●				●		7	16	16	24	●	
Platycerium	●										●				●		●			●				●		13	18	18	24		●
Plectranthus	●				●						●				●		●			●				●		10	18	16	24		●
P. australis	●					●					●		●				●			●				●		10	18	16	24		●
Pleomele	●												●			–	–	–		●				●		–	–	13	24		●
P. reflexa variegata		●											●			–	–	–		●				●		–	–	13	24		●
Plumbago	●			●									●				●			●		●				4	16	16	24	●	
Podocarpus	●												●	●			●			●				●		10	16	16	24	●	
Polypodium	●										●				●			●	●	●				●		7	13	13	24		●
P. aureum 'Mandaianum'		●									●				●			●	●	●				●		7	13	13	24		●
Polyscias	●										●				●	–	–	–	●					●		–	–	18	24		●
P. balfouriana 'Pennockii'*		●									●				●	–	–	–	●				●			–	–	18	24		●
Polystichum	●												●				●			●				●		13	16	16	24		●
Primula	●			●	●						●	●				–	–	–		●				●		–	–	7	18		●
P. sinensis*	●			●	●						●						●			●				●		7	18	7	18		●

Plant care reference chart.

	Feuillage			Particularités			Cycle végétatif			Port							Arrosage (Période de repos)			Arrosage (Période de croissance)			Lumière			Température (repos)		Température (croissance)		Humidité	
	Vert	Coloré	Panaché	Fleurs	Parfum	Fruits	Persistant	Caduc	Éphémère	En rosette	En buisson	Graminiforme	Érigé	Arborescent	Grimpant ou rampant	Période de repos	Parcim.	Modéré	Généreux	Parcim.	Modéré	Généreux	Vive	Plein soleil	P. s. tamisé	Min °C	Max °C	Min °C	Max °C	Faible	Élevée
Pseuderanthemum				●	●										●		–	–	–		●			●		–	–	16	24		●
Pteris	●						●							●				●			●		●		●	13	16	16	24		●
P. cretica 'Albo-lineata'*			●				●							●				●			●		●		●	13	16	16	24		●
Punica	●			●		●		●			●				●			●				●		●		10	16	16	24	●	
Rebutia	●			●			●			●					Globuleux		●				●			●		2	13	16	24	●	
Rhapis	●						●							●			●				●			●		7	16	16	24		●
R. excelsa 'Zuikonishiki'			●				●							●			●				●			●		7	16	16	24		●
Rhipsalidopsis	●			●			●							●			●				●	●			10	24	10	24		●
Rhipsalis	●			●			●							●		●		●				●	●			10	24	10	24		●
Rhododendron	●			●			●				●						●				●		●		7	18	7	18		●
Rhoeo	●			●			●			●			●				●				●		●		16	24	16	24		●
R. spathacea 'Variegata'			●	●			●			●			●				●				●		●		16	24	16	24		●
Rhoicissus				●			●								●	●		●				●		●		7	16	13	24	●	
Rochea	●			●			●							●			●				●			●	7	16	16	24	●	
Rohdea	●			●			●			●							●			●			●		7	13	13	21		●
R. japonica 'Marginata'			●	●	●		●			●							●			●			●		7	13	13	21		●
Rosa	●			●	●	●		●					●				●				●		●		2	10	10	24	●	
Ruellia			●	●			●								●		●				●			●	13	24	13	24		●
Saintpaulia	●			●			●			●							●			●		●			13	16	18	24		●
S. 'Bicentennial Trail'*	●			●			●								●		●			●		●			13	16	18	24		●
S. 'Midget Bon Bon'*			●	●			●			●							●			●		●			13	16	18	24		●
Sanchezia			●	●			●						●				●				●			●	13	24	13	24		●
Sansevieria			●	●			●						●				●				●			●	13	27	13	27	●	
S. trifasciata 'Hahnii'			●	●			●			●		●					●				●			●	13	27	13	27		●
Saxifraga			●	●			●						●				●			●		●			4	16	10	24	●	
Schizocentron	●			●			●								●		–	–	–		●			●		–	–	13	24		●
Schlumbergera	●			●			●							●			●				●				16	24	16	24		●
Scilla			●	●				●		●				●			●				●	●			7	18	16	24		●
S. tubergeniana*	●			●					●		●			●			–	–	–		●			●		–	–	4	16		●
Scindapsus			●	●			●								●		●				●			●	10	18	16	24		●
Scirpus	●			●			●					●	●				●				●	●	●		7	13	13	24		●
Sedum	●			●			●						●				●				●			●	4	13	16	24	●	
S. morganianum	●			●			●								●		●				●			●	4	13	16	24	●	
S. rubrotinctum		●		●			●						●				●				●			●	4	13	16	24	●	
S. sieboldii 'Medio-variegatum'*			●	●	●			●						●			●				●			●	4	13	16	24	●	
Selaginella	●						●								●		–	–	–		●	●			–	–	16	24		●
S. martensii variegata			●				●						●				–	–	–		●	●			–	–	16	24		●
Senecio	●			●			●								●		●				●			●	7	13	16	24	●	
S. macroglossum 'Variegatum'			●	●			●								●		●				●			●	7	13	16	24	●	
Setcreasea		●		●			●						●				–	–	–		●		●		–	–	7	24	●	
Siderasis			●	●	●		●			●							–	–	–		●		●		–	–	18	27		●

407

	CARACTÉRISTIQUES															SOINS PARTICULIERS															
	Feuillage			Particularités			Cycle végétatif			Port						Arrosage				Lumière				Température						Humidité	
	Vert	Coloré	Panaché	Fleurs	Parfum	Fruits	Persistant	Caduc	Éphémère	En rosette	En buisson	Graminiforme	Érigé	Arborescent	Grimpant ou rampant	Repos Parcimonieux	Repos Modéré	Croiss. Modéré	Croiss. Généreux	Moyenne	Vive	Plein soleil	Plein soleil tamisé	Période de repos	Période de croissance	Min °C	Max °C	Min °C	Max °C	Faible	Élevée
Sinningia — miniatures*				●			●			●			●						●		●				●	16	24	18	27		●
S. cardinalis*	●			●			●				●					●			●		●				●	4	16	18	27		●
S. speciosa*				●			●				●					●			●		●				●	4	16	18	27		●
Smithiantha	●			●			●						●						●	●		●			–	–	–	18	24		●
S. zebrina				●			●						●						●	●		●			–	–	–	18	24		●
Solanum	●			●		●	●				●		●						●		●			●		10	16	16	24		●
Sonerila		●		●			●				●		●						●		●				●	–	–	18	27		●
Sparmannia	●			●			●						●						●		●				●	10	21	13	24		●
Spathiphyllum	●			●			●			●					●				●		●		●			13	16	16	24		●
Stapelia	●			●			●						●				●				●			●		16	24	16	24	●	
Stenocarpus	●			●			●						●				●					●	●			10	24	10	24	●	
Stenotaphrum			●				●							●			●					●	●			13	24	13	24		●
Stephanotis	●			●	●		●								●				●			●	●			16	24	16	24		●
Strelitzia	●			●			●						●				●				●		●			10	16	16	24		●
Streptocarpus	●			●			●		●	●									●		●		●			7	13	13	27		●
S. saxorum	●			●			●								●				●		●				●	7	10	10	24	●	
Strobilanthes		●					●						●						●		●				●	13	24	13	24	●	
Stromanthe			●				●							●					●			●				–	–	16	24		●
Syngonium			●				●						●						●		●				●	13	24	16	24		●
S. auritum	●						●						●						●		●				●	13	24	16	24		●
Tetrastigma	●						●								●				●		●				●	13	24	16	24		●
Thunbergia	●			●			●				●		●						●	●		●			–	–	–	10	24	●	
Tibouchina	●			●			●				●								●		●				●	7	13	16	24		●
Tillandsia			●	●			●			●						●				●					●	13	24	16	24		●
T. usneoides	●						●					●			●	●				●					●	13	16	16	24		●
Tolmiea	●			●			●						●						●		●		●			10	24	16	24		●
Trachycarpus	●			●			●						●						●		●		●			7	24	16	24	●	
Tradescantia	●				●		●						●						●		●		●			10	24	21	24		●
T. albiflora 'Tricolor'*			●	●			●						●						●		●		●			10	24	21	24		●
Trichocereus	●				●		●						●				●				●			●		2	10	16	24	●	
Tulipa	●			●			●					●							●	●		●			–	–	–	7	16		
Vallota	●			●			●						●						●		●			●		10	13	16	24		●
Vanda	●			●			●						●						●		●					–	–	16	24		●
Veltheimia	●			●				●		●									●		●		●			7	16	7	16	●	
Vriesea		●	●	●			●			●			●						●		●		●			16	24	16	24		●
Washingtonia	●						●							●					●	●		●			●	10	24	16	27	●	
Yucca	●						●						●				●				●		●			10	24	16	24	●	
Y. aloifolia 'Variegata'*			●				●						●				●				●		●			10	24	16	24	●	
Zantedeschia			●	●			●						●				●				●		●			–	–	10	21		●
Z. aethiopica	●			●			●						●				●				●		●			–	–	9	21		●
Zebrina			●	●			●						●						●	●				●		13	24	16	27		●

La culture
des plantes
d'intérieur

Les conditions de croissance des plantes

Les facteurs essentiels à la croissance des plantes sont l'eau, l'air, la lumière, certaines substances minérales et des températures équilibrées. Les plantes terrestres ont également besoin que leurs racines se développent dans un sol approprié. Mais la plupart des plantes, terrestres ou épiphytes, s'acclimatent assez facilement à la culture en pots.

Même si les plantes ont généralement les mêmes besoins, il reste que ceux-ci varient en qualité et en quantité suivant les espèces et leur milieu d'origine. Ainsi, l'air devra être plus ou moins humide, la lumière plus ou moins vive, les arrosages parcimonieux ou généreux, les températures fraîches ou chaudes et le sol de culture acide ou alcalin, selon que la plante est originaire de tel milieu ou de tel autre.

Pour cultiver avec succès des plantes chez soi, il convient de connaître les principaux mécanismes de leur croissance et de se rappeler qu'un appartement demeure toujours un milieu artificiel. C'est pourquoi il faut essayer de recréer au mieux les conditions naturelles en satisfaisant aux exigences particulières de chaque espèce. On ne peut demander à une plante d'ombre de se développer en plein soleil et à une plante tropicale de résister dans une atmosphère glacée! L'horticulteur qui néglige ces précautions pourtant élémentaires s'expose à des déboires. De même, le bel aspect florissant qu'offre une plante dans la boutique du fleuriste ne laisse en rien présager de son bon développement ailleurs. Voilà pourquoi le *Guide alphabétique* s'attache à préciser les conditions et soins particuliers que requiert chaque genre.

LA VIE DES PLANTES

Les plantes tirent toute leur énergie du mécanisme de la *photosynthèse*, qui résulte de l'action de la lumière sur la chlorophylle, pigment vert contenu dans les feuilles et les tiges

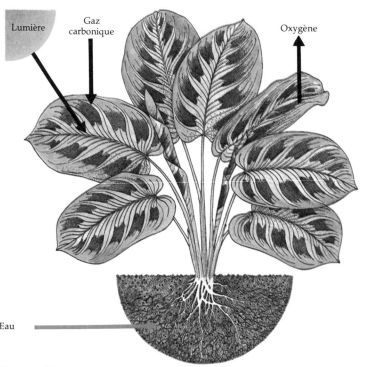

Photosynthèse

La lumière agit sur la chlorophylle des organes aériens d'une plante et fournit à celle-ci l'énergie nécessaire pour se nourrir. La plante assimile le gaz carbonique de l'air ainsi que l'eau du sol et rejette l'oxygène.

Autres fonctions vitales

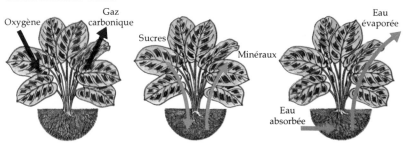

A l'inverse de la photosynthèse, la respiration est l'assimilation d'oxygène et le rejet de gaz carbonique.

Les racines absorbent dans l'eau du sol des substances minérales que la photosynthèse transforme en sucres.

La transpiration consiste dans la perte d'une certaine quantité d'eau par les pores (ou stomates) des feuilles.

des plantes à feuillage et dans les tiges de celles, comme les cactées, qui en sont dépourvues. (Même les feuilles d'une couleur autre que le vert contiennent de la chlorophylle, celle-ci étant simplement masquée par les autres pigments.)

La photosynthèse donne à la plante l'énergie nécessaire à l'élaboration des matières organiques dont elle se nourrit et qu'elle tire du gaz carbonique de l'air et de l'eau contenue dans le sol. Bien qu'ils soient essentiels, ces deux éléments ne

suffisent pourtant pas. La plante a également besoin de différentes substances minérales qu'elle doit puiser dans son substrat de culture. Elle les assimile grâce aux poils absorbants de ses racines, et c'est la sève brute qui les achemine jusqu'aux feuilles.

La photosynthèse s'effectue tant et aussi longtemps que la chlorophylle de la plante est soumise à l'action de la lumière. Au cours de ce processus, la plante absorbe du gaz carbonique et rejette de l'oxygène. Durant la nuit, ou lorsque la plante est privée de lumière, le mécanisme cesse. Par contre, la *respiration*, qui est essentielle au métabolisme de la plante, ne connaît pas d'interruption. Elle est le phénomène inverse du précédent : la plante absorbe de l'oxygène et rejette du gaz carbonique. On comprend mieux pourquoi il est d'usage de retirer les plantes de la chambre d'un malade la nuit. Elles utilisent en effet une partie de l'oxygène de la pièce sans le restituer comme elles le feraient en plein jour, alors que s'exerce le mécanisme de la photosynthèse.

C'est par des pores minuscules appelés *stomates* et logés sur la face inférieure des feuilles que la plante, lors de la photosynthèse, absorbe du gaz carbonique et de la vapeur d'eau et rejette de l'oxygène et de l'humidité. C'est aussi par les stomates que la plante respire, c'est-à-dire absorbe de l'oxygène et rejette du gaz carbonique. Les conditions extérieures règlent l'ouverture et la fermeture des stomates. Comme l'air ne contient que peu de gaz carbonique, les stomates sont grands ouverts durant le jour pour le recueillir, laissant du même coup s'échapper un volume important de vapeur d'eau. Ce mécanisme de la *transpiration* comporte de grands risques pour la plante. Si ses racines ne lui fournissent pas un complément d'humidité pour compenser l'eau qu'elle perd par ses feuilles, elle se flétrit. C'est pourquoi on recommande de procurer aux plantes une atmosphère très humide. En effet, si l'air est déjà chargé d'humidité, il ne pourra pas en absorber plus et la perte d'eau due à la transpiration sera d'autant réduite.

C'est par les poils qui garnissent les extrémités de ses racines que la plante puise l'eau du sol. Celles-ci ne cessent de croître tant que la plante est dans sa période active, explorant toujours davantage le sol pour y puiser l'humidité et les sels minéraux qu'elle transformera ensuite en sucres nourriciers, toujours sous l'action de la photosynthèse.

Une double série de vaisseaux parallèles parcourt les organes aériens de la plante. Les uns amènent les substances minérales non élaborées des racines jusqu'aux feuilles; les autres conduisent la sève organique et nourricière des feuilles vers tous les organes de la plante.

LA FLEUR

Ce sont les fleurs qui assurent la reproduction de la plupart des plantes. Celles de certaines espèces sont unisexuées, alors que celles d'autres espèces sont bisexuées. Les organes de reproduction sont le pistil porteur d'un ovaire et d'ovules, et les étamines qui contiennent le pollen. Lorsqu'un grain de pollen s'échappe des sacs polliniques situés sur l'anthère, à l'extrémité de l'étamine, et pénètre dans l'ovaire par le stigmate, il y a fécondation.

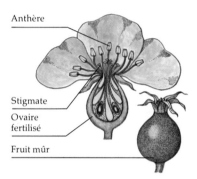

Anthère

Stigmate

Ovaire fertilisé

Fruit mûr

Le grain de pollen quitte l'anthère et pénètre dans l'ovaire par le stigmate, d'où fécondation. Si la fleur est conservée, il en naîtra un fruit porteur de graines.

Les plantes ne produisent pas de fleurs avant d'avoir atteint leur maturité. Comme beaucoup de plantes d'intérieur ne parviennent jamais à ce stade, on les cultive plutôt pour leur forme et leur feuillage. S'il leur arrive de produire des fleurs, il est préférable de les enlever dès qu'elles se flétrissent, à moins qu'on ne veuille récolter et utiliser les graines. En les débarrassant des fleurs fanées, on empêche les plantes de gaspiller leurs ressources dans la production de semence, et on leur conserve toute leur vigueur. Cette recommandation est encore plus importante quand il s'agit de plantes éphémères florifères, comme les cinéraires, qui produiront encore plus de fleurs si on les débarrasse de celles qui sont fanées. Sinon, elles mettront leur énergie à assurer la maturation des graines.

Le cycle de végétation

Le cycle de végétation le plus familier aux habitants de la zone tempérée est celui des arbres à feuilles caduques. En effet, personne n'est surpris de voir un hêtre ou un érable perdre ses feuilles à l'automne pour se remettre à bourgeonner au printemps suivant; on sait qu'ils obéissent à un cycle végétatif comportant l'alternance d'une *période de croissance* qui va du printemps à l'automne et d'une *période de repos* hivernal, cycle engendré par les variations saisonnières de température.

Même si elles ne perdent pas leurs feuilles, un grand nombre de plantes sont soumises elles aussi à un cycle de végétation comprenant l'alternance de repos et de croissance. Lorsqu'elles sont cultivées à l'intérieur, elles risquent d'être privées de leur repos annuel. Plusieurs peuvent même mourir quand, par des apports de chaleur artificielle et d'engrais, on les maintient en état de croissance toute l'année.

La plupart des plantes d'intérieur étant toutefois des plantes à feuillage persistant, elles n'en réclament pas moins une période hivernale de repos. Celles qui, comme le lierre (*Hedera*), sont originaires de la zone tempérée seront privées d'engrais et arrosées parcimonieusement durant les mois d'hiver; on les gardera de préférence dans un endroit frais.

Peu de plantes d'intérieur, cependant, viennent de la zone tempérée. La plupart sont originaires des régions tropicales et subtropicales où elles connaissent des cycles de croissance moins bien définis. Les cactées du désert et certaines plantes grasses, par exemple, ont des périodes de croissance et de repos commandées dans leur milieu naturel par les régimes saisonniers de sécheresse et de pluie. Mais nombre d'autres poussent à longueur d'année de façon ininterrompue, sans connaître d'alternance de croissance et de repos. Telles sont par exemple les plantes des forêts équatoriales où, d'une saison à l'autre, les conditions culturales restent stables.

Cycles végétatifs

La température, la lumière, l'eau et les engrais sont tous des facteurs qui influent sur le cycle végétatif. Voici un guide des besoins propres aux divers types de plantes.

Arrosage
Selon la taille de ce symbole bleu, l'arrosage sera parcimonieux, modéré ou généreux.

Fertilisation
Selon la taille de ce symbole vert, la fertilisation sera faible, modérée ou généreuse.

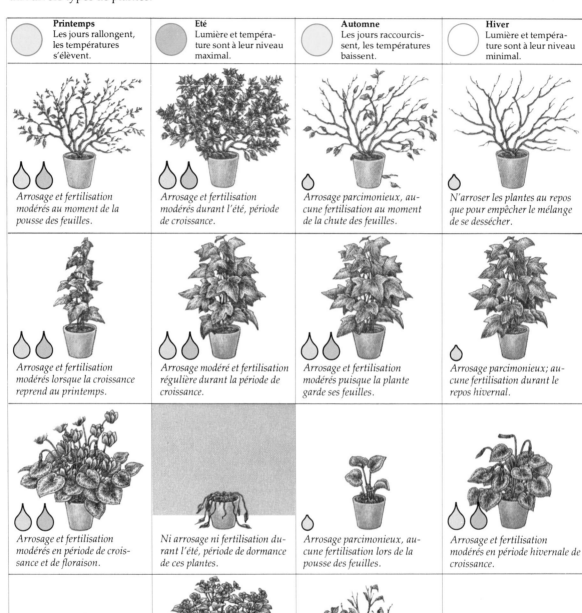

Printemps	Eté	Automne	Hiver
Les jours rallongent, les températures s'élèvent.	Lumière et température sont à leur niveau maximal.	Les jours raccourcissent, les températures baissent.	Lumière et température sont à leur niveau minimal.
Arrosage et fertilisation modérés au moment de la pousse des feuilles.	Arrosage et fertilisation modérés durant l'été, période de croissance.	Arrosage parcimonieux, aucune fertilisation au moment de la chute des feuilles.	N'arroser les plantes au repos que pour empêcher le mélange de se dessécher.
Arrosage et fertilisation modérés lorsque la croissance reprend au printemps.	Arrosage modéré et fertilisation régulière durant la période de croissance.	Arrosage et fertilisation modérés puisque la plante garde ses feuilles.	Arrosage parcimonieux; aucune fertilisation durant le repos hivernal.
Arrosage et fertilisation modérés en période de croissance et de floraison.	Ni arrosage ni fertilisation durant l'été, période de dormance de ces plantes.	Arrosage parcimonieux, aucune fertilisation lors de la pousse des feuilles.	Arrosage et fertilisation modérés en période hivernale de croissance.
Arrosage modéré, aucune fertilisation pour les jeunes plants.	Arrosage et fertilisation généreux durant la période de floraison.	Ni arrosage ni fertilisation quand la plante commence à dépérir.	Arrosage parcimonieux, aucune fertilisation pour les semis de fin d'hiver.

On pourrait croire que les plantes qui ne connaissent pas de cycle végétatif bien défini peuvent se passer de repos lorsqu'on les garde dans des pièces bien chauffées. Ce serait sans doute le cas si on pouvait en même temps leur fournir les autres conditions culturales dont elles ont besoin. Mais en zone tempérée, l'intensité et la durée de la lumière solaire varient considérablement d'une saison à l'autre. Voilà pourquoi ces plantes doivent prendre un repos en hiver, saison où les jours raccourcissent, même si elles n'en connaissent jamais dans leur habitat naturel. (L'éclairage artificiel peut cependant offrir une solution de rechange. Voir, à ce sujet, page 446.)

REPOS FORCÉ
Même si on lui fournit la chaleur, l'eau et l'engrais dont elle a besoin, la plante tropicale que l'on maintient en croissance pendant l'hiver, alors que la lumière est insuffisante, s'étiole et perd santé et beauté. La courte durée des périodes diurnes constitue donc en hiver un danger pour la plupart des plantes d'appartement.

Aussi faut-il les encourager à prendre une période de repos. En réalité, elles s'adaptent rapidement à un cycle de végétation auquel elles ne seraient pas soumises dans leur milieu naturel. Le repos hivernal artificiel ralentit leur croissance jusqu'au printemps, où les conditions redeviennent favorables à une bonne végétation.

Pour faire entrer une plante en repos, il suffit généralement de diminuer les arrosages et de suspendre les apports d'engrais. Ce ralentissement s'impose tout particulièrement dans le cas de certaines cactées et plantes grasses qui connaissent des périodes de repos bien définies durant lesquelles il faut leur donner très peu d'eau.

Les quelques plantes à feuilles caduques qui s'adaptent à la culture en appartement exigent un repos presque complet en hiver. Pour certaines espèces, il s'agit d'interrompre presque tout à fait les arrosages. Il suffit alors que leur substrat de culture ne se dessèche pas complètement. Pour d'autres, il faut réduire la chaleur. Lorsque le *Guide alphabétique* mentionne cette der-nière exigence, il faut l'observer rigoureusement. Si l'on ne dispose pas d'un endroit où à la fois la lumière est bonne et la température se maintient un peu au-dessus du point de congélation, il vaut mieux s'abstenir d'acheter ces plantes. Elles ne résistent pas au gel et ne peuvent absolument pas survivre dans la pénombre.

Certaines plantes — à bulbes, cormus et tubercules — connaissent tous les ans un repos profond, appelé dormance. Pendant cette période, tous leurs organes aériens se flétrissent. Les plantes doivent alors être gardées à la pénombre dans un endroit sec et n'ont pas besoin d'être arrosées. Certaines espèces, notamment un grand nombre de celles qui appartiennent à la famille des *Gesnériacées* (voir à ce nom), font exception à la règle. Les rhizomes écailleux dont sont pourvues ces plantes conservent beaucoup moins l'humidité que les bulbes; aussi leur faut-il un peu d'eau durant la période de dormance. Pour chaque cas, vérifier dans le *Guide alphabétique* les conseils relatifs à l'arrosage.

L'apparition de feuilles et de tiges nouvelles, à partir des bourgeons, marque la fin de la période de repos. Il existe cependant des plantes qui ont la curieuse particularité de fleurir même durant une période de repos très marquée. La plante grasse *Euphorbia milii* et certains bégonias à floraison hivernale appartiennent à ce groupe. Si jamais une plante manifestait une activité de cette nature durant sa période de repos, ne pas l'arroser davantage, ni lui donner d'engrais. Pour de plus amples renseignements, consulter le *Guide alphabétique*.

LES PLANTES ANNUELLES
Les plantes annuelles, comme les cinéraires et les exacums, qui sont cultivées pour leurs fleurs se distinguent des plantes dont il a été question ci-dessus. Elles ont un cycle de croissance réparti sur 12 mois (qui ne correspondent pas nécessairement à l'année civile). La durée de la période de croissance varie beaucoup d'un genre à l'autre : les graines germent, la plante arrive à maturité, fleurit, produit de nouvelles graines, puis meurt. On appelle période de repos celle durant laquelle les graines sont inactives. (Les plantes bisannuelles ont un cycle végétatif qui s'étend sur deux saisons consécutives. Il s'agit toutefois de plantes rares que l'on cultive peu en appartement.)

On obtient rarement des plantes annuelles par semis. On les achète plutôt au moment de la floraison pour s'en défaire quand elles ont fini de fleurir. Il est donc difficile de se rendre compte qu'elles ont un cycle végétatif.

L'ACQUISITION D'UNE PLANTE
C'est le cycle végétatif d'une plante qui devrait déterminer le moment de son acquisition ou, autrement dit, de son passage de l'univers protégé de la pépinière à celui, moins savamment contrôlé, d'un appartement.

Les dernières semaines du printemps et les mois d'été sont les meilleurs moments puisque les différences entre les deux milieux sont alors moins marquées. Les autres mois de l'année conviennent moins bien parce qu'en principe ils coïncident avec la période de repos que doivent prendre les plantes gardées en appartement, alors que dans les serres on continue de les conserver en état de croissance. La transplantation d'un milieu à l'autre risque de bouleverser leur rythme de végétation.

Le transport pendant la saison froide peut aussi leur causer d'importants traumatismes. Même un très bref séjour au froid risque d'être fatal aux espèces fragiles quand elles sont achetées en hiver. Quand une plante dépérit peu de temps après son arrivée dans son nouveau milieu, c'est presque toujours parce qu'elle a pris un coup de froid au moment du transport.

On peut tout de même prévenir les accidents en emballant soigneusement les plantes dans plusieurs épaisseurs de papier maintenues par du ruban adhésif. Pour les déménager, il est recommandé de les mettre dans une boîte en carton dans laquelle on placera, si le trajet est assez long, une bouillotte d'eau chaude (mais non bouillante). On doit aussi faciliter l'adaptation des plantes à leur nouveau milieu en essayant de répondre à toutes leurs exigences.

Lumière

Si l'on veut que les plantes se développent bien en appartement, il faut essayer de leur procurer l'éclairement auquel elles sont habituées dans leur habitat naturel. Tout le monde sait que les fougères qui poussent au ras du sol dans les forêts tropicales aiment l'ombre et que les cactées du désert sont friandes de soleil. Ces connaissances sont loin d'être suffisantes. Chaque genre a des exigences bien précises qu'il faut connaître. De même faut-il avoir certaines notions générales sur la lumière.

Les rayons solaires directs gardent à peu près la même intensité lumineuse sur toute leur portée. Mais la situation change dès qu'on s'éloigne de la source lumineuse. En effet, la quantité de lumière pénétrant à travers une fenêtre diminue rapidement avec la distance. Comme on peut le vérifier sur un photomètre, l'œil n'est pas bon juge en la matière. Cet appareil permet de constater que l'on surévalue toujours l'intensité de la lumière qui se répand de chaque côté des fenêtres.

Les centres de jardinage offrent toutes sortes d'instruments pour mesurer la lumière. Cependant, un posemètre, couplé ou non à un appareil photographique, donne d'aussi bons résultats. Placer le réglage de sensibilité du film à 25 ASA, avec une vitesse d'obturation de un quart de seconde. Viser une feuille de papier blanc à l'endroit où devra se trouver la plante. Les résultats obtenus sont les suivants : $f32$ ou $f64$ pour le plein soleil, $f16$ pour une lumière vive et $f8$ pour une lumière moyenne.

L'intensité de la lumière qui pénètre par une fenêtre dépend de l'orientation de celle-ci. Dans l'hémisphère Nord, une orientation au sud (soit du sud-est au sud-ouest) donne plusieurs heures de plein soleil par temps clair, avec des rayons balayant la pièce. Une orientation à l'est ou à l'ouest donne quelques heures de plein soleil le matin ou en fin d'après-midi; les rayons de fin d'après-midi sont plus forts et plus chauds. Une orientation au nord ne donne pas vraiment de plein soleil, mais si l'intensité de la lumière est plus faible, elle a par contre l'avantage d'être plus constante.

Dans le *Guide alphabétique*, certaines expressions décrivent l'intensité lumineuse. Elles sont définies plus loin. Les pourcentages entre parenthèses ont été établis, pour l'hémisphère Nord, suivant une échelle qui attribue une intensité lumineuse maximale (soit de 100 pour cent) au plein soleil.

Plein soleil (100 pour cent) décrit la lumière des rayons solaires entrant librement plusieurs heures par jour par une fenêtre orientée au sud, ou quelques heures seulement si l'orientation est à l'ouest, au sud-ouest, à l'est, ou au sud-est.

Plein soleil tamisé (60 à 75 pour cent) décrit la lumière des rayons solaires tamisée soit par un store soit par des rideaux translucides ou par le feuillage d'un arbre placé devant la fenêtre. Un simple tissu de voile suffit d'ordinaire à protéger les plantes sensibles des coups de soleil. A plus basses latitudes, il faudra recourir à un tissu plus épais ou à des stores vénitiens.

Lumière vive (20 à 25 pour cent) décrit l'éclairement des endroits adjacents à ceux où tombent les rayons solaires. C'est la lumière la plus vive qu'on puisse trouver dans une pièce ensoleillée. Elle est toute-

Eclairement direct

Là où tombent les rayons du soleil, l'intensité lumineuse est presque constante. Elle diminue à mesure qu'on s'éloigne de la source lumineuse (ci-dessous). Les zones de part et d'autre de la fenêtre sont beaucoup plus sombres (à droite).

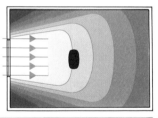

Eclairement indirect

L'intensité de la lumière provenant d'une fenêtre sans soleil est bien inférieure à celle du plein soleil (ci-dessous) et elle diminue plus rapidement avec la distance. Les zones de chaque côté de la fenêtre restent sombres (à droite).

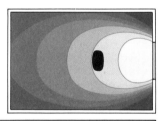

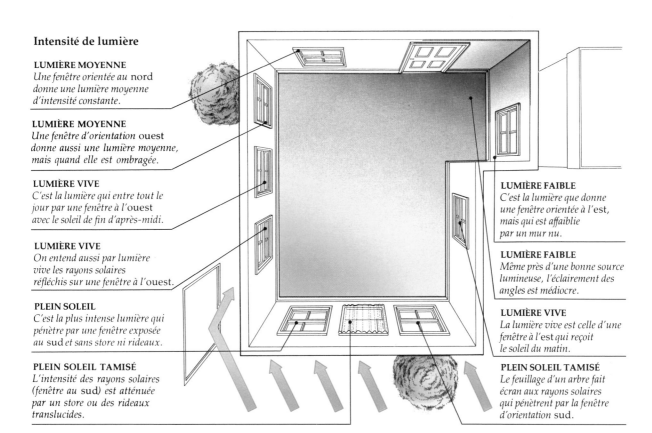

Intensité de lumière

LUMIÈRE MOYENNE
Une fenêtre orientée au nord donne une lumière moyenne d'intensité constante.

LUMIÈRE MOYENNE
Une fenêtre d'orientation ouest donne aussi une lumière moyenne, mais quand elle est ombragée.

LUMIÈRE VIVE
C'est la lumière qui entre tout le jour par une fenêtre à l'ouest avec le soleil de fin d'après-midi.

LUMIÈRE VIVE
On entend aussi par lumière vive les rayons solaires réfléchis sur une fenêtre à l'ouest.

PLEIN SOLEIL
C'est la plus intense lumière qui pénètre par une fenêtre exposée au sud et sans store ni rideaux.

PLEIN SOLEIL TAMISÉ
L'intensité des rayons solaires (fenêtre au sud) est atténuée par un store ou des rideaux translucides.

LUMIÈRE FAIBLE
C'est la lumière que donne une fenêtre orientée à l'est, mais qui est affaiblie par un mur nu.

LUMIÈRE FAIBLE
Même près d'une bonne source lumineuse, l'éclairement des angles est médiocre.

LUMIÈRE VIVE
La lumière vive est celle d'une fenêtre à l'est qui reçoit le soleil du matin.

PLEIN SOLEIL TAMISÉ
Le feuillage d'un arbre fait écran aux rayons solaires qui pénètrent par la fenêtre d'orientation sud.

fois beaucoup moins vive que le plein soleil, comme l'indique d'ailleurs un posemètre.

Lumière moyenne (9 à 10 pour cent) décrit celle qui entre par une fenêtre orientée au nord et que n'atteint donc pas le soleil, ou par une fenêtre orientée à l'est ou à l'ouest, mais qui est masquée par un arbre ou un édifice. Dans ces deux cas, l'intensité lumineuse décroît de 1 à 2 pour cent tous les 90 cm, à mesure que l'on s'éloigne de la fenêtre. La lumière est aussi d'intensité moyenne là où les rayons solaires ne se répandent pas dans les pièces ensoleillées, par exemple le long des murs latéraux, pourvu que ce soit à moins de 1,80 à 2,40 m d'une fenêtre qui reçoit le soleil.

Lumière faible (3 à 5 pour cent) décrit l'éclairement des endroits qui ne font pas face à une fenêtre, qui sont à plus de 2,45 m d'une source lumineuse ou même qui sont près de fenêtres assombries par des édifices ou d'autres obstacles.

L'éclairement d'une pièce varie suivant le nombre et la dimension des fenêtres, les saisons et l'environnement. A la ville, cependant, la lumière rencontre toujours des obs-

tacles, même dans les immeubles modernes aux larges baies vitrées. En banlieue ou à la campagne, la présence des arbres peut réduire sensiblement l'intensité lumineuse. Un arbre planté devant une fenêtre orientée au sud peut tamiser suffisamment les rayons du soleil pour qu'une plante fragile puisse s'y développer. Attention, cependant, à la réverbération des rayons solaires sur les baies vitrées d'un édifice avoisinant ou sur des façades peintes en blanc : une telle lumière peut être très vive.

La lumière réfléchie par un mur blanc permet à la plante de bien se développer. Placée contre un mur sombre, la plante croîtra moins vite et de façon inégale.

Les pièces aux murs blancs ou de teintes pâles sont beaucoup plus lumineuses que celles aux murs peints de couleurs foncées qui absorbent la lumière. Il est même préférable d'installer les plantes contre un fond blanc pour que la lumière se réfléchisse sur la partie arrière qui n'est jamais éclairée. La pleine intensité lumineuse n'atteint toujours d'ailleurs que la moitié de la plante.

Il demeure vrai qu'un manque de lumière nuit moins aux plantes qu'un excès de celle-ci. Très peu de plantes vertes peuvent supporter le plein soleil d'été sans subir quelques brûlures ou manquer d'eau. Même celles qui aiment le soleil souffriront d'y être exposées derrière une fenêtre fermée, car la vitre fait écran aux rayons ultraviolets qui sont les plus bénéfiques.

Le *Guide alphabétique* contient des indications générales sur l'éclairage des plantes. Si l'on prend soin de mesurer l'intensité lumineuse à l'aide d'un posemètre, on ne commettra pas d'erreurs. Ne pas oublier non plus que la qualité de la lumière compte tout autant que la quantité.

415

Niveaux de lumière solaire

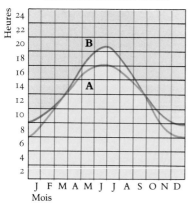

En été, les plantes des zones septentrionales (B) reçoivent plus de lumière solaire que celles des zones méridionales (A). En hiver, elles n'ont pas un éclairement suffisant.

DEGRÉ DE TOLÉRANCE DES PLANTES

A l'exception des cactées et des espèces florifères, les plantes en pots n'exigent pas une grande intensité lumineuse et la supportent d'ailleurs mal. Il n'en reste pas moins que, pour la plupart, les végétaux sont doués d'une grande tolérance à cet égard. Les cactées et les plantes florifères, par exemple, demandent beaucoup de soleil, mais elles ne mourront pas du seul fait d'en être privées pendant quelque temps. De même, les plantes à feuilles pourpres ou panachées garderont leurs coloris durant quelques semaines en dépit d'une carence de lumière. Au plus fort de la période de croissance ou en pleine floraison, la plante est certes plus exigeante, mais, en période de repos, elle peut se contenter pendant plusieurs semaines d'un éclairement insuffisant.

Les plantes qui exigent le plein soleil, direct ou tamisé, peuvent tolérer jusqu'à un mois une lumière moyenne; celles qui demandent une lumière vive supportent une lumière moyenne ou faible durant deux mois.

Les espèces qui aiment l'ombre — comme les aglaonemas, les fougères et les fittonias — font preuve d'une moins grande tolérance. Elles ne vivent pas dans l'obscurité, bien sûr, mais elles ne supportent pas la lumière vive et ne doivent *jamais* être placées en plein soleil. D'ailleurs, seules les plantes pour

lesquelles on le recommande spécifiquement doivent être exposées à la lumière crue.

Pour croître, une plante a besoin de 12 à 16 heures de lumière par jour. Si elle en reçoit moins, elle cessera de se développer ou verra sa croissance ralentie, mais restera en bonne santé quand même. D'ailleurs, la plupart des plantes doivent avoir des périodes de repos. Il n'y a donc pas à s'inquiéter si la lumière est moins bonne pendant quelque temps, pourvu que, pendant cette période, l'on cesse la fertilisation et que l'on réduise les arrosages. Pour les plantes à croissance continue, l'éclairage artificiel (voir pages 446 à 448) peut servir de solution de rechange.

Grâce encore à cette tolérance dont elles sont douées, les plantes peuvent supporter sans trop de dommages d'être placées à des endroits moins bien éclairés où elles doivent jouer un rôle décoratif. Pour leur permettre de récupérer, il serait bon néanmoins de les exposer à la lumière qui leur est nécessaire au moins une semaine tous les deux mois.

On peut sans risque diminuer la quantité de lumière, mais non l'augmenter de façon abrupte. Lorsqu'une plante se trouve depuis quelque temps dans un endroit mal éclairé, il faut l'acclimater progressivement, durant une période de 10 à 15 jours, à une lumière plus vive. Cette précaution vaut aussi pour les plantes qu'on veut exposer au soleil durant l'été. Même les cactus, pourtant plantes de soleil, quand ils sont cultivés en appartement, ont besoin d'une période d'adaptation d'une ou deux semaines avant de pouvoir affronter sans trop de dommages les rayons directs du soleil.

PHOTOTROPISME

On appelle phototropisme cette réaction qu'ont les plantes de tourner leurs feuilles vers une source de lumière. Les plantes à feuilles rigides comme les sansevières ou à feuilles en rosettes comme les broméliacées n'ont pas, bien entendu, cette propriété.

Lorsqu'une plante est placée près d'une fenêtre, elle reçoit la lumière dont elle a besoin, mais elle ne laisse voir que le revers de ses feuilles. C'est pourquoi l'on a souvent

tendance à mettre les plantes au centre d'une pièce où l'on peut mieux voir leur feuillage. Elles auront alors tendance à s'incliner du côté d'où vient la lumière. Un arrière-plan peint en blanc permet toutefois de prévenir cette distorsion. On peut également l'éviter en tournant régulièrement les plantes. Les espèces florifères ne supportent

Les feuilles de ce fatshedera sont toutes tournées du côté de la source lumineuse. Il aurait fallu donner à la plante un quart de tour de temps à autre.

pas cependant un tel régime : un brusque changement d'orientation provoque la chute des bourgeons floraux.

La lumière est un facteur essentiel à la bonne croissance des plantes; aussi se doit-on de bien étudier la question. Première étape : déterminer l'intensité de lumière dont on dispose selon l'orientation des fenêtres et le degré de réflexion des murs devant lesquels on veut placer des plantes. Deuxième étape : choisir les espèces aptes à croître dans la lumière dont elles pourront disposer.

Lorsqu'une plante manque de lumière, elle le manifeste en général de plusieurs façons. En premier lieu, elle tend à s'incliner vers la source lumineuse. Puis les tiges s'étiolent, les feuilles s'espacent, restent petites ou pâlissent. Quand ces symptômes apparaissent, il faut augmenter l'intensité de la lumière, mais de façon progressive. Si les dommages sont déjà très marqués ou que la plante ne réagit pas promptement au traitement, il n'y a pas d'autre recours que de couper la partie atteinte.

Température et humidité

Température

Les plantes ne prospèrent que si la température ambiante leur convient. La plupart supportent, à la rigueur, de légers écarts, mais aucune ne résiste à très basse ou à très haute température. Les meilleures plantes d'appartement sont donc celles qui s'adaptent à des températures considérées comme normales dans les régions tempérées, c'est-à-dire se situant, au cours de l'année, entre 18 et 24°C.

Un écart maximal de 3 à 5 degrés entre les températures nocturnes et diurnes ne présente aucun danger et peut même être bénéfique. Mais des variations de 10 degrés sur une période de 24 heures sont néfastes pour la plupart des plantes. Par contre, elles tolèrent des températures plus fraîches que la normale, dans la mesure où celles-ci sont à peu près constantes.

Certaines espèces ne se portent bien *que si* la température est relativement basse. C'est le cas de certaines plantes florifères éphémères (toutes voient la durée de leur floraison réduite par trop de chaleur). En outre, plusieurs espèces à feuilles persistantes exigent une période hivernale de repos au frais; la chaleur de la plupart des appartements en hiver ne leur convient pas du tout. Il vaut mieux ne pas acheter de telles plantes si l'on ne dispose pas de pièces fraîches.

La chaleur naturelle de l'été ne présente pas les mêmes problèmes. Des températures de pointe de 27 à 32°C durant la belle saison n'affectent pas la plupart des plantes d'intérieur, même celles qui doivent passer l'hiver au frais, à la condition toutefois qu'on leur procure plus d'humidité (voir « Humidité », page suivante).

Quelle que soit la température d'un appartement, chaque pièce présente des endroits dangereux pour les plantes sensibles. En hiver, celles qui sont près d'une fenêtre non isolée contre le froid peuvent souffrir des courants d'air. Placées entre une fenêtre et des rideaux épais par une nuit froide, elles se trouvent privées de la chaleur de la pièce et peuvent geler. L'air qui entre par les portes et les fenêtres mal ajustées les endommage éga-

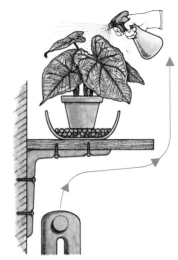

Les plantes frileuses seront placées sur une tablette au-dessus d'une source de chaleur. On les bassinera régulièrement.

Table des températures
Températures recommandées dans le *Guide alphabétique*

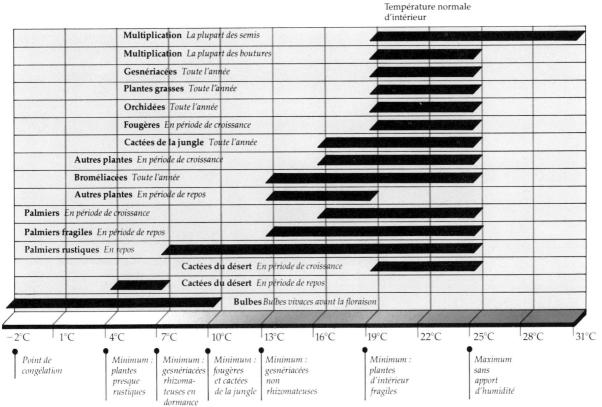

Température normale d'intérieur

		Température normale d'intérieur
	Multiplication *La plupart des semis*	
	Multiplication *La plupart des boutures*	
	Gesnériacées *Toute l'année*	
	Plantes grasses *Toute l'année*	
	Orchidées *Toute l'année*	
	Fougères *En période de croissance*	
	Cactées de la jungle *Toute l'année*	
	Autres plantes *En période de croissance*	
	Broméliacées *Toute l'année*	
	Autres plantes *En période de repos*	
	Palmiers *En période de croissance*	
	Palmiers fragiles *En période de repos*	
	Palmiers rustiques *En repos*	
	Cactées du désert *En période de croissance*	
	Cactées du désert *En période de repos*	
	Bulbes *Bulbes vivaces avant la floraison*	

−2°C   1°C   4°C   7°C   10°C   13°C   16°C   19°C   22°C   25°C   28°C   31°C

Point de congélation | *Minimum : plantes presque rustiques* | *Minimum : gesnériacées rhizomateuses en dormance* | *Minimum : fougères et cactées de la jungle* | *Minimum : gesnériacées non rhizomateuses* | *Minimum : plantes d'intérieur fragiles* | *Maximum sans apport d'humidité*

417

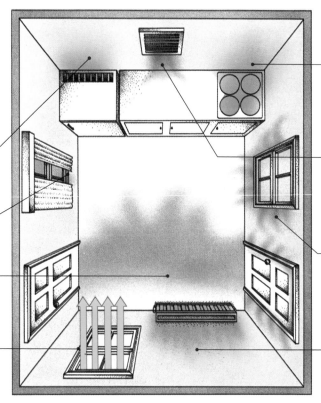

Endroits dangereux

Ce schéma indique les endroits où la température peut varier, au détriment de certaines plantes fragiles.

Un réfrigérateur dégage de la chaleur; il faut y penser si l'on met des plantes dans une cuisine.

Les plantes qui se trouvent entre une fenêtre et des rideaux peuvent souffrir du froid en hiver.

Placées entre deux portes qui se font face, elles risquent de subir des courants d'air.

Exposées aux rayons directs du soleil, certaines plantes subiront des brûlures qui leur seront fatales.

Bien des gens installent des plantes à proximité d'une cuisinière. On ne peut faire un plus mauvais choix.

Le jet puissant d'air frais qu'émet un climatiseur est dangereux pour les plantes placées juste au-dessous.

Les vitres, si bien isolées soient-elles, sont conductrices de froid. Attention aux plantes sur les appuis de fenêtres.

La chaleur qui se dégage d'un radiateur peut être dangereuse si rien n'en isole la plante qui est au-dessus.

---

lement. Enfin, l'air sec qui se dégage des radiateurs et des bouches d'air chaud risque de roussir les feuilles des plantes délicates.

Certaines plantes ont besoin de beaucoup de chaleur. Il serait bon de les placer sur une tablette au-dessus d'un radiateur. Cette situation permet aux racines d'avoir la chaleur du mélange terreux, et aux feuilles de capter celle de l'air ambiant. La tablette, de préférence plus large que le radiateur, agit comme déflecteur et protège la plante d'un excès de chaleur. En contrepartie, il faudra augmenter pour ces plantes le degré d'hygrométrie. La meilleure méthode est celle des gravillons maintenus humides. D'ailleurs, cette recommandation apparaît dans le *Guide alphabétique* chaque fois qu'il y a lieu.

MESURE DE LA TEMPÉRATURE

Le thermomètre ordinaire peut suffire dans la plupart des cas. Mais pour des mesures plus précises, on recommande le thermomètre à maximum et minimum, muni d'une double colonne communicante de mercure. Celui-ci fait monter ou descendre deux repères métalliques qui s'immobilisent aux points ex-

trêmes atteints par la température pour une période donnée.

Cet instrument permet non seulement de vérifier la précision des thermostats, mais aussi de connaître les variations de température, durant une période donnée, dans les diverses parties d'une pièce. A la lumière des indications qu'il fournit, on peut disposer les plantes aux endroits qui leur conviennent le mieux.

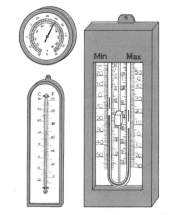

Les thermomètres de gauche donnent la température en Celsius et en Fahrenheit; celui de droite enregistre en plus les minima et les maxima.

Humidité

S'il est facile de mesurer les variations de température dans une pièce, il n'en va pas de même pour les degrés d'humidité, c'est-à-dire la quantité de vapeur d'eau contenue dans l'air (et non le volume d'eau dans le mélange terreux). Au moyen d'un nombre incalculable de minuscules stomates (ou pores) qui se dilatent, les feuilles aspirent dans l'atmosphère les gaz dont elles ont besoin. Mais, au cours de ce processus, les stomates laissent aussi s'échapper une certaine quantité d'eau. Toutefois, quand l'air ambiant est humide, l'évaporation est moins importante et la plante transpire moins. Par conséquent, plus l'atmosphère ambiante est sèche, plus la plante perd de l'eau : les feuilles et les boutons floraux se dessèchent et tombent; les fleurs se fanent prématurément.

L'humidité relative de l'air se mesure selon une échelle graduée de 0 à 100. L'humidité relative 0 caractérise l'air complètement sec, et l'humidité relative 100, l'air saturé. Par temps de brouillard, l'humidité relative est proche de 100 pour cent; on peut même voir la condensation

Les hygromètres à lecture directe mesurent l'humidité relative de l'air selon une échelle graduée de 0 (sec) à 100 (humide).

à l'œil nu. Mais, en temps normal, on ne peut juger le niveau d'humidité de l'air sans se servir d'un hygromètre. On peut se procurer cet instrument dans les centres de jardinage. C'est un instrument dont l'horticulteur amateur ne peut se passer.

Une humidité relative de 40 pour cent est absolument essentielle à toutes les plantes, même aux cactées d'intérieur. Les espèces issues des forêts équatoriales humides en exigent bien davantage. Il vaut donc mieux maintenir un niveau de 60 pour cent. Lorsque les feuilles larges deviennent moins souples, ou que les pointes des longues feuilles rubanées (celles des chlorophytums et des palmiers notamment) s'assèchent, on peut conclure que l'air n'est pas assez humide.

En fait, plus les feuilles sont minces et papyracées, plus elles ont besoin d'humidité. Plus elles sont coriaces et épaisses, mieux elles supportent la sécheresse. Mais quel que soit le type de feuillage, les plantes placées au-dessus ou à proximité d'une source de chaleur ont toujours besoin d'une plus grande humidité.

COMMENT AUGMENTER L'HYGROMÉTRIE

Pour maintenir un même pourcentage d'humidité relative, il faut, quand la température s'élève, augmenter la quantité de vapeur d'eau contenue dans l'air. Ainsi, cette quantité doit être à peu près doublée si, à 21°C, on veut conserver la même humidité relative que celle qui existait à 10°C.

Dans les serres, par les journées chaudes, on peut se permettre d'humidifier en aspergeant le sol. Il existe heureusement d'autres fa-çons d'augmenter l'hygrométrie qui sont plus applicables aux maisons. Par exemple, on vaporisera un fin jet d'eau sur les plantes au moins une fois par jour.

La méthode la plus simple et la plus efficace est celle que l'on recommande dans le *Guide alphabétique* et qui consiste à garnir de gravillons d'au plus 1,5 cm de diamètre un plat étanche et peu profond sur lequel on place le pot. On arrose régulièrement les gravillons sans les submerger. L'eau doit maintenir les gravillons humides, mais ne doit pas imbiber le mélange. En effet, il ne s'agit pas d'une technique d'arrosage, mais d'un procédé hygrométrique ayant pour but d'augmenter la vapeur d'eau autour de la plante. L'effet sera encore plus marqué si le plat contenant les gravillons est d'un diamètre égal à l'étalement de la plante. Toutes les feuilles bénéficieront alors de la vapeur d'eau qui s'élève des gravillons. A défaut de gravillons, poser le pot sur une cale en bois ou sur une brique dans un contenant d'eau et garder le niveau d'eau juste sous la base du pot.

Pour les corbeilles suspendues, on placera, à environ 15 cm sous celles-ci, une assiette d'eau ou un plat de gravillons baignant dans l'eau. On rajoutera de l'eau au besoin. Pour faire tenir l'assiette, il suffit de pratiquer un certain nombre de trous sur le rebord et de l'attacher à la corbeille avec du fil métallique. Certaines corbeilles ou paniers comprennent un plateau

Rapport température/humidité
(à 40% d'humidité relative)

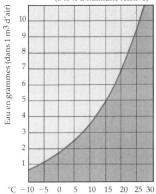

Plus la température est élevée, plus l'humidité de l'air doit être accrue pour maintenir la même humidité relative.

Sources d'humidité

Grâce à une cale en bois sur laquelle est posé le pot, l'eau de la soucoupe s'évapore sans imbiber le mélange.

On recommande de bassiner régulièrement le feuillage et les fleurs des plantes qui demandent beaucoup d'humidité.

Une autre méthode consiste à placer le pot dans un plus grand et à combler l'espace vide avec de la tourbe humide.

En groupant des plantes dans un plat de gravillons humides, on permet au feuillage de capter l'humidité.

d'égouttement incorporé. Il ne faut jamais y laisser séjourner de l'eau pour créer de l'humidité, car la plupart des plantes ne supportent pas le trempage de leurs racines.

Dans le cas des plantes groupées, placer les pots tous ensemble sur

Une assiette accrochée à une corbeille peut servir à la fois de source d'humidité et de plateau d'égouttement.

un grand plateau de gravillons arrosés régulièrement ou dans un plat plus profond rempli de tourbe ou de sphaigne humide. Le seul fait d'être groupées conserve aux plantes une plus grande humidité : la vapeur d'eau qui s'échappe des unes étant absorbée par les autres, c'est, par le fait même, l'atmosphère ambiante qui s'humidifie. L'usage d'un humidificateur produira le même effet bénéfique.

L'humidificateur agit pendant plusieurs heures et peut ainsi maintenir un degré constant d'humidité.

Pour des plantes exigeantes, les méthodes décrites ci-dessus risquent de ne pas suffire. Pour elles, il vaut mieux avoir recours soit à un contenant de verre ou de plastique, soit à un terrarium ou une bouteille (voir pages 54 et 56), qui constitueront un milieu clos dans lequel la vapeur d'eau qui se dégage du mélange terreux entretiendra beaucoup d'humidité.

Arrosage

Quand faut-il arroser une plante et combien d'eau doit-on lui donner? Les réponses à ces questions dépendent de la plante elle-même. Au caladium en repos hivernal, il suffira de donner juste assez d'eau pour que son tubercule ne se dessèche pas. Au bégonia qui fleurit à Noël, il faudra, même en hiver, en donner beaucoup plus.

La température de la pièce règle également la consommation d'eau. Dans une pièce surchauffée, une plante transpirera beaucoup plus et aura besoin de plus d'eau. De même, l'eau du mélange terreux s'évaporera d'autant plus rapidement que celui-ci sera exposé aux rayons directs du soleil. Par conséquent, là où la température est fraîche, les plantes en pots ont moins besoin d'être arrosées.

Pendant sa période de croissance, la plante a besoin d'une pleine ration d'eau; pendant sa période de repos, une maigre ration lui suffit. Mais dans les deux cas il lui en faudra toujours un peu plus si son système radiculaire est très développé.

Le pot et le mélange terreux sont aussi des facteurs dont il faut tenir compte. Par exemple, l'évaporation est plus rapide dans un pot de grès ordinaire que dans un pot de grès vernissé, de plastique ou de polystyrène. Un mélange terreux rendu plus poreux par l'addition de sable ou de perlite séchera plus vite que les mélanges ordinaires à base de terreau ou de tourbe (voir page 429). Enfin, la taille de la plante par rapport à son pot entre aussi en jeu; plus la plante est grosse, plus le mélange s'assèche vite.

L'arrosage ne peut donc être une simple routine. Il faut prendre la peine d'examiner chaque plante à peu près tous les jours pour voir si elle manque d'eau.

QUAND ARROSER

Lorsqu'une plante manque d'eau, elle en donne des signes évidents : ses feuilles se rident, ou pendent mollement. Mais il est souvent trop tard pour remédier au problème. À ce stade, les feuilles minces peuvent généralement s'en remettre assez bien, mais non les feuilles

épaisses. En outre, une déshydratation répétée, en plus d'entraîner la chute des feuilles, compromet la floraison et même la croissance de la plante. C'est par un rétrécissement de leurs tiges que les plantes grasses, les orchidées et certaines autres plantes tropicales à feuilles rigides signalent leur déshydratation. Malheureusement, quand ce symptôme apparaît, on ne peut généralement plus apporter de remède. Enfin, l'excès d'eau peut causer autant de dommages : gorgées, les racines perdent toute vitalité et n'alimentent plus la plante.

Il serait imprudent de juger à l'œil le niveau d'humidité du mélange terreux. Il vaut mieux vérifier à l'aide de compteurs conçus à cette fin et que l'on peut se procurer dans les magasins d'articles de jardinage. Les personnes qui ont peu de plantes n'en ont sans doute pas besoin, mais ces appareils sont utiles pour ceux qui cultivent de grandes plantes dans des bacs ou de très grands pots contenant un volume important de mélange terreux.

Il existe un instrument moins complexe, composé d'un indicateur relié à une tige-sonde qu'on enfonce dans le mélange terreux. Un changement de couleur indique les variations d'humidité.

Il existe diverses méthodes pour évaluer l'humidité du mélange terreux sans avoir recours à des ins-

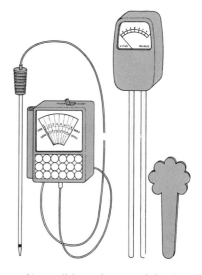

L'appareil de gauche mesure la lumière et l'humidité; le compteur n'indique que le niveau d'humidité; la petite sonde se colore selon le degré d'humidité.

truments. Qu'il soit sec en surface ne veut rien dire, il peut très bien être très humide au fond. S'il se décolle légèrement du pot, c'est que la couche supérieure est sèche, sans que le fond ne le soit nécessairement. S'il se décolle du pot jusqu'au fond, c'est qu'il est déshydraté complètement. Dans ce cas, il faut réhydrater avec précaution pour éviter que l'eau ne s'écoule d'un trait jusqu'au trou d'évacuation sans mouiller le mélange.

Pour évaluer l'humidité du mélange à une profondeur de 2 à 5 cm, il suffit de vérifier avec le doigt. Pour un sondage à une plus grande profondeur, on utilisera un crayon ou une tige de bois. Si le mélange est humide, il collera à la sonde et la décolorera légèrement. Dans le doute, on peut encore soupeser le pot. Evidemment, le mélange terreux est beaucoup moins lourd quand il est sec que quand il est humide, mais il faut un peu d'expérience pour établir la comparaison. Une fois qu'on en a pris le tour, la pesée devient un simple jeu.

COMBIEN D'EAU DONNER

Dans le *Guide alphabétique*, la ration d'eau requise pour chaque plante est indiquée par les termes : généreusement, modérément, parcimonieusement. Voici quelle en est la signification.

Arrosage généreux Donner une ration généreuse veut dire garder le mélange terreux complètement humide en tout temps, sans qu'il ne s'assèche en surface. Il faut arroser assez abondamment pour que l'eau finisse par couler par le trou d'évacuation. Cette eau ne doit cependant pas être laissée dans la soucoupe (sauf dans de rares cas que précise le *Guide*). Même les plantes qui demandent beaucoup d'eau souffriront d'un excès d'humidité.

On verse généralement l'eau à la surface du mélange terreux, mais certains horticulteurs préfèrent remplir la soucoupe et laisser la plante absorber l'eau lentement (voir page 422). Pour arroser généreusement une plante de cette manière, on remplit d'abord la soucoupe jusqu'à ce que le mélange cesse d'absorber l'eau et que la surface soit très humide au toucher. Une demi-heure plus tard, on jette l'eau restée dans la soucoupe.

Le bon dosage

La densité du bleu dans les illustrations en coupe indique le volume d'eau nécessaire à chaque stade.

Arrosage généreux

Une plante demande beaucoup d'eau lorsque la surface du mélange est sèche au toucher.

Inonder la surface jusqu'à saturation du mélange. L'excédent d'eau coulera par le trou d'évacuation.

Lorsque le mélange a fini de s'égoutter, vider la soucoupe. Le pot ne doit pas séjourner dans l'eau.

Arrosage modéré

Enfoncer le doigt de 1 cm dans le mélange terreux; ajouter de l'eau si celui-ci paraît sec.

Verser de l'eau en surface jusqu'à ce que le mélange soit bien humide, mais non saturé d'eau.

Cesser d'arroser dès que quelques gouttes d'eau se déversent dans la soucoupe.

Arrosage parcimonieux

N'arroser que lorsque le mélange est desséché aux deux tiers. Vérifier avec une baguette.

Arroser en surface de façon que l'eau s'infiltre dans le mélange sans couler dans la soucoupe.

Le mélange doit être tout juste humide. Vérifier avec une baguette; au besoin, ajouter de l'eau.

Arrosage modéré Par ces termes, l'on indique qu'il faut mouiller le mélange terreux de part en part, et en laisser sécher 1 cm en surface (parfois un peu plus) avant d'arroser de nouveau. L'arrosage doit être interrompu lorsque quelques gouttes d'eau commencent à s'écouler par le trou d'évacuation. Si l'on arrose par le fond, l'on prendra soin de ne verser que peu d'eau à la fois — environ 0,5 cm — dans la soucoupe; on laissera la plante l'absorber complètement avant d'en remettre. Sitôt que la surface du mélange paraît un peu humide au toucher, jeter l'eau qui pourrait rester dans la soucoupe.

Arrosage parcimonieux Par ces termes, l'on veut dire de donner juste assez d'eau pour que le mélange soit légèrement humide de part en part et d'en laisser sécher les deux tiers avant d'arroser de nouveau. Pour obtenir ce résultat, on doit mouiller la surface entière du mélange. Laisser l'eau pénétrer, puis vérifier avec une baguette la profondeur qu'elle a atteinte. S'il reste des zones sèches, répéter l'opération. Ne pas arroser au point que l'eau s'écoule par le trou d'évacuation. Si l'arrosage se fait par le fond, ne verser que 0,5 cm d'eau à la fois dans la soucoupe. Vérifier l'humidité du mélange terreux avec la baguette et rajouter de l'eau au besoin. Lorsqu'on recommande un arrosage parcimonieux, l'on veut dire qu'un manque d'eau est encore préférable pour la plante à un excès.

POTS SANS TROU D'ÉVACUATION
Dans les rares cas où une plante se trouve dans un pot sans trou d'évacuation, il faut arroser avec la plus grande parcimonie en versant un tout petit peu d'eau à la fois. Même si l'arrosage doit être généreux, l'on ne doit pas attendre que le mélange soit saturé pour arrêter d'arroser. S'il y a *trop* d'eau dans le pot, incliner celui-ci pour faire s'égoutter le mélange.

TROP D'EAU OU PAS ASSEZ
Il est déconseillé d'arroser une plante souvent et peu à la fois, de manière que le mélange soit constamment mouillé en surface. Celui-ci risque de se détremper, causant l'asphyxie de la plante. Il vaut mieux espacer les arrosages et arroser à fond.

Dans le doute, il serait préférable de ne pas arroser, d'attendre un jour ou deux et de donner alors plus d'eau. Un mélange constamment imbibé d'eau est plus dommageable pour la plante qu'un mélange un peu trop sec. Pendant la période de repos des plantes, il faut suivre les instructions à la lettre et rationner l'eau. Un excès d'eau durant cette période risque de faire pourrir les racines de certaines plantes et provoque chez quelques sujets une maladie de croissance.

Pour savoir si l'on donne trop d'eau à une plante, une bonne méthode consiste à examiner le mélange et les racines. En dépotant la plante (voir page 427), on pourra constater si le mélange est sec ou détrempé et si les racines sont en bon état. Si elles sont lisses et se détachent facilement, c'est sans doute qu'elles sont pourries à cause de la surhydratation.

COMMENT ARROSER
En appartement, il convient d'utiliser un arrosoir léger muni d'un long bec qui permet d'arroser entre les feuilles et d'atteindre plus facilement les petits pots rapprochés. Il existe aussi des tuyaux d'arrosage pour appartement. Ils sont munis d'une buse à obturateur qui se branche au robinet. Les deux systèmes permettent de diriger le jet d'eau au centre du pot ou d'une rosette de broméliacée ou encore dans la soucoupe.

L'arrosage par le fond présente l'avantage de ne pas mouiller le feuillage. Cela est important pour les feuilles pubescentes ou celles des plantes à rosettes, autres que les broméliacées, qui risquent d'être endommagées ou tachées par l'eau. En outre, avec un tel arrosage, on est sûr que l'eau atteindra les racines. Le seul ennui, c'est que les sels minéraux peuvent s'accumuler dans les couches supérieures du mélange terreux. Pour parer à cet inconvénient, on arrosera de temps à autre par le haut et on laissera l'eau s'égoutter par le trou d'évacuation; par le fait même, les sels minéraux se distribueront dans le mélange. Quand on arrose par le bas, il ne faut pas oublier de vider l'eau restée dans la soucoupe.

Trois modes d'arrosage

Cet arrosoir à long bec effilé permet de verser l'eau directement sur le mélange terreux sans mouiller le feuillage.

Si le feuillage est très touffu, verser l'eau dans la soucoupe, mais ne pas laisser le pot séjourner dans l'eau.

Les feuilles des broméliacées supportent l'eau. La coupe que forme leur rosette doit toujours en être pleine.

Tout compte fait, il est peut-être préférable d'avoir recours à un appareil d'auto-arrosage. Cet instrument consiste en un réservoir que l'on place dessous le pot. Il existe aussi des réservoirs incorporés au pot. Ils se présentent sous la forme d'un double contenant. Dans certains modèles, une mèche, en contact avec le mélange terreux et le réservoir, fait monter l'eau par capillarité depuis celui-ci jusqu'à celui-là. Dans d'autres, une portion de mélange terreux enfermé dans une étroite cavité verticale, à l'intérieur du pot, joue le même rôle.

Dans un bon système d'auto-arrosage, la plante ne reçoit que la quantité d'eau suffisante, proportionnée au volume d'humidité qui se perd par évaporation. Par ailleurs, la plante risque peu de manquer d'eau, les réservoirs étant suffisants pour l'alimenter pendant plusieurs jours et même plusieurs semaines. De plus, ces bacs sont souvent munis d'un indicateur de niveau d'eau. Ce sont néanmoins des dispositifs coûteux qu'on utilise surtout dans les édifices publics ou les bureaux. Il en existe toutefois de moins élaborés qui permettent à l'eau d'atteindre le mélange terreux lentement mais de façon continue. Ce sont soit des irrigateurs en terre cuite qu'on enfouit jusqu'au collet dans le mélange, ou des réservoirs qu'on suspend au-dessus du pot et qui laissent tomber l'eau goutte à goutte. Ils coûtent moins cher que les précédents, mais n'offrent pas le même dispositif de contrôle du débit d'eau.

QUALITÉ DE L'EAU
Pour arroser les plantes, quelle que soit leur espèce, il vaut mieux utiliser de l'eau tiède ou de l'eau à la température de la pièce. L'eau froide freine la croissance et peut laisser des marques sur le feuillage. De même, l'eau douce est préférable à l'eau calcaire. L'on peut vérifier la teneur en calcaire de l'eau en se servant d'un indicateur de pH que l'on trouve dans les boutiques de fournitures pour aquariums. (Voir page 430 la définition du pH.) On peut s'adresser également au distributeur d'eau de sa localité pour connaître le taux de calcaire contenu dans l'eau.

L'eau dure est néfaste pour les camellias et pour certaines autres plantes. Par contre, l'eau de pluie recueillie à la campagne leur fait beaucoup de bien. Toutefois, si l'on habite une grande ville ou un secteur industriel, l'on évitera d'utiliser l'eau de pluie qui est polluée par les produits chimiques. Dans ce dernier cas, l'eau distillée serait une bonne solution de rechange.

L'on peut également adoucir l'eau dure en la faisant bouillir, mais si le taux de calcaire est très élevé et que la collection de plantes est très grande, cette méthode devient moins pratique. Les horticulteurs expérimentés recommandent alors d'acheter un simple filtre à eau ou un déminéralisateur. Ces appareils débarrassent aussi l'eau des produits à base de chlore qui la purifient mais qui sont nocifs pour les plantes. Il ne faut jamais utiliser d'adoucisseur d'eau comme ceux qu'on vend pour la lessive : ils sont nuisibles pour les plantes.

ARROSAGE DE VACANCES
Si l'absence ne doit durer que quelques jours, il n'y a pas à s'en faire. Un bon arrosage avant le départ devrait suffire. En guise de précaution additionnelle, on peut grouper les plantes dans une pièce fraîche qui ne reçoit pas les rayons directs du soleil et les installer sur des plateaux de gravillons baignant dans de l'eau ou les mettre dans de grands contenants remplis de tourbe humide.

Si l'absence doit être longue, il est plus prudent d'improviser un système d'auto-arrosage. Il peut se composer de mèches spéciales qui, d'un réservoir surélevé par rapport aux plantes, apporteront l'eau dans le mélange par capillarité. Avec les pots de plastique, on peut procéder de façon encore plus simple, en les plaçant sur une pièce de feutre dont un bout trempe dans un plat d'eau ou dans l'évier de la cuisine ou de la salle de bains. Comme les mèches, le feutre alimentera le mélange par capillarité.

La méthode du feutre ne convient pas aux pots de grès. Ils sont trop épais pour que le mélange vienne en contact avec le feutre. Il faut introduire une mèche par le trou de drainage.

Une autre méthode consiste à arroser généreusement les plantes et à les couvrir, après les avoir laissées s'égoutter, de sacs de plastique. Les sacs conserveront l'humidité pendant deux ou trois semaines. Pour les empêcher de s'affaisser, on plantera trois ou quatre fines tiges de bois dans le mélange. Pour que le plastique ne touche pas au feuillage, on attachera le sac autour du rebord du pot. Si l'absence ne doit durer qu'une dizaine de jours, on peut laisser le sac lâche. Ne pas exposer au soleil les pots ainsi emballés et les garder dans un endroit très frais en été et à une température de 16 à 18°C en hiver.

TRAITEMENT D'URGENCE
Si, en dépit de toutes les précautions, le mélange terreux s'est desséché, plonger le pot dans une cuvette ou un évier rempli d'eau et l'y laisser jusqu'à ce qu'il ne

Arrosage durant les vacances

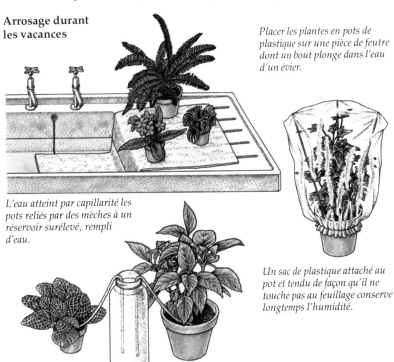

Placer les plantes en pots de plastique sur une pièce de feutre dont un bout plonge dans l'eau d'un évier.

L'eau atteint par capillarité les pots reliés par des mèches à un réservoir surélevé, rempli d'eau.

Un sac de plastique attaché au pot et tendu de façon qu'il ne touche pas au feuillage conserve longtemps l'humidité.

Comment ranimer une plante assoiffée

Les feuilles flétrissent et tombent : c'est signe que l'eau ne leur parvient plus.

Desséchée, la motte de racines a peut-être rétréci au point que l'eau file par les côtés.

Ou bien le mélange a tellement durci que l'eau ne parvient plus jusqu'aux racines.

Pour ranimer cette plante, remuer la surface du mélange en prenant garde de ne pas endommager les racines.

Plonger le pot dans une cuvette d'eau et l'y laisser tant qu'il en sort des bulles. Bassiner le feuillage.

Laisser le mélange s'égoutter. Si la plante ne va pas mieux, renouveler complètement le mélange terreux.

s'échappe plus de bulles à la surface du mélange. Bassiner le feuillage. Retirer ensuite le pot et laisser s'égoutter le mélange.

Un tel traitement, pratiqué une fois ou deux par été, fait d'ailleurs du bien à la plupart des plantes, et permet d'humidifier les zones qui reçoivent moins d'eau.

Quand on constate que l'eau se ramasse en flaque à la surface du mélange ou qu'elle pénètre lentement, il faut intervenir, même si la plante n'a pas l'air d'en souffrir.

Devenue trop compacte, la couche supérieure du mélange ne permet pas à l'eau d'atteindre les racines. A la longue, la plante en souffrira. Il faut alors retourner la surface du mélange avec un outil comme un tournevis. Si, malgré cela, le mélange conserve toujours la même imperméabilité, il ne reste plus qu'à le changer pour un autre plus poreux. On prendra soin de bien dégager les racines du mélange durci, en procédant le plus délicatement possible.

PETIT GUIDE D'ARROSAGE

Arroser plus souvent si :
la plante est dans un pot de grès non vernissé;
son pot est petit par rapport à sa taille;
ses racines remplissent complètement le pot;
elle est en période intense de végétation;
la température est élevée;
l'humidité est faible;
ses feuilles sont minces.

Arroser moins souvent si :
la plante est dans un pot de grès vernissé ou de plastique;
son pot est grand par rapport à sa taille;
ses racines ont de l'espace;
elle vient d'être rempotée;
elle est en période de repos;
la température est basse;
l'humidité est élevée;
ses feuilles ou ses tiges sont charnues.

Fertilisation

Pour bien pousser, toutes les plantes ont besoin d'être fertilisées. Au moment de l'achat, elles contiennent en général de bonnes réserves de nourriture, mais celles-ci s'épuisent avec le temps et il est nécessaire de les renouveler.

Trois éléments chimiques sont essentiels à la bonne croissance des plantes : l'azote, le phosphore et le potassium. L'azote (sous forme de nitrates) permet la croissance des tiges et des feuilles et la formation de la chlorophylle, source d'énergie. Le phosphore (fourni aux plantes sous forme d'acide phosphorique ou de phosphate) contribue au développement des racines. Enfin, le potassium (ou potasse) favorise la production de fleurs et de fruits et assure la santé générale des plantes. D'autres éléments minéraux leur sont nécessaires, mais en quantités beaucoup moindres : on parle alors de traces.

Les boîtes ou bocaux d'engrais portent toujours sur l'étiquette une formule donnant les quantités d'azote, de phosphore et de potassium qu'ils contiennent. Les substances sont désignées par le symbole international N-P-K : N pour azote, P pour phosphore et K pour potassium. Dans certains cas, on ne mentionne que trois chiffres, par exemple 6-10-6. Ils correspondent au symbole précédent. Si l'on reprend l'exemple cité, les chiffres indiquent que l'engrais contient la même quantité d'azote et de potassium et plus de phosphore.

FORMULES D'ENGRAIS

Les engrais pour plantes d'intérieur renferment une quantité bien équilibrée de chacun des éléments essentiels ainsi que des traces d'autres éléments. On parle alors d'un engrais ordinaire, même si la formule varie légèrement selon le fabricant.

Il est néanmoins utile de savoir que les engrais riches en azote conviennent plus particulièrement aux plantes feuillues, mais sont aussi bénéfiques à d'autres types de plantes au début de leur période de croissance, c'est-à-dire au moment de la pousse des feuilles. Les formules riches en phosphore régularisent la croissance des plantes et contribuent au développement des racines. On recommande d'en appliquer aussi avant et durant la floraison. Après la floraison, les plantes doivent refaire le plein d'énergie en prévision de la floraison suivante. Les fertilisants riches en potassium sont donc bons pour les plantes qui viennent de fleurir et notamment pour les bulbes vivaces et les arbustes florifères. On les désigne parfois sous le nom d'engrais à tomates parce qu'on s'en sert pour fertiliser les plants de tomates juste avant que les légumes apparaissent.

Certains établissements fabriquent des engrais destinés à des fins bien précises ou à certains types de plantes. On en trouve, par exemple, pour les plantes feuillues, les plantes florifères, etc. Parmi les plus efficaces se rangent les fertilisants à « réaction acide » (appelés simplement engrais « acides ») destinés aux plantes qui préfèrent un milieu à plus forte acidité.

On trouve également des engrais liquides conçus selon une formule spéciale et destinés à être vaporisés sur le feuillage des plantes. Ce sont des *engrais foliaires* dont le *Guide alphabétique* recommande l'emploi dans certains cas. Ces engrais ont un effet tonifiant sur toutes les plantes anémiées. Ils conviennent en outre aux plantes, comme les broméliacées et autres épiphytes, qui s'alimentent peu par leurs racines. Il est recommandé de faire les applications de ces produits dans la salle de bains, et jamais près des meubles.

FORME DES PRODUITS

Tous les engrais, ordinaires et autres — à l'exception des engrais foliaires —, se présentent sous des formes diverses : liquides, poudres, cristaux, granules, comprimés ou bâtonnets. Les plus faciles à utiliser sont les liquides ou les poudres et cristaux solubles qu'on verse dans l'eau d'arrosage.

Il faut toujours suivre à la lettre le mode d'emploi recommandé par le fabricant car, mal administrés, les engrais peuvent endommager les racines. Toutefois, il est préférable de diluer le produit un peu plus qu'on ne le prescrit. En outre, on doit s'abstenir de vaporiser un engrais non dilué sur le feuillage : celui-ci en souffrirait.

Les poudres ou granules non solubles s'ajoutent aux mélanges terreux composés à la maison (voir page 429). Autrement, on ne les utilise à peu près pas pour les plantes d'intérieur. Les comprimés et les bâtonnets sont plus commodes : on les insère dans le mélange terreux, conformément aux instructions données sur l'emballage. Ils présentent l'inconvénient de concentrer le fertilisant en un point donné, ce qui peut endommager les racines qui sont tout près. C'est pourquoi la plupart sont conçus pour agir lentement.

Il existe aussi des comprimés ou granules à action lente ou différée, très utiles au moment du rempotage. Les comprimés se placent sous la motte de racines et les granules se mélangent au substrat de culture. Leur action est efficace et dure de trois à six mois.

QUAND FERTILISER

Les plantes nouvellement achetées ou rempotées n'ont pas besoin d'engrais immédiatement. Si la plante est dans un mélange à base de terreau, elle n'exigera pas d'engrais avant trois mois, car le mélange renferme ses propres sels minéraux, sans parler de ceux qui y sont ajoutés. Dans un mélange à base de tourbe, cependant, l'engrais s'épuise en six à huit semaines et la fertilisation devrait commencer deux mois après l'achat ou le rempotage (voir « Mélanges terreux », page 429).

La plupart des plantes n'ont besoin d'engrais que durant la période de croissance. En période de repos, la fertilisation encouragerait une croissance maladive et produirait des feuilles petites, pâles et fragiles. Il ne faut pas fertiliser une plante parce qu'elle semble malade; l'engrais est une nourriture et non un remède. Il convient plutôt de voir si l'état de la plante n'est pas dû à des écarts de température ou à des erreurs de culture.

Les recommandations du *Guide alphabétique* ne sont pas inviolables. Elles visent à donner à l'horticulteur amateur des plantes qui se développent aussi vite que possible, qu'il s'agisse de broméliacées, de cactées, d'orchidées ou de palmiers. Si l'on préfère une croissance plus lente, il suffit de fertiliser moins. Trois ou quatre apports d'un engrais ordinaire en période de croissance suffisent à garder une plante en bonne santé à condition de renouveler régulièrement le mélange terreux.

Méthodes de fertilisation

Un engrais foliaire liquide vaporisé sur le feuillage produit vite un effet tonifiant qui ranime les plantes anémiques.

Pour obtenir des résultats plus durables, introduire profondément avec un crayon un comprimé d'engrais à action lente.

Les engrais en bâtonnets, très concentrés, sont commodes mais dangereux : les placer le plus loin possible des racines.

Empotage et rempotage

Pourvu qu'elle soit fertilisée régulièrement, une plante peut vivre dans le même pot et le même mélange assez longtemps. Petit à petit, cependant, ses racines envahissent tout l'espace et le mélange terreux diminue, c'est-à-dire se transforme en poussière et disparaît. La croissance se fait d'abord plus lente, puis la plante prend une apparence maladive. Voilà pourquoi il faut la transplanter à intervalles réguliers dans un pot plus grand et dans du mélange frais.

Les plantes annuelles demandant plusieurs rempotages du semis à la floraison, c'est-à-dire en l'espace de quelques mois. Les plantes d'intérieur vivaces n'exigent qu'un rempotage par an et, une fois leur taille optimale atteinte, elles seront rempotées encore moins souvent. On pourra même les rempoter dans le même pot en renouvelant de temps à autre la couche superficielle du mélange terreux, c'est-à-dire en les surfaçant (voir page 428).

Le *Guide alphabétique* précise à quelle fréquence il faut rempoter les diverses plantes.

EST-IL TEMPS DE REMPOTER?

L'examen des racines est le meilleur moyen de savoir si le temps est venu de rempoter une plante. Pour les chlorophytums, par exemple, le rempotage s'impose lorsque les racines charnues commencent à affleurer. Il arrive fréquemment que de fines radicelles s'échappent par le trou d'évacuation du pot. Cet indice n'est pas sûr, car le phénomène peut se produire alors même que la motte de racines n'est pas très dense. Pour connaître avec exactitude l'état des racines, il faut dépoter la plante.

Pour dépoter une plante de taille petite ou moyenne, on pose la main sur le pot en laissant passer la tige principale entre les doigts. Dans le cas des petites plantes à rosettes, comme les saintpaulias, on glisse la main à plat sous le feuillage. On tourne ensuite le pot à l'envers, on en frappe légèrement les côtés contre le bord d'une table ou bien on tapote le dessous, de l'autre main.

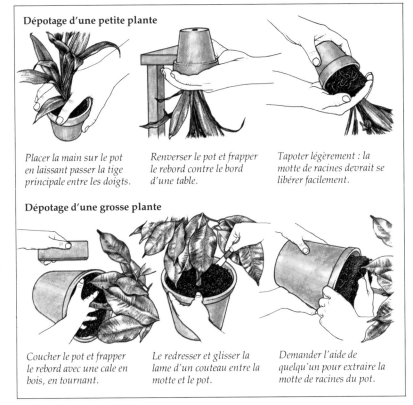

Dépotage d'une petite plante

Placer la main sur le pot en laissant passer la tige principale entre les doigts.

Renverser le pot et frapper le rebord contre le bord d'une table.

Tapoter légèrement : la motte de racines devrait se libérer facilement.

Dépotage d'une grosse plante

Coucher le pot et frapper le rebord avec une cale en bois, en tournant.

Le redresser et glisser la lame d'un couteau entre la motte et le pot.

Demander l'aide de quelqu'un pour extraire la motte de racines du pot.

De cette façon, la motte devrait se libérer facilement. Sinon, on peut glisser un couteau entre la motte et la paroi du pot.

Cette technique ne vaut pas pour toutes les plantes; elle ne convient nullement à celles qui ont des pétioles cassants ou des organes garnis d'épines. Le *Guide alphabétique* donne plus de précisions au sujet de ces plantes.

Lorsque la plante est de taille imposante, coucher le pot sur le côté, et frapper tout autour du rebord avec une cale en bois. Insérer ensuite la lame d'un couteau entre la motte et le pot. Si la plante est trop difficile à extraire ou si les racines enchevêtrées obstruent le trou de drainage, mieux vaut sacrifier le pot plutôt que d'endommager les racines. Casser les pots de grès ou ouvrir les pots de plastique avec des ciseaux ou des pinces à couper la tôle. Mais de tels problèmes ne se posent pas quand on rempote les plantes à temps.

Une fois la plante dégagée, on procède à l'examen des racines. Si la motte est couverte de fines radicelles fraîches, il est temps de rempoter. Si les racines forment comme un coussin épais tout autour de la motte ou si elles s'allongent en spirale dense à la base du pot, il est plus que temps de rempoter.

Certaines plantes, cependant, ont besoin d'être à l'étroit dans leur pot et peuvent y rester même si leurs racines le remplissent. C'est le cas de quelques plantes à racines charnues, comme les clivias, de certains bulbes et d'arbustes qui fleuriront mieux s'ils sont dans cette situation. Mention en est faite le cas échéant dans le *Guide alphabétique*.

LE MOMENT IDÉAL

Le meilleur moment pour rempoter se situe au début de la période de croissance. Il est tout à fait déconseillé de déranger une plante durant sa période de repos : ses racines prendraient trop de temps à s'installer dans le nouveau substrat de culture et, par conséquent, celui-ci aurait tendance à retenir l'eau et deviendrait malsain.

Si une plante semble malade sans que ses racines soient à l'étroit (voir « La santé des plantes », page 452), ne pas la rempoter. Elle n'est pas en mesure de subir un tel changement qui pourrait même lui porter un coup fatal. Attendre qu'elle ait recouvré la santé.

LE REMPOTAGE

Le rempotage est une besogne salissante; si on l'effectue dans la maison, on devra se munir d'un grand plateau en plastique et couvrir les meubles qui sont à proximité. Il est plus pratique de rempoter plusieurs plantes à la fois. On prendra soin de rassembler le matériel nécessaire avant de commencer : des pots propres, du matériel de drainage et les ingrédients composant le mélange terreux.

Pour faciliter le dépotage, arroser chaque plante généreusement au moins une heure avant. Plonger dans l'eau les pots neufs en grès non vernissé jusqu'à ce qu'il ne se forme plus de bulles. Sans ce trempage, ils absorbent l'eau du mélange. Les pots en grès vernissé ou en plastique n'ont pas besoin de trempage. Laver les pots qui ont déjà servi dans l'eau chaude et avec un savon antiseptique ou une poudre nettoyante. Récurer avec une brosse douce les restes de mélange terreux et de racines ainsi que les dépôts de calcaire. Rincer ensuite à l'eau claire et laisser sécher pour que le mélange terreux ne colle pas à la paroi.

On choisira pour chaque plante le pot de la taille qui convient. On a souvent tendance à prendre des pots trop grands. Une augmentation de diamètre de 2 cm suffit pour des pots de 4 à 10 cm. A partir de 12 cm, la différence de taille d'un pot à un autre sera de 2 à 4 cm; enfin, d'un pot de 30 cm, on sautera à un pot de 38 cm.

On étalera d'abord le matériel de drainage au fond des pots. Dans le cas des pots de grès qui n'ont qu'un trou d'évacuation, on couvrira celui-ci d'un tesson de même taille, partie bombée vers le haut (sauf indication contraire dans le *Guide alphabétique*, ce tesson suffit). Les pots de plastique à nombreux petits trous n'ont pas besoin de couche de drainage. Cependant, si les pots doivent reposer dans une soucoupe, on disposera dans le fond de ceux-ci des gravillons ou des cailloutis assez gros pour qu'ils ne se nichent pas dans les trous et les obstruent. De même pour les pots de grès, on couvrira le tesson d'une couche de gravillons qui empêchera le mélange de s'imbiber si de l'eau séjournait dans la soucoupe.

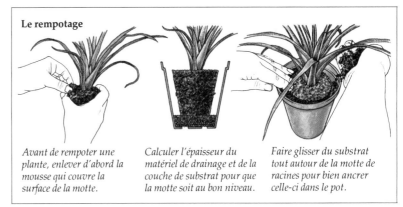

Le rempotage

Avant de rempoter une plante, enlever d'abord la mousse qui couvre la surface de la motte.

Calculer l'épaisseur du matériel de drainage et de la couche de substrat pour que la motte soit au bon niveau.

Faire glisser du substrat tout autour de la motte de racines pour bien ancrer celle-ci dans le pot.

On disposera ensuite sur les gravillons un lit de mélange frais et humide sur lequel reposera la motte de racines. Il faut également prévoir une cuvette d'arrosage sur le dessus : de 1,5 cm dans un pot de moins de 14 cm; de 2 cm dans un pot de 14 à 19 cm; de 2,5 cm dans un pot de 20 à 22 cm; de 4 cm dans un pot de 23 à 30 cm et de 5 cm dans un pot de 38 cm. La motte doit toujours rester au même niveau; on ne doit pas ajouter de mélange sur le dessus si ce n'est pour couvrir les racines qui seraient à découvert.

Une fois les plantes dépotées, on procède à l'examen des racines. Celles qui sont sèches ou pourries doivent être supprimées. Si l'on voit des insectes comme des cochenilles des racines ou des larves, consulter le chapitre « La santé des plantes » (page 454). Après avoir débarrassé les racines des corps étrangers — tessons de grès, gravillons — qui pourraient y adhérer, on enlève la mousse qui pourrait s'être formée à la surface de la motte.

On installe ensuite la plante bien d'aplomb sur la couche de fond en rajoutant du mélange tout autour qu'on tasse délicatement avec les doigts ou un morceau de bois plat. A moins d'indication contraire dans le *Guide alphabétique*, la compression du mélange dépendra de sa composition. Les mélanges à base de terreau seront plus compressés que les autres, sans exagération toutefois, sinon le mélange deviendrait imperméable et les racines seraient écrasées. Pour éliminer les poches d'air et égaliser le mélange, frapper sèchement le pot sur une surface dure à plusieurs reprises pendant le remplissage. Enfin, on terminera par un arrosage généreux dirigé surtout tout autour de la motte.

Si la plante est très grosse, très ramifiée, épineuse ou à rosette plate, la méthode du moule est préférable. Après avoir dépoté la plante, mettre une couche de mélange frais à peine humide dans le fond du nouveau pot. En déterminer l'épaisseur en déposant dessus l'ancien pot. Si le rebord du petit pot arrive à 1,5 cm au-dessous du rebord du grand, l'épaisseur est bonne. Laisser le petit pot dans le grand et faire glisser du mélange tout autour. Après avoir humecté le mélange, le tasser avec les doigts pour qu'il prenne parfaitement

Si l'on emploie la méthode du moule, mettre l'ancien pot dans le nouveau et combler l'espace vide avec du mélange frais. Retirer ensuite le petit pot.

l'empreinte du petit pot. Une fois celui-ci enlevé, il restera un moule bien ferme dans lequel on installera la motte de racines. Cette technique évitera de verser le mélange terreux entre les rameaux ou à travers le feuillage de la plante.

On peut profiter du rempotage pour corriger la façon dont une plante poussait dans son ancien pot. Par exemple, si la tige est inclinée, on donnera un léger angle à la motte de racines. En l'installant dans son nouveau pot, on s'assurera que la plante est bien appuyée par le mélange qu'on rajoute.

LE SURFAÇAGE

Les plus grands pots qui sont offerts dans le commerce ont 38 cm de diamètre. Mais on peut trouver des bacs en bois ou en matière plastique, ronds ou carrés, qui dépassent cette taille. En appartement cependant, où l'espace est souvent limité, on ne voudra peut-être pas utiliser des pots de plus de 20 à 25 cm de diamètre. Quand une plante se trouve dans un contenant de cette taille ou d'une taille qu'on juge suffisante, il y a moyen de l'y laisser, grâce au surfaçage. En effet, cette opération, qui n'oblige pas à extraire la plante de son pot, peut aisément remplacer le rempotage.

Le surfaçage consiste à enlever une partie de la terre de surface (généralement une épaisseur de 2 à 5 cm) et à la remplacer par du mélange frais, enrichi d'un engrais à action lente, au dosage recommandé par le fabricant (voir « Engrais », page 424).

Le travail se fait à l'aide d'un déplantoir ou d'une simple cuiller. Il faut procéder délicatement en prenant soin de ne pas mettre les racines à découvert. Cette couche enrichie [qui peut se composer de mélange (1/2) et de fumier de bovins bien décomposé et desséché (1/2)] apportera un complément de nourriture aux racines comprimées et retiendra mieux l'humidité que le mélange appauvri.

Le surfaçage, si commode soit-il, ne règle qu'une partie des problèmes que présente une plante de grande taille. S'il permet de la garder en bonne santé plusieurs années sans avoir à la rempoter dans un grand contenant peu commode, il n'empêche pas les racines d'être

Parfois, le seul moyen d'améliorer le sort des plantes à l'étroit dans leur pot est de réduire la motte de racines de 2 cm à la base et sur les côtés.

de plus en plus à l'étroit et d'absorber de moins en moins de substances nutritives. Par conséquent, à la longue, la croissance de la plante se fait à un rythme ralenti.

La réduction de la motte de racines peut parfois devenir une solution de rechange. Elle consiste à couper au couteau des tranches d'environ 2 cm à la base et sur les côtés de la motte. La plante est ensuite remise dans son pot, exactement de la même façon que lors d'un rempotage.

Cette opération peut toutefois causer un choc très violent à la plante et, en dépit de tous les soins que l'on pourrait lui prodiguer, elle peut ne pas s'en remettre. Aussi faut-il considérer la taille des racines comme une mesure extrême à laquelle on soumet une plante qu'on aime et qu'on veut garder, mais qui ne se prête plus ni au rempotage ni au surfaçage.

Dans les cas extrêmes, il est encore préférable de bouturer les bonnes parties de la plante et d'éliminer les autres.

Le surfaçage

Enlever en surface 2 à 4 cm de l'ancien mélange. Vider en prenant soin de ne pas mettre les racines à découvert.

Combler le vide avec du mélange frais additionné d'engrais. Remplir au même niveau qu'auparavant.

Pots et bacs

Les pots sont généralement en grès non vernissé ou en plastique. Ces deux matières présentent chacune des avantages et des inconvénients. **Le grès** étant une matière poreuse qui absorbe et rejette l'eau, le mélange s'imbibe moins. En revanche, il faut arroser plus souvent. Ces pots se couvrent aussi parfois d'une vilaine croûte due à l'absorption par le grès des sels minéraux contenus dans le sol et l'eau. (Pour enlever cette croûte, laver les pots avec un agent de blanchiment et les rincer avec du vinaigre dilué.) Les pots de grès ont l'avantage d'être lourds et de ne pas se renverser sous le poids d'une grosse plante.

Le plastique, pour sa part, n'absorbe pas l'eau comme le grès et il est moins fragile (encore faut-il ne pas soulever les pots par le rebord), plus léger et de nettoyage facile. Les pots de plastique sont cependant trop légers pour supporter une grosse plante. Ils se prêtent bien à l'arrosage par capillarité au moyen d'une pièce de feutre (voir page 423), méthode qui ne convient pas aux pots de grès. Les pots en polystyrène connaissent depuis quelque temps une certaine vogue, surtout parce qu'ils sont isolants et gardent le mélange tiède.

Du point de vue des couleurs, les avantages sont aussi partagés. Les pots de plastique se présentent dans une gamme intéressante de coloris, mais la couleur chaude du grès reste toujours aussi séduisante. A noter que le grès vernissé offre d'aussi riches coloris que la matière plastique sans être poreux comme le grès mat.

FORMES DES POTS

Le choix de la forme des pots est affaire de goût. Le pot classique est aussi profond que large. Les demi-pots (parfois appelés pots à bulbes ou à azalées), beaucoup moins profonds que larges, sont utilisés pour la multiplication (voir page 441). Ils conviennent aux plantes à système racinaire peu développé, surtout à celles qui sont étalées et de croissance lente, telles que les fittonias. On les utilise aussi pour grouper des plantes à tiges fines, comme les setcreaseas, les tradescantias et les zebrinas.

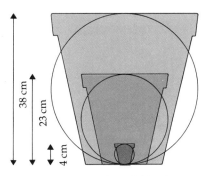

Tous les pots, du plus petit (4 cm) au plus grand (38 cm), ont une profondeur égale à leur diamètre supérieur.

DIMENSIONS DES POTS

Les pots sont proposés en différentes tailles qui vont de 4 à 38 cm de diamètre. Les tailles intermédiaires augmentent de 1 cm à la fois sur une échelle de 4 à 23 cm. Au-delà de 23 cm, l'écart est plus grand.

Les pots de grès non vernissé ou ceux en matière plastique ne se font pas normalement en 28 cm et on ne trouve rien entre 30 et 38 cm.

Les demi-pots vont généralement de 9 à 20 cm.

LES BACS

Ces contenants en matière plastique ou en bois, moins fragiles que les pots ordinaires, sont conçus pour les plantes plus volumineuses. Leurs tailles ne sont cependant pas normalisées. Ceux en matière plastique comportent de grands trous de drainage. Les bacs en bois, souvent de vieux barils coupés en deux, n'en ont presque jamais; aussi faut-il en percer plusieurs avec une mèche d'au moins 15 mm.

Les mélanges terreux

On trouve dans les centres de matériel de jardinage une vaste gamme de mélanges terreux. Il y en a *à base de terreau*, d'autres *à base de tourbe* (ou sans terreau). Le *Guide alphabétique* précise toujours quel type de mélange employer ainsi que les ingrédients à rajouter le cas échéant. Pour chacun des deux types, on trouve des formules légèrement différentes, adaptées à des plantes ou à des situations particulières : mélange pour violettes du Cap (ou violettes africaines) ou mélange pour culture en terrarium.

Les plantes très exigeantes, comme les orchidées, viennent mal si on ne les plante pas dans le mélange qui leur est approprié. Cependant, moyennant des apports d'engrais bien dosés, la plupart des autres espèces s'adaptent à divers mélanges. C'est plutôt le degré d'alcalinité ou d'acidité qui est primordial. La plupart des plantes d'intérieur préfèrent un milieu acide et réagissent mal à un mélange trop alcalin. (Voir les explications données à la page 430.)

Evidemment, il serait beaucoup plus simple et plus économique de se servir de n'importe quelle terre. Malheureusement, les sols varient en qualité et en texture, et ils renferment toutes sortes de ravageurs, d'organismes et de mauvaises herbes dangereux pour les plantes. Il est donc préférable qu'elles soient cultivées dans des mélanges préparés et stérilisés.

TERREAU OU TOURBE

Les mélanges à base de tourbe (sans terreau) ont l'avantage d'être propres, légers et faciles à utiliser. La tourbe est généralement préparée selon une formule normalisée à laquelle on peut se fier. Toutefois, le principal défaut de cette substance est son absence de matières nutritives et la rapidité avec laquelle elle épuise l'engrais qu'on lui ajoute. Aussi faut-il fertiliser régulièrement les plantes empotées dans un mélange sans terreau.

Les mélanges à base de terreau sont moins faciles à manipuler. En outre, ils sont impossibles à normaliser, la composition du terreau étant imprévisible. Ce sont des mélanges lourds qui conviennent surtout aux plantes de grande taille. Le terreau, quand il a été stérilisé, a l'avantage de renfermer des micro-organismes qui décomposent les matières organiques en éléments essentiels, ce qui permet d'espacer les apports d'engrais.

LES MÉLANGES MAISON

Ceux qui préfèrent composer leurs propres mélanges ont le choix entre trois recettes de base offrant le double avantage de bien retenir l'eau et de s'égoutter facilement. Toutes trois conviennent à la plupart des plantes d'intérieur. Pour certaines plantes (broméliacées, cactées et plantes grasses, fougères, gesnériacées ou orchidées), on de-

vra modifier la recette selon les indications données dans le *Guide alphabétique*. Une brève description des ingrédients fait suite aux recettes présentées ci-dessous.

Mélange à base de terreau :
1 vol. de terreau fibreux stérilisé
1 vol. de tourbe moyenne, d'écorce ou de terreau de feuilles
1 vol. de sable grossier ou de perlite fine

Ajouter 1 vol. de fumier de bovins desséché, ou de l'engrais équilibré en granules ou en poudre (suivre les instructions du fabricant).

Mélange à base de tourbe :
1 vol. de tourbe grossière
1 vol. de vermiculite moyenne
1 vol. de sable grossier ou de perlite moyenne

Ajouter de la chaux dolomitique en poudre à raison de 2 cuillers à soupe pour 2 litres. Fertiliser ensuite comme un mélange à base de terreau.

Mélange tourbeux riche en humus :
Ce mélange convient aux plantes, comme les fougères, habituées aux sols organiques peu denses des forêts équatoriales.
3 vol. de tourbe grossière
3 vol. de terreau de feuilles
2 vol. de sable grossier ou de perlite moyenne

Ajouter 2,25 dl de granules de charbon de bois pour 2 litres de mélange. Fertiliser comme un mélange à base de terreau.

MATIÈRES ORGANIQUES

Ecorce Moulue, l'écorce est un excellent substitut de la tourbe. On préfère d'ordinaire les écorces de texture fine, qui conviennent à la plupart des plantes; les textures plus grossières seront réservées aux orchidées et aux broméliacées.

Fumier Le seul qui soit recommandé pour les plantes d'intérieur est celui des bovins, qui est généralement déshydraté (et ne doit pas être utilisé autrement) et contient des matières nutritives.

Sphaigne Cette mousse des marécages est recommandée pour les orchidées qui exigent un substrat léger et poreux. On en met souvent une couche au fond du pot des plantes des forêts équatoriales. La sphaigne moulue constitue une couche de surface idéale pour les semis de graines très fines (voir page 442).

Terreau de feuilles Il est fait de feuilles décomposées contenant des matières organiques et des bactéries. Il est donc riche en matières nutritives. Les meilleurs sont ceux de feuilles de chêne ou de bouleau; la texture plus rude du terreau de conifères convient toutefois à certaines plantes.

Terre franche Elle renferme principalement du sable, de l'argile et des matières organiques (déchets de plantes et d'animaux). Elle contient aussi une masse de bactéries, de champignons et autres micro-organismes. La meilleure terre pour les plantes d'intérieur est celle qui renferme une quantité égale de chacun des éléments principaux et des matières organiques à la fois bien décomposées et fibreuses. A moins qu'elles ne soient additionnées de tourbe, les terres sablonneuses ou argileuses font de mauvais substrats. A une terre très argileuse, on ajoutera du sable grossier, de la vermiculite ou de la perlite.

La terre franche doit être stérilisée. Celle que l'on achète l'est généralement, mais on peut la stériliser soi-même de la façon suivante. Remplir de terre humide (et non saturée d'eau) une casserole et la mettre une heure au four réglé à une chaleur constante de 82°C. Cette chaleur détruit les mauvaises herbes, les ravageurs et les organismes dangereux sans nuire aux bactéries utiles. Cependant, la terre dégage une odeur peu agréable.

La terre franche peut être plus ou moins alcaline ou acide. Les terres crayeuses, très alcalines, ne conviennent pas.

Tourbe Bien que provenant de la décomposition en marécage de certains végétaux, elle contient peu de matières nutritives. Elle absorbe bien l'eau et les engrais, et améliore les substrats non satisfaisants. On donnera la préférence à la tourbe grossièrement moulue, brun clair.

Tourbe de sphaigne C'est une tourbe constituée de sphaigne décomposée. Elle remplace la tourbe proprement dite.

MATIÈRES INORGANIQUES

Calcaire broyé Il a le même effet et les mêmes usages que les coquilles d'œufs broyées. Les parcelles sont de différentes grosseurs. Celles de 6 mm sont idéales pour réduire la densité du mélange terreux.

Charbon de bois Il absorbe l'excédent de sels minéraux et les sous-produits de la décomposition tout en assainissant les substrats. On s'en sert généralement dans les contenants dépourvus de trou de drainage (jardins en bouteille ou bols à bulbes) où un excès d'eau risque de faire pourrir les racines. On peut disposer les gros morceaux au fond des pots et mélanger les petites parcelles au substrat; l'aération des racines en sera meilleure.

Chaux dolomitique Elle contient des carbonates qui réduisent l'acidité du mélange terreux, ainsi que du magnésium qui prévient le jaunissement des feuilles des plantes qui poussent dans un milieu acide. On ne doit cependant pas s'en servir sans vérifier le pH du substrat (voir « Acidité et alcalinité », ci-dessous), sous peine de rendre celui-ci trop alcalin et de nuire aux plantes au lieu de les aider.

Coquilles d'œufs Elles renferment du carbonate de calcium, matière alcaline; aussi en ajoute-t-on parfois aux mélanges à base de tourbe pour en réduire l'acidité. Elles améliorent en outre le drainage.

Perlite C'est une roche volcanique stérilisée, broyée fin, moyen ou gros. Elle aide à amender les substrats de culture et absorbe l'eau ainsi que les sels minéraux.

Sable Le sable grossier est un excellent ingrédient pour réduire la densité des mélanges terreux, surtout ceux qui sont riches en terre argileuse. Le sable de rivière, pauvre en calcaire, est le meilleur. Il doit être gros et rude au toucher. On évitera le sable de grève non préalablement lavé (vérifier sur l'emballage), car il peut contenir des sels nocifs pour les plantes.

Vermiculite On appelle vermiculite des particules de mica éclaté sous l'action de la chaleur. Le mica ayant la propriété d'absorber de grandes quantités d'eau et de substances nutritives, on utilise la vermiculite dans les mélanges à enracinement et dans certains autres mélanges terreux.

Acidité et alcalinité

Les sols alcalins renferment une bonne quantité de craie, de chaux ou de matières apparentées. Les sols acides ne contiennent que de petites quantités de ces éléments, ou n'en comportent pas du tout. En général, les plantes d'intérieur préfèrent un sol plutôt acide. Dans un sol alcalin, elles souffrent de chlorose, dont le symptôme est un jaunissement des feuilles (voir « Le diagnostic », page 456).

L'acidité ou l'alcalinité active d'un mélange terreux, de l'eau ou d'un engrais s'évalue selon une échelle de pH, le symbole pH signifiant « potentiel d'hydrogène » ou plus exactement concentration en ions hydrogène. Le pH est noté de 0 à 14, le point neutre correspondant à un pH de 7. De 7 à 0, l'acidité est de plus en plus grande; de 7 à 14, l'alcalinité est de plus en plus forte. Les plantes ne peuvent vivre qu'avec un pH de 4 à 8.

Le pH du sol varie selon la provenance de celui-ci. Si l'on utilise de la terre de jardin, on devra toujours vérifier son pH. Certaines plantes comme les orchidées et les rhododendrons exigent un substrat acide, tandis que quelques autres, comme les plantes grasses, croissent mieux dans un sol légèrement alcalin. La tourbe, le terreau de feuilles et l'écorce ont généralement des réactions acides. Cependant, certains mélanges à base de tourbe, parce qu'ils sont additionnés d'engrais, ne conviennent pas aux plantes qui veulent un sol très acide. L'absence de terreau ou la présence de tourbe ne renseigne donc pas sur le degré d'acidité d'un mélange. C'est le pH qu'il faut vérifier. Il est généralement indiqué sur l'emballage.

Pour connaître l'acidité d'un mélange, on le délaie dans de l'eau et on y trempe du papier de tournesol. Si le papier vire au rouge, la réaction est acide; s'il vire au bleu, elle est alcaline. Les magasins de produits pour aquariums vendent des papiers plus sensibles encore, dont on interprète les réactions à l'aide d'une échelle. Enfin, les centres d'articles de jardinage offrent à des prix abordables des nécessaires d'analyse des sols comprenant éprouvettes et réactifs.

La taille

Les plantes d'intérieur n'ont pas besoin d'être rabattues aussi sévèrement que certaines plantes de jardin comme les rosiers ou les arbres fruitiers. La taille ne s'impose que lorsqu'elles deviennent trop vigoureuses ou quand elles perdent leur port naturel. Cependant, elle contribue souvent à maintenir les plantes saines et vigoureuses. Elle favorise en outre l'émission de nouvelles pousses à partir des bourgeons situés près du point de coupe. La taille peut se pratiquer de deux façons : par le pincement ou par le rabattage.

LE PINCEMENT

Le pincement consiste à supprimer l'extrémité (soit entre 0,5 et 1 cm) des pousses. D'habitude, on coupe juste au-dessus du premier nœud, ou point d'insertion d'une ou deux feuilles sur la tige. Lorsque les nœuds sont très rapprochés, on coupe au-dessus du second.

Cette taille s'effectue d'ordinaire en pinçant la pousse entre le pouce et l'index pour l'arracher. Pour les

Pour favoriser la ramification d'une plante, pincer le bourgeon terminal d'une tige, juste au-dessus d'un nœud.

tiges robustes ou ligneuses, on utilise des ciseaux ou une lame de rasoir. Le pincement s'impose souvent après la reprise des nouvelles boutures. Pratiqué sur les plantes adultes, il encourage la ramification des espèces à tiges molles et à croissance rapide, comme les beloperones, les coleus et les tradescantias. Pour chaque bourgeon pincé, un ou deux bourgeons en latence, plus bas sur la tige, se mettent à croître. En pinçant en temps et lieu les pousses qui en sortent, on obtient de nouveaux rameaux. Enfin, le pincement fait naître d'autres tiges florifères.

LE RABATTAGE

Le rabattage des tiges dures se pratique à l'aide d'un couteau tranchant. Celui des tiges ligneuses se fait avec un sécateur. Le sécateur à enclume risque toutefois d'écraser les tiges. Cette blessure entraîne la pourriture de cette partie de la plante et la maladie peut même se répandre dans les autres organes. On évitera cet inconvénient en se servant du sécateur à contre-lame normale.

Pour que la cicatrisation soit plus rapide, la coupe doit toujours se faire au-dessus d'un bourgeon foliaire. Pratiquée entre deux nœuds, elle entraîne la nécrose de la tige. La coupe doit être nette, de part en part de la tige. La taille en oblique ne doit pas être effectuée vers le bourgeon, mais à l'opposé, ce qui évite de l'endommager.

L'ÉPOQUE FAVORABLE

L'époque de la taille doit tenir compte du cycle végétatif des plantes. Les plantes à croissance rapide sont pincées dès le début de la période de végétation et tout au cours de celle-ci quand nécessaire. On peut ainsi régulariser le port des

Les plantes trop volumineuses ou ligneuses doivent être rabattues : avec un sécateur, tailler les branches à la longueur voulue.

arbustes et des plantes grimpantes. Le rabattage sévère, c'est-à-dire l'élagage des tiges principales et des rameaux latéraux d'une plante, se pratique de préférence au début de la période végétative. Plus tard dans la saison, les bourgeons en latence réveillés par la taille ne donneraient pas des pousses de bonne qualité.

REMARQUES

Même si elles ont été pincées, certaines plantes rameuses non ligneuses peuvent présenter à la fin de la période de croissance des tiges exagérément longues. Il faut rabat-

tre ces tiges jusqu'à la souche. A la reprise de la croissance, de nouvelles pousses sortiront à ce niveau. Ce rabattage sévère est impératif pour les plantes florifères ou fructifères comme les pélargoniums et les solanums.

Il faut aussi débarrasser les espèces arbustives des rameaux qui s'entrecroisent et les étouffent. Le centre d'une plante doit être aéré; trop touffu, il devient un nid à champignons. Les tiges mortes ou malades sont aussi à supprimer.

Il est nécessaire aussi de rabattre les longues tiges des arbustes ligneux, comme les citrus et les myrtes, si l'on veut leur conserver une forme équilibrée. Du moment que leurs vieilles tiges sont rabattues, les hibiscus et les fuchsias, pour leur part, se couvrent de bourgeons. La taille des tiges sans feuilles fera apparaître de nouvelles pousses près de la souche.

Dans le cas d'une plante devenue disproportionnée, la taille doit être très sévère. Par exemple, lorsqu'un caoutchouc atteint le plafond d'une pièce, il faut le rabattre d'au moins un mètre, sinon les tiges latérales auront tôt fait d'atteindre elles aussi le plafond. Le problème sera ainsi réglé pour plusieurs années.

Certaines plantes grimpantes comme les bougainvillées et les passiflores exigent, même après une saison, une taille très sévère. On rabattra toutes les tiges au même niveau. Si l'on veut stimuler la ramification, on rabattra la tige principale de plusieurs centimètres. Si l'on préfère, au contraire, ne garder que la tige principale, on enlèvera toutes les pousses latérales faibles dès leur apparition.

CAS SPÉCIAUX

Lorsqu'une pousse toute verte se montre sur une plante à feuillage panaché, il faut la supprimer à la base. Les tiges à feuilles vertes étant plus exubérantes que celles à feuilles panachées, elles ne tarderont pas à envahir toute la plante si on les laisse faire.

A moins que ce ne soit pour récolter les graines, on supprimera les fleurs sitôt qu'elles se fanent. Autrement, la plante consacrera une bonne partie de son énergie à produire des graines et sera moins belle.

Tuteurs et treillages

En général, les plantes vertes non grimpantes n'ont pas besoin d'être tuteurées. A cette règle font cependant exception : les plantes à longues tiges grêles trop faibles pour rester droites, telles que les dizygothecas et les fatshederas; celles qui portent sur de minces tiges de lourdes inflorescences, comme les cinéraires et les calcéolaires; et, enfin, celles qui ont des tiges cassantes, telles que les impatiens, quand elles poussent de façon désordonnée.

Pour soutenir ces plantes, on attache leurs tiges, sans trop les serrer, avec des liens pour plantes, du raphia, du fil à macramé ou du ruban de papier armé de fil métallique, à de fins tuteurs de bois ou de bambou enfoncés au centre du mélange terreux. Pour éviter que les liens ne blessent la plante, on fera un nœud en huit. S'il faut supporter quelques tiges seulement, on attachera une extrémité du lien au tuteur et on l'enroulera autour des tiges; on nouera l'autre extrémité au tuteur.

Pour obtenir un support plus solide, on utilisera trois tuteurs qu'on placera en triangle (bien les enfoncer dans le mélange tout près de la paroi du pot) et autour desquels on enroulera le lien en procédant comme il a été expliqué ci-dessus. Les inflorescences doivent être bien dégagées. Faire des nœuds plats et couper proprement les extrémités du lien.

La tension du lien entre les tuteurs dépend du port de la plante. Si celle-ci est très buissonnante, on tendra le lien lâchement pour éviter de ramener les rameaux vers le centre. On fera de même pour les plantes à fleurs afin de ne pas comprimer les inflorescences.

PLANTES GRIMPANTES
Jeunes, les plantes grimpantes sont généralement très touffues. Le lierre en est un exemple. A mesure que s'allongent leurs tiges, elles ont besoin de supports pour grimper (à moins qu'on ne les laisse ramper). Pendant quelque temps, on peut les soutenir à l'aide de deux ou trois

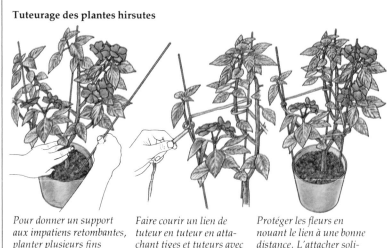

Tuteurage des plantes hirsutes

Pour donner un support aux impatiens retombantes, planter plusieurs fins tuteurs dans le mélange.

Faire courir un lien de tuteur en tuteur en attachant tiges et tuteurs avec un nœud en huit.

Protéger les fleurs en nouant le lien à une bonne distance. L'attacher solidement à l'un des tuteurs.

tuteurs, comme il a été expliqué ci-dessus. Il suffit alors d'enrouler en spirale les rameaux autour des tuteurs.

On trouve cependant dans les centres d'articles de jardinage des treillages en fil métallique qui sont beaucoup plus jolis et adoptent toutes sortes de formes : boucles, spirales, globes, pyramides, obélisques. Ces treillages sont munis de tiges qu'on enfonce dans le mélange terreux.

Le bambou et le rotin sont deux matières avec lesquelles il est facile de confectionner soi-même des treillages. Le premier étant plutôt rigide, il convient mieux à des formes anguleuses. Assoupli à la vapeur, le second se plie à tous les arrondis. (Voir suggestions à la page suivante.)

Il existe plusieurs façons d'enrouler les tiges autour des tuteurs. Celle du cissus forme un rectangle ajouré. Celles du philodendron sont entrelacées sur des supports parallèles.

Quel que soit le modèle adopté, le principe reste le même : il consiste à joindre les tuteurs à l'aide de fil métallique, de fil de nylon ou d'attaches métalliques. Attention cependant : un seul joint défectueux et la structure se défait. Une méthode plus sûre consiste à percer des trous dans les tuteurs aux

Pour assujettir les joints, percer un trou au travers des tuteurs, au point de jonction; faire passer un fil métallique et attacher solidement.

points de jonction et à y passer un fil métallique que l'on noue ensuite. Cette structure, quelle que soit sa complexité, ne pourra alors se disjoindre.

C'est la dimension et le port de la plante qui dictent la taille et la rigidité des tuteurs. Pour un volumineux monstera installé dans un pot de 30 à 38 cm, on utilisera des tiges de bambou ou des baguettes de bois de 2,5 cm de large.

SUPPORTS EXTÉRIEURS
Si les tuteurs qu'on place dans le pot ne suffisent pas, il faudra avoir recours à des supports extérieurs, mais la plante sera fixe, ce qui peut, dans certains cas, représenter un inconvénient. On peut y remédier par un grand treillage fixé à une planchette de bois. Le poids du pot

Supports ornementaux

Ces neuf supports ornementaux ne sont que quelques échantillons des multiples formes que l'on peut inventer pour tuteurer les plantes grimpantes. Avec du fil métallique, du bambou et du rotin, et un brin d'imagination, on créera les effets les plus fantaisistes.

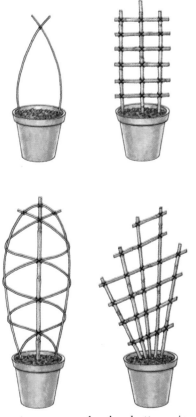

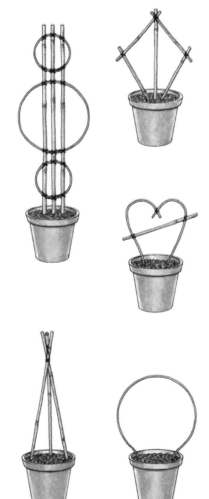

qui repose sur la planchette maintiendra le treillage fermement debout. On aura ainsi tout le loisir de changer la plante de place.

Pour tuteurer une plante qui a trouvé sa place définitive, il suffit de la faire courir du parquet au plafond le long d'un poteau fixé à chaque extrémité par des cales en bois. Celles-ci protégeront le plafond et le parquet. On plantera des clous dans le poteau, à différentes hauteurs, auxquels on attachera la plante.

S'il s'agit de faire grimper une plante le long d'un mur ou autour d'une fenêtre, on tendra un fil métallique ou une ficelle de nylon entre des clous ou des pitons à œil. On pourra aussi obtenir un écran de verdure (voir page 46) en faisant s'élever la plante le long de fils tendus du plafond au parquet. Ceux-ci seront attachés à des cro-

chets ou à des pitons à œil insérés dans le parquet (ou dans un bac en bois) et dans le plafond. (Au plafond, il est recommandé de les visser dans une solive ou d'utiliser des fixations comme des chevilles d'ancrage.)

Si l'espace le permet, on fixera des treillages au mur ou autour des fenêtres. Ceux-ci sont généralement faits d'un assemblage de lattes de bois, mais on en trouve maintenant en lattes de métal ou de plastique ou en filet de nylon, de toutes les dimensions. Pour protéger les murs, on les fixe généralement sur des tringles en bois d'au moins 2,5 cm d'épaisseur.

FIXATION DES PLANTES GRIMPANTES

Comme toute autre plante tuteurée, les plantes grimpantes doivent être attachées à leur support par des liens noués lâche (nœuds en huit). On risque d'étrangler les tiges en nouant les fils trop serré. Il faut attacher ces plantes quand elles sont encore petites. Plus tard, elles obéissent difficilement. Même les espèces qui sont pourvues de vrilles et s'agrippent facilement ont parfois besoin d'attaches.

Parmi les plantes qui ont le moins besoin de supports, on peut citer certaines plantes volubiles (clérodendrons, dipladenias et la plupart des hoyas) et quelques plantes à vrilles (cissus et passiflores). D'autres ont absolument besoin d'être attachées, sinon elles croissent de façon anarchique. Ce sont des plantes qu'on pourrait qualifier d'hirsutes (bougainvillées, jasmins et plumbagos). Dans leur milieu naturel, elles montent à l'assaut de la végétation environnante.

Certaines espèces, en particulier les hederas, les philodendrons grimpants et les syngoniums, produisent des racines aériennes qui s'agrippent à des troncs d'arbres ou à d'autres supports rugueux. Cependant, ces plantes sont incapables de s'accrocher à des objets lisses et secs. Aussi, à moins de leur offrir un support moussu (voir page 44), maintenu constamment humide, faut-il les attacher au tuteur.

Enfin, quelques autres espèces, plutôt rampantes que grimpantes, ont très belle apparence quand elles sont retenues à de petits treillages ou à des arceaux métalliques. Ce sont principalement les setcreaseas, les tradescantias et les zebrinas.

Ce jasmin escalade un treillage en bois monté sur une base mobile. Pour empêcher les tiges de s'enchevêtrer, les attacher dès que la plante se développe.

Multiplication

Lorsqu'une plante atteint une taille démesurée ou qu'elle n'offre plus les mêmes attraits, on songe naturellement à la remplacer. C'est alors que la multiplication peut jouer son rôle : elle permet de renouveler une plante au lieu de l'éliminer. Mais la multiplication est en soi une technique si fascinante que plusieurs amateurs la pratiquent pour le seul intérêt qu'elle présente.

Il existe deux sortes de multiplication : asexuée, ou végétative, et sexuée. La première, tout en ne contrariant pas le cycle normal des plantes, est en quelque sorte artificielle. Conçue et pratiquée par l'homme, elle consiste à multiplier une plante à partir de certains organes — rejets, tiges, feuilles — ou par division des touffes qu'elle forme. La seconde est la méthode naturelle des semis au moyen des graines que produisent les organes reproducteurs de la plante.

La plupart des plantes d'intérieur peuvent se multiplier par semis. C'est même la seule méthode qui permette de reproduire les plantes annuelles à fleurs. La multiplication par semis peut être en outre une source de grande satisfaction. Mais comme il est souvent difficile de faire germer des graines et qu'il faut beaucoup de patience pour amener les plantules à maturité, les horticulteurs amateurs ont recours la plupart du temps à la multiplication végétative.

Méthodes de multiplication

MULTIPLICATION VÉGÉTATIVE
Plantules Certaines plantes produisent des plantules sur leurs feuilles ou sur leurs stolons. Ces plantules peuvent servir à la multiplication. Chez certaines espèces, elles émettent des

petites racines qui se développent rapidement dès la plantation. La plupart, cependant, en sont dépourvues. A ces dernières, il faut donner des soins spéciaux

pour qu'elles croissent bien une fois qu'elles sont détachées de la tige mère.
Rejets Ce sont aussi de petites plantes identiques à la plante mère, mais, à la différence des plantules, elles partent de la tige principale. Lorsqu'elles ont atteint une certaine taille, elles peuvent

être détachées et empotées. La plupart des rejets se développent rapidement. Les

broméliacées, certaines cactées et plantes à bulbes en produisent.

Division des touffes Cette méthode convient aux plantes qui émettent des pousses pourvues de racines et d'organes aériens. La division se fait le plus souvent à la main, mais il faut parfois utiliser un couteau. Chaque segment doit comporter un bouquet de feuilles et des racines bien développées.

Certaines plantes à rosettes produisent des touffes de rosettes assez distinctes

pour qu'on les sépare facilement bien qu'en procédant délicatement.

Boutures de tiges Le bouturage est la méthode la plus courante. Il consiste à prélever des segments de tiges, souvent terminaux, et

à les planter. La bouture doit avoir quelques centimètres et être sectionnée

sous un nœud. Chez les plantes à tiges ligneuses, on prélève des pousses latéra-

les auxquelles on conserve un morceau d'écorce de la tige principale. C'est ce qu'on appelle une bouture à talon. Les segments de vieilles tiges portant un ou deux nœuds s'enracinent bien.
Boutures de feuilles Chez certaines espèces, il suffit de mettre le pétiole ou la base d'une feuille dans un mélange approprié. Parfois, on

coupe la feuille en segments, qui produisent chacune une plantule, au niveau de la nervure.
Marcottage Cette méthode consiste à mettre une

tige aérienne en contact avec le mélange pour qu'elle s'y enracine avant d'être détachée de la plante mère.
Marcottage aérien Cette technique convient aux plantes érigées qui se bouturent mal. Après avoir mis

une tige à nu, on l'entoure de sphaigne humide. On sectionne ensuite l'extrémité enracinée et on l'empote.

MULTIPLICATION SEXUÉE
Elle se fait par semis et convient à beaucoup de plantes. C'est l'unique méthode de reproduction des annuelles.

Par contre, les vivaces semées mettent des années à atteindre leur maturité.

La multiplication végétative

La multiplication végétative s'effectue au moyen de plantules ou de drageons, par division des touffes, par bouturage de tiges ou de feuilles, ou encore par marcottage simple ou par marcottage aérien. Les techniques appropriées à chaque plante sont toujours indiquées dans le *Guide alphabétique*.

LES PLANTULES

Un petit nombre de plantes — les chlorophytums, les tolmieas et certains aspleniums — produisent des répliques exactes d'elles-mêmes sur leurs feuilles adultes, au bout des hampes florales ou sous forme de bulbes miniatures. Dans certains cas, on peut les détacher et les planter; dans d'autres, il faut les ancrer dans un mélange à enracinement sans les détacher de la plante mère (méthode semblable au marcottage, voir page 439). Pour plus de détails, voir sous chaque genre dans le *Guide alphabétique*.

LES REJETS

On appelle rejets, rejetons ou drageons, les excroissances latérales identiques à la plante mère. Ils peuvent naître de la tige principale, apparaître sur de courtes tiges latérales, comme chez plusieurs plantes grasses, ou être reliés par la souche à la plante mère, comme c'est le cas pour les bulbes. (Pour la multiplication des bulbes, voir l'article intitulé *BULBES, CORMUS et TUBERCULES*, page 111.) Les rejets portent parfois des racines.

Les rejets ne peuvent servir à la multiplication que lorsqu'ils ont atteint une certaine taille, qu'on spécifie toujours dans le *Guide alphabétique*. Quand le rejet est assez grand, on le sépare de la plante mère, en coupant le plus près possible de la tige principale avec un couteau tranchant ou une lame de rasoir. On le plante ensuite par la base dans un mélange à enracinement (voir page 444). Si la partie supérieure est trop lourde et risque de basculer, il faut la solidifier avec des bâtonnets. Le mélange doit être tout juste humide, l'excès d'humidité faisant pourrir la bouture.

On gardera le rejet à une température de 18 à 24°C. Il sera exposé à une lumière moyenne, mais jamais

Types de plantules

Saxifraga sarmentosa

Tolmiea menziesii

Bryophyllum daigremontianum

Chlorophytum comosum 'Vittatum'

Certaines plantes produisent des plantules au bout des tiges (les deux à gauche) ou sur les feuilles (les trois avec détails en médaillons).

Asplenium bulbiferum

au plein soleil, jusqu'à la formation des racines. Pour accélérer l'enracinement, il est parfois utile d'enfermer la bouture dans un sachet de plastique transparent ou une caissette de multiplication (voir page 443). Quand le rejet a pris racine, il est transplanté dans le mélange recommandé pour un sujet adulte de son espèce et doit recevoir les mêmes soins.

Trois groupes de plantes, à part les bulbes, produisent des rejets. Pour de plus amples renseignements, consulter les articles intitulés *BROMELIACEES, CACTEES* et *PLANTES GRASSES* dans le *Guide alphabétique*.

Coupe d'un rejet de broméliacée

En écartant les feuilles de ce neoregelia, on découvre un rejet attaché à la souche.

Dépoter la plante et couper le rejet le plus près possible de la tige principale.

Planter le rejet à la même profondeur dans un mélange à enracinement.

LA DIVISION DES TOUFFES

Rien de plus simple, à première vue, que de diviser une plante en plusieurs petites touffes. Cela est vrai du moins pour les plantes à tiges érigées ou les plantes à rosettes dont les touffes se séparent à la main, en tirant doucement au niveau d'une intersection. Dans le cas de plantes aux racines enchevêtrées, il faut parfois d'abord secouer ou laver la motte. Toutefois, on aura recours le moins souvent possible à cette opération, car on risque d'arracher les petits poils absorbants qui garnissent les racines, organes absolument essentiels à la reprise de la croissance.

Certaines plantes ne se divisent pas à la main. Les fougères, par exemple, ont des mottes de racines si denses qu'il faut les diviser au couteau. Tel est le cas également des plantes à rhizomes. Si possible, on n'utilisera le couteau qu'au début de l'opération qu'on achèvera avec les mains. De cette manière, on endommagera moins les racines et les tiges. Parfois même, la motte est si dure qu'il faut utiliser deux petites fourches. On procède en piquant les fourches tout près l'une de l'autre dos à dos dans la motte et on les manie comme un levier. On réussira ainsi à diviser la touffe, mais non sans dommages.

Chaque touffe doit être placée dans un pot un peu plus grand que la motte de racines. Si les racines ont été dénudées durant l'opération, il faudra prendre mille soins pour ne pas les blesser au cours de l'empotage. On disposera d'abord un peu de mélange au fond du pot

Division du saintpaulia

Le saintpaulia présente plusieurs rosettes molles qu'il est facile de diviser à la main.

Les deux nouvelles plantes étant pourvues de racines, on peut déjà les cultiver comme des sujets adultes.

pour les longues racines. En tenant d'une main la touffe à la bonne hauteur, on fera glisser du mélange terreux tout autour. Avant qu'il ne soit complètement rempli, heurter doucement le pot contre une surface dure afin d'éliminer les bulles d'air qui pourraient rester dans le mélange. Si on se sert d'un substrat à base de terreau, on le tassera bien autour de la touffe. Les mélanges à base de tourbe n'ont pas besoin d'être aussi compacts.

Les touffes ainsi empotées n'ont généralement pas besoin de soins spéciaux. Toutefois, si elles semblent se flétrir, on les enfermera dans une caissette de multiplication ou dans un sachet de plastique (voir page 443), où l'humidité se conservera mieux.

Même si les palmiers ou les espèces ligneuses forment des rejets, ils ne supportent pas la division. En revanche, les orchidées (voir à *OR-CHIDEES*) s'y prêtent très bien.

LES BOUTURES DE TIGES

La multiplication d'un grand nombre de plantes d'intérieur s'effectue aisément par bouturage des tiges. Cependant, les tiges de certaines plantes, celles des palmiers notamment, ne se prêtent pas au bouturage. Habituellement, ce mode de multiplication convient tout à fait aux plantes à tiges molles qu'on peut bouturer en toute saison. Pour leur part, les boutures de plantes ligneuses ne s'enracinent que si l'opération est faite en temps opportun. En règle générale, c'est le printemps et le début de l'été qui sont les saisons propices, car elles coïncident avec la reprise de la croissance.

On appelle nœud le point d'insertion d'une feuille sur la tige. Les nœuds du tradescantia sont faciles à repérer.

Habituellement, la partie de la tige que l'on bouture est la pousse terminale. La longueur de la bouture dépend de la constitution de la tige puisqu'il est indispensable de prélever le segment sous un nœud. On appelle nœud le point d'insertion d'une feuille ou d'un groupe de feuilles sur la tige. Sur les tiges molles, le nœud se signale par un léger renflement et par une gaine foliaire. Sur les tiges ligneuses, où il est moins visible, il ne se manifeste que par un léger épaississement et, là où une feuille est tombée, par la présence d'une cicatrice et d'un bourgeon. Une bouture terminale doit compter au moins trois nœuds. Les meilleures boutures proviennent de plantes robustes dont les tiges portent des nœuds très rapprochés les uns des autres.

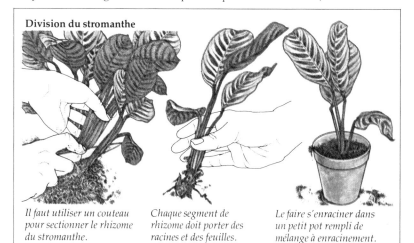

Division du stromanthe

Il faut utiliser un couteau pour sectionner le rhizome du stromanthe.

Chaque segment de rhizome doit porter des racines et des feuilles.

Le faire s'enraciner dans un petit pot rempli de mélange à enracinement.

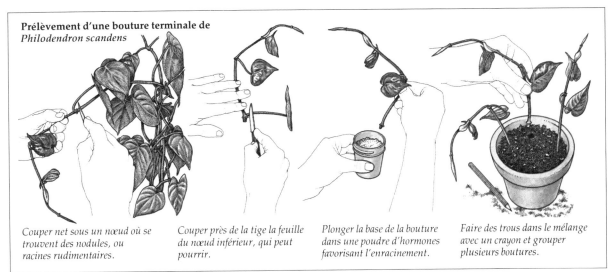

Prélèvement d'une bouture terminale de *Philodendron scandens*

Couper net sous un nœud où se trouvent des nodules, ou racines rudimentaires.

Couper près de la tige la feuille du nœud inférieur, qui peut pourrir.

Plonger la base de la bouture dans une poudre d'hormones favorisant l'enracinement.

Faire des trous dans le mélange avec un crayon et grouper plusieurs boutures.

Si on utilise des ciseaux ou un sécateur pour détacher la bouture, on doit retailler la coupe avec un couteau tranchant ou une lame de rasoir. La coupe doit être très nette

Bouture à talon du sparmannia

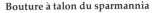

Il faut tenir fermement la tige principale lorsqu'on arrache, en tirant vers le bas, une tige latérale.

Egaliser soigneusement la coupe d'une bouture à talon pour éliminer tout risque de pourriture.

car les boutures écrasées ou tordues risquent de pourrir. Dès que la flétrissure commence, elle atteint rapidement la pointe du segment. Pour sauver la bouture, il faut couper sous le nœud inférieur encore sain.

Dans le cas des plantes à tiges très ligneuses, on recommande de prélever une bouture à talon. Il s'agit de détacher des pousses latérales de façon qu'elles conservent un petit morceau de la tige principale, qu'on appelle talon. Ne pas oublier de supprimer toute brindille et toute coupure non ébarbée avant d'insérer la bouture dans le mélange à enracinement.

Il faut choisir de préférence des boutures non fleuries. Autrement, supprimer les fleurs et les bourgeons floraux. Comme les feuilles pourriraient dans le mélange, on supprime celles du bas, ce qui a l'avantage de faciliter l'insertion de la bouture dans le mélange et de réduire les pertes d'humidité par transpiration, surtout si les feuilles sont grandes. On peut les couper avec une lame de rasoir, au ras de la tige, ou tout simplement tirer dessus (on tirera vers le haut pour ne pas déchirer l'épiderme qui recouvre la tige).

Dans certains cas, on recommande de plonger la coupe dans de la poudre d'hormones avant de planter les boutures. Cette poudre favorise l'enracinement (voir page 444). On doit éviter d'enfoncer directement les boutures dans le mélange, ce qui pourrait endommager les tissus. On doit plutôt y faire des

trous dans lesquels on insère les boutures. Placer les boutures uniques au centre d'un petit pot. Il est souvent plus pratique d'en planter trois ou davantage qu'on dispose à intervalles réguliers sur le pourtour d'un pot plus grand. Si on a l'intention de grouper plusieurs boutures, on les insérera au centre et au bord du pot. Tasser ensuite sans excès le mélange avec les doigts et en ajouter au besoin.

On a généralement intérêt à couvrir les boutures durant la période d'enracinement. Voir à ce sujet « Les exigences culturales », page 443 : on y parle des caissettes de multiplication et des sachets de plastique, ainsi que de l'humidité, de la température et des autres conditions essentielles au succès de l'opération. On trouve des détails plus précis sous chaque genre dans le *Guide alphabétique*.

Il est bon d'examiner les boutures de temps à autre afin de déceler tout signe de pourriture, plus spécialement à la base. A cette occasion, on en profitera pour supprimer les feuilles fanées. On doit attendre, pour empoter la bouture, qu'une reprise de la croissance indique qu'elle a développé un bon système de racines, ce qu'on peut également vérifier en tirant légèrement sur la bouture pour sentir si elle est bien ancrée dans le mélange terreux. Dans le doute, on peut extraire la bouture du mélange. Dès que les boutures ont de bonnes racines, elles peuvent être transplantées dans du mélange ordinaire additionné d'un peu de sable grossier ou de perlite. On peut dès lors les cultiver comme des sujets adultes en évitant, pendant deux ou trois semaines, de les exposer à une lumière trop vive. (Les traitements spéciaux, s'il y en a, sont donnés sous chaque genre, dans le *Guide alphabétique.*)

Les tiges de plusieurs plantes, dont le lierre (*Hedera*), les aglaone-mas, les impatiens et tous les tradescantias, développent très rapidement des racines dans l'eau et parfois mieux que dans un mélange spécial. Ces racines sont toutefois plus fragiles que les autres. Si on leur laisse prendre plus de 5 cm, on risque de les casser durant la transplantation à laquelle il faut apporter le plus grand soin. Voici comment procéder. On tient la bouture d'une main et on fait glisser sur les racines le mélange qui doit être de texture très fine.

Il n'est pas indispensable que les boutures de tiges soient terminales. D'autres segments font aussi des racines s'ils portent un nœud à leur extrémité supérieure. Ce détail a son importance, car, après avoir prélevé une bouture terminale, il faut souvent supprimer le reste de la tige pour ne pas déparer la plante. Les boutures non terminales exigent les mêmes soins que les autres. Si la tige est robuste, c'est-à-dire si elle est plus grosse que le pouce, on peut bouturer des segments relativement courts. L'important, c'est qu'ils portent chacun un ou deux nœuds.

Les boutures courtes, c'est-à-dire de 5 cm ou moins, doivent être généralement couchées et à demi enfouies dans le mélange, avec un nœud ou un bourgeon foliaire sur le dessus. On s'assure de la sorte que la plante poussera à la verticale. Rien n'empêche cependant de les planter debout pourvu que la base soit enfoncée dans le sol. Les cordylines, les dracaenas et les dieffenbachias notamment peuvent se multiplier par boutures de tiges. On vend même des segments de tiges d'une variété de *Cordyline terminalis,* prêts à être plantés.

Bouturage dans l'eau

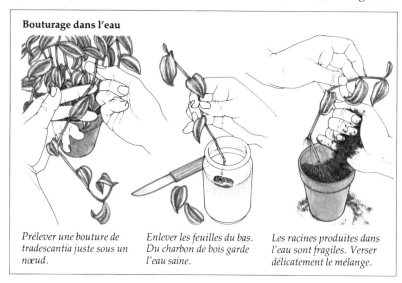

Prélever une bouture de tradescantia juste sous un nœud.

Enlever les feuilles du bas. Du charbon de bois garde l'eau saine.

Les racines produites dans l'eau sont fragiles. Verser délicatement le mélange.

Bouturage de tiges ligneuses

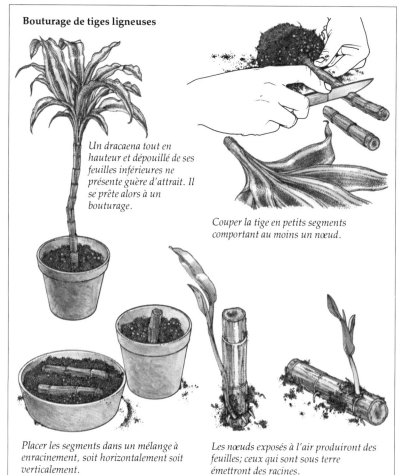

Un dracaena tout en hauteur et dépouillé de ses feuilles inférieures ne présente guère d'attrait. Il se prête alors à un bouturage.

Couper la tige en petits segments comportant au moins un nœud.

Placer les segments dans un mélange à enracinement, soit horizontalement soit verticalement.

Les nœuds exposés à l'air produiront des feuilles; ceux qui sont sous terre émettront des racines.

Le Cordyline terminalis *fait partie des plantes qui se multiplient par bouturage de tiges.*

LES BOUTURES DE FEUILLES

Certaines plantes peuvent se multiplier par bouturage de leurs feuilles. C'est le cas des gloxinias, des saintpaulias, des peperomias, de la plupart des plantes rhizomateuses, des bégonias et de plusieurs plantes grasses à feuilles charnues comme les crassulas et les echeverias.

La façon habituelle de procéder consiste à détacher une feuille adulte et saine en lui conservant son pétiole dont on insère l'extrémité dans un mélange à enracinement légèrement humide. Si le pétiole est très long, on peut le raccourcir pour éviter que la feuille ne retombe. D'autre part, la feuille tient mieux quand on insère le pétiole à un angle de 45 degrés, ce qui dispense d'avoir à l'enterrer profondément. Après quelques semaines dans l'atmosphère normale d'une pièce, la bouture émet une plantule. Lorsque celle-ci atteint environ 2,5 cm de diamètre, on prélève la partie aérienne de la feuille mère et on continue de cultiver la plantule dans son pot. La feuille peut servir à nouveau, mais, à moins qu'il ne s'agisse d'une plante très rare, il vaut mieux utiliser une nouvelle feuille.

Les feuilles à long pétiole prélevées sur des sujets de ces mêmes espèces peuvent être bouturées dans l'eau. On remplit d'eau un bocal dont on couvre l'ouverture d'une feuille de papier d'aluminium ou d'une pellicule de plastique perforée. On insère les pétioles dans les trous de façon que les feuilles reposent sur cette sorte de couvercle. Un morceau de charbon de bois ajouté à l'eau la gardera saine. Des racines se formeront vite et la feuille produira très tôt une plantule prête à être plantée dans du mélange ordinaire.

Certaines plantes, dont une espèce de bégonia, des sansevierias et des streptocarpus, permettent d'obtenir plusieurs plantules à partir des segments d'une même feuille plantés séparément. Comme cette opération diffère sensiblement d'une espèce à une autre, les précisions nécessaires sont données sous chaque genre dans le *Guide alphabétique*.

LE MARCOTTAGE

Le marcottage est un procédé de multiplication par lequel une tige rampante est mise en contact avec un substrat de culture et s'y enracine sans être détachée de la plante mère. C'est une méthode idéale pour les plantes de jardin qui ne se prêtent pas au bouturage. Moins pratiquée à l'intérieur, elle n'en convient pas moins à certaines plantes rampantes ou grimpantes comme le philodendron ou le lierre.

Pour marcotter une tige, on la relie, au moyen d'un petit arceau métallique, à un pot rempli de

Une tige de cet episcia a été marcottée dans un petit pot de mélange à enracinement. Une fois enracinée, on pourra la détacher et la cultiver normalement.

mélange à enracinement. Il faut s'assurer que le contact est bon entre le mélange et la tige. Au besoin, on peut recourber légèrement la tige ou même pratiquer une petite incision en dessous, à l'endroit où elle sera maintenue dans le substrat. La sève qui s'en écoulera favorisera l'enracinement. Les plantes à tiges souples, comme le lierre et le philodendron, n'ont pas besoin de cet encouragement puisqu'elles ont naturellement tendance à produire des racines aériennes à chaque nœud.

Un lierre en bonne santé peut donner plusieurs marcottes à la fois. Lorsque la croissance reprend et qu'apparaissent de nouvelles pousses, détacher les jeunes sujets sans abîmer la plante mère.

Certaines plantes rampantes comme les fittonias et les pellionias se multiplient naturellement par marcottage. Elles produisent des stolons qui s'enracinent dès qu'ils sont en contact avec le mélange terreux humide. On peut en tout temps détacher des plantules de la plante mère et les empoter.

Deux méthodes de bouturage de feuilles

Les feuilles qui se prêtent le mieux au bouturage sont les feuilles épaisses et charnues du type de celles du saintpaulia. On choisit d'abord (à droite) une feuille adulte et saine, dotée d'un bon pétiole. L'on procède ensuite selon l'une des méthodes illustrées ici.

On couvre un bocal rempli d'eau d'une pellicule de plastique percée d'un trou dans lequel on insère le pétiole. Racines et plantules s'y formeront.

On peut aussi insérer une feuille à court pétiole dans un mélange à enracinement, en lui donnant un angle de 45 degrés, ce qui la solidifie sans qu'elle soit enterrée.

LE MARCOTTAGE AÉRIEN

Le marcottage aérien se pratique sur les plantes qui se multiplient difficilement par bouturage et qui ont des tiges trop rigides pour être infléchies dans le mélange terreux. C'est une méthode idéale pour rajeunir une plante comme un caoutchouc, un codiaeum ou un dracaena qui, en vieillissant, perdent leurs feuilles inférieures. Il s'agit de provoquer un enracinement en un point donné de la tige, sans qu'il soit nécessaire de la mettre en contact avec le substrat.

On incise la tige à 8 ou 9 cm au-dessous de la feuille saine la plus basse. Il faut utiliser un couteau tranchant à lame mince. On pratique une incision de 2 cm, à l'oblique, vers le haut, en ne dépassant pas le centre de la tige. On ouvre ensuite la plaie pour y insérer un bout d'allumette ou un gros grain de sable. Une telle incision affaiblit malheureusement la tige qui risque de se briser. C'est pourquoi plusieurs horticulteurs préfèrent pratiquer deux fines incisions circulaires dans l'écorce ou l'épiderme de la tige, espacées de 1 cm, et dénuder la tige entre les deux. Cette blessure n'affaiblit pas les tissus internes de la plante.

On saupoudre ensuite l'entaille d'une poudre à base d'hormones et on l'entoure de deux poignées de sphaigne humide. Pour maintenir la sphaigne en place, on enveloppe la tige d'une feuille de plastique rectangulaire assez grande pour que les bords se superposent. (Un sachet de plastique dont on coupe le fond fait très bien l'affaire.) On en fait un manchon qu'on attache à la base avec un fil solide ou du ruban isolant et qu'on remplit de sphaigne humide. On attache ensuite le manchon au sommet pour bien emprisonner l'humidité. Une autre méthode consiste à maintenir la sphaigne en place avec quelques tours de fil solide. On enveloppe alors ce paquet dans une feuille de plastique qu'on attache aux deux extrémités avec du fil ou du ruban isolant.

Quelques semaines plus tard, on peut voir, à travers l'enveloppe de plastique, des racines blanches sortir de la mousse. Il est alors temps de retirer le manchon et de sectionner la tige. Avec un couteau bien

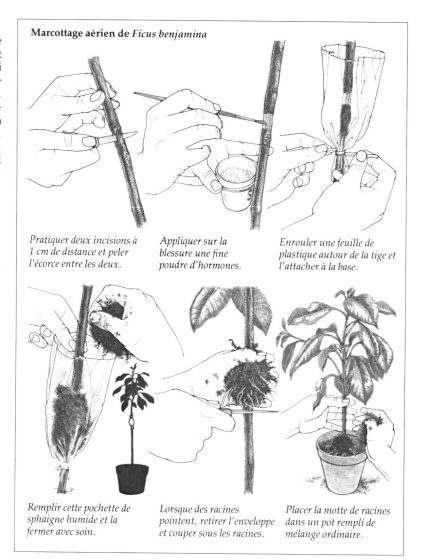

Marcottage aérien de *Ficus benjamina*

Pratiquer deux incisions à 1 cm de distance et peler l'écorce entre les deux.

Appliquer sur la blessure une fine poudre d'hormones.

Enrouler une feuille de plastique autour de la tige et l'attacher à la base.

Remplir cette pochette de sphaigne humide et la fermer avec soin.

Lorsque des racines pointent, retirer l'enveloppe et couper sous les racines.

Placer la motte de racines dans un pot rempli de mélange ordinaire.

aiguisé, on fait une incision transversale au-dessous de la touffe de mousse. On installe ensuite la motte dans un pot assez grand pour laisser un espace vide d'au moins 1 cm tout autour, que l'on remplit délicatement de mélange terreux. La nouvelle plante est alors prête à être cultivée comme un sujet adulte. Si ses racines ne sont pas encore assez fortes pour bien la soutenir, on peut la tuteurer pour une brève période.

On ne jette pas la tige mère, car elle bourgeonnera à nouveau. Mais pour la beauté de la plante, il est parfois préférable de rabattre cette tige de façon que les nouvelles pousses soient plus compactes. Tant qu'il n'y a pas de feuilles, n'arroser que pour garder le mélange à peine humide et en laisser

sécher les deux tiers entre les arrosages. Dès que la croissance a repris, arroser plus et fertiliser.

Après avoir pratiqué le marcottage aérien, on peut, si on le désire, sectionner la tige nue d'une plante comme le dracaena en segments de 5 cm qu'on met à bouturer.

Si on rabat la tige après le marcottage aérien, on verra naître des bourgeons suivis de nouvelles pousses.

Multiplication par semis

Il existe des graines de toutes les grosseurs. Il y en a qui sont fines comme de la poussière et d'autres qui ont la taille d'une baie. Certaines sont aussi grosses qu'une noix et il y en a même qui ont plus de 2 cm de diamètre. Les principes du semis restent les mêmes pour toutes, sauf que, bien entendu, les graines extra-fines se manipulent plus difficilement.

LES CONTENANTS

Le semis demande un contenant peu profond. La largeur dépend du type de graines que l'on sème et du nombre de plants que l'on veut obtenir. Pour un semis léger, un demi-pot suffit. Pour un semis plus important, il faut une terrine ou une caissette à semis. Les caissettes sont généralement en plastique et sont de deux tailles : 20 cm sur 30 et 15 cm sur 20. Elles ne sont pas toujours perforées; l'on peut y percer des trous avec une tige métallique chauffée. Il existe des caissettes compartimentées qui permettent de semer une graine par compartiment. On trouve également des caissettes composées de plusieurs godets de tourbe comprimée. Enfin, on peut encore se servir de disques de culture qui, une fois gonflés d'eau, s'incorporent à la plante.

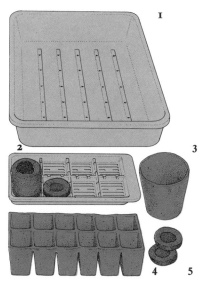

1 *Caissette à semis.* 2 *Plateau pour huit disques de culture.* 3 *Gros pot de tourbe.* 4 *Caissette de godets de tourbe.* 5 *Disques de culture.*

Avant de remplir le contenant de mélange à enracinement (voir page 444), en tapisser le fond d'une couche de gravillons ou d'écorce moulue fin. Les mélanges à enracinement sont en général si poreux que cette précaution peut paraître superflue, mais elle a néanmoins son utilité. Elle permet d'économiser du substrat et prévient la formation sous les graines d'une strate très nuisible de substrat détrempé.

Le mélange entier doit être à peine humide. Pour l'humidifier correctement, on le met dans un bol et on y verse de l'eau graduellement en remuant constamment. Il est trop humide quand il tombe des gouttes d'eau lorsqu'on le presse dans la main.

Si on utilise une caissette à semis, on en remplira les angles et on tassera le mélange avec une planchette de bois avant de semer. Le mélange doit arriver à 1 ou 2 cm sous le rebord.

LES SEMIS

Les graines doivent être espacées pour éviter la surproduction de plantules. Celles-ci, trop chétives, pourraient pourrir. A l'aide d'une règle ou d'un crayon, on trace des sillons espacés de 2 ou 3 cm si les graines sont petites, et plus larges si elles sont grosses. Pour les toutes petites graines, il faut tracer des sillons superficiels, sinon elles seraient enterrées.

Les graines extra-fines sont très difficiles à semer : le moindre courant d'air, un souffle léger peuvent les emporter. Comme il est impossible de les prendre une par une, il arrive qu'on en sème un trop grand nombre à la fois. La meilleure façon de les manipuler consiste à les verser dans une boîte où on les prend par petites pincées. On les laisse ensuite tomber le long du sillon en frottant le pouce contre l'index. On peut aussi les faire tomber du sachet en tapotant légèrement celui-ci. La première fois, on peut s'exercer avec du sel ou du sable fins.

La plupart des graines, fort heureusement, sont assez grosses pour rouler une à une entre le pouce et l'index, ou pour tomber régulièrement du sachet. Mais quelle que soit leur taille, elles doivent être convenablement espacées dans chaque sillon.

Semis de graines fines

Etendre le mélange à enracinement sur un lit de fins gravillons. Ceux-ci procureront un meilleur drainage.

Pour semer les graines très fines, tracer des sillons peu profonds. On évitera ainsi d'avoir des plants trop serrés.

Vider le sachet de graines dans un petit contenant. Prendre les graines par pincées et les éparpiller dans les sillons.

Un arrosage dru disperse les graines ou les enfonce. Arroser avec une pomme très fine ou un nébuliseur. Couvrir d'une plaque de verre.

On espacera les petites graines de 5 mm et les graines moyennes de 2 à 3 cm; entre les grosses graines, on laissera un espace égal au double de leur largeur. Il est d'ailleurs souvent préférable de semer ces dernières dans des pots individuels plutôt que dans des plateaux. Il est important de bien espacer les graines: les plantules poussent mieux.

Les graines de plus de 5 mm de diamètre doivent d'abord tremper dans l'eau chaude pendant au moins 24 heures. Quelques-unes de ces graines sont recouvertes d'une enveloppe coriace, ou tégument, qu'il faut parfois fendre. (C'est le grainetier qui peut dire si cette opération est nécessaire.) Le cas échéant, éviter soigneusement d'endommager les tissus internes. Pour couper l'écorce, il faut faire une petite incision dans l'enveloppe avec un couteau tranchant auquel on imprime un mouvement de va-et-vient.

On sème les graines très fines en surface. Sans les enfouir, on les fixe en place en vaporisant de l'eau légèrement. On recouvre ensuite d'une fine couche de mélange ou de

Les graines à tégument

Pour faciliter la germination des graines dotées d'une enveloppe dure, les inciser délicatement.

Il est préférable de faire tremper les grosses graines dans l'eau chaude pendant 24 heures avant de les semer.

sphaigne moulue les graines qui restent visibles. Par ailleurs, il faut enfoncer les grosses graines à une profondeur égale au double de leur largeur. On sème de préférence verticalement les très grosses graines plates, comme celles de l'hippeastrum, juste sous la surface du mélange. Dans les deux derniers cas, on arrose légèrement immédiatement après les semis et on tasse fermement la surface du mélange avec une planchette.

SOINS À DONNER AUX SEMIS
Il est indispensable de veiller à ce que les semis ne manquent jamais d'humidité, surtout lorsqu'il s'agit des fines graines semées à la surface du mélange ou tout juste au-dessous. Quelques heures de sécheresse, et c'est l'échec. Contrairement à ce que l'on pourrait croire, les arrosages fréquents ne sont pas une solution, ils sont même dangereux, sauf pour les grosses graines enfouies dans le mélange. Et même dans ce cas, s'ils sont excessifs, ils peuvent également être néfastes. La meilleure méthode consiste à placer les semis dans des caissettes de multiplication munies d'un couvercle ou dans un appareil semblable (voir page 443). De cette façon, l'air qui circule au-dessus des semis conserve toute son humidité et la condensation qui s'accumule dans le couvercle et retombe dans le mélange suffit à humidifier celui-ci. Il n'y aura donc pas lieu d'arroser, sauf si les graines mettent plus de deux ou trois semaines à germer. Celles-là auront besoin d'être surveillées et arrosées de nouveau, au besoin, avec un jet très fin.

Les très grosses graines bien enfouies dans des pots profonds ont par contre besoin d'arrosage dès le début. On ne les couvre pas et on arrose au besoin pour empêcher le mélange de se dessécher.

Pour germer, les graines de la plupart des plantes d'intérieur demandent une température minimale de 18°C, mais quelques-unes demandent jusqu'à 29°C. Voilà pourquoi la plupart des horticulteurs utilisent des caissettes de multiplication chauffantes (voir page 444). Les températures exigées sont généralement indiquées sur les sachets de graines. Elles sont aussi

mentionnées dans le *Guide alphabétique* chaque fois qu'elles sont impératives. La durée de la période de germination est difficile à prévoir avec précision. Il ne faut pas se décourager si rien ne semble se produire : certaines graines mettent plus de deux mois pour germer.

La lumière ne joue pas un rôle très important dans les semis. Les graines fines demandent, il est vrai, une lumière vive, mais jamais de plein soleil. Les tubes fluorescents (voir page 446) conviennent très bien aux petites graines comme celles des gesnériacées. Mais c'est après la germination qu'ils sont le plus utiles. A ce moment, les plantules ont toutes besoin d'être exposées de tous côtés à une lumière vive, mais non au soleil. Un éclairement insuffisant à ce stade donne des sujets chétifs qui s'affaissent et pourrissent facilement. Le résultat n'est guère meilleur si les plantules ne sont éclairées que d'un seul côté. L'idéal est de les placer 15 à 16 heures par jour à une distance de 25 à 30 cm sous des tubes fluorescents.

Ce sont les graines d'annuelles qui souffrent le plus d'un éclairement médiocre. On doit les placer devant une fenêtre très éclairée, mais à l'abri du soleil, et les tourner tous les jours. Il est également utile d'installer derrière les pots ou la caissette à semis, ou sur le côté sombre de la caissette de multiplication, un carton blanc ou argenté qui réfléchira la lumière.

Lorsque toutes les graines ont germé, on réduit la température de 2°C ou plus et on laisse peu à peu entrer l'air dans la caissette, jusque-là fermée. Les couvercles de plastique sont parfois munis d'orifices de ventilation réglables. Il faut les ouvrir progressivement. Sinon, on insère une cale entre le couvercle et la caissette et on fait d'abord une ouverture de 0,5 cm qu'on augmente peu à peu. Les plantules dépériront dans une atmosphère trop chaude et trop sèche. Il vaudra mieux, alors, les garder dans la caissette en leur donnant toute l'aération possible jusqu'à ce qu'elles soient de taille à être transplantées et cultivées comme des sujets adultes. Dès lors, on respectera les conditions culturales données pour chaque genre dans le *Guide alphabétique.*

Tant que les semis se trouvent dans un mélange à enracinement enrichi (voir page 445), il n'est pas nécessaire de les fertiliser. Sinon, on ajoute de l'engrais liquide ordinaire au quart de la concentration habituelle, à raison d'une fois tous les quatre arrosages.

L'arrosage se fera avec un nébuliseur, un vaporisateur à jet très fin ou bien une pomme à trous très petits. Avec ces appareils, on ne risque pas de verser de l'eau sur les plantules. On peut également plonger la caissette dans l'eau pour que le mélange s'imbibe par le fond; on le laisse ensuite s'égoutter.

EMPOTAGE DES SEMIS
Quand faut-il empoter? L'apparition des cotylédons, c'est-à-dire des deux premières feuilles germinales, différentes des feuilles ordinaires, n'indique pas encore qu'il est temps d'empoter. Il faut attendre qu'une seconde ou une troisième paire de feuilles se soit formée. Si les graines ont été bien espacées, il devrait y avoir suffisamment de place dans la caissette pour y laisser les plantules jusque-là. D'ailleurs, très tôt, il faut éclaircir les semis (surtout ceux des annuelles), toujours trop serrés en dépit des précautions que l'on prend. Cette opération consiste à ne garder que les plantules robustes et à laisser entre elles un espace égal à leur hauteur.

En temps opportun, on repique les plantules dans des pots individuels remplis du mélange terreux recommandé pour les sujets adultes de la même espèce. Les annuelles cependant, qui sont de croissance très rapide, peuvent être regroupées dans une grande caissette remplie du substrat voulu avant d'être installées dans des pots individuels.

Pour extraire une plantule, on la soulève délicatement avec un transplantoir en la tenant par les cotylédons ou les autres feuilles, mais jamais par la tige. On la repique comme indiqué au chapitre du rempotage (voir page 427), en s'assurant que les feuilles du bas ne sont pas enterrées. Une fois la jeune plante dans son pot, on la cultive comme un sujet adulte.

Pour la multiplication des fougères au moyen des spores, voir l'article page 215.

Eclaircissage et repiquage

Il ne faut pas hésiter à éclaircir les rangs de plantules en laissant entre elles un espace égal à leur hauteur.

Après l'éclaircissage des plantules, presser légèrement le mélange avec les doigts pour le raffermir.

Lorsque les plantules ont au moins deux vraies feuilles, les déplanter en s'aidant d'une palette de bois.

Repiquer la plantule dans un pot rempli de mélange pour sujets adultes. La tenir par une feuille.

Les exigences culturales

HUMIDITÉ
L'humidité est un facteur essentiel à la multiplication végétative ou asexuée de la plupart des plantes. (Pour l'humidité nécessaire aux semis, voir page 442.) Elle prévient les pertes d'eau des boutures qui, privées de racines, sont incapables de s'alimenter par elles-mêmes. Si les boutures portent des feuilles ou des segments de feuilles, la perte de vapeur d'eau par transpiration est encore plus importante et même dangereuse. Si elles n'en portent pas, elles sont à la merci de l'assèchement du substrat dans lequel elles se trouvent. Durant le bouturage, on assure, en humidifiant l'air plutôt que le mélange, un apport d'eau constant. Cela est impossible avec des arrosages qui, même s'ils sont réguliers, demeurent intermittents, ce qui entraîne inévitablement des variations importantes de l'humidité contenue dans le substrat.

Les boutures qui sont dans l'eau ne risquent évidemment pas de manquer d'humidité. Quant aux cactées, aux plantes grasses et aux plantes à tiges charnues comme les pélargoniums, elles ne requièrent pas d'humidité spéciale pendant la multiplication. Une hygrométrie très élevée peut même les faire pourrir.

CAISSETTES DE MULTIPLICATION
La caissette de multiplication à dôme en plastique, appelée selon les auteurs germoir, mini-serre ou serre miniature, est un accessoire presque indispensable lorsqu'on veut multiplier des plantes dans la maison. Le modèle le plus simple se compose d'un couvercle transparent en forme de dôme qui s'ajuste sur une caissette à semis en matière plastique. Cet ensemble se fait en plusieurs dimensions. Certaines caissettes, plus hautes, s'apparentent à de petites serres. Enfin, le simple sachet de plastique monté sur arceau est évidemment moins cher, mais beaucoup moins efficace.

Certains horticulteurs amateurs utilisent tout bonnement des récipients en plastique munis d'un couvercle transparent qui font d'excellentes caissettes à semis.

Pour empêcher le sachet de plastique de toucher à la plante, on l'appuie sur quatre baguettes.

Quant aux boutures en pot, le plus simple est de les recouvrir d'un sachet de plastique. Pour que celui-ci ne s'affaisse pas sur les plantes, ce qui les ferait pourrir, on le maintient avec trois ou quatre baguettes enfoncées dans le mélange terreux ou avec un arceau métallique. Le sachet est ensuite attaché sous le rebord du pot avec une ficelle ou un élastique.

Une autre façon consiste à tendre le plastique sur un arceau métallique bien enfoncé dans le mélange terreux.

On peut aussi recouvrir la plantule d'un grand bocal de verre posé à l'envers sur le mélange terreux. Quelle que soit la méthode, il faut, pour éviter les risques de pourriture, s'assurer que le couvercle choisi ne touche pas à la plante.

L'enracinement terminé, l'humidité n'a pas besoin d'être aussi élevée. Dans certains cas, on peut exposer immédiatement la plante à l'atmosphère normale d'une pièce (en suivant les recommandations données dans le *Guide alphabétique* pour l'humidité). Dans les autres

cas, notamment s'il s'agit de plantes qui, à l'état adulte, exigent une forte humidité, il faut prévoir une période d'adaptation. On laissera l'air extérieur pénétrer peu à peu dans la caissette par les orifices de ventilation, si elle en comporte. Ou bien, selon le système utilisé, on soulèvera légèrement le couvercle, le bocal ou le sachet de plastique. Quelques jours d'adaptation à un air ambiant plus sec suffiront la plupart du temps.

Un bocal en verre posé à l'envers sur la bouture et reposant sur le mélange peut servir de couvercle.

TEMPÉRATURE
La grande majorité des plantes exigent pour la germination ou l'enracinement une température d'au moins 18°C que leur fournit une caissette ordinaire. Mais pour celles qui requièrent beaucoup de chaleur, c'est-à-dire des températures supérieures à 24°C, il faut recourir au chauffage de fond.

CAISSETTES CHAUFFANTES
Ces caissettes de multiplication sont munies de résistances logées dans le socle ou dans des plateaux indépendants. Elles sont parfois équipées de cordons chauffants qui maintiennent le terreau à une chaleur constante. Les plus simples consistent en un bac à semis monté sur un plateau chauffant et recouvert d'une cloche de verre. Il existe cependant des modèles très élaborés, véritables serres miniatures, à panneaux coulissants et pouvant abriter plusieurs pots ou bacs à semis ainsi que des grosses boutures. On peut même s'en servir pour garder les plantules entre le repiquage et la mise en pot. La plupart de ces appareils comprennent un thermostat.

LUMIÈRE
Les boutures ont besoin d'une lumière vive tamisée par un store ou des rideaux translucides (voir page 414). Une lumière moyenne comme celle qui pénètre directement par une fenêtre orientée au nord leur convient également. Mais on ne devrait jamais les exposer au plein soleil. Un mauvais éclairement donne des plantules chétives qu'il n'est pas facile de sauver. (Pour la lumière nécessaire aux semis, voir page 442.)

POUDRE D'HORMONES À ENRACINEMENT
Les hormones contenues dans cette poudre résultent d'une synthèse des hormones de croissance produites par les plantes. Elles ont pour effet de favoriser l'enracinement. Ce sont surtout les boutures de tiges ligneuses qui bénéficient d'une application de cette poudre, car elles s'enracinent plus difficilement que les boutures de tiges tendres. On peut se servir sans crainte de ce produit, car il n'est jamais dommageable.

Il est fortement recommandé d'utiliser une poudre d'hormones contenant un fongicide. Celui-ci prévient la pourriture de la base qui affecte souvent les boutures durant l'enracinement. Son utilisation est facile : il suffit de plonger le bas de la bouture dans la poudre.

MÉLANGES À ENRACINEMENT
Les mélanges terreux ordinaires ne conviennent ni aux semis ni à l'enracinement. Leur texture trop dense et la quantité d'engrais qu'ils renferment endommageraient les jeunes racines. Le bon substrat est celui qui retient bien l'eau sans être trop poreux, et qui permet en même temps une bonne aération. L'excès d'eau et le manque d'air sont fatals aux jeunes racines.

Les terreaux à enracinement doivent de plus être rigoureusement stériles comme doivent l'être tous les éléments qu'on y ajoute. Une telle précaution prévient la fonte des semis et diminue les risques de pourriture des boutures (voir pages 456 à 459).

On trouve dans les centres de jardinage divers mélanges à semis ou à enracinement déjà préparés qui contiennent tous les mêmes

Caissettes de multiplication

Les caissettes sont de formes et de dimensions variées. Certaines sont chauffantes. 1 C'est le modèle le plus simple: il comprend un bac à semis recouvert d'une cloche transparente à orifices de ventilation réglables. 2 Ce modèle comporte une résistance électrique incorporée au socle; il peut loger des bacs à semis et des pots à boutures. 3 Celui-ci, pour bacs à semis, est doté d'un cordon chauffant qui court sous le mélange et procure une douce chaleur de fond. 4 Voici une véritable mini-serre à panneaux coulis-sants et à réglages multiples. 5 Cette caissette a un dôme en plastique non rigide, matière moins coûteuse. Une résistance réglée par un thermostat est intégrée au socle.

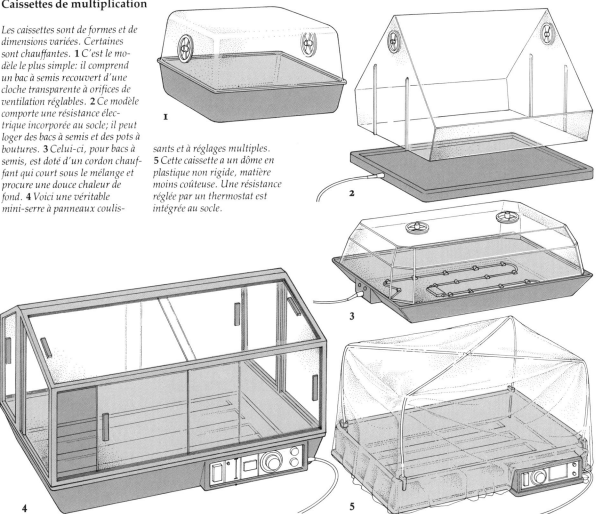

ingrédients mais en quantités variables : de la perlite, de la vermiculite, du sable grossier, de la tourbe et de la sphaigne. L'important est d'avoir un mélange peu dense et capable de garder l'humidité. Les horticulteurs amateurs peuvent préparer leur propre substrat en mélangeant en proportions égales de la perlite moyenne, de la vermiculite moyenne et de la sphaigne moulue ou pulvérisée, ou encore, toujours dans les mêmes proportions, de la tourbe, de la perlite et de la vermiculite ou du sable grossier (et non le sable fin utilisé en construction).

Pour les graines extrêmement fines, il est recommandé d'étendre une couche de 1 cm de sphaigne pulvérisée à la surface du mélange. On peut, si l'on préfère, couvrir la surface avec du mélange filtré à travers une passoire. Cette couche empêche les graines de s'enfoncer dans le mélange.

Si les boutures ne demandent pas

Avant de semer des graines très fines, tamiser en surface un peu de mélange à semis à l'aide d'une passoire. Cela empêchera les graines de pénétrer trop profondément.

d'engrais, les semis par contre en ont besoin. Avant de semer, on arrosera le mélange avec un engrais liquide ordinaire, au quart de la concentration habituelle. On peut aussi, compte tenu du type de graines qu'on sème, ajouter un volume du substrat recommandé pour les sujets adultes de la même espèce à deux volumes d'un mélange moitié tourbe et moitié perlite. Les grosses graines qui mettent plus de temps à germer s'en trouveront mieux. Il est également recommandé dans ce dernier cas de mettre une couche de mélange ordinaire au fond du bac, sous le mélange à enracinement dans lequel seront insérées les graines. Les racines des plantules, à mesure qu'elles se développent, atteignent cette couche de substrat plus riche en matières nutritives.

Autres méthodes de culture

L'éclairage artificiel

On peut avoir recours à l'éclairage artificiel pour plusieurs raisons : pour pallier l'insuffisance de la lumière solaire ou la remplacer au besoin, pour préserver la santé et la beauté des plantes durant l'hiver ou pour obtenir des effets décoratifs.

TYPES D'ÉCLAIRAGE

Il existe trois types principaux d'appareils d'éclairage : les lampes à incandescence, les lampes à vapeur de mercure et les tubes fluorescents.

Lampes à incandescence Ce sont les ampoules classiques. Elles dépensent au moins 70 pour cent de leur énergie à produire de la chaleur. Placées trop près des plantes, elles risquent donc de brûler le feuillage et de dessécher le mélange terreux. Disposées trop loin, elles ne donnent pas assez de lumière pour être utilisées comme seule source lumineuse. Pour cette raison, on s'en servira plutôt comme éclairage d'appoint ou pour créer des effets esthétiques.

Les projecteurs à ampoules incandescentes sont plus efficaces

Un projecteur comme celui-ci mettra une plante en valeur, mais n'a pas la puissance nécessaire pour remplacer la lumière solaire.

parce qu'ils concentrent la lumière grâce à des réflecteurs internes. Ils sont particulièrement utiles pour mettre en valeur, le soir, des plantes isolées ou de petits groupes de plantes; l'hiver, ils compléteront, mais sans la remplacer, la lumière solaire. On en trouve qui ont de jolies formes; montés sur rail, au plafond, ils peuvent composer un éclairage très esthétique, encore plus agréable lorsqu'un rhéostat permet d'en doser l'intensité.

Lampes à vapeur de mercure Elles sont plus fortes que les lampes à incandescence et dégagent moins de chaleur. Leur seul inconvénient tient à leur consommation d'électricité; elles ont en effet une puissance d'au moins 250 watts. Les personnes qui ont beaucoup de plantes jugeront peut-être, néanmoins, que ce type d'éclairage assez coûteux en vaut la peine.

Tubes fluorescents Ils offrent indubitablement le meilleur type d'éclairage artificiel pour les plantes. Ils donnent plus de lumière par watt et la perte d'énergie en production de chaleur est moindre. Les risques de brûlure du feuillage ou d'un dessèchement trop rapide du mélange sont presque nuls. Ces tubes sont fabriqués dans une vaste gamme de formes, de « couleurs » et de dimensions. Leur longueur varie de 0,20 à 2,45 m. La plupart sont linéaires mais certains sont cir-

Muni d'un tube fluorescent circulaire, ce luminaire à plateau incorporé est idéal pour les plantes à courtes racines.

culaires et ont un diamètre de 20 à 25 cm. Ces derniers sont généralement fixés à un réflecteur également circulaire et sont souvent munis d'un socle.

Les supports classiques peuvent recevoir un à quatre tubes parallèles. Certains comportent un réflecteur et des chaînes de suspension;

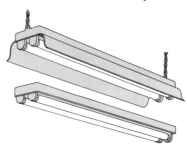

On peut suspendre les supports pour tubes fluorescents au moyen de chaînes, ou les fixer, sans réflecteur, à une surface horizontale, telle une tablette.

d'autres, sans réflecteur, se fixent directement à une surface horizontale. On trouve également des panneaux fluorescents de 30 cm sur 30 et de 4 cm d'épaisseur. Ils sont agréables à l'œil, mais exigent certains dispositifs de réglage qui ne sont pas à la portée du bricoleur.

QUALITÉ DE LA LUMIÈRE

Deux des couleurs du spectre, le bleu et le rouge, sont essentielles à la croissance des plantes. Pour être efficace, la lumière artificielle doit donc émettre, en quantité adéquate, des rayons rouges et des rayons bleus. Or, les tubes fluorescents du type « lumière du jour » diffusent beaucoup de bleu mais peu de rouge, tandis que les tubes du type « rendu chaud » (« blanc soleil » ou « blanc naturel », par exemple) donnent beaucoup de rouge mais peu de bleu. Il faut donc choisir un tube dont on spécifie qu'il convient expressément aux plantes et leur procure les rayons rouges et bleus qui leur sont nécessaires. La lumière qui en émane est rougeâtre; elle accentue le coloris des fleurs et des feuilles.

Il existe par ailleurs des tubes à large spectre; ils conviennent surtout aux plantes qui demandent beaucoup de soleil, et à celles qui sont à la veille de fleurir. Il peut être utile de combiner les deux.

Enfin, on trouve des tubes à usages spécifiques, notamment pour les semis et les boutures. Dans le doute, se renseigner dans les magasins de luminaires ou les centres de jardinage.

EMPLACEMENT DES LAMPES

Lampes à incandescence La distance à maintenir entre la lampe et les plantes dépend de l'émission de chaleur. Une ampoule de 15 à 25 watts doit être placée à une distance de 30 à 40 cm de la plante; une ampoule de 100 watts, à une distance d'au moins 60 cm; une ampoule de 150 watts, à une distance de 75 à 90 cm. Les projecteurs émettent un peu moins de chaleur. On placera celui de 75 watts à 45 cm, et les plus puissants à 90 cm.

Lampes à vapeur de mercure Leur puissance minimale étant de 250 watts, elles doivent être disposées à une distance d'au moins 1,20 à 1,50 m des plantes.

Tubes fluorescents La plupart des tubes, même ceux qui sont spécialement conçus pour éclairer les plantes, consomment 10 watts pour 30 cm de longueur. Mais la puissance en watts se réfère à la lumière et non à la chaleur. Les tubes fluorescents ne dégagent donc pas assez de chaleur pour brûler les plantes. La distance idéale qui doit séparer le sommet du feuillage et le tube dépend de la taille de la plante et sera fonction de l'intensité lumineuse que l'on veut obtenir.

Pour les plantes à feuillage, on doit laisser une distance de 30 à 60 cm. Les plantes florifères ayant besoin de plus de lumière, on ne les placera pas à plus de 15 à 30 cm des tubes. Les saintpaulias sont un exemple de plantes que l'on cultive généralement à la lumière artificielle parce que celle-ci leur permet une floraison ininterrompue. Ils fleurissent bien sous un tube disposé à une hauteur de 25 à 30 cm.

Certaines plantes florifères, telles que les orchidées, les cactées, les pélargoniums et quelques espèces de broméliacées, requièrent encore plus de lumière. Pour ces plantes, on choisira des tubes spéciaux dont l'intensité lumineuse est trois fois plus forte que celle des autres tubes, soit environ 27 watts pour 30 cm de longueur, et on les placera à une distance de 30 à 60 cm des plantes.

Plus les plantes sont larges, plus il faut de tubes pour obtenir une intensité lumineuse uniforme. Un seul tube peut suffire à une rangée de saintpaulias ou de petites plantes semblables, mais, pour de grosses plantes, il faudra au moins deux tubes espacés de 15 cm.

C'est à l'expérience que l'on trouvera l'emplacement idéal des tubes. On observera la réaction des plantes. Si l'on constate que les feuilles s'affadissent, brûlent, ou que les plantes poussent en hauteur, c'est que la lumière est trop forte. La solution est d'augmenter la distance entre les plantes et le tube de 8 cm par semaine, jusqu'à ce que les symptômes disparaissent. Ou bien, si les plantes produisent de petites feuilles et de longues tiges, et qu'elles fleurissent mal ou ne fleurissent pas, on peut conclure qu'elles manquent de lumière. Rapprocher alors de la source lumi-

neuse de 8 cm à la fois. On se rappellera cependant que l'intensité lumineuse décroît (ou augmente) beaucoup selon la distance. Par exemple, si la distance entre les plantes et la source lumineuse est doublée, l'intensité de la lumière sera quatre fois moindre; si elle est triplée, l'intensité sera neuf fois moindre. Ainsi, une plante est quatre fois moins éclairée à 2 m qu'à 1 m, et neuf fois moins à 3 m, et inversement.

Pour conserver une intensité constante, les tubes fluorescents (et leurs réflecteurs) doivent être nettoyés au moins une fois par mois. Mais, avec le temps, ils finissent par perdre leur efficacité. Il faut donc les remplacer sitôt que leurs extrémités noircissent ou à tout le moins une fois par année. Quand il s'agit de lampes à tubes multiples, on n'en remplacera qu'un à la fois, à un intervalle de trois ou quatre semaines, pour éviter un accroissement trop brusque de l'intensité lumineuse. Celle-ci pourrait être très dommageable pour les plantes. D'autre part, on réalisera une économie en utilisant les tubes vieillis pour éclairer les plantes qui exigent moins de lumière.

DURÉE DE L'ÉCLAIREMENT
Les lampes à incandescence sont avant tout décoratives. Elles ne favorisent que très peu la croissance des plantes. Bien sûr, plusieurs projecteurs éclairant pendant plusieurs heures auront un certain effet bénéfique. Mais ces projecteurs ordinaires ne peuvent d'aucune façon remplacer la lumière du jour, même si on les garde allumés pendant plusieurs heures.

Par contre, les plantes vivent fort bien avec comme seul éclairement la lumière de tubes fluorescents qui restent allumés plusieurs heures. La plupart des plantes feuillues requièrent 12 à 14 heures de cet éclairement par jour. Les plantes florifères en demandant 16 à 18. Cependant, les espèces à floraison hivernale, comme les kalanchoes et les poinsettias, n'ont pas besoin de plus de 12 à 13 heures de lumière artificielle par jour. Les horticulteurs préconisent l'utilisation d'une minuterie électrique pour régler avec plus de précision la durée de l'éclairement.

DISPOSITION DES LAMPES
On placera les lampes à incandescence là où elles illuminent le plus agréablement les plantes, à la condition qu'elles n'en soient pas trop rapprochées. Les tubes fluorescents, même s'ils servent de complément à la lumière du jour, sont plus fonctionnels. Ils sont généralement suspendus ou fixés directement au plafond, mais il existe un grand nombre d'autres types d'installations.

Certaines lampes sont conçues pour intégrer les plantes au système d'éclairage. Les plus simples comportent un réflecteur sur pied, muni d'un ou deux tubes fluorescents de 60 cm de long; elles peuvent éclairer deux ou trois plantes de taille moyenne. Certains modèles ont une soucoupe intégrée au pied de la lampe. Il existe également des étagères à plusieurs tablettes; un tube est fixé sous chacune des tablettes. Enfin, des étagères montées sur roulettes sont équipées de façon analogue; elles sont composées de tablettes amovibles que l'on peut ajuster à diverses hauteurs.

Ces structures métalliques, avec leurs tablettes, leurs réflecteurs et leurs supports angulaires ou tubulaires, sont souvent plus utilitaires que décoratives. Mais on peut en trouver de plus esthétiques, nanties d'un éclairage intégré. Il est également facile d'en fabriquer soi-même de jolies qui donneront un cachet particulier à des coins oubliés de la maison.

On peut ainsi disposer à l'arrière d'un comptoir de cuisine une rangée de plantes éclairées par des tubes fluorescents. On peut encore transformer des endroits très obscurs, comme la cave ou le grenier, en superbes jardins intérieurs. A cette fin, on construira des rayonnages suffisamment larges et hauts sous lesquels on fixera les tubes. En faisant les plans, on se souviendra qu'une collection de plantes s'enrichit sans cesse de nouveaux sujets; il ne faut donc pas lésiner sur l'espace, surtout entre les rayons : on s'évite ainsi les problèmes qui pourraient survenir lors du remplacement des tubes.

Enfin, on ne prendra jamais assez de précautions en ce qui concerne l'installation des appareils électri-

Lampes fluorescentes

A gauche, un réflecteur sur pied, muni de courts tubes fluorescents, éclaire quelques plantes. L'étagère ci-dessous, plus élaborée et plus coûteuse, illumine grâce à un éclairage intégré les plantes disposées sur les rayons. Les tablettes de gauche, amovibles, sont montées sur roulettes.

ques. Il serait plus prudent de la confier à un électricien qui veillera à la mise à la terre de tous les appareils. Il ne faut jamais oublier qu'il règne une humidité élevée dans les pièces où il y a plusieurs plantes et que l'eau d'arrosage risque parfois de tomber sur les tablettes et sur le sol. A titre préventif, on mettra les plantes sur des plateaux ou dans des bacs étanches. On utilisera également des fils électriques à l'épreuve de l'eau.

SOIN DES PLANTES

Il faut compter quelques semaines ou même quelques mois avant que les plantes s'habituent à la lumière artificielle. Mais ensuite, elle leur sera aussi bénéfique que la lumière solaire. Elle sera même préférable en hiver et pendant la période de floraison.

Les soins à donner aux plantes demeurent généralement les mêmes. Il faudra toutefois surveiller

l'aération qui risque d'être insuffisante à la cave ou au grenier, et voir à ce que les températures nocturnes soient légèrement inférieures aux températures diurnes. Comme les plantes auront une croissance plus marquée, il faudra sans doute aussi augmenter les apports d'engrais.

Quand elles sont cultivées à la lumière artificielle, les plantes ne prennent pas de repos. Cette croissance ininterrompue est sans conséquence pour les espèces tropicales auxquelles appartiennent la grande majorité des plantes d'intérieur. Cependant, il faudra obligatoirement ménager une période de repos aux espèces qui en ont besoin, comme le spécifie le *Guide alphabétique*. Certains horticulteurs suggèrent toutefois de ménager à toutes les plantes cultivées à la lumière artificielle une période de repos qui ne peut que leur être bénéfique. Il suffit alors de

réduire le temps d'éclairement de trois ou quatre heures par jour durant huit semaines, d'arroser moins, de baisser la température de quelques degrés et d'interrompre les apports d'engrais.

Culture hydroponique

Cette méthode consiste à cultiver les plantes uniquement dans l'eau à laquelle on ajoute des sels nutritifs. Ces sels dissous fournissent aux plantes les éléments qu'elles trouveraient dans le sol.

En supprimant la manipulation des mélanges terreux, l'empotage et le rempotage, cette méthode de culture épargne du temps et de l'espace. De même, elle économise les apports d'engrais et les arrosages. Il suffit de rajouter de l'eau dans le réservoir de temps à autre. On peut donc s'absenter sans risque. En outre, ravageurs et maladies ne sont presque pas à redouter. Enfin, la culture dans l'eau donne de bons résultats : les plantes y croissent souvent de façon beaucoup plus vigoureuse que dans un substrat. La culture hydroponique convient donc parfaitement aux plantes d'appartement.

On pourrait croire de prime abord que la culture hydroponique contredit les mises en garde que l'on fait, à juste titre, à propos des excès d'arrosage. On imagine, en effet, que parce que les racines des plantes baignent constamment dans l'eau, elles sont saturées. En fait, le paradoxe n'est qu'apparent. Les racines des plantes cultivées en terre ont en effet une structure différente, leurs cellules leur permettant de faire constamment le plein d'oxygène à partir de celui que renferme le mélange terreux. En culture hydroponique, les racines développent, à leur périphérie, des cellules dilatées dans lesquelles elles emmagasinent de l'oxygène. Ces différences biologiques font cependant qu'il est très risqué de faire brusquement passer une plante d'un mode de culture à l'autre. En principe, toutes les plantes se prêtent à la culture hydroponique, mais le succès est plus assuré si l'on utilise des boutures qui y sont spécifiquement préparées. (Sur le bouturage, voir « Initiation à la culture hydroponique », page 451.)

Matériaux de base Dans la forme la plus élémentaire de culture hydroponique, la plante issue d'une bouture reproduite dans l'eau repose dans un contenant spécial qui supporte les parties aériennes tout en permettant aux racines de baigner dans l'eau. La culture des bulbes de jacinthe en vase, par exemple, s'apparente à cette méthode (voir page 243). Il est théoriquement possible de cultiver ainsi toutes sortes de plantes, mais le problème est de les faire tenir debout lorsqu'elles grossissent. Elles ont alors besoin d'être ancrées de quelque manière. Les techniques modernes de culture hydroponique sont arrivées à résoudre le problème en utilisant divers agrégats.

Ces agrégats sont toujours constitués de matières granulaires inertes faites de particules d'environ 0,5 à 1,5 cm de diamètre : grès ou granit broyés, gravillons, lignite, perlite, vermiculite, ou billes d'argile expansée fabriquées expressément pour cette culture. Achetées dans un centre de jardinage, ces matières sont à utiliser telles quelles. Si on se les procure ailleurs, il faudra s'assurer qu'elles ont le diamètre voulu, et les nettoyer à fond en enlevant toutes les impuretés.

Il y a deux modes principaux de culture hydroponique. On utilise pour le premier un seul contenant bien étanche; le second requiert un double contenant.

Contenant simple On pourra utiliser pour la culture en contenant simple n'importe quel pot complètement étanche. Les contenants de métal devront toutefois être peints, car les éléments chimiques présents dans la solution nutritive sont souvent incompatibles avec le métal non peint. Remplir le pot d'un agrégat approprié; diluer dans de l'eau tiède un engrais liquide ordinaire au quart de la concentration recommandée, ou utiliser un fertilisant conçu spécialement pour cette culture en suivant les instructions données par le fabricant. Couvrir alors de la solution obtenue le quart ou le tiers seulement de l'agrégat.

Certains contenants comportent déjà une jauge qui indique le niveau de la solution. Sinon, on se procurera facilement une jauge munie d'un flotteur sur lequel re-

Les racines des plantes qui croissent dans un contenant simple sont ancrées dans l'agrégat dont une partie est immergée. Remarquer la jauge.

pose l'indicateur; le flotteur demeurant toujours au même niveau que le liquide, on pourra sans peine maintenir la quantité de solution à un niveau constant.

Il est primordial de débarrasser les particules d'agrégat ou les

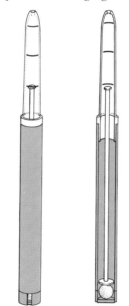

Cette jauge typique (en coupe, à droite) donne le niveau de la solution grâce à un flotteur qui, en suivant le liquide, fait bouger l'indicateur dans un tube gradué.

racines des plantes des dépôts d'engrais qui s'y fixent, occasionnant souvent une décoloration du feuillage. On renouvellera donc la solution nutritive tous les mois; tout en retenant d'une main l'agrégat, tourner le pot à l'envers afin de laisser s'égoutter le fertilisant et y verser ensuite une nouvelle solu-

tion. En dépit de ce traitement, il se forme quand même avec le temps des dépôts d'engrais; c'est pourquoi ce type de contenant convient surtout aux plantes à croissance rapide (chlorophytums, hederas, plectranthus, zebrinas) qu'il est facile de remplacer par des boutures plantées dans du nouvel agrégat.

Si une plante de croissance plus lente montre des signes de surfertilisation, ne pas s'en défaire pour autant. Laver soigneusement ses racines à l'eau claire et la remettre dans un contenant rempli d'agrégat propre. Elle retrouvera la santé.

Contenant double Le système des contenants qui s'emboîtent est plus souple que le précédent. Le plus petit des pots, dont le fond est perforé, est suspendu par le rebord dans le plus grand, qui est complètement étanche. Le premier est rempli d'agrégat. Le second contient la solution nutritive dont le niveau dépasse à peine le fond du premier pot. Le liquide s'infiltre par capillarité dans l'agrégat, mais peu à peu les racines, en se développant, atteignent elles-mêmes par les trous la solution nutritive.

Ce type de contenant comporte généralement une jauge à flotteur qui indique le niveau de la solution. S'il n'y en a pas, il suffit de soulever de temps à autre le plus petit des pots pour voir s'il est temps de rajouter, à la solution initiale, un peu d'eau bien chambrée. Il faudra toutefois renouveler la solution tous les mois environ.

Dans un double contenant, les racines atteignent la solution qui s'infiltre dans l'agrégat. On peut retirer le petit pot du grand.

On nettoiera aussi l'agrégat, tous les deux ou trois mois. A cette fin, retirer le petit pot du grand et laisser l'eau du robinet couler quelques minutes sur les particules.

Ingrédients spéciaux Les méthodes de culture hydroponique les plus récentes préconisent l'utilisation d'un agrégat et d'un fertilisant spéciaux. L'agrégat consiste en billes d'argile expansée à la chaleur, d'abord conçues pour servir à la fabrication du béton. Elles se composent d'un noyau alvéolé recouvert d'une pellicule dure. Chaque granule mesure environ 1,5 cm de diamètre, format idéal pour maintenir autour des racines un bon équilibre entre l'air et l'eau.

En plus de solidifier la plante, ces billes absorbent la solution nutritive et la libèrent au besoin. Ce dernier atout serait plutôt un inconvénient si l'on utilisait cet agrégat avec les engrais courants : l'agrégat absorberait complètement les fertilisants et on ne pourrait l'en débarrasser, même en le nettoyant à fond. Les sels accumulés endommageraient la plante. C'est pourquoi il est indispensable d'utiliser un engrais spécial quand on cultive les plantes dans les billes d'argile.

Cet engrais à formule spéciale présente la particularité de n'être absorbé par la plante que si celle-ci en a besoin, et selon la dose exacte qu'il lui faut. Bien mieux, tout excès d'aliment chimique, quel qu'il soit, est repris par les particules de l'engrais, mettant la plante à l'abri de la surfertilisation. Enfin, ces particules absorbent également les produits chimiques nocifs que l'eau peut renfermer, tels que le chlore et le fluor, par exemple.

Le grand avantage de la culture dans des billes d'argile, c'est qu'elle simplifie la fertilisation. En effet, il peut s'écouler plusieurs mois sans que l'on ait à se préoccuper de donner de l'engrais aux plantes. Une dose d'engrais dure généralement un an pour les petites plantes et six mois pour les grosses. On peut aussi en mettre dans l'eau qu'on rajoute de temps à autre. A ce propos, précisons que cette eau doit être à la température de la pièce, car l'eau froide endommage les racines. Enfin, l'utilisation de cet engrais spécial élimine le problème du nettoyage des billes d'argile.

Rempotage Les plantes qui croissent en culture hydroponique peuvent rester longtemps dans un contenant relativement petit. Même si leurs racines deviennent plus charnues que celles des plantes cultivées dans un mélange terreux, elles forment une motte plus dense. Pas besoin donc de les rempoter chaque année pour donner de la place aux racines. On ne procédera au rempotage que si le feuillage devient trop touffu ou si la plante paraît disgracieuse dans un pot trop exigu pour elle. Quand la plante se trouve dans un double contenant, il faut changer les deux pots pour des plus grands. Mais ces contenants étant vendus par paires, le rempotage est chose simple.

Que le contenant soit simple ou double, on commencera toujours par disposer une couche de 2,5 cm d'agrégat au fond du pot qui doit recevoir la plante. On retirera ensuite la plante de son ancien pot pour l'installer dans le nouveau en veillant à ce que la tige soit à la même profondeur qu'avant. Si les racines sont très développées, on devra les étaler sur la couche d'agrégat. On enlèvera simultanément toutes les racines abîmées afin qu'elles ne pourrissent pas dans l'agrégat. L'étape suivante consiste à ajouter des granules sur les racines jusqu'à ce que la plante soit bien solide (remplir le pot jusqu'au bord si nécessaire). Aussitôt que la plante est solidement ancrée, on ajoute la solution nutritive.

Il est possible d'acheter des plantes déjà installées dans un agrégat granulaire. Parfois, elles se trouvent dans des contenants triples qui s'emboîtent : la plante repose dans un petit pot de plastique installé dans un pot plus grand rempli lui aussi d'agrégat, et qui lui-même s'emboîte dans un troisième pot, encore plus grand, qui sert de réservoir. Les deux premiers comportent des ouvertures qui permettent aux racines d'atteindre le troisième dans lequel se trouve la solution nutritive. Le premier petit pot de plastique facilite la manipulation de la plante au moment du rempotage. On la laissera dans ce petit pot qu'on mettra dans un contenant plus grand. On comblera ensuite l'espace vide entre les deux avec des granules.

Rempotage dans un agrégat

En premier lieu, déposer une couche de 2,5 cm de granules propres au fond du pot qui doit recevoir la plante.

Enlever la couche supérieure des granules de l'ancien pot, puis dégager doucement les racines. Ne jamais tirer sur la plante pour la dépoter.

Installer la plante sur la nouvelle couche de fond, à la même profondeur qu'auparavant. Etaler les racines et ajouter des granules.

Verser enfin la solution nutritive. Le tiers seulement de l'agrégat doit baigner dans le liquide.

La plante est dans un contenant triple. Les racines sortent par les fentes du petit pot qui sert à contenir la plante. Garder ce pot lors du rempotage.

Initiation à la culture hydroponique La façon la plus simple de s'initier à ce mode de culture est de se procurer des plantes qui y sont déjà adaptées. On en trouvera chez les fleuristes; elles sont vendues en petits godets de plastique placés dans un bac de solution nutritive.

Mais il est relativement facile d'acclimater à cette culture des boutures de plantes cultivées dans les mélanges terreux. Plutôt que de les placer immédiatement dans l'eau, on les fera d'abord s'enraciner dans l'un des agrégats proposés. Les résultats seront plus rapides de cette façon. A cette fin, on utilisera de petites particules d'au plus 0,5 cm de diamètre qu'on disposera au fond d'un bac étanche. On versera dans celui-ci de l'eau additionnée d'un engrais soluble au quart de la concentration habituelle de façon à mouiller l'agrégat sur une épaisseur de 2,5 cm.

Quand on n'a que quelques boutures, on peut les mettre dans un pot de plastique de 5 cm rempli de granules; celui-ci sera ensuite placé dans un bac partiellement rempli de solution nutritive. La capillarité fera son travail.

Les boutures, pour une espèce donnée, auront la même longueur et recevront les mêmes quantités de lumière, de chaleur et d'humidité que dans le mode ordinaire de multiplication. Bref, l'opération est la même, mis à part le milieu dans lequel les boutures font racine. En se développant dans un agrégat humecté de solution nutritive, les boutures ont toutefois dès le début les racines que nécessite la culture hydroponique. Quand l'enracinement semble terminé et que la

croissance reprend, il suffit d'empoter les boutures comme dans un mélange terreux (voir page 437), mais selon un des modes de culture hydroponique suggérés.

On prépare ainsi les boutures à la culture hydroponique. La solution nutritive contenue dans le plateau pénètre dans l'agrégat par capillarité.

Pour les semis, on se sert de vermiculite comme agrégat. On en remplit des demi-pots ou des plateaux à semis troués. L'agrégat est ensuite arrosé jusqu'à ce que l'eau s'écoule par les trous. C'est alors que l'on sème les graines, de la même façon que dans du mélange terreux. La germination se fait aussi de façon semblable (voir page 441). La vermiculite doit demeurer humide, mais ne doit pas être imbibée d'eau. Quand la croissance reprend, on remplace l'eau par une solution nutritive diluée de moitié. Puis on augmente la concentration durant une période de 10 jours jusqu'à pleine teneur.

Lorsqu'elles sont assez grosses pour être manipulées, on repique les plantules dans un autre plateau ou dans des pots individuels, remplis de vermiculite ou d'un autre agrégat dont les particules ne dépasseront pas 0,5 cm de diamètre. Les racines retiendront un peu de vermiculite au moment du repiquage; ne pas l'enlever, car elle protège les racines tout en leur offrant nourriture et humidité. Quand les plantules ont atteint la taille voulue (celle-ci varie selon les espèces), on les repique dans des contenants conçus pour la culture hydroponique.

Il est peu souhaitable de faire passer une plante d'un mélange terreux à l'eau. Cela peut néanmoins se faire, à condition de dégager d'abord les racines de tout le mélange terreux qui s'y accroche et de les laver doucement à l'eau courante. Sans ces précautions, il sera difficile de faire croître une plante selon un mode ou l'autre de culture dans l'eau.

Néanmoins, la plante subira un choc, puisqu'une grande partie de ses radicelles auront été endommagées. Pour atténuer les effets secondaires, on gardera la plante à une température d'environ 21°C et on augmentera l'hygrométrie pendant trois ou quatre semaines. Une caissette de multiplication chauffante (voir page 444) sera d'une grande utilité durant cette période.

Six mois plus tard, si la plantule a bien surmonté le choc et a recommencé à croître, on lavera minutieusement ses nouvelles racines. Les anciennes auront sans doute pourri. Il est nécessaire d'enlever ces débris en nettoyant à fond l'agrégat, sinon la plante se portera mal et pourra même dépérir.

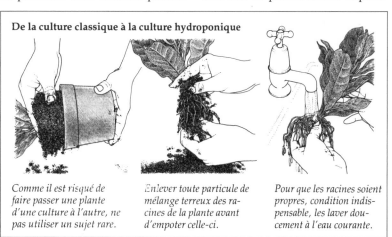

De la culture classique à la culture hydroponique

Comme il est risqué de faire passer une plante d'une culture à l'autre, ne pas utiliser un sujet rare.

Enlever toute particule de mélange terreux des racines de la plante avant d'empoter celle-ci.

Pour que les racines soient propres, condition indispensable, les laver doucement à l'eau courante.

La santé des plantes

Soins préventifs

La meilleure façon de conserver aux plantes leur santé est de leur prodiguer très exactement les soins appropriés, dont on trouvera une description dans le *Guide alphabétique*. La plupart des maladies sont dues à des erreurs de culture. Dès que l'on constate qu'une plante va moins bien, on doit vérifier dans l'article qui la concerne quelles sont ses exigences, en ayant à l'esprit qu'il s'écoule généralement quelques jours et même quelques semaines avant que la maladie ne se manifeste. Il ne faut donc pas se borner à passer en revue les soins apportés la veille ou l'avant-veille.

Il faut bien distinguer aussi maladies et attaques de ravageurs. Les premières ont presque toujours pour cause les erreurs suivantes : air trop humide ou trop sec, excès d'arrosage, aération insuffisante autour de plantes nombreuses et rapprochées. Une fois que la cause du mal a été identifiée, il est généralement facile d'y remédier.

Les ravageurs posent des problèmes plus complexes. Certains vivent à l'intérieur : on ne s'en débarrasse pas facilement. D'autres entrent par les fenêtres ou se posent sur les plantes qu'on met temporairement dehors. Certains autres, enfin, sont transportés avec les plantes nouvellement acquises. C'est pour cette raison qu'on recommande d'isoler ces plantes pendant deux ou trois semaines et de les traiter avec un insecticide tout usage.

Si l'espace disponible ne permet pas de les isoler, il faut au moins faire subir aux nouvelles plantes un examen minutieux. Ne pas chercher seulement les petits ravageurs, mais aussi les gros, comme les escargots et les limaces, qui sont extrêmement prolifiques et peuvent en un rien de temps faire beaucoup de dommages. Un tel examen s'impose d'ailleurs régulièrement pour toutes les plantes; c'est le plus sûr moyen, avec un bon nettoyage, de prévenir l'apparition d'insectes et de maladies.

Nettoyage Il est de première importance de débarrasser les feuilles de la poussière et de la saleté qui s'y déposent. Ce nettoyage avive la beauté du feuillage, mais évite surtout l'obstruction des pores par lesquels la plante respire. La fréquence des nettoyages varie bien sûr selon l'endroit où l'on habite. Les feuilles se salissent beaucoup plus vite dans un quartier industriel qu'à la campagne où elles sont par contre plus exposées aux attaques des ravageurs. Bref, il serait très judicieux d'examiner et de nettoyer toutes ses plantes une fois par mois.

Une légère vaporisation suffit pour les petites plantes. On doit toujours se servir d'une eau tiède, car l'eau froide est très dommageable. Epargner l'ameublement en plaçant les plantes dans un évier ou une baignoire. Ou bien, faire la vaporisation à l'extérieur. Certaines plantes peuvent aussi être plongées dans l'eau. Au besoin, utiliser de l'eau légèrement savonneuse, mais jamais de détergent, et bien rincer à l'eau claire.

On utilisera une éponge ou un chiffon doux pour laver une à une, en les soutenant d'une main, les feuilles très larges ou celles des plantes difficiles à déplacer. Si l'eau savonneuse s'impose, bien rincer. Le dessous des feuilles n'est généralement pas très sale; un petit coup de chiffon suffit. On ne touchera pas aux jeunes feuilles : elles sont en effet très fragiles et un rien peut les meurtrir.

Il est très important de bien assécher les plantes après le lavage. Aucune ne supporte des gouttes d'eau sur ses feuilles ou dans l'angle que font les rameaux ou les feuilles avec les tiges. Cela peut les faire roussir ou pourrir.

Les feuilles pubescentes, écailleuses, recouvertes de pruine ou d'une fine poudre demandent des soins particuliers. Ne jamais essuyer les premières; les vaporiser légèrement, à la condition de bien faire tomber les gouttes d'eau après l'aspersion. Le mieux est encore de les nettoyer avec une brosse douce, comme celle dont on se sert pour les lentilles d'un appareil-photo, surtout si l'on dispose d'un petit soufflet pour chasser la poussière. Par contre, il ne faut jamais même effleurer les feuilles écailleuses, pruineuses ou poudreuses. Très fragiles, elles ne supporteront que des vaporisations extrêmement fines; secouer ensuite doucement la plante pour l'assécher.

On entend souvent dire que les feuilles sont plus belles si on les lave avec du lait, de la bière ou de l'huile végétale. C'est une erreur. Ces substances leur font plus de mal que de bien. Il en est de même des produits qui se vendent pour faire briller les feuilles artificiellement. Ils leur donnent une fausse couleur et certains même décolorent le feuillage, surtout si on les applique à basse température. Si on tient à les utiliser, le faire très peu souvent et ne jamais en appliquer sur le revers des feuilles afin de ne pas obstruer les pores.

Au moment du nettoyage et de l'examen des plantes, on n'oubliera pas de vérifier l'état des pots et des mélanges terreux. S'ils sont recouverts d'une croûte blanche, il se peut que l'eau utilisée soit trop dure ou qu'il y ait eu fertilisation excessive. La présence d'une mousse verte, de lichen ou d'hépatiques peut indiquer un excès d'arrosage ou un manque de drainage.

L'interprétation des symptômes On trouvera dans les pages qui suivent des illustrations et des renseignements qui aideront à détecter et interpréter les symptômes qui signalent la présence de maladies et de ravageurs. Ils permettront de prendre rapidement les moyens qui s'imposent. Certains symptômes peuvent révéler aussi bien la présence de ravageurs que des erreurs d'horticulture. Prenons par exemple le cas de feuilles qui jaunissent. Si un examen minutieux écarte la possibilité d'une infestation de ravageurs, on passera en revue les soins que reçoit la plante, afin d'identifier le problème. Cet aide-mémoire sera en cela très utile.

AIDE-MÉMOIRE

Les arrosages sont-ils dosés?
Les apports d'engrais aussi?
L'éclairement est-il convenable?
La température est-elle bonne?
L'humidité est-elle adéquate?
Le pot est-il de la bonne taille?
Le mélange est-il approprié?

Maladies

Les maladies sont causées par l'implantation massive de micro-organismes, champignons ou bactéries, dans les cellules des plantes. La meilleure prévention consiste à donner à chaque espèce les soins qui lui conviennent spécifiquement. Mais certaines précautions s'imposent également. L'utilisation de mélanges terreux stériles en est une. La suppression des feuilles et fleurs fanées ou malsaines en est une autre. On peut en énumérer d'autres. L'eau d'arrosage ne doit pas se déposer sur le feuillage et sur les fleurs; les sujets doivent toujours être suffisamment espacés; les tissus meurtris, susceptibles de s'infecter, doivent être coupés dès qu'ils dépérissent, et la plaie doit être asséchée et saupoudrée d'un fongicide. Enfin, on doit combattre les infections au premier signe.

Fonte des semis
Ce groupe de maladies attaque les plantules dont la base noircit. Il n'y a aucun traitement.
Prévention Utiliser un mélange stérile et l'arroser avec un fongicide. Disséminer les graines et repiquer les plants dès que possible. Enlever les plantules atteintes et appliquer un fongicide aux autres.

Fumagine
Cette pourriture noire n'affecte pas directement les feuilles, mais entrave le processus de photosynthèse et obstrue les pores.
Prévention et traitement Lutter contre les insectes suceurs qui en sont la cause (voir pages 454 à 456). Enlever les croûtes avec de l'eau savonneuse, puis vaporiser les feuilles avec de l'eau claire.

Oïdium
Cette maladie cryptogamique attaque, sous forme de moisissures poudreuses et blanchâtres, les feuilles, les tiges et parfois les fleurs. L'absence d'excroissances duveteuses la distingue de la pourriture grise. Elle menace surtout les plantes à feuilles tendres.
Prévention et traitement Cette maladie est rare chez les plantes d'intérieur. Couper les parties atteintes et vaporiser le reste de la plante avec un fongicide.

Pied noir
Cette maladie, aussi appelée pourriture noire ou pourriture des racines, s'apparente à la pourriture grise (voir ce nom); les tiges noircissent et pourrissent à la base.
Prévention et traitement L'excès d'eau ou un mélange terreux trop peu poreux favorisent cette maladie. Utiliser, pour toutes les boutures, un mélange à enracinement bien drainé. Plonger les parties coupées dans une poudre d'hormones à enracinement contenant un fongicide. S'il se trouve une bouture malade dans un pot qui en contient plusieurs, la jeter et traiter les autres avec un fongicide. Les parties atteintes ne guérissent pas, mais les saines se bouturent.

Pourriture des cormus, racines ou tubercules
Le jaunissement et le flétrissement des feuilles peuvent être des symptômes précoces de cette maladie qui frappe les organes souterrains.
Prévention et traitement Veiller aux excès d'eau et aux mélanges mal drainés. Mouiller les sols des plantes sujettes à cette maladie avec un fongicide. Quand une plante est atteinte, la dépoter : si les racines ou les organes de réserves sont détruits, la jeter. Sinon, la débarrasser du mélange terreux, couper les parties malades et poudrer les autres (spécialement les plaies) avec un fongicide ou du soufre.

Pourriture grise
Ce champignon, appelé botrytis, couvre d'une mousse duveteuse grisâtre tiges, feuilles ou fleurs atteintes. Toutes les plantes à tiges et à feuilles tendres y sont exposées, mais seulement là où l'air est trop humide.
Prévention et traitement La pourriture grise est causée par un bassinage trop généreux du feuillage qui reste longtemps mouillé. Couper les parties atteintes ou jeter la plante si nécessaire. Prévenir de nouvelles attaques en appliquant un fongicide sur les parties saines.

Pourriture de la tige et du collet
La pourriture atteint toute partie de la tige, qui s'amincit et devient molle. Les cactées pourrissent à la base. Les rosettes ou les collets sont atteints au centre.

Prévention et traitement Cette maladie est toujours causée par des erreurs de culture, par exemple des arrosages trop abondants ou des températures trop froides. Les sujets atteints sont condamnés, mais on peut bouturer les parties saines. Si la pourriture s'installe à la souche, couper la tige au ras du mélange et appliquer du soufre ou une poudre fongicide sur la blessure; des pousses naîtront.

Taches foliaires
Les taches foliaires peuvent être dues aux champignons, aux bactéries, ou à des conditions de culture inadéquates. On voit apparaître sur les feuilles des taches brunes ou jaunâtres dont le centre paraît parfois humide. Elles peuvent n'avoir que 0,5 cm au début, mais elles s'étendent jusqu'à ce que la feuille en meure.
Prévention et traitement Des gouttes d'eau séjournant sur les feuilles sont à l'origine de cette maladie, tout comme l'usage d'une eau trop froide. Enlever les feuilles atteintes et vaporiser la plante avec un fongicide. Si les symptômes persistent, essayer un autre fongicide ou un bactéricide.

Les taches humides se transforment parfois en marques brunâtres semblables à du liège. Cette maladie, connue sous le nom d'œdème, n'est pas causée par un micro-organisme, mais par des arrosages excessifs et un manque de lumière. Les feuilles malades ne se rétabliront pas, mais les nouvelles se développeront normalement dès qu'on corrigera les erreurs (se reporter pour chaque cas au *Guide alphabétique*).

Viroses
Les viroses sont causées par des organismes microscopiques qui perturbent le fonctionnement des cellules des plantes. Les symptômes: rayures ou marbrures jaunes sur les feuilles, accompagnées de déformation de la feuille et arrêt de la croissance de la plante. Il n'y a aucun traitement.
Prévention Il est important d'éliminer sans tarder les plantes atteintes. Les viroses sont souvent transmises par des insectes suceurs comme les pucerons qu'il faut détruire aussitôt qu'on les a dépistés.

Ravageurs

Les plantes cultivées sont malheureusement très souvent la proie des ravageurs : insectes ou parasites. Ils peuvent ronger différentes parties des végétaux. La plupart de ceux qui s'attaquent aux plantes d'intérieur sont de taille microscopique.

Parmi ces insectes, on distingue les insectes suceurs, les insectes broyeurs, les insectes rongeurs et les larves. Les premiers enfoncent leurs pièces buccales dans les tissus des plantes pour en aspirer la sève. Les seconds rongent les feuilles, les tiges et les segments terminaux. Les troisièmes se creusent de véritables galeries dans le limbe des feuilles, dans les racines ou les tiges. Enfin, les larves détruisent les organes souterrains des plantes.

Pour détecter les ravageurs eux-mêmes ou les symptômes de leur présence, il faut examiner fréquemment les plantes de près. On profitera de l'empotage pour vérifier l'état des racines. Attention aussi aux points de jonction des rameaux et des feuilles, ainsi qu'aux fissures dans les tiges ligneuses.

Voici une brève description des ravageurs les plus communs ainsi que des traitements qui s'imposent en cas d'infestation.

Acariens des bulbes

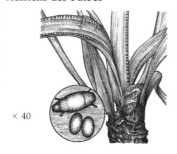

× 40

Les acariens ou phyptoptes sont des insectes suceurs invisibles qui attaquent les plantes bulbeuses. Parmi les plantes d'intérieur, seuls les hippeastrums y sont habituellement vulnérables. Ils marquent les feuilles et les tiges, tout près du bulbe, de moucheTures rouges et de stries. Dans les infestations graves, les feuilles deviennent striées et crénelées, et les boutons floraux sont parfois déformés ou détruits.

Traitement Si les feuilles et les tiges qui naissent à la reprise portent de telles marques, vaporiser à fond la plante avec un insecticide approprié et répéter le traitement toutes les semaines jusqu'à ce que les marques disparaissent.

Araignées rouges

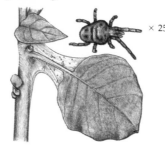

× 25

Les araignées rouges sont de minuscules insectes suceurs qui tissent une fine toile sous les feuilles. Leur présence se signale par des taches jaune clair parsemées de points noirs sur les feuilles. Celles-ci s'enroulent et tombent; les nouvelles pousses peuvent être maladives, et les boutons floraux noircir. **Traitement** Les araignées rouges se multiplient en milieu chaud et sec; on prévient leur apparition par des bassinages quotidiens. Si la plante paraît atteinte, l'examiner à la loupe; couper les feuilles et les tiges infestées, et vaporiser la plante avec un insecticide. Répéter après 3 jours, puis après 10.

Charançons

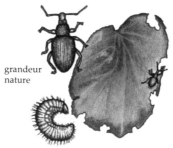

grandeur
nature

Les charançons sont des insectes broyeurs de 2,5 cm. Leurs larves couleur crème dévorent les racines et les organes de réserve. Une dégénérescence soudaine des organes aériens d'une plante est un signe d'infestation.
Traitement Tuer les charançons adultes. Mouiller à fond le mélange terreux avec un insecticide approprié. Les plantes gravement atteintes ne guérissent pas.

Chenilles

grandeur
nature

Les chenilles attaquent rarement les plantes d'intérieur, mais on peut en trouver de petites sur les plantes nouvellement acquises, sans compter que les lépidoptères et les papillons pondent parfois leurs œufs sur les plantes déjà établies. Les chenilles sont des insectes broyeurs qui percent surtout les feuilles tendres ou en mangent le bord. Certaines s'attaquent aux tiges, au niveau de la souche. **Traitement** Tuer les chenilles une à une. Si elles pullulent, utiliser un insecticide.

Cochenilles

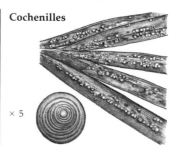

× 5

Les cochenilles sont des insectes de 1,5 à 3 mm, brunâtres ou jaunâtres (sauf la cochenille des fougères, qui est blanche). Au stade adulte, elles s'immobilisent, protégées par une carapace cireuse, et sucent la sève des plantes qu'elles font dépérir. Elles sécrètent aussi une « miellée » dont raffolent les fourmis. La plante devient alors poisseuse et se couvre de fumagine (voir page 453). Toutes les plantes sont vulnérables à leurs attaques. **Traitement** Comme elles se logent dans les crevasses, les enlever avec un chiffon mouillé ou une brosse assez dure trempée dans une eau savonneuse ou dans un insecticide dilué. Traiter ensuite toute la plante à l'insecticide.

Cochenilles farineuses et cochenilles des racines

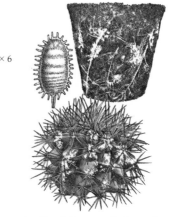

× 6

Les cochenilles farineuses n'ont que 3 mm; leur corps ovale, rose et filamenteux est recouvert d'un enduit blanchâtre. Elles s'agglutinent sur les tiges et les feuilles ou à l'aisselle de celles-ci, et s'entourent chacune de flocons laineux blancs. Les feuilles jaunissent et tombent rapidement. La plante très infestée meurt.
Traitement Enlever les insectes visibles avec un cure-dents, un chiffon mouillé ou un petit pinceau dur trempé dans de l'alcool dénaturé ou dans un insecticide dilué. Traiter ensuite tous les organes aériens avec un insecticide. Ou encore, mettre des granules d'un insecticide systémique (si cet insecticide est autorisé) dans le mélange. Durant le mois qui suit, examiner les plantes chaque semaine.
Les cochenilles des racines, parentes des précédentes, envahissent les racines et en sucent la sève, occasionnant souvent un arrêt de la croissance des plantes. Les plus vulnérables aux attaques de ces ravageurs sont les cactées, les plantes grasses et les saintpaulias.
Traitement Dépoter les petites plantes, laver les racines à l'eau tiède, couper les parties atteintes, baigner les parties restantes dans un insecticide, remplacer le mélange terreux et

rempoter dans des contenants propres. Mouiller à fond le mélange des grosses plantes avec un insecticide, tous les 15 jours pendant au moins six semaines.

Fourmis

×2

Les fourmis sont dangereuses à cause des insectes suceurs, souvent porteurs de viroses intraitables, qu'elles transportent. Elles se nourrissent du miellat sécrété par d'autres insectes et creusent des galeries qui endommagent les racines.

Traitement Utiliser un insecticide, et poudrer les plantes de malathion ou de diazinon.

Mineuses

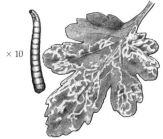

×10

Les mineuses sont des larves suceuses qui percent des galeries dans le limbe des feuilles. Ces galeries ressemblent souvent à de petits sillons blancs, mais peuvent prendre l'apparence d'une tache. On peut souvent voir les mineuses en examinant les feuilles de près. Elles attaquent de préférence les chrysanthèmes et les cinéraires.

Traitement Enlever les feuilles touchées; vaporiser la plante avec un insecticide ou répandre dans le mélange des granules systémiques (dans les pays où ces insecticides sont autorisés).

Mouche blanche

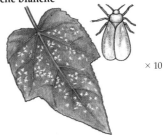

×10

La mouche blanche est un insecte suceur d'au plus 3 mm. Elle dépose ses nombreuses larves écailleuses, verdâtres et transparentes sur la surface intérieure des feuilles dont elle suce la sève tout en sécrétant une miellée visqueuse. **Traitement** Il est difficile de se défaire de cet insecte. Vaporiser souvent avec différents insecticides.

Moucherons des champignonnières

×12

Ces moucherons de 1,5 mm de long déposent leurs larves blanches à tête noirâtre dans les mélanges. Ces larves se nourrissent de matières en décomposition ou de racines pourries, sans risque pour la plante, mais une ou deux espèces peuvent détruire les racines, surtout celles des plantules.

Traitement Il ne devrait pas y avoir de ces larves dans les mélanges stérilisés, mais surveiller les mélanges à base de tourbe. Mouiller à fond le mélange infesté avec un insecticide approprié et en vaporiser les moucherons.

Nématodes

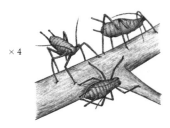

×55

Certaines nématodes, les anguillules, sucent la sève des racines, provoquant de petites nodosités qui empêchent celles-ci d'absorber l'eau et les matières nutritives.

Traitement On ne devrait pas trouver d'anguillules dans les mélanges terreux stérilisés. Il n'y a aucun moyen de les combattre : éliminer la plante et le mélange infestés. Stériliser le pot ou le jeter. Eviter tout contact avec les plantes saines. Ne pas prélever de boutures près de la souche du sujet atteint. Seuls les rameaux terminaux peuvent être utilisés.

Perce-oreille

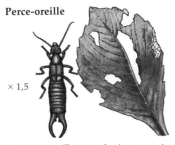

×1,5

Les perce-oreilles sont des insectes minces et brun sombre d'au plus 2,5 cm. Ils dévorent tous les organes aériens de presque toutes les plantes.

Traitement Mettre des gants pour les prendre, car ils pincent, ou utiliser un insecticide approprié (ceux qu'on vend contre les cancrelats les tuent mais ne conviennent pas aux plantes).

Podures

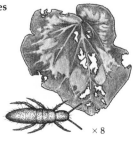

×8

Les podures sont des insectes sauteurs blancs atteignant 1 cm et vivant dans le terreau et la tourbe non stérilisés. La plupart sont inoffensifs, mais certains rongent les tiges des jeunes plants et se nourrissent des feuilles.

Traitement A titre préventif, utiliser toujours des mélanges stérilisés pour les semis. Aucun traitement n'est prescrit, si ce n'est un arrosage à fond avec un insecticide approprié.

Pucerons

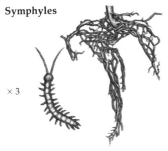

×4

Les pucerons sont des insectes suceurs d'environ 3 mm, généralement verts, mais parfois noirs, bruns, gris ou jaunes. Ils sont très prolifiques. Sous l'effet de leurs attaques, les feuilles, les tiges et les fleurs se déforment, deviennent poisseuses et se couvrent souvent de fumagine (voir page 453). Enfin, ils transmettent des viroses incurables. Les pucerons attaquent toutes les plantes, sauf celles qui ont des tissus robustes (comme les broméliacées).

Traitement Enlever les organes très atteints. Garder les plantes propres et utiliser un insecticide régulièrement.

Symphyles

Les symphyles ressemblent à de petits millepattes couleur crème à cela près qu'ils détruisent les radicelles et creusent des galeries dans les racines, provoquant l'apparition de plaques liégées. Ils attaquent rarement les plantes d'intérieur.

Traitement Les symphyles ne survivent pas normalement dans les mélanges terreux stérilisés. S'en assurer en agitant un peu de mélange dans de l'eau; les insectes, s'il y en a, remonteront à la surface. Mouiller alors le mélange à fond avec un insecticide approprié.

×3

Tarsonème du cyclamen

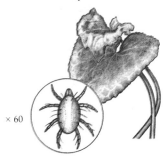

× 60

Ce minuscule insecte suceur est très prolifique. Les feuilles et les hampes florales, cassantes, s'enroulent et peuvent se couvrir de petites croûtes. Ces ravageurs attaquent le cyclamen et plusieurs autres plantes.

Traitement Avec une loupe puissante, inspecter les endroits suspects; au besoin, vaporiser avec un insecticide approprié et répéter ce traitement tous les mois jusqu'à ce que les signes d'infestation disparaissent.

Thrips

× 7

Les thrips sont des insectes suceurs d'environ 1,5 mm de long. Jaunes, verts ou noirs, en dépit de leurs ailes frangées, ils ne volent pas mais sautent plutôt comme les podures. Leur présence se manifeste par des rayures ou des mouchetures, surtout sur les feuilles tendres; les fleurs attaquées se couvrent de taches blanches. Ils sécrètent un liquide rougeâtre qui vire au noir, tachant feuilles et fleurs.

Traitement Enlever les fleurs abîmées et les feuilles très touchées. Vaporiser ensuite les plantes avec un insecticide approprié.

Tordeuses

grandeur
nature

Les tordeuses sont des chenilles vertes de 1,5 à 2,5 cm, qui s'enroulent dans les feuilles et s'y blottissent, n'en sortant que pour se nourrir des feuilles et des tiges avoisinantes. Elles attaquent à peu près toutes les plantes.

Traitement Enlever les feuilles enroulées. Vaporiser au besoin avec un insecticide approprié. Détruire les tordeuses adultes (insectes de forme oblongue mesurant 1,3 cm les ailes repliées) en les vaporisant aussi; autrement, elles pondront des œufs dont naîtront d'autres chenilles.

Le diagnostic

Dans les pages qui suivent, on trouvera une description des principaux symptômes que peut présenter une plante malade, ainsi que les causes probables de ces symptômes. Ceux-ci sont dus très fréquemment à des soins inadéquats : erreur d'arrosage ou de fertilisation, températures trop hautes ou trop basses, exposition aux courants d'air, à une atmosphère chaude et sèche ou à un soleil trop violent. La plante peut réagir à des erreurs, même très légères, en se couvrant de marques, en se décolorant ou même en pourrissant. Le remède consiste à rectifier les conditions de culture selon les recommandations du *Guide alphabétique*. Toutefois, les organes très atteints ne guériront pas. Les ravageurs et les maladies sont aussi des causes fréquentes. Dans ces deux cas, un prompt diagnostic accroît les chances de succès du traitement. On consultera les pages 452 et suivantes pour ces traitements.

PLANTE ENTIÈRE
Arrêt de la croissance

Soupçonner d'abord les insectes suceurs, surtout les tarsonèmes du cyclamen, les pucerons, les cochenilles ou les araignées rouges. Il peut s'agir aussi d'attaques du système racinaire par des ravageurs ou des maladies (voir « Racines », page 458), ou, chez les pélargoniums, d'une virose.

Flétrissement général

Plusieurs causes sont possibles : racines attaquées par des ravageurs ou des maladies (voir « Racines », page 458); mélange saturé d'eau, sécheresse excessive de l'air ou grave coup de froid subi par la plante.

SEGMENTS TERMINAUX
Pourriture grisâtre

C'est un symptôme du botrytis, appelé également pourriture grise.

Taches farineuses

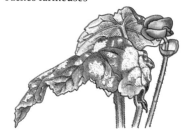

Elles signalent la présence du mildiou ou de l'oïdium, maladies cryptogamiques.

Toiles enrobantes

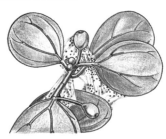

Elles partent de la face inférieure des feuilles et enveloppent tiges et feuilles; elles révèlent la présence d'araignées rouges.

TIGES OU COLLETS
Moisissures noires ou brunes

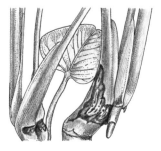

Chez les sujets adultes, il s'agit probablement d'une maladie appelée pourriture de la tige et du collet. A la base des boutures, soupçonner la maladie du pied noir. Sur les jeunes plants, il s'agit de la fonte des semis.

Pointes tronquées et encoches irrégulières sur les tiges

Les plantes ainsi atteintes sont sans doute la proie des chenilles, des perce-oreilles ou des charançons. Ces ravageurs dévorent en effet les parties les plus tendres des plantes, d'où la forme irrégulière des encoches le long des tiges. Il faut les dépister à temps; autrement, ils peuvent causer des dommages très graves.

FEUILLES

Brunissement des pointes

Ce symptôme apparaît chez les plantes à longues feuilles rubanées, soit parce qu'on les meurtrit au passage, soit parce que l'air ou le mélange sont trop secs.

Chute des feuilles

Si les feuilles tombent soudainement et que la plante n'entre pas en période de repos, il s'agit sans doute de graves erreurs dans les soins prodigués à la plante.

Déformation

Lorsque les feuilles frisent anormalement ou n'ont pas leur aspect habituel, soupçonner les insectes suceurs : pucerons, tarsonèmes du cyclamen, araignées rouges ou thrips. Chez les pélargoniums, il peut s'agir d'une virose.

Diaprures jaunes

Elles sont probablement causées par des insectes suceurs ou, chez les pélargoniums et les peperomias dont les feuilles sont déformées, par une virose.

Disparition des panachures

Il ne s'agit pas d'une maladie : les plantes à panachures ont tendance à reprendre la couleur normale. Couper les tiges à feuilles vert uni et corriger l'éclairement.

Enroulement des feuilles

Si les marges sont réunies par une toile blanche, détecter les chenilles ou les chrysalides des tordeuses.

Jaunissement et flétrissement

Surveiller ces insectes suceurs : pucerons, cochenilles, araignées rouges ou mouches blanches. S'ils sont absents, le mode de culture est sans doute erroné. Vérifier les soins.

Jaunissement sans flétrissement

C'est le symptôme d'un éclairement trop vif, ou d'une chlorose provoquée par un excès de calcaire. Pour éliminer le calcaire, ajouter à l'eau d'arrosage un produit à base de séquestrène ou de chélate de fer.

Marques blanches irrégulières

Ce sont les galeries d'insectes qui rongent l'intérieur des plantes.

Marques de décoloration

Des marques de décoloration jaunes, brunes ou noires, plus ou moins grandes et irrégulières, sont des symptômes de soins inadéquats. Vérifier les exigences de la plante.

457

Moisissure noire

Il s'agit de la fumagine, provoquée par des insectes suceurs comme les araignées rouges.

Plaques liégées

Des gouttes d'eau laissées sur les feuilles peuvent en être la cause. Cette maladie, appelée œdème, résulte souvent d'un excès d'eau et d'un éclairement trop faible.

Rayures

Des rayures pâles ou rouges révèlent probablement la présence d'acariens chez les hippeastrums, ou de thrips chez les autres plantes. Les feuilles rubanées des plantes bulbeuses présentent parfois en même temps des malformations et des cicatrices le long des marges.

Sécrétion poisseuse

Il s'agit d'un liquide sécrété par divers insectes suceurs comme les pucerons, les cochenil-

les ou les mouches blanches. Ce liquide est parfois produit en si grande quantité qu'il s'écoule au bout des feuilles.

Taches

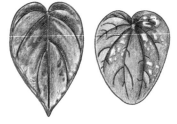

Toutes sortes de taches peuvent apparaître sur les feuilles : petites et régulières ou grandes et irrégulières, humides et en forme d'ampoules ou sèches et creuses. Elles sont très souvent le symptôme de mauvais soins, mais peuvent être un signe d'infection virale ou bactérienne. Les petites taches brunes, rondes et plates, indiquent généralement des erreurs dans l'arrosage et le bassinage des plantes.

Trous ou crénelures

Rechercher les insectes broyeurs : chenilles, perce-oreilles et charançons.

FLEURS

Chute prématurée

Elle tient souvent à des modifications brusques dans les conditions de culture : hausse ou baisse importante des températures, arrosages irréguliers, ou, simplement, passage d'un lieu à un autre, exposant la plante aux courants d'air ou à un éclairement inadéquat.

Déformation des bourgeons

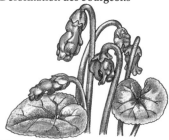

Elle révèle souvent un envahissement de la plante par des thrips. Ce symptôme peut également être celui d'une maladie virale.

Noircissement des bourgeons

Il se produit quand il n'y a pas assez d'humidité. Il peut être dû également à la présence d'insectes : tarsonèmes du cyclamen ou araignées rouges.

Rayures ou marbrures

Surveiller les tarsonèmes du cyclamen et les thrips; la présence d'une virose peut aussi en être la cause.

RACINES, BULBES ET TUBERCULES
Boursouflement et prolifération

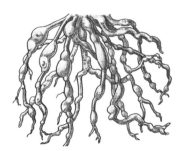

Les racines sont probablement attaquées par les nématodes des racines.

Etiolement

Les larves du moucheron des champignonnières, les nématodes, les symphyles ou les larves des charançons attaquent alors dangereusement les racines.

Plaques laineuses blanches

Elles signalent de façon certaine la présence de cochenilles des racines. On verra d'ailleurs les insectes en examinant de près les racines.

Plaques liégées

Il s'agit presque à coup sûr d'une épidémie de symphyles.

Pourriture

Ce symptôme peut être causé par la maladie appelée pourriture des cormus, racines ou tubercules, ou par des soins inappropriés. Il s'agit très souvent, dans ce cas, d'arrosages trop généreux ou d'une obstruction des trous de drainage du pot.

Prévention et traitement

Insecticides Plus vite on décèle la présence d'insectes, mieux l'on peut y remédier. En effet, la plupart se multiplient très rapidement et se propagent d'une plante à l'autre. Au début de l'attaque, on peut parfois arriver à détruire, en les enlevant un à un, les insectes visibles comme les cochenilles farineuses ou les charançons. De même, il est possible de se débarrasser des plus petits en coupant toutes les parties atteintes de la plante. Généralement, cependant, la propagation est plus importante et d'aussi simples traitements ne suffisent pas. Il faut alors avoir recours à des vaporisations d'insecticide (consulter à ce sujet les pages 460 et 461). À titre préventif, on peut même vaporiser les parties non atteintes de la plante.

Les insecticides agissent de deux façons : par contact, lorsqu'ils sont vaporisés ou saupoudrés sur les insectes; par ingestion, lorsque les insectes les absorbent en se nourrissant de la plante. On trouve dans ce dernier cas deux types d'insecticide. Le premier recouvre comme un enduit les organes externes de la plante. Le second, qui porte le nom de *systémique*, se répand par la sève dans tous les tissus de la plante et y subsiste un certain temps. (Toutefois, dans certains pays, les insecticides systémiques sont interdits pour le commerce de l'amateur.) Les insectes, en rongeant une partie de celle-ci, sont aussitôt détruits. Cet insecticide est un excellent produit préventif, surtout contre certains insectes insidieux comme les cochenilles. Son action est cependant assez lente. Les insecticides de contact, par contre, agissent sur-le-champ, mais ils sont moins efficaces. On peut parfois combiner les deux.

Avant de choisir des insecticides, on se rappellera que leur efficacité est subordonnée à deux facteurs primordiaux : la santé des plantes et celle des êtres humains.

Certains insecticides sont nocifs pour quelques espèces de plantes, notamment les fougères, les cactées et autres plantes grasses qui réagissent mal à certains produits chimiques. Lire attentivement les instructions données sur l'emballage ou sur le flacon; on y dresse la liste des plantes auxquelles l'insecticide ne convient pas et celle des insectes qu'il est apte à détruire. Quant aux quantités à employer, suivre à la lettre les recommandations du fabricant. Une dose trop forte peut nuire à la plante; une dose trop faible ne donnera pas les résultats prévus.

La plupart des insecticides sont toxiques pour les êtres humains, souvent par simple contact. Il faut être prudent dans l'usage que l'on en fait : tenir compte des mises en garde du fabricant et bien se laver les mains après les applications. Les seuls insecticides qui ne présentent aucun danger sont les pyréthrines et leur dérivé, la resméthrine. Ce sont des substances extraites de végétaux, qui devraient plaire aux amateurs de produits naturels. Cependant, certains insectes échappent à leur action. La nicotine, qu'on trouve sous forme de sulfate de nicotine, est aussi un insecticide naturel, mais elle est toxique pour les êtres humains.

D'autres insecticides, comme la roténone, sont mortels pour les poissons. Couvrir les aquariums qui se trouvent dans les pièces où sont traitées les plantes.

Traitement des maladies La meilleure façon de prévenir les maladies est de donner aux plantes les soins qu'elles réclament. Mais si une maladie se déclare, enlever immédiatement les parties atteintes pour éviter que les micro-organismes qui en sont responsables n'essaiment sur d'autres plantes.

Les antibiotiques et les produits chimiques qui peuvent lutter contre les champignons et les bactéries s'appellent fongicides et bactéricides. Il existe des produits systémiques qui peuvent détruire les micro-organismes (voir la réserve émise ci-dessus).

Aucun d'eux n'est habituellement nocif pour les plantes et les êtres humains, mais il faut néanmoins suivre les instructions du fabricant.

Produits combinés On trouve maintenant des insecticides-fongicides. Les plantes d'intérieur étant généralement moins victimes des maladies que des méfaits des ravageurs, on a rarement besoin de les utiliser, sinon à titre préventif.

Les pesticides

Destinés à combattre maladies ou ravageurs, les pesticides se présentent sous diverses formes. Les plus communs sont des solutions que l'on vaporise après les avoir diluées dans l'eau. Quelques-uns se vendent en bombes aérosol. Enfin, il existe également des pesticides en poudre qui sont généralement destinés aux plantes de jardin. Toutefois, certaines de ces poudres, plus précisément les poudres fongicides, peuvent être appliquées sur les organes meurtris ou coupés des plantes d'intérieur.

On trouvera ci-dessous une liste de quelques produits recommandés pour combattre les divers parasites et affections dont il est fait mention dans les pages précédentes. Ces produits sont soumis à une réglementation particulière à chaque pays, d'où les variantes d'un pays à l'autre. A la page suivante sont données les spécialités commerciales qui contiennent ces produits. On voudra bien noter que ces listes ne sont pas exhaustives et que, d'autre part, elles peuvent être sujettes à révision à mesure que de nouveaux produits sont mis sur le marché. L'amateur aura intérêt à consulter les détaillants spécialisés.

Produits recommandés

Acariens des bulbes
CANADA : dicofol
Araignées rouges
CANADA : dicofol, disulfoton ou malathion
FRANCE : dicofol, bromophos ou malathion
SUISSE : huiles blanches, néostanox, roténone ou pyréthrines + roténone
Charançons
CANADA : malathion + méthoxychlora + tétradifon
FRANCE : lindane, bromophos ou malathion
SUISSE : endosulfan
Chenilles
CANADA : tétraméthrine + resméthrine ou pyréthrines + butoxyde de pipéronyle
FRANCE : carbaryl, méthoxychlore, bromophos, malathion ou roténone
SUISSE : pyréthrines, roténone ou pyréthrines + roténone
Cochenilles
CANADA : malathion
FRANCE : oléo-malathion ou huile + roténone
SUISSE : oléo-diazinon ou huile + roténone
Cochenilles farineuses
CANADA : malathion
FRANCE : bromophos, malathion ou oléo-malathion
SUISSE : oléo-diazinon
Cochenilles des racines
CANADA : malathion
FRANCE : bromophos ou malathion
SUISSE : pirimicarbe
Fonte des semis
CANADA : captane + dinocap
FRANCE : captane, folpel, manèbe, thirame ou zinèbe
SUISSE : captane, folpel, manèbe, thirame, zinèbe ou huile + roténone

Fourmis
CANADA : diazinon, malathion ou resméthrine
FRANCE : carbaryl, lindane ou diazinon
SUISSE : carbaryl ou diazinon
Fumagine
Due à la présence de pucerons ou de cochenilles (détruire ces insectes).
Mildiou
CANADA : soufre ou captane + dinocap
Mineuses
CANADA : disulfoton ou malathion
FRANCE : bromophos, lindane ou malathion
SUISSE : malathion
Moucherons des champignonnières
CANADA : diazinon ou malathion
Mouches blanches ou aleurodes
CANADA : disulfoton, malathion ou resméthrine
FRANCE : pyrimiphos-méthyle ou pyréthrines
SUISSE : diazinon, roténone, sulfotep ou pyréthrines + roténone
Oïdium ou blanc (voir aussi **Mildiou**)
FRANCE : bénomyl, bupirimate, dinocap ou soufre
SUISSE : bénomyl, bupirimate, dinocap, soufre, triforine ou dodine + dodémorphe
Perce-oreilles
CANADA : diazinon
Pied noir
CANADA : captane + dinocap
Podures
CANADA : diazinon ou malathion
Pourriture (cormus, racines ou tubercules)
CANADA : captane + dinocap
FRANCE : iprodione ou thirame
SUISSE : thirame

Pourriture (tige et collet)
CANADA : soufre
FRANCE : iprodione ou thirame
SUISSE : thirame
Pourriture grise
CANADA : captane + dinocap
Pucerons
CANADA : disulfolton, malathion, resméthrine, alléthrine + butoxyde de pipéronyle ou malathion + méthoxychlore + tétradifon
FRANCE : bromophos, diazinon, lindane, malathion, pyréthrines ou roténone
SUISSE : diazinon, pyréthrines, roténone ou pyréthrines + roténone
Symphiles
CANADA : diazinon ou malathion
Taches foliaires (dues à des champignons)
CANADA : captane + dinocap
FRANCE : captane, dichlone, folpel, manèbe ou zinèbe
SUISSE : captane, dichlone, folpel, manèbe ou zinèbe
Tarsonèmes du cyclamen
CANADA : dicofol ou tétraméthrine + resméthrine
FRANCE : dicofol
SUISSE : endosulfan
Thrips
CANADA : disulfoton, malathion, resméthrine ou alléthrine + butoxyde de pipéronyle
FRANCE : bromophos, lindane ou malathion
SUISSE : diazinon, roténone ou pyréthrines + roténone
Tordeuses
CANADA : tétraméthrine + resméthrine ou alléthrine + butoxyde de pipéronyle
FRANCE : bromophos, diazinon, carbaryl ou malathion
SUISSE : diazinon ou trichlorphon

Spécialités commerciales

On trouvera dans les tableaux ci-dessous les principales spécialités commerciales contenant les produits cités à la page précédente. On remarquera que certaines spécialités associent plusieurs produits en vue de combattre simultanément différents parasites ou de traiter plusieurs affections à la fois.

CANADA

Produits	Spécialités commerciales	Produits	Spécialités commerciales
Diazinon	Diazinon, Keridust	Alléthrine + butoxyde de pipéronyle	Insect Blaster pour maison et jardin, Insecticide Puro-guard
Dicofol	Kelthane	Captane + dinocap	Floral Fungicide Dust
Disulfoton	Insecticide systémique pour plantes en pots	Malathion + méthoxy-chlore + tétradifon	Later's Flower and Garden Insecticide
Malathion	Malathion	Pyréthrines + butoxyde de pipéronyle	Diacide, Bower Permaguard, Insecticide AP-200, Alberto-Culver
Resméthrine	Kerigard		
Soufre	Soufre	Tétraméthrine + res-méthrine	Insecticide en aérosol pour plantes d'appartement (Wilson)

FRANCE

Produits	Spécialités commerciales	Produits	Spécialités commerciales
Bénomyl	Benlate	Carbaryl + lindane + soufre + zinèbe	KB Poudre totale C, KB Pulvérisation totale C, Omnitox Poudrage total, Omnitox Pulvérisation totale
Bromophos	Nexion, Sovi-Nexion		
Bupirimate	Nimrod, LC Oïdium		
Captane	Captanol, Orthocide, Sovilane	Lindane + malathion + dinocap	Bombe totale GT*
Carbaryl	KB Insectes, Naftil, Sevin		
Dicofol	Carbax, Kelthane, Sovifol	Lindane + malathion + folpel + soufre	Gesal Double Action poudrage, Gesal Double Action pulvérisation
Dinocap	Karathane, LC Blancs, Sovicap		
Folpel	Folcap, Phaltane	Lindane + malathion + soufre + zinèbe	LC Multitox pulvérisation M, Poudrage total Vilmorin, Pulvérisation totale Vilmorin
Lindane	KB Insectes, Lindex, Sovinexit		
Malathion	KB Insecte liquide, LC Ver du poireau, Malatox, SCAC Insectes		
Manèbe	Dithane M 22, LC Mildiou, Manelge, Soviram	Lindane + pyréthrines + dicofol + dichlone + dinocap	KB Bombe totale*
Oléo-malathion	KB Cochenilles, Umupro Cochenilles, Vilmorin Cochenilles	Lindane + roténone + pyréthrines + malathion + dichlone + dinocap	Bombe totale Umupro*
Pyréthrines	Insecticide S Vilmorin		
Pyrimiphos-méthyle	Actellic		
Roténone	Cuberol, KB Bombe Polish*, LC Insecte poudre	Malathion + roténone + soufre + zinèbe	Bouillie Double Action Fisons, Poudrage Double Action Fisons
Soufre	KB Oïdium, Thiovit, Ultra-Sofril	Roténone + manèbe + soufre	Cuberol Triple Poudrage, Cuberol Triple Bouillie
Zinèbe	Dithane Z 78, Sepineb, Zinosan		

*Spécialités présentées en bombe aérosol et conçues particulièrement pour le traitement des plantes cultivées en appartement et sur les balcons.

SUISSE

Produits	Spécialités commerciales	Produits	Spécialités commerciales
Bénomyl	Benlate*	Dinocap + folpet	Biofol (5)
Bromophos	Shell-Nexion (4), Super Schrumm Strip (5S), Xilin-P (4)	Pyréthrines + pipéro-nyl-butoxyde	Aril N (5S), Biocid pulvérisation LG liquide (5), Ledax WG émulsion (5)
Bupirimate	Nimrod EC (5)	Roténone + pyréthrines	Déril (4), Parexan (4)
Captane	Captane poudre mouillable (5), Orthocide (5)		
Carbaryl	Sevin Appât S (5)	Soufre cuprique + roténone	Pulvyl (5S), Sandotox 6 (5S)
Dinocap	Karathane (4), Koplan poudre mouillable (4)	Soufre + folpet + cuivre + néostanox	Nospore soufré A (5)
Folpet	Ortho Phaltane 80 (5), Phaltane (5S)	Soufre + mancozèbe + captafol	Gésal fungicide (5S), Hortosan (5S)
Malathion	Ektozid LG (3)	Zinèbe + cuivre + soufre	Pérosol (4)
Manèbe	Manèbe poudre mouillable (4)		
Oléodiazinon	Oléodiazinon Sandoz (5), Veralin D (5)		
Pyréthrine	Aril N (5S)		
Roténone	Sicide pulvérisation (5)		
Soufre	Soufre mouillable*, Thiovit*		
Zinèbe	Zinèbe poudre mouillable (5)		

En Suisse, la classe de toxicité est indiquée entre parenthèses après le nom de chaque produit (1 : extrêmement dangereux, non autorisé pour la protection des plantes ; 2 : très dangereux ; 3 : dangereux ; 4 : non inoffensif ; 5 : présentant un faible danger ; 5S : présentant un faible danger, admis en libre-service). L'astérisque signifie que le produit n'appartient à aucune classe de toxicité.

Familles de plantes d'intérieur

Les plantes se répartissent entre différentes familles botaniques, chacune ayant ses caractères propres. Voici une brève description des familles mentionnées dans le guide. Les genres qui s'y rapportent sont en italique.

Acanthacées Plantes herbacées à feuilles simples, d'une forme souvent attrayante. Fleurs à bractées colorées et de longue durée. Très répandues, surtout sous les tropiques. *Aphelandra, Beloperone, Crossandra, Fittonia, Hemigraphis, Hypoestes, Jacobinia, Pachystachys, Pseuderanthemum, Ruellia, Sanchezia, Strobilanthes, Thunbergia.*

Agavacées Plantes ligneuses pour la plupart, à rosettes de feuilles étroites portées sur des tiges dressées; fleurs nombreuses. Originaires des régions tropicales humides et subtropicales arides. *Agave, Cordyline, Dracaena, Pleomele, Sansevieria, Yucca.*

Aizoacées Plantes grasses, peu développées, à fleurs en forme de marguerites. Originaires des régions arides du sud de l'Afrique. *Faucaria, Lithops.*

Amaranthacées Plantes non ligneuses pour la plupart, à petites fleurs et à feuilles souvent très colorées. Très répandues. *Iresine.*

Amaryllidacées Plantes bulbeuses pour la plupart, à fleurs remarquables et à longues feuilles. Très répandues dans les régions qui connaissent de longues périodes de sécheresse. *Clivia, Crinum, Haemanthus, Hippeastrum, Narcissus, Vallota.*

Apocynacées Plantes arbustives ou grimpantes non ligneuses, à feuilles simples et à fleurs très décoratives. Très répandues dans les régions tropicales. *Allamanda, Catharanthus, Dipladenia, Nerium.*

Aracées Plantes grimpantes et non ligneuses, souvent très vigoureuses. Quelques-unes sont épiphytes. Fleurs minuscules enfermées dans un spadice entouré d'une spathe en forme de pétale. Proviennent des régions tropicales humides. *Acorus, Aglaonema, Anthurium, Caladium, Dieffenbachia, Monstera, Philodendron, Scindapsus, Spathiphyllum, Syngonium, Zantedeschia.*

Araliacées Arbustes et plantes grimpantes à feuilles souvent très découpées. Fleurs banales réunies en bouquets. Originaires des forêts tempérées et tropicales. *Brassaia, Dizygotheca, Fatshedera, Fatsia, Hedera, Heptapleurum, Polyscias.*

Araucariacées Conifères à petites feuilles aciculaires. Originaires des régions tempérées et subtropicales. *Araucaria.*

Asclépiadacées Arbustes, plantes grimpantes, plantes rampantes et plantes grasses non ligneuses. Fleurs parfois curieuses. Famille très répandue dans les régions tropicales. *Ceropegia, Hoya, Stapelia, Stephanotis.*

Balsaminacées Plantes non ligneuses ou sous-arbustives. Tiges charnues garnies de nodosités. Fleurs remarquables, souvent dotées d'un éperon. Répartition géographique mondiale. *Impatiens.*

Bégoniacées Plantes non ligneuses à feuilles asymétriques ou à fleurs remarquables, ou les deux à la fois. Originaires des régions tropicales et subtropicales humides. *Begonia.*

Bignoniacées Arbres et plantes grimpantes à feuilles composées et à très belles fleurs. Très répandus, surtout dans les régions tropicales et subtropicales. *Jacaranda.*

Broméliacées Plantes épiphytes non ligneuses pour la plupart, à feuilles disposées en rosettes et à inflorescences de longue durée. Bractées souvent plus remarquables que les fleurs. Originaires de l'Amérique tropicale. *Aechmea, Ananas, Billbergia, Cryptanthus, Dyckia, Guzmania, Neoregelia, Nidularium, Tillandsia, Vriesea.*

Cactacées Plantes grasses à tiges colonnaires, globuleuses ou rampantes, dépourvues de feuilles. Fleurs naissant des aréoles. Originaires principalement des déserts et des jungles de l'hémisphère occidental. Les cactées de la jungle ont besoin d'humidité et sont parfois épiphytes. *Aporocactus, Astrophytum, Cephalocereus, Cereus, Chamaecereus, Cleistocactus, Dolicothele, Echinocactus, Echinocereus, Echinopsis, Epiphyllum, Espostoa, Ferocactus, Gymnocalycium, Hamatocactus, Heliocereus, Lobivia, Mammillaria, Notocactus, Opuntia, Parodia, Pfeiffera, Rebutia, Rhipsalidopsis, Rhipsalis, Schlumbergera, Trichocereus.*

Campanulacées Plantes non ligneuses à sève laiteuse ou latex, dont les fleurs, presque toujours bleues, sont en forme de clochettes. Répartition mondiale. *Campanula.*

Célastracées Arbres et arbustes à feuilles simples et à fleurs sans intérêt. Répartition presque mondiale. *Euonymus.*

Commélynacées Plantes non ligneuses, souvent rampantes, à tiges charnues aqueuses, à feuilles simples et à petites fleurs. Très répandues, surtout sous les tropiques. *Callisia, Cyanotis, Dichorisandra, Geogenanthus, Rhoeo, Setcreasea, Siderasis, Tradescantia, Zebrina.*

Composées Famille très grande et très diversifiée comportant des plantes grasses et des plantes à très belles fleurs. Répandues partout, mais surtout dans les régions tempérées. *Chrysanthemum, Cineraria, Gynura, Kleinia, Senecio.*

Cornacées Arbres et arbustes à feuilles simples et à petites fleurs, parfois entourées de bractées remarquables. Originaires principalement des régions tempérées. *Aucuba.*

Crassulacées Plantes grasses vivaces et arbustes. Feuilles souvent disposées en rosettes. Fleurs petites mais parfois très colorées. Les plantes d'intérieur proviennent surtout des zones sèches du sud de l'Afrique et de l'Amérique Centrale. *Aeonium, Aichryson, Bryophyllum, Cotyledon, Crassula, Echeveria, Graptopetalum, Kalanchoe, Pachyphytum, Rochea, Sedum.*

Cycadacées Plantes ressemblant aux palmiers, non florifères, à feuilles disposées en rosettes retombantes et à troncs ligneux. Originaires pour la plupart des régions tropicales. *Cycas.*

Cypéracées Plantes herbacées à feuilles ressemblant aux brins d'herbe, à petites fleurs verdâtres et à bractées foliacées. Répandues dans les régions humides. *Carex, Cyperus, Scirpus.*

Dioscoréacées Plantes volubiles, ligneuses ou non, à feuilles cordiformes, à racines tubéreuses et à petites fleurs. Répandues surtout sous les tropiques. *Dioscorea.*

Ericacées Arbres et arbustes ayant besoin d'acidité, à feuilles simples et persistantes. Fleurs tubuleuses ou campanulées. Très répandus, surtout dans les régions tempérées. *Erica, Rhododendron.*

Euphorbiacées Plantes herbacées, arbustes ou arbres; parfois plantes grasses et plantes ressemblant à des cactus, et renfermant souvent un latex toxique. Fleurs banales et bractées spectaculaires. Très répandus, surtout dans les régions tropicales. *Acalypha, Codiaeum, Euphorbia, Pedilanthus.*

Gentianacées Plantes herbacées à feuilles simples et à fleurs attrayantes. Répartition géographique mondiale. *Exacum.*

Géraniacées Plantes non ligneuses ou sous-arbustives, à feuilles souvent lobées et aromatiques. Fleurs très décoratives. Répandues dans les régions tempérées. *Pelargonium.*

Gesnériacées Plantes herbacées, souvent rampantes ou retombantes, à feuilles simples disposées en rosettes, souvent colorées et pubescentes. Quelques espèces à tubercules ou à rhizomes. Fleurs tubuleuses et vivement colorées. Originaires des forêts tropicales humides. *Achimenes, Aeschynanthus, Columnea, Episcia, Gesneria, Gloxinia, Kohleria, Saintpaulia, Sinningia, Smithiantha, Streptocarpus.*

Graminées Plantes herbacées à tiges garnies de nodules et recouvertes de tuniques. Fleurs sans intérêt. Répartition géographique mondiale. *Oplismenus, Stenotaphrum.*

Iridacées Plantes herbacées à bulbes, cormus ou rhizomes. Feuilles jaillissant de la souche. Belles fleurs. Répartition géographique mondiale. *Crocus.*

Labiacées Plantes arbustives ou sous-arbustives, non ligneuses, à feuilles symétriques. Tiges quadrangulaires. Fleurs irrégulières. Très répandues, surtout dans les régions méditerranéennes. *Coleus, Plectranthus.*

Légumineuses Très grande famille groupant des arbres, des arbustes, des plantes grimpantes et des plantes herbacées. Feuilles généralement composées; fleurs variées. Répartition géographique mondiale. *Cytisus, Mimosa.*

Liliacées Plantes herbacées, bulbeuses, grasses, ou arbustives à courte tige. Feuilles naissant à la souche ou disposées en rosettes. Fleurs souvent remarquables. *Aloe, Asparagus, Aspidistra, Chlorophytum, Gasteria, Haworthia, Hyacinthus, Liriope, Ophiopogon, Rohdea, Scilla, Tulipa, Veltheimia.*

Loganiacées Arbres, arbustes et plantes herbacées. Feuilles simples et fleurs composées. Originaires des régions tempérées, chaudes et tropicales. *Nicodemia.*

Lythracées Arbres, arbustes et plantes herbacées. Feuilles simples; fleurs très variées. Répartition mondiale. *Cuphea.*

Malvacées Arbres, arbustes et plantes herbacées, à feuilles lobées ou composées et à fleurs à étamines, réunies en un long tube central saillant. Répartition géographique mondiale. *Abutilon, Hibiscus.*

Marantacées Plantes touffues, non ligneuses, à feuilles simples, souvent colorées. Fleurs sans intérêt. Proviennent surtout des régions tropicales humides. *Calathea, Ctenanthe, Maranta, Stromanthe.*

Mélastomatacées Arbres à feuilles simples, arbustes et plantes herbacées. Fleurs variées, souvent très décoratives. Très répandus sous les tropiques. *Bertolonia, Medinilla, Schizocentron, Sonerila, Tibouchina.*

Moracées Arbres, arbustes, plantes grimpantes et plantes herbacées. Feuilles simples et fleurs minuscules. Très répandus, surtout dans les régions tropicales. *Ficus.*

Myrsinacées Arbres et arbustes à feuilles coriaces simples. Fleurs insignifiantes faisant place à des fruits ornementaux. Originaires des régions tropicales et subtropicales. *Ardisia.*

Myrtacées Arbres et arbustes, le plus souvent à feuilles simples, souvent aromatiques. Petites fleurs réunies en inflorescences de formes diverses. Très répandus. *Callistemon, Eucalyptus, Myrtus.*

Nyctaginacées Arbres, arbustes et plantes herbacées. Fleurs sans pétales, mais souvent à bractées et calices colorés. Très répandus dans les régions chaudes et tropicales. *Bougainvillea, Pisonia.*

Oléacées Arbres, arbustes et plantes grimpantes. Feuilles simples ou composées. Fleurs généralement à 4 lobes. Très répandus. *Jasminum, Osmanthus.*

Onagracées Arbres, arbustes et plantes herbacées. Originaires surtout des régions tempérées de l'hémisphère occidental. *Fuchsia.*

Orchidacées Probablement la plus grande de toutes les familles, groupant quelques plantes épiphytes et terrestres, mais surtout des plantes rhizomateuses. Fleurs toujours composées de 3 pétales et de 3 sépales. Très répandues dans les tropiques. *Brassia, Cattleya, Coelogyne, Cymbidium, Dendrobium, Epidendrum, Laelia, Laeliocattleya, Lycaste, Maxillaria, Miltonia, Odontoglossum, Oncidium, Paphiopedilum, Phalaenopsis, Vanda.*

Palmiers Plantes semblables à des arbres ou des arbustes, à tige unique ou à tiges multiples. Feuilles composées. Originaires des régions tropicales et subtropicales. *Caryota, Chamaedorea, Chamaerops, Chrysalidocarpus, Howea, Livistona, Microcoelum, Phoenix, Rhapis, Trachycarpus, Washingtonia.*

Pandanacées Arbres et arbustes semblables à des palmiers. Feuilles étroites disposées en spirale. Fleurs banales. Originaires des régions tropicales de l'hémisphère oriental. *Pandanus.*

Passifloracées Plantes grimpantes à tiges ligneuses ou non et à feuilles simples. Fleurs souvent vivement colorées présentant une couronne de filaments radiaires. Originaires principalement de l'Amérique tropicale. *Passiflora.*

Pipéracées Plantes herbacées, grimpantes ou arbustives à feuilles simples. Fleurs minuscules. Très répandues dans les régions tropicales et subtropicales. *Peperomia, Piper.*

Pittosporacées Arbres, arbustes et plantes grimpantes à tiges ligneuses et à feuilles simples. Petites fleurs souvent très parfumées. Répartis dans les régions chaudes de l'hémisphère oriental. *Pittosporum.*

Plumbaginacées Arbustes ou plantes herbacées à feuilles simples, souvent disposées en rosettes. Fleurs groupées en bouquets. Croissent naturellement pour la plupart dans les régions tempérées chaudes. *Plumbago.*

Podocarpacées Arbres et arbustes de l'ordre des conifères. Feuilles généralement étroites. Très répandus dans les zones tempérées, principalement de l'hémisphère Sud. *Podocarpus.*

Polypodiacées La principale famille des fougères. Plantes herbacées, dépourvues de fleurs, se reproduisant par spores situées sur la face inférieure des feuilles ou frondes. Feuilles généralement composées. Plusieurs espèces épiphytes à rhizomes rampants. Répartition géographique mondiale. *Adiantum, Asplenium, Blechnum, Cyrtomium, Davallia, Nephrolepis, Pellaea, Phyllitis, Platycerium, Polypodium, Polystichum, Pteris.*

Primulacées Plantes herbacées à feuilles généralement simples et à fleurs à 5 lobes. Originaires des régions tempérées fraîches. *Cyclamen, Primula.*

Protéacées Arbres et arbustes à feuilles habituellement coriaces. Fleurs superbes, mais les espèces d'intérieur n'en produisent pas. Originaires principalement d'Australie et des régions chaudes et sèches du sud de l'Afrique. *Grevillea, Stenocarpus.*

Punicacées Petits arbres ou arbustes à feuilles simples. Les fleurs ont des calices persistants entourant des fruits charnus. Croissent naturellement dans les régions tempérées chaudes d'Europe et d'Asie. *Punica.*

Rosacées Arbres, arbustes et plantes herbacées. Fleurs souvent très belles. Originaires des régions tempérées de l'hémisphère Nord. *Eriobotrya, Rosa.*

Rubiacées Arbustes, plantes grimpantes et plantes herbacées à feuilles simples. Inflorescences souvent arrondies. Très répandus, surtout dans les régions tropicales et subtropicales. *Coffea, Gardenia, Ixora, Manettia, Nertera, Pentas.*

Rutacées Arbres et arbustes à feuilles simples ou composées et à sève aromatique. Fleurs faisant souvent place à des fruits charnus. *Citrus, Fortunella.*

Saxifragacées Arbustes ou plantes herbacées. Feuilles et fleurs variées. Originaires surtout des régions tempérées. *Hydrangea, Saxifraga, Tolmiea.*

Scrofulariacées Arbustes ou plantes herbacées à feuilles et fleurs variées. Répartition géographique mondiale. *Calceolaria.*

Sélaginellacées Plantes sans fleurs apparentées aux fougères, provenant surtout de régions tropicales et subtropicales humides. *Selaginella.*

Solanacées Arbres, arbustes, plantes grimpantes et plantes herbacées. Fleurs en entonnoir faisant souvent place à des baies colorées. Originaires principalement d'Amérique Centrale et d'Amérique du Sud. *Browallia, Brunfelsia, Capsicum, Solanum.*

Strélitziacées Plantes non ligneuses pour la plupart, mais ressemblant parfois à des arbres. Feuilles sur de longs pétioles; fleurs curieuses. Indigènes des régions tropicales et subtropicales. *Strelitzia.*

Théacées Arbres ou arbustes à feuilles simples, généralement coriaces, et parfois à fleurs remarquables. Répartition géographique mondiale. *Camellia, Cleyera.*

Tiliacées Principalement arbres et arbustes à feuilles simples et à fleurs en bouquets. Répartition mondiale. *Sparmannia.*

Urticacées Arbres, arbustes ou plantes herbacées; feuilles à poils parfois piquants. Fleurs banales. Répartition géographique mondiale. *Pellionia, Pilea.*

Verbénacées Arbres, arbustes ou plantes herbacées à tiges souvent quadrangulaires. Feuilles simples. Fleurs en bouquets. Originaires principalement des régions tropicales et subtropicales. *Clerodendrum, Lantana.*

Vitacées Plantes grimpantes ligneuses pour la plupart. Feuilles divisées en plusieurs lobes. Fleurs banales. Originaires surtout des régions tropicales et subtropicales. *Cissus, Rhoicissus, Tetrastigma.*

Zingibéracées Plantes rhizomateuses herbacées; touffes de tiges à longues feuilles simples; fleurs trilobées. Très répandues dans les tropiques. *Elettaria.*

Lexique

Acaule Se dit d'une plante qui ne présente pas de tige apparente.

Aciculaire Se dit d'une feuille linéaire et rigide, en forme d'aiguille.

Acide Se dit d'un sol, d'une eau ou de toute autre matière dont le potentiel d'hydrogène (pH) est inférieur à 7. L'acidité indique l'absence de calcaire ou d'éléments *alcalins*. Voir aussi *neutre* et *pH*.

Acuminé Se dit d'une feuille qui se termine en pointe fine.

Aisselle Angle compris entre la tige et une feuille ou le pétiole d'une feuille. Une pousse ou un bourgeon placés à l'aisselle d'une feuille sont dits *axillaires*.

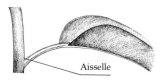

Aisselle

Alcalin Se dit d'un sol, d'une eau ou de toute autre matière dont le potentiel d'hydrogène (pH) est supérieur à 7. L'alcalinité peut indiquer la présence de calcaire. S'oppose à *acide*. Voir aussi *neutre* et *pH*.

Alterne Qualifie la disposition des feuilles sur une tige : chaque feuille est insérée seule à un niveau différent des autres. Comparer avec *opposé*.

Annuel Se dit d'une plante dont le cycle végétatif complet s'accomplit sur une année. Comparer avec *bisannuel* et *vivace*.

Anthère Partie terminale de l'étamine renfermant le pollen.

Arborescent Se dit d'une plante ligneuse dont la tige (ou tronc) ne porte de branches qu'à partir d'une certaine hauteur au-dessus du sol. Comparer avec *arbustif*.

Arbustif Se dit d'une petite plante ligneuse dont la tige se ramifie dès la base. Comparer avec *arborescent*.

Aréole Organe caractéristique des cactées, en forme de coussinet et portant des poils ou des épines. C'est des aréoles que naissent les fleurs et les rejets. Chaque aréole ne fleurit qu'une fois.

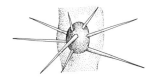

Article Nom désignant les éléments articulés dont se compose la tige de certaines cactées.

Axillaire Voir *aisselle*.

Bassiner Projeter de l'eau en pluie fine sur le feuillage ou d'autres parties d'une plante, sans détremper le sol.

Bigénérique Se dit d'un hybride issu de parents de deux genres différents. Voir aussi *intergénérique*.

Bipenné Se dit d'une feuille deux fois pennée, c'est-à-dire d'une feuille dont le pétiole commun se divise en pétioles secondaires portant deux rangées de folioles. Voir aussi *penné*.

Bisannuel Se dit d'une plante dont le cycle végétatif complet s'accomplit sur deux années. Comparer avec *annuel* et *vivace*.

Bourgeon Excroissance qui apparaît sur une tige ou une branche, souvent recouverte d'écailles, et qui contient en germe les feuilles ou les fleurs. On appelle bourgeon terminal le bourgeon qui termine la tige et qui, en se développant, va la prolonger.

Bouture Partie d'une plante (tige, feuille, racine) traitée de telle sorte qu'elle se mette à produire des racines et donne une plante nouvelle. La multiplication des plantes par bouture s'appelle le bouturage.

Bractée Feuille modifiée qui accompagne de nombreuses fleurs et qui se distingue des autres feuilles et des pétales par sa forme ou sa couleur.

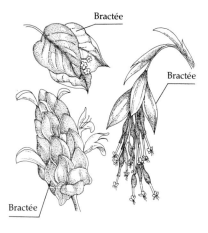

Bractée

Bractée

Bractée

Bulbe Organe de réserves nutritives généralement souterrain qui contient les feuilles et les fleurs embryonnaires de la plante. Il permet à certaines plantes de survivre pendant de longues périodes d'inactivité totale (voir *dormance*). Certains bulbes sont recouverts d'une *tunique*.

Bulbille Petit bulbe non parvenu à maturité qui se développe chez certaines plantes à la base d'un bulbe ou sur la tige. Ce terme est souvent employé pour désigner les petits tubercules du bégonia et, également, les plantules feuillues de certaines fougères.

Caduc Se dit des feuilles qui tombent en hiver ou à la fin d'une période de croissance. S'oppose à *persistant*.

Caïeux Jeunes bulbes qui se développent à la base des bulbes adultes ou des cormus, parfois même au-dessus du sol.

Calcifuge Se dit d'une plante qui ne peut croître dans un sol calcaire ou y croît avec difficulté.

Calice Enveloppe extérieure de la fleur, formée d'un ou de plusieurs sépales. Le calice, vert ou coloré, renferme la corolle.

Campanulé Se dit d'une fleur en forme de cloche.

Cannelé Se dit de feuilles longues et étroites présentant des côtes longitudinales, séparées par des sillons. Se dit également de tiges parcourues d'un sillon.

Caréné Se dit d'une feuille ou d'un pétale qui présente une saillie en forme de V, rappelant la carène d'un navire.

Cespiteux Se dit des plantes qui s'étalent de proche en proche en formant des touffes compactes.

Chlorose Maladie des plantes caractérisée par un jaunissement et un étiolement des feuilles. Cette maladie est due à une carence de minéraux essentiels.

Colonne Organe caractéristique des orchidées qui réunit les éléments mâles et femelles de la fleur.

Composé Se dit surtout d'une feuille formée de plusieurs folioles. Se dit aussi de fleurs ou de fruits composés de plusieurs parties semblables. S'oppose à *simple*.

Cordiforme En forme de cœur.

Cormus Organe de réserves nutritives souterrain qui résulte d'un épaississement de la base d'une tige, et qui est généralement recouvert d'une *tunique*.

Corolle Enveloppe intérieure de la fleur, composée de l'ensemble des pétales, libres ou soudés. Elle arbore diverses couleurs, par opposition au *calice* qui est généralement vert.

Cotylédon ou **cotyle** La ou les premières feuilles qui apparaissent à la germination.

Couronne Appendice formé à la gorge de certaines corolles (chez le narcisse, par exemple). Egalement, partie à fleur de terre d'une touffe de plantes vivaces.

Cristé Se dit d'une partie de feuille, de tige ou de fleur qui a l'aspect d'une crête de coq. Cette déformation affecte les feuilles de fougères, les tiges de cactées et quelques plantes grasses.

Cryptogamique Se dit d'une maladie parasitaire des plantes provoquée par des champignons.

Cultivar Variété cultivée d'une plante obtenue par l'homme, en opposition à la véritable « variété » qu'on rencontre dans la nature. Le cultivar n'est généralement pas désigné par un nom latin, mais par un nom vernaculaire, et est inscrit entre bractées. Exemple : *Pilea spruceana* 'Bronze'. Voir aussi *variété*.

Cupuliforme En forme de coupe.

Cyme Inflorescence dont les axes principaux sont terminés par une seule fleur, par opposition à une inflorescence en grappe.

Dormance Temps d'arrêt dans le développement de certains végétaux, pendant lequel il y a disparition des organes aériens. Comparer avec *période de croissance* et *période de repos*.

Double Se dit d'une fleur qui présente plus d'une rangée de pétales. Comparer avec *simple*.

Drageon Tige souterraine partant de la souche d'une plante et produisant une pousse aérienne qui est généralement pourvue de racines. Synonyme de *rejet*.

Engainé Se dit d'une tige ou d'un pétiole enveloppé d'une gaine.

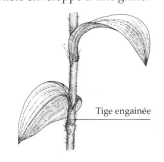

Tige engainée

Ensiforme En forme d'épée.

Eperon Prolongement tubuleux ou conique de la corolle qui renferme généralement le nectar destiné à attirer les agents de pollinisation (les insectes).

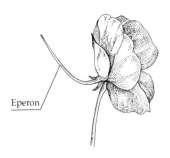

Eperon

Epiphyte Se dit d'une plante qui croît, à l'état naturel, sur une autre plante ou sur une roche. Les épiphytes s'accrochent à leur support avec des racines aériennes et vivent des éléments nutritifs contenus dans l'atmosphère; ce ne sont pas des parasites. Les principales plantes épiphytes sont des broméliacées et des orchidées.

Espèce Groupe d'individus qui, au sein d'un même genre, présentent des caractères communs qui les distinguent des autres espèces de ce genre. Exemple : *Begonia coccinea*.

Etamine Organe mâle de la fleur, composé généralement de deux anthères (renfermant le pollen) portées par un filet.

Famille Groupe végétal renfermant un certain nombre de genres se rapprochant par leurs caractères botaniques communs. Exemple : *Liliacées*.

Filet Partie inférieure de l'étamine qui supporte l'anthère.

Fleur Organe reproducteur de certaines plantes qui comprend à la fois l'organe mâle (l'étamine) et l'organe femelle (le pistil).

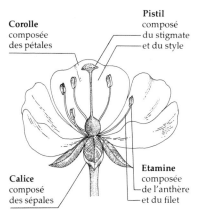

Corolle composée des pétales

Pistil composé du stigmate et du style

Calice composé des sépales

Etamine composée de l'anthère et du filet

Fleuron Chaque petite fleur dont la réunion sur un seul et même réceptacle forme une fleur composée (marguerite).

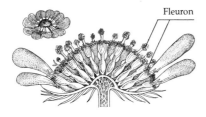
Fleuron

Foliole Chaque division ou petite feuille d'une feuille composée. Voir aussi *penné*.

Fongicide Produit contre les maladies cryptogamiques, causées par des champignons.

Forçage Mode de culture qui consiste à utiliser la chaleur et la lumière pour accélérer la croissance et la floraison d'une plante.

Fronde Feuille des fougères, simple ou composée. Terme également utilisé pour désigner les feuilles composées des palmiers. Voir aussi *composé, penné, rachis*.

Gélif Se dit d'une plante susceptible de souffrir du froid à l'extérieur, surtout l'hiver. S'oppose à *rustique*.

Géminé Se dit des organes disposés deux par deux.

Genre Groupe d'espèces végétales qui ont des caractères communs; subdivision de la famille. Exemple : *Euphorbia*.

Glabre Se dit d'une feuille ou d'une tige dépourvue de poils ou de duvet.

Glochide Sorte de petit poil en forme d'hameçon que présentent certaines cactées (opuntias) sur leurs aréoles et qui remplacent les épines ou s'y ajoutent.

Hampe Pédoncule ou queue d'une fleur.

Herbacé Se dit de plantes à tige tendre, non ligneuse. Désigne généralement les plantes vivaces dont les pousses aériennes disparaissent pendant la dormance, mais désigne aussi toute plante dont la tige ne deviendra jamais ligneuse.

Hybride Individu issu du croisement de deux plantes différentes (variétés, sous-espèces, espèces, genres). Exemple : *Tulipa* 'Maréchal Niel'. Il est impossible de croiser deux plantes de familles différentes. Comparer avec *cultivar, variété*. Voir aussi *bigénérique, intergénérique*.

Hydroponique Se dit de la culture des plantes pratiquée dans l'eau.

Hygrométrie Humidité de l'air ambiant.

Inflorescence Disposition des fleurs sur une plante. Bien qu'il désigne toute fleur sur une tige, le terme est surtout réservé aux groupes de petites fleurs.

Intergénérique Se dit d'un hybride issu de parents appartenant à plus de deux genres différents. Voir aussi *bigénérique*.

Labelle Pétale des orchidées, souvent très différent des autres (en général, c'est le pétale inférieur).

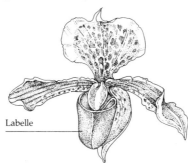
Labelle

Lancéolé En forme de lance.

Lanugineux Se dit d'une feuille couverte d'un duvet laineux.

Latex Suc laiteux, parfois toxique, circulant dans les tissus de certaines plantes comme les euphorbes et certains ficus.

Ligneux Se dit d'une tige qui a la consistance du bois et qui survit pendant les périodes de repos, même quand elle a perdu ses feuilles. S'oppose à *herbacé*.

Limbe Partie étalée de la feuille.

Lobe Chacune des divisions d'un organe, feuille ou pétale, non entièrement séparée des autres.

Marge Bord de tout organe d'une plante, mais désigne généralement le bord d'une feuille.

Motte Masse que forment ensemble, dans un pot, le mélange terreux et les racines.

Mucroné Se dit de certaines feuilles qui portent une petite pointe raide (mucron) à leur extrémité.

Nervure Chacune des lignes saillantes qui forment la charpente du limbe de la feuille. Voir aussi *veine*.

Neutre Se dit d'un sol, d'une eau ou de toute autre matière qui n'est ni acide ni alcalin. Dans l'échelle des valeurs du pH, la neutralité correspond au niveau 7. Voir aussi *acide, alcalin* et *pH*.

Nœud Point d'insertion d'une feuille sur une tige, plus particulièrement quand ce point est renflé ou articulé.

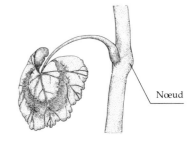
Nœud

Obovale Se dit d'une feuille en forme d'œuf dont la partie la plus large se trouve le plus loin du point d'attache.

Œil Petit bourgeon de croissance non développé qui se trouve sur une tige ou un tubercule. Se dit également du cœur d'une fleur ronde dont la couleur diffère de celle du reste de la fleur.

Ombelle Disposition des fleurs en parasol. Les pédicelles partent d'un point unique sur le pédoncule et sont de longueur variable, de sorte que toutes les fleurs se trouvent sur le même plan.

Feuilles simples

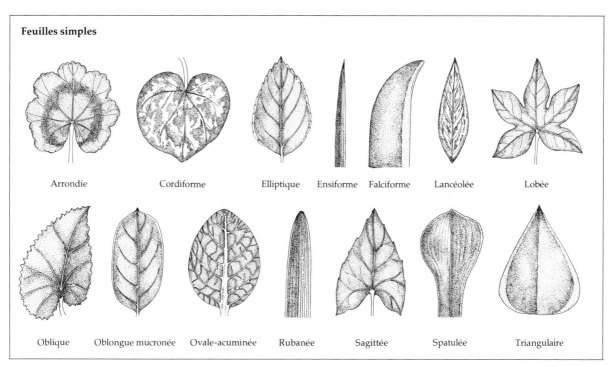

Arrondie   Cordiforme   Elliptique   Ensiforme   Falciforme   Lancéolée   Lobée

Oblique   Oblongue mucronée   Ovale-acuminée   Rubanée   Sagittée   Spatulée   Triangulaire

Feuilles composées

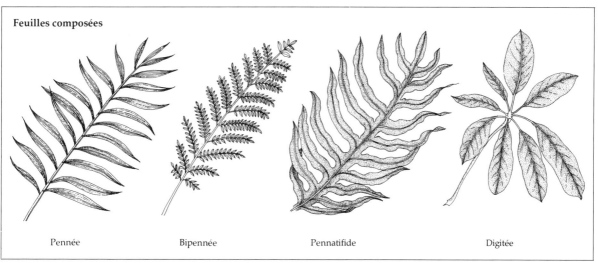

Pennée   Bipennée   Pennatifide   Digitée

Disposition des feuilles

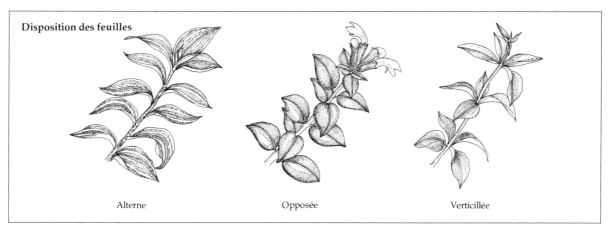

Alterne   Opposée   Verticillée

Ondulé Se dit surtout de feuilles dont la marge forme des vagues prononcées. S'utilise aussi pour les pétales et les sépales. Comparer avec *sinué*.

Onglet Partie inférieure et rétrécie de certains pétales, par laquelle ils s'insèrent sur le réceptacle de la fleur.

Opposé Qualifie la disposition des feuilles sur une tige : les feuilles sont disposées deux par deux, en face l'une de l'autre et à la même hauteur. Comparer avec *alterne*.

Ovoïde En forme d'œuf. Comparer avec *obovale*.

Palmé Se dit d'une feuille à lobes divergents (deux ou plus), rappelant une main ouverte. Se dit également de folioles naissant à un même point du pétiole. Ne s'applique pas aux palmiers.

Panaché Se dit de feuilles (et de fleurs) qui présentent des lignes ou des taches de couleurs variées.

Panicule Grande inflorescence ramifiée, composée de nombreuses fleurs individuellement pédonculées, et formant dans son ensemble une pyramide.

Pédicelle Queue des fleurs d'une inflorescence composée.

Pédoncule Tige ou queue d'une fleur unique.

Penné Se dit d'une feuille composée dont les folioles (deux ou plus) sont disposées de chaque côté de l'axe (ou du rachis) comme les barbes d'une plume. Certaines feuilles de fougères se composent de folioles elles-mêmes divisées, les pinnules, et sont dites bipennées, tripennées ou quadripennées, selon le cas.

Périanthe Ensemble des enveloppes (calice et corolle) protégeant les organes reproducteurs de la fleur.

Période de croissance Moment de l'année où la plante produit de nouvelles feuilles, se développe et généralement fleurit. Comparer avec *dormance* et *période de repos*.

Période de repos Moment de l'année où la plante, relativement inactive, conserve son feuillage, mais se développe peu ou pas du tout. Comparer avec *dormance* et *période de croissance*.

Persistant Se dit des feuilles qui restent toute l'année sur une plante. S'oppose à *caduc*.

Pétale Chez une fleur, chacune des divisions de la corolle. Comparer avec *sépale*.

Pétiole Support ou queue de la feuille.

Pétiolule Subdivision du pétiole chez une feuille composée.

pH Indice exprimant la concentration en ions hydrogène dans une matière (sol, terre, eau) à l'aide d'une échelle graduée de 0 à 14. Si le pH est inférieur à 7, la matière est *acide*; si le pH est supérieur à 7, elle est *alcaline*. L'eau pure a un pH de 7 : elle est *neutre*. pH est l'abréviation de potentiel d'Hydrogène.

Pincer Supprimer un bourgeon terminal pour favoriser la formation de pousses latérales ou la production de fleurs.

Pinnule Plus petite division d'une fronde de fougère. Voir aussi *penné*.

Pistil Organe femelle d'une fleur, comprenant l'ovaire (où se développe la graine), le stigmate et le style.

Pivotant Se dit d'une racine qui s'enfonce perpendiculairement dans le sol. S'oppose à *traçant*.

Pruine Pellicule poussiéreuse, blanchâtre ou bleuâtre, qui recouvre certaines feuilles ou certains fruits. On dira d'une feuille qu'elle est pruineuse.

Pseudo-bulbe Faux bulbe. Renflement de la tige de l'orchidée épiphyte servant d'organe de réserve.

Pubescent Synonyme de duveteux. Se dit d'un organe recouvert de poils fins, mous et courts.

Rachis Prolongation du pétiole dans les feuilles composées.

Rachis

Racine Partie souterraine des plantes qui s'enfonce dans la terre et les fixe au sol. C'est un organe nourricier. Les *racines aériennes* ou *adventives* prennent naissance sur la tige, au-dessus du sol; certaines peuvent s'accrocher à un support et absorber l'humidité de l'air.

Rameux Se dit d'une plante présentant des ramifications.

Rejet ou **rejeton** Nouvelle pousse ou bourgeon qui naît sur la souche d'une plante vivace (broméliacée, cactée et plante bulbeuse, par exemple) et qui est généralement pourvu de racines. Se détache facilement et sert à reproduire la plante mère.

Rhizome Tige souterraine, généralement horizontale; cet organe charnu contient des réserves nutritives et émet des organes aériens et des racines.

Rosette Disposition des feuilles en cercle à partir de tiges distinctes (saintpaulias) ou d'organes qui se chevauchent (echeverias).

Rustique Se dit d'une plante qui survit à l'extérieur toute l'année dans un climat qui comporte une période de gel. S'oppose à *gélif*.

Sagitté En forme de flèche.

Sépale Chez la fleur, feuille modifiée entrant dans la composition du calice. Comparer avec *pétale*.

Sessile Dépourvu de pétiole ou de pédoncule. Se dit de fleurs ou de feuilles qui naissent directement sur la tige.

Simple Se dit d'une feuille qui n'est pas divisée. S'oppose à *composé*. Se dit également d'une fleur qui présente une seule rangée de pétales. Comparer avec *double*.

Sinué ou **sinueux** Se dit des feuilles à marges festonnées et légèrement ondoyantes. S'utilise aussi pour les pétales et les sépales. Comparer avec *ondulé*.

Sous-arbrisseau Plante vivace entre l'arbrisseau et la plante herbacée, présentant des parties ligneuses et des parties tendres.

Spadice Chez les *Aracées*, épi charnu, garni de minuscules fleurs sessiles ou enfoncées dans la masse. Voir aussi *spathe*.

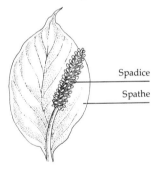

Spadice
Spathe

Spathe Grande bractée, parfois très colorée, enveloppant le spadice chez les *Aracées*.

Spore Organe de reproduction unicellulaire de certains végétaux, comme les fougères et les mousses. Les spores des fougères sont renfermées dans des sacs brunâtres, les sporanges, sous les frondes.

Stigmate Extrémité du pistil recevant le pollen qui vient coller à sa surface gluante au moment de la fécondation.

Stipe Tige ligneuse ou tronc de certaines plantes arborescentes.

Stipule Appendice foliacé ou écailleux situé à la base du pétiole.

Stipule

Stolon Tige rampante qui s'enracine partout où elle entre en contact avec le sol et produit de nouveaux individus.

Stomate Ouverture microscopique, généralement à la face inférieure des feuilles, qui permet à la plante de respirer.

Style Partie du pistil qui surmonte l'ovaire et porte le stigmate.

Subéreux Se dit d'un organe qui a la consistance du liège.

Succulent Se dit d'une tige ou d'une feuille charnue, remplie d'eau. Les plantes qui présentent de tels organes de réserve peuvent survivre dans des régions sèches.

Surfaçage Technique qui consiste à renouveler annuellement la couche superficielle du mélange, sans dépoter la plante.

Surgeon Synonyme de *drageon*.

Talon Morceau d'écorce ou de bois enlevé à la tige principale lorsqu'on détache une pousse latérale (en la tirant vers le bas). Beaucoup de plantes se multiplient par boutures à talon.

Terminal Se dit de tout bourgeon, de toute fleur ou de toute excroissance qui se situe à l'extrémité d'une tige.

Traçant Se dit d'une racine qui s'étend et se développe horizontalement sous la surface du mélange. S'oppose à *pivotant*.

Tubercule Renflement ou excroissance que présentent certaines plantes. Les tubercules caractérisent tout particulièrement les tiges des cactées.

Tunique Enveloppe ou membrane très fine qui recouvre certains bulbes et cormus.

Variété Plante qui se différencie de l'espèce naturelle par divers caractères. Les botanistes désignent ainsi les variations qui se sont produites naturellement, mais le terme s'est aussi étendu aux variations obtenues par des méthodes culturales. Les variétés cultivées s'appellent en fait *cultivars*. Les noms des variétés naturelles s'écrivent en latin et sans bractées. Exemple: *Ficus benjamina nuda*. Voir aussi *cultivar*.

Veine Vaisseau de la feuille. Une grosse veine s'appelle nervure; la veine centrale qui constitue le prolongement du pétiole s'appelle la nervure médiane chez les feuilles simples et le rachis chez les feuilles composées.

Verticille Ensemble de feuilles ou de fleurs (trois ou plus) rangées en cercle autour d'un même nœud.

Vivace Se dit d'une plante qui vit au moins trois ans. Comparer avec *annuel* et *bisannuel*.

Vivipare Se dit d'une plante qui produit de nouveaux sujets (sur une feuille, une tige ou une bulbille) qui peuvent être séparés de la plante mère pour servir ensuite à la multiplication.

Volubile Se dit d'une plante ou d'une tige qui s'élève en s'enroulant sur un support, sans aide extérieure.

Vrille Organe filiforme dont sont pourvues les plantes grimpantes, généralement à l'aisselle des feuilles, et qui s'enroule en spirale autour d'un support. Chez certaines plantes, le pétiole tient lieu de vrille.

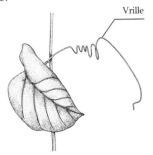

Vrille

Index

A

Abutilon, 66
  hybridum, 66
  — 'Boule de Neige', 66
  — 'Canary Bird', 66
  — 'Fireball', 66
  — 'Golden Fleece', 66
  — 'Master Hugh', 66
  megapotamicum, 66
  — 'Variegata', 66
  pictum, 66
  — 'Pleniflorum', 66
  — 'Thompsonii', 66
  striatum, voir A. pictum
Acalypha, 67-68
  godseffiana, voir
    A. wilkesiana
    'Godseffiana'
  hispida, 67
  — 'Alba', 67
  wilkesiana, 67
  — 'Godseffiana', 67
  — 'Macrophylla', 67
  — 'Marginata', 67
  — 'Musaica', 67
Acariens des bulbes, 454
  produits contre les, 460-461
Acaule, définition, 464
Achimène (Achimenes), 68-69
Achimenes, 68-69
  'Ambroise Verschaffelt', 68
  coccinea, voir A. erecta
  erecta, 68
  'Fritz Michelssen', 68
  grandiflora, 68
  longiflora, 68
  — alba, 68
  'Minuet', 68
  'Purple King', 68
  'Tarantella', 68
  'Valse Bleu', 68
Achimène trompette
  (Achimenes longiflora), 68
Aciculaire, définition, 464
Acide phosphorique, voir
  Phosphore
Acidité, 430
  définition, 464
Acore (Acorus), 69
Acorus gramineus, 69
  arrangement, 56
  variétés citées, 69
Acuminé, définition, 464
Adiante (Adiantum), 70
Adiantum, 70
  arrangement, 48

sur une colonne à
  fougères, 45
dans un jardin miniature, 59
sous verre, 54
  capillus-veneris, 70
  cuneatum, voir
    A. raddianum
  hispidulum, 70
  raddianum, 70
  — 'Fragrantissimum', 70
  — 'Fritz-Luthii', 70
  tenerum, 70
  — 'Farleyense', 70
  — 'Wrightii', 70
Aechmea, 71-72
  fleur, 20
  chantinii, 71
  — 'Pink Goddess', 71
  — 'Red Goddess', 71
  fasciata, 71
  — 'Albomarginata', 72
  — 'Variegata', 72
  'Foster's Favorite', 72
  fulgens, 72
  — discolor, 72
  racinae, 72
  rhodocyanea, voir A. fasciata
  'Royal Wine', 72
Aeonium, 73-74
  feuilles, 10
  arboreum, 73
  — 'Atropurpureum', 73
  — 'Schwarzkopf', 73
  canariense, 73
  domesticum, voir
    Aichryson domesticum
  haworthii, 73
  tabuliforme, 73
  undulatum, 73
Aeschynanthus, 74-75
  'Black Pagoda', 74
  lobbianus, 74
  marmoratus, 74
  pulcher, 74
  speciosus, 74
Agave, 75-76
  americana, 75
  — 'Marginata', 75
  — 'Medio-picta', 75
  angustifolia, 75
  — 'Marginata', 75
  attenuata, 76
  fernandi-regis, 76
  filifera, 76
  — 'Compacta', 76
  parviflora, 76
  potatorum, 76
  verschaffeltii, voir
    A. potatorum

  victoriae-reginae, 76
Agave d'Amérique (Agave
  americana), 75
Agave à fibres textiles (Agave
  filifera), 76
Agencement d'espèces
  différentes, 28-33
Aglaonema, 76-77
  arrangement, 32, 33
  commutatum, 76
  — 'Pseudobracteatum', 76
  — 'Treubii', 76
  costatum, 76
  — immaculatum, 76
  crispum, 77
  — 'Silver King', 76
  — 'Silver Queen', 77
  modestum, 77
  — 'Variegatum', 77
  nitidum, 77
  — 'Curtisii', 77
  oblongifolium, voir
    A. nitidum
  pictum, 77
  — 'Tricolor', 77
  roebelinii, voir A. crispum
Aichryson, 78
  dichotomum, voir A. laxum
  domesticum, 78
  — 'Variegatum', 78
  laxum, 78
  villosum, 78
Aisselle, définition, 464
Alcalinité, 430
  définition, 464
Allamanda cathartica, 79
  variétés citées, 79
Aloe, 79-80
  arrangement, 58
  arborescens, 80
  aristata, 80
  barbadensis, 80
  brevifolia, 80
  ferox, 80
  variegata, 80
  vera, voir A. barbadensis
Aloès (Aloe), 79-80
Aloès panaché (Aloe variegata),
  80
Aloès perlé (Haworthia
  margaritifera), 233
Aloès tacheté (Aloe variegata),
  80
Alterne, définition, 464
Amaryllis (Hippeastrum),
  239-240
Amaryllis pourpre (Vallota
  speciosa), 390
Ananas, 81-82

  bracteatus, 81
  — striatus, 81
  comosus, 81
  — variegatus, 81
  nanus, 81
  sativus, voir A. comosus
Ananas cultivé (Ananas
  comosus), 81
Ananas du pauvre (Monstera),
  270
Anguillules, voir Nématodes
Annuel, définition, 464
Anthemis (Chrysanthemum
  frutescens)
Anthère, 411
  définition, 464
Anthurium, 82-83
  andraeanum, 82
  crystallinum, 82
  scherzeranum, 82
Aphelandra, 84
  chamissoniana, 84
  squarrosa, 84
  — 'Brockfeld', 84
  — 'Dania', 84
  — 'Fritz Prinsler', 84
  — 'Louisae', 84
Aporocactus, 85
  arrangement, 22, 40
  flagelliformis, 85
  mallisonii, 85
Araignée (Saxifraga
  stolonifera), 354
Araignées rouges, 454
  produits contre les, 460-461
Aralia, voir Dizygotheca
Aralia japonica, voir Fatsia
  japonica
Aralia-lierre (Fatshedera lizei),
  200
Araucaria, 86
  excelsa, voir A. heterophylla
  heterophylla, 86
Araucaria de Norfolk (Araucaria
  heterophylla), 86
Arborescent, définition, 464
Arbre Bo de l'Inde (Ficus
  religiosa), 208
Arbre ombelle (Brassaia
  actinophylla), 103
Arbre ombrelle (Brassaia
  actinophylla), 103
Arbustif, définition, 464
Ardisia, 86-87
  crenata, 86
  crispa, voir A. crenata
Ardisie (Ardisia), 86-87
Areca lutescens, voir
    Chrysalidocarpus lutescens

Aréole, 114
  définition, 464
Arrosage, 420-424
  par capillarité, 423
  par le fond, 422
  généreux, 421
  d'après le genre de pot, 420
  guide d', 424
  modéré, 422
  parcimonieux, 422
  pour ranimer une plante, 424
  durant les vacances, 423
Article, définition, 464
Arum d'Ethiopie (*Zantedeschia aethiopica*), 396
Arum grimpant (*Scindapsus aureus*; *S. pictus*), 359; 359
Arum rose (*Zantedeschia rehmannii*), 397
Asparagus, 87-88
  arrangement, 29, 47, 55
  asparagoides, 87
  — 'Myrtifolius', 87
  densiflorus, 87
  — 'Myers', 87
  — 'Sprengeri Nanus', 87
  — 'Sprengeri Robustus', 87
  falcatus, 87
  medeoloides, voir
    A. asparagoides myersii,
    voir *A. densiflorus* 'Myers'
    plumosus, voir *A. setaceus*
  setaceus, 88
  — 'Nanus', 88
  — 'Robustus', 88
Asperge (*Asparagus*), 87-88
Aspidistra, 88-89
  arrangement, 28, 50
  elatior, 88
  — 'Variegata', 88
  lurida, voir *A. elatior*
Asplenium, 89-90
  arrangement, 28, 37, 59
  frondes, 10
  bulbiferum, 89
  daucifolium, 89
  nidus, 89
  viviparum, voir
    A. daucifolium
Astrophytum, 90-91
  myriostigma, 90
  — *nudum*, 90
  — *quadricostatum*, 90
  ornatum, 90
Aucuba du Japon (*Aucuba japonica*), 91
Aucuba japonica, 91
  variétés citées, 91
Axillaire, définition, 464
Azalea indica, voir
  Rhododendron simsii
Azalée (*Rhododendron simsii*), 341
Azalée kurume (*Rhododendron obtusum*), 341
Azote, 424

B

Bacs, 36, 429
Bactéricides, 459
Bactéries, maladies causées par des, 453
Balsamine (*Impatiens*), 245
Banian (*Ficus benghalensis*), 205
Barbe-de-vieillard (*Cephalocereus senilis*), 133

Bassiner, définition, 464
Begonia, 92-98
  arrangement, 17, 30, 32
  bouturage de feuilles, 439
  'Alleryi', 94
  boweri, 95
  cheimantha, 96
  — 'Gloire de Lorraine', 96
  — 'Lady Mac', 96
  — 'Melior', 96
  'Cleopatra', voir *B.* 'Maphil'
  coccinea, 94
  compta, 94
  'Corallina Lucernae', 94
  deliciosa, 95
  dregei, 96
  'Elatior' hybrides, voir
    B. hiemalis
  'Erythrophylla', 95
  — 'Bunchii', 95
  — 'Helix', 95
  evansiana, voir *B. grandis*
  'Feastii', voir *B.* 'Erythrophylla'
  glaucophylla, voir
    B. limmingheiana
  gracilis, 96
  grandis, 97
  haageana, voir *B. scharffii*
  hiemalis, 97
  — 'Fireglow', 97
  — 'Schwabenland', 97
  limmingheiana, 95
  'Lucerna', voir
    B. 'Corallina Lucernae'
  luxurians, 94
  maculata, 94
  — 'Wightii', 94
  'Maphil', 95
  masoniana, 95
  metallica, 94
  'Preussen', 94
  rex-cultorum, 95
  — 'King Edward IV', 95
  — 'Merry Christmas', 95
  — 'President', 95
  — 'Salamander', 95
  scharffii, 94
  schmidtiana, 94
  semperflorens, voir
    B. semperflorens-cultorum
  semperflorens-cultorum, 94
  — 'Boule de feu', 95
  — 'Dainty Maid', 95
  — 'Fiesta', 95
  — 'Gustav Lind', 95
  — 'Indian Maid', 95
  — 'Rose Camellia', 95
  sutherlandii, 97
  'Thurstonii', 95
  tuberhybrida, 97
  'Weltoniensis', 97
Bégonia de Bower (*Begonia boweri*), 95
Bégonia croix-de-fer (*Begonia masoniana*), 95
Bégonias à floraison hivernale
  période de repos, 413
  voir aussi *Begonia*
Beloperone guttata, 98
  'Yellow Queen', 98
Bertolonia, 99
  maculata, 99
  marmorata, 99
  — *aenea*, 99
Bibacier (*Eriobotrya japonica*), 194
Bigénérique, définition, 464
Billbergia, 99-101
  amoena rubra, 99

  decora, 99
  distachia, 99
  'Fantasia', 99
  horrida, 100
  — 'Tigrina', 100
  iridifolia, 100
  nutans, 100
  rhodocyanea, voir *Aechmea fasciata*
  venezuelana, 100
  vittata, 100
  zebrina, 100
Bipenné, définition, 464
Bisannuel, définition, 464
Blechne (*Blechnum*), 101-102
Blechnum, 101-102
  brasiliense, 101
  — 'Crispum', 101
  corcovadense, voir
    B. brasiliense
  gibbum, 101
  moorei, voir *B. gibbum*
  occidentale, 101
Bois-de-cerf (*Platycerium*), 324
Botrytis, voir Pourriture grise
Bougainvillea, 102-103
  buttiana, 102
  — 'Brilliant', 102
  — 'Mrs. Butt', 102
  — 'Temple Fire', 102
  glabra, 102
  — 'Harrisii', 102
  — 'Sanderana Variegata', 102
Bougainvillée (*Bougainvillea*), 102-103
Bougainvillier (*Bougainvillea*), 102-103
Boule à fougères, préparation d'une, 44
Bourgeon(s)
  chute, 416
  définition, 464
  maladies et ravageurs, 458
  terminal, définition, 464
Bouturage
  dans l'eau, 438-439
  des feuilles, 439
  des tiges, 436-438
  voir aussi Multiplication
Boutures
  pour la culture hydroponique, 451
  définition, 464
  de feuilles, 439
  à talon, 437
  de tiges, 436
Bractées
  des broméliacées, 105
  décoratives, 20
  définition, 464
Branche à épiphytes, 44
Brassaia actinophylla, 103
  arrangement, 36
Brassia, 104
  brachiata, voir *B. verrucosa*
  caudata, 104
  verrucosa, 104
Broméliacées, 105-108
  coupe d'un rejet, 435
  épiphytes, 106
  formes, 26, 105
  températures recommandées, 417
  terrestres, 106
Browalle (*Browallia*), 109
Browallia, 109
  speciosa, 109
  — 'Major', 109
  — 'Silver Bells', 109

  viscosa, 109
  — 'Alba', 109
  — 'Sapphire', 109
Browallie (*Browallia*), 109
Brunfelsia, 109-110
  calycina, voir *B. pauciflora calycina*
  pauciflora calycina, 109
  — 'Floribunda', 109
  — 'Macrantha', 109
Bruyère (*Erica hyemalis*), 193
Bryophyllum, 110
  diagremontianum, 110
  tubiflorum, 110
Buddleia indica, voir
  Nicodemia diversifolia
Bulbes, 111
  définition, 464
  maladie, 459, 460-461
  températures recommandées, 417
Bulbes, cormus et tubercules, 111-113
  de plantes éphémères, 111
  de plantes vivaces, 112
Bulbille
  définition, 464
  de fougère, 212

C

Cactées, 114-122
  du désert, 114-120
  jardin de, 49, 58
  de la jungle, 120-122
  températures recommandées, 417
Cactus, voir Cactées
Cactus araignée (*Gymnocalycium denudatum*), 229
Cactus arc-en-ciel (*Echinocereus*), 187
Cactus corail (*Rhipsalis*), 340
Cactus étoilé (*Astrophytum ornatum*), 90
Cactus jonc (*Rhipsalidopsis*), 339
Cactus de Noël (*Schlumbergera* 'Bridgesii'; *S. truncata*), 356
Cactus-orchidée (*Epiphyllum*), 190
Cactus oursin (*Echinocactus*), 186
Cactus de Pâques (*Rhipsalidopsis gaertneri*), 339
Cactus queue-de-castor (*Opuntia basilaris*), 284
Cactus des rochers (*Cereus*), 134
Caduc, définition, 464
Caféier (*Coffea*), 152
Caféier sauvage (*Polyscias guilfoylei* 'Victoriae'), 331
Caïeux, définition, 464
Caissettes de multiplication, 443-445
  chauffantes, 444
Caissettes à semis, 441
Caladium hortulanum, 123-124
  arrangement, 31, 33, 49
  hybrides, 123
Calamondin (*Citrus mitis*), 145
Calathea, 124-125
  arrangement, 30, 32
  feuille, 15
  bachemiana, 124
  insignis, voir *C. lancifolia*
  lancifolia, 124

lindeniana, 124
makoyana, 124
ornata, 124
— 'Roseolineata', 124
— 'Sanderana', 124
picturata 'Argentea', 125
zebrina, 125
Calcaire broyé, 430
Calcéolaire (*Calceolaria*),
125
Calceolaria, 125
arrangement, 34
crenatiflora, voir
C. herbeohybrida
herbeohybrida, 125
multiflora, voir
C. herbeohybrida
Calcifuge, définition, 464
Calice, définition, 464
Calla (*Zantedeschia*), 396
Callisia, 126
elegans, 126
fragrans, 126
— 'Melnickoff', 126
Callistemon citrinus, 126-127
splendens, 126
Camara commun (*Lantana camara*), 256
Camélia (*Camellia japonica*), 127
Camellia japonica, 127
variétés citées, 127
Campanula isophylla, 128
variétés citées, 128
Campanule (*Campanula*), 128
Campanulé, définition, 464
Cannelé, définition, 464
Caoutchouc (*Ficus elastica*), 205
Caoutchouc japonais
(*Crassula argentea*), 158
Capillaire (*Adiantum*), 70
Capsicum annuum, 129
Cardamome (*Elettaria cardamomum*), 189
Caréné, définition, 465
Carex morrowii 'Variegata', 129-130
Caryota, 130-131
mitis, 130
urens, 130
Caryote brûlant (*Caryota urens*), 130
Catharanthus roseus, 131
variétés citées, 131
Cattleya, 132
fleur, 21
intermedia, 132
— 'Aquinii', 132
labiata, 132
loddigesii, 132
trianaei, 132
Cephalocereus senilis, 133
Cereus, 134
dans un jardin de cactées, 58
jamacaru, 134
peruvianus, 134
— 'Monstrosus', 134
Ceriman (*Monstera deliciosa*), 270
Cerisier d'amour (*Capsicum annuum*; *Solanum pseudocapsicum*), 129; 369
Cerisier de Jérusalem (*Solanum pseudocapsicum*), 369
Ceropegia woodii, 135
Cespiteux, définition, 465
Chaîne-des-cœurs
(*Ceropegia*), 135
Chamaecereus sylvestrii, 136
hybrides, 136

Chamaedorea, 137
elegans, 137
— 'Bella', 137
erumpens, 137
graminifolia, voir *C. seifrizii*
seifrizii, 137
Chamaerops, 138
humilis, 138
— *arborescens*, 138
— *argentea*, 138
— 'Canariensis', 138
— *elegans*, 138
— 'Robusta', 138
Champignons, maladies
causées par des, 453
traitement, 460-461
Chant-indien (*Pleomele reflexa variegata*), 327
Chapeau-d'évêque (*Astrophytum myriostigma*), 90
Charançons, 454
produits contre les, 460-461
Charbon de bois, 430
Châssis de Ward, 54
Chaux dolomitique, 430
Chêne d'appartement
(*Nicodemia diversifolia*), 277
Chenilles, 454
produits contre les, 460-461
Cheveu-de-Vénus (*Adiantum capillus-veneris*), 70
Chlorophylle
absence de, 14, 136
élément pour la formation
de, 424
dans le mécanisme de
croissance, 410
Chlorophyte (*Chlorophytum*), 139-140
Chlorophytum comosum, 139-140
dans une corbeille
suspendue, 29
variétés citées, 139
Chlorose, 430
définition, 465
Chrysalidocarpus lutescens, 140-141
Chrysanthème
(*Chrysanthemum*), 141-142
Chrysanthemum, 141-142
frutescens, 141
— 'Etoile d'Or', 141
— 'Mary Wootten', 141
hortorum, voir *C. morifolium*
morifolium, 141
Cierge (*Cereus*), 134
Cierge barbe-de-vieillard
(*Cephalocereus senilis*), 133
Cierge laineux (*Espostoa lanata*), 194
Cinéraire (*Cineraria*), 142
Cineraria, 142
arrangement, 37
hybrides, 142
Cissus, 143-144
arrangement, 30, 42
antarctica, 143
— 'Minima', 143
discolor, 143
rhombifolia, 143
— 'Ellen Danica', 143
— 'Mandaiana', 143
sicyoides, 143
striata, 143
voinieranum, voir
Tetrastigma voinieranum
Citrofortunella mitis,
voir *Citrus mitis*

Citronnier (*Citrus*), 145
Citrus, 145-146
arrangement, 37
fleurs, 23
limon, 145
— 'Meyer', 145
— 'Ponderosa', 145
limonia, 145
mitis, 145
otaitensis, voir *C. limonia*
sinensis, 145
taitensis, voir *C. limonia*
Cleistocactus strausii, 146
fleurs, 23
Clérodendron (*Clerodendrum*), 147
Clerodendrum thomsoniae, 147
variétés citées, 147
Cleyera, 148
arrangement, 32
fortunei, voir *C. J.* 'Tricolor'
japonica, 148
— 'Tricolor', 148
ochnacea, voir *C. japonica*
Clivia miniata, 149-150
Clivie (*Clivia*), 149-150
Cochenilles, 454
farineuses, 454
produits contre les, 460-461
des racines, 454
Cocos weddelliana, voir
Microcoelum weddellianum
Cocotier (*Microcoelum*), 267
Codiaeum variegatum pictum, 150-151
arrangement, 30, 32, 59
feuilles, 16
'Aucubifolium', 150
'Bruxellense', 150
'Craigii', 150
'Fascination', 150
'Gloriosum superbum', 151
'Imperialis', 151
'Punctatum aureum', 151
'Reidii', 151
'Spirale', 151
Coelogyne, 151-152
cristata, 151
flaccida, 151
pandurata, 151
Coffea arabica, 152-153
'Nana', 152
Coleus blumei, 153-154
variétés citées, 153
Coléus de maison (*Coleus blumei*), 153-154
Collinia elegans, voir
Chamaedorea elegans
Colonne, définition, 465
Colonne à fougère,
confection d'une, 214
Colonne de mousse,
préparation d'une, 45
Columnea, 154-156
gloriosa, 154
linearis, 154
microphylla, 154
hybrides cités, 154, 155
Composé, définition, 465
Contenants
pour la culture
hydroponique, 449
pour semis, 441
Coquilles d'œufs, 430
Corbeilles suspendues
arrangement, 42, 50
garniture, 42
humidité pour, 419
plateau d'égouttement, 419-420

Cordiforme, définition, 465
Cordyline, 156-157
bouturage de tiges, 438
australis, 156
— 'Atropurpurea', 156
— 'Doucetii', 156
indivisa, 156
terminalis, 156
— 'Amabilis', 156
— 'Baptisii', 156
— 'Firebrand', 156
— 'Rededge', 157
— 'Tricolor', 157
Cormus, définition, 465
Corne-de-cerf (*Platycerium bifurcatum*), 324
Corne-d'élan (*Platycerium bifurcatum*), 324
Corolle, définition, 465
Corypha australis, voir
Livistona australis
Cotyle, voir Cotylédon
Cotylédon, 443
définition, 465
Cotyledon, 157-158
orbiculata, 157
undulata, 158
Couronne, définition, 465
Couronne-d'épines (*Euphorbia milii*), 196
Couronne-de-Jérusalem
(*Euphorbia milii splendens*), 196
Coussin-de-belle-mère
(*Echinocactus*), 186
Crassula, 158-159
arborescens, 158
— 'Variegata', 158
argentea, 158
— *obliqua*, 158
— 'Tricolor', 158
— 'Variegata', 158
falcata, 158
lactea, 158
lycopodioides, 158
obliqua, voir *C. argentea obliqua*
rupestris, 159
Crinole (*Crinum*), 160
Crinum bulbispermum, 160
variétés citées, 160
Cristé, définition, 465
Crocus hybrides, 160-161
Croissance, arrêt de, 456
Croix-de-fer (*Begonia masoniana*), 95
Crossandra, 161
infundibuliformis, 161
— 'Mona Walhed', 161
undulifolia, voir
C. infundibuliformis
Crossandre (*Crossandra*), 161
Croton (*Codiaeum variegatum pictum*), 150
Cryptanthe (*Cryptanthus*), 162-163
Cryptanthus, 162-163
arrangement, 44, 57
acaulis, 162
— 'Roseo-pictus', 162
— 'Roseus', 162
— 'Ruber', 162
bivittatus, 162
— 'Luddemanii', 162
— 'Minor', 162
bromelioides, 162
fosteranus, 162
terminalis, var. *tricolor*, voir
C. bromelioides

zonatus, 162
— 'Zebrinus', 162
Cryptogamique, définition, 465
Ctenanthe, 163-164
  lubbersiana, 163
  oppenheimiana, 163
  — 'Tricolor', 163
  setosa, 164
Culotte-de-Suisse (Passiflora
  caerulea), 299
Cultivar, définition, 465
Culture
  dans l'eau, 448-451
  hydroponique, 448-451
Cuphea, 164
  hyssopifolia, 164
  ignea, 164
  — 'Variegata', 164
  platycentra, voir C. ignea
Cupuliforme, définition, 465
Cyanotis, 165
  kewensis, 165
  somaliensis, 165
  vittata, voir Zebrina pendula
Cycas du Japon (Cycas
  revoluta), 166
Cycas revoluta, 166
  arrangement, 52
Cyclamen de Perse (Cyclamen
  persicum), 167
Cyclamen persicum, 167
Cymbidium devonianum, 168
  fleurs, 21
  hybrides cités, 168
Cyme, définition, 465
Cyperus, 169-170
  inflorescences, 9
  albostriatus, 169
  alternifolius, 169
  — 'Gracilis', 169
  — 'Variegatus', 169
  diffusus, voir C. albostriatus
  isocladus, voir C. papyrus
    'Nanus'
  papyrus, 169
  — 'Nanus', 170
Cyrtomium falcatum, 171
  'Rochfordianum', 171
Cytise hybride (Cytisus
  racemosus), 172
Cytise des îles Canaries
  (Cytisus canariensis), 172
Cytisus, 172
  canariensis, 172
  — ramosissimus, 172
  racemosus, 172

D

Dague-espagnole (Yucca), 395
Dame-peinte (Echeveria
  derenbergii), 184
Dattier (Phoenix dactylifera), 315
Davallia, 173
  bullata, voir
    D. trichomanoides
  canariensis, 173
  fejeensis, 173
  mariesii, voir
    D. trichomanoides
  trichomanoides, 173
Davallie (Davallia), 173
Décoration à l'aide de plantes
  espaces perdus, 36
  petits recoins, 34
  pièces ouvertes, 38
Dendrobium, 174
  infundibulum, 174

kingianum, 174
  nobile, 174
Dépotage, 426, 427
Dichorisandra, 175
  musaica undata, voir
    Geogenanthus undatus
  reginae, 175
Dieffenbachia, 176-177
  arrangement, 14, 33, 36
  amoena, 176
  bausei, 176
  bowmannii, 176
  exotica, 176
  imperialis, 176
  maculata, voir D. picta
  oerstedii, 176
  — variegata, 176
  picta, 176
  — 'Rudolph Roehrs', 176
Dioscorea discolor, 177
Dipladenia sanderi, 178
Disques de culture, 441
Dizygotheca, 178-179
  arrangement, 30, 33
  elegantissima, 178
  kerchoveana, 178
  laciniata, voir D. elegantissima
  veitchii, 178
Dolichothele longimamma, 179
Dollar-d'argent (Crassula
  arborescens), 158
Doradille (Asplenium), 89
Dormance, 413
  définition, 465
Dormguse (Maranta), 264
Doum d'Afrique du Nord
  (Chamaerops), 138
Dracaena, 180-182
  arrangement, 31, 36, 57
  marcottage aérien, 440
  deremensis, 181
  — 'Bausei', 181
  — 'Warneckii', 181
  draco, 181
  fragrans, 181
  — 'Lindenii', 181
  — 'Massangeana', 181
  — 'Victoria', 181
  godseffiana, voir D. surculosa
  goldieana, 181
  hookerana, 182
  — 'Latifolia', 182
  — 'Variegata', 182
  indivisa, voir Cordyline
    australis
  marginata, 182
  — 'Tricolor', 182
  reflexa, voir Pleomele reflexa
  sanderana, 182
  sanderiana, voir D. sanderana
  surculosa, 182
  — 'Florida Beauty', 182
  — 'Kelleri', 182
  terminalis, voir Cordyline
    terminalis
  victoriae, voir D. fragrans
    'Victoria'
Drageons
  définition, 465
  voir aussi Rejets
Dragonnier (Cordyline
  terminalis; Dracaena
  draco), 156; 181
Dragonnier des Canaries
  (Dracaena draco), 181
Dragonnier de Sander
  (Dracaena sanderana), 182
Drejerella guttata, voir
  Beloperone guttata

Dyckia, 183
  brevifolia, 183
  fosterana, 183
  sulphurea, voir D. brevifolia

E

Eau, pour l'arrosage, 423
Echeveria, 184-186
  affinis, 184
  agavoides, 184
  — 'Cristata', 184
  derenbergii, 184
  — 'Doris Taylor', 184
  elegans, 184
  gibbiflora, 185
  — 'Carunculata', 185
  — 'Crispata', 185
  — 'Metallica', 185
  harmsii, 185
  leucotricha, 185
  'Nigra', voir E. affinis
  setosa, 185
  shaviana, 185
Echinocactus, 186-187
  grusonii, 186
  horizonthalonius, 186
Echinocereus, 187-188
  knippelianus, 187
  pectinatus, 187
  pentalophus, 187
  procumbens, voir
    E. pentalophus
Echinocierge (Echinocereus),
  187-188
Echinopsis, 188-189
  eyriesii, 188
  hybrides cités, 188
  multiplex, 188
Eclairage artificiel, 446-448
  pour les semis, 442
Eclairement
  durée, 447
  voir aussi Lumière
Ecorce, 429
  pour orchidées, 289
Ecrans de verdure, 46
Elettaria cardamomum, 189
Empotage, 426
  des semis, 443
Engainé, définition, 465
Engrais, 424-425
  acides, 425
  pour la culture
    hydroponique, 448
  foliaires, 425
  à tomates, 425
Ensiforme, définition, 465
Eperon, définition, 465
Ephémère (Geogenanthus;
  Tradescantia), 220; 386
Ephémère de Blossfeld
  (Tradescantia
  blossfeldiana), 387
Epidendrum, 190
  pentotis, 190
  vitellinum, 190
Epine-du-Christ (Euphorbia
  milii), 196
Epiphyllum, 190-191
  hybrides cités, 190
Epiphytes
  branche à, 44
  définition, 465
  voir aussi Broméliacées,
    Cactées, Fougères, Orchidées
Epipremnum aureum, voir
  Scindapsus aureus

Episcia, 191-192
  arrangement, 33
  marcottage, 439
  cupreata, 191
  dianthiflora, 192
  hybrides cités, 191, 192
  lilacina, 192
  reptans, 192
Erable florifère (Abutilon
  hybridum), 66
Erable de maison (Abutilon), 66
Eranthemum, voir
  Pseuderanthemum
Erica, 193
  gracilis, 193
  — 'Alba', 193
  hyemalis, 193
  nivalis, voir E. gracilis
  ventricosa, 193
Eriobotrya japonica, 194
Espèce, définition, 465
Espostoa lanata, 194-195
  dans un jardin de cactées, 58
Etamines, 411
  définition, 465
Etoile (Stapelia), 372
Etoile de Bethléem
  (Campanula isophylla), 128
Etoile de Marie (Campanula
  isophylla), 128
Etoile du marin (Campanula
  isophylla), 128
Etoile de Noël (Euphorbia
  pulcherrima), 198
Eucalyptus, 195
  globulus, 195
  gunnii, 195
Euonymus japonica, 196
  dans un jardin miniature, 58
  variétés citées, 196
Euphorbe (Euphorbia), 196-199
Euphorbia, 196-199
  arrangement, 38
  milii, 196-197
  — hislopii, 197
  — splendens, 196
  pseudocactus, 199
  — lyttoniana, 199
  pulcherrima, 198-199
  — 'Barbara Ecke Supreme', 198
  — 'Ecke's White', 198
  — 'Mrs Paul Ecke', 198
  splendens, voir E. milii
    splendens
  tirucalli, 199
Eurya japonica, voir Cleyera
  japonica
Exacum affine, 200
  variétés citées, 200

F

Familles, de plantes, 462-463
  définition, 465
Fatshedera lizei, 200-201
  arrangement, 29, 47
  sur une colonne de mousse, 40
  'Variegata', 200
Fatsia japonica, 201-202
  arrangement, 38, 62
  variétés citées, 201
Fatsia sieboldii, voir Fatsia
  japonica
Faucaria, 203
  tigrina, 203
  tuberculosa, 203
Fausse vigne (Cissus
  rhombifolia), 143

Faux aralia (*Dizygotheca elegantissima*), 178
Faux caféier (*Polyscias guilfoylei*), 331
Fenêtres, orientation des, 415
plantes devant les, 48
Fenêtres-serres, 50
Ferocactus, 204
acanthodes, 204
fordii, 204
hamatacanthus, voir *Hamatocactus hamatacanthus*
latispinus, 204
Fertilisation, 424-425
Feuilles
bouturage, 439
chute, 457
couleurs, 16
décoloration, 457
déformation, 457
dessins, 14
dispositions, 467
enroulement, 457
formes, 10, 467
maladies et ravageurs, 457-458
nettoyage, 452
panachures, 14
simples, définition, 469
textures, 12
Fibre d'osmonde, 289
Ficus, 205-208
arrangement, 28, 29, 30, 38, 40, 52
feuilles, 12
marcottage aérien, 440
dans un terrarium, 55
australis, voir *F. rubiginosa*
benghalensis, 205
benjamina, 205
— *nuda*, 205
buxifolia, 205
deltoidea, 205
diversifolia, voir *F. deltoidea*
elastica, 205
— 'Black Prince', 205, 206
— 'Decora', 205
— 'Doescheri', 206
— 'Robusta', 205
— 'Schrijvereana', 206
— 'Tricolor', 206
— 'Variegata', 206
lyrata, 206
microcarpa, voir *F. retusa*
pandurata, voir *F. lyrata*
pumila, 208
— 'Variegata', 208
radicans, voir *F. sagittata*
religiosa, 208
repens, voir *F. pumila*
retusa, 208
rubiginosa, 208
— 'Variegata', 208
sagittata, 208
— 'Variegata', 208
Figuier de Barbarie (*Opuntia*), 284
Figuier lyre (*Ficus lyrata*), 206
Figuier nain (*Ficus pumila*), 208
Figuier pleureur (*Ficus benjamina*), 205
Figuier rampant (*Ficus pumila*), 208
Filet, définition, 465
Fille-de-l'air (*Tillandsia usneoides*), 384
Fittonia, 209
arrangement, 32, 35, 55, 57, 59
feuilles, 14

gigantea, 209
verschaffeltii, 209
— *argyroneura*, 209
— 'Nana', 209
Flamant rose (*Anthurium andreanum*), 82
Flétrissement, 456
Fleuron, définition, 466
Fleur de la Passion (*Passiflora*), 299
Fleur de porcelaine (*Hoya*), 242
Fleurs
chute prématurée, 458
définition, 465
rôle dans la croissance d'une plante, 411
Fleur de sang (*Haemanthus katharinae*), 231
Foliole, définition, 466
Fongicides, 459, 460-461
définition, 466
voir aussi Pesticides
Fonte des semis, 453
traitement, 460-461
Forçage, définition, 466
Fortunella, 210
japonica, 210
— 'Variegata', 210
margarita, 210
Fougère de Boston (*Nephrolepis exaltata*), 274
Fougère boule (*Davallia trichomanoides*), 173
Fougère à crêtes (*Pteris tremula*), 335
Fougère houx (*Cyrtomium falcatum*; *Polystichum tsus-simense*), 171; 331
Fougère nid-d'oiseau (*Asplenium nidus*), 89
Fougère patte-de-lapin (*Davallia fejeensis*), 173
Fougère pied-d'écureuil (*Davallia trichomanoides*), 173
Fougères, 211-215
arrangement, 37, 49
épiphytes, 211
températures recommandées, 417
terrestres, 211
Fourmis, 455
produits contre les, 460-461
Fronde, définition, 466
Fruits, 23
Fuchsia, 216-217
arrangement, 19, 41
hybrides, 216
Fumagine, 453
traitement, 460-461
Fumier, 429
Fusain (*Euonymus japonica*), 196

G

Gardenia, 217-218
jasminoides, 217
— 'Belmont', 217
— 'Florida', 217
— 'Fortuniana', 217
— 'Veitchii', 217
Gasteria, 219-220
liliputana, 219
maculata, 219
pseudonigricans, 219
verrucosa, 219
Gastéria langue-de-bœuf (*Gasteria verrucosa*), 219
Gélif, définition, 466

Géminé, définition, 466
Genre, définition, 466
Geogenanthus undatus, 220
Géranium, voir *Pelargonium*
Géranium à feuilles de chêne (*Pelargonium quercifolium*), 303
Géranium lierre (*Pelargonium peltatum*), 302
Géranium menthe (*Pelargonium tomentosum* 'Peppermint'), 303
Géranium zonal (*Pelargonium hortorum* hybrides), 302
Germination, 442
sous des tubes fluorescents, 442
Germoir, voir Caissettes de multiplication
Gesneria, 221
cuneifolia, 221
— 'Quebradillas', 221
'Lemon Drop', 221
Gesnériacées, 222-225
épiphytes, 222
températures recommandées, 417
terrestres, 222
Glabre, définition, 466
Glochide, définition, 466
Gloxinia, 226
lindeniana, voir *Kohleria lindeniana*
perennis, 226
Gloxinia élégant (*Sinningia speciosa*), 367
Gloxinia des fleuristes (*Sinningia*), 365
Gloxinie (*Gloxinia*), 226
Godets de tourbe, 441
Gommier (*Eucalyptus*), 195
Graines, voir Semis
Graptopetalum, 226-227
amethystinum, voir *Pachyphytum amethystinum*
pachyphyllum, 226
paraguayense, 226
Grenadier (*Punica granatum*), 335
Grenadier nain (*Punica granatum* 'Nana'), 335
Grevillea robusta, 227
arrangement, 29, 58
Guzmania, 228
lingulata, 228
— *cardinalis*, 228
— *minor*, 228
monostachia, 228
— *variegata*, 228
musaica, 228
'Omer Morobe', 228
'Orangeade', 228
tricolor, voir *G. monostachia zahnii*, 228
Gymnocalycium, 229-230
dans un jardin de cactées, 58
baldianum, 229
bruchii, 229
denudatum, 229
lafaldense, voir *G. bruchii*
mihanovichii, 229
— 'Hibotan', 229
— 'Ruby Ball', 229
platense, 229
quehlianum, 229
— *zantnerianum*, 229
saglione, 229
— *tilcarense*, 230
venturianum, voir *G. baldianum*

zantnerianum, voir *G. quehlianum zantnerianum*
Gynura, 230-231
arrangement, 30
aurantiaca, 230
sarmentosa, 230
Gynura orangé (*Gynura aurantiaca*), 230

H

Haemanthus, 231-232
albiflos, 231
coccineus, 231
katharinae, 231
multiflorus, 232
Hamatocactus, 232
hamatacanthus, 232
setispinus, 232
Hampe, définition, 466
Haworthia, 233
cuspidata, 233
margaritifera, 233
reinwardtii, 233
tessellata, 233
Haworthie (*Haworthia*), 233
Hedera, 234-235
arrangement, 42, 43, 51
dans un jardin miniature, 58
canariensis, 234
— 'Gloire de Marengo', voir *H. c.* 'Variegata'
— 'Variegata', 234
colchica, 234
— 'Ravenholst', 234
helix, 234
— 'Chicago', 235
— 'Chicago Variegata', 235
— 'Cristata', 235
— 'Emerald Gem', 235
— 'Emerald Jewel', 235
— 'Glacier', 235
— 'Golden Chicago', 235
— 'Jubilee', 235
— 'Little Diamond', 235
— 'Lutzii', 235
— 'Sagittifolia', 235
— 'Sagittifolia Variegata', 235
Heimerliodendron brunonianum, voir *Pisonia umbellifera variegata*
Heliaporus smithii, voir *Aporocactus mallisonii*
Heliocereus, 236
amecamensis, voir *H. speciosus albiflorus speciosus*, 236
— *albiflorus*, 236
Hemigraphis, 237
alternata, 237
colorata, voir *H. alternata*
'Exotica', 237
Hépatique, 452
Heptapleurum arboricola, 237-238
arrangement, 10, 29, 35
variétés citées, 237
Herbacé, définition, 466
Herbe à panda (*Kalanchoe tomentosa*), 251
Herbe à panier (*Oplismenus*), 283
Herbe aux turquoises (*Ophiopogon jaburan*), 282
Heterocentron elegans, voir *Schizocentron elegans*
Hibiscus, 238-239
rosa-sinensis, 238

— 'Cooperi', 239
schizopetalus, 239
Hippeastrum, 239-240
  arrangement, 52
  fleurs, 18
  hybrides, 239
Hortensia commun (*Hydrangea macrophylla*), 244
Howea, 241
  arrangement, 33, 38, 39
  belmoreana, 241
  forsterana, 241
Hoya, 242
  australis, 242
  bella, 242
  carnosa, 242
  — 'Exotica', 242
  — 'Variegata', 242
Hoya cireux (*Hoya carnosa*), 242
Humidificateur, 420
Humidité, 418-420
  et multiplication, 443
  relative, 419
  sources d', 419
  et transpiration, 411
  et vaporisation, 419
Hyacinthus, 243
  hybrides, 243
Hybride, définition, 466
Hydrangea macrophylla, 244
  'Hortensia', 244
Hydrangée (*Hydrangea macrophylla*), 244
Hydroponique
  définition, 466
  voir aussi Culture hydroponique
Hygromètre, 419
Hygrométrie
  augmentation de l', 419
  définition, 466
  voir aussi Humidité
Hypoestes, 244-245
  arrangement, 30
  phyllostachya, 244
  — 'Splash', 244
  sanguinolenta, voir *H. phyllostachya*

I

Impatience (*Impatiens*), 245-246
Impatiens, 245-246
  holstii, voir *I. wallerana*
  hybrides cités, 246
  petersiana, 245
  repens, 245
  sultanii, voir *I. wallerana*
  wallerana, 245
  — 'Variegata', 246
  — hybrides, 246
Impatiente (*Impatiens*), 245-246
Inflorescence, définition, 466
Insectes, 454-456
  produits contre les, 460-461
Insecticides
  de contact, 459
  systémiques, 459
  voir aussi Pesticides
Insecticides-fongicides, 459
Intergénérique, définition, 466
Ipéca de Saint-Domingue (*Pedilanthus tithymaloides smallii*), 300
Iresine herbstii, 247
  'Aureoreticulata', 247
Ixora coccinea, 247-248
  'Fraseri', 248

J

Jacaranda, 248
  acutifolia, 248
  mimosifolia, voir *J. acutifolia*
  ovalifolia, voir *J. acutifolia*
Jacinthe (*Hyacinthus*), 243
Jacobinia, 249
  carnea, 249
  pauciflora, 249
Jardin de cactées, 49, 58
Jardins en bouteille, 56
Jardins miniatures, 58
Jasmin (*Jasminum*), 250
Jasmin du Cap (*Gardenia jasminoides*), 217
Jasmin de Madagascar (*Stephanotis floribunda*), 375
Jasminum, 250
  mesnyi, 250
  officinale, 250
  polyanthum, 250
  primulinum, voir *J. mesnyi*
Jonc des chaisiers (*Scirpus cernuus*), 360
Joubarbe des îles Canaries (*Aichryson villosum*), 78
Justicia brandegeana, voir *Beloperone guttata*
Justicia carnea, voir *Jacobinia carnea*
Justicia pauciflora, voir *Jacobinia pauciflora*

K

Kalanchoe, 251-252
  beharensis, 251
  blossfeldiana, 251
  — 'Compacta Lilliput', 251
  — 'Goldrand', 251
  — 'Orange Triumph', 251
  — 'Tom Pouce', 251
  — 'Vulcan', 251
  daigremontiana, voir *Bryophyllum daigremontianum*
  marmorata, 251
  pumila, 251
  somaliensis, voir *K. marmorata*
  tomentosa, 251
  tubiflora, voir *Bryophyllum tubiflorum*
Kalanchoe de Blossfeld (*Kalanchoe blossfeldiana*), 251
Kentia, voir *Howea*
Ketmie (*Hibiscus*), 238
Kleinia, 252-253
  articulata, 252
  tomentosa, 252
Kohleria, 253-254
  eriantha, 253
  lindeniana, 253
  'Rongo', 253
Kumquat (*Fortunella*), 210
Kumquat ovale (*Fortunella margarita*), 210

L

Labelle, définition, 466
Laelia, 254-255
  anceps, 254
  cinnabarina, 254
  purpurata, 254

— 'Werkhauseri', 254
Laeliocattleya, 255
  hybrides cités, 255
Laîche (*Carex*), 129
Lampes
  à incandescence, 446
  à vapeur de mercure, 446
Lancéolé, définition, 466
Langue-de-belle-mère (*Sansevieria*), 352
Langue-de-bœuf (*Gasteria verrucosa*), 219
Langue-de-feu (*Anthurium andraeanum*), 82
Lantana camara, 256
Lanugineux, définition, 466
Latania borbonica, voir *Livistona chinensis*
Latex, définition, 466
Laurier-rose (*Nerium oleander*), 275
Ledebouria socialis, voir *Scilla violacea*
Liane sans feuilles (*Euphorbia tirucalli*), 199
Lichen, 452
Lierre (*Hedera*), 234
Lierre arborescent (*Fatshedera lizei*), 200
Lierre d'été (*Senecio mikanioides*), 363
Ligneux, définition, 466
Limbe, définition, 466
Limon (*Citrus limon*), 145
Limonier (*Citrus limonia*), 145
Liriope muscari, 257
  variétés citées, 257
Lis des marais (*Acorus gramineus*), 69
Lithops, 257
  fulleri, 257
  lesliei, 258
Livistona, 258
  australis, 258
  chinensis, 258
Lobe, définition, 466
Lobivia, 259
  dans un jardin de cactées, 58
  hertrichiana, 259
  hybrides, 259
Lomaria gibbum, voir *Blechnum gibbum*
Lumière, 414-416
  artificielle, voir Eclairage artificiel
  jeux de, 36
  qualité, 446
Lumière solaire, durée de la, 416
  en période de repos, 413
Lycaste, 260
  aromatica, 260
  cruenta, 260
  deppei, 260

M

Maladies, 453
  causes, 452, 453
  diagnostic, 456-459
  traitement, 460-461
Mammillaria, 261-263
  dans un jardin de cactées, 58
  bocasana, 261
  celsiana, 261
  elegans, 261
  erythrosperma, 262
  gracilis, 262
  hahniana, 262

  microhelia, 262
  prolifera, 262
  zeilmanniana, 262
  — *alba*, 262
Mandevilla sanderi, voir *Dipladenia sanderi*
Manettia, 263
  bicolor, voir *M. inflata*
  inflata, 263
Maranta, 264
  arrangement, 28, 40
  insignis, voir *Calathea lancifolia*
  leuconeura, 264
  — *erythroneura*, 264
  — *kerchoviana*, 264
  — *leuconeura*, 264
  'Massangeana', voir *M. leuconeura leuconeura*
Marcottage, 439
  aérien, 440
Marge, définition, 466
Mauve en arbre (*Hibiscus*), 238
Maxillaria, 265
  picta, 265
  praestans, 265
  tenuifolia, 265
Medinilla magnifica, 266
  dans une vitrine, 53
Mélange
  à base de terreau, 429
  à base de tourbe, 429
  tourbeux riche en humus, 429
Mélanges à enracinement, 444
Mélanges maison, 429-430
  matières inorganiques, 430
  matières organiques, 429
Mélanges terreux, 429-430
  croûte blanche, 452
  mousse verte, 452
Microcoelum weddellianum, 267
Miellat, 455
  traitement, 460-461
Miellée, 454
Mildiou, 453
  traitement, 460-461
Miltonia, 267-268
  spectabilis, 267
  — 'Moreliana', 268
  vexillaria, 268
  — 'Volunteer', 268
  warscewiczii, 268
  — *alba*, 268
  × *xanthina*, 268
Mimosa pudica, 269
Mineuses, 455
  produits contre les, 460-461
Mini-serre, voir Caissettes de multiplication
Misère (*Tradescantia*; *Zebrina pendula*), 386; 398
Mitre-d'évêque (*Astrophytum myriostigma*), 90
Monstera deliciosa, 270
  'Variegata', 270
Monstère (*Monstera deliciosa*), 270
Motte, définition, 466
Motte de racines, réduction, 428
Moucherons des champignonnières, 455
  produits contre les, 460-461
Mouches blanches, 455
  produits contre les, 460-461
Mousse espagnole (*Tillandsia usneoides*), 384
Mousse rampante (*Selaginella*), 362
Mucron, voir Mucroné

Mucroné, définition, 466
Multiplication, 434-445
  bouturage dans l'eau, 438-439
  bouturage de feuilles, 439
  bouturage de tiges, 436
  division des touffes, 436
  marcottage, 439
  marcottage aérien, 440
  modes de culture
    hydroponique, 451
  plantules, 435
  rejets, 435
  par semis, 441-443
  températures
    recommandées, 417
  végétative, 435
Myrte (*Myrtus*), 271
Myrtus communis, 271
  variétés citées, 271

N

Naegelia cinnabarina, voir
  Smithantha cinnabarina
Narcisse (*Narcissus*), 272-273
Narcissus, 272-273
  à bouquets, 272
  hybrides cités, 272
  tazetta, 272
  — 'Cheerfulness', 272
  — 'Cragford', 272
  — 'Geranium', 272
  — 'Paper-white', 272
  — 'Soleil d'Or', 272
Neanthe bella, voir
  Chamaedorea elegans
Néflier du Japon (*Eriobotrya
  japonica*), 194
Nématodes, 455
  produits contre les, 460-461
Neoregelia, 273-274
  sur une branche à épiphytes, 44
  carolinae, 273
  — 'Marechalii', 273
  — 'Meyendorffii', 273
  — 'Tricolor', 273
  concentrica, 273
  marmorata, 273
  — hybrides, 273
  sarmentosa, 273
  spectabilis, 274
Nephrolepis, 274-275
  arrangement, 37, 45, 49, 59
  frondes, 13
  cordifolia, 274
  — 'Plumosa', 274
  exaltata, 274
  — 'Whitmanii', 274
  — 'Rooseveltii', 274
Nephthytis, voir *Syngonium*
Nerium, 275-276
  indicum, voir *N. oleander*
  odorum, voir *N. oleander*
  oleander, 275
  — 'Variegata', 275
Nertera, 276-277
  baies, 23
  depressa, voir *N. granadensis*
  granadensis, 276
Nervure, définition, 466
Nettoyage
  des feuilles, 452
  des plantes, 452
Neutre, définition, 466
Nicodemia diversifolia, 277
Nid-d'oiseau (*Asplenium
  nidus*), 89
Nidularium, 278-279

arrangement, 28
fulgens, 278
innocentii, 278
— *lineatum*, 278
— *nana*, 278
— *striatum*, 278
purpureum, 278
Nitrates, voir Azote
Nœud, 436
  définition, 466
Notocactus, 279-280
  apricus, 279
  concinnus, 279
  leninghausii, 279
  ottonis, 280
  scopa, 280
  — *ruberrima*, 280
Nourriture, 424
  pour la culture
    hydroponique, 450
N-P-K, 424

O

Obovale, définition, 466
Odontoglossum, 280-281
  bictoniense, 280
  crispum, 280
  grande, 280
  pulchellum, 281
Œil, définition, 466
Oïdium, 453
  traitement, 460-461
Oiseau-de-paradis (*Strelitzia*),
  376
Oléandre (*Nerium oleander*), 275
Oliveranthus elegans, voir
  Echeveria harmsii
Ombelle, définition, 466
Oncidium, 281-282
  crispum, 281
  ornithorhynchum, 281
  wentworthianum, 281
Ondulé, définition, 468
Onglet, définition, 468
Ophiopogon jaburan, 282-283
  variétés citées, 283
Oplismenus hirtellus
  'Variegatus', 283
Oponce (*Opuntia*), 284-286
Opposé, définition, 468
Opuntia, 284-286
  dans un jardin de cactées, 58
  basilaris, 284
  cylindrica, 285
  imbricata, 285
  microdasys, 285
  robusta, 285
  rufida, 285
  salmiana, 285
  subulata, 285
  vestita, 285
Oranger (*Citrus sinensis*), 145
Oranger de Panama (*Citrus
  mitis*), 145
Orchidées, 287-290
  arrangement, 21
  épiphytes, 287
  fleurs, 21
  monopodes, 287
  sympodes, 287
  températures
    recommandées, 417
  terrestres, 287
Oreille-d'éléphant
  (*Streptocarpus*), 377
Oreille-de-lapin (*Opuntia
  microdasys*), 285

Orpin (*Sedum*), 360
Orpin de Morgan (*Sedum
  morganianum*), 361
Orpin de Siebold (*Sedum
  sieboldii*), 361
Osmanthus, 290
  aquifolium, voir
    O. heterophyllus
  heterophyllus, 290
  — 'Purpureus', 290
  — 'Rotundifolius', 290
  — 'Variegatus', 290
  ilicifolius, voir
    O. heterophyllus
Osmanthus faux-houx
  (*Osmanthus
  heterophyllus*), 290
Ovoïde, définition, 468

P

Pachyphytum, 291
  amethystinum, 291
  bracteosum, 291
  oviferum, 291
  'Pachyphytoides', 291
Pachystachys lutea, 292
  arrangement, 32
Palmé, définition, 468
Palmier d'Arec
  (*Chrysalidocarpus
  lutescens*), 140
Palmier céleri (*Caryota
  urens*), 130
Palmier-dattier (*Phoenix
  dactylifera*), 315
Palmier éventail (*Washingtonia
  filifera*), 394
Palmier frisé (*Howea
  belmoreana*), 241
Palmier moulin (*Trachycarpus
  - fortunei*), 385
Palmier nain (*Chamaedorea
  elegans*), 137
Palmiers, 293-295
  températures
    recommandées, 417
Panaché, définition, 468
Panachures, 14
  voir aussi Panaché
Pandanus veitchii, 296
  'Compacta', 296
Panicule, définition, 468
Panicum variegatum, voir
  Oplismenus hirtellus
Paphiopedilum, 297-298
  fleur, 21
  callosum, 297
  fairieanum, 297
  hirsutissimum, 297
  insigne, 297
  spiceranum, 297
  venustum, 297
Papyrus (*Cyperus*), 169
Parodia, 298
  aureispina, 298
  chrysacanthion, 298
  sanguiniflora, 298
Passiflora caerulea, 299
  sur un treillage, 40
Passiflore (*Passiflora*), 299
Passiflore bleue (*Passiflora
  caerulea*), 299
Patience (*Impatiens*), 245-246
Patios, 62
Patte-de-lapin (*Davallia*), 173
Patte-d'oie (*Syngonium*), 380
Pédicelle, définition, 468

*Pedilanthus tithymaloides
  smallii*, 300
Pédoncule, définition, 468
Pelargonium, 301-303
  arrangement, 51, 52, 53
  feuille, 14
  'Cinnamon', 303
  domesticum hybrides, 302
  hortorum hybrides, 302
  'Mabel Grey', 303
  peltatum hybrides, 302
  quercifolium, 303
  regale, voir *P. domesticum*
  tomentosum 'Peppermint', 303
  zonale, voir *P. hortorum*
Pellaea, 304
  arrangement, 31, 55
  feuilles, 12
  dans un jardin miniature, 59
  rotundifolia, 304
  viridis, 304
  — 'Macrophylla', 304
  — 'Viridis', 304
Pellionia, 305
  daveauana, 305
  pulchra, 305
Penné, définition, 468
Pentas, 306
  carnea, voir *P. lanceolata*
  lanceolata, 306
  — 'Orchid Star', 306
Peperomia, 306-308
  arrangement, 32, 33, 56
  feuilles, 12
  argyreia, 306
  caperata, 306
  — 'Emerald Ripple', 306
  — 'Little Fantasy', 307
  — 'Tricolor', voir
    P. c. 'Variegata'
  — 'Variegata', 307
  fraseri, 307
  glabella, 307
  — 'Variegata', 307
  griseoargentea, 307
  — 'Nigra', 307
  hederifolia, voir
    P. griseoargentea
  magnoliifolia, 307
  — 'Variegata', 307
  obtusifolia, 307
  — 'Alba', 307
  — 'Albo-marginata', 307
  — 'Greengold', 307
  — 'Minima', 307
  — 'Variegata', 307
  orba, 307
  — 'Astrid', 307
  — 'Princess Astrid', voir
    P. o. 'Astrid'
  resediflora, voir *P. fraseri*
  sandersii, voir *P. argyreia*
  scandens, 308
  — 'Variegata', 308
  serpens, voir *P. scandens*
  tithymaloides, voir
    P. magnoliifolia
  verticillata, 308
Péproniie de Sanders
  (*Peperomia argyreia*), 306
Perce-oreilles, 455
  produits contre les, 460
Périanthe, définition, 468
Période de croissance, 411
  définition, 468
Période de repos, 411
  arrosage pendant la, 413
  définition, 468
  engrais pendant la, 413

températures
recommandées, 417
Perlite, 430
Persistant, définition, 468
Pervenche de Madagascar
(Catharanthus roseus), 131
Pesticides, 460-461
modes d'emploi, 460
produits
recommandés, 460, 461
spécialités commerciales, 461
Pétale, définition, 468
Pétiole, définition, 468
Pétiolule, définition, 468
Petite-pantoufle (Calceolaria),
125
Pfeiffera ianothele, 309
pH, 430
définition, 468
de l'eau, 423
indicateur de, 423
Phalaenopsis, 310
amabilis, 310
schillerana, 310
stuartiana, 310
Phalangère (Chlorophytum), 139
Philodendron, 311-313
arrangement, 29, 32
sur une colonne de mousse, 45
multiplication, 437
andreanum, voir
P. melanochrysum
angustisectum, 311
bipennifolium, 311
bipinnatifidum, 311
'Burgundy', 311
elegans, voir P. angustisectum
erubescens, 311
imbe, 311
laciniatum, voir P. pedatum
melanochrysum, 311
pedatum, 311
pertusum, voir Monstera
deliciosa
scandens, 311
selloum, 313
wendlandii, 313
Philodendron grimpant
(Philodendron scandens), 311
Philodendron roux
(Philodendron erubescens), 311
Phlebodium aureum, voir
Polypodium aureum
Phoenix, 314-315
canariensis, 314
dactylifera, 315
loureirii, voir P. roebelenii
roebelenii, 315
Phosphate, voir Phosphore
Phosphore, 424
Photosynthèse, 410
et lumière, 410
Phototropisme, 416
Phyllitis scolopendrium, 315-316
variétés citées, 315
Phytoptes, voir Acariens des
bulbes
Pièces jardin, 60
Pied-de-veau (Zantedeschia
aethiopica), 396
Pied noir, 453
traitement, 460-461
Pierre-de-lune (Pachyphytum
oviferum), 291
Pierres-vivantes (Lithops), 257
Pilea, 316-317
arrangement, 25, 30, 33
cadierei, 316
— 'Minima', 316

involucrata, 316
microphylla, 317
— 'Variegata', 317
mollis, voir P. involucrata
'Moon Valley', voir
P. involucrata
muscosa, voir P. microphylla
nummulariifolia, 317
spruceana, 317
— 'Bronze', voir
P. s. 'Silver Tree'
— 'New Silver', voir
P. s. 'Silver Tree'
— 'Norfolk', 317
— 'Silver Tree', 317
Piléa à petites feuilles (Pilea
microphylla), 317
Piléa rampant (Pilea
nummulariifolia), 317
Piment commun (Capsicum
annuum), 129
Pincement, 431
voir aussi Pincer
Pincer, définition, 468
Pin de Norfolk (Araucaria
heterophylla), 86
Pinnule
définition, 468
de fougère, 211
Piper crocatum, 318
Pisonia umbellifera variegata, 319
Pistil, 411
définition, 468
Pittosporum du Japon
(Pittosporum tobira), 319
Pittosporum tobira, 319-320
'Variegata', 319
Pivotant, définition, 468
Plante aluminium (Pilea), 316
Plante araignée (Chlorophytum
comosum 'Variegatum';
C. c. 'Vittatum'), 139
Plante de belle-mère
(Aspidistra), 88
Plante caillou (Lithops), 257
Plante du Christ (Euphorbia
milii), 196-197
Plante aux éphélides (Hypoestes
phyllostachya), 244
Plante en fer forgé (Aspidistra
elatior), 88
Plante des marchands de vin
(Aspidistra), 88
Plante ombrelle (Cyperus
alternifolius), 169
Plante paon (Calathea
makoyana), 124
Plante qui prie (Maranta), 264
Plante à ruban (Dracaena
sanderana), 182
Plantes
familles de, 7, 462-463
noms de, 7
port des, 26-27
arborescent, 27
en buisson, 26
érigé, 27
graminiforme, 26
grimpant, 27
rampant, 27
en rosette, 26
Plantes aériennes (Broméliacées),
105
Plantes annuelles, cycle
végétatif, 412, 413
Plantes à dormance, cycle
végétatif, 412
Plantes éphémères, cycle
végétatif, 412

Plantes à feuillage caduc,
cycle végétatif, 412
Plantes à feuillage panaché,
taille, 431
Plantes à feuillage persistant,
cycle végétatif, 411, 412
Plantes grasses, 320-324
températures
recommandées, 417
Plantes grimpantes, 40-41
tuteurs, 432
voir aussi Tableau
récapitulatif
Plantes ligneuses,
multiplication, 436
Plantes rampantes, 40-41
voir aussi Tableau
récapitulatif
Plantes sous verre, 54
Plante verte chinoise
(Aglaonema modestum), 77
Plante zèbre (Aphelandra), 84
Plantules, 435
Plaques liégées
sur les feuilles, 458
sur les racines, 459
Plateau d'égouttement, 419-420
Plates-bandes d'intérieur, 60
Platycerium, 324-326
sur une branche ou
épiphytes, 44
alcicorne, voir P. bifurcatum
bifurcatum, 324
grande, 324
Plectranthe (Plectranthus),
326-327
Plectranthus, 326-327
arrangement, 32, 42
australis, 326
coleoides, 326
— 'Marginatus', 326
nummularius, 326
oertendahlii, 326
Pleomele reflexa, 327
variegata, 327
Plumbago, 328
auriculata, 328
— 'Alba', 328
capensis, voir P. auriculata
Podocarpus chinois (Podocarpus
macrophyllus), 328-329
Podocarpus macrophyllus,
328-329
Podures, 455
produits contre les, 460-461
Poinsettia (Euphorbia
pulcherrima), 198
Poinsettie éclatante (Euphorbia
pulcherrima), 198
Poivrier (Piper), 318
Polypode (Polypodium), 329-330
Polypodium aureum, 329-330
'Mandaianum', 329
Polyscias, 330-331
balfouriana, 330
— 'Marginata', 331
— 'Pennockii', 331
guilfoylei, 331
— 'Victoriae', 331
Polystichum tsus-simense,
331-332
Pommier d'amour (Solanum), 369
Pores, voir Stomates
Posemètre, 414
Potasse, voir Potassium
Potassium, 424
Potentiel d'hydrogène, voir pH
Pothos argyraeus, voir
Scindapsus pictus 'Argyraeus'

Pots, 428-429
croûte blanche, 452
de tourbe, 441
Poudre d'hormones à
enracinement, 444
Pourpier des bois
(Peperomia obtusifolia), 307
Pourriture
du collet, 453
des cormus, 453
grise, 453
noire, voir Fumagine
et Pied noir
des racines, 453, 459
voir aussi Pied noir
de la tige, 453
traitement, 460-461
des tubercules, 453
Primevère (Primula), 332-333
Primevère de Chine (Primula
sinensis), 333
Primevère de Kew (Primula
kewensis), 332
Primula, 332-333
kewensis, 332
malacoides, 333
obconica, 333
sinensis, 333
Pruine, définition, 468
Pseuderanthemum
atropurpureum, 334
Pseudo-bulbes, 287
définition, 468
Ptéride (Pteris), 334-335
Pteris, 334-335
arrangement, 28, 37
dans une bouteille, 56
sur une colonne à fougères, 45
cretica, 334
— 'Albolineata', 334
ensiformis, 334
— 'Victoriae', 334
tremula, 334
Pubescent, définition, 468
Pucerons, 455
produits contre les, 460-461
Punica granatum 'Nana', 335-336

Q

Quatre-saisons (Hydrangea
macrophylla), 244
Queue-de-chat
(Acalypha hispida), 67
Queue-de-rat
(Aporocactus), 85

R

Rabattage, 431
Rachis, définition, 468
Racines, 411
définition, 468
maladies et ravageurs, 458-459
Racines aériennes
tuteurage, 433
Rameux, définition, 468
Raquette (Opuntia
microdasys), 285
Ravageurs, 454-456
produits contre les,
459, 460-461
symptômes de la présence
de, 456-459
Rebutia, 336-337
calliantha, 336
kupperana, 336

miniscula, 336
— grandiflora, 337
— violaciflora, 337
senilis, 337
— kesselringiana, 337
— lilacino-rosea, 337
xanthocarpa, 337
— salmonicolor, 337
Rechsteineria cardinalis, voir
   Sinningia cardinalis
Rechsteineria leucotricha, voir
   Sinningia leucotricha
Rejetons, voir Rejets
Rejets
   définition, 468
   multiplication au moyen
      de, 435
Rempotage, 426-427
Repiquage, 443
Respiration, 411
Rhapide (Rhapis excelsa), 338
Rhapis, 338
   excelsa, 338
   — 'Zuikonishiki', 338
   flabelliformis, voir R. excelsa
      humilis, 338
Rhipsalidopsis, 339-340
   sur une branche à épiphytes, 44
   gaertneri, 339
   'Paleface', 339
   rosea, 339
   'Salmon Queen', 339
   'Spring Dazzler', 339
   'Spring Princess', 339
Rhipsalis, 340-341
   cereuscula, 340
   crispata, 340
   houlletiana, 340
   pilocarpa, 341
Rhizome, définition, 468
Rhododendron, 341-342
   arrangement, 34, 51, 62
   indicum, voir R. simsii
   obtusum hybrides, 341
   simsii hybrides, 341
Rhoeo, 343
   feuilles, 16
   discolor, voir R. spathacea
   spathacea, 343
   — 'Variegata', 343
   — 'Vittata', voir R. s.
      'Variegata'
Rhoicissus, 344
   capensis, 344
   rhomboidea, voir Cissus
      rhombifolia
Richardia, voir Zantedeschia
Ricinelle (Acalypha), 67
Rince-bouteilles
   (Callistemon), 126
Rochea, 344-345
   coccinea, 344
   — 'Bicolor', 344
   — 'Flore-albo', 344
   falcata, voir Crassula falcata
   versicolor, 344
Rohdea japonica, 345
   variétés citées, 345
Rosa chinensis, 346-347
Roseau à taureau (Scirpus
   cernuus), 360
Rose de Chine (Hibiscus;
   Rosa chinensis), 238; 346
Rosette
   des broméliacées, 105
   définition, 468
Rosier (Rosa chinensis), 346
Ruellia makoyana, 347
Rustique, définition, 468

S

Sable, 430
Sabot-de-Vénus
   (Paphiopedilum), 297
Sagitté, définition, 468
Sagoutier (Cycas
   revoluta), 166
Saintpaulia, 348-351
   arrangement, 34, 51
   bouturage de feuilles, 439
   division du, 436
   'Ballet' hybrides, 349
   'Bicentennial Trail', 349
   'Blue Nimbus', 349
   confusa, 349
   'Coral Caper', 349
   'Eternal Snow', 349
   grandifolia, 350
   grotei, 350
   ionantha, 350
   'Little Delight', 350
   'Melodie', voir S. 'Rhapsodie'
   'Midget Bon Bon', 350
   'Mini-Ha-Ha', 350
   'Optimara', 350
   'Pink N Ink', 350
   'Pixie Trail', 350
   'Rhapsodie' hybrides, 350
   schumensis, 350
   'Tommie Lou', 350
   'Violet Trail', 350
   'Winter's Dream', 348
Sanchezia, 351
   glaucophylla, voir S. speciosa
   nobilis glaucophylla, voir
      S. speciosa
   speciosa, 351
   — variegata, 351
Sansevière (Sansevieria), 352
Sansevieria, 352-353
   arrangement, 33, 51
   bouturage de feuilles, 439
   cylindrica, 352
   liberica, 352
   trifasciata, 352
   — 'Bantel's Sensation', 352
   — 'Craigii', 352
   — 'Golden Hahnii', 352
   — 'Hahnii', 352
   — 'Laurentii', 352
   — 'Moonshine', 352
   — 'Silver Hahnii', 352
   zeylanica, 352
Santé des plantes, 452-461
Sapin de Norfolk (Araucaria
   heterophylla), 86
Saxifraga, 354-355
   sarmentosa, voir S. stolonifera
   stolonifera, 354
   — 'Tricolor', 354
Saxifrage (Saxifraga), 354-355
Saxifrage de la Chine
   (Saxifraga stolonifera), 354
Schefflera actinophylla, voir
   Brassaia actinophylla
Schizocentron elegans, 355
Schlumbergera, 356-357
   'Bridgesii', 356
   'Buckleyi', voir S. 'Bridgesii'
   gaertneri, voir Rhipsalidopsis
      gaertneri
   truncata, 356
Scilla, 357-358
   adlamii, 357
   ovalifolia, 357
   siberica, 358

— 'Alba', 358
— 'Atrocoerulea', 358
tubergeniana, 358
violacea, 358
Scille (Scilla), 357-358
Scille de Sibérie (Scilla
   siberica), 358
Scille de Tubergen (Scilla
   tubergeniana), 358
Scindapsus, 359
   arrangement, 28, 29
   aureus, 359
   — 'Golden Queen', 359
   — 'Marble Queen', 359
   — 'Wilcoxii', 359
   pictus 'Argyraeus', 359
Scirpe (Scirpus), 360
Scirpe penché (Scirpus
   cernuus), 360
Scirpus cernuus, 360
Scolopendre (Phyllitis
   scolopendrium), 315
Sedum, 360-362
   dans un bocal, 54
   dans un jardin miniature, 58
   adolphi, 360
   allantoides, 360
   bellum, 361
   dendroideum praealtum, voir
      S. praealtum
   lineare, 361
   — 'Variegatum', 361
   morganianum, 361
   pachyphyllum, 361
   praealtum, 361
   rubrotinctum, 361
   sieboldii, 361
   — 'Medio-variegatum', 361
Selaginella, 362-363
   apoda, 362
   emmeliana, 362
   — 'Aurea', 362
   kraussiana, 362
   — 'Aurea', 362
   martensii, 362
   — variegata, 363
   — 'Watsoniana', 363
   pallescens, voir S. emmeliana
Sélaginelle (Selaginella), 362
Sels minéraux, accumulation, 422
Semis
   engrais pour les, 445
   multiplication par, 441
Senecio, 363-364
   articulatus, voir Kleinia
      articulata
   cruentus, voir Cineraria
   haworthii, voir Kleinia
      tomentosa
   hybridus, voir Cineraria
   macroglossus, 363
   — 'Variegatum', 363
   mikanioides, 363
Séneçon-lierre (Senecio
   mikanioides), 363
Sensitive (Mimosa pudica), 269
Sépale, définition, 468
Serre miniature, voir Caissettes
   de multiplication
Sessile, définition, 468
Setcreasea, 364
   purpurea, 364
   striata, voir Callisia elegans
Siderasis fuscata, 365
Sinningia, 365-367
   'Bright Eyes', 366
   cardinalis, 365
   'Dollbaby', 366
   leucotricha, 366

'Little Imp', 366
'Pink Petite', 366
pusilla, 366
regina, 367
speciosa, 367
— hybrides, 367
'White Sprite', 366
'Wood Nymph', 366
Sinué, définition, 469
Smilax (Asparagus
   asparagoides), 87
Smilax myrtifolia, voir
   Asparagus asparagoides
      'Myrtifolius'
Smithiantha, 368
   cinnabarina, 368
   fulgida, 368
   'Golden King', 368
   'Little One', 368
   zebrina, 368
Solanum, 369
   fruits, 23
   capsicastrum, 369
   — 'Variegatum', 369
   pseudocapsicum, 369
   — 'Nanum', 369
   — 'Tom Thumb', 369
Sonerila margaritacea, 370
Souchet (Cyperus
   alternifolius), 169
Sous-arbrisseau, définition, 469
Spadice, définition, 469
Sparmannia africana, 370-371
   variétés citées, 370
Spathe, définition, 469
Spathiphyllum, 371-372
   'Mauna Loa', 371
   wallisii, 371
Sphaigne, 429-430
Spironema fragrans, voir
   Callisia fragrans
Spore, 211
   définition, 469
Stapelia, 372-373
   gigantea, 372
   variegata, 373
Stapélie (Stapelia), 372
Stenocarpus sinuatus, 374
Stenotaphrum secundatum
   'Variegatum', 374-375
   arrangement, 33
Stephanotis floribunda, 375
   sur arceau, 44
Stigmate, 411
   définition, 469
Stipe, définition, 469
Stipule, définition, 469
Stolon, définition, 469
Stomates, 411
   définition, 469
Strelitzia reginae, 376-377
Strélitzie de la reine
   (Strelitzia reginae), 376
Streptocarpus, 377-378
   bouturage de feuilles, 439
   'Constant Nymph', 377
   'John Innes', 377
   polyanthus, 377
   rexii, 378
   saxorum, 378
   'Wiesmoor', 378
Strobilanthes dyeranus, 378-379
Stromanthe, 379
   division du, 436
   amabilis, 379
   sanguinea, 379
Style, définition, 469
Subéreux, définition, 469
Succulent, définition, 469

Supports, voir Tuteurage
Surfaçage, 428
   définition, 469
Surgeon, voir Drageons
Suzanne-aux-yeux-noirs
   (*Thunbergia alata*), 382
Syagrus weddelliana, voir
   Microcoelum weddellianum
Symphyles, 455
   produits contre les, 460-461
Syngonium, 380
   arrangement, 32
   sur un treillage, 46
   angustatum 'Albolineatum',
     380
   auritum, 380
   podophyllum, 380
   — 'Emerald Gem', 380

T

Tableau récapitulatif, 399-408
Tablettes pour plantes, 50
Taches foliaires, 453
   traitement, 460-461
Taille, 431
Talon, définition, 469
Tarsonèmes du cyclamen, 456
   produits contre les, 460-461
Température, 417-418
   pour la multiplication, 444
Terminal, définition, 469
Terrariums, 54
Terrasses, 62
Terreau de feuilles, 430
Terre franche, 430
Tête-chenue (*Cephalocereus
   senilis*), 133
Tête-de-vieillard (*Cephalocereus
   senilis*), 133
Tetrastigma voinieranum, 381
Thermomètres, 418
Thermostat, voir Caissettes de
   multiplication
Thrips, 456
   produits contre les, 460-461
Thunbergia alata, 382
   arrangement, 40
   variétés citées, 382
Thunbergie (*Thunbergia
   alata*), 382
Tibouchina, 383
   semidecandra, voir
     T. urvilleana

urvilleana, 383
Tiges
   maladies et ravageurs,
     456-457
   tuteurage, 432
Tillandsia, 383-384
   cyanea, 383
   lindenii, 383
   usneoides, 384
Tilleul d'appartement
   (*Sparmannia*), 370
Tolmiea menziesii, 384-385
Tordeuses, 456
   produits contre les, 460-461
Touffes, division, 436
Tourbe, 430
   godets de, 441
   de sphaigne, 430
Traçant, définition, 469
Trachycarpus fortunei, 385-386
Tradescantia, 386-387
   arrangement, 32
   albiflora, 386
   — 'Albovittata', 386
   — 'Aurea', 386
   — 'Tricolor', 386
   blossfeldiana, 387
   — 'Variegata', 387
   dracaenoides, voir *Callisia
     fragrans*
   fluminensis, 387
   — 'Quicksilver', 387
   — 'Variegata', 387
   navicularis, 387
   purpurea, voir *Zebrina
     pendula* 'Purpusii'
   sillamontana, 387
Transpiration, 418
   contrôle par l'humidité, 411
   et multiplication, 443
Treillages, 432-433
Trichocereus spachianus, 388
Tronc à broméliacées, 108
   préparation d'un, 107
Tubercules
   définition, 469
   maladies et ravageurs, 458-459
     voir aussi Bulbes, Cormus et
     Tubercules
Tubes fluorescents, 446, 447
Tulipa, 389
   hybrides cités, 389
   doubles hâtives, 389
   simples hâtives, 389
Tulipe (*Tulipa*), 389

Tunique, définition, 469
Tuteurage, 432-433
Tuteurs, 44, 432

U

Urbinia agavoides, voir
   Echeveria agavoides

V

Vacquois (*Pandanus
   veitchii*), 296
Vallota, 390
   purpurea, voir *V. speciosa
   speciosa*, 390
   — 'Alba', 390
   — 'Delicata', 390
Vanda, 390-391
   cristata, 390
   sanderana, 390
   teres, 390
Vapeur d'eau, 418
Vaquoi (*Pandanus
   veitchii*), 296
Variété, définition, 469
Végétation, cycles de, 411-413
Veine, définition, 469
Veltheimia, 391-392
   capensis, 391
   viridifolia, 391
   — 'Rose-alba', 391
Vermiculite, 430
Verticille, définition, 469
Vigne d'appartement
   (*Cissus; Rhoicissus
   capensis*), 143; 344
Vigne des kangourous
   (*Cissus antarctica*), 143
Vigne marronnier
   (*Tetrastigma
   voinieranum*), 381
Vigne du Natal (*Cissus
   rhombifolia*), 143
Vinca, voir *Catharanthus*
Violette africaine (*Saintpaulia*),
   348-351
Violette bleue (*Browallia*), 109
Violette du Cap (*Saintpaulia*),
   348-351
Violette d'Uzambara
   (*Saintpaulia*), 348-351
Viroses, 453

Vitis rhombifolia, voir
   Cissus rhombifolia
Vitrine, 53
Vivace, définition, 469
Vivipare, définition, 469
Volubile, définition, 469
Vrai aloès (*Aloe
   barbadensis*), 80
Vriesea, 392-393
   arrangement, 44, 57
   botafogensis, voir *V. saundersii
   fenestralis*, 392
   hieroglyphica, 393
   psittacina, 393
   saundersii, 393
   splendens, 393
Vrille, définition, 469

W

Washingtonia, 394-395
   filifera, 394
   robusta, 394

Y

Yam (*Dioscorea*), 177
Yucca, 395-396
   aloifolia, 395
   — *draconis*, 395
   — 'Marginata', 395
   — 'Quadricolor', 395
   — 'Tricolor', 395
   — 'Variegata', 395
   elephantipes, 395
   — 'Variegata', 395
   guatemalensis, voir
     Y. elephantipes

Z

Zantedeschia, 396-397
   aethiopica, 396
   — 'Childsiana', 396
   albomaculata, 396
   elliottiana, 397
   rehmannii, 397
Zebrina pendula, 398
   variétés citées, 398
Zone tempérée
Zygocactus truncatus, voir
   Schlumbergera truncata

L'édition française de cet ouvrage a été réalisée
par Sélection du Reader's Digest avec la collaboration de :

Suzette Thiboutot-Belleau
et Michelle Pharand (traduction)
Gertrude Rioux,
Myrianne Pavlovic
et Michèle Lamontagne (révision et adaptation)

Equipe de Sélection :
Ginette Martin (rédactrice)
Agnès Saint-Laurent (rédactrice adjointe)
Diane Mitrofanow
et Andrée Payette (mise en page)
Gilles Humbert (préparation de copie)
Holger Lorenzen (fabrication)

Illustrations principales
(D = à droite; G = à gauche)
Norman Barber 79G, 85, 88, 99, 156, 168, 178, 187, 188, 196,
237, 238G, 241, 247 (GD), 252, 256, 257D, 259, 266, 270, 282
(GD), 283, 291, 297, 306, 317, 328, 329, 334, 336, 343, 344D,
379, 383, 384
Vicky Chesterman 79D, 86D, 90, 125, 126G, 129G, 136, 141,
149, 152D, 153, 157, 160D, 161, 167, 179D, 190, 203, 209, 219,
226 (GD), 229, 230, 236, 248, 250, 263, 267, 269, 272, 273, 274,
275, 276, 279, 281, 298, 332, 344G, 346, 347, 351, 355, 360, 362,
372, 374D, 390
Helen Cowcher 73, 84, 91, 98, 109D, 124, 129D, 132, 137, 140,
155, 163, 165, 183, 192, 200, 201, 216, 220, 221, 231, 234, 238D,
244, 257G, 265, 277, 299, 300, 301, 304, 326, 358, 363, 366, 368,
369, 371, 374D, 375, 378, 380, 385, 388, 389, 396
Judy Dunkley 69, 103, 130, 164, 172, 175, 184, 194G, 227, 264,
319D, 327, 330D, 333, 339, 374G
Victoria Gordon 179G, 195
Richard Jacobs 110, 145, 146, 177, 193, 232, 245, 246, 268, 290,
310, 318, 365, 370, 373
Sarah Kensington 228, 251
Ken Lilly 100, 109G, 126D, 128, 131, 138, 148, 173, 194D, 202,
218, 249, 261, 271, 278, 292, 296, 305, 314, 316, 319G, 330G,
338, 386, 392, 398
Donald Myall 66, 70, 75, 77, 86G, 87, 92 et 93, 127, 133, 135,
142, 147, 150, 159, 160G, 162, 166, 191, 197, 198, 204, 210, 239,
242, 253, 255, 258, 260, 309, 312, 345, 348 et 349, 352, 354, 356,
359, 364, 381, 391, 393
Rodney Shackell 67, 68, 78, 89, 134, 139, 171, 176, 243, 284,
335 (GD), 340, 387
Harry Titcombe 71, 81, 83, 101, 102, 104, 123, 143, 152G, 169,
174, 180 et 181, 186, 254, 307, 325, 361, 376, 382, 394
Elsie Wrigley 74, 189, 206 et 207, 233, 238, 377

Autres illustrations
Marion Appleton, David Ashby, David Baird, John Bishop,
Leonora Box (Saxon Artists), Vana Haggarty, Nicholas Hall,
Constance Marshall (Saxon Artists), Nigel Osborne,
Jim Robins, Eric Thomas, Venner Studios.

GUIDE DES PLANTES D'INTÉRIEUR
publié par
Sélection du Reader's Digest

Photolithographie : Herzig Somerville Limited
Composition : Le Groupe Graphique du Canada Ltée
Impression : Pierre Des Marais Inc.
Reliure : Imprimerie Coopérative Harpell
Matériel de reliure : Columbia Finishing Mills Limited
Papier : Produits Forestiers E.B. Eddy

Dépôt légal en France : N° 3173
Dépôt légal en Belgique : D 1980 0621 18